Sylt wird von einer mysteriösen Einbruchsserie erschüttert: Nicht die millionenschweren Luxusvillen der Touristen werden überfallen, sondern die Häuser ganz normaler Inselbewohner. Die Polizei ist ratlos. »Ungehörig« findet das der frisch verrentete Ex-Hauptkommissar Karl Sönnigsen und bietet sich an, den ehemaligen Kollegen im Revier unter die Arme zu greifen – was ihm prompt ein Hausverbot seines Nachfolgers einbringt. Gut, dann muss es eben anders gehen: Mit seinem Freund Onno, Chorschwester Inge und Strohwitwe Charlotte stellt Karl ein mit allen Wassern gewaschenes Ermittlerteam auf die Beine. Und schon bald verfolgt das findige Rentnerquartett eine erste heiße Spur …

Dora Heldt, 1961 auf Sylt geboren, ist gelernte Buchhändlerin und lebt heute in Hamburg. Mit ihren Romanen führt sie seit Jahren die Bestsellerlisten an, die Bücher werden regelmäßig verfilmt. Weitere Informationen unter www.dora-heldt.de

Dora Heldt

Böse Leute

Kriminalroman

dtv

Ausführliche Informationen über
unsere Autoren und Bücher
www.dtv.de

Ungekürzte Ausgabe 2017
© 2016 dtv Verlagsgesellschaft mbH & Co. KG, München
Dieses Werk wurde vermittelt durch die Literarische Agentur
Thomas Schlück GmbH, Garbsen
Umschlaggestaltung: dtv unter Verwendung
eines Bildes von Markus Roost
Satz: pagina GmbH, Tübingen
Gesetzt aus der Sabon 10,5/13,5·
Druck und Bindung: Druckerei C. H. Beck, Nördlingen
Gedruckt auf säurefreiem, chlorfrei gebleichtem Papier
Printed in Germany · ISBN 978-3-423-21677-7

Für Joachim Jessen,
den Mann mit dem großen Herzen
und den Nerven aus Drahtseilen.
Danke.

Prolog

Die alte Dame schloss umständlich die Haustür ab und verstaute den Schlüssel in ihrer Handtasche. Eine Nachbarin, die gerade mit dem Hund vorbeigehen wollte, blieb stehen. Sie sprachen kurz miteinander, dann gingen sie gemeinsam weiter.

Er wartete, bis beide Frauen samt Hund aus seinem Sichtfeld verschwunden waren, dann stieg er über den niedrigen Zaun und umrundete das Haus, bis er vor der Terrassentür stand. Es war ein Leichtes, sie aufzuhebeln, für ihn ein Kinderspiel. Sekunden später stand er im Wohnzimmer. Es sah aus wie in den meisten Wohnzimmern dieser Generation. Eine überdimensionale Schrankwand, natürlich Mahagoni, mit integrierter Bar und Fernseher. Das gute Geschirr war hinter einer Glastür, die Tischdecken und Kerzen waren in den Schubladen verstaut, in den unteren Fächern bewahrte man Papiere und Fotoalben auf. Er riss alles raus und ließ es auf dem Boden liegen. Neben der Couchgarnitur lagen Zeitschriften, auch hier gab es keine Überraschungen, Klatsch und Tratsch aus den Königshäusern und Hochglanzmagazine vom Landleben. Wen interessierte das? Ihn nicht, achtlos ließ er den Stapel fallen.

Er schlenderte durchs Haus, zog hier und da weitere Schubladen und Schränke auf und fragte sich, wie man so spießig leben konnte. Überall standen Fotos, Hochzeitsbilder, Kinderbilder, Aufnahmen, die vor Ewigkeiten gemacht worden waren, damals, als die Welt noch in Ordnung und das Leben unendlich war. Er fegte eine Reihe Bilderrahmen vom Schrank und hörte zufrieden das Glas zerspringen. In der Küche stand die obligatorische Eckbank, auf dem Tisch lag eine gestickte Decke, darauf eine Schale mit Obst. So, wie die Bananen aussahen, war es nur noch eine Frage der Zeit, bis die Fruchtfliegen hier einfallen würden. Auf der benutzten Tasse in der Spüle, weiß mit blauem Muster, prangte vorn der Schriftzug »Gisela«. Er hob sie hoch, sah sie angewidert an und ließ sie auf die Fliesen fallen. Ruhig noch ein paar mehr Scherben.

Als sein Handy klingelte, zuckte er zusammen, wieso hatte er vergessen, es leise zu stellen? Er wurde nachlässig, drückte nach einem Blick aufs Display den Anruf weg und ging zurück ins Wohnzimmer. Er würde gleich zurückrufen, gleich, wenn er wieder draußen war. Hier bekam er vor lauter Spießigkeit kaum Luft. Die Sofakissen hatten eine Brokatbordüre, grauenhaft, er riss sie herunter und feuerte sie in eine Ecke. Er musste hier raus, ganz schnell, es reichte. Sein Blick fiel auf ein paar Geldscheine, die auf der Flurkommode lagen. Die steckte er ein, genauso wie eine teure Sonnenbrille und eine Visitenkarte, die daneben lag. Was wollte die alte Frau mit so einer Brille? Lächerlich. Die Scherben der Bilderrahmen knirschten unter seinen Schuhen, als er durchs Wohnzimmer ging, um das Haus durch die offene Terrassentür zu verlassen. Auf dem Weg durch den Garten zog er die Handschuhe aus. In aller Ruhe, niemand nahm von ihm Notiz.

Ein Freitagmittag Anfang Mai,
bei Sonnenschein

Onno Thiele griff nach einem Bierdeckel und schob ihn unter das Tischbein. Prüfend ruckelte er erneut an der Platte, sah zufrieden zu seinem Freund Karl ihm gegenüber und sagte: »Geht doch.«

»Man kann auch das Bein absägen«, war die Antwort. »Das ist doch Pfusch.«

»Wackelt aber nicht mehr.« Onno strich über die Tischplatte. »Du sitzt ja nicht unter dem Tisch und guckst den Bierdeckel an. Was gibt's Neues?«

»Nichts. Gar nichts, um genau zu sein. Zumindest nicht, was diese drei Einbrüche angeht. Stell dir mal vor, drei Einbrüche in zwei Wochen, und es gibt immer noch keine Festnahme. Das hältst du doch nicht in der Birne aus. Ich weiß wirklich nicht, was die auf dem Revier machen. Kaffee trinken und Kuchen essen vermutlich, aber von Verbrechensaufklärung haben sie keine Ahnung.«

Onno hebelte den Kronkorken der Bierflasche auf und hielt sie Karl hin. »Haben die eigentlich viel geklaut? Weißt du da was?«

Karl hob die Schultern. »Nach dem, was ich gehört habe, ja, ein bisschen Geld. Wirklich, drei Einbrüche in Folge, und alle fanden tagsüber bei Insulanern statt. Anstatt mal die Fenster einer unbewohnten Ferienvilla aufzuhebeln, nein, da nehmen die Einbrecher sich ganz normale Häuser vor und gehen das Risiko ein, erwischt zu werden.«

»Vielleicht üben die noch.« Onno hielt ihm weiterhin die Flasche hin. »Und außerdem haben die großen Luxusvillen alle Alarmanlagen. Das macht so einen Krach. Willst du jetzt ein Bier oder nicht?«

»Doch, danke.« Tadelnd sah Karl über den Tisch. »Von wegen üben. Du solltest das ernst nehmen. Du hast auch ein Haus. Und wohnst allein. Und schläfst wie ein Bär. Du bekommst doch gar nicht mit, wenn sie hier einsteigen. Und auf die Polizei kannst du dich im Moment ja wohl auch nicht mehr verlassen.«

»Ach was, das würde ich garantiert mitbekommen«, entgegnete Onno. »Und ich denke, die kommen am Tag. Da schlafe ich gar nicht. Mach dir mal keine Sorgen, echte Wertgegenstände stehen hier auch nicht rum.«

»Na ja«, Karl sah sich nachdenklich um. Nach einer kleinen Pause sagte er. »Es ist gut, dass Maren kommt. Hier fehlt wirklich eine weibliche Hand. So richtig gemütlich ist deine Küche nicht.«

»Och«, unbekümmert folgte Onno den Blicken. »Gemütlich. Soll ich hier Blümchen hinstellen oder was? Hier wird gearbeitet, das ist eine Küche. Weibliche Hand, du spinnst.«

»Wann kommt das Kind denn jetzt?« Karl stützte sein Kinn auf die Hand und blickte Onno an. »Morgen, oder?«

Onno nickte knapp. »Du weißt es doch.«

»Und?« Karl beugte sich neugierig nach vorn. »Freust du dich?«

Onno zuckte nur kurz die Schultern. »Keine Ahnung. Mal gucken, was sie hier alles durcheinanderbringt. So viel Zeit habe ich auch nicht für sie.«

»Na, ich bin mal gespannt.« Lächelnd lehnte Karl sich zurück. »Auf jeden Fall hat sie sofort genug zu tun. Und wenn sie so arbeitet, wie ich es vermute, dann wird sich das Revier mitsamt meinem feinen Herrn Nachfolger wundern. Die kommen doch überhaupt nicht aus dem Quark. Wie gesagt, Verbrechensaufklärung gleich null.«

Onno blickte ihn nachdenklich an. »Du redest wirklich Unsinn. Maren ist Polizistin und nicht Columbo. Und dein feiner Herr Nachfolger ist ihr Chef. Nur weil du in Pension bist, bricht doch die Polizei in Westerland nicht zusammen. Auch wenn du das gern hättest. Glaubst du eigentlich, dass sie dich wieder zurückholen werden? Und dich zum Ehrenrevierleiter machen? Oder warum stänkerst du immer gegen deinen Nachfolger? Du machst dich noch lächerlich.«

»Ich mache mich nicht lächerlich, ich bin besorgt um den Frieden und die Sicherheit auf dieser Insel. Und ich stänkere nicht gegen meinen Nachfolger, ich halte diesen aufgeblasenen Peter Runge nur für unfähig und eine Fehlbesetzung. So. Da holen die einen Auswärtigen. Von der Ostsee. Der hat doch überhaupt keine Ahnung.«

»Du regst dich schon wieder auf.« Langsam stand Onno auf und nahm die leeren Flaschen vom Tisch. »Denk an deinen Blutdruck. So, ich habe noch einiges zu tun, kann mich nicht den ganzen Tag mit dir unterhalten. Willst du hier sitzen bleiben? Ich muss in den Garten.«

Karl war sofort auf den Beinen. »Wirklich, Onno, du kriegst niemals die Medaille als Gastgeber des Jahres. Das Alleinleben macht dich schrullig und unhöflich. Ich wollte noch …«

»Ja, ja«, Onno war schon auf dem Weg zur Tür. »Bis morgen.«

An den Tisch gelehnt, beobachtete Karl, wie sein ältester Freund durch den Garten ging. Langsam wurde der wirklich komisch. Onno machte nur noch das, was er wollte, ging einfach, wenn es ihm ihn den Kopf kam, und scherte sich überhaupt nicht darum, was andere von ihm dachten. Karl schüttelte den Kopf. Es wurde wirklich Zeit, dass sich in diesem Haus etwas änderte. Er stieß sich vom Tisch ab, griff nach seiner Mütze und ging. Entgegen seinen alten Gewohnheiten zog er dieses Mal die Tür ins Schloss. Man musste es den Leuten ja nicht zu leicht machen. Und Onno hatte immer einen Schlüssel unter der Fußmatte.

Die Bäckerei mit den wenigen Stehtischen lag in der Nähe des Polizeireviers. Sie war ein beliebter Treffpunkt der Kollegen. Auch jetzt hatte Karl Glück, gleich am Eingang stand Benni, ein junger Polizist, der seit vier Jahren auf der Insel war und zu Karls liebsten Mitarbeitern gehört hatte.

»Benni, mein Junge«, erfreut schlug Karl ihm auf den Rücken und Benni verschluckte sich am Eibrötchen. »Zweites Frühstück?«

Benni brauchte eine ganze Weile, bis er zu seiner normalen Atmung zurückgefunden und sich die Eibrocken vom Ärmel gepult hatte.

»Kannst du nicht warten, bis ich den Mund leer habe?« Er rieb sich eine Träne weg. »Meine Güte, ich wäre fast gestorben.«

»Du musst nicht so schlingen. Das ist nicht gesund. Ich hole mir schnell eine Tasse Kaffee, möchtest du auch noch was? Ich gebe einen aus.«

Als Karl mit zwei Tassen zurückkehrte, musste Benni sich zwischendrin immer noch räuspern. Als er endlich wieder bei Stimme war, fragte er Karl: »Sag mal, fällt dir zu Hause die Decke auf den Kopf? Ist deine Frau noch zur Kur?«

Karl nickte. »Ja. Noch vier Wochen. So eine Hüfte

dauert eben. Aber ihr geht es gut da, sie mag ja Bayern. Und ihre Schwester wohnt in der Gegend, die fährt öfter hin.«

»Und du besuchst sie gar nicht?« Benni musterte ihn erstaunt. »Du bist Rentner, du hast jetzt Zeit. Fahr doch mal hin und mach dir ein paar schöne Tage.«

»Ach, weißt du«, Karl guckte gequält. »Ich fahre ja nicht so gern Zug, mir wird da schnell übel, und Gerda ist ja in einer Klinik, die liegt noch hinter Nürnberg, das ist von hier aus eine Ewigkeit. Wenn sie entlassen wird, fahre ich hin und hole sie ab. Bis Hamburg mit dem Zug, da treffe ich mich dann mit meinem Sohn, und der nimmt mich mit dem Auto mit. Meine Frau findet das in Ordnung. Sie hat gesagt, ich würde sie da nur stören.«

»Aha.« Benni sah ihn an. »Langweilst du dich?«

»Ich?« Karl lachte. »Also bitte. Ich und Langeweile, ich weiß nicht mal, wie man das schreibt. Ich mache dieses und jenes, vorhin war ich schon bei Onno Thiele, apropos, du weißt, dass seine Tochter bei euch anfängt, oder?«

Benni nickte. »Maren Thiele, das weiß ich, das hat Runge uns schon vor ein paar Wochen erzählt. Sie hat sich aus privaten Gründen hierher versetzen lassen. Und der Kollege Schneider wollte ja wegen seiner Freundin nach Münster. Die haben einfach die Dienststellen getauscht. Was sind denn ihre privaten Gründe? Kommt sie auch aus Liebe?«

»Nein«, Karl schüttelte den Kopf. »Oder im Gegenteil. Sie hat sich vor einem Jahr von ihrem Freund getrennt. Und danach hat sie wohl Heimweh bekommen. Sie ist ein Inselkind, hier geboren, hier aufgewachsen, hier zur Schule gegangen, und jetzt kommt sie zurück. Was will sie auch in Münster? Das ist ja so weit weg vom Meer.«

Schulterzuckend griff Benni zu seiner Tasse und trank

den Rest Kaffee aus. »Dafür hat Münster andere Quali-
täten. Da ist bestimmt mehr los als hier. So, ich muss los,
hab jetzt Dienst. Danke für den Kaffee.«

Bevor er gehen konnte, hielt Karl ihn am Ärmel fest.
»Warte mal, Benni. Sag mal: Hier ist doch auch einiges
los? Habt ihr schon eine Spur bei den Einbrüchen?«

»Karl«, beruhigend klopfte ihm Benni auf den Arm.
»Du bist in Pension, wir kriegen das schon hin.«

»Du kannst doch mal was sagen.«

»Ich darf das gar nicht, Karl, du bist jetzt Zivilist und
hast mit den Ermittlungen nichts mehr zu tun.«

»Benni!« Empört ging Karl einen Schritt zurück. »Du
beißt gerade in die Hand, die dich gefüttert hat. Ich war
dein Chef, und zwar einigermaßen erfolgreich, was hast
du nicht alles von mir gelernt? Schon vergessen? Da kann
man doch ein kleines bisschen Kooperation erwarten. Ich
habe einfach immer noch den viel erfahreneren Blick.«

»Du hast es gerade gesagt: ›Die Hand, die dich gefüttert
hat.‹ Wir sehen uns, Karl, ich muss jetzt wirklich los.«
Mit einem aufmunternden Klaps auf die Schulter machte
Benni sich auf den Weg.

Der Seehund aus Plüsch hatte nur noch drei Barthaare. Maren überlegte, bei welchen Gelegenheiten er seine anderen wohl verloren hatte. Sie konnte sich nicht erinnern. Behutsam legte sie ihn auf die in Seidenpapier eingeschlagenen Weingläser und verschloss den Umzugskarton. Hier war der Seehund sicher. Der Edding quietschte, als sie das Wort »Küche« auf die Pappe schrieb, dann legte sie den Stift zur Seite und schob den Karton aufatmend an die Wand. Geschafft. Bis auf wenige Kleidungsstücke, die Kaffeemaschine und ein bisschen Frühstücksgeschirr, das sie gleich noch für die Umzugsleute brauchte, hatte sie ihren gesamten Hausstand in Kartons verpackt. Zweiundvierzig Kartons, in denen ihr ganzes Leben steckte. Es sah gar nicht so viel aus.

Maren stopfte den Rest des Verpackungsmaterials in eine Tüte und warf einen Blick auf die Uhr. In fünfzehn Minuten würde der Umzugswagen ankommen, sie hatte mal wieder ein perfektes Timing hingelegt. Zufrieden ging sie durch die leere Wohnung, um noch einmal alles zu kontrollieren, dann griff sie zum Telefon und wählte die Nummer von Rike. »Musst du die Brötchen selbst backen, oder warum dauert es so lange?«

Rikes Antwort klang ein bisschen atemlos. »Beim Bäcker war es voll, lauter unentschlossene Leute, und dann bin ich aus Versehen an deiner Straße vorbeigelaufen. Aber ich sehe schon die Haustür, bin gleich da.«

Rike war Marens älteste Freundin. Sie kannten sich seit ihrer Einschulung, hatten die ganze Schulzeit hindurch nebeneinander gesessen, von der Konfirmation über die Tanzschule bis zum Abitur alles gemeinsam erledigt und ihre Zweisamkeit erst aufgeben müssen, als Maren nach Hamburg zur Polizeischule ging. Fast zwanzig Jahre lang hatten sie dann an unterschiedlichen Orten gewohnt, und sie hatten es trotzdem geschafft, eng befreundet zu bleiben. Jetzt gab es schon wieder einen Ortswechsel, Maren ging zurück auf die Insel, auf der Rike immer noch lebte. Richtig fassen konnte Maren es allerdings immer noch nicht.

Den Karton mit den Brötchen vor sich balancierend, stieg Rike langsam die Treppen hinauf, Maren wartete schon an der offenen Tür. »Der Umzugswagen muss jeden Moment kommen, wenn du dich beeilst, kannst du noch einen Kaffee im Stehen und in Ruhe trinken. Die Stühle sind schon übereinandergestellt.«

»Super«, ohne den Blick vom Brötchenkarton zu heben, lächelte Rike verkniffen. »Morgens, halb acht in Münster. Um diese Zeit fange ich gerade in der Praxis an. Und hier bin ich schon seit Stunden unterwegs. Hast du den letzten Karton zugeklebt?«

»Und beschriftet«, Maren ließ sie vorbeigehen und schloss hinter ihr die Tür. »Die Packer können kommen, wir sind fertig.« Sie hatte den Satz kaum beendet, als es klingelte. »Da sind sie.« Sie legte den Finger auf den Türöffner und sah Rike über die Schulter an. »Jetzt ist es zu spät für einen Rückzieher. Sag mir bitte, dass ich die richtige Entscheidung getroffen habe.«

Mit festem Blick sah ihre Freundin sie an. »Hast du. Und eigentlich gab es keine Alternative. Oder?«

»Hm«, Maren öffnete die Tür und drückte den Summer. »Ich hoffe es.«

Drei Stunden später saßen sie in Marens Auto und fuhren in Richtung Norden. Der Umzugswagen war vor ihnen losgefahren, Maren und Rike hatten die Wohnung abschließend geputzt, mit den Vermietern die Abnahme gemacht und den Wohnungsschlüssel abgegeben, sich unter weitschweifigen guten Wünschen verabschiedet, eine Träne unterdrückt und sich anschließend erleichtert ins Auto fallen lassen. »Lass mich fahren«, hatte Rike gesagt. »Du bist im Moment abschiedsschwer, und ich will nicht zwischen Münster und Osnabrück an der Leitplanke kleben.«

Maren hatte ihr den Schlüssel überlassen und sich erleichtert auf den Beifahrersitz gesetzt. Es war besser so, sie musste erst einmal ihre Gedanken sortieren.

Polizeiobermeisterin Maren Thiele zog nach zwanzig Jahren zurück zu Papa. Zurück auf die Insel Sylt, zurück ins Elternhaus, zurück zu ihrer alten Freundin Rike, zurück in den Ort, an dem sie Kind gewesen war. Und das mit achtunddreißig. Ohne Mann, ohne Kind, ohne Haustier, dafür mit einem anständigen Beruf, ordentlich angelegten, wenn auch kleinen Ersparnissen, sehr guten Vorsätzen und jeder Menge Bauchweh. Hätte ihr das jemand vor einem Jahr erzählt, sie hätte sich mit dem Finger an die Stirn getippt und gesagt, dass das nie im Leben möglich sei, aber dann hatten sich ihre bislang klaren Pläne und Vorstellungen innerhalb weniger Wochen verabschiedet. Zunächst in Form von Henry, ihrem Lebensgefährten und Kollegen, der mit Kollegin Sonja nicht nur Streife fuhr. Dabei waren sie auch noch dämlich genug, sich erwischen zu lassen, es gab nicht nur jede Menge Tratsch in der Dienststelle, sondern auch eine lautstarke und äußerst unfreundliche Trennung. Henry zog gleich am nächsten Tag aus, vermutlich zu Sonja, das hatte Maren aber gar nicht so genau wissen wollen. Seitdem hasste sie die Dienste, die sie mit einem oder gar beiden machen musste, diese Abneigung hatte sich in den letzten Monaten auch nicht gelegt. Und dann hatte sie ihren Weihnachtsurlaub bei ihrem Vater Onno auf Sylt verbracht. Seit dem Tod ihrer Mutter vor drei Jahren war sie nicht mehr für längere Zeit in ihrem Elternhaus gewesen. Und wenn, dann nur für ein paar Tage und meistens zusammen mit Henry. Ihr Vater war früher auf dem Rettungskreuzer tätig gewesen, jetzt war er in Rente und wirkte eigentlich ganz zufrieden. Zumindest erzählte er das Maren, wenn sie telefonierten, was sehr selten passierte, Onno sprach nicht gern ins Telefon, er hörte angeblich nicht gut. Aber in diesen Weihnachtsferien hatte Maren begonnen, sich Sorgen um ihren Vater zu machen. Er hatte zwar einen großen Freundeskreis, aber er lebte jetzt allein und stammte aus der Generation, die damit Probleme hatte. Er konnte wohl ein bisschen kochen und sich leidlich selbst versorgen, aber Maren sah sehr wohl die abgerissenen Hemdknöpfe, das nicht sehr gründlich geputzte Bad, den verwilderten Garten und sein unrasiertes Gesicht. Sie hatte ein paar Mal versucht, mit ihm zu reden, doch Onno hatte nur abgewinkt und gesagt, dass sie sich bloß keine Gedanken um ihren alten Vater machen solle, er käme wunderbar zurecht, er hätte seinen Chor, der sich einmal in der Woche traf, würde den Sommer auf seinem Boot und den Winter beim Doppelkopfspielen verbringen. Und wenn sie das Bad nicht sauber genug fände, dann könne sie das gern ändern, im Haushaltsraum wären genug Putzmittel, um die ganze Insel einzuseifen. Der Eimer stünde oben links. Danach war er in sein Auto gestiegen und zum Hafen gefahren. Allen weiteren Gesprächen war er genauso ausgewichen, irgendwann hatte Maren die Geduld verloren und war zu Karl gegangen. Karl Sönnigsen war Onnos engster Freund. Er war jahrelang der Revierleiter der Westerländer Polizei gewesen und hatte viel Anteil daran, dass Maren immer schon Polizistin werden wollte. Außerdem war er ihr Patenonkel und musste mit ihr über ihren Vater reden. Ob er wollte oder nicht. Er fand zwar ihre Sorgen um Onno übertrieben, räumte aber ein, dass sein alter Freund manchmal tatsächlich ein bisschen schrullig wirke, was vielleicht doch am Alleinsein läge.

»Ich will ja nichts sagen«, hatte er mit einer abwehrenden Handbewegung gesagt, »aber in letzter Zeit vergisst er ab und zu was. Und behauptet, ich hätte ihm das nie erzählt. Na ja, und dann zieht er sich, wie soll ich das sagen … nicht immer so modebewusst an. Aber das ist ganz normal bei Männern, die jahrelang Uniformen tragen mussten. Die haben das ja nie richtig gelernt. Und beim Segeln ist das ja auch egal, Hauptsache man wird nicht nass und kein Wind kommt durch.«

Als Maren zurückkam, saß Onno in einer braun karierten Anzughose und einem gelben Hemd in der Küche und las die Zeitung. »Ach Greta«, sagte er und lächelte. Greta war der Name ihrer Mutter.

Noch heute, über drei Jahre nach ihrem Tod, löste der Name in Maren eine schmerzhafte Sehnsucht aus. Greta war in ihrem ganzen Leben nie krank gewesen, Maren konnte sich an keine Erkältung, keine Kopfschmerzen, noch nicht einmal an ein Unwohlsein erinnern. Die große, blonde, fröhliche Greta war so lebendig, strahlte eine solche Ruhe aus und war immer schon der Inbegriff der guten Laune gewesen. Und dann war ein Rosendorn in ihrem

Finger schuld, dass das Leben innerhalb von drei Wochen aus den Angeln gehoben wurde. Greta hatte das Pochen in ihrer Hand zu lange ignoriert, an Blutvergiftung hatte sie nicht gedacht, und sie hasste es, zum Arzt zu gehen. Das alles wäre nicht passiert, wenn Maren oder Onno es mitbekommen hätten, aber Maren war in Münster, und Onno segelte mit seinen alten Kollegen vor Dänemark. Als der Anruf der Nachbarin kam, die Greta bewusstlos im Garten gefunden hatte, war Maren sofort losgefahren. Doch zu dem Zeitpunkt war die Vergiftung schon so weit fortgeschritten, dass die Ärzte im Krankenhaus nur noch hoffen konnten. Greta hatte es nicht geschafft. An die Wochen danach konnte Maren sich kaum erinnern. Sie wusste nicht mal mehr genau, wie lange sie noch bei ihrem Vater geblieben war, es war alles in einem Nebel aus Schmerz und Tränen versunken. Am Tag nach der Beerdigung hatte Onno alle Rosen aus dem Garten gerissen und sie in der hintersten Ecke des Gartens verbrannt. »Ich will nicht darüber reden«, hatte er zu Maren gesagt, die Asche zusammengekehrt und war aufs Boot gegangen. Erst seit einem Jahr konnte er wieder über seine Frau sprechen.

Und nun saß er also in der Küche und sagte »Greta« zu ihr. Auch wenn Onno anschließend gemeint hatte, er hätte sich nur versprochen, in diesem Moment hatte Maren den Entschluss gefasst, ein Versetzungsgesuch zu schreiben. Sie musste sich um ihren Vater kümmern. Und die Nordsee zwischen sich und dem dämlichen Henry haben. Und der noch dämlicheren Sonja. Und das alles hatte tatsächlich geklappt.

»Schläfst du?« Rikes Stimme drang durch die Bilder, Maren öffnete sofort die Augen. »Nein. Ich habe nur nachgedacht.«

»Worüber?«

Maren winkte ab. »Über alles Mögliche. Wie das mit meinem Vater läuft, wie wohl die neuen Kollegen sind, wie ich mich einlebe, ob das alles so richtig war, na ja, kleiner Abschiedsblues eben. Fahr doch mal an der nächsten Raststätte raus, ich brauche Schokolade. Und muss aufs Klo.«

»Es ist alles richtig.« Rike warf ihr einen kurzen Blick zu und schüttelte den Kopf. »Jetzt ist es sowieso zu spät, sich Gedanken zu machen. Es ist so, wie es ist, und alles ist gut.«

Die Sonne kam gerade aus den Wolken, als Maren und Rike vor der Autobahnraststätte ausstiegen. Sie holten sich Kaffee in Pappbechern und ein paar Schokoriegel und setzten sich damit auf eine Bank.

»Wenigstens wird das Wetter jetzt schön«, sagte Maren und hielt ihr Gesicht mit geschlossenen Augen in die Sonne. »Das ist doch vielleicht ein gutes Zeichen dafür, dass ich mich richtig entschieden habe.«

»Ich werde dich jetzt nicht alle zehn Minuten bestätigen«, entgegnete Rike und klang, trotz eines kleinen Lächelns, ein bisschen schroff. »Und jetzt nerv mal nicht rum. Ich freue mich sehr, dass du auf die Insel zurückkommst, die Dienststelle ist vielleicht nicht so aufregend wie Münster, dafür aber Henry- und Sonja-frei. Deine Wohnung in Münster war zwar niedlich, aber im vierten Stock und ohne Balkon. Bei deinem Vater hast du eine schöne Einliegerwohnung und einen großen Garten. Dein Liebesleben war in Münster tot, das ist erst mal auf Sylt dasselbe, ich weiß also gar nicht, warum du dir so unsicher bist. Wärst du lieber nach Hamburg oder Köln gegangen? Wo du niemanden kennst? Oder hättest du in

Münster alles so weitermachen können? Was genau ist dein Problem?«

Mit einem Anflug von schlechtem Gewissen sah Maren ihre Freundin an. »Entschuldige, du hast recht. Vielleicht ging das alles nur zu schnell für mein langsames Gehirn. Eine Versetzung klappt normalerweise nie in so kurzer Zeit, damit hatte ich einfach nicht gerechnet. Und ich war immer ein Feigling, das weißt du doch. Jetzt mache ich mir Gedanken, wie das Zusammenwohnen mit meinem Vater wird, welche Kollegen ich bekomme, ob sie mich wohl mögen werden, all solche Dinge.«

»Das ist der Unterschied zwischen uns«, entgegnete Rike. »Ich würde mir Gedanken machen, ob *ich* die neuen Kollegen mögen würde. Mach dich nicht immer so klein. Du bist eine gute Polizistin, und das schon seit einigen Jahren, dein Vater ist ein netter Mensch, du kennst dich auf der Insel aus, deine beste Freundin wohnt quasi um die Ecke, ich weiß nicht, was ich dir sonst noch sagen soll.«

Maren beugte sich vor und küsste Rike auf die Wange. »Danke«, sagte sie. »Hast ja recht. Ich reiße mich jetzt einfach zusammen und denke positiv.«

»Okay«, Rike stand auf und knüllte den Pappbecher zusammen. »Ich werde dich daran erinnern. Lass uns weiterfahren, wir haben noch einiges vor. Und heute Abend kommt Torben noch, um zu helfen.«

Überrascht sah Maren hoch. »Hast du ihn tatsächlich gefragt? Ich habe doch gesagt, dass das noch Zeit hat.«

»Er hat es angeboten.« Rike streckte ihre Hand aus, um Maren den leeren Becher abzunehmen. »Torben ist immer hilfsbereit, er hat darauf bestanden, dir beim Einzug zu helfen. Er kann alles, du wirst sehen, er arbeitet die Nacht durch, wenn es sein muss, und anschließend steht jeder

Schrank, läuft jeder Computer, geht jedes Telefon. Du kannst echt dankbar sein.«

»Ich kenne ihn überhaupt nicht, ich weiß gar nicht, warum er das überhaupt machen will.«

»Weil er nett und gern wichtig ist.« Unbekümmert sah Rike sie an. »Und weil du meine Freundin bist. Und weil er eine furchtbar langweilige und verhuschte Frau hat, der er wohl gern entrinnt. Lass ihn doch. Er ist halt ein eingefleischter Insulaner und kümmert sich gern. Und er mochte mich immer schon, hat er mir sogar mal gesagt. Sei einfach froh, dass er Zeit hat. Er ist ziemlich gefragt auf der Insel. Weil er alles kann. Und nicht nur, wenn ich ihn brauche.«

Maren lachte. Rike war eiserner Single und dabei so attraktiv. Sie war groß und schlank, hatte schulterlange blonde Haare, die sie meistens lässig hochsteckte, hatte ein schönes Gesicht und hielt die Männer, die sich in sie verliebten, auf freundlicher Distanz. Vermutlich gehörte der hilfsbereite Torben einfach zu ihrer Fangemeinde.

Samstagvormittag auf Sylt,
bei blasser Morgensonne

Von hinten wie eine Zwanzigjährige«, dachte Inge
Müller, die ihren Einkaufswagen durch die Gänge
des Supermarktes schob und dabei Jutta Holler am Kühl-
regal stehen sah. Altersgemäß war anders. Genau in diesem Moment drehte die Holler sich um und grüßte übertrieben laut. »Frau Müller, so trifft man sich. Wie geht's?«
Jutta Holler musste um die sechzig sein. Sie trug eine
hauteng Röhrenjeans, eine transparente Bluse, durch die
ein hellblaues Spitzentop schimmerte, knallblaue Sneakers und eine knappe weiße Lederjacke. Die kurzen Haare
glänzten durch blonde Strähnen, ihr Make-up war perfekt,
dazu trug sie teuren Schmuck, trotzdem strahlte sie etwas
Billiges aus. Inge schluckte, bevor sie ihr die Hand gab,
die von Jutta aber ignoriert wurde. Vermutlich fand sie
Händeschütteln uncool, aber Inge war ja ein paar Jahre
älter. Sie ließ die Hand wieder auf den Einkaufswagen sinken und bemühte sich um ein mildes Lächeln: »Tag, Frau
Holler, na, wird das auch ein Großeinkauf?« Sie ließ ihre
Blicke über den Inhalt des Wagens wandern, vier Flaschen
Champagner, mehrere Pakete mit Tiefkühlshrimps, ein
paar Fertiggerichte, verschiedene Zeitschriften.

»Ja, meine Tochter kommt heute, sie muss mal ein bisschen ausspannen, sie hat ja in Hamburg so wahnsinnig viel
zu tun. Das kommt davon, wenn man Karriere machen
will«, Jutta Holler lachte gekünstelt und fuhr sich mit den

langen und perfekt manikürten Fingern durch die Frisur. »Und da braucht sie natürlich auch mal eine Auszeit. Ein bisschen am Strand feiern, dann in die ›Sansibar‹, einen Shopping-Tag mit Mutter, und danach kann Sina sich wieder in den Großstadtdschungel stürzen. Und sonst? Ist alles in Ordnung bei Ihnen? Ich habe Ihren Mann ja länger nicht gesehen.«

›Das hat ihm bestimmt auch nicht gefehlt‹, dachte Inge. Walter konnte ihre Nachbarin noch nie leiden, er fand sie affig und vermied jede Begegnung.

»Mein Mann ist mit meinem Bruder bei meiner Nichte. Sie baut gerade eine Wohnung um, die sie sich gekauft hat, da helfen die beiden ein bisschen. Und Christine muss arbeiten, da kümmern sich Heinz und Walter um die Handwerker. Und nebenbei besuchen sie noch ein Seminar, bei dem es um Vermögenssicherung im Alter geht.«

»Aha. Interessant«, Jutta Holler legte fettarme Milch in den Wagen. »Dann passen Sie bloß auf, dass bei Ihnen nicht eingebrochen wird. In der Zeitung stand heute, dass mehrere Einbrüche in Häuser älterer Frauen passiert sind.«

Inge hob erstaunt die Augenbrauen. »Wirklich? Haben Sie denn Angst?«

Wieder ein gekünsteltes Lachen. »Frau Müller, die Opfer sind *ältere* Frauen. Ich kann mich ja wehren.«

›Blöde Ziege‹, dachte Inge, während sie ihre Nachbarin anlächelte. »Ja, dann noch einen schönen Tag, Frau Holler, tschüss.« Sie widerstand der Versuchung, den Einkaufswagen beim Drehen über die knallblauen Sneakers zu schieben.

Im Auto sitzend, mit der Hand am Zündschlüssel, überlegte Inge einen Moment, dann beschloss sie, bei Charlotte vorbeizufahren. Sie wollte mal hören, ob ihre Schwägerin auch was von den Einbrüchen mitbekommen hatte. Und ab welchem Alter man zu der Gefahrengruppe »Ältere Frauen« gehörte.

Sie musste dreimal klingeln, bis Charlotte ihr die Tür öffnete. »Hast du geschlafen?«, fragte Inge sie erstaunt, als sie endlich hereingelassen wurde.

»Nein«, entgegnete Charlotte. »Ich habe mit Christine telefoniert. Wollte hören, wie es den Männern geht.«

»Und?« Inge ging an ihr vorbei und nahm den direkten Weg in die Küche.

»Gut«, antwortete Charlotte, während sie die Tür schloss. »Heinz und Walter gehen morgens zu ihrem Seminar, kommen abends zu Christine, fragen anstandshalber, ob sie ihr noch helfen können, und laden sie stattdessen zum Essen ein. Wobei sie gestern Abend tatsächlich Christines Schlafzimmerspiegel angebracht haben. Den musste der Tischler heute Morgen dann wieder abnehmen und neu aufhängen, weil er so schief war. Na ja, das sehen die nicht so gut. Aber von dem Seminar sind sie begeistert, sagt Christine. Sie haben schon eine ganze Menge gelernt.«

»Fein.« Inge ließ sich auf einen Stuhl fallen und sah sich suchend um. »Da bin ich ja gespannt, wie sie jetzt ihre Vermögen sichern wollen, wenn sie zurück sind. Hast du zufällig einen Tee fertig?«

»Ich kann zufällig einen machen.« Während Charlotte mit Wasserkocher und Teekanne hantierte, schlug Inge die Zeitung auf, die auf dem Tisch lag. Nach kurzem Durchblättern hatte sie gefunden, was sie gesucht hatte. »Hör mal eben zu«, sagte sie, strich die Seite glatt und fing an vorzulesen:

»Morsum. Schreck am Morgen. Die 73-jährige Bewohnerin eines Einfamilienhauses am Wattweg erlebte eine böse Überraschung, als sie am frühen Vormittag von einem Arztbesuch zurückkam. Einbrecher waren durch die Terrassentür in das Haus eingedrungen und haben einige Räume verwüstet. Es entstand beträchtlicher Sachschaden. Die Bewohnerin erlitt einen Schock und musste ärztlich betreut werden. Die Polizei sucht nach Zeugen, die am gestrigen frühen Freitagvormittag am Wattweg in Morsum verdächtige Personen gesehen haben. Hinweise an die Polizei Westerland unter der Nummer ...«

Inge ließ die Zeitung sinken und schüttelte den Kopf. »Frühmorgens. Die werden auch immer dreister. Du hast auch mitbekommen, dass es in der Art schon mehrere Einbrüche gab, oder?«

Charlotte stellte Tassen auf den Tisch und die Teekanne auf ein Stövchen. »Ich hab's gehört. Ich habe neulich Karl in der Sparkasse getroffen und ihm erzählt, dass Heinz und Walter bei Christine sind, und da hat er so einen Scherz gemacht, von wegen, dass wir unseren Schmuck mit zum Einkaufen nehmen sollen. Aber du weißt ja, wie er ist. Unser Polizeichef. Und den hättest du fast geheiratet.«

»Geheiratet?« Inge hielt ihrer Schwägerin die Tasse hin. »Ich hatte eine kleine Liebelei mit ihm, das ist hundert Jahre her, ich war gerade mal Anfang zwanzig. Und Karl ist jünger als ich, das wäre nie was geworden.«

»So viel jünger ist er auch nicht«, stellte Charlotte etwas uncharmant fest. »Er ist gerade erst in Pension gegangen, dann ist er fünfundsechzig, das sind drei Jahre. Das ist doch nichts.«

»Heute vielleicht«, Inge war nicht empfindlich. »Aber damals hat man keinen jüngeren Mann geheiratet. Zumindest nicht in meinem Freundinnenkreis, da sind die Männer alle zwei oder drei Jahre älter gewesen.« Sie rührte gedankenverloren in ihrer Tasse. »Albern, oder? Ob wir geglaubt haben, dass die Jungs dann erwachsen genug waren, um uns zu ernähren und Kinder zu zeugen? Na ja, egal, aber ich mochte schon damals Walter lieber. Nicht nur, weil er drei Jahre älter ist, er war auch lustiger als Karl. Ich glaube, ich habe alles richtig gemacht.«

Zufrieden lächelte sie ihre Schwägerin an. Dann tippte sie wieder auf den Zeitungsartikel. »Was hat Karl denn noch erzählt? Über diese Einbrüche? Kennen wir jemanden von den Opfern? Ich wollte dich das neulich schon fragen, habe es aber immer vergessen. Und jetzt hat mir vorhin im Supermarkt die blöde Holler wieder davon erzählt.«

Charlotte hob die Schultern. »Karl hat nur gesagt, dass es sich um alleinstehende Frauen handelte, aber nicht, um wen. Vielleicht weiß er das auch gar nicht, er ist ja nicht mehr zuständig. Aber die Zeitung macht ja gleich alle verrückt. In großen Städten wird alle zehn Minuten eingebrochen, das ist zwar schlimm, aber eine Tatsache. Böse Leute gibt es überall, nicht nur auf dem Festland. Mach die Fenster zu, wenn du das Haus verlässt, und schließ die Tür ab. Und lass dich nicht nervös machen. Das hat Karl übrigens auch gesagt.«

»Gut.« Inge faltete die Zeitung zusammen und schob sie zur Seite. »Dann wollen wir das mal glauben. Du kannst dir nicht vorstellen, wie billig diese Jutta Holler wieder aussah. Steht im Supermarkt in Klamotten, die unsere Töchter nicht mehr anziehen würden, weil die dafür zu alt sind. Von hinten sieht sie aus wie ein Teenager, und wenn sie sich umdreht, dann fällt man vor Schreck fast um. Falten bis zu den Ohren und geschminkt wie eine Bardame. Ich stell mir immer vor, dass ihr mal ein junger Mann nachpfeift und dann ...«, sie kicherte.

»Inge«, missbilligend schüttelte Charlotte den Kopf. »Jutta Holler kann einem auch ein bisschen leidtun. Sie hat Probleme mit dem Älterwerden, sie ist so früh Witwe geworden, ihre Tochter kommt auch nicht oft nach Hause, leicht hat sie es nicht.«

»Ich bitte dich, Charlotte. Arbeitest du an deiner Heiligsprechung? Jutta Holler ist eine der unangenehmsten Frauen auf der Insel. Sie ist so früh Witwe geworden, weil sie einen Mann geheiratet hat, der viel älter war als sie. Und den hat sie nicht aus Liebe geheiratet, sondern weil er vermögend war. Und der arme Wilhelm hat mit Ende fünfzig einen Herzinfarkt bekommen, das hätte ich an seiner Stelle auch. Und ihre Tochter Sina ist schon genauso affig wie ihre Mutter. Der geht es doch auch nur ums Geldausgeben und darum, dass sie zeigen kann, was sie alles hat. Diese Angeberin.«

Charlotte sah ihre Schwägerin nur stumm an. Inge regte sich schon seit ein paar Jahren über ihre Nachbarin auf, Charlotte fand das übertrieben. Man konnte sich doch aus dem Weg gehen. Aber wenn Inge sich aufregen wollte, dann regte sie sich auf. Das war eben ihr Naturell. Jedes weitere Gespräch über Jutta Holler war sinnlos. Deshalb probierte sie nur ihr heiligstes Lächeln und fragte: »Noch eine Tasse Tee, Inge?«

»Ja«, Inge hielt ihr die Tasse hin, ohne Charlotte anzusehen. »Wattweg in Morsum? Wohnt da nicht Gisela Karlson? Die ist dreiundsiebzig. Nicht, dass sie bei ihr eingebrochen haben! Das wäre ja furchtbar.«

»Ruf sie doch an«, Charlotte stellte die Kanne zurück

aufs Stövchen. »Oder warte bis heute Abend. Du gehst doch zur Chorprobe, oder? Dann sehen wir Gisela doch.«

»Vorausgesetzt, sie kommt.« Inge machte jetzt ein besorgtes Gesicht. »Und das tut sie sicher nur, wenn der Einbruch nicht bei ihr war. Ansonsten stünde sie ja noch unter Schock.«

»Falls sie das Opfer war«, sagte ihre Schwägerin. »Ich rufe sie jetzt mal an.«

Gisela Karlson hatte gerade die Haustür hinter dem jungen Mann von der Versicherung geschlossen, als das Telefon klingelte. Sie überlegte kurz, ob sie überhaupt rangehen sollte, aber es konnte auch die Polizei sein, die Neuigkeiten hatte. Es war nicht die Polizei.

»Gisela? Hallo, meine Liebe, hier ist Charlotte. Sag mal, ist bei dir alles in Ordnung? Wir haben gerade in der Zeitung gelesen, dass in deiner Straße eingebrochen wurde, das war doch wohl nicht bei dir, oder?«

»Doch«, Gisela bekam schon wieder wackelige Beine und ließ sich mit dem Hörer am Ohr auf die Bank neben der Garderobe sinken. »Doch, Charlotte, das war bei mir. Es ist so furchtbar.« Ihr stiegen sofort wieder Tränen in die Augen. »Ich ... ich ...« Sie konnte nicht weitersprechen.

Alarmiert drehte Charlotte sich zu Inge um und nickte ihr zu. Dann sagte sie schnell: »Inge sitzt gerade bei mir, wir kommen schnell rüber. Brauchst du noch irgend etwas?«

Gisela räusperte sich und sagte dann: »Nein, danke. Aber es wäre schön, wenn ihr kämt. Es fühlt sich alles so komisch an.«

»Beruhige dich, Gisela, wir sind gleich da.«

Am Vorabend in Hamburg,
nach Einbruch der Dämmerung

Sina Holler blieb vor dem Haus stehen und sah sich um. Niemand war zu sehen, beide Autos, der Mini und der Porsche, standen im Carport. Alle Fenster waren geschlossen, so, wie es sich gehörte, wenn man für drei Wochen nach Korsika flog. Verächtlich schüttelte Sina den Kopf und kletterte über die niedrige Hecke. Sie wunderte sich sowieso, dass die Eigentümer keine Sicherheitsvorkehrungen trafen. Jeder Kleinkriminelle konnte sich Zugang zum Haus verschaffen, die niedrige Stelle in der Hecke fand man nach wenigen Minuten. Dr. Uwe Faust und seine liebende Ehefrau Manuela waren unvorsichtig. Oder einfach nur blöde. Sina schob die Hände in die Jackentasche und schlenderte erst mal über das Grundstück. Eine weiße Jugendstilvilla, umgeben von Hortensien und Rosen. Hier ein Türmchen, da eine Säule, dazu eine Terrasse, die nach Sommerfesten in lauen Nächten schrie. Und Manuela Faust mit ihrem faltigen Gesicht und dem hängenden Busen im Abendkleid mittendrin. Widerlich. Sina schüttelte das Bild ab, ging über die Terrasse und blieb an der Terrassentür stehen. Sie legte ihre Hände an die Scheibe und beugte sich vor, um ins Innere zu sehen. Es sah aus wie immer, nichts hatte sich verändert. Wenige Antiquitäten neben schlichtem Design. Sie war lange nicht hier gewesen, Uwe hatte sie nur selten mitgenommen, höchstens dann, wenn seine Frau mal mit einer Freundin im Urlaub war. Meist hatten sie sich bei Sina getroffen – nachdem Uwe ihr die schicke Wohnung in der Hafencity gemietet und eingerichtet hatte.

Wütend knallte Sina jetzt ihre flache Hand auf die Scheibe. Dieser Arsch mit seiner ätzenden Frau. Die saßen hier in Protz und Prunk, während Sina aus der Wohnung ausziehen musste und ohne sein Geld vor dem Nichts stand. Dabei hatte sie – nach sieben Jahren als Geliebte – ein gewisses Recht auf angemessenen Luxus. Aber der feige Sack hatte sie einfach aus seinem Leben geschmissen, weil er Angst bekommen hatte, dass seine Frau ihm auf die Spur kam. Jetzt plötzlich, nachdem sie, aus welchen Gründen auch immer, misstrauisch geworden war. Es war wirklich das Letzte.

Sie wandte sich ab und ging an den zahlreichen Kübeln zurück zum Carport. Bei jedem zweiten Topf riss sie die Pflanzen raus und ließ sie fallen. Scheiß Hortensien. Immerhin war Dr. Faust bislang feige genug gewesen, Sina den Zweitschlüssel vom Porsche abzunehmen. Das war Pech. Sein Pech. Für Sina konnte das nur bedeuten, dass der Wagen ihr noch zustand. Oder glaubte etwa irgend jemand, dass sie mit dem Zug nach Sylt fahren würde?

Der Porsche sprang sofort an, beim Ausparken gab sie sich Mühe, den knallroten Mini Cooper leicht zu touchieren. Nur ein kleiner, ärgerlicher Lackschaden, die dämliche Manuela würde glauben, dass Uwe schlecht geparkt hatte. Und der würde sich hüten, seinen Verdacht laut zu äußern. Und schon gäbe es wieder Streit. Sina grinste und stellte das Autoradio lauter. Mit Dr. Uwe Faust war sie noch lange nicht fertig.

Am nächsten Vormittag, kurz nach ihrer Ankunft auf Sylt, musste Sina plötzlich mit aller Kraft auf die Bremse treten.

Sie drückte wütend auf die Hupe. Der rote Kleinwagen hatte ihr einfach die Vorfahrt genommen, fast wäre sie mit ihrem Porsche in ihn reingerauscht. Die beiden alten Frauen reagierten überhaupt nicht, erst im letzten Moment erkannte Sina noch die Frau auf dem Fahrersitz: Inge Müller, die Nachbarin ihrer Mutter.

»Senile alte Kuh«, fauchte sie und zeigte den beiden einen Vogel, völlig vergebens allerdings, weil keine in ihre Richtung sah. Man sollte wirklich nicht mehr jeden Rentner Auto fahren lassen. Sina hatte den Wagen bei diesem Bremsmanöver auch noch abgewürgt, und als ihr Hintermann hupte, startete sie den Porsche wieder und fuhr mit quietschenden Reifen los. Alles Idioten auf der Insel, dachte sie und merkte, dass ihre Hände zitterten. Von dem roten Kleinwagen war nichts mehr zu sehen.

Als Sina in die Straße einbog, in der ihr Elternhaus stand, spürte sie sofort wieder einen Anflug schlechter Laune. Das ging ihr immer so. Sie hasste diese Straße, dieses Haus, die Nachbarn. Sie konnte nur lachen, wenn sie an die Reaktion von Leuten dachte, denen sie gesagt hatte, dass sie von der Insel Sylt kam. Die Königin der Inseln, die Perle des Nordens, die Schönen und Reichen, sie sei ja so zu beneiden. Keiner von denen konnte sich vorstellen, wie eng und wie spießig die Insel an einigen Ecken war. Es war ein Dorf, aus dem sie kam, da nützte auch das ganze blöde Gerede nichts. Ein Dorf, in dem jeder jeden kannte und jeder über jeden tratschte. Natürlich gab es auch die Zweitwohnungsbesitzer, die frischen Wind reingebracht hatten, aber die waren nur ein paar Wochen im Jahr da und machten Ferien. Anschließend fuhren sie wieder in ihre schicken Stadtwohnungen und tauchten ins Großstadtleben ein. Und die Einheimischen blieben in den dunklen, regnerischen und kalten Monaten zurück auf der Insel, hockten in ihren alten, zugigen Häusern und träumten vom Urlaub auf den Kanaren, falls sie sich den leisten konnten. Oder sich in ihrer Engstirnigkeit überhaupt trauten, ins Ausland zu fahren. Sie war froh, dieser Provinzhölle entronnen zu sein, der Provinz und auch ihrer Kindheit: Sie müsste eigentlich jeden Tag Champagner aufmachen, um das zu feiern.

Sina verlangsamte das Tempo und betrachtete die Neuerungen in der Straße. Bergmann und Michaelsen hatten ihre Häuser verkauft, das hatte sie schon von ihrer Mutter gehört. Die neuen Besitzer hatten nicht lange gebraucht, um alles Alte zu entsorgen. Statt Jägerzaun ein Friesenwall, Wintergarten statt Wellblechgarage, Buchsbaum statt Blumen, die alten Fenster raus, die neuen Sprossenfenster rein, nach zwei Monaten erkannte man das Haus nicht wieder. Die alten Häuser der Insulaner wirkten dadurch nur noch schäbiger. Sina wandte ihren Blick ab und richtete ihn nach links. Da stand es. Ihr Elternhaus. Eingerahmt von einem wuchtigen Zaun, links und rechts neben der Auffahrt wachten zwei steinerne Löwen, vor denen sie schon als Kind Angst gehabt hatte. Ihre Mutter hatte sie in Italien gekauft und auf die Insel liefern lassen. In Venedig passten sie vielleicht ins Bild, hier sahen sie einfach nur protzig und lächerlich aus. Die Rosen im Vorgarten brauchten dringend Wasser, der Rasen war an einigen Stellen braun, einen grünen Daumen konnte man ihrer Mutter wirklich nicht andichten. Der Wagen ihrer Mutter stand nicht in der Auffahrt, wahrscheinlich war sie wieder shoppen, das lag Jutta mehr als irgendwelche banalen Haus- oder Gartenarbeiten. Mit einem leisen Seufzer lenkte Sina den Porsche auf die Auffahrt und stieg aus. Ihre Mutter könnte ihren Wagen an der Straße parken, Sina hatte keine Lust, dass ihr irgendein Idiot den Außenspiegel abfuhr.

Sie schloss die Haustür auf und betrat das Haus. Das Erste, was ihr ins Auge fiel, war ein knallroter Ledermantel, der an der Garderobe hing. Mit einem abschätzenden Blick fühlte sie die Qualität des Leders. Er war echt. Ihre Mutter kaufte selten Schnäppchen, sie hatte nur leider keinen Geschmack. Nicht nur bei Kleidung, auch bei dem, was alles in diesem Haus herumstand. Während ihr Vater Wilhelm Antiquitäten, ruhige Farben und Bilder geliebt hatte, blätterte Jutta sich durch eine Wohnzeitschrift nach der anderen und tauschte nach und nach die alten Möbel Wilhelms gegen designte und völlig unbequeme Einzelstücke aus. Nichts passte zusammen, das Wohnzimmer sah inzwischen aus wie der Messestand eines italienischen Möbeldesigners. Aber sie kannte jede Firma, jeden Preis, jedes Material und war auch noch stolz darauf. Dieser grausame Ledermantel passte da voll ins Bild.

Kopfschüttelnd stieg Sina die Treppe zu ihrem alten Zimmer hoch. Zimmer war untertrieben, ihre Schulfreundinnen hatten sie früher glühend beneidet. Sina hatte nie ein normales Kinderzimmer, sondern ein Schlaf-, ein Wohn- und ein Spielzimmer gehabt. Jutta hatte alles gegeben, was die Einrichtung betraf. Schließlich sollten nicht nur die anderen Kinder, sondern vor allen Dingen deren Mütter vor Bewunderung und Neid platzen. Dass sie ihrer Tochter damit keinen Gefallen getan hatte, das war Jutta nie bewusst geworden. Die wenigsten Schulfreundinnen kamen wieder, nicht zuletzt, weil deren Mütter nie so ganz begeistert über den Umgang waren. Jutta fand sie spießig und ging dann eben selbst mit Sina ins Kino oder zum Strand. »Was willst du auch mit diesen Hühnern«, hatte sie Sina gefragt. »Sie sind dumm,

pummelig und schlecht angezogen. Du wirst sie alle über-
flügeln, Prinzessin.«

Sina hatte es ihr sogar geglaubt.

Oben angekommen, ging sie den Flur entlang und sah
in alle Zimmer. Sie hatte vor ein paar Jahren ihre Jung-
mädchenmöbel rausgeschmissen und alles schlicht und
zurückhaltend möbliert. Zumindest die beiden Zimmer,
die sie bei ihren wenigen Besuchen bewohnte. Seit Sinas
letztem Besuch vor einem halben Jahr war hier anscheinend weder geputzt noch gelüftet worden. Sina riss das
Fenster in ihrem Wohnzimmer auf, lehnte sich weit raus
und schnappte nach Luft. Es roch nach Frühling und He-
ckenrosen, Sina ließ das Fenster weit offen, diese muffige
Bude brauchte viel frische Luft. Sie streckte ihren Rücken
durch und öffnete die Reisetasche. Sie hatte sich hier einiges vorgenommen und deshalb auch nur schicke Klamotten eingepackt, die jetzt alle aufgehängt werden mussten.
In ihrem Schrank gab es nicht genug Bügel, also ging sie
über den Flur in Juttas Schlafzimmer und stieß die Tür
auf. Sofort hatte sie den Parfümgeruch in der Nase, zu
blumig, zu schwülstig, zu viel. Sina atmete flach weiter,
warf einen kurzen Blick auf das ungemachte, zerwühlte
Bett, die Kleiderhaufen, die zerknittert auf einem Stuhl
lagen, die benutzten Gläser auf dem Boden, den vollen
Aschenbecher und schüttelte angewidert den Kopf. Ihre
Mutter wurde immer schlampiger, es war grauenhaft. Sie
öffnete schnell den übervollen Kleiderschrank, in dem
sie tatsächlich ein paar ungenutzte Bügel fand, und ging
zurück. Dieses Parfüm war kaum auszuhalten. Als sie
die letzten Blusen in ihren Schrank gehängt hatte, kam
ihr der Gedanke, Torben anzurufen. Dann hätte sie wenigstens für heute Abend eine Verabredung und musste
nicht mit Jutta in deren vollgestopftem Wohnzimmer

sitzen – das genauso schlimm wie das Schlafzimmer war. Bevor sie die Nummer eintippen konnte, hörte sie die Haustür.

»Sina«, Juttas Stimme war immer noch mädchenhaft, auch wenn sie laut wurde. »Du bist schon da? Du musst ja in aller Herrgottsfrühe losgefahren sein.«

Sina atmete tief durch, schob das Handy in ihre Jackentasche und machte sich auf den Weg nach unten. Ihre Mutter sah ihr vom Treppenaufgang entgegen. »Das ist ja wunderbar. Und, du, sag mal, der Porsche ist schon wieder neu, oder? War der letzte nicht weiß?«

»Hallo, Jutta«, Sina war unten angelangt, beugte sich zu ihrer Mutter und küsste sie flüchtig auf die Wange. Jutta hatte sich das Wort »Mama« verbeten, Sina konnte sich gar nicht mehr daran erinnern, wann genau das gewesen war, es musste Ewigkeiten her sein. »Wie geht es dir? Du siehst gut aus.«

Jutta kicherte mädchenhaft und drehte sich im Kreis. »Vier Kilo, meine Liebe. Ich habe wieder sechsunddreißig. Das soll mir mal jemand nachmachen. Was ist denn jetzt mit dem Porsche? Neu? Du könntest mir den Wagen mal leihen, ich habe heute Abend eine Verabredung in Kampen. Oder du fährst mich hin, dann könnte ich ein Glas Champagner mehr trinken.« Sie stutzte, als sie Sinas Gesichtsausdruck sah, und deutete ihn falsch. »Schätzchen, ich konnte mein Date keinesfalls absagen, das ging einfach nicht. Und du kannst dich doch auch wunderbar allein beschäftigen.« Sie strich sich die Bluse glatt und ging ins Wohnzimmer. Sina folgte ihr. »Und? Wie heißt er?«

Entweder hatte Jutta den spöttischen Ton nicht bemerkt oder sie ignorierte ihn. »Karsten. Er sieht überragend aus, kommt aus Berlin, ist Architekt und hat eine Wohnung in Kampen. Vom Feinsten, ich sage es dir.« Sie kickte ihre

Schuhe von den Füßen und ließ sich in einen Sessel fallen. Sina blieb stehen.

»Aha. Und wie alt? Verheiratet?«

Jutta streckte ihre Beine aus und schloss kurz die Augen. »Keine Ahnung. Mitte fünfzig? Das ist doch völlig egal. Sei nicht so spießig, ich will nur ein bisschen Spaß mit ihm. Und das auf einem eleganten Niveau, mehr nicht.« Sie setzte sich gerade hin und musterte ihre Tochter. »Du siehst schlimm aus. Was ist los? Hast du zu viel zu tun, um zur Kosmetik und zum Friseur zu gehen? Was ist mit deinen Haaren passiert? Die sind ja total strohig. Mach die Tage bloß einen Termin mit Daniela. Was nützt dir dein Promifriseur in Hamburg, wenn du keine Zeit hast, hinzugehen.«

»Ich hatte viel zu tun.« Sina ließ sich auf die Lehne des gelben Ledersofas sinken und sah sich um. »Im Gegensatz zu dir arbeite ich rund um die Uhr. Sag mal, Jutta, kannst du dir nicht mal einen Gärtner suchen? Der Garten sieht ungefähr so schlimm aus wie meine Haare.«

»Der Garten? Seit wann interessierst du dich denn für die Botanik? Ich hatte einen Gärtner, der hatte aber so einen unmöglichen Ton am Hals, da hab ich ihn gefeuert. Ich bin noch nicht dazu gekommen, einen neuen zu suchen, das mache ich schon noch. Aber du kannst dich auch gern selbst darum kümmern, wenn es dich so stört.« Etwas provozierend sah Jutta sie an. »Ich sehe dich schon Rasen mähen. In High Heels.«

Sie lachte, dann beugte sie sich vor und nahm eine Zigarette aus einem silbernen Etui. »Reich mir mal den Aschenbecher hinter dir. Willst du was trinken?«

Sina schüttelte den Kopf und wedelte den Rauch zur Seite, den Jutta in ihre Richtung blies. »Musst du eigentlich immer hier drin rauchen? Ich kann das nicht mehr ab. Wir können uns doch raussetzen.«

»Sina, bitte«, Jutta schloss genervt die Augen. »Es ist mein Haus, ich kann rauchen, wo ich will. Und wieso willst du dich raussetzen? Ich denke, dich stört der Zustand des Gartens. Ich muss übrigens auch mal wieder zu dir kommen, ich könnte ein paar Tage Großstadtluft brauchen.«

Jutta hatte ihre Tochter in den letzten zehn Jahren genau einmal besucht. Sie schnupperte Großstadtluft lieber in männlicher Begleitung. Sowohl die Großstädte als auch die Männer wechselten regelmäßig, Sina fragte sich, wo ihre Mutter diese Männer dauernd fand. Sie ging einfach über Juttas Ankündigung hinweg. Das war besser so, Jutta kannte nur die Wohnung in der Hafencity, von der sie glaubte, Sina hätte sie gekauft. Es wäre schwierig, Jutta eine Begründung zu liefern, warum ihre so gut verdienende Tochter mittlerweile in einem Eineinhalb-Zimmer-Loch in Barmbek wohnte. Aber die Gefahr bestand nicht ernsthaft. Jutta kam sowieso nie.

»Ich weiß überhaupt nicht, was du noch mit diesem großen Haus willst. Du nutzt doch nur drei Zimmer, wieso suchst du dir keine Wohnung, so eine kleine, schicke, ganz modern, da hast du doch viel mehr davon.«

»Warum?«, mit einer wegwerfenden Handbewegung stand Jutta auf. »Damit die Leute denken, ich kann mir das Haus nicht mehr leisten? Vergiss es. Ich verkaufe nur über meine Leiche. Ich kenne einen Haufen Leute, die sich nach diesem Haus die Finger lecken würden. Meinst du, ich gönne es ihnen? So, und jetzt gehe ich mich umziehen, ich habe noch was vor. Bis später, Schatz.«

Als sie die Dusche rauschen hörte, zog Sina das Handy aus der Tasche und tippte eine Nummer ein. Nach nur einem Freizeichen meldete sich eine überraschte Stimme:

»Sina? Das ist ja eine Überraschung. Bist du auf der Insel?«

»Ja, heute angekommen. Hast du Lust auf ein Bier?«

Am anderen Ende entstand eine kleine Pause. »Heute? Das ist ganz blöd, ich habe Rike Brandt versprochen, ihr, oder besser, ihrer Freundin heute beim Umzug zu helfen. Ich warte auf den Anruf, dass sie auf dem Autozug sind. Und anschließend wird es dir wahrscheinlich zu spät. Oder?«

»Das kommt drauf an, wie spät ›anschließend‹ ist«, antwortete Sina und bemühte sich um einen neutralen Ton. »Ich habe ziemlich viel Stress gehabt, die halbe Nacht kann ich nicht aufbleiben. Na ja, dann eben nicht. Vielleicht ein anderes Mal.«

»Lass mich überlegen.« Torben dachte kurz nach. »Du kennst doch Rike und Maren, oder? Maren Thiele? Die kennen sich noch aus der Schule, dann kennst du die doch sicher auch. Jedenfalls zieht Maren heute zurück auf die Insel. Du kannst doch dazukommen, ich ruf dich an, wenn wir einigermaßen durch sind. Du kannst einfach dabeisitzen, und dann gehen wir anschließend was trinken. Ich lade nur mit aus, die Technik und den Kleinkram kann ich auch morgen machen. Wenn du Lust hast.«

Sein Ton war betont cool, Sina unterdrückte ein Lächeln. Sie war Torben wichtig, seit Jahren. Das war so sicher wie Ebbe und Flut. Auf einer Party hatte sie mal etwas mit ihm angefangen, damals war sie Mitte zwanzig und auf dem Weg in ein neues Leben in Hamburg. Die Nacht mit Torben war sozusagen ihr Sylter Abschiedsgeschenk gewesen. Seitdem hielten sie losen Kontakt. Wenn sie auf der Insel war, sahen sie sich. An manchen Abenden landeten sie auch im Bett. Sina hatte schon schlechtere Liebhaber gehabt, und für Torben war sie die Göttin schlechthin.

Dass daraus mehr würde, war für Sina ausgeschlossen. Ob Torben das auch so sah, wusste sie nicht. Es war ihr auch egal. Sie wusste genau, welche Knöpfe sie bei ihm drücken musste, damit er bei der Stange blieb. Sie konnte sich auf ihn verlassen, er würde sie niemals abweisen. Und genau das brauchte sie gerade jetzt, in diesem großen Haus, mit dieser Mutter, die sich gerade für ihre neueste Affäre auftakelte, und nach den letzten stressigen Wochen in Hamburg. Sie nickte knapp, bevor sie sagte: »Okay, dann sims mir doch bitte die Adresse, ich komme später nach. Bis dann.«

Etwas später,
zwei Orte weiter, bei lauer Luft

Maren blinkte und zeigte auf die Auffahrt, damit der Fahrer des Möbelwagens wusste, wo er hinsollte. Kurz vor der Verladestation in Niebüll hatten sie die Jungs überholt, Maren hatte die gelbe Plane mit der Münsteraner Aufschrift schon von Weitem gesehen und sich, ohne genau zu wissen, warum, gefreut. Es hatte sie beruhigt, dass jetzt alles seinen Gang ging. Am Autozug hatten sie sich wiedergetroffen, so hatte sie selbst ihre Sachen in das neue Leben begleitet, es war alles gelaufen wie am Schnürchen. Sie parkte ihr Auto ein Stück weiter an der Straße und sah Rike an. »War das ein Ritt.«

»Wir sind sechs Stunden gefahren«, entgegnete Rike und öffnete ihren Gurt. »Und nur ein kleiner Stau, das war doch nicht schlecht. Jetzt laden wir ruckzuck aus und dann machen wir den Sekt auf.«

»Ruckzuck?«, Maren wurde schon beim Gedanken an den beladenen Lkw müde. »Dann ... Oh, hallo, Papa!«

Onno war unbemerkt zum Auto gekommen und hatte sich zum Fenster gebeugt, das Maren jetzt runterkurbelte. »Moin. Da seid ihr ja. Ich wollte euch eigentlich helfen, aber jetzt habe ich gleich Chorprobe. Da muss ich hin, wegen der Aufführung im August. Ihr könnt ja schon mal ohne mich anfangen, du kennst dich ja aus. Also bis später dann.« Er knöchelte dreimal aufs Autodach, stieg auf sein Mofa und fuhr los.

»Dann ... viel ... Spaß«, Maren hatte den Türgriff immer noch in der Hand und starrte ihrem Vater mit offenem Mund hinterher. »Ja, ich freue mich auch, dass ich wieder da bin.«

Rike lachte. »So ist er«, sagte sie grinsend und stieg aus. »Dein Papa. Jetzt geht er eben singen, weil er immer singen geht. Na, komm, die Begrüßungsfeier machen wir hinterher. Irgendwann hat es sich ja ausgesungen.«

»Tja«, Maren saß immer noch kopfschüttelnd im Wagen. »Wenn ich Glück habe, hat er den Hausschlüssel stecken lassen. Ich habe nämlich keinen.«

Der Hausschlüssel steckte, Maren schloss auf und betrat das Haus, gefolgt von Rike und einem Umzugshelfer. »So, dann wollen wir mal sehen«, sagte er. »Wo soll was hin?«

»Alles in die Einliegerwohnung«, antwortete Maren. »Der Eingang ist an der Seite, ich mache auf, muss nur den Schlüssel holen.«

Während der Mann zu seinen Kollegen zurückging, um die ersten Möbel auszuladen, blieb Maren vor der Tür der kleinen Wohnung stehen, die ihre Eltern früher an Feriengäste vermietet hatten. Mit der Hand auf der Klinke schloss sie kurz die Augen und dachte an ihre Mutter. Greta hatte sich um die Vermietung gekümmert, die Wohnung damals eingerichtet, für die Gäste Blumen auf den Tisch gestellt und sich auf jeden Gast gefreut. Die Vermietung war mit Greta gestorben. Onno hatte keine Lust auf fremde Leute. »Weißt du«, hatte er damals traurig gesagt, »deine Mutter mochte das gern. Sie hat sich immer mit den Gästen unterhalten und ihnen manchmal die Insel gezeigt. Das hat ihr gelegen, sie fand das schön, wenn Trubel im Haus war. Aber ich ... ich kann das nicht. Ich mag nicht dauernd mit Fremden reden. Und wenn man sich an sie gewöhnt hat, dann ist ihr Urlaub vorbei und sie reisen ab. Und dann diese Abrechnungen und Kurkarten, nee, das ist nichts für mich.«

Maren hatte ihm vorgeschlagen, die Wohnung zumindest dauerhaft zu vermieten. Das hatte Onno auch gemacht. Die junge Frau, die zwei Sommer lang hier gewohnt hatte, war Kellnerin in Westerland und kam nur für die Saison. Onno war froh über die Lösung gewesen. »Sie bleibt nur über den Sommer, und wenn sie anfängt, mir auf die Nerven zu gehen, ist sie im Herbst wieder weg.«

Für diese Saison musste sich die junge Frau eine andere Bleibe suchen. Oder einen anderen Job in einem anderen Ort. An dem es leichter war, eine Wohnung zu finden, die man von einem kleinen Gehalt bezahlen konnte.

Für die Renovierung hatte Maren ihren Urlaub im Januar genutzt. Sie hatte zwei Wochen gebraucht, auch weil Onno sich komplett rausgehalten hatte. Er mochte keine Farben riechen, hatte er gesagt, und er wüsste auch nicht, wie sie es genau haben wolle. Und das abschließende Putzen wäre auch eher was für sie als für einen alten Seemann. Aber er hatte jeden Abend ihre Ergebnisse begutachtet. Und sich dabei immer stolz umgesehen. Entschlossen drückte sie die Tür auf und traute ihren Augen nicht. Mitten im Wohnzimmer stand ein Wäscheständer, auf dem Onnos gesammelte Hemden hingen. Daneben standen zwei Fahrräder und ein Rasenmäher. Aber was Maren aus der Fassung brachte, war der Blumenstrauß auf der Fensterbank. Ein ganzer Arm voller Blumen aus dem Garten, etwas schief drapiert in einem gläsernen Sektkühler. Ohne Wasser zwar, aber man konnte nicht alles haben. Maren hatte das Gefühl, dass Greta ihr zuzwinkerte.

»Also, vielen Dank und noch einen schönen Feierabend«, sagte Maren und schüttelte den Umzugsleuten nacheinander die Hand. »Das war alles prima, und: Grüßt mir Münster!« Sie blieb auf der Auffahrt stehen, bis der Lkw das Grundstück verlassen hatte, hob ein letztes Mal die Hand und wandte sich wieder zurück zum Haus. Sina saß neben Torben, der eine Zigarette rauchte, auf einer Stufe zur Terrasse. Maren lächelte sie an und ließ sich neben sie sinken. »Danke für die Hilfe«, sagte sie. »Ich habe ein ganz schlechtes Gewissen, dass wir dich so eingespannt haben. Das war gar nicht so gemeint. Rike hat doch nur einen Witz gemacht.«

»Geschenkt«, winkte Sina ab. »Die drei Kartons, die ich getragen habe … Und du bleibst jetzt für immer auf der Insel? Ich glaube, ich würde wahnsinnig werden. Gerade, wenn man das Großstadtleben kennt.«

»Och«, Maren hob die Schultern. »Münster ist ja nun auch nicht gerade eine Weltstadt. Und irgendwie freue ich mich jetzt, wieder hier zu sein.«

Torben sah sie zustimmend an. »Und du hast hier weniger Stress im Dienst«, sagte er. »Auf Sylt gibt es höchstens mal ein paar besoffene Urlauber oder Jugendliche, die einer Oma das Portemonnaie klauen. Da ist in Münster bestimmt mehr los.«

»Wieso?« Sina wickelte sich eine Haarsträhne um den Finger und sah Maren neugierig an. »Was machst du denn? Ich dachte, du seist Arzthelferin.«

»Ich bin Polizistin«, antwortete Maren freundlich. »Rike arbeitet bei Dr. Hansen. Wo ist sie eigentlich?«

»Hier«, kam die Antwort postwendend. Rike kam aus dem Haus und schwenkte einen Korb, in dem Flaschen lagen. »Möchte jemand jetzt ein Bier?«

»Ich … ähm …«, Torben sah Sina an, die nur leicht

den Kopf schüttelte und schnell antwortete: »Ich wollte noch was mit Torben besprechen, eigentlich müssten wir deshalb so langsam mal los.« Sie wandte sich an Torben. »Ich meine: Sonst können wir das auch morgen bereden?«

»Nein, nein«, sofort erhob er sich und wandte sich entschuldigend an Maren. »Also, wenn das wirklich okay ist, dann würde ich morgen Nachmittag kommen und dir den Rechner, die Anlage, den Fernseher und den ganzen anderen Kram anschließen und jetzt auch fahren, ja?«

»Natürlich. Schönen Dank für die Hilfe, das war super, dass ihr da wart. Allein hätten wir das nicht so schnell geschafft. Das Bett steht, der Schrank und die Kommoden auch, alles andere hat wirklich Zeit bis morgen. Und bitte nur, wenn es dir passt, du sollst dich nicht gezwungen fühlen.«

Torben grinste schief. »Du, ich mache solche Sachen auch beruflich, alles in Ordnung. Ja, dann bis morgen.«

Auch Sina stand langsam auf, lächelte kurz und schloss sich Torben an. »Schönen Abend«, sagte sie noch, dann verschwanden beide aus Marens Sichtfeld. Rike öffnete zwei Bierflaschen und setzte sich neben sie. »Prost. Da ziehen die beiden von dannen.«

»Ich dachte, er wäre ein Fan von dir.«

»Zeitweise«, erwiderte Rike und setzte die Flasche an die Lippen. »Nur wenn Königin Sina sich lange nicht blicken lässt. Sobald sie auftaucht, verblassen alle anderen Prinzessinnen um sie herum. Tja, damit muss ich leben.« Rike lachte.

Maren rieb nachdenklich über das Etikett. »War sie früher auch schon so? Ich kann mich gar nicht mehr so genau erinnern. Waren die damals schon befreundet? Und ist Sina nicht vorzeitig von der Schule gegangen?«

Rike nickte. »Ja, nach der zehnten Klasse. Ich weiß gar

nicht genau, warum. Irgendwie hatte sie wohl keine Lust mehr und die ganz große Leuchte war sie ja auch nie. Aber ob sie Torben damals schon gekannt hat, weiß ich gar nicht. Er ist ja älter als wir. Ich schätze, so vier oder fünf Jahre. Ich kannte ihn früher nur vom Sehen, aber in den letzten Jahren hatte ich öfter mit ihm zu tun. Er hat eine eigene Firma, macht alles, was man im Haus braucht, von Technik bis Winterdienst, er kann einfach alles.«

»Sind die denn ein Paar?«

Rike zuckte mit den Achseln und drehte die Flasche zwischen den Händen. »Keine Ahnung. Torben ist eigentlich verheiratet, seine Frau taucht zwar nie mit ihm irgendwo auf, aber es gibt sie – Heike. Torben hätte wohl gern was mit Sina, so, wie das hier eben aussah. Und Sina? Sie spielt schon in einer anderen Liga als Torben. Sie ist zwar nicht so oft hier, aber immer, wenn ich sie sehe, ist sie teuer angezogen, fährt dicke Autos, trägt viel Schmuck, sie muss einen Haufen Geld verdienen. Wobei sie früher schon viel Kohle hatte. Allerdings hat Torben auch jede Menge geerbt. Aber er lässt das nicht so raushängen.«

»Vielleicht hat Sina einen reichen Mann«, überlegte Maren. »Und ihre Eltern waren doch auch wohlhabend, oder? In meiner Erinnerung hatten die immer schon viel Geld.«

Rike nickte. »Stimmt. Aber ich habe Sina noch nie mit einem Mann gesehen. Weder im Sommer auf dem Strandfest, wo sie war, noch auf dem Weihnachtsmarkt, sie war immer allein hier. Na ja, ist ja auch egal, ach guck mal, da kommt unser alter Chorknabe.«

Das Mofa gab seltsame Geräusche von sich, als Onno es behutsam ausrollen ließ. Er parkte es vor dem Schuppen, nahm seinen Helm ab, fuhr sich mit den Fingern durch die Frisur und schlenderte langsam auf Maren und Rike zu. »Na? Fertig?«

Onno blieb vor ihnen stehen, seine Haare standen in alle Richtungen, auf der Stirn zeichnete sich der Abdruck des Helms ab. Er warf einen kurzen Blick hinter sich, bevor er sagte: »Karl kommt auch gleich, war mit dem Rad beim Singen, ich habe ihn natürlich abgehängt. Er will dir unbedingt Hallo sagen, als ob er das morgen nicht auch noch könnte. Aber so ist er. Ich hole mal zwei Flaschen Bier für uns.«

»Ich mach schon«, sagte Rike schnell, sprang auf und gab Onno einen kleinen Klaps auf die Schulter. »Sag du mal deiner Tochter richtig Hallo, das hast du bisher ja noch nicht geschafft.« Pfeifend verschwand sie in der Küche, Onno sah ihr hinterher. »Die Rike ist manchmal …«

Unbeholfen strich er sich die Haare glatt und sah seine Tochter an. »Ich habe doch Hallo gesagt«, meinte er. »Bevor ich losgefahren bin. Aber zur Chorprobe muss man pünktlich sein, sonst warten alle anderen. Tja, was soll ich sagen? Dann wollen wir mal gucken, ob wir das Wohnen hier zusammen so hinkriegen.«

Onno Thiele hatte sicherlich viele Talente. Das Halten einer emotionalen Begrüßungsrede, weil sein einziges Kind nach vielen Jahren ins Elternhaus zurückkehrte, gehörte nicht dazu. Noch nicht mal im Ansatz. Damit hatte Maren auch nicht eine Sekunde lang gerechnet, aber dass er sich nun so schwertat, überraschte sie doch. Ein Außenstehender könnte das Gefühl bekommen, es wäre Onno überhaupt nicht recht, dass er sein Leben ab heute wieder mit seiner Tochter teilen sollte. Bestenfalls sei es ihm egal. Und das, obwohl Maren diese Versetzung auch für ihn angeleiert hatte. Aber das wusste Onno ja nicht, er hatte es nicht von Maren verlangt, und sie hatte es ihm nicht gesagt. Trotzdem hätte er sich freuen können, dachte sie, bis ihr die Blumen einfielen. Etwas zögernd stand sie auf, stieg die drei Terrassenstufen hinab und ging auf ihn zu.

»Das werden wir, Papa«, sagte sie leise und umarmte ihn fest. »Danke für die Blumen«, flüsterte sie ihm ins Ohr, bevor sie ihn wieder losließ. »Ich habe noch ein bisschen Wasser in den Sektkühler getan.«

Er drückte sie kurz an sich, dann löste er sich schnell und trat einen Schritt zurück. »Dann solltest du mal schnell einen Lappen holen. Der Kühler ist gesprungen, der ist nicht mehr dicht, da saust du jetzt die ganze Fensterbank mit ein.«

Maren starrte ihn an, dann fing sie plötzlich an zu lachen. »Du machst es mir nicht leicht, Papa«, sagte sie. »Und ich … ach, da kommt Karl.«

Unter vollem Einsatz seiner Fahrradklingel bog Karl schwungvoll aufs Grundstück ein. »Herzlich willkommen«, rief er, ließ das Fahrrad einfach seitlich auf den Rasen fallen und stürmte auf Maren zu. »Ist das schön, dass du wieder hier bist!« Er umschloss sie mit seinen langen Armen und küsste sie schmatzend auf den Scheitel, bevor er sie von sich schob, um sie besser mustern zu können. »Und gut siehst du aus, Maren, richtig hübsch und erfolgreich.«

»Jetzt mach mal halblang«, mischte sich Onno aus sicherer Entfernung ein. »Die Schleimspur bleibt sonst tagelang auf dem Rasen. Willst du was trinken?«

»Natürlich«, antwortete Karl mit einem verständnislosen Blick auf Onno. »Ich dachte, es gäbe hier Schampus, Kapelle und Tanz.«

Onno sah ihn mitleidig an, dann drehte er sich um und schlurfte zum Haus. »Ich glaube, dir bekommt das Singen nicht«, grummelte er. »Du wirst ja immer bekloppter.«

Karl wartete, bis Onno außer Hörweite war, dann fragte er: »Und? Ist er wieder schrullig?«

»Er kann nichts dafür«, entgegnete Maren und zog Karl am Arm zur Terrasse. »Er konnte früher schon nicht gut mit Gefühlen umgehen, und das ist nach Mamas Tod auch nicht besser geworden. Aber er hat mir Blumen in die Wohnung gestellt, das hat mich echt gerührt. Dass er vor Freude ausrastet, hatte ich ja nicht erwartet.«

Sie war zwar ein kleines bisschen enttäuscht über den eher nüchternen Empfang, aber das musste sie ja nicht Karl auf die Nase binden. Es würde alles gut werden, sie musste Onno etwas Zeit geben, damit er sich an die neue Situation gewöhnen konnte. Und irgendwann würde er sich vielleicht auch freuen, dass seine Tochter wieder da war und er nicht allein bleiben musste.

»Danke, meine Süße«, Maren drückte Rike, die schon seit zehn Minuten von einem schweren Schluckauf gequält wurde, dankbar an sich. »Ohne dich hätte ich das alles gar nicht geschafft.«

»Siehst...te mal«, versuchte Rike eine Antwort und probierte dabei, Marens Fahrrad durchs Gartentor zu bugsieren. »Ich ... bringe dir dein Rad morgen wieder, aber ich muss ra...deln ..., um den Sekt abzubau...en. Diese Scheißkohlen...säure macht mich fertig. Bis ... morgen, träum was Schönes, das geht in Erfüllung.«

Sie winkte kurz, schwang sich aufs Fahrrad und entschwand aus Marens Blickfeld. Sie blieb gleich am Tor stehen und wartete auf ihren Vater, der Karl noch ein Stückchen zum Fahrrad begleitet hatte. Als er zurück war, blieb er vor ihr stehen, strich ihr über die Wange und sagte: »Dann schlaf gut, Maren, und träum was Schönes, das geht in Erfüllung.«

»Ich weiß«, antwortete sie. »Das habe ich heute schon mal gehört. Danke und gute Nacht.«

»Ja«, Karl stellte sein Fahrrad in die richtige Richtung und sah sich suchend um. »Wo ist denn Rike?«, rief er noch mal rüber.

»Schon los.« Maren deutete auf den Weg. »Sie hat Schluckauf.«

»Deshalb kann sie doch auf mich warten.« Karl schwang sein Bein auf die Pedale. »Dann muss ich sie wohl einholen. Also, tschüss, ihr beide und einen guten Dienststart morgen. Und lass dir nichts von diesem Trottel Runge erzählen.«

»Karl«, Onno schüttelte den Kopf. »Er ist ihr Chef.«

»Ja, ja«, leicht schwankend machte Karl sich auf den Weg. »Nacht.«

Sie sahen ihm nach, wie er in leichten Schlangenlinien Tempo aufnahm.

»Die haben beide einen sitzen«, sagte Onno nach einem kleinen Moment. »Und dann aufs Rad. Als Polizist.«

»Als Pensionär«, korrigierte ihn Maren. »So, komm, Papa, jetzt trinken wir beide noch einen Schnaps auf der Terrasse. Auf die besseren Zeiten.«

»Das ist doch zu kalt.«

»Zieh dir eine Jacke über, es ist schöne Luft, wir haben Mai. Also, komm.«

Maren hatte eine Kerze ins Windlicht gestellt, das sie ganz hinten im Küchenschrank gefunden und jetzt auf den Gartentisch gestellt hatte. Sie saßen nebeneinander, jeder ein Glas mit Kräuterschnaps in der Hand, und sahen in die Kerze.

»Nicht, dass jetzt die Mücken kommen«, warnte Onno. »Bei dem Licht.«

»Mama hatte das Windlicht immer auf dem Tisch stehen. Und sie hatte extra Kerzen gekauft, die Mücken vertreiben sollten.«

»Das hat sie nur gesagt. Weil du immer so hysterisch warst, wenn du das Mückensummen gehört hast. Das waren ganz normale Kerzen. Und du hast ihr geglaubt und die Mücken gar nicht mehr beachtet.« Er lächelte und Maren nahm seine Hand. »Sie fehlt mir auch«, sagte sie leise. »Wir müssen mehr über sie reden. Oder mit ihr.«

Onno nickte leicht. »Ich mache das«, sagte er. »Jeden Tag. Sie weiß alles, was hier passiert.«

»Echt?« Maren sah ihn erstaunt an. »Gehst du auf den Friedhof?«

»Manchmal«, Onno zuckte mit den Schultern. »Wenn es sein muss. Das Grab soll ja ordentlich aussehen. Ich pflanze immer pflegeleicht. Bodendecker und so, dann muss man nicht so oft hin.« Einen Moment lang sah er in das flackernde Windlicht. Dann grinste er schief. »Mir sind auf dem Friedhof immer zu viele alte Frauen. Und alle wollen mit mir reden. Über Pflanzen, über Leute, die gestorben sind, über Krankheiten, und dann plötzlich laden sie mich zum Abendbrot ein. Ich glaube, die suchen einen neuen Mann. Aber das fehlt mir gerade noch. Ich möchte meine Ruhe. Und um mit deiner Mutter zu reden, muss ich nicht zum Friedhof. Sie ist doch noch überall im Haus.«

Maren betrachtete ihn nachdenklich, anscheinend verstand er ihren Blick falsch. »Nein, ich höre keine Stimmen und ich bin auch nicht verrückt. Ich habe sie im Gedächtnis und außerdem das große schöne Foto auf dem Schrank. Mach dir keine Gedanken um meinen Verstand, ich will nur nicht meine Pension mit einer langweiligen, alten Witwe teilen.«

»Das musst du ja auch nicht«, Maren strich ihm über den Arm. »Und jetzt hast du ja auch erst mal Gesellschaft.«

Onnos Hand schnellte nach vorn und erschlug eine Mücke, die sich gerade auf sein Bein gesetzt hatte. »Kind, jetzt erwarte aber bitte nicht von mir, dass ich jeden Abend neben dir auf dem Sofa sitze, Cola trinke, Chips esse und Fernsehshows angucke. Aus dem Alter sind wir raus. Das fangen wir nicht wieder an.«

»Ich mag keine Chips. Aber wir können doch ab und zu mal zusammen essen. Oder was unternehmen. Es muss ja keine Fernsehshow sein.«

»Das sehen wir dann.« Onnos Stimme klang neutral. Seine Hand schloss sich um ihre, sie legte ihren Kopf an seine Schulter und war sich sicher, dass Greta sich gerade vorbeugte und ihnen eine Kusshand zuwarf.

So«, sagte Inge zufrieden, wischte sich die Hände an ihrer Hose ab und brachte den leeren Putzeimer zurück in die Abstellkammer. »Alles tippitoppi. Als wenn hier nie etwas gewesen wäre.«

Gisela band den letzten Müllbeutel zu und hob kurz den Kopf. »Danke«, sagte sie leise. »Wo ist Charlotte denn?«

»Die wischt noch einmal den Flur durch. Ach, da kommt sie schon. Fertig?«

Ihre Schwägerin nickte, nahm Gisela den Müllbeutel aus der Hand und schob sie zur Seite. »Ich bring den Müll nach draußen, kümmere du dich mal um Getränke. Das haben wir uns jetzt verdient.«

Eine halbe Stunde später saßen die drei um Giselas polierten Esstisch und tranken Kakao mit Rum und Schlagsahne. »Für die Nerven«, hatte Inge gesagt, und Charlotte fand, dass besondere Ereignisse auch besondere Getränke erforderten.

Als Inge und Charlotte geklingelt hatten, hatte Gisela ihnen ganz verheult geöffnet. Im ganzen Haus hatte man die Spuren des Einbruchs oder die der Polizei gesehen. Schmutzige Fußabdrücke auf dem hellen Teppichboden, weißes Pulver an den Fensterrahmen und der Wand, durchwühlte Zeitungen, die neben der Altpapiertüte lagen, zerbrochene Bilderrahmen, Porzellanscherben, aufgezogene Schubladen, umgekippte Blumentöpfe und die Sofakissen, die jemand auf den Boden geworfen hatte.

»Gott, sieht das hier aus«, waren Inges erste Worte gewesen. »Wie lange darf man denn hier nichts anfassen?«

»Hier ist ja niemand ermordet worden«, war Charlottes Antwort gewesen, sie hatte dabei Gisela tadelnd angesehen, die schon wieder in Tränen ausgebrochen war. »Die Polizei war doch schon da, dann kann man das auch aufräumen. Oder? Gisela, reiß dich mal zusammen, kann man aufräumen oder nicht?«

Gisela hatte schluchzend genickt. »Ich war noch gar nicht in der Lage ...«

»Jetzt sind wir ja da. Los, Inge, zieh die Jacke aus. Wo ist dein Putzzeug? Gisela?«

Die letzte Frage hatte sie sehr laut gestellt, es hatte scheinbar geholfen. Gisela hatte sich die Nase geputzt und war in die Abstellkammer gegangen, dicht gefolgt von Inge und Charlotte.

»Na bitte«, hatte Charlotte gesagt. »Geht doch.«

Bedauernd legte Inge jetzt die Hand auf die Tasse. »Ich darf keinen Rum trinken, ich muss ja noch fahren.«

Gisela sah sie mitleidig an, dann zuckte sie plötzlich, nach einem Blick auf die Uhr, zusammen. »Ach, du meine Güte, ich habe gar kein Zeitgefühl. Wir hatten doch Chorprobe.«

»Viel zu spät«, Charlotte setzte vorsichtig einen Löffel Schlagsahne auf ihren Kakao. »Ich habe vorhin bei Elisabeth angerufen und uns entschuldigt. Sie weiß Bescheid. Aber das hier ging ja wirklich vor. Das hat sie auch eingesehen. Und zum Konzert sind es ja noch ein paar Wochen, das kriegen wir schon hin.«

»Ich bin euch so dankbar, ihr habt mir sehr geholfen, wirklich.« Gisela legte beiden Frauen eine Hand auf den Arm. »Ich stand so neben mir, ich wusste gar nicht, was ich zuerst machen sollte. So ein Schock! Wisst ihr, ich war höchstens eine halbe Stunde beim Arzt, ich musste doch nur ein Rezept abholen. Und dann komme ich hier rein und sehe dieses Durcheinander. Ich war völlig starr vor Schreck. Und als die Polizei kam, haben die mich gefragt, ob die Einbrecher schon weg waren, als ich kam. Stellt euch mal vor, die wären hier noch gewesen! Ich wäre ja gestorben.«

»So schnell stirbt man nicht«, entgegnete Charlotte. »Aber wann war das jetzt genau? Gestern Morgen?«

Gisela nickte. »Zwischen neun und neun Uhr dreißig. Am helllichten Tag!«

»Und keiner hat was gesehen?«, fragte Inge neugierig. »Hier wohnen doch Leute. Das muss man doch mitkriegen, wenn eine Terrassentür aufgehebelt wird. Das fällt doch auf, oder nicht?«

»Mein Nachbar hat um halb neun mit dem Rasenmähen losgelegt. Da war der so konzentriert, dass er wohl gar nicht hochgeguckt hat.«

»Hm«, Charlotte guckte skeptisch. »was ist denn das für ein Nachbar? Und wie lange war die Polizei dann da?«

»Eine Stunde vielleicht?« Gisela überlegte. »Vielleicht auch länger, ich war so durcheinander, ich habe nicht auf die Zeit geachtet. Sie haben alles mit diesem weißen Pulver eingepinselt und gefragt, ob was fehlt.«

Charlotte sah sich um. »Und, was fehlt?«

»Ach, nichts weiter«, antwortete Gisela. »Vierzig Euro und meine Sonnenbrille, lag alles auf der Flurgarderobe. Ich nehme an, dass die Einbrecher gestört wurden. In der Küchenschublade liegen einhundert Euro, mein Schmuck, das ist nicht viel, aber immerhin, liegt oben im Schlaf-zimmer, das Silberbesteck hier im Schrank, aber alles ist noch da. Sie haben gar nicht richtig angefangen.«

Inge stützte nachdenklich ihr Kinn auf die Faust. »Aber wieso werfen die die ganzen Kissen vom Sofa, ziehen die Schubladen auf, ohne etwas rauszunehmen, und durch-wühlen dein Altpapier? Warum gehen die nicht gleich ins Schlafzimmer, die meisten bewahren doch ihren Schmuck und ihre Wertsachen oben auf.«

»Vielleicht haben sie das nicht geschafft«, Charlotte überlegte mit. »Aber wenn jemand sie gestört hätte, dann gäbe es ja einen Zeugen. Oder? Vielleicht meldet sich noch jemand.«

Gisela wurde wieder blass. »Stellt euch mal vor, die kämen wieder. Weil sie nicht fertig geworden sind.« Sie goss sich sofort Rum nach. »Die steigen noch mal ein. Ich weiß gar nicht, ob ich hier noch wohnen kann. Ich habe letzte Nacht kein Auge zugemacht, achte ständig auf Geräusche, ich weiß nicht, ob das wieder besser wird.« Sie seufzte und schloss die Augen, Inge legte ihr tröstend die Hand auf den Arm.

»Das glaube ich nicht, Gisela. Ich will dir nicht zu nahe treten, aber Einbrecher sehen nach zehn Minuten, ob es sich lohnt oder nicht. Und mit Verlaub, für ein bisschen altes Silberbesteck und zwei Perlenketten macht es keinen Sinn, den ganzen Aufwand noch mal zu betreiben. Wenn du jetzt so eine Millionenimmobilie hättest, in der Antiqui-täten, teure Bilder, Schmuck hinter Glas und solche Dinge wären, dann könnte ich es mir vorstellen, aber hier …?«

Alle drei sahen sich in dem wieder aufgeräumten Wohn-zimmer um.

»Nicht mal eine Musikanlage«, ergänzte Charlotte. »Die kommen nicht wieder.«

»Ich habe ein Radio in der Küche«, widersprach Gisela. »Aber trotzdem … Das war so ein Eingriff in mein Zuhause, ich weiß wirklich nicht, ob ich mich hier allein noch wohlfühle.«

»Was willst du denn machen?« Inge hob den Kopf und sah sie an. »Willst du einen Untermieter reinnehmen? Ich meine, Wohnungsinteressenten gibt es auf der Insel genug. Du wirst sofort jemanden finden. Mit Kusshand.«

»Soll ich mir in meinem Alter noch mit jemandem das Bad und die Küche teilen?« Gisela tippte sich mit dem Finger an die Stirn. »Wie in einer Studentenwohngemeinschaft? Das fehlt mir gerade noch. Nein, danke. Und ich kann aus diesem Haus keine zwei Wohneinheiten machen, dafür müsste man alles umbauen, und dafür fehlt mir das Geld. Nein, nein, vielleicht sollte ich doch verkaufen und nach Oldenburg ziehen. Zu den Kindern. Die wohnen beide da. Das ist eigentlich ganz nett.«

»Und deine Freunde? Und der Chor?« Charlotte war entsetzt. »Das hier ist dein Zuhause. Du kennst alle Wege und alle Leute, und jetzt willst du alter Baum dich verpflanzen lassen? Nur, weil ein paar Halbstarke deine Terrassentür aufgehebelt haben? Gisela, du bist durcheinander, das ist doch ganz klar. Aber überleg dir das lieber erst noch mal genau.«

Gisela schwieg einen Moment, dann sagte sie langsam: »Vor zwei Wochen war ein junger Mann hier, einer von der Bank. Ganz sympathisch, gar nicht aufdringlich, sehr höflich und bescheiden. Er hat mir erzählt, dass seine Bank auch im Immobiliengeschäft tätig ist. Er bietet Eigentümern von Immobilien seine Hilfe an, wenn sie verkaufen wollen. Er kümmert sich dann um alles: um die Gutachten, Grundrisse, Interessenten. Man hat als Verkäufer gar keinen Ärger. Kassiert das Geld und gut.«

»Du willst aber nicht verkaufen«, mischte Inge sich ein. »Das kann doch nicht sein, dass du dich von so einem Vorfall so verunsichern lässt! Verkaufen! Wenn du hier nicht mehr die Treppe hochkommst und zu klapprig bist, um den Garten zu machen, dann kannst du verkaufen, aber erst dann. Und jetzt machst du noch eine Kanne Kakao und dann reden wir über das Konzert im August. Verkaufen! Ich glaube es ja nicht!«

Gisela nahm die Kanne und ging in die Küche. Als sie außer Sichtweite war, beugte Charlotte sich zu ihrer Schwägerin und flüsterte: »Vielleicht sollte eine von uns ihr anbieten, heute Nacht hier zu schlafen. Damit sie sich beruhigt. Stell dir mal vor, dieser junge Mann kommt morgen wieder, in dieser Verfassung verkauft Gisela das Haus schneller, als alle gucken können. Das wäre doch fatal.«

Inge nickte. »Stimmt. Ich hole gleich mein Nachtzeug. Dann rede ich ihr diesen Unsinn schon noch aus.«

Maren blieb einen Moment im Auto sitzen, atmete tief ein und aus und stieß dann entschlossen die Autotür auf. Sie hasste erste Tage, das war schon seit ihrer Einschulung so, aber auch dieser erste Arbeitstag würde vorbeigehen, und morgen war dann schon der zweite. Sie stieg aus, verriegelte ihren Wagen und ging mit schnellen Schritten auf das Westerländer Polizeirevier zu. ›Du hast es so gewollt‹, sagte sie sich im Stillen. ›Polizistin ist Polizistin, egal, ob in Münster oder auf Sylt.‹

Sie stieß die Tür zur Wache auf, lief die Stufen hinauf und blieb kurz am Eingang stehen. Zwei Polizisten saßen an ihren Tischen, einer von ihnen telefonierte, der andere hob den Kopf und sah sie freundlich an. »Kann ich Ihnen helfen?« Er stand auf, ging um den Tisch herum und kam auf sie zu. Er war jung, noch keine dreißig, mit gebräuntem Gesicht, hellblonden Haaren und einem breiten Lächeln. Maren lächelte zurück. »Guten Morgen, Polizeiobermeisterin Maren Thiele. Ich bin die Neue.«

»Hallo, das ist ja schön, ich bin ...«, bevor der nette Kollege die Hand gehoben hatte, wurden sie schon unterbrochen.

»Einen wunderschönen guten Morgen«, tönte es plötzlich aus dem Flur. »Schröder, gehen Sie mal zur Seite, ich mach das schon.« Ein Hüne hatte sich plötzlich vor Maren aufgebaut, knapp zwei Meter groß, mit nach hinten gegelten dunklen Haaren, einer kleinen, blauen Hornbrille, lauter Stimme und einem etwas zu festen Händedruck. »Polizeihauptkommissar Peter Runge, ich bin der Revierleiter und damit Ihr Chef. Ihr Ruf eilt Ihnen voraus, Kollegin, lauter Bestbenotungen, genügend Erfahrung, da werden Sie die Jungs hier ordentlich aufmischen. Los, kommen Sie, ich zeige Ihnen mal die Gegebenheiten und stelle Ihnen die Kollegen vor. Also, hier haben wir …«

Maren konnte ihn vom ersten Moment an nicht leiden. Runge stürmte wie ein Stier durch die Räume, sie kam kaum hinterher. Er riss, ohne auch nur einmal zu klopfen, die Türen auf, bellte die Vorstellung kurz hinein, zeigte dabei mit dem Daumen auf sie, verzichtete auf jede Geste der Höflichkeit, ganze Sätze schienen auch nicht in seinem Repertoire zu sein, er fragte sie nichts, gab ihr keine Gelegenheit, selbst Fragen zu stellen, zählte Namen, Dienstgrade und Abteilungen auf, die sie sich selbstverständlich in gar keinem Fall merken konnte. Nach fünfzehn Minuten hatte sie Seitenstechen und ein rotierendes Gehirn.

»Im Winter gibt es hier vierzig Kollegen«, dozierte er weiter, während sie atemlos versuchte, mit ihm Schritt zu halten. »Im Zuge des Bäderersatzdienstes wird dieser Bestand im Sommer, also von April bis September, auf sechzig aufgestockt, dazu kommen zehn Kollegen der Kripo, die sitzen im ersten Stock, da gehen wir jetzt mal hoch.« Na, das war ja jetzt doch mal ein erster vollständiger Satz.

Er sah kurz zu ihr hinunter, während er zwei Stufen auf einmal nahm. »Irgendwelche Fragen?«

Maren schüttelte den Kopf und bemühte sich, ihre Atmung flach zu halten. Oben angekommen, behielt Runge den Stechschritt bei, rannte wieder in jedes Zimmer, bellte weiter Namen und Vorstellungsphrasen, ließ ihr aber vorsichtshalber keine Zeit, auch nur irgendjemanden flüchtig zu begrüßen. Kurz bevor sie das Gefühl hatte, leicht überzukochen, kam eine junge Frau auf sie zugelaufen. »Chef, Kiel ist am Telefon, ich habe es in Ihr Büro gestellt.«

»Alles klar«, antwortete er und tippte Maren kurz auf die Schulter. »Das ist wichtig. Bringen Sie Polizeiobermeisterin Thiele doch schon mal nach unten und zeigen Sie ihr, wo sie sich umziehen kann. Also, bis später, guten Start.«

Er verschwand in Sekundenschnelle, und Maren wunderte sich, dass es keine Staubwolke gab. Aufatmend wandte sie sich an die junge Frau und streckte ihr die Hand hin. »Maren Thiele«, sagte sie. »Heute ist mein erster Tag.«

»Katja Lehmann«, war die Antwort. »Ich weiß, herzlich willkommen. Hat Ihnen der Chef schon alles gezeigt oder wollen Sie noch etwas wissen?« Sie sah sie etwas gestresst an, und Maren hatte den Eindruck, dass sie nicht die Einzige war, die Runge anstrengend fand. »Ach, danke«, antwortete sie deshalb in leichtem Ton. »Ich werde mich im Lauf des Tages schon zurechtfinden. Vielleicht können Sie mir nur sagen, wo ich meine Tasche lassen kann. Das wäre sehr nett.«

Katja machte sofort auf dem Absatz kehrt und eilte die Treppe nach unten, Maren folgte ihr und fragte sich, warum um alles in der Welt in diesem Revier dieses Tempo herrschte. Auf der Insel gab es doch sicher keine Straftaten im Sekundentakt, die eine solche Hektik erklären würden.

»Hier vorne rechts«, wies Katja sie an, öffnete eine Tür und zeigte auf metallene Schränke. »Ihr Name müsste schon draufstehen, bis gleich.«

Sofort war sie verschwunden, Maren verharrte noch einen Moment irritiert an der Tür, sah der verschwundenen Katja nach und wartete mit der Klinke in der Hand auf eine Art Eingebung. Sie kam nicht, dafür fand sie auf Anhieb ihren Spind und zog sich schnell um. Als sie in Uniform aus dem Umkleideraum kam und sich langsam zur Treppe wandte, hörte sie etwas, das sie sofort stehen bleiben ließ.

»Hey, wie geht's?« Die tiefe ruhige Stimme kam Maren bekannt vor, was aber nicht sein konnte, weil das, was sie mit dieser Stimme in Verbindung brachte, überhaupt nicht hierhergehörte. Ganz und gar nicht. Langsam drehte sie sich um und blickte der Stimme entgegen. In ihrem Kopf formte sich ein großes, rotes, fett gedrucktes und kursiv geschriebenes: *NEIN, NEIN, NEIN.*

»Robert«, zwang sie sich zu sagen und fragte sich, warum sie plötzlich so eine verschrammte Stimme hatte. »Was machst du denn hier?«

Er blieb lässig an den Türrahmen gelehnt, ohne den Blick von ihr zu wenden. Ein kleines Lächeln zuckte um seinen linken Mundwinkel. Langsam schob er eine Hand in die Hosentasche und zuckte leicht mit den Achseln. »Bäderersatzdienst«, sagte er. »Ich habe mich von April bis September hierher versetzen lassen. Ich dachte, ein Sommer auf Sylt bringt mich auf andere Gedanken, aber letzte Woche habe ich auf der Besprechung gehört, dass eine neue Kollegin kommt. Das ist jetzt natürlich blöd gelaufen.«

Sein Gesichtsausdruck drückte allerdings ganz und gar nicht aus, dass er das Ganze für »blöd gelaufen« hielt. Für Maren aber *war* es eine einzige Katastrophe.

»Bäderersatzdienst«, wiederholte sie tonlos, das hatte sie doch gerade eben von ihrem angeknipsten Chef gehört. Die Verstärkung der Kollegen auf der Insel während der Saison. »Aha. Und das machst du jetzt? Hier?«

Das war doch nahezu brillant formuliert, dachte sie, zumindest fast in ganzen Sätzen. Sie konzentrierte sich, ihre Beine zu stabilisieren, was bei dem aktuellen Puls nicht ganz einfach war. Was für eine absurde Situation! Robert sah sie indes entspannt und abwartend an, in seinem linken Mundwinkel zuckte immer noch dieses blöde Grinsen, am liebsten hätte Maren ihn angebrüllt. Im Tonfall eines beleidigten Kindes, das schreit: »Hau ab, du sollst weggehen, sonst ...«

Aber was wäre sonst? Polizeiobermeisterin Maren Thiele hatte heute ihren ersten Diensttag auf Sylt, sie durfte sich nicht blamieren, sie konnte weder abhauen noch mit den Füßen stampfen, sie musste sich einfach zusammennehmen. Und alles, was sie dachte, runterschlucken. Langsam bis zehn zählen, bei ihrer Gemütslage besser bis zwölfhundert, dann lächelnd auf ihn zugehen, ihm freundschaftlich die Wange tätscheln und mit souveräner Stimme sagen: »Du, nichts für ungut, dann wollen wir mal versuchen, ob wir hier miteinander auskommen.« Aber das ging im Moment alles überhaupt nicht, sie suchte nach Worten, nach einer Ordnung im Kopf, und sie und war noch mittendrin, als sein Funkgerät ansprang. »Einsatz, Wagen einundzwanzig, Verkehrsunfall in Westerland, Süderstraße, Ecke Meisenweg.«

»Wir übernehmen«, antwortete Robert, ohne Maren aus den Augen zu lassen. »Ich nehme Kollegin Thiele gleich mit.«

»Alles klar.«

»Hast du gehört?« Robert stieß sich vom Türrahmen ab. »Wir haben einen Einsatz. Den Rest besprechen wir privat.«

Maren folgte ihm stumm. Sie hasste erste Tage. Einmal mehr.

Als sie am Unfallort eintrafen, rettete sich Maren in ihre Routine. Robert war anscheinend genauso geschockt von ihrem Wiedersehen, zumindest fuhr er gelinde gesagt unkonzentriert, trotzdem waren sie irgendwie heil angekommen.

Unfälle wie diese hatte sie schon Hunderte gesehen, sie wusste, was sie zu tun hatte. Während sie mit dem Jugendlichen sprach, den ein SUV schwungvoll vom Fahrrad geholt hatte, beobachtete sie im Seitenblick, wie gelassen Robert den wütenden Autofahrer in den Griff bekam. Erst als der Sanitäter sich um den jungen Mann kümmerte, der noch sichtbar unter Schock stand, ging Maren zu Robert und dem Unfallfahrer. »Was fährt der Idiot auch auf der Straße?«, japste der etwas übergewichtige Mann in Jeans und gelbem Polohemd. »Hier, überall Schrammen auf der Seite, das ist eine Metalliclackierung, haben Sie eine Ahnung, was das kostet? Wenn ich diese jungen Kerle auf ihren Rädern schon sehe … Eiern da durch die Gegend …« Er fuchtelte erregt mit den Armen, sein Gesicht sah aus wie eine wütende Tomate. Seine sehr viel jüngere Begleiterin schien es nicht für nötig zu halten, auszusteigen. Sie saß, verschanzt hinter ihrer überdimensionalen Sonnenbrille, im Auto und sah dem Treiben demonstrativ gelangweilt zu. Maren fand diesen arroganten Fahrer unerträglich, schaute zu dem Jugendlichen, der jetzt vom Sanitäter zum Rettungswagen begleitet wurde, ging zu dem SUV und beugte sich zum Seitenfenster, um dagegen zu klopfen. »Steigen Sie bitte mal aus.«

Schneckengleich kam die Blondine aus dem Wagen, sofort stellte der Fahrer sich neben sie. Maren wechselte einen kurzen Blick mit Robert, dann sagte sie: »Ich brauche dann mal Ihre Zeugenaussage, kommen Sie bitte mit mir zum Wagen.« Sie ließ ihr den Vortritt, während sie Robert sagen hörte: »Wie hätte der junge Mann denn

Ihrer Meinung nach Fahrradfahren sollen? Sie stehen doch auf dem Fahrradweg, er konnte gar nicht ausweichen. Haben Sie etwas getrunken? Nein? Dann sind Sie bestimmt mit einem Test einverstanden.«

Maren wartete die wütende Tirade des Fahrers nicht ab, sondern dirigierte seine Begleiterin zum Auto.

»Das sind doch immer dieselben Typen«, knurrte Robert, während er sich anschnallte und den Wagen startete. »Große Fresse, dickes Auto, junge Frau. Und immer im Recht und sofort den Anwalt am Telefon.« Er würgte den Motor ab und startete neu.

»Aber sag mal: Hatte er denn eine Fahne?«, Maren vermied es, ihn anzusehen. »Oder warum hast du den Test gemacht?«

»Damit er sich beruhigt«, antwortete Robert und hielt an der roten Ampel. Er sah sie kurz an, dann wandte er den Blick wieder nach vorn. »Beim Pusten kann man wenigstens nicht labern. Der war ja nicht auszuhalten. Aber die Sachlage war eindeutig. Zu schnell, zu dicht am Radweg und zu beschäftigt, um nach rechts zu gucken. Um den Rest kann sich dann sein Anwalt kümmern. Auch wenn er keine Promille hatte. Na ja, der Urlaub ist ihm aber trotzdem versaut.«

»Der von dem Jungen auch«, ergänzte Maren und zeigte auf die Ampel. »Grüner wird's nicht.«

Robert legte krachend den Gang ein, gab Gas und grüßte einen entgegenkommenden Kollegen. »Der Junge macht hier keine Ferien, der war gerade auf dem Weg zur Schule. Wir können gleich mal in der Klinik anrufen und fragen, wie es ihm geht. Der war ja richtig durch den Wind. Armer Kerl.«

Maren war etwas erstaunt, wie fürsorglich Robert

mit Blick auf den Jungen war. Sie sah ihn kurz an, dann wieder weg und überlegte, ob sie einfach einen blöden Witz erzählen könnte, der die Stimmung entspannte, ihr fiel nur keiner ein. Sie hatte so ein miserables Gedächtnis. Und wunderte sich, wie grottenschlecht Robert Auto fuhr. Er zuckelte mit vierzig Stundenkilometern die Straße lang und kam jedes Mal, wenn er sie von der Seite ansah, gefährlich nah an den Mittelstreifen.

»Wolltest du was sagen?«, fragte Robert, dessen Empathie sich offenbar nicht nur auf angefahrene Jungs beschränkte.

›Kommt ein Mann zum Arzt ...‹, dachte Maren, schüttelte den Kopf und sagte nur: »Nein, ich habe nur an das Protokoll gedacht, das ich gleich schreiben werde. Und du kommst gerade auf die Gegenspur.«

»Ach ja«, Robert warf ihr einen forschenden Blick zu, bevor er sich wieder auf die Straße konzentrierte. »Die Lenkung ist so weich. Und sonst?«

»Was meinst du?« Maren bemühte sich, einen harmlosen Ton zu treffen. »Alles gut, wieso?«

»Ich habe ein paar Monate darauf gewartet, dass du mich mal zurückrufst. Oder wenigstens auf eine Mail oder SMS reagieren würdest. Hast du aber nicht.«

»Stimmt.« Maren starrte konzentriert auf den Wagen, der vor ihnen fuhr. Ein schwarzes Cabrio mit Hamburger Kennzeichen. Ein teures Auto und ein sehr junger blonder Mann am Steuer, einen Arm auf der Fahrertür, teure Uhr, Sonnenbrille auf die Stirn geschoben, laute Musik. Unangenehmer Schnösel. Jetzt zog er sein Handy aus der Tasche und fing an zu telefonieren.

»Siehst du das?«, Maren griff nach der Kelle und setzte sich gerade hin. »Der hat noch nicht mal begriffen, wer hinter ihm fährt. Pech, mein Süßer.«

67

Robert setzte den Blinker und überholte das Cabrio. Dafür musste er Gas geben, vergaß dabei zu schalten, der Motor röhrte mit hoher Drehzahl. Maren warf einen fragenden Blick auf Robert, der sich aber ganz auf das Einscheren konzentrierte. Der junge Mann hatte das Handy cool neben sich fallen lassen und ein gleichgültiges Gesicht aufgesetzt. Es würde ihm nichts helfen. Obwohl er seinen Verkehrsverstoß genau im richtigen Moment begangen hatte. Zufrieden hielt Maren die Kelle aus ihrem Fenster. Um den Rest würde sie sich später kümmern. Auch um die Frage, wie schlecht ein Polizist Auto fahren durfte.

Immer noch Montagmorgen,
mittlerweile bei Sonnenschein

Karl versuchte mühsam, die Tür aufzudrücken, ohne die Brötchentüten fallen zu lassen. Er bekam es nicht hin, blickte erleichtert auf, als eine junge Polizistin plötzlich neben ihm stand. »Kann ich Ihnen helfen?«, fragte sie freundlich, während sie ihm die Tür aufhielt. »Wo möchten Sie denn hin?«

»Danke sehr«, mit einem fröhlichen Lächeln schob Karl sich an ihr vorbei. »Ich will zu Ihnen, also natürlich nicht persönlich zu Ihnen, aber in meine alte Wirkungsstätte. Polizeihauptkommissar Sönnigsen, sehr angenehm.«

»Ach, Sie sind der Vorgänger von PHK Runge?«, stellte sie mehr fest, als dass sie fragte. »Angenehm, Lehmann, Polizeianwärterin. Aber der Chef ist gar nicht da.«

»Fein«, Karl nickte. »Ich meine, das macht nichts, ich wollte meinen alten Kollegen nur ein paar Rosinenbrötchen bringen, ich war gerade in der Gegend. Ach, hallo, Benni, na, mein Jung, alles unter Kontrolle?«

Benni hob den Blick von den Akten, die er gerade durchblätterte, und grinste. »Der Meister. Komm rum, möchtest du einen Kaffee?«

Gespielt bescheiden winkte Karl ab. »Nur, wenn ich nicht störe. Ich war gerade in der Gegend und dachte, ich schau mal rein.«

»Sicher«, mit einer Kopfbewegung deutete Benni auf die Brötchentüten. »Und aus Versehen hast du zu viele

Brötchen gekauft und hast jetzt welche über, die du uns bringst?«

»So ungefähr«, nickte Karl, »Rosinenbrötchen und Croissants.«

Die junge Polizistin, die ihm die Tür aufgehalten hatte, stellte sich neben Karl. »Soll ich Ihnen einen Kaffee bringen? Vielleicht in den Besprechungsraum? Der ist leer.«

Benni nickte und sah Karl an. »Oder?«

»Du, gern«, sofort schlug Karl den Weg zum Besprechungsraum ein. »Nimm dir ein paar Akten mit, Benni, sonst sieht das so aus, als würde ich dich von der Arbeit abhalten. Und das wollen wir ja nicht.« Er verharrte an der Tür, nahm ein Croissant für Benni aus der Tüte, ging noch mal zurück und drückte der jungen Polizistin die Brötchentüten in die Hand. »Die können Sie mal in die Teeküche stellen. Mit Gruß vom alten Chef. Kommst du, Benni?«

»So«, Karl hatte gewartet, bis die hübsche Lehmann die Tür des Besprechungsraumes geschlossen hatte. »Jetzt mal Butter bei die Fische. Eine Chorschwester von mir war das vierte Opfer der Einbruchsserie. Das musste ich von zwei anderen Chorschwestern hören. Der Einbruch von Freitag. Gisela ist völlig verzweifelt und hat das Gefühl, dass die Polizei überhaupt nichts unternimmt. Sie fühlt sich ihres Lebens nicht mehr sicher, kann nicht mehr schlafen, das Haus ist völlig über Kopf, es ist keiner da, der ihr hilft, sie steht immer noch unter Schock. Da zahlt sie ihr Leben lang Steuern und hält sich an alle Gesetze und muss dann erleben, dass man nichts für ihre Sicherheit macht. Als ob es kein Interesse seitens der Polizei gäbe, diese Einbruchsserie aufzuklären. Sie kann das einfach nicht verstehen.«

Natürlich übertrieb Karl, er hatte ja gar nicht mit

Gisela gesprochen, sondern seine Informationen von Inge bekommen. Etwa so müsste sie sich fühlen, glaubte er jedenfalls. Aber das war seinen ehemaligen Kollegen ja anscheinend völlig egal. Hier musste mal ein bisschen Druck aufgebaut werden. Und wer könnte das besser als er?

Benni hörte ihm aufmerksam zu und schüttelte dann langsam den Kopf. »Du, ich habe heute Morgen noch mit ihr telefoniert, da machte sie einen ganz stabilen Eindruck.«

»Schauspielerin«, winkte Karl ab. »Sie ist eine stolze Frau. Und du könntest fast ihr Enkel sein. Meinst du, dass sie dir sagt, wie es ihr geht? Nein, nein, sie hat kein Vertrauen mehr in euch, es tut sich ja überhaupt nichts in dieser Einbruchsserie. Also, ich möchte doch gern mal wissen, was ihr alles habt. Und komm mir nicht mit Zivilperson, ich bin persönlich betroffen, da kannst du mir auch mal eine Auskunft geben.«

»Wurde bei dir auch eingebrochen? Oder woher kommt deine persönliche Betroffenheit?«

Karl fragte sich, warum Benni so stur war. Trotz der guten Jahre, die sie zusammen gehabt hatten. »Sie ist meine Chorschwester. Hab ich doch gesagt. Wenn das nicht persönlich ist, dann weiß ich es auch nicht.«

Er dachte einen Moment nach, dann versuchte er einen anderen Weg. »Benni, das ist doch ein Muster, das sieht man doch auf den ersten Blick. Alleinstehende Frauen, keine Zweitwohnungseigentümer, keine Luxusdomizile. Die Ermittlungen müssen doch von Kollegen gemacht werden, die sich auf der Insel auskennen. An der Ostsee macht man ganz andere Erfahrungen, die nützen einem doch hier nichts.«

Benni zerkrümelte den Rest seines Croissants. »Jetzt

schieß dich doch nicht so auf Runge ein«, sagte er. »Der ermittelt auch nicht allein, wir anderen sind doch alle von hier, und wir sind doch genauso mit den Ermittlungen befasst. Was genau willst du denn jetzt von mir hören?«

»Die Akten«, Karls Antwort kam sofort. »Wo ist noch eingebrochen worden? Was wurde da gestohlen? Und was habt ihr schon?«

Abrupt stand Benni auf und ging langsam zur Tür. »Ich muss mal aufs Klo«, sagte er und starrte an Karl vorbei auf den Tisch. »Kann ich dich hier so lange allein lassen?«

Karl folgte seinem Blick und lächelte. »Natürlich«, sagte er fröhlich und tastete in der Brusttasche nach seiner Brille. »Lass dir Zeit. Händewaschen nicht vergessen.«

Der Erste, der Maren entgegenkam, als sie, gefolgt von Robert, zurück aufs Revier kam, war Karl. Er blieb sofort stehen und hielt sie am Arm fest. »Welch Glanz in dieser Hütte!«, rief er und sah sie stolz an. »Und? Wie ist der erste Dienst? Dein Chef ist ja gar nicht da, wie ich gehört habe. Das ist ja nicht gerade die feine englische Art, wenn neue Kollegen kommen.«

»Nicht so laut, Karl«, Maren sah ihn tadelnd an. »Außerdem *war* er heute Morgen bei meinem Dienstantritt da und hat mich rumgeführt. Wie es sich gehört. Was machst du eigentlich hier?«

»Ich war zufällig in der Gegend«, antwortete er und betrachtete Robert neugierig. »Noch ein neuer Kollege? Einen schönen guten Tag, mein Name ist Karl Sönnigsen, ich war hier mal der Chef.«

Er schüttelte Robert begeistert die Hand und warf Maren einen anerkennenden Blick zu. »Na, das ist ja mal ein Händedruck. Sie sind neu hier, wo kommen Sie denn her? Und seit wann sind Sie hier?«

Robert lächelte ihn freundlich an. »Robert Jensen. Ich komme aus Bremen. Bäderersatzdienst. Freut mich, ich habe schon viel von Ihnen gehört.«

»Das wundert mich nicht«, ohne Bescheidenheit warf Karl sich in die Brust. »Dann mal auf gute Zusammenarbeit, Kollege. Und wenn Sie ein Problem ...«

»Karl«, Maren griff ihn am Arm und schob ihn ein Stück zur Seite. »Im Moment ist es echt ein bisschen schlecht, ich muss noch meinen Bericht schreiben. Wir sehen uns später, okay?« Ihr Blick fiel auf Karls Hand. »Was hast du denn da?« Mit einem schnellen Griff umfasste sie sein Handgelenk. »Hast du dich verletzt? Oh nein, das ist ...«

»Nichts«, sofort befreite er sich aus ihrem Griff und schob die Hand in die Jackentasche. »Es ist nichts, ich muss dann mal los. Tschüss dann.« Er drehte sich auf dem Absatz um und eilte die Treppen runter. Maren sah verdutzt hinterher. Karls Handinnenfläche war bis zum Unterarm mit blauem Kugelschreiber vollgeschrieben. Das hatte sie zum letzten Mal in der Schule gesehen. Bei Hauke Nielsen, der in Mathe der Volldepp gewesen war und sich dann auch noch beim Schummeln erwischen ließ. Maren hoffte nur, dass Karl in seinem Alter nicht noch irgendeine Prüfung bestehen musste.

Als sie nach Dienstschluss erleichtert in ihrem Auto saß, schloss sie einen Moment lang die Augen. Was für ein erster Tag. Kollegen, deren Namen sie sich noch nicht merken konnte, Abläufe, die sie erst mal rausfinden musste, Straßennamen, die ihr entfallen waren, arrogante Schnösel, schlechte Autofahrer, jugendliche Ladendiebe und ein völlig betrunkener Mann, den man nach seinem feuchtfröhlichen Junggesellenabschied auf der Insel einfach vergessen hatte. Und zu all dem auch noch Robert. Robert Jensen. Kollege aus Bremen, den sie vor einem knappen Jahr bei einer Weiterbildung in Hamburg kennengelernt hatte. Man sollte auf Weiterbildungen abends einfach keinen Alkohol trinken. Schon gar nicht kurz nach einer schlimmen Trennung.

Maren öffnete die Augen, weil sie sich selbst stöhnen hörte. Es war definitiv nicht der beste aller ersten Tage gewesen. Sie griff zum Zündschlüssel, als ihr Handy klingelte. Nach einem Blick aufs Display ging sie dran. »Hallo, Rike.«

»Hey, wie war dein erster Tag? Ich habe an dich gedacht. Kommst du gut an bei deinen neuen Kollegen?«

»Bei einem ganz besonders«, antwortete Maren. »Du ahnst nicht, wen ich heute wiedergetroffen habe.«

»Keine Ahnung. Karl?«

»Ja, den sowieso. Nein. Robert Jensen. Das ist die Strafe für Alkoholmissbrauch bei Seminaren.«

Am anderen Ende fing Rike nach einer kurzen Pause an zu lachen. »*Der* Robert Jensen? Die Nacht in Hamburg? Nein, das ist nicht wahr! Aber kam der nicht aus Bremen?«

»Bäderersatzdienst.« Maren fand den Begriff immer blöder. »Er hat sich für den Sommer hierher versetzen lassen. Das Gute ist, dass er wieder nach Bremen zurückgeht, das Schlechte, dass die Saison bis September dauert. So ein Scheiß.«

»Wovor hast du denn eigentlich Angst: dass er es rumerzählt? Dass er dich nicht mehr leiden kann? Oder eher, dass du dich in ihn verknallst? Also: Woher weht der Wind?«

»Keine Ahnung«, Maren ließ die Hand aufs Lenkrad fallen und haute sich die Knöchel an. »Aua! Ist doch egal.

Ich sitze das aus. So was Blödes. So, Themawechsel, gehen wir heute Abend noch was trinken? Auf diesen ersten Tag?«

»Das ist schlecht, ich bin mit meinen Kolleginnen zum Essen verabredet. Lass uns das morgen machen, ja? Dann feiern wir den zweiten Tag. Holst du mich ab? Um halb acht?«

»Okay, bis morgen, viel Spaß dann heute Abend.«

Als sie vom Parkplatz fuhr, sah sie Robert in Zivil aus dem Wohntrakt kommen.

Die Saisonpolizisten konnten dort Zimmer mieten, was die meisten aufgrund der schlechten Wohnungssituation auf der Insel auch taten. Sie schliefen zwar in Zweibettzimmern und hatten dadurch relativ wenig Privatsphäre, dafür war es billig und praktisch. Und wenn einem die Decke auf den Kopf fiel, konnte man an freien Tagen ohnehin nach Hause fahren.

Jetzt erkannte Robert sie und hob grüßend die Hand. Halbherzig grüßte sie zurück, gab Gas und stellte erleichtert fest, dass ja gar keine Gefahr bestand, diesen Ausrutscher mit Robert zu wiederholen: Schließlich wohnte er im Zweibettzimmer und sie bei Papa. So hatte das doch alles etwas Gutes.

Inge ließ den Lappen in die Spüle fallen und ging dem ungeduldigen Klingeln nach zur Haustür. Als sie durch den Flur kam, sah sie hinter dem Glaseinsatz der Tür Karl stehen. Er presste das Gesicht an die Scheibe und hielt den Klingelknopf gedrückt.

»Ist jemand gestorben?« Inge hatte die Tür aufgerissen und starrte Karl neugierig an. »Oder warum machst du hier so einen Alarm?«

»Guten Morgen, Inge«, Karl schüttelte ihr ausgiebig die Hand und wartete, bis sie ihm Platz machte. »Hättest du ein Tässchen Kaffee für mich?«

Ungläubig sah sie ihn an. »Es ist noch nicht einmal halb neun. Das ist doch keine Zeit für Kaffeebesuche. Was ist denn passiert?«

»Lass mich rein, dann erzähle ich es dir. Ich wollte dich ein paar Sachen fragen. Es geht um Gisela.«

Inge öffnete die Tür jetzt ganz und ließ ihn rein. »Komm in die Küche.«

Karl ließ sich sofort auf Walters Platz auf die Eckbank sinken, sah sich neugierig um und dann Inge an. »Es ist schon komisch, so als Strohwitwe und Strohwitwer, oder? Da könnte man ja schnell auf komische Gedanken kommen. Also, wenn uns jetzt jemand sieht.«

»Karl, ich bitte dich«, mit der Kaffeekanne in der Hand drehte Inge sich um und sah ihn milde lächelnd an.

»Rechne mal nach, wie alt wir sind. Da kommt niemand mehr auf komische Gedanken. Also, was willst du mich fragen. Und was ist mit Gisela?«

Karl wartete, bis sie die Kaffeemaschine vorbereitet und sich an den Tisch gesetzt hatte. »Inge, ich mache mir ernsthafte Sorgen. Ich weiß nicht, wie es dir geht, aber dadurch, dass unsere Gisela ebenfalls ein Einbruchsopfer geworden ist, habe ich das Gefühl, dass das Böse immer näher kommt. Weißt du, da bricht jemand unbekümmert viermal ein, wird nicht gefasst, also, warum soll er denn damit aufhören? Wissen wir denn, wer von uns der Nächste ist?«

Er machte eine wirkungsvolle Pause, in der Inge ihn mit großen Augen ansah. Dann nickte er beruhigend und fuhr fort: »Ich war gestern mal bei meinen Jungs auf dem Revier. Ich habe den Runge wegfahren sehen, also konnte ich in Ruhe hin. Mein Nachfolger reagiert ja immer ein bisschen verschnupft, wenn ich komme.«

»Das kann man ja auch verstehen«, bemerkte Inge. »Du hättest es auch nicht gern gehabt, wenn dein Vorgänger damals andauernd angekommen wäre, um sich überall einzumischen.«

»Andauernd.« Karl griff in die Dose mit den Keksen, die Inge auf den Tisch gestellt hatte. »Ich gehe so selten hin, ich kenne schon nicht mal mehr alle Kollegen. Na, egal. Ich hätte damals übrigens nichts dagegen gehabt. Als junger Revierleiter ist man doch selten mit allen Gegebenheiten vertraut. Manchmal braucht man bei den Ermittlungen auch alte Hasen, die nicht blind in der Gegend rumlaufen, sondern sich auf Erfahrung und Fachkenntnisse berufen. Aber das hat Runge ja nicht nötig, das glaubt er zumindest. Typisch für jemanden von der Ostsee. Deshalb kommen sie ja auch nicht bei der Einbruchsserie weiter. Das macht mir wirklich große Sorgen.«

»Das weißt du doch gar nicht. Oder erzählen dir deine ehemaligen Kollegen, was sie schon alles herausgefunden haben?«

»Eben nicht«, trotz der Antwort holte Karl triumphierend ein Notizbuch aus der Tasche. »Selbst Benni wird langsam komisch, weil er Angst hat, Ärger zu bekommen. Die Kollegen sind alle überfordert, ich sage es dir. Ich kann mir das gar nicht angucken. Aber es gibt ja auch noch andere Möglichkeiten. Man kann beispielsweise mal eine Akte auf dem Tisch liegen lassen, wenn man plötzlich muss.«

»Das hat jemand getan?« Neugierig musterte Inge das abgewetzte Buch, das Karl in der Hand hielt. »Ist das so eine Akte?«

»Nein, natürlich nicht.« Karl legte es auf den Tisch und setzte seine Brille auf. »Das sind diese Gratisnotizbücher von der Sparkasse, die verschenken die immer zum Jahresanfang. Ich hole mir immer mehrere.«

Inge beugte sich nach vorn. »Und das hattest du dabei, als jemand die Akte liegen gelassen hat? Und hast einfach alles abgeschrieben? Im Krimi fotografieren die alles mit dem Handy. Musst du dir auch mal anschaffen.«

»Ich hatte noch nicht einmal ein Notizbuch dabei. Ich musste mir anders behelfen. Aber ich habe alle wichtigen Fakten anschließend hier aufgeschrieben. Also, zunächst mal die Namen der bisherigen Opfer.« Er drehte das Notizbuch um, damit Inge es lesen konnte. »Sagt dir einer der Namen was?«

»Johanna Roth, Eva Geschke, Helga Simon ...«, Inge kaute auf ihrer Unterlippe und dachte nach. »Hat Johanna Roth nicht früher hier auf der Gemeinde gearbeitet?

Da gab es eine Frau Roth, ich glaube, die hieß Johanna mit Vornamen. Die wohnte in Archsum. Hast du keine Adresse dabei? Die anderen beiden Namen habe ich noch nie gehört.«

Sofort drehte Karl das Buch zurück und blätterte weiter. »Ja«, er tippte begeistert auf eine Stelle. »Archsum. Nur die Straße konnte ich nicht mehr rekonstruieren, an der Stelle war meine … waren meine Aufzeichnungen verschmiert. Aber sie wohnt in Archsum. Kannst du sie nicht mal fragen, ob sie eine Tasse Kaffee mit dir trinkt?«

»Wozu?«

Karl lehnte sich zurück. »Inge. Ich habe mir wirklich Gedanken gemacht. Sieh mal, ich beobachte die Arbeit der Westerländer Polizei natürlich unter ganz anderen Gesichtspunkten. Ich bin sehr unzufrieden mit der Lässigkeit, die bei den Ermittlungen unter der neuen Führung dort eingezogen ist. Unter meiner Ägide hätte es diese Lücken bei den Befragungen nicht gegeben. Und jetzt kommen wir ins Spiel. Ich habe dir nur drei Namen genannt, und du konntest sofort mit dem Namen Roth etwas anfangen. Wir haben da einen ungeheuren Wissensvorsprung, und ich denke, wir sollten den nutzen.«

Inge sah ihn verständnislos an. »Nur, weil ich weiß, dass eine Frau Roth mal auf der Gemeinde gearbeitet hat?«

»Unter anderem. Aber ich wette, dass sowohl wir beide als auch Onno und Charlotte garantiert sensibler und zielorientierter Befragungen hinbekommen als dieser Ostseesheriff. Und deshalb habe ich mir überlegt, dass wir unseren Teil zur Verbrechensaufklärung auf dieser Insel beitragen müssen. Also, ich frage dich jetzt, Inge Müller, bist du dabei?«

Sie zuckte mit den Achseln. »Von mir aus. Was soll ich tun?«

Er zeigte mit dem Kugelschreiber auf das aufgeschlagene Notizbuch. »Du warst doch bei Gisela und hast auch bei ihr übernachtet. Hat sie denn gar nichts erzählt? Hat sie zum Beispiel irgendwelche auffälligen Personen beobachtet, irgendwas Ungewöhnliches bemerkt? Und gibt es vielleicht eine Parallele zu dem Einbruch bei Johanna Roth? Die Ermittlungsergebnisse sind ja noch so wahnsinnig dünn, das kannst du dir gar nicht vorstellen. Lediglich ein bisschen was von der Spurensicherung, kaum Befragungen von Nachbarn, keine Zeugen – also unter meiner Führung wäre da mehr Zug drin gewesen. Mich ärgert das richtig. Wir müssen da nachhaken.«

»Du meinst, *wir* sollen jetzt die Arbeit der Polizei machen?« Langsam stand Inge auf, um den Kaffee zu holen. »Ist das nicht ein bisschen übertrieben? Wir sind doch nicht im ›Tatort‹. Und du kriegst vielleicht richtig Ärger.«

Karl folgte ihr in die Küche, wo sie vor der Kaffeemaschine stehen blieb und wartete, bis die ganz durchgelaufen war. Ein lautes Hupen ließ Karl und sie aus dem Fenster sehen. Sina Holler fuhr gerade mit ihrem schwarzen Porsche auf die Auffahrt des Nachbargrundstücks. »Dass die immer hupen muss, um ihre Ankunft anzukündigen«, sagte Inge missbilligend. »Jeder normale Mensch klingelt.«

Karl beugte sich neugierig nach vorn, um zu sehen, wer der Täter war. »Schickes Auto«, sagte er anerkennend. »Ist das die kleine Holler?«

»Na ja, klein?« Inge zog die Kaffeekanne von der Wärmeplatte. »Die ist auch schon Mitte, Ende dreißig. Wohnt in Hamburg, kommt nur manchmal zu Besuch. Eine Angeberin. Wie ihre Mutter.«

»Inge, du wirst ja auch eine von diesen tratschigen Nachbarsfrauen«, Karl grinste. »Was geht dich die Tochter der Nachbarin an? Apropos Tochter, weißt du schon, dass Maren wieder da ist? Und sogar für immer bleibt?«

»Ach, stimmt, das habe ich auch gehört.« Sie gingen zurück ins Esszimmer, Inge schenkte Kaffee ein, brachte die Kanne zurück und nahm wieder Platz. »Das ist sehr schön für Onno. Ich hoffe, dass es für seine Tochter auch die richtige Entscheidung ist. Jung und Alt unter einem Dach geht ja nicht immer gut.«

»Das wird schon«, erwiderte Karl zuversichtlich. »Maren hat ja ihre eigene Wohnung bei Onno. Und der ist zwar manchmal drollig, aber dabei ganz verträglich. Und was hast du jetzt gegen die kleine Holler?«

»Nichts«, Inge winkte unwirsch ab. »Das geht mich ja auch nichts an, da hast du völlig recht. Aber ich kann ihre Mutter nicht leiden, das ist keine nette Frau. Und Sina trägt die Nase auch ganz schön weit oben. Du musst dir mal die Autos angucken, mit denen sie fährt. Jedes Jahr ein neuer Porsche, das ist doch nicht normal. Und dann die Klamotten, mit hohen Hacken geht die zum Strand, ich bitte dich. Als wenn sie etwas Besseres wäre. Die grüßt noch nicht mal, wenn ich sie in der Stadt treffe. Kein Benehmen, ich sage es dir. Und ihre Mutter hat doch die Kaufsucht. Ständig bestellt sie neue Möbel und schrecklichen Krimskrams, ich möchte nicht wissen, wie das da drüben im Haus aussieht.«

»Dabei war es früher so ein schönes Haus«, sagte Karl. »Ganz fein und so schöne Möbel.«

»Wann warst du denn da mal drin?«

»Als Wilhelm Holler noch lebte.« Karl überlegte. »Das ist ewig her, da war ich noch jung und habe ein paar Möbel aus dem Nachlass meiner Großeltern verkauft. Wilhelm war ein netter Kerl, er hatte diesen großen Antiquitätenladen in Westerland. Möbel, Schmuck, Münzen, der hat alles verkauft, was schön und teuer war. Und er hat mich nach Hause eingeladen, nachdem wir uns einig geworden waren. Ich war schwer beeindruckt, weil alles so vornehm war. Und ich habe den ersten Brandy meines Lebens getrunken. War sehr elegant.«

»Tja, davon ist nicht viel geblieben.« Inge warf einen nachdenklichen Blick durchs Fenster. »Jutta Holler hat etwas furchtbar Gewöhnliches. Das denkt man nicht, wenn man ihren Mann kannte. Warum er sich die wohl ausgesucht hat?«

»Warum sucht man sich jemanden aus? Das sind die Hormone, glaube ich, irgendetwas Biologisches. Alles andere macht ja keinen Sinn.«

Inge lachte. »Vermutlich. So, und jetzt zurück zu deinen Ermittlungen. Was sollen wir jetzt tun?«

»Wir fangen von vorn an«, Karl griff zu seinem Bleistift und sah sie entschlossen an. »Die Hälfte der Opfer singt im Chor. Und wir haben auch Verbindungen zu den zwei anderen Opfern. Du zu Johanna Roth – und Onno müsste Helga Simon kennen, also zumindest flüchtig. Ihr Mann Hein war nämlich auch auf dem Rettungskreuzer. Wir sitzen sozusagen an der Quelle. Wir haben zu allen einen leichten Zugang. Das müssen wir nutzen. Es braucht natürlich eine professionelle Organisation, aber dafür bin ja ich da.«

Inge hatte noch gar nichts gesagt, wartete aber gespannt ab. Karl fuhr triumphierend fort: »Bis Peter Runge aus dem Quark kommt, haben wir schon die ersten Ermittlungsergebnisse. Damit die Bedrohung auf der Insel endlich mal ein Ende hat. Also noch mal: Bist du jetzt dabei?«

Inge sah ihn mit großen Augen an.

Begeistert streckte Karl ihr seine Hand hin. »Großartig, ich wusste, dass ich mich auf dich verlassen kann. Schlag ein, du bist im Team. Ich fahre jetzt bei Onno vorbei, du sprichst mit Charlotte, und dann zeigen wir dem Runge, wo der Hammer hängt.«

Inge schluckte. Bei dieser Entschlossenheit fanden ihre Bedenken keinen Platz. Sie hoffte nur, dass Karl wusste, was er tat, und Walter und Heinz nicht früher als nötig zurückkamen.

Sina schloss die Haustür auf, nachdem sie noch einmal geklingelt hatte. Das Erste, was sie sah, war ein Mann, der mit einem Handtuch um die Hüften aus der Küche kam. Er sah sie erst irritiert, dann anerkennend an, bevor er ein lässiges »Guten Morgen« ausstieß und die Treppe hinaufstieg. Mit einem Augenrollen kickte Sina sich ihre Joggingschuhe von den Füßen und beeilte sich, nach oben zu kommen. Sie hatte überhaupt keine Lust, ständig auf die wechselnden Liebhaber ihrer Mutter zu treffen, schon gar nicht, wenn sie – wie jetzt – verschwitzt vom Joggen kam. Als sie sich gegen halb acht aufgemacht hatte, war im Haus noch alles ruhig gewesen. Sina hatte sich entschlossen, mit dem Wagen bis zum Kliff zu fahren und dort zu laufen. Durch Wohnstraßen konnte sie auch zu Hause joggen. Dass ihre Mutter am Vorabend wieder jemanden abgeschleppt hatte, war an den Weingläsern und den überquellenden Aschenbechern im Wohnzimmer zu sehen gewesen. Sina fand das richtig abstoßend. Sie hatte keine Ahnung, wie Jutta es anfing, aber sie sah oft genug, wie es endete. Die meisten der Typen waren Vollidioten, jünger als Jutta, aber schon einigermaßen abgehalftert. Sie hatten teure Scheidungen oder Pleiten hinter sich, fühlten sich immer noch großartig und waren einfach nur erbärmlich. Und Jutta war es noch nicht einmal peinlich, dass diese Knalltüten sich auch noch halb nackt ihrer Tochter zeigten. Und sie dabei blöde anstarrten. Dabei musste Jutta die Autohupe gehört haben, der Porsche stand direkt unter ihrem Schlafzimmer. Vielleicht schickte sie die Typen auch extra raus, damit Sina sich angucken konnte, mit welchen Supermännern ihre Mutter gerade in der Kiste lag. Widerlich.

Als sie geduscht und umgezogen in die Küche kam, war niemand mehr zu sehen. Von oben klangen Gelächter und Musik, es war nicht auszuhalten. Über einem der Designerstühle hing Juttas Tasche. Sie klaffte auseinander, vollgestopft mit Taschentüchern, Zigaretten, Kosmetika und allem möglichen Krimskrams. Mit geübten Griffen durchforschte Sina den Inhalt und fand sofort, was sie suchte. Jutta stopfte das Bargeld einfach in die Tasche, der Griff zum Portemonnaie war ihr zu lästig. Sina zählte die Banknoten durch, es waren über achthundert Euro, sie nahm nur einen Teil, Jutta würde es überhaupt nicht merken.

Mit einem Teebecher in der Hand ging sie wieder in ihr Zimmer. Sie hatte am späten Nachmittag einen Termin bei Juttas Friseurin und konnte nur hoffen, dass das Liebesleben ihrer Mutter sich nicht so lange hinzog. Sie hatte keine Lust, diesem halb nackten Typen noch mal über den Weg zu laufen. Und dann vielleicht auch noch mit ihm reden zu müssen.

Sie hockte sich mit angezogenen Beinen auf die Fensterbank, stellte den Tee vorsichtig ab und rief Torben an, der schon nach dem ersten Klingelzeichen abnahm.

»Hey«, man hörte schon an seiner Stimme, dass er lächelte. »Wo bist du?«

»Zu Hause«, Sina rieb mit dem Zeigefinger an der Fensterscheibe, die sich durch den Dampf des heißen Tees beschlagen hatte. »Was machst du heute Abend? Ich hätte Lust auf die ›Sansibar‹.«

»Okay.« Er überlegte einen Moment. »Ich muss allerdings noch ein paar Dinge erledigen, also vor neunzehn Uhr schaffe ich es nicht. Ich bestelle uns einen Tisch. Soll ich dich abholen? Oder fährst du selbst?«

»Ich fahre selbst«, Sina sah kurz auf den kleinen Wecker, der auf ihrem Nachttisch stand. »Ich habe vorher noch einen Friseurtermin in Westerland, dann fahre ich gleich weiter. Wir treffen uns da. Bis später.«

Sie drehte das Telefon zwischen den Händen und starrte nach draußen. Ihr Blick fiel auf den Porsche. Wenn Uwe das wüsste. Vermutlich saß er jetzt gerade in einem korsischen Café, ließ sich von seiner Frau nerven und dachte an den Sex mit Sina. Den er nicht mehr hatte. Wahrscheinlich hatte er gar keinen mehr. Weil seine Alte ihn früher auch nie rangelassen hatte, zumindest hatte Uwe das so erzählt. Deshalb war Sina für ihn wie ein Geschenk. Und trotzdem hatte er sie abserviert. Und dann auch noch mit einer Anzeige gedroht, falls sie die Anrufe, Mails und Briefe nicht abstellte. Idiot. Aus lauter Angst vor dieser bescheuerten Frau. Und nur, weil *sie* die Kohle hatte.

Sie stand auf und ging zum Spiegel, um sich zu betrachten. Uwe hatte doch keine Ahnung, was ihm entging. Sina zog das T-Shirt weiter nach unten, um mehr Dekolleté zu zeigen. Perfekter Busen, Sina lächelte sich zu und ging zum Schrank.

Die »Sansibar« war eines ihrer Lieblingslokale auf der Insel, schön, teuer, gutes Essen und eine hohe Promidichte. Torben war ein guter Begleiter, er kannte Gott und die Welt, bekam in jedem Restaurant auf der Insel einen Tisch, was nicht jedem gelang, und war immer großzügig. Stellte sich also nur noch die Frage, was sie anziehen sollte. Um in der besagten Promidichte wahrgenommen zu werden.

*Dienstagabend,
in der »Sansibar«*

So, und jetzt erzähl«, Rike setzte ihr Glas auf dem Holztisch ab und sah Maren gespannt an. »Sieht er noch
genauso aus? Was hat er denn gesagt? Hat er sich gefreut
oder gleich einen Anfall bekommen? Und wie ging es dir
damit?«

Maren starrte sie an, dann in ihr Bierglas, hob wieder
den Kopf und stützte ihr Kinn resigniert auf ihre Hand.
»Tja«, sagte sie. »Wenn ich dir das alles beantworten
könnte, wäre ich gut. Ich habe keine Ahnung, wie es mir
damit geht. Irgendwie ist es … unpassend, also, ich meine,
ich hätte das jetzt nicht gebraucht. Ich habe nach diesem
Seminar wochenlang den Gedanken an Robert und dieses Fiasko verdrängt, und ausgerechnet jetzt, wo ich den
Schnitt gemacht habe, holt es mich hier ein. Es ist völlig
bescheuert.«

»Fiasko?« Spöttisch sah Rike sie an. »Ich dachte, es
wäre so gut gewesen.«

Maren ließ ihre Blicke über das Dünental wandern.
Das Lokal, vor dem sie saßen, war eines ihrer Lieblingslokale, aber heute Abend mal wieder völlig ausgebucht.
So waren nur noch draußen Plätze frei, etwas enttäuscht
hatten sie sich an den langen Holztischen zwei Plätze auf
den Bänken gesucht. In diesem Moment trafen lautstark
drei fröhliche Paare ein, die fragten, ob sie sich dazuset-
zen könnten. Maren nickte und deutete auf die Bank. Sie

machten hier alle Urlaub und seien das erste Mal in der »Sansibar«, allerdings ohne Reservierung, und drinnen sei alles voll. Zwei der Frauen tuschelten noch aufgeregt über einen Schauspieler, den sie gerade erkannt hatten, während einer der Männer jetzt auf einen Sportmoderator zeigte, der sich einen Weg ins Lokal bahnte. »Guck doch mal, das ist doch der Wagner vom Fußball, hat der echt eine Reservierung oder lassen sie die Promis alle so rein?«

»Promis schon«, sagte Rike und grinste etwas schief. »Aber deswegen kommen die Leute ja auch. Um die zu sehen.«

»Aber auch, weil das Essen gut ist«, ergänzte Maren schnell und schickte Rike einen tadelnden Blick. »Meine Freundin ist nur neidisch, weil sie vergessen hat, einen Tisch zu bestellen.«

»Sicher«, antwortete Rike, die viel lieber die Geschichte von Robert gehört hätte und genau wusste, dass Maren auf keinen Fall vor Publikum die Fragen beantworten würde. »Ich bin nur neidisch. Und überhaupt nicht prominent.«

Ihre Tischgenossen vertieften sich jetzt in die Speisekarte, während Rike sich umsah. Als ihr Blick zum Eingang wanderte, entdeckte sie plötzlich jemanden und schob sich ein Stück zur Seite, um hinter dem breiten Rücken ihres Nachbarn in Deckung zu gehen. Auf Marens fragenden Blick wisperte sie: »Da steht Torben. Duck dich mal, wenn er uns sieht, kommt er und quatscht uns voll.«

Maren sah an ihrem Nebenmann vorbei. »Er bleibt am Eingang und spricht mit einem Kellner. Jetzt gibt er ihm die Hand. Und jetzt geht er rein. Er hat reserviert. Vielleicht hättest du dich nicht ducken sollen, dann könnten wir auch drin essen.«

Rike kam aus ihrer Deckung. »Ich kann mir gut vorstellen, dass Torben nicht reservieren muss. Der hat überall auf der Insel Beziehungen. Und, aha, da kommt Sina. Guck mal an.«

Neugierig drehten sich zwei der Frauen in die Richtung, in die Rike guckte, erkannten aber niemanden und vertieften sich wieder in ihre Karten.

Maren hatte es beobachtet und beschlossen, die Lokalität zu wechseln. Sie hatte keine Lust, die Ereignisse ihrer ersten beiden Diensttage in Gesellschaft wildfremder Leute zu erzählen. »Lass uns zahlen«, sagte sie deshalb. »Wir können uns auch bei mir in den Garten setzen.«

»Okay«, nickte Rike und kramte ihr Portemonnaie aus der Jackentasche. »Ich bin sehr gespannt. Zahlen, bitte!«

»Wieso hat Torben eigentlich so viele Beziehungen?« Maren setzte den Blinker und fuhr vom Parkplatz. »Und was macht er eigentlich genau, außer alleinstehenden Frauen den Rechner anzuschließen und die Schränke zusammenzuschrauben?«

»Er hat sich vor ein paar Jahren selbstständig gemacht. Mit so einer Rundum-Sorglos-Firma, egal, ob du einen neuen Fernseher brauchst, dein Telefon ummelden willst, das Handy nicht programmieren kannst, deine Waschmaschine nicht mehr schleudert oder der Rasenmäher spinnt, Torben repariert und kümmert sich um alles, was mit Technik zu tun hat. Und das wohl ziemlich erfolgreich. Jedenfalls kennt er Gott und die Welt. Wir haben letztes Jahr dringend eine neue Putzfrau für die Praxis gesucht, das hat Torben mitbekommen, weil er einen Termin bei uns hatte, und eine Stunde später hat sich die erste Bewerberin vorgestellt. Als mir letztes Jahr mein Auto verreckt ist, habe ich Torben getroffen, als ich gerade wütend aus der Autowerkstatt kam. Da hatte ich erfahren, was die für die Reparatur haben wollten. Abends bekam ich einen Anruf, dass Torben einen Bekannten hat, der seinen Wagen verkaufen will. Das war ein echter Glücksgriff, der Wagen war ein Schnäppchen, bisher keine Mucken. Ein Superauto. Jeder braucht so einen Torben, den muss man sich echt warmhalten.«

»Er ist ja auch ganz nett«, Maren sah kurz in den Rückspiegel. »Der Idiot fährt dicht genug auf, um für zwei Monate den Führerschein abzugeben. Schreib mal die Nummer auf.«

»Du hast Feierabend«, Rike drehte sich kurz um. »Den kennen wir nicht. Lass uns über Robert sprechen.«

Maren warf einen abschließenden Blick in den Spiegel und schüttelte den Kopf. »So ein Idiot.«

»Robert?«

»Nein«, Maren wartete ab, bis der ungeduldige Hintermann sie überholt hatte. »Dieser Trottel hier. Ich hoffe, dass die Kollegen hier regelmäßig blitzen. Der wird hoffentlich noch erwischt.«

Natürlich war Robert kein Idiot, ganz und gar nicht. Das war es ja gewesen. Sonst hätte er sie auf der Weiterbildung überhaupt nicht durcheinandergebracht. Maren hatte sofort wieder die Bilder dieses Abends vor Augen.

Er war ihr sofort aufgefallen, schon an der Rezeption des Hotels. Sie waren gleichzeitig angekommen, hatten nebeneinander eingecheckt und im selben Moment gesagt, zu welcher Seminargruppe sie gehörten.

»Ach?« Interessiert hatte Robert sie angesehen. »Kollegin?«

Maren hatte überhaupt nicht verstanden, was sie in dieser Sekunde getroffen hatte. Ob es seine Stimme, der intensive Blick aus diesen blauen Augen oder die anschließende kurze Berührung an ihrem Ellenbogen gewesen war: Maren hatte jedenfalls ihren Verstand an der Rezeption gelassen. Von der Weiterbildung hatte sie in den nächsten Tagen so gut wie nichts mitbekommen. Stattdessen beobachtete sie Robert so unauffällig es ging, dachte das erste Mal seit Monaten nicht eine Sekunde mehr an Henry, bekam bei jedem Blick, den er ihr zuwarf, mehr Selbstvertrauen und fand ihn von Minute zu Minute interessanter. Er war einfach unglaublich sexy: breite Schultern, lange Beine, schöne Hände – und selbst der Vollbart wirkte an ihm atemberaubend. Maren hatte sich dabei ertappt, sich mitten in einem Vortrag über Vernehmungstechniken vorzustellen, wie es sich anfühlte, einen Vollbartträger zu küssen. Henry war immer perfekt rasiert gewesen, er war auch kleiner, hatte einen Bauchansatz und sie verlassen, allein schon deshalb hatte Maren plötzlich eine unbändige Lust überfallen, mit Robert Jensen ins Bett zu gehen. Und zwar auf der Stelle. Genau an diesem Punkt musste sie den Seminarraum verlassen, um sich kaltes Wasser über die Handgelenke laufen zu lassen, was ihren Blutdruck zwar senkte, die Gedanken aber keinesfalls abstellte.

Am letzten Abend des Seminars war es dann passiert. Robert und sie hatten nach einem gemeinsamen Abendessen mit anderen Kollegen noch einen Absacker an der Bar genommen, der nach dem Weißwein beim Essen einfach das Aus für Marens Hemmschwelle gewesen war. Kurz vor halb drei hatte sie ihm fest in die Augen gesehen und ihm schlichtweg mitgeteilt, dass sie ausgesprochen gern mit ihm schlafen würde, und statt einer Antwort hatte er nur am Tresen bezahlt und sie am Handgelenk zu seinem Zimmer geführt.

Über die nächsten Stunden hatte Maren fast erfolgreich den Mantel des Vergessens gestülpt. Sie wollte nicht mehr daran erinnert werden, dass es eine wunderbare Nacht gewesen war, abgesehen vielleicht von dem kleinen Schwindelgefühl vom Alkohol. Robert war ein höchst einfühlsamer Liebhaber, und Maren beschloss, sich künftig nur noch in Männer mit Vollbärten zu verlieben. In der Erinnerung verblassten Henrys glatt rasiertes Gesicht und sein Null-acht-fünfzehn-Körper zu einem fahlen Nichts.

Am nächsten Morgen hatte sie sich einigermaßen verkatert, aber doch sehr entspannt die Teilnehmerlisten angesehen. Eigentlich nur, um noch einmal Roberts Namen zu lesen und sich seine Adresse einzuprägen, aber dabei fiel ihr Blick auf sein Geburtsdatum und damit auch ihre Laune – und zwar auf den Nullpunkt. Vollbart macht echt älter, hatte sie gedacht: Robert war knapp zehn Jahre jünger als sie. Zehn Jahre. Sie hatte mit dem jüngsten Teilnehmer des Seminars geschlafen, ohne es auch nur zu ahnen. Als sie Führerschein gemacht hatte, war er noch zur Grundschule gegangen, als sie konfirmiert wurde, war er gerade mal im Kindergarten. Mit einem Schlag war ihr Hochgefühl verflogen. Das konnte sie nicht. Egal, wie sexy, wie klug, wie charmant, wie freundlich er war, zehn Jahre Altersunterschied waren definitiv zu viel. Sie wirkte keine zehn Jahre jünger, wollte es auch gar nicht sein, aber genau das würde auch das Problem werden. Irgendwann würde sie beim Sex den Bauch einziehen müssen, irgendwann auf freundliche Beleuchtung hoffen, die ihre Cellulitis kaschierte, irgendwann würde sie seine gleichaltrigen Freunde meiden, weil deren Freundinnen so viel jünger waren, und irgendwann würde er sie für eines dieser Mädchen verlassen. Das brauchte sie alles nicht, das wollte sie nicht und das würde sie auf gar keinen Fall zulassen. Und genau deshalb reiste sie am Tag nach dieser wunderbaren Nacht auch sehr früh und ohne Abschied ab. Die Einzige, die bislang von diesem fatalen Irrtum wusste, war Rike. Die hatte damals daran glauben müssen und in noch verschlafenem Zustand der wirren Schilderung einer verwirrten Freundin folgen müssen. Aber genau dafür waren Freundinnen ja schließlich da.

»Du fährst auch zu schnell, meine Liebe«, Rike beugte sich zu ihr, um den Tacho besser sehen zu können. »Hoffe lieber, dass deine Kollegen nicht blitzen, sonst bist *du* nämlich dran. Dreißig zu schnell, nimm mal den Fuß vom Gas.«

Maren trat erschrocken auf die Bremse. »Oh, Gott. Ich war gerade in Gedanken.«

»Ich weiß«, Rike grinste. »Ich warte ja die ganze Zeit auf die Geschichte. Wird das heute noch was?«

»Wir hatten im Dienst gar nicht viel Zeit, uns zu unterhalten, wir hatten sofort einen Einsatz. Er hat nur gleich am Anfang gesagt, dass er sich doch sehr gewundert hat, dass ich mich nicht gemeldet und nicht auf seine Mails und SMS reagiert habe.«

»Und …?«

»Nichts«, Maren blieb vor einer roten Ampel stehen und sah Rike an. »Genau an der Stelle telefonierte so ein Jungdynamischer im Auto. Genau vor uns. Der musste dann eben dran glauben.«

»Irgendwann wirst du ihm die Frage vermutlich beantworten müssen.« Rike kurbelte das Fenster ein Stück runter und atmete tief ein. »Aber das ist ja gar kein Problem: Du kannst ihm einfach sagen, dass du nichts mit jüngeren Männern anfängst, weil du spießig bist. Weil du irgendwelche Komplexe und Vorurteile hast, die nichts mit ihm zu tun haben. Weil Frauen das im Gegensatz zu Männern nämlich nie machen dürfen, also sich mit einem jüngeren Partner zusammenzutun. Es sei denn, die Frau heißt Madonna oder Jennifer Lopez, dann sind die Kerle aber auch keine Kollegen, sondern Toyboys. Oder?«

»Ach, Rike«, Maren gab wieder zu viel Gas, merkte es aber diesmal selbst und bremste ab. »Du tust so, als hättest du damit kein Problem. Hey, der ist zehn Jahre jünger als wir. Wenn ich mit ihm nach Hause komme, denkt mein Vater, ich habe einen Nachhilfeschüler. Vergiss es einfach. Es ist Pech, dass er da ist, es war Pech, dass ich an dem Abend zu viel Alkohol getrunken habe, es ist Pech, dass es eigentlich eine schöne Nacht war, aber, Herrgott, manchmal läuft es eben schief. So. Und ich glaube, wir müssen das Thema auch nicht mehr vertiefen. Außerdem sind wir schon da.«

Maren setzte den Blinker und fuhr auf die Auffahrt. Onnos Moped stand neben seinem alten Käfer im Carport, Maren parkte ihren Wagen davor und stellte den Motor ab. »Und jetzt reden wir nicht mehr über mein Privatleben, sonst werden die Ohren meines Vaters immer größer.«

»Ich glaube, Onno ist das ganz egal«, antwortete Rike leichthin und schnallte sich ab. »Du willst nicht mehr darüber reden, aber eins sag ich dir: Ich gucke mir diesen Robert erst mal an. Und dann erzähle ich dir, was ich über ihn denke. Über ihn und dich. Und jetzt möchte ich den besten Wein, den ihr im Haus habt. Wenn ich schon keine aufregenden Geschichten zu hören bekomme.«

»Maren?« Der Ruf kam von der Tür. »Bist du das?«

»Nein, hier ist Angela Merkel«, rief Maren zurück, stieg aus und schloss den Wagen ab. Sie wartete, bis Rike neben ihr stand. »Dabei erkennt er mein Auto am Motorengeräusch. Hat er neulich Karl erzählt. Egal, wie tief er schläft.«

Sie gingen langsam auf Onno zu, der in der Haustür stand und ihnen entgegensah. »Na?«, fragte er. »Kleinen Abendtrunk?«

Überrascht sah Maren ihren Vater an. Er trug eine rote Trainingshose, ein weißes Hemd und hatte sich eine Schürze vor den Bauch gebunden. Er bemerkte ihren Blick und band sich schnell die Schürze ab. »Habt ihr schon gegessen? Ach, ihr wart ja in der ›Sansibar‹, dann habt ihr schon, oder?«

»Nein«, Rike klopfte ihm anerkennend auf den Bauch, als sie an ihm vorbei ins Haus ging. »Du Schürzenjäger. Es war zu voll, und wir hatten nur draußen einen Tisch mit einem Haufen Feriengästen. Es war zu laut, um zu essen. Ich wäre also einer Stulle nicht abgeneigt.«

»Stulle«, Onno schüttelte lächelnd den Kopf. »Ich kann euch eine französische Fischsuppe anbieten.«

»Fein«, war Rikes Antwort. »Zweimal bitte. Und zwei Gläser trockenen Weißwein.«

In der »Sansibar« stellte die gut gelaunte Bedienung eine Flasche Weißwein in einen Eiskühler und lächelte Sina und Torben an. »So, und was möchtet ihr essen?«

Torben nickte und bestellte für beide Seezunge, Sina sah sich währenddessen um. Alle Tische waren wie immer besetzt, am Eingang stand schon wieder eine Schlange, die darauf wartete, dass jemand seinen Platz räumte. Und alle sahen aus, als hätten sie Geld.

»Was denkst du?«, Torbens Frage kam unerwartet, Sina hatte gar nicht mitbekommen, dass die Bedienung schon wieder verschwunden war. Sina griff nach ihrem Glas und sah ihn an. »Das fragen doch sonst nur Frauen. Prost.«

Er lächelte und trank, bevor er sein Glas abstellte. »Das interessiert mich aber.«

Sie hob die Augenbrauen. »Das willst du gar nicht wissen. Lauter uninteressantes Zeug.«

Er beugte sich vor und griff nach ihrer Hand. »Ich habe mich tierisch über deinen Anruf gefreut. Und darüber, dass wir jetzt zusammen hier sitzen. Du siehst übrigens toll aus.«

»Danke«, Sina lächelte ihn an. »Und wie geht es dir so?«

»Gut«, unverwandt blieb sein Blick auf ihr haften. »Jetzt im Moment sehr gut. Wie lange bleibst du eigentlich? Wenn du Lust hast, könnten wir auch einen Tag mit dem Boot raus.«

Sina strich sich langsam eine Haarsträhne aus dem Gesicht. »Warum nicht?« Sie streckte unter dem Tisch ihr Bein aus, bis ihr Fuß seinen berührte. »Ich muss mal sehen, wie lange ich es dieses Mal bei meiner Mutter aushalte.«

Es ging bei dem Bootsausflug natürlich nicht um einen Segelturn, es ging um die Koje. Sina hasste Segeln, Torben wusste das.

»Habt ihr euch wieder gestritten?«

Er drückte seine Wade an ihre und lächelte. Sina erwiderte den Druck. »Wir streiten dauernd. Jutta wird immer schlimmer. Ich verstehe überhaupt nicht, was sie da eigentlich macht.«

Sie nippte an ihrem Weinglas, bevor sie weitersprach. »Ihre ganzen Männergeschichten sind mittlerweile echt abstoßend. Und dann lässt sie das Haus verkommen, das kannst du dir nicht vorstellen. Der Garten sieht aus wie bei Hempels, das Haus ist total verdreckt, weil sie jede Putzfrau wieder feuert, es ist alles runtergekommen. Ich verstehe überhaupt nicht, warum sie die Hütte nicht verkauft und in eine schicke Wohnung zieht. Im Moment werden doch so hohe Preise für Häuser auf der Insel bezahlt, sie kriegt das doch mit Kusshand weg.«

Torben nickte. »Das stimmt. In der Lage und bei der Größe bekommt ihr locker über eine Million.«

Sina beugte sich wieder vor. »Eben. Aber sie will nicht.« Sie machte eine Pause, dann legte sie wieder die Hand auf seine. »Hast du auch von diesen Einbrüchen gehört? So was müsste mal bei meiner Mutter passieren. Damit sie sich nicht mehr so verdammt sicher fühlt. Und zu der Einsicht käme, dass die Idee, das Haus zu verkaufen, gar nicht so schlecht ist ...«

»Sina«, Torben sah sie irritiert an. »Du wünschst dir einen Einbruch, damit deine Mutter verkaufen will? Das ist doch nicht dein Ernst. Das kannst du nicht wirklich wollen.«

»Warum nicht?« Sie zog ihr Bein wieder an. »Das ist mein Ernst. Ich wünsche es mir. Damit dieser alte Kasten wegkommt. Mit dem Geld könnte ich mehr anfangen.«

Torbens Gesichtsausdruck war unschlüssig, Sina musste aufpassen, dass sie hier keine Sympathiepunkte verschenkte. Sie warf ihr Haar zurück und lachte leise. »Jetzt guck nicht so. Ich werde keinen Einbrecher organisieren. Man kann sich doch mal was wünschen.«

Er schwieg, Sina hatte keine Ahnung, was er dachte. Vermutlich ans Boot. Und an den Sex mit ihr. Das war ihre leichteste Übung. Sie schlüpfte aus ihrem Schuh und strich jetzt mit dem nackten Fuß an seinem Bein entlang. Torben öffnete den Mund, Sina war schneller. »Meine Mutter hat sich so wahnsinnig verändert. Ich weiß nicht, ob sie ein Alkoholproblem hat, ich halte das für durchaus möglich, sie sieht schon ein bisschen so aus. Abgehalftert, wenn du weißt, was ich meine. Und so billig. Was mich wahnsinnig macht, ist der Gedanke, dass sie im Suff irgendwelche Typen aufreißt und mit denen mein Erbe durchbringt. Außerdem kauft sie ja auch ein wie eine Geisteskranke. Egal, was, Klamotten, Möbel, Schmuck, Hauptsache teuer und geschmacklos. Alles ist vollgestopft mit diesem Scheiß, ich kann das gar nicht mehr sehen. Und ich kann sie nicht mehr sehen.« Sina hatte sich in Rage geredet, Torben griff beruhigend nach ihrer Hand und drückte sie.

»Kann ich dir irgendwie helfen?«

Sie lächelte zynisch. »Ob du mir helfen kannst? Ja, sicher. Vertreib sie aus dem Haus. Überfall sie, mach ihr Angst, raub sie aus, bring sie um. Was immer du willst, Hauptsache, sie verkauft die Hütte und säuft für den Rest ihres Lebens in einer Zweizimmerwohnung, weit weg von mir.«

Torben zog seine Hand langsam weg. »Puh«, sagte er leise. »Das ist ja mal eine Ansage. Ich wusste gar nicht, dass euer Verhältnis *so* schlecht ist. Es tut mir leid. Aber du ...«

»Hey, komm«, Sina holte sich die Hand zurück. »Mach nicht so ein Gesicht. Ich bin schon groß und werde mit meiner Mutter fertig. Lass uns das Thema wechseln. Schenk mir noch ein Glas Wein ein, und dann reden wir über unsere Bootsausflüge.«

Rike und Maren hatten sich auf Onnos Anweisung hin schon an den Terrassentisch gesetzt. »Das Essen bringe ich euch. Aber um den Wein muss sich Maren kümmern, ich habe nur Bier. Und nehmt Löffel und Servietten mit raus.« Dann verschwand er in seiner Küche.

»Er muss bei Feinkost Jessen ein Vermögen ausgeben«, sagte Maren leise, während sie eine Weinflasche entkorkte, die sie schnell aus ihrer Wohnung geholt hatte. »Ich hatte ihm vorgeschlagen, dass ich für ihn kochen könnte, das hat er rigoros abgelehnt. Er wäre durchaus in der Lage, sich selbst zu versorgen, hat er gesagt. Wir könnten ja ab und zu mal zusammen essen, das müsste ja nicht jeden Tag sein. Aber dann kam er zweimal an und hatte Reste. Du, und jedes Mal so besondere Sachen, einmal war es Thaicurry, ein anderes Mal Kalbsmedaillons mit Gorgonzolasauce. Nur, damit ich ihn nicht bekoche. Der Sturkopf.«

»Ich würde mich nicht über so ein Essen beschweren«, Rike schnupperte am Wein, bevor sie probierte. »Ich würde einfach Danke sagen.«

»Aber er kann sich doch nicht dauernd was bestellen, das muss er auch bezahlen. Das ist garantiert nicht billig, dafür war es zu gut. Na ja, er wird es irgendwann merken und mich dann doch fragen, ob ich ab und zu mal für ihn mit koche.«

Rike hielt ihr Glas in der Hand und sah Maren erstaunt an. »Du, das ist kein Fertigessen. Und ich glaube auch nicht, dass Onno dich für ihn kochen lässt.«

»Wie meinst du das?« Maren sah sie erstaunt an.

»Dein Vater kocht selbst. Und zwar richtig gut. Sag bloß, das weißt du nicht?«

»So, die Damen, hier kommt die französische Fischsuppe«, unbemerkt war Onno mit einem Tablett an den Tisch getreten. Er stellte die Suppenteller vor sie, dazu aufgebackenes Weißbrot, und setzte sich an die Stirnseite. »Guten Appetit, ich habe schon gegessen.«

»Du kochst?« Immer noch perplex starrte Maren ihren Vater an. »Seit wann das denn?«

Onno hebelte den Kronkorken von seiner Bierflasche und überlegte. »Seit zwei, drei Jahren? Also, ich habe auch schon gekocht, als Mama noch da war, aber danach, also seit sie nicht mehr da ist, habe ich es mal richtig gelernt. Ich wollte nicht immer fragen, wenn ich was aus dem Kochbuch nicht verstehe. Und da habe ich einen Kochkurs gemacht.«

Sprachlos probierte Maren die Suppe. Sie war einfach sensationell. »Das ist ja der Hammer«, sagte sie. »Aber das lernt man doch nicht in einem Kochkurs?«

»Nö, jetzt bin ich ja im Kochclub.« Onno trank das Bier aus der Flasche. »Wir treffen uns zweimal im Monat. Und letztes Jahr bin ich sogar Kochkönig geworden. Aber denk jetzt nicht, dass ich jeden Tag was für dich koche. Aus dem Alter bist du raus. Jetzt iss, sonst wird's kalt.«

Der Rest des Essens verlief schweigend, Maren hatte noch immer nicht so ganz begriffen, was sie da gerade erfahren hatte – und außerdem war die Suppe so gut, dass sie sich lieber ganz und gar darauf konzentrierte. Erst als Onno das Geschirr abräumte und jede Hilfe ablehnte, weil nur er sein System in der Küche kannte, erzählte Rike, dass sie sich ab und zu bei Onno zum Essen einlud. »Meine Mutter war auch in diesem Kochclub«, erzählte sie. »Aber sie hat aufgehört, weil das Niveau immer höher geschraubt wurde. Übrigens von Onno und Charlotte Schmidt. Kennst du die eigentlich? Jedenfalls führen die beiden da einen regelrechten Wettkampf, meine Mutter kocht nicht so gut, deshalb ist sie beleidigt ausgestiegen. Aber dein Vater kocht wirklich super.«

Als Onno zurückkam, fing er Marens Blick auf, irgendwas zwischen Staunen und Bewunderung, und sagte etwas schroff: »Es geht doch nur ums Essen. Und dass es schmeckt und man satt wird. Und sonst so? Erzähl doch mal, was gibt es Neues auf dem Revier?«

Amüsiert dachte Maren, dass Karl fast dieselbe Frage in fast demselben Tonfall gestellt hatte. »Nichts Besonderes«, antwortete sie deshalb schnell. »Ich bin noch nicht so richtig vertraut mit allem. Die ersten Tage sind ja immer etwas anstrengend.«

»Hm«, Onno nickte verständnisvoll. »Und was ist mit den Einbrüchen? Gibt es da was Neues? Irgendwelche Spuren oder so?«

»Papa. Wir ermitteln. Und ich kann doch keine internen Dinge ausplaudern.«

»Nein, schon klar.« Er lächelte sie an. »Aber ihr kommt nicht so richtig voran, oder? Also, bei den Zeugen und so. Ihr habt noch nichts Richtiges rausgefunden?«

Maren sah ihn lange an. Er war ihr Vater und nicht Karl. Und er konnte so gut kochen. Und sah im Abendlicht ganz weich aus. »Nein«, antwortete sie deshalb. »Wir haben irgendwie noch nichts. Es ist kaum etwas gestohlen worden, es gibt keinen roten Faden, darum suchen wir danach. Und wir werden auch irgendetwas finden. Da kannst du beruhigt sein.«

»Bin ich, Kind, bin ich, ihr seid ja die Profis«, antwortete Onno und beugte sich nach vorn, um ihre Hand zu drücken. »Ihr gebt euch bestimmt viel Mühe. Und irgendjemand legt der Bande bestimmt das Handwerk. So, und ich gehe jetzt rein und gucke mir die Nachrichten an. Es gibt ja nicht nur auf der Insel Neuigkeiten. Gute Nacht. Und pustet das Windlicht aus, nicht, dass ihr mir hier den Garten abfackelt.«

Später stand Onno in seiner aufgeräumten Küche und sah durch das Küchenfenster in den Garten, wo seine Tochter noch mit ihrer ältesten Freundin auf der Bank saß und leise redete. So hatten die beiden schon früher dort gesessen, ihre Köpfe zusammengesteckt und ihre Geheimnisse ausgetauscht. Und jetzt hatte *er* ein Geheimnis.

Karl war heute Nachmittag vorbeigekommen, um ihm von seinem Plan zu berichten. Und Onno hatte sich ein bisschen geschmeichelt gefühlt, dass Karl ihm zutraute, in einer Ermittlungskommission, wie er das nannte, mitzumachen. Aber weil Inge und Charlotte, laut Karl, außer Rand und Band vor Begeisterung über diese Aufgabe waren, war es für Onno Ehrensache, sie zu unterstützen. Er wollte ja kein Spielverderber sein, schließlich war Karl sein bester Freund. Er durfte bloß Maren nichts sagen, das war Karls Bedingung gewesen. Sie sollte nicht in einen Loyalitätskonflikt kommen. Gerade, weil sie erst so kurze Zeit wieder auf der Insel war. Das hatte Onno eingesehen. Aber nun stand er hier, sah im nächtlichen Garten seine Tochter lachen und empfand eine Spur schlechten Gewissens, weil er sie anlügen sollte. Er wandte sich vom Fenster ab und stellte sich vor das große Foto von Greta. »Ich lüge sie ja gar nicht an«, versuchte er, sich und sie zu beruhigen. »Weißt du, ich werde ihr vielleicht nicht alles erzählen, aber das ist doch auch nicht schlimm. Und wenn wir wirklich was rausfinden, dann kann ich es ihr ja immer noch sagen. Und dann ist sie die Heldin auf dem Revier. Was meinst du?«

Er war sich sicher, dass sie kurz gelächelt hatte.

Eine Woche später, Donnerstag,
sehr früh am Morgen

Elisabeth schreckte mit rasendem Puls aus einem Traum auf, in dem sich bis vor wenigen Augenblicken Ballgäste einander zugeprostet hatten. Sie blieb im Dunklen mit offenen Augen liegen und versuchte, den Wecker zu erkennen. Es war halb sieben Uhr morgens, es gab keinen Grund, nicht weiterzuschlafen. Sie setzte sich trotzdem auf und griff zu ihrem Wasserglas, das wie immer an derselben Stelle auf dem Nachttisch stand. Was für ein komischer Traum. Gerade als sie das Glas wieder absetzte, hörte sie ein anderes Geräusch. Waren das Schritte? Träumte sie noch? Sie beugte sich vor, ihr Puls beschleunigte sich, wieder ein Geräusch, diesmal ein Kratzen, dann das Klappen einer Tür. Es war jemand im Haus. Die Geräusche kamen von unten. Jetzt machte sich jemand an der Schranktür im Flur zu schaffen, das Scharnier musste geölt werden, es quietschte wie eine gequälte Katze, Elisabeth hatte schon lange jemanden bitten wollen, es zu ölen. Sie war nicht dazu gekommen. Aber derjenige, der die Tür jetzt geöffnet hatte, wollte es garantiert nicht ölen. Er klappte die Tür wieder zu, die Schritte bewegten sich jetzt in Richtung Küche. Mit der Hand über dem Mund überlegte Elisabeth fieberhaft, was sie machen sollte. Das Telefon stand im Flur, sie müsste die Treppe unbemerkt runterkommen, die Stufen knarrten, es war ein altes Haus. Sie hatte Angst. Und sie war wütend.

Seit ewigen Zeiten lebte sie in diesem Haus, seit zwanzig Jahren auch noch allein. Was bildete sich der da unten eigentlich ein, hier reinzukommen und rumzuschnüffeln? Es war ihr Haus, er sollte einfach weggehen. Die Schritte bewegten sich jetzt wieder zurück von der Küche ins Wohnzimmer. Wieder klappte etwas, eine Schublade wurde aufgezogen, man hörte Gegenstände auf den Holzboden fallen.

Ganz langsam und vorsichtig glitt Elisabeth aus dem Bett. Ihre Knie knackten, als sie sich vor dem Schrank bückte und leise mit der Hand darunter tastete. Da war sie, die Gehhilfe, die sie vor zwei Jahren nach ihrer Hüftoperation gebraucht hatte. Sie zog sie ganz vorsichtig hervor, umklammerte sie mit beiden Händen und schlich auf Zehenspitzen zur Treppe. Immer wieder blieb sie stehen und lauschte. Der Eindringling musste noch im Wohnzimmer sein, von dort aus konnte er den Treppenaufgang nicht sehen. Wie in Zeitlupe und mit zusammengepressten Lippen tapste sie Stufe für Stufe nach unten. Sie musste zum Telefon gelangen, wieder nach oben und dann die Polizei rufen. Die Gehhilfe war nur zur Verteidigung, beruhigte sie sich selbst. Aber wenn es sein musste, dann würde sie zuschlagen. Sie war bereit. Ein neues Geräusch ließ sie erstarren. Er schraubte jetzt irgendetwas ab, das war doch nicht möglich! Die nächste Stufe, die übernächste, es waren noch fünf bis unten. Als ihre bloßen Füße die kalten Fliesen des Flurs berührten, atmete sie gepresst aus, wartete einen Moment, dann schlich sie die letzten Meter bis zur Telefonstation. Sie hatte gerade ihre Finger um das Telefon gelegt, als hinter ihr etwas zu Boden fiel. Erschrocken fuhr sie herum, das Telefon glitt ihr aus der Hand, knallte auf die Fliesen und zersprang in mehrere Teile. Sie spürte eine Bewegung hinter sich, im Umdrehen schwang sie mit aller Kraft die Gehhilfe und wurde im selben Moment gestoßen. Während sie stürzte, hörte sie einen unterdrückten Schmerzensschrei. Ob es ihrer war oder der des Einbrechers, wusste sie selbst nicht. Im selben Moment wurde alles schwarz.

Der Wecker klingelte Maren aus einer verstohlenen Umarmung mit Robert, die in einem der Bereitschaftszimmer des Reviers stattfand. Als sie hochfuhr, musste sie einen Moment überlegen, ob sie die Tür abgeschlossen hatte.

»Ich habe nicht abgeschlossen«, sagte sie laut.

»Deshalb bin ich reingekommen«, Onno stand in einem dunkelblauen Schlafanzug an ihrer Tür. »Und dein Schlüssel steckt von außen.« Er warf ihn aufs Bett.

Maren schwang sich mit Schwung aus dem Bett und starrte ihren Vater an. »Wie? Ich habe doch gar nicht mit … ach, egal, ich habe blöde geträumt. Was willst du eigentlich?« Sie gähnte, ohne sich die Hand vor den Mund zu halten oder ihren Blick von Onno zu nehmen. »Bist du barfuß rübergekommen?«

Sofort sah er an sich runter. »Oh. Tatsächlich. Eigentlich wollte ich nur die Zeitung reinholen, und dabei sah ich an deiner Tür den Schlüssel stecken. Hätte jeder heute Nacht reinkommen und dich ermorden können. Du bist ja eine dolle Polizistin.«

Er winkte ihr mit der zusammengeklappten Zeitung zu und verschwand so leise, wie er gekommen war. Maren sah ihm einen Moment nach, dann tappte sie verschlafen ins Bad.

Mit dem Autoschlüssel schon in der Hand guckte sie noch kurz bei Onno in die Küche. Er saß, immer noch im blauen Schlafanzug, am Tisch, rührte in einem Kaffeebecher und las konzentriert die Zeitung. Als er den Schlüssel klimpern hörte, sah er hoch.

»Frühstückst du nie?«

»Nein.« Maren stellte sich hinter ihn und guckte über seine Schulter auf die Schlagzeilen. »Nur Kaffee. Warum?«

»Das ist nicht gesund. Ich esse immer zwei Käsebrote. Mit Tomate. Willst du dir auch eines machen?«

»Danke, nein, ich muss los.« In der Tür verharrte sie einen Moment. Onno sah in seinem blauen Schlafanzug an diesem kleinen Küchentisch plötzlich sehr einsam aus. Maren versuchte, ihre Rührung runterzuschlucken. »Ich fahre nach Dienstschluss noch einkaufen. Brauchst du etwas? Was Süßes? Oder bestimmtes Obst?«

»Tomaten«, antwortete Onno freundlich. »Und vielleicht eine Tüte Erdnussflips, die mag Karl so gern.«

»Okay, dann bis heute Abend, Papa, tschüss.«

Er stand am Fenster, als sie losfuhr, und hob langsam seine Hand, was Maren schon wieder an den Rand der Rührung brachte. Er sah wirklich einsam aus. Der Umzug auf die Insel war die richtige Entscheidung gewesen, in diesem Moment war Maren sich ganz sicher.

Auch Onno ließ die Hand sinken, als Maren um die Ecke gebogen war. Er hatte ein bisschen schlechtes Gewissen. Er war ihr Vater, er hätte ihr auch anbieten können, ein Käsebrot mit Tomate für sie zu machen. Aber wenn er einmal damit anfing, musste er das jeden Tag tun. Und irgendwann musste doch die Sorge um die Kinder ein Ende haben, Maren war schließlich schon achtunddreißig. Und er wollte einfach nicht jeden Tag in der Küche stehen und sein Kind ernähren. Das müsste sie einfach verstehen, so schwer es ihm auch fiel. Er musste hart bleiben. Sein Blick ging zum Regal, wo sein Lieblingsbild von Greta stand. »Du musst mich verstehen, Liebes«, sagte er laut und entschuldigend. »Das Kind muss selbstständig werden, ich kann sie doch nicht wieder an die Hand nehmen.«

Das Klingeln des Telefons nahm er als Zustimmung.

Das Erste, was Maren sah, als sie das Revier betrat, war Robert, der am Schreibtisch saß, und die hübsche Polizeianwärterin Katja Lehmann, die hinter ihm stand und sich sehr dicht über ihn beugte. Als Robert Maren sah, sprang er auf und seine Schulter traf Katja direkt am Kinn. Sie taumelte und fiel auf den nächsten Stuhl.

»Oh, Mann«, flüsterte sie, bevor sie die Augen schloss.

»Auf die Zwölf!« Benni Schröder war mit einer schnellen Bewegung neben ihr und schüttelte sie leicht. »K. o. in der ersten Runde. Hallo, Katja«, er gab ihr leichte Klapse auf die Wangen. »Katja? Hörst du mich?«

»Ja, sicher«, ächzend schob sie seine Hand weg. »Hör auf, mich ins Gesicht zu schlagen. Seid ihr hier alle bescheuert?« Umständlich stand sie auf, Benni bot ihr galant seinen Arm an, doch sie funkelte nur Robert an: »Bin ich unsichtbar, oder was?« Demonstrativ rieb sie sich ihr Kinn.

Ohne seine Antwort abzuwarten, verließ sie den Raum.

»Tja«, Benni blickte Robert grinsend an. »Wenn du Glück hast, erstattet sie keine Anzeige wegen Körperverletzung.«

»Ich konnte doch gar nichts dafür …«, begann Robert und sah hilfesuchend zu Maren. »Ich habe sie wirklich nicht …«

Maren hob beide Hände und ging an ihm vorbei. »Ich

habe nichts gesehen, eine ganz schlechte Zeugin. Möchte noch jemand einen Kaffee?«

Weil keiner antwortete, zuckte sie nur mit den Achseln und wandte sich zur Kaffeeküche, bis sie eine bekannte Stimme hörte: »Moin, also ich würde gern einen Kaffee trinken, wenn sonst keiner will.«

»Karl?« Überrascht fuhr Maren herum und starrte zum Eingang. Dort stand Karl, wie immer bestens gelaunt, und schwang eine Tüte. »Onno hat mir erzählt, dass du ohne zu frühstücken aus dem Haus gehst. Das ist nicht gesund.«

Erstaunt sah Maren auf die Uhr. »Das habe ich ihm vor nicht einmal einer halben Stunde erzählt.«

»Genau«, Karl nickte zufrieden. »Und zwei Minuten später haben wir telefoniert und sechs Minuten später habe ich dir belegte Brötchen gekauft. Es ist alles eine Frage der Koordination und der Zielstrebigkeit. Das sind wichtige Voraussetzungen für den Polizeidienst. Ach, und guten Morgen, die Herren, was gibt's Neues?«

Bevor Robert eine Antwort geben konnte, klingelte das Telefon, und er nahm sofort ab.

Benni schüttelte den Kopf und grinste Maren an. »Er wird dich überreden, als seine Informantin zu arbeiten. Wir sollten uns mal unterhalten, glaube ich.«

Marens Blicke bohrten sich in Karls. Nach einem sehr langen Moment sagte sie mit fester Stimme: »Das würde Karl niemals tun, nicht wahr, Karl? Er vermischt nämlich niemals Dienst und Privatleben. Das ist eine Grundregel, stimmt doch, oder?«

»Ganz genau«, antwortete Karl sofort, ohne Marens Blick auszuweichen. »Außerdem bin ich im wohlverdienten Ruhestand, ich habe doch gar kein Interesse an Marens Berufsalltag. Ich bin lediglich besorgt um ihre

Ernährung. Kann ich trotzdem einen Kaffee haben? Hier ist ja im Moment nichts los.«

»Doch«, Robert stand plötzlich neben Maren. »Einsatz, Einbruch in Westerland, Keitumer Chaussee, wir müssen los.«

Er schob Maren an, die nur einen warnenden Blick auf Karl warf, bevor sie zum Auto eilten.

Der Wagen hob sich, als Robert losfahren wollte. Maren schloss kurz die Augen. »Du musst die Handbremse lösen.«

»Ach was«, schnappte er zurück, bevor er die Handbremse löste, der Wagen einen Satz machte und der Motor ausging. Robert startete neu, fuhr haarscharf am Müllcontainer vorbei und verlangsamte das Tempo, als er auf die Hauptstraße kam. Maren fragte sich, wie sie es anstellen sollte, selbst zu fahren, Robert fuhr so schlecht, dass ihre Nerven das auf Dauer nicht aushalten würden.

»Die Geschädigte heißt Elisabeth Gerlach«, teilte Robert ihr knapp mit. »Ihre Putzfrau hat sie heute Morgen gefunden, sie saß verletzt im Flur, das Telefon neben ihr war kaputt, und sie konnte nicht aufstehen, um Hilfe zu holen.«

»Ist sie ansprechbar?«

»Heute Morgen schon, hat die Putzfrau zumindest gesagt«, Robert fuhr schon wieder zu weit nach links. Anscheinend konnte er nicht gleichzeitig fahren und reden. Und wenn er jetzt nicht aufhörte, sie beim Reden auch noch dauernd anzusehen, wären sie gleich auf der Gegenfahrbahn.

»Guck bitte nach vorne«, sagte Maren gepresst. »Ist sie schwer verletzt?«

»Irgendwas mit dem Bein. Ihre Putzfrau hat sofort mit ihrem Handy den Krankenwagen gerufen. Vor lauter Aufregung ist ihr erst zwei Stunden später eingefallen, dass sie ja auch die Polizei anrufen muss. Sie wirkte ziemlich durcheinander. Da vorne ist es schon.«

Es war kaum zu übersehen, vor dem Haus stand eine ältere Frau in einem hellblauen Kittel, die winkte, als würde sie ein Flugzeug lotsen. Um sie herum hatten sich schon mehrere Nachbarn versammelt, die ebenfalls die Hände oben hatten. Robert fuhr auf die Auffahrt und Maren sprang erleichtert aus dem Wagen.

»Na, endlich«, die Frau im hellblauen Kittel ruderte aufgeregt mit den Armen. »Ich dachte schon, die Polizei kommt gar nicht mehr. Wir hatten einen Raubüberfall, die Frau Gerlach ist verletzt ins Krankenhaus gefahren worden, es ist alles so furchtbar. Da kommen Kriminelle ins Haus, verletzen meine Chefin und bringen alles durcheinander. Sie hätten sie ja auch umbringen können.«

»Wir gucken uns das erst mal an«, sagte Robert beruhigend und ließ ihr den Vortritt. »Frau Scholz, oder? Sie haben uns doch angerufen.«

»Ja.« Sie nickte eifrig. »Elvira Scholz, ich bin die Reinemachefrau. Angemeldet, übrigens, falls Sie das zurückverfolgen wollen. Frau Gerlach wollte keinen Ärger, dabei hätte ich das Geld auch gern ... na, egal. Wenn Sie mir folgen wollen.«

Sie steckte den Schlüssel in die Haustür und drehte sich kurz zu der kleinen Ansammlung von Nachbarn um. »Sie können jetzt alle gehen«, rief sie so laut, dass Robert zusammenzuckte. »Hier gibt es nichts mehr zu gucken, der Rest ist Polizeisache.«

Elvira Scholz schloss die Tür hinter ihnen und ging vor ins Wohnzimmer. »Durch die Terrassentür sind die gekommen, die Tür hing auf halb acht, das kriege ich aber nicht wieder hin, da muss wohl ein Tischler kommen.

Dieses ganze Durcheinander, so eine Schweinerei! Und das ist doch auch nicht der erste Einbruch, wieso kriegen Sie diese Bande denn nicht? Ich habe das Gefühl, man ist nicht mal mehr auf der Insel sicher. Furchtbare Zeiten sind das doch, und ...«

»Frau Scholz?« Maren sah sich mit gerunzelter Stirn um. Der Boden glänzte, als wäre er gewachst worden, die Stühle standen akkurat um den Esstisch, auf einem Beistelltisch waren Zeitungen wie in einem Wartezimmer aufgefächert, nirgendwo war ein Staubkorn, geschweige denn irgendwelche Spuren zu sehen. »Sie haben hier alles aufgeräumt?«

»Natürlich«, zufrieden sah Frau Scholz sich um. »Das ist ja wohl mein Job. Das sah hier vielleicht aus: eine Unordnung, das können Sie sich nicht vorstellen! Und überall Glasscherben, weil die Einbrecher die schöne Lampe von der Fensterbank geschmissen haben, die Erde von den Zimmerpflanzen lag rum, die Zeitungen auf dem Boden, alle Schubladen aufgerissen und durcheinander, ich habe hier bald zwei Stunden geputzt. Sonst hätte man ja niemanden reinlassen können!«

Robert schluckte und sah sich kopfschüttelnd um. »Tja, Frau Scholz, dann haben Sie ja wirklich ganze Arbeit geleistet – und ganz nebenbei auch alle Spuren vernichtet. Haben Sie denn überhaupt nicht nachgedacht? Sie gucken doch bestimmt ab und zu mal Krimis im Fernsehen. Da lernt man doch, dass man am Tatort unter gar keinen Umständen etwas verändern darf. Wie sollen wir denn jetzt ermitteln? So was Blödes.«

Elvira Scholz schob ihre Hände in die Kitteltaschen und hob empört den Kopf. »Ich gucke nie Krimis im Fernsehen. Die Welt ist ja wohl schlecht genug, da brauche ich in meinem Wohnzimmer nicht auch noch Mord und Totschlag. Und ich ...«, sie stockte, überlegte einen Moment und griff sich dann langsam an den Hals. »Habe ich jetzt ... also war das ... ist das strafbar? Das Putzen? Aber ich konnte das doch hier nicht so lassen. Ich wusste ja nicht, wann Frau Gerlach wieder aus dem Krankenhaus kommt, und morgen und übermorgen kann ich nicht zum Saubermachen kommen, da muss ich meiner Tochter beim Tapezieren helfen und nächste Woche ... Oh, Gott, muss ich jetzt mit auf die Wache? Kann ich mich mal einen Moment hinsetzen? Mir wird ein bisschen schlecht.« Tatsächlich knickten ihr die Knie ein, im letzten Moment konnte Robert sie festhalten und zum Sessel führen. Sie ließ sich hineinsinken und zog ein zerknittertes Taschentuch aus der Kitteltasche, das sie mit zitternder Hand zum Mund führte. Robert hatte ihr seine Hand auf die Schulter gelegt und sich zu ihr gebeugt. »Er sieht einfach unfassbar gut aus, und ich will sofort auch seine Hand auf der Schulter. Und nicht nur da«, schoss es Maren plötzlich durch den Kopf. Sofort sagte sie, eine Spur zu laut: »Ich hole mal ein Glas Wasser«, und floh in die Küche.

Trotz Roberts und ihrer guten Betreuung war Elvira Scholz als Zeugin eigentlich so gut wie untauglich. Natürlich war es ein Schock für sie gewesen und die sofortige Putzaktion hatte sicher dazu gedient, die Normalität wiederherzustellen, aber jetzt, in Anwesenheit der Polizei, ging nichts mehr. Sie hatten sie nach Hause gefahren und sich dann auf den Weg zu Elisabeth Gerlach in die Nordseeklinik gemacht.

Zum Glück lenkten Roberts Fahrkünste Marens Gedanken jetzt wieder auf die andere Spur. Solange sie seine Beifahrerin blieb, würde sie sich auf keinen Fall in ihn verlieben. Sie saßen schweigend nebeneinander, bis er den

Wagen auf dem Krankenhausparkplatz abstellte und aussteigen wollte. Maren sah ihn kurz von der Seite an.

»Willst du so stehen bleiben?«

»Ja, warum?« Er guckte irritiert. »Willst du nicht aussteigen?«

»Du stehst auf zwei Parkplätzen. Mitten auf dem Trennstrich.«

Er zuckte gleichgültig mit den Achseln. »Ich bin die Polizei. Kommst du?«

Seufzend schnallte sie sich ab und stieg aus. Vermutlich konnte er nicht besser einparken. Nicht zu fassen!

Elisabeth Gerlach lag in Zimmer einunddreißig, nach zweimaligem Klopfen trat Maren vor Robert ein. »Guten Tag, Frau Gerlach, mein Name ist … Torben, was machst du denn hier?«

Überrascht blieb sie an der Tür stehen und sah ihn an. Torben hatte auf einem Stuhl neben dem Bett gesessen und war aufgesprungen, als sie eingetreten waren. Elisabeth Gerlach war zwar noch blass, sah aber ansonsten ganz munter aus. Sie lag in einem Jogginganzug auf dem Bett, ihr linker Fuß war bandagiert und etwas höher gelagert.

»Maren, hallo«, Torben nickte ihr mit einem schwachen Lächeln zu und wandte sich an die Patientin. »Das ist Maren Thiele, sie ist jetzt neu bei der Polizei in Westerland, ich habe ihr beim Umzug geholfen. Und das ist meine Tante, Elisabeth Gerlach. Ich brauch euch ja nicht zu erzählen, was passiert ist, deshalb seid ihr ja wohl hier.«

Elisabeth Gerlach rutschte ein Stück hoch und sah Maren und Robert neugierig an. »Guten Tag, haben Sie schon etwas herausgefunden?«

Maren trat zu ihr ans Bett. »Wie geht es Ihnen denn, Frau Gerlach? Was ist mit Ihrem Fuß?«

Elisabeth machte eine abwehrende Geste. »Außenbandriss. Nicht so schlimm, da machen die Ärzte gar nichts mehr, das wächst wohl von selbst zusammen. Ich soll hier nur zwei Tage rumliegen, angeblich, weil mein Blutdruck Kapriolen geschlagen hat. Die wollen nur kassieren, ich bin Privatpatientin, das kennt man ja.«

Robert stand an der anderen Bettseite. »Ich würde so etwas schon ernst nehmen, Frau Gerlach. Schließlich haben Sie die Nacht verletzt im Flur verbracht und konnten nicht mal selbst Hilfe holen. Sie waren wohl auch bewusstlos.«

»Wer erzählt denn so was?« Stirnrunzelnd sah Elisabeth ihn an.

»Ihre Putzfrau.«

»Ach, Gott«, verächtlich schüttelte Elisabeth den Kopf. »Ich konnte die Polizei nicht anrufen, weil ich das Telefon fallen gelassen habe. Und diese blöden modernen Geräte zerbröseln ja gleich in ihre Einzelteile. Ein Handy besitze ich nicht, ich muss ja nicht dauernd erreichbar sein. Mir war einen Moment etwas blümerant, das kann schon sein, aber reißen Sie sich mal die Bänder, da wird Ihnen auch komisch. Und ich konnte nicht auftreten, deshalb habe ich mich auf den Sessel im Flur gesetzt. Ich wusste ja, dass die Scholz um acht kommt. Und es war schon nach halb sieben.«

»Was haben Sie denn genau gehört?«, fragte Robert und zog einen Notizblock aus seiner Tasche. »Und wann?«

»Um halb sieben. Da habe ich Geräusche gehört, ich konnte sie nur zuerst nicht einordnen. Ich bin runtergegangen, mit meiner Gehhilfe zur Verteidigung unterm Arm. Und als ich das Telefon in der Hand hatte, habe ich den Einbrecher näher kommen hören. Irgendwie ist mir das Gerät aus der Hand gefallen. Ich habe ihn aber noch mit dem Stock erwischt, ganz sicher. Und dann weiß ich leider nichts mehr. Wie gesagt, da wurde mir ein bisschen blümerant. Als ich das nächste Mal auf die Uhr sah, war es etwa Viertel vor sieben, da war aber kein Geräusch mehr im Haus. Ich konnte nicht auftreten, deshalb habe ich mich gesetzt und auf Frau Scholz gewartet. Was sollte ich denn auch sonst machen?« Ihre Lippe zitterte, sie biss sich sofort drauf.

»Muss das denn jetzt sein?«, Torben hatte seine Hand auf Elisabeths gelegt und sah jetzt ungehalten hoch. »Das Ganze ist gerade erst passiert, meine Tante steht noch unter Schock, da muss man ihr doch jetzt nicht alle Fragen stellen.«

Robert hielt seinem Blick ruhig stand. »Je früher wir fragen, desto genauer sind die Eindrücke«, sagte er. »Wir müssen unsere Arbeit machen.«

»Hätten Sie das in den letzten Wochen gründlicher getan, wäre diese Bande gar nicht mehr bei meiner Tante eingestiegen. Ich verstehe das sowieso nicht: Da versetzen irgendwelche Kleinkriminelle die Bewohner hier in Angst und Schrecken, und die Polizei schafft es nicht, die Typen in die Finger zu bekommen?« Seine Stimme war lauter geworden, er war sichtlich bemüht, nicht wütend zu werden. Er musste sehr an seiner Tante hängen, Maren fand das sehr sympathisch und wartete ab. Torben schloss kurz die Augen und atmete ein paar Mal tief durch, bis er weitersprechen konnte. »Haben Sie denn zumindest mal irgendwelche Spuren gesichert?« Er musterte Robert von oben bis unten. »Oder waren Sie noch gar nicht im Haus? War Frau Scholz schon weg? Soll ich erst mal mit Ihnen hinfahren?«

»Nein«, Maren hob jetzt beruhigend die Hände. »Um es kurz zu machen, Torben, Frau Scholz war leider noch nicht weg. Sie hat sehr gründlich geputzt, von daher gibt es nicht besonders viele Spuren. Es sind zwei Kollegen von uns hingefahren, die an der Terrassentür nach Fingerabdrücken suchen und denen trotz des Putzens vielleicht noch etwas auffällt. Wir müssen abwarten. Es müsste sich aber später noch jemand um die kaputte Terrassentür kümmern.«

Torben nickte. »Das mache ich nachher. Ich muss sowieso meiner Tante noch Waschzeug und frische Kleidung holen. Habt ihr sonst noch Fragen?«

»Im Moment nicht«, antwortete Robert. »Sonst melden wir uns. Dann wünsche ich erst mal gute Besserung.«

Er gab Elisabeth Gerlach und Torben die Hand, wartete, bis auch Maren sich verabschiedet hatte, dann verließen sie das Zimmer.

Elisabeth wartete, bis sich die Tür hinter ihnen geschlossen hatte, dann zog sie Torben am Arm und sagte leise: »Wenn du im Haus bist, dann guck doch mal bitte im Wohnzimmer im kleinen Sekretär in die obere Schublade. Da liegen dreitausend Euro. Zumindest hoffe ich, dass sie da immer noch liegen.«

»Elisabeth«, tadelnd sah Torben zu ihr hinunter. »Wieso hast du so viel Geld in der Schublade?«

»Für Notfälle. Sieh einfach nach.«

Hier muss es sein«, Charlotte beugte sich nach vorn, um die Hausnummern besser sehen zu können, und nickte bestätigend. »Ja, Nummer zwölf, das Haus mit der blauen Tür. Guck mal, Onno, da kannst du parken.«

Sie war ein bisschen aufgeregt, was kein Wunder war, schließlich hatte sie heute ihren ersten Ermittlungstermin. Es ging also los.

Onno lenkte seinen Wagen an den Seitenstreifen und stellte den Motor aus. »Das ist aber ein hübsches Haus, oder? Ich habe ja blaue Türen so gern.« Langsam löste er den Gurt und zog den Schlüssel ab. »Dann wollen wir mal sehen, ob wir zwei im Ermitteln genauso gut sind wie beim Kochen, nicht wahr, Charlotte?« Er lächelte sie aufmunternd an, stieg aus und beeilte sich, das Auto zu umrunden, um ihr die Tür zu öffnen. »Gnädige Frau.«

Charlotte stieg aus und seufzte. »Wenn das Heinz sehen könnte. Dass es noch richtige Kavaliere gibt. Er hat schon mal das Auto abgeschlossen, als ich noch drin saß. Und das erst gemerkt, weil ihm ein Euro für den Einkaufswagen fehlte.«

»Und was hast du gemacht?«, fragte Onno neugierig. »Gehupt?« Sie gingen langsam auf das Haus zu. Charlotte schüttelte den Kopf.

»Das hört er doch nicht. Und er kam ja auch wieder, weil er den Einkaufswagen nicht von der Kette bekam.

So, hoffentlich ist Frau Simon auch da.« Sie drückte auf den Klingelknopf und wartete. Nach wenigen Sekunden wurde die Tür geöffnet, und eine kleine Frau mit grauen Locken und strahlend blauen Augen stand vor ihr. Sie lächelte sie an. »Ja?«

»Frau Simon? Ich bin Charlotte Schmidt und das ist Onno ...«

»Thiele«, unterbrach Helga Simon überrascht und trat einen Schritt auf sie zu. »Das gibt es ja nicht, wir haben uns ja ewig nicht gesehen. Wie nett. Kommt doch ... kommen Sie doch rein.«

Sie führte sie ins Wohnzimmer und zeigte auf einen großen Esstisch. »Einen Tee? Ich habe das Wasser schon heiß, ich war gerade dabei. Oder lieber Kaffee?«

»Tee ist fein«, antwortete Onno freundlich. »Oder, Charlotte?«

Auch die nickte. »Gern.«

Während Helga Simon in der Küche hantierte, sah Charlotte sich um. Es war gemütlich in diesem Haus mit der blauen Tür. An der Stirnseite des Raumes stand ein Sofa, dahinter ein Bücherregal, in dem kein Zentimeter frei war. An der Wand hingen Familienbilder, auf einem kleinen Tisch standen Blumen, in der Ecke gegenüber ein Fernseher, darunter Zeitungen und ein noch nicht ganz fertig gestrickter Strumpf samt Nadeln und Wolle. Eine Wanduhr tickte laut und beruhigend.

»So, ich habe auch noch ein bisschen Kuchen von gestern«, klang die Stimme von Helga Simon durch die Stille. Sie war mit einem Tablett zurückgekommen, verteilte schnell bunte Tassen und Teller und goss den Tee ein, bevor sie sich setzte. »Worum geht es denn?«

»Ähm, ja ...«, Onno hatte sich anscheinend noch keine Gedanken über den Gesprächsverlauf gemacht. Er starrte

Helga Simon an und löffelte sich dabei Zucker in den Tee. Charlotte legte ihm nach dem vierten Löffel sanft die Hand auf den Arm. »Onno hat mir erzählt, dass er mit Ihrem verstorbenen Mann auf dem Rettungskreuzer gefahren ist.«

»Ja.« Beim Lächeln bekam Helga Simon Grübchen. »Hein, also eigentlich Heinrich, ist vor fünf Jahren verstorben, so lange habe ich Onno auch nicht mehr gesehen. Oder? Ich glaube, das letzte Mal war es wirklich auf Heins Beerdigung. Stimmt es?«

Onno nickte stumm und rührte weiter in seiner Tasse. Stirnrunzelnd sah Charlotte ihm zu. Er saß da wie ein Schrank und schwieg. Raffinierte Ermittlungstechniken waren ganz offensichtlich nicht seine größte Stärke. Charlotte atmete tief durch. Also gut, dann musste sie das Gespräch eben unauffällig in die richtigen Bahnen lenken. Ohne gleich mit der Tür ins Haus zu fallen.

»Waren Sie denn eine Zeit lang von der Insel weg? Oder warum haben Sie Onno so lange nicht gesehen?«

Helga Simon warf dem stummen Onno einen Blick zu, bevor sie antwortete. »Ich war in den ersten Jahren nach Heins Tod viel bei meiner Tochter in Köln. Sie hat drei Kinder und eine Apotheke, zusammen mit ihrem Mann. Da habe ich dann geholfen, also im Haushalt und mit den Enkelkindern. Das tat mir ganz gut und meiner Tochter auch. Sie wollten mich auch überreden, ganz nach Köln zu ziehen und das Haus zu verkaufen. Eine Zeit lang habe ich das auch überlegt, aber inzwischen ... Wissen Sie, Hein liegt hier auf dem Friedhof, und in Köln ist mir das Meer so weit weg. Und es ist fast immer windstill. Das ist auf Dauer nichts für mich. Die Enkel sind inzwischen schon so groß, die brauchen keine Oma mehr, die sie von der Schule abholt und mit ihnen Hausaufgaben macht. Deshalb habe ich mich dann entschlossen, das Haus nicht zu verkaufen und doch hierzubleiben. Alte Bäume soll man ja nicht verpflanzen. Die wachsen nicht mehr ordentlich an. Allerdings ...« Sie sah einen Moment auf ihre Hände und drehte den doppelten Ehering. »Allerdings hatte ich ein bisschen Aufregung in der letzten Zeit und bin doch nicht mehr sicher, ob mein Entschluss der richtige ist.«

Charlotte hatte den Atem angehalten. Jetzt konnte sie doch schön einhaken. Onno hob in diesem Moment den Kopf und sagte: »Das ist ein schönes Haus. Ich mag blaue Türen. Und die Kinder und Enkel können auch hierherkommen.«

»Genau«, bekräftigte Charlotte halbherzig und fragte: »Was für Aufregungen denn?«

»Ach«, mit einem Lächeln wischte Helga die Frage beiseite. »Warum sollen wir die ganze Zeit über mich reden? Was kann ich denn jetzt für Sie tun?«

Glücklicherweise hatte Charlotte sich so im Griff, dass sie nur in Gedanken mit den Augen rollte. Das lief ja überhaupt nicht gut. Und Onno war wirklich keine Hilfe. Der stumme Schrank. Jetzt musste sie die Kartoffeln aus dem Feuer holen. Oder waren es Kastanien? Es war im Moment egal. Stattdessen blickte sie Helga Simon an und sagte: »Ich ..., also wir brauchen noch Frauen, die beim Blutspenden Kartoffeln ... ähm, Brötchen schmieren. Hätten Sie Lust, uns dabei zu helfen?«

Erstaunt sah Helga zwischen Charlotte und Onno hin und her. »Blutspenden? Brötchen schmieren? Also, ich weiß nicht. Wie sind Sie denn auf mich gekommen?«

Charlotte hatte selbst gemerkt, wie dämlich diese Frage gewesen war. Aber sie musste schließlich irgendwie ihren Besuch hier begründen. Und Karl hatte sie ausdrücklich ermahnt, unauffällig zu ermitteln. Was immer er auch damit gemeint hatte, Charlotte und Onno waren gerade dabei, das ganze Unternehmen zu vergeigen. Hilfesuchend sah sie Onno an. Und ob es nun an ihrem verzweifelten Blick oder an Gott weiß was lag, Onno bewegte sich. Er legte jetzt seine Hände übereinander und sagte etwas schüchtern: »Kennst du eigentlich meinen Freund Karl? Karl Sönnigsen?«

Helga Simon schüttelte den Kopf. »Ich glaube nicht. Warum?«

»Mein Freund Karl ist Polizist. Das heißt, er war Polizist, sogar Revierleiter in Westerland. Jetzt ist er pensioniert, aber er interessiert sich natürlich immer noch für Verbrechen und alles, was hier so auf der Insel passiert. Also: Der hat mir erzählt, dass bei dir eingebrochen wurde. Ich habe mir Sorgen gemacht, weil wir uns ja kennen. Und dann habe ich überlegt, dass es für dich auch nicht leicht ist, nach Heins Tod. Ich kenne das ja. Man muss sich Aufgaben suchen. Und deshalb habe ich Charlotte gesagt, dass wir dich doch mal fragen können, und sie war so nett, mich zu begleiten.«

Charlotte atmete auf und wunderte sich gleichzeitig, dass Onno so gut die Kurve gekriegt hatte. Sie hatte nie mit ihm über das Blutspenden gesprochen. »Genau«, pflichtete sie ihm schnell bei. »So war das.«

»Hm«, Helga drehte schon wieder an ihrem Ring. »Ja, der Einbruch. Das war schlimm. Und so unnötig. Es ist gar nichts gestohlen worden, die haben mir nur alles durcheinandergebracht. Ich verstehe das immer noch nicht.«

»Ob Diebstahl oder nicht: Es ist einfach schrecklich, wenn man sich in seinem eigenen Zuhause nicht mehr sicher fühlen kann, oder?« Charlotte griff kurz nach Helgas Hand und drückte sie.

Helga nickte und drehte schneller am Ring. »Inzwischen geht es wieder. Die ersten Tage mochte ich abends gar nicht ins Bett gehen. Obwohl es tagsüber passiert ist. Plötzlich fühlt man sich so allein und hilflos. Ich habe sogar darüber nachgedacht, doch zu verkaufen. Zumal der Mann von der Bank noch mal angerufen hat. Aber dann habe ich eine Wut gekriegt und mich gefragt, was die sich eigentlich eingebildet haben. Bringen mir hier alles durcheinander für nichts und wieder nichts. Und die Polizei tappt im Dunkeln. Das dient auch nicht gerade dazu, dass man sich entspannt. Und ich bin ja wohl auch nicht die Einzige, bei der eingebrochen wurde. Das muss doch eine organisierte Bande sein, die sich sicher fühlt. Ich …« Sie verstummte plötzlich und holte tief Luft. »Ich mag gar nicht gern darüber sprechen. Ich rege mich nur wieder auf. Und dass die Polizei so gar nichts …«

»Genau darüber regt Karl sich ja auch auf«, bemerkte Onno. »Und langsam beginne ich, ihn zu verstehen.«

Charlotte überlegte, bei welchem Stichwort sie gerade aufgemerkt hatte. Nach wenigen Sekunden wusste sie es wieder. Das hatte sie nämlich schon einmal gehört. Und zwar bei Gisela. »Was für ein netter Mann von der Bank hat Sie denn noch mal angerufen?«

»Der Herr Winter. Gero Winter. Ein netter junger Mann. Ich habe damals mit ihm gesprochen, als ich das erste Mal überlegt hatte, das Haus zu verkaufen.«

Onno sah Charlotte fragend an, die ignorierte seinen Blick und hakte nach. »Und der hat einfach so bei Ihnen angerufen? Nach dem Einbruch? Das ist ja komisch.«

»Nein«, entschlossen schüttelte Helga den Kopf. »Das ist nicht komisch. Ich kenne Herrn Winter ja schon länger. Als ich überlegt hatte, nach Köln zu ziehen, habe ich ihn mal gefragt, ob er mir sagen kann, wie und ob ich das machen soll. Da war er sehr freundlich und hat mir alles erklärt. Er ist sehr nett. Und ruft mich noch ab und zu mal an, einfach so, um zu fragen, wie es mir geht.«

Charlotte nahm sich vor, Gisela zu fragen, wie der Bankmensch hieß, der sie vor dem Einbruch kontaktiert hatte.

»Die Idee mit der Hilfe beim Blutspenden ist vielleicht gar nicht schlecht«, sagte Helga jetzt und wechselte damit das Thema. »Ich helfe zwar ab und zu mal in der Bücherei aus und kümmere mich um eine pflegebedürftige Nachbarin, aber vielleicht sollte ich noch mehr unter Leute. Man wird sonst so schnell alt im Kopf.«

»Du bist doch nicht alt im Kopf«, protestierte Onno. »Du hast dich überhaupt nicht verändert, ganz erstaunlich. Sag mal: Kannst du eigentlich singen?« Er sah sie auf eine Art und Weise an, die Charlotte stutzig machte. Umso mehr, als Helga Simon ähnlich guckte. Nach einem Blick auf die Uhr beschloss Charlotte, an dieser Stelle die Ermittlungen auszusetzen.

»Onno, ich möchte nicht ungemütlich werden, aber ich müsste langsam los. Ich habe noch einen Friseurtermin.«

»Wieso fragst du, ob ich singen kann?«, fragte Helga Simon, ohne Notiz von Charlottes Wunsch zu nehmen.

»Weil wir einen sehr schönen Chor haben und immer gute Sänger suchen. Also, falls du Lust hast, wir treffen uns jeden Samstag. Um halb sechs. Ich könnte dich auch abholen.« Jetzt wandte er sich an Charlotte. »Entschuldige, was hast du gerade gesagt?« Zu Helga sagte er noch: »Charlotte singt auch mit. Und mein Freund Karl.«

»Ach?« Helga lächelte sie an. »Wie nett. Ich singe wirklich gern, vielleicht könnte ich es mir mal anschauen.«

»Das wäre schön.« Onno sah sie noch einen Moment an. »Oder, Charlotte?«

»Doch, doch«, stimmte sie ihm zu. »Aber ich sagte gerade, dass ich so langsam losmuss, um pünktlich zu meinem Friseurtermin zu kommen.«

»Natürlich«, nickte Onno freundlich. »Aber du kannst auch schon losfahren, dann fahre ich mit dem Bus zurück. Das ist ja gar kein Problem.«

»Na ja«, entgegnete Charlotte zögernd. »Wir sind mit deinem Wagen da. Also, ich kann natürlich auch mit dem Bus ...«

Sofort war Onno auf den Beinen und wurde ein bisschen verlegen. »Ach, Gott, ja, das habe ich jetzt ganz vergessen, ich fahre so selten mit dem Wagen. Also, Helga, ich bin nicht vergesslich oder so, ich war nur gerade abgelenkt, also durch den Einbruch und so. Ja, dann wollen wir mal los. Vielen Dank für den Tee, wenn du dir das mit dem Chor überlegt hast, dann kannst du mich ja anrufen. Ich schreibe dir mal meine Telefonnummer auf.«

Während er seine Nummer auf den Rand einer Zeitung kritzelte, gab Helga Simon Charlotte die Hand und bedankte sich für den Besuch. Sie war wirklich eine sehr sympathische Person, dachte Charlotte, sie würde sich sowohl gut beim Brötchenschmieren als auch im Chor machen. Und so schlechte Ermittlungsergebnisse hatten sie trotz des Ausfalls von Onno auch nicht bekommen.

Als Karl Maren und Robert aus dem Krankenhaus kommen sah, zog er sich sofort seine Jacke an und stellte seine Tasse auf den Tresen des kleinen Stehcafés. »Danke, Manni«, rief er dem Besitzer zu und beobachtete aus sicherer Entfernung, wie die beiden zu ihrem Auto gingen.

Karl wartete noch so lange, bis der Polizeiwagen vom Parkplatz gefahren war. Es dauerte ewig, weil Robert sehr lange brauchte, um den Wagen aus der Parklücke zu rangieren. Karl verstand gar nicht, warum, so eng war die doch gar nicht. Er selbst wäre schon lange weg gewesen. Als die Rücklichter endlich außer Sichtweite waren, lief Karl mit langen Schritten auf den Eingang zu. Er drückte sich selbst die Daumen, dass Günther Asmus Dienst hatte und in der Pförtnerkabine saß.

Das Daumendrücken hatte geholfen, Günther hob sofort den Kopf, als Karl vor ihm auftauchte, und schob die Trennscheibe zur Seite.

»Karl«, erstaunt sah er ihn an. »Bist du krank?«

»Nein, nein«, Karl gab ihm die Hand. »Du weißt doch, dass mich nichts umhaut. Ich wollte gern jemanden besuchen.«

Günther nickte. »Dann ist ja gut. Zu wem möchtest du denn?«

»Tja ...«, Karl stützte sich lässig auf den Tresen. »Das,

mein Freund, weiß ich noch nicht so genau, dafür bräuchte ich deine Hilfe.«

Verständnislos legte Günther den Kopf schief. Karl kannte ihn seit Jahren und fand es trotzdem bemerkenswert, wie schnell aus einem Gesichtsausdruck ein Fragezeichen werden konnte. Günther war immer schon etwas langsam im Kopf gewesen. Er hatte selten nachgedacht, bevor er etwas machte, und so hatte er jahrelang immer mal wieder Schwierigkeiten mit der Polizei gehabt. Mal ging es um Diebstähle, mal um eine Schlägerei, dann war er betrunken mit dem Auto unterwegs gewesen – immer wieder fiel er auf. Karl war damals trotzdem überzeugt, dass Günther ein gutes Herz hatte, die meisten Dinge passierten ihm eher aus Versehen. Er prügelte sich nur, wenn er jemand anderen verteidigen musste, die Diebstähle hatte er immer bestritten, das Fahrrad oder den Mantel hätte er sich nur geliehen und alles umgehend zurückgeben wollen. Der Einzige, der ihm tatsächlich geglaubt hatte, war immer Karl gewesen. Und deshalb hatte er Günther vor zehn Jahren diesen Job als Pförtner im Krankenhaus besorgt und sich für ihn verbürgt. Das hatte Günther ihm nie vergessen – er würde ihm *jeden* Gefallen tun. Das hoffte Karl in diesem Moment zumindest.

»Sag mal, Günther, ihr habt doch heute Morgen eine Dame eingeliefert bekommen, die bei einem Überfall verletzt wurde, oder?«

»Ja?« Günther runzelte die Stirn. »Ein Überfall? Das weiß ich nicht. Wer hat sie denn überfallen?«

»Darum geht es jetzt nicht. Ich möchte nur gern wissen, wer die Dame ist.«

»Keine Ahnung.« Günther kratzte sich ratlos am Kopf. »Den Namen hast du nicht zufällig?«

Karl war versucht, ihn kurz zu schütteln. »Günther!

Den Namen sollst du mir sagen. Wir sind doch nicht in Chicago, so viele Einlieferungen mit Notarztwagen habt ihr doch heute Morgen nicht gehabt. Wer ist denn alles eingeliefert worden?«

»Chicago?« Günther hatte sich wirklich zu oft in seinem Leben geprügelt, jede Kopfnuss hatte ihren Preis. Karl zwang sich zur Geduld und wartete, bis Günther weitersprach.

»Darf ich dir das überhaupt sagen? Also, die Namen?«

Karl nickte beruhigend. »Aber natürlich. Wenn du dich aber nicht gut dabei fühlst, kannst du mich auch einfach einen Blick auf die Einlieferungsliste werfen lassen.« Er lächelte ihn so aufmunternd an, wie er konnte. Nach einem kurzen angestrengten Moment schob ihm Günther schließlich eine ausgedruckte Liste zu und drehte sich diskret weg. Sofort hatte Karl die Information. Das war ja ein Ding! Er schob die Liste zurück und gab Günther dankbar einen Klaps auf die Schulter. »Siehste, nicht wie in Chicago, hier gab es heute nur eine einzige Aufnahme. Danke, mein Freund, bis dann.«

Bestens gelaunt, machte er sich auf den Weg zum Fahrstuhl. Die Station und die Zimmernummer hatten ebenfalls auf der Liste gestanden, das dürfte also kein Problem sein.

Wenn jetzt noch irgendein Zweifel an der Notwendigkeit bestand, dass er selbst in die Ermittlungen eingreifen müsste, dann konnte der ausgeräumt werden. Elisabeth Gerlach. Wieder eine Chorschwester. Und die Polizei in Westerland sah darin kein System, keine Methode! Karl Sönnigsen würde nicht zulassen, dass sämtliche Chormitglieder ausgeraubt und an Leib und Leben bedroht würden, er *musste* einfach dafür sorgen, dass die Insel wieder sicher würde. Genug ist genug: Hier musste jetzt der Chef ran. Und er hatte Charlotte, Inge und Onno hinter sich. Junge Leute hin oder her, aber wenn die Sache so ernst war, dann war Erfahrung nötig.

Auf dem Weg zur Station erkannte er plötzlich Torben Gerlach, der eilig zum Treppenhaus lief. Karl fiel sofort ein, dass er ja Elisabeths Neffe war. Mit dem würde er sich dann auch noch mal unterhalten. Außerdem kannte Gerlach durch seine Firma Gott und die Welt, er könnte eine wichtige Auskunftsquelle bei den Ermittlungen sein.

Auf einem kleinen Tisch vor dem Stationszimmer stand ein noch eingepackter Blumenstrauß in einer Vase. Karl sah sich um, dann nahm er ihn hoch, ließ ihn kurz abtropfen und ging zufrieden weiter, bis er vor der Zimmertür stand. Entschlossen klopfte Karl an. Das »Herein« klang schon mal normal, er drückte die Klinke runter und betrat den Raum, in dem eine überraschte Elisabeth ihm entgegensah.

»Elisabeth«, er durchquerte den Raum und blieb vor ihrem Bett stehen. »Ich war zufällig im Krankenhaus und habe es gerade gehört. Sag mal, was ist denn da bloß passiert? Hast du irgendwo eine Vase?«

Er sah sich suchend um, bis er eine leere Vase auf der Fensterbank entdeckte. Er wickelte das Papier ab und steckte die Blumen ohne Wasser in das Glasgefäß.

»Rote Rosen?« Elisabeth blickte ihn verwirrt an. »Was ist denn jetzt los?«

»Wieso?« Verständnislos warf Karl einen Blick auf den Strauß. »Magst du keine …? Sind doch hübsche Blumen. Also, erzähl mal, was ist denn passiert?«

Elisabeth zog sich am Griff über dem Bett hoch und setzte sich bequemer hin. »Bei mir ist eingebrochen worden, in aller Herrgottsfrühe. Ich hab da so Geräusche gehört und bin davon wach geworden. Und tatsächlich war jemand im Haus. Ich wollte die Polizei anrufen, aber das Telefon steht im Flur. Da musste ich ja erst mal hin. Und bevor ich anrufen konnte, ist es mir aus der Hand gerutscht und in seine Bestandteile zerfallen. Dabei bin ich irgendwie blöde gestürzt. Es ging alles so schnell, ich habe gar nichts gesehen. Es ist zu ärgerlich, wirklich.«

»Aber du kannst doch nicht riskieren, einem Täter unbewaffnet gegenüberzustehen«, warf Karl tadelnd ein. »Das lernt doch jedes Kind. Und dann noch als Frau. Was hast du dir nur dabei gedacht?«

»Ich war mit meiner Gehhilfe bewaffnet«, Elisabeth griff nach dem Wasserglas auf dem Nachttisch. »Die stand noch bei mir rum, wegen der Hüfte damals. Aber jetzt ...«, sie drehte vorsichtig ihren Fuß hin und her. »Jetzt brauche ich sie tatsächlich wieder.«

Sie überlegte einen Moment, dann fiel ihr etwas ein. »Ich glaube, ich habe diesen Typen mit der Gehhilfe getroffen, Karl. Kurz bevor ich dann selbst gestürzt bin. Oder währenddessen, ich kann mich gar nicht so richtig erinnern.«

Karl kritzelte etwas in ein Notizbuch, das Elisabeth bekannt vorkam. Sie hatte es schon mal irgendwo gesehen. Jetzt hob er den Kopf und fragte: »Was ist denn gestohlen worden?«

Sie hob die Schultern. »Woher soll ich das wissen? Ich konnte doch gar nicht gucken, weil Frau Scholz so hysterisch war und gleich den Notarzt gerufen hat. Aber deine Kollegen ..., oder sind das eigentlich deine Nachfolger ...? Jedenfalls die Tochter von Onno und so ein junger Mann waren vorhin schon da und haben gefragt. Ich habe keine Ahnung, ob was fehlt. Mein Neffe fährt jetzt mal hin und guckt, er muss mir sowieso meine Sachen holen. Ich soll noch bis übermorgen hierbleiben, was ich übrigens für einen totalen Schwachsinn halte.«

»Und ist dir irgendwas aufgefallen? Sind fremde Leute in der Nähe deines Hauses gewesen, die sich umgeschaut haben? Gab es irgendwelche seltsamen Anrufe? Irgendwas Ungewöhnliches?«

»Nein«, müde schüttelte Elisabeth den Kopf. »Das haben die beiden Polizisten und Torben mich auch schon alles gefragt. Ich habe aber nichts bemerkt oder beobachtet. Du, sei nicht böse, aber ich habe so Schmerzen im Fuß und auch nicht viel geschlafen. Vielleicht können wir nächste Woche mal klönen, wenn ich wieder zu Hause bin. Und ich denke auch, dass ich wieder zur nächsten Chorprobe komme. Torben kann mich bestimmt fahren.«

»Natürlich, meine Liebe«, Karl ließ sein Notizbuch in der Tasche verschwinden und sprang von seinem Stuhl auf. »Ruh dich aus und sei unbesorgt, ich werde mich selbst um deinen Fall kümmern. Bei dir bricht niemand mehr ein.«

Er stand vor ihrem Bett und drückte etwas umständlich ihre Hand. »Also, gute Besserung und bis bald.« Jetzt fiel Elisabeth auch ein, woher sie dieses Notizbuch kannte. Die Sparkasse verschenkte die immer zu Weihnachten.

Als sich die Tür hinter ihm geschlossen hatte, wandte Elisabeth ihren Blick zum Blumenstrauß. Karl hatte sogar eine Karte geschrieben. Sie streckte ihren Arm danach aus und konnte die Karte selbst herausziehen. Gerührt öffnete sie den Umschlag. »Herzlich willkommen dem neuen Erdenbürger«.

Elisabeth ließ die Karte sinken und schloss die Augen.

Während Inge den Mixer in den Teig hielt, hob sie den Kopf und sah nachdenklich durchs Küchenfenster. Sie musste dringend Rasen mähen, es sah bei ihr schon fast so schlimm aus wie bei Jutta Holler. Die ließ ihren Garten regelrecht verkommen, dabei hatte sie genug Geld, um einen Gärtner zu beauftragen. Aber das fand Madame wohl nicht so wichtig. Sina hatte ein paar Mal jemanden kommen lassen, aber sie war eben nicht oft genug hier. Und hatte wohl auch kein großes Interesse, ihr Elternhaus instand zu halten. Aber das war zum Glück nicht Inges Problem. Sie konzentrierte sich wieder auf die Konsistenz des Teigs. Beim nächsten Blick nach draußen entdeckte sie einen Mann, der sehr langsam auf dem Bürgersteig ging. Er trug einen schönen Mantel, das wäre auch mal was für Walter. So ein kurzer Sommermantel, das hatte doch viel mehr Schick als diese Windjacken, die Walter immer trug. Inge schaltete den Mixer aus und stellte ihn zur Seite. Als ob Walter so einen flotten Mantel tragen würde. Der bestimmt nicht billig war. Die Windjacke konnte man ja schließlich abwischen, würde Walter sagen, so ein Mantel musste in die Reinigung. Inge warf erneut einen Blick nach draußen und beugte sich ein Stück nach vorn. Der Mann war stehen geblieben, genau vor dem Haus von Jutta Holler. So ein schöner Mantel vor dem Haus einer so blöden Nachbarin. Er wollte doch wohl nicht zu ihr? Wobei Jutta Holler ja durchaus Besuche von diversen Männern bekam, aber dieser Mann hier hatte doch wohl ein anderes Format. Zumindest aus der Entfernung betrachtet. Aber vielleicht täuschte der Eindruck oder der schöne Mantel. Das Klingeln des Telefons unterbrach Inges Überlegungen.

»Na, Ingelein, was machst du gerade?«

»Ich habe gerade an dich gedacht, Walter«, antwortete sie und nahm das Telefon mit zum Esstisch. »Und nebenbei bereite ich eine Quiche vor. Karl, Onno und Charlotte kommen heute Abend zum Essen.«

»Aha«, Walter machte eine überraschte Pause. »Wieso das denn? Kaum sind Heinz und ich aus dem Haus, schon werden fremde Männer eingeladen. Und das erzählst du auch noch so fröhlich.«

Inge ordnete die Blumen in der Vase. »Karl und Onno sind nicht fremd. Ich kenne Karl länger als dich. Und wir müssen unseren Chorauftritt besprechen. Und noch ein paar andere Dinge.«

»Das ist ja das Schlimme. Also, dass du Karl schon so lange ... Ist Gerda eigentlich noch zur Kur?«

»Ja.«

Walters Stimme wurde lauter. »Siehst du. Karls Frau ist verreist, ich bin verreist, und schon wird gefeiert und getrunken und über alte Zeiten geredet.«

Inge seufzte. Sie hatte Walter eigentlich nichts von den Einbrüchen erzählen wollen und schon gar nicht von Karls Ermittlungsversuchen, aber das war vermutlich das geringere Übel. Ansonsten würde Walter sich noch in diese alberne Eifersuchtsnummer reinsteigern.

»Du, Walter«, begann sie vorsichtig, »hast du eigentlich was von den Einbrüchen auf der Insel gehört?«

»Was?« Mit dieser Frage hatte er nun nicht gerechnet.

»Wie kommst du jetzt darauf? Oder … sag jetzt nicht, dass … bei uns?«

»Nein. Ich wollte nur wissen, ob du davon schon was mitbekommen hast.«

»Natürlich habe ich was darüber gelesen«, Walters sonore Stimme klang wieder entspannt. »Aber das ist doch schon vor zwei Wochen passiert. Mich wundert das nicht, dass diese großen Häuser, die dauernd leer stehen, weil die Besitzer nur in den Ferien kommen, ab und zu mal überfallen werden. Was verwundert dich daran?«

»Es waren keine Zweitwohnsitze, in die eingebrochen wurde. Es waren alles Häuser von Einheimischen, mittlerweile sind es sogar schon vier, stell dir vor, vier! Und jetzt halt dich fest: Wir kennen fast alle. Was sagst du jetzt?«

Zunächst sagte Walter gar nichts.

»Bist du noch dran, Walter?«

»Dann habe ich wohl nicht ordentlich gelesen. Stand das denn überhaupt in der Zeitung? Das mit den Einheimischen? Das gibt es ja nicht«, Walter war hörbar erschüttert. »Wieso hast du das nicht gleich gesagt? Das ist doch wichtig. Dann wären Heinz und ich ja sofort zurückgekommen. Oder gar nicht erst gefahren. Bist du jetzt in Sorge, Inge? Oder hast du sogar Angst?«

»Unsinn«, Inge wusste, dass Walter zum Drama neigte, deswegen hütete sie sich, ihm Futter zu geben. »Es ist noch nicht mal viel gestohlen worden. Aber die Polizei findet gar nichts raus, sagt Karl, die tappen vollkommen im Dunkeln, das kann man doch gar nicht begreifen! Und deshalb haben wir mal die Opfer der Einbrüche befragt. Unter der Anleitung von Karl, schließlich ist er ein erfahrener Polizist, und seine Nachfolger schaffen es ja anscheinend nicht, diese Einbruchsserie aufzuklären. Und da wir drei der vier Opfer kennen, betrifft es uns irgendwie auch.«

»Wie?« Walter war perplex. »Ihr spielt jetzt Privatdetektive und kommt der Polizei ins Gehege?«

»Unsinn. Wir besuchen nur Bekannte und unterhalten uns ein bisschen mit ihnen. Onno und Charlotte waren gestern bei Helga Simon, sie war das erste Opfer und ist die Witwe von einem ehemaligen Arbeitskollegen von Onno. Und ich will nachher mal zu Johanna Roth, dem dritten Opfer, gehen, weißt du, das ist die Dicke mit den roten Haaren, die früher in der Gemeinde gearbeitet hat. Ich habe ihr doch mal Ableger von meiner Clematis gebracht. Und wenn wir uns auf dem Markt treffen, dann klönen wir immer mal. Und Charlotte und ich waren ja schon bei Gisela Karlson. Heute Nachmittag wollen wir mal unsere Ergebnisse zusammentragen.«

»Ihr spinnt.« Das war typisch Walter. Inge begann, sich zu ärgern. Sie stand auf und ging, um sich zu beruhigen, mit dem Telefon am Ohr in die Küche.

»Wieso spinnen wir? Wer mischt sich denn sonst immer in solche Dinge ein? Darf ich dich an die Busreise im letzten Jahr erinnern? Bei der du und Heinz diese Betrüger observiert habt? Da habt ihr doch auch Polizei gespielt. Und wir haben wenigstens einen echten dabei.«

»Der ist pensioniert«, stellte Walter fest. »Auch wenn er das selbst nicht wahrhaben will. Ja, und? Habt ihr schon was herausgefunden?«

Inge lehnte sich an die Arbeitsplatte und zog die Schüssel mit dem Teig zu sich. »Wir sind erst am Anfang. Heute Abend weiß ich mehr. Und bei euch? Wie ist euer Seminar? Immer noch gut?«

»Hervorragend«, während Walter begeistert von den Möglichkeiten erzählte, die sich beim Immobilienkauf als Altersanlage ergeben würden, sah Inge wieder nach draußen. Der Mann stand immer noch da. Er hatte die Hände in den Manteltaschen vergraben und starrte unverwandt auf das Haus von Jutta Holler. Inge konnte sein Gesicht nicht erkennen, aber seine Körperhaltung wirkte angespannt. So, als ob er sich nicht entscheiden konnte, einfach zur Haustür zu gehen und zu klingeln. Irgendwie merkwürdig.

»... eine tolle Rendite. Gerade auf Sylt, da wundert es einen nicht, dass die Makler von Haus zu Haus gehen und unanständige Angebote machen.«

Ein Makler! Ja, vielleicht war das da draußen so einer? Oder vielleicht wollte er ja das Haus von der Holler kaufen? Gisela hatte ja auch kürzlich erst ein Angebot bekommen, einfach so, ohne jemanden gefragt zu haben. Aber bei ihr war das ein Mann von der Bank gewesen. Der aber auch gefragt hatte, ob sie das Haus verkaufen wollte. Hatte Gisela so etwas in der Art nicht auch erzählt?

»Und das mit den Maklern habt ihr auf diesem Seminar gehört?« Inge war sich nicht sicher, ob sie das richtig verstanden hatte. Ganz genau hatte sie ja nicht zugehört.

»Habe ich doch gerade gesagt. Der Seminarleiter hat Heinz und mir ein paar Ideen mitgegeben. Du kaufst ein Haus, machst es für kleines Geld hübsch und verkaufst es für das Doppelte. Das passiert auf Sylt dauernd. Heinz und ich sitzen nahezu an der Quelle, wir kennen viele Leute, die Häuser besitzen, haben ein bisschen Geld auf der hohen Kante, das wäre keine schlechte Beschäftigung. Und kein schlechter Verdienst.«

Inge behielt den Mann im Mantel im Auge. Nach einem letzten Blick auf das Haus drehte er sich jetzt um und entfernte sich mit langsamen Schritten. Es schien so, als würde er ein Bein nachziehen. Nach ein paar Metern drehte er sich noch einmal um, sodass sie sein Gesicht sehen konnte. Sofort ging sie einen Schritt zurück. Auch wenn er irgendwie ganz sympathisch aussah.

»Inge? Bist du noch dran?«

»Ja, Walter. Ich verstehe nur nicht genau, was du mir jetzt damit sagen willst. Möchtest du unser Haus verkaufen oder ein anderes kaufen?«

»Du hast mir gar nicht richtig zugehört.« Walter fühlte sich unverstanden. »Heinz und ich beschäftigen uns gerade mit einer interessanten Möglichkeit, unser Geld anzulegen und sogar zu vermehren. Wir werden es euch in aller Ruhe erzählen, wenn wir nächste Woche wieder da sind. Am Telefon sind die Zusammenhänge zu komplex. So, und jetzt muss ich aufhören, wir haben noch verschiedene Unterlagen, die wir durchsehen müssen. Vorbereitung ist alles bei einer solchen Weiterbildung.«

Inge ging zurück ins Esszimmer. »Ja, dann wünsche ich euch viel Erfolg. Ich kümmere mich jetzt mal um meine Quiche. Grüß alle.«

»Mach ich. Ich melde mich wieder. Und lasst euch nicht von Karl zu irgendwelchen Detektivspielen hinreißen. Du bist nicht Miss Marple.«

»Ich weiß.« Inge nickte. »Ich mochte die aber immer sehr. Also, pass auf dich auf und nimm deine Tabletten. Bis später.«

Als sie den Hörer wieder auf die Station gelegt hatte, lächelte sie. Miss Marple. Das musste sie Charlotte erzählen, die war auch ein großer Fan der englischen Detektivin.

Torben Gerlach hat gerade angerufen.« Robert sah auf, als Maren durch die Tür kam. »Dieses Mal haben sie Beute gemacht. Frau Gerlach hatte in einem Sekretär dreitausend Euro, die sind weg.«

Maren nickte und stellte sich hinter seinen Schreibtischstuhl, um ihm über die Schulter auf seinen Bildschirm zu sehen. »Was Neues von der Spurensicherung?«

Er roch gut. Er roch so gut, dass Maren sicherheitshalber die Luft anhielt, um nicht der Versuchung zu erliegen, ganz schnell ihr Gesicht in seine Halsbeuge zu pressen. Stattdessen hustete sie.

»Alles okay?« Robert drehte sich plötzlich um und war mit seinem Gesicht viel zu dicht an ihrem. Maren wich sofort zurück und richtete sich wieder auf.

»Ja, danke, alles gut. Hab mich nur verschluckt. Was sagen die Kollegen? Fingerabdrücke, irgendwelche Spuren?«

»Natürlich nichts«, Robert grinste. »Falls jemand eine Putzfrau sucht, kann man Elvira Scholz uneingeschränkt empfehlen. Der Tatort war porentief gereinigt. Die Kollegen haben fast einen Anfall gekriegt.«

Er richtete seinen Blick zurück auf den Bildschirm. »Bis auf das Geld ist offenbar nichts gestohlen worden. Frau Gerlach wird morgen aus der Klinik entlassen, wir sollten dann noch mal bei ihr vorbeifahren, falls ihr doch noch was aufgefallen ist.«

Maren nickte und ging um seinen Schreibtisch herum, um sich auf ihren Platz zu setzen. Sie deutete auf die Akten, die neben ihr lagen. »Ich habe mir alle Fälle noch mal angesehen. Ist dir aufgefallen, dass alle Opfer ungefähr im selben Alter waren? Und dass sie alle alleinstehend sind? Hat schon mal jemand geprüft, ob die sich untereinander vielleicht kennen?«

»Natürlich«, Robert sah sie an. »Du, die Jungs hier sind auch keine Anfänger. Wir haben versucht, eine Verbindung zwischen ihnen zu finden, es gibt aber keine. Sie kennen sich nicht alle, sie haben weder dieselbe Putzfrau noch dieselben Hausärzte noch dieselben Lieferanten. Keiner hat etwas bemerkt, unbekannte Personen gesehen oder seltsame Telefonate bekommen. Aber das steht ja auch alles in den Akten.«

»Schon«, Maren drehte einen Kugelschreiber zwischen den Fingern. »Aber die Fälle ähneln sich doch alle. Zwei der Opfer sind außerdem in dem Chor, in dem mein Vater und Karl singen.«

»Ja, aber eben nur zwei. Frau Karlson und die Gerlach. Die anderen drei singen nicht. Zumindest nicht im Chor.« Robert schob Papiere zusammen. »Es gibt eine Sache, die Runge aufgefallen ist: Alle Straßen liegen an der Schulbuslinie. Wir haben um elf Besprechung. Wir sollten uns das mal genauer ansehen.«

»Also Jugendliche?« Maren war skeptisch. »Die meisten Einbrüche sind am Vormittag passiert. Da sind die doch in der Schule.«

»Natürlich«, Roberts Ton war jetzt leicht sarkastisch. »Hier auf der Insel gibt es natürlich nur gewissenhafte Schüler, von denen nie jemand den Unterricht schwänzen würde. Jeglicher Unsinn wird ausschließlich in den Ferien oder am Nachmittag gemacht. Alles Engel und Streber. Ist eben eine heile Welt, diese Insel.«

»Was soll das jetzt?« Maren sah ihn irritiert an. »Wieso bist du so giftig?«

Mit einer schnellen Bewegung drehte Robert seinen Stuhl in ihre Richtung. »Willst du es wirklich wissen?«

»Natürlich.«

Langsam stand er auf, ging zu ihr, stützte seine Hände auf ihren Schreibtisch und sah sie an. Seine Augen waren sehr blau.

»Ich verstehe dich nicht. Du weichst mir aus, egal, was ich sage, ich sage Rot, du sagst Grün, du bist total distanziert und behandelst mich, als wäre ich der letzte Polizeischüler. Du tust so, als hätten wir nie irgendetwas miteinander zu tun gehabt. Dabei war das mit das Schönste überhaupt, und ich habe keine Ahnung, warum du dich danach nicht mehr gemeldet hast. Und du schweigst. Wenn du ein Problem mit mir hast, ist das wohl so. Du kannst ja deine Dienste so einteilen, dass wir uns nicht mehr sehen müssen, das scheint dich ja wahnsinnig zu nerven. Aber wenn das nicht geht und wir hier zusammen Dienst schieben müssen, dann reiß dich zusammen und rede mit mir. Auf diesen Kindergarten habe ich keinen Bock. Und jetzt fahre ich die Schulbusstrecke ab. Und nehme die Lehmann mit. Denk an die Besprechung um elf. Bis dann.«

Das hatte gesessen. Verblüfft starrte sie ihm nach, bis die Tür hinter ihm ins Schloss fiel.

Nur eine Sekunde später wurde die Tür wieder geöffnet. »Guten Morgen, Maren. Was ist denn mit deinem Kollegen los? Der hat mich fast umgerannt.«

»Karl«, immer noch verblüfft sah sie den Besucher an. »Ich ... ähm, keine Ahnung. Was gibt es denn?«

Er sah sich kurz um, bevor er sich auf Roberts Stuhl setzte. »Das wollte ich mal von dir hören. Ich mache mir

Sorgen um Elisabeth, ich habe sie gestern besucht, sie ist ja fix und fertig!«

Betont harmlos fragte Maren: »Welche Elisabeth?«

»Maren, bitte.« Karl funkelte sie an. »Elisabeth Gerlach, natürlich. Habt ihr schon was?«

»Karl, ich darf dir doch nichts sagen. Wir machen schon unseren Job, du kannst unbesorgt sein. Und …«

»Hey, Meister Sönnigsen«, Benni kam um die Ecke gebogen und grinste Karl an. »Wenn Runge dich sieht, kriegst du Ärger. Und Maren dazu. Also frag hier nicht die Kollegen aus.«

»Benni«, Karls Antwort kam freundlich, aber sehr bestimmt. »Ich unterhalte mich lediglich mit meiner Patentochter, das verstößt wohl kaum gegen das Grundgesetz. In diesem Gespräch wollte ich lediglich meine Sorge um die Einbruchsopfer kundtun. Und euch bitten, eure Ermittlungen mal ein bisschen zu beschleunigen. Der fünfte Einbruch in Folge, also, das hätte es zu meiner Zeit hier nicht gegeben.«

Maren verdrehte die Augen in Bennis Richtung, doch der behielt seine gute Laune. »Komm, Karl, bleib entspannt, wir arbeiten wirklich auf Hochtouren. Und wir haben auch schon einiges. Aber das geht dich wirklich nichts mehr an. Und jetzt würde ich zusehen, dass ich Land gewinne, Runges Wagen steht nämlich schon auf dem Hof.«

Es war zu spät, Peter Runge stand bereits in der Tür. »Morgen …«, er stutzte, als er Karl sah, seine Miene verfinsterte sich augenblicklich. »Was …?«

»Also, ich habe alles«, sagte Maren laut. »Wir gehen dem nach, aber ich finde es trotzdem ärgerlich, dass du dir das Kennzeichen nicht gemerkt hast.«

»Tja«, Karl war immer noch schnell im Kopf. »Ich bin

in Pension, da denkt man nicht mehr wie ein Polizist. Tut mir leid, ich ärgere mich selbst drüber. Aber es war ein silberfarbener Mercedes-Transporter, da bin ich mir sicher. Ich hoffe, ich konnte euch helfen, also dann, schönen Tag noch.«

Er war aufgestanden, tippte sich an die Schläfe und ging zum Ausgang. »Und Grüße an Onno.« Die Tür schlug hinter ihm zu.

»Was war das denn?« Runge sah aus, als hätte ihm gerade jemand in den Magen geboxt.

»Herr Sönnigsen hat einen verdächtigen Mercedes-Transporter bemerkt. Der stand seit ein paar Tagen in Morsum. Das wollte er uns mitteilen. Es könnte ja eine Spur sein.« Maren schrieb das Wort »Mercedes-Transporter« auf einen Zettel und sah dann ihren Chef an. »Es war nur eine Zeugenaussage.«

Peter Runge fuhr sich wütend durch seine gestylte Frisur. »Wer's glaubt«, zischte er und drehte sich auf dem Absatz um. »Ich bin in meinem Büro. Um elf Besprechung.«

Benni zählte tonlos bis zehn, dann drehte er sich zu Maren. »Respekt«, meinte er anerkennend. »Auch wenn es knapp war. Aber wir müssen echt Karl einfangen, beim nächsten Mal flippt der Chef aus. Und dann gibt es Tote.«

Rike reichte der Patientin das Rezept mit einem Lächeln. »So, Frau Gärtner, bei Bedarf zwei Tabletten, ja? Ansonsten kalte Umschläge. Und wir sehen uns in einer Woche wieder.«

Die Patientin steckte das Rezept ein und nickte: »Und wenn es nicht besser wird, dann rufe ich den Doktor an, nicht wahr, Frau Brandt?«

»Sicher«, Rike lächelte und wandte sich dem nächsten Patienten zu. Er hatte gerade die Praxis betreten, ein großer, gut aussehender Mann, teure Klamotten, eine moderne Brille, eine schöne Uhr, Rike ordnete ihn sofort als Urlaubsgast ein.

»Was kann ich für Sie tun?«

Frau Gärtner war noch nicht fertig. Sie schob den Neuankömmling zur Seite und beugte sich über den Tresen. »Ich kann den Doktor doch immer erreichen, oder?«

»Frau Gärtner«, Rike legte ihr die Hand auf den Arm. »Die Tabletten werden Ihnen helfen. Und wenn nicht, dann kommen Sie wieder vorbei. Oder rufen den Doktor an. Außerhalb der Praxiszeiten aber nur, wenn Sie das Gefühl haben, dass Sie sofort ins Krankenhaus müssen.« Sie verbot sich zu sagen, dass Frau Gärtner sich lediglich den Fuß verknackst hatte, weil sie so gern zum Doktor ging. Diese Woche war es der Fuß, beim nächsten Mal würde ihr der Rücken wehtun, danach hätte sie vielleicht einen Tennisarm. Lebensbedrohlich krank war sie nie, nur manchmal etwas einsam.

»Ins Krankenhaus gehe ich nicht.«

»Gut«, geduldig lächelte Rike sie an. »Dann sehen wir uns nächste Woche. Schönen Tag noch und gute Besserung.«

Sie wartete, bis Frau Gärtner die Praxis verlassen hatte, dann wandte sie sich wieder an den Mann. »Entschuldigen Sie bitte, jetzt sind *Sie* dran. Was können wir für Sie tun?«

»Ich bin vor ein paar Tagen gestürzt. Zuerst war es nicht so wild, aber jetzt ist das Knie so angeschwollen, und ich wollte ausschließen, dass da irgendetwas gerissen ist. Vielleicht kann da mal jemand draufschauen.«

Er hatte eine beruhigende und schöne Stimme. Rike sah ihn noch mal genauer an. So ein interessantes Gesicht. Richtig guter Typ. Sehr anziehend. Sofort räusperte sie sich und zog ein Formular aus der Schublade. »Sie waren noch nie bei uns, richtig?«

Er schüttelte den Kopf. »Nein, ich bin zum ersten Mal hier.«

»Dann bräuchte ich ein paar Angaben. Können Sie mir dieses Formular bitte ausfüllen? Und ich bräuchte Ihre Krankenkassenkarte, Herr …?«

»Andreas von Wittenbrink. Ich bin privat versichert. Kann ich das im Wartezimmer ausfüllen?«

»Natürlich«, Rike schob ihm das Blatt zu. »Die zweite Tür rechts.«

Sie sah ihm nach, während er über den Flur humpelte. Wahrscheinlich war er wohlhabend, erfolgreich, hatte eine hübsche Ehefrau und zwei entzückende Kinder. Solche Männer waren nie auf dem freien Markt.

»Rike?« Die knarzige Stimme von Dr. Hansen schallte

aus dem Lautsprecher und unterbrach ihre unprofessionellen Gedanken. »Sie können mir den Nächsten reinschicken.«

Sie hatte inzwischen dreimal das Wartezimmer betreten, um Patienten aufzurufen. Jedes Mal hatte Andreas von Wittenbrink den Blick von seinem Buch gehoben und sie angelächelt. Es gefiel ihr, dass er ein Buch dabeihatte, sie wusste zwar nicht, warum, aber es gefiel ihr. Genauso wie der ganze Mann.

»Herr von Wittenbrink?«

Sie wartete an der Tür, bis er sein Buch verstaut hatte und aufstand.

»Hier vorn, die dritte Tür links.« Sie ging ein paar Meter neben ihm, er war fast zwei Köpfe größer als sie. »Was lesen Sie gerade?«

Überrascht lächelte er sie an. »Einen Krimi. Von Sven Pettersen. ›Fataler Irrtum‹.«

»Ach«, Rike blieb vor dem Sprechzimmer stehen. »Das ist ja lustig. Den lese ich auch gerade.«

Er lächelte wieder und ging ins Zimmer, leise schloss Rike die Tür hinter ihm und blieb einen Moment stehen. Es gibt keine Zeichen, dachte sie, sei nicht albern. Das Telefon am Empfang klingelte, sie drehte sich auf dem Absatz um und ging wieder an ihre Arbeit.

Eine halbe Stunde später stand der interessanteste Patient des Tages wieder vor der Rezeption. »Ich soll sicherheitshalber in die Klinik zum Röntgen fahren«, sagte er. »Könnten Sie mir bitte ein Taxi rufen?«

Mit einem kurzen Blick auf die Uhr und ungewohnt offensiv hörte Rike sich vorschlagen: »Ich habe in zehn Minuten meinen freien Nachmittag und muss sowieso in

Richtung Klinik. Wenn Sie wollen, kann ich Sie schnell hinfahren.«

Erschrocken über ihren unüberlegten Vorstoß biss sie sich sofort auf die Unterlippe. Was war denn in sie gefahren? Er war ein Patient, er musste doch denken, sie wäre bescheuert. Er wollte einfach nur ein Taxi bestellen. Bevor sie sich für diesen Aussetzer entschuldigen konnte, lächelte Andreas von Wittenbrink sie erleichtert an. »Wirklich? Wollen Sie das tun? Ich würde das sehr gern annehmen, ich hasse Krankenhäuser. Und bin mir nicht sicher, ob ich da wirklich reingehe.«

Es war dieser Blick, die Stimme und das Lächeln – alles zusammen ließ in Rikes Magen eine Feuerwerksrakete aufsteigen.

»Sie haben etwas bei mir gut.«

Die Rakete explodierte in leuchtenden Farben.

»Ach, hier sitzt du.« Jutta Holler stand mit leerem Glas in der Hand in der Wohnzimmertür und sah ihre Tochter erstaunt an, die sich gerade den letzten Fingernagel lackierte. »Ich dachte, du bist unterwegs.«

Sina wedelte mit der Hand, um den Trocknungsprozess zu beschleunigen, während ihre Mutter auf hohen Absätzen das Zimmer durchquerte. »Ich hatte keine Lust, mit diesen Touristenmassen durch die Friedrichsstraße zu pilgern. Und am Strand war es mir zu kalt. Und einen Kaffee kann ich hier auch trinken.«

Jutta Holler blieb vor einem kleinen Tisch stehen, auf dem verschiedene Flaschen und Karaffen standen. »Hast du schlechte Laune?«

»Unsinn«, Sina betrachtete ihre Fingernägel. »Sollte ich?«

Ihre Mutter drehte ihr den Rücken zu, griff nach einer

Flasche Cognac und schenkte sich großzügig ein. Sina beobachtete sie stirnrunzelnd.

»Meinst du nicht, dass es noch etwas zu früh für solche Getränke ist?«

»Wieso?« Jutta hatte die braune Flüssigkeit ohne mit der Wimper zu zucken runtergekippt. »Es ist nach zwölf und ich habe mich geärgert. Außerdem spinnt mein Magen.«

»Aha.« Vorsichtig schraubte Sina das Nagellackfläschchen zu. »Und worüber hast du dich geärgert?«

»Über Karsten. So ein Idiot!« Wütend ließ Jutta sich in einen der Designersessel fallen. Ihr ohnehin zu kurzer Rock rutschte dabei hoch und gab den Blick auf eine beginnende Laufmasche frei. Sina musste den Blick abwenden, um nichts Böses zu sagen. Ihre Mutter hatte keinen Geschmack und betrachtete sich offensichtlich auch nie im Spiegel. Diese Rocklänge war einfach nicht für Frauen ihres Alters gedacht. Es sah lächerlich aus.

Sina starrte auf das leere Glas in Juttas Hand. »Willst du darüber reden? Oder ist es wie immer?«

»Was heißt ›wie immer‹? Karsten und ich waren für heute verabredet, in Kampen, zum Mittagessen im ›Rauchfang‹. Und jetzt ruft dieser Versager vorhin an und sagt mir, dass er Besuch bekommt und nicht kann. Ich bin hingefahren und habe geguckt, er hat Besuch von so einer Jungblondine bekommen. Könnte seine Tochter sein, das ist doch das Letzte.«

»Also wie immer«, sagte Sina leise. Sie hatte nie verstanden, wie ihre Mutter es immer wieder schaffte, wesentlich jüngere Männer aufzureißen. Aber es gab offensichtlich genügend Typen, die es toll fanden, sich von einer auf jung getrimmten Frau abendelang aushalten zu lassen, aus lauter Dankbarkeit ein- oder zweimal mit ihr ins Bett zu gehen und sich anschließend zügig aus dem Staub machten. Es war erbärmlich.

»Ich fand ihn sowieso ein bisschen schmierig«, Sina stand auf und holte sich die Wasserflasche vom Tisch. »Mach einen Haken dran, es lohnt nicht, sich deswegen zu ärgern.«

»Was weißt du denn? Dein Erfolg bei Männern hält sich im Moment ja wohl auch in Grenzen. Oder habe ich was verpasst?« Jutta hielt Sina das leere Glas hin. »Du stehst gerade, schenk mir noch mal nach.«

Sina lächelte sie an. »Im Gegensatz zu dir brauche ich nicht unbedingt einen Mann. Ich kann warten, bis was Gutes kommt.« Sie beugte sich vor und griff nach der Cognacflasche. »Und damit löst du das Problem übrigens auch nicht.«

Giftig guckte Jutta hoch. »Du bist so eine Klugscheißerin. Genau wie dein Vater. Ich …«

»Du …«, das laute Klingeln von Sinas Handy verhinderte, dass sie sagen konnte, was ihr gerade durch den Kopf schoss. Stattdessen stellte sie die Cognacflasche auf den Tisch, griff ihr Telefon und ging aus dem Zimmer.

»Hallo?« Sie knallte die Tür lauter zu, als sie musste.

»Sag mal, bist du total gestört!?«

Zufrieden ließ Sina sich auf die untere Treppenstufe im Flur sinken. »Hey, Uwe, bist du schon wieder in Hamburg? Ich dachte, ihr seid auf Korsika …«

»Du stellst sofort den Porsche wieder hin.« Uwes Stimme zitterte vor Wut. »Ansonsten zeige ich dich an. Mir reicht es.«

»Und wie willst du das deiner Frau erklären? Wo der Porsche war? Und wieso weißt du, wer ihn, Anführungszeichen unten, ›geklaut hat‹, Anführungszeichen oben? Da musst du dir schon was einfallen lassen. Oder soll ich ihr mal ein bisschen von unseren letzten sieben Jahren erzählen?«

»Hör endlich auf, mich zu erpressen, Sina. Meine Frau ist bei ihrer Mutter, die ist gestürzt, deshalb mussten wir früher zurück. Sie weiß noch gar nicht, dass der Wagen weg ist. Und sie wird es auch nicht erfahren, weil du ihn ja umgehend zurückbringst. Und gnade dir Gott, wenn das nicht passiert, ich gehe zur Polizei. Ich bin es endgültig leid.«

»Ich bin auf Sylt, Schätzchen. Also wird das nichts mit ›umgehend‹.« Sina betrachtete unzufrieden einen ihrer Fingernägel, der unsauber lackiert war. »Ich habe im Moment ganz andere Sorgen. Und wollte erst Montag fahren. Ist das ein Problem?«

»Du bringst den Wagen heute Abend zurück«, Uwe brüllte fast. »Heute Abend. Sonst steht in einer halben Stunde die Polizei bei euch vor der Tür. Ich habe die Adresse deiner Mutter, und erzähl mir nicht, dass du woanders bist.« Er holte tief Luft, um sich zu beruhigen. »Es ist die letzte Warnung, Sina. Ich glaube, du brauchst professionelle Hilfe. Du bist echt krank.«

»Ja, ja«, Sinas Blick war auf eine Felltasche im Leopardenmuster gerichtet, die mit einem Henkel an der Garderobe hing. »Bleib locker, Uwe, ich bringe den Wagen heute noch vorbei. Bist du da? Oder soll ich den Schlüssel mit Gruß an die Autodiebe stecken lassen?«

»Du bist …«

Sie wartete das Ende des Satzes nicht ab, sondern drückte das Gespräch weg. Dieser Vollidiot. Als ob er sie mit seinen Drohungen einschüchtern würde. Das konnte er sofort vergessen. Schließlich saß sie am längeren Hebel. Und wenn er Krieg wollte, sollte er Krieg bekommen. Das war ihre einfachste Übung.

Langsam stand sie auf und schob ihre Hand in die hässliche Leopardentasche. Sofort ertasteten ihre Finger die Geldscheine. Sie zog sie raus und zählte durch. Es waren mindestens zehn Hunderteuroscheine, sie nahm nur vier und stopfte die anderen wieder zurück, schob ihr Handy in ihre Jackentasche und ging langsam zurück ins Wohnzimmer. Jutta hatte mittlerweile ihre Schuhe ausgezogen, ihr Glas war schon wieder randvoll. Als sie die Tür hörte, drehte sie sich zu Sina und sah sie fragend an. »Und?«

»Im Hotel brennt die Luft, ich muss sofort zurück. Das war gerade meine Stellvertreterin.«

»Das kommt davon, wenn man Chefin ist.« Jutta hob spöttisch die Augenbrauen. »Entweder hast du deine Leute nicht im Griff oder du nimmst dich zu wichtig. Such dir einen Mann mit Geld, du hast viel zu viel Stress. Das macht alt und hässlich.«

»Sicher«, Sina lächelte schmallippig. »Sag mal, ich wollte eigentlich noch zur Bank und Geld holen, das wird mir alles zu knapp. Hast du noch Bargeld da?«

»Ich habe immer Bargeld«, etwas ungelenk mühte Jutta sich aus dem Sessel und ging zu dem kleinen Sekretär. »Was brauchst du?«

»Nicht so viel«, Sina schluckte. »Drei-, vierhundert Euro?«

Jutta lachte und drehte sich um. In der Hand hielt sie ein Bündel grüner Scheine. Sie zog fünf raus und hielt sie Sina hin. »Hier hast du fünfhundert, nimm es als Vorab-Erbe.«

Sina ärgerte sich sofort, dass sie nicht nach mehr gefragt hatte. Es würde aber reichen. Mit dem Vorab-Erbe aus der Leopardentasche.

»Du bist ganz schön leichtsinnig. Überall liegt Geld rum, und zurzeit werden doch hier dauernd Häuser aufgebrochen.«

»Dauernd«, Jutta verzog das Gesicht. »Du redest schon wie die blöde Müller von nebenan. Außerdem steigen die nur bei alten Frauen ein, stand doch in der Zeitung. Fährst du sofort? Dann kannst du mich bis zum Bahnhof mitnehmen. Ich glaube, ich werde mal bei Conni reinschauen, vielleicht kann sie mich drannehmen. Friseure beruhigen mich immer so.«

»Ich packe schnell meine Tasche.«

Während sie in ihrem Zimmer die Sachen zusammensuchte, unterdrückte sie den Impuls, gegen irgendetwas zu treten. Dieser Vollidiot Uwe, jetzt musste sie tatsächlich zurückfahren. Bloß weil die blöde Mutter von Manuela Faust nicht mehr gerade laufen konnte. Es war zu ärgerlich, zumal sie eigentlich heute Abend mit Torben aufs Boot wollte. Sie hatte sich schon genau überlegt, wie alles ablaufen sollte. Er war nicht der schlechteste aller Liebhaber. Und jetzt das.

Wütend zog sie den Reißverschluss der Tasche zu und ging zur Tür. Sie drehte sich noch einmal um und betrachtete das Zimmer. Es könnte alles so einfach sein. Sie musste dafür nur ein paar kleine Probleme lösen.

Jutta stand schon vor dem Porsche und blickte ihr ungeduldig entgegen. »Nun komm doch, je später ich zum Friseur komme, desto kleiner ist die Chance, dass ich noch einen Termin kriege.«

Als Sina am Bahnhof hielt, um ihre Mutter aussteigen zu lassen, tätschelte Jutta ihr kurz die Schulter. »Gute Fahrt. Alles in deinem Leben hast du ja nicht falsch gemacht. Du fährst wenigstens das richtige Auto.«

Sie stieg aus und lief über die Straße. Sina hatte sie nicht auf die Laufmasche aufmerksam gemacht. Die lief jetzt schon bis zum Knöchel. Mit einem kleinen Lächeln ordnete Sina sich in den Verkehr ein. Sie würde noch schnell bei Torben in der Firma vorbeifahren, um ihre Verabredung selbst abzusagen. Er könnte ja eine Mittagspause machen und das Büro einfach mal abschließen. Sina lächelte und öffnete den obersten Blusenknopf.

Torben war nicht im Büro. Wütend machte sie sich auf den Weg zum Autozug.

»Soll ich mit reinkommen?« Rike warf einen kurzen Blick auf Andreas von Wittenbrink, der sie erstaunt ansah. »Ich meine nur, weil Sie ja nicht gern in Krankenhäuser gehen.«

Andreas verkniff sich ein Grinsen. »Danke, aber ich muss mich ja keiner Herzoperation unterziehen. Das Röntgen kriege ich schon allein hin, aber es ist trotzdem nett von Ihnen. Also, vielen Dank fürs Herbringen.«

»Gern«, Rike nickte schnell. »Soll ich warten?«

»Das müssen Sie wirklich nicht«, lächelnd öffnete er die Tür. »Ich fahre mit dem Taxi ins Hotel, nochmals vielen Dank und bis bald.«

Er schlug die Tür zu und ließ Rike enttäuscht zurück. Sie hatte gehofft, dass er vorschlagen würde, nach der Untersuchung noch etwas essen zu gehen oder wenigstens irgend etwas auszumachen. Stattdessen war er einfach ausgestiegen. Und sie hatte sich zum Affen gemacht.

Frustriert schlug sie mit der flachen Hand aufs Lenkrad und löste dabei die Hupe aus, sofort drehten sich ein paar Passanten um. Sie hob entschuldigend die Hand und erkannte plötzlich einen von ihnen. Torben sah sie im selben Moment, kam auf ihren Wagen zu und öffnete die Tür. »Hey, Rike, ist alles in Ordnung?«

»Es war ein Versehen«, sie schnallte sich ab und stieg aus. »Hallo, Torben.«

Ihr Blick fiel auf eine Papiertüte, aus der eine Rose lugte. »Musst du einen Krankenbesuch machen?«

»Ja, meine Tante liegt hier. Und sie wollte was zu lesen haben. Und eine Rose schadet ja auch nicht.«

Er stellte die Tasche ab und zog eine Zigarettenschachtel aus seiner Jacke. »Da nutze ich doch gleich die Gelegenheit, vorher noch eine zu rauchen, ich hasse Krankenhäuser.«

Das hatte sie heute schon mal gehört, es war anscheinend ein verbreitetes Männerproblem. »Was ist denn mit deiner Tante? Was Ernstes?«

Torben zog an seiner Zigarette und stieß den Rauch ungehalten aus. »Das kann man wohl sagen. Bei ihr ist gestern Morgen eingebrochen worden, während sie noch oben im Bett lag. Sie hat Geräusche gehört, wollte nachsehen und ist dann irgendwie gestürzt oder gestoßen worden, was auch immer, und hat sich dabei das Außenband gerissen. Und sie hat durch den Schock so hohen Blutdruck, dass sie noch bis morgen zur Beobachtung in der Klinik bleiben soll.«

Erschrocken hielt Rike sich die Hand vor den Mund. »Um Himmels willen. Hat sie den Einbrecher gesehen? Da hätte ja noch viel mehr passieren können. Wieso geht sie denn selbst nachsehen? Ich hätte an ihrer Stelle lieber die Polizei gerufen.«

»Das wollte sie ja, aber das Telefon steht unten. Und ist ihr auch noch aus der Hand gerutscht. Und die Polizei …« Er machte eine demonstrative Pause und sah sie an. »Ich will ja nichts sagen, ich weiß, dass deine Freundin Maren Polizistin ist, aber ich bin schon fassungslos, wie überfordert die Polizei mit dieser Einbruchsserie ist. Es ist jetzt schon der fünfte Einbruch in Folge, und die haben nicht eine einzige Spur. Unbegreiflich.«

»Fünf schon?« Rike schüttelte ungläubig den Kopf. »Echt? Das habe ich doch glatt gar nicht mitbekommen.«

»Deine Freundin ist doch Polizistin. Redet ihr nicht über so was?«

»Nein. Wozu auch? Ich spreche ja auch nicht über unsere Patienten.«

Torben warf die halb gerauchte Zigarette auf den Boden und trat sie aus. »Na ja, es ist trotzdem ärgerlich. Ich gehe jetzt mal rein und bringe meiner Tante ihre Zeitschriften. Und dann baue ich ihr ein Sicherheitsschloss in die Tür. Das habe ich schon bei zwei anderen Einbruchsopfern gemacht. Die sind danach alle total verunsichert und können nicht mehr schlafen. Das kannst du ja deiner Freundin mal sagen, vielleicht strengen sie sich dann mal ein bisschen mehr an.«

»Klar«, Rike nickte ihm zu. »Mach ich. Und grüß deine Tante. Bis bald mal.«

Sie sah ihm nach, als er zum Krankenhauseingang lief. Vielleicht sollte sie ihn auch bei Gelegenheit bitten, ihr ein vernünftiges Schloss einzubauen. Wer weiß, wie lange diese Einbruchsserie noch dauerte.

Bevor sie losfuhr, warf sie noch einen Blick auf den Eingang und schüttelte dann über sich selbst den Kopf. Was sollte sie Andreas von Wittenbrink sagen, wenn er sah, dass sie immer noch auf dem Parkplatz stand.

»Oh, was für ein Zufall, da sind Sie ja wieder. Ich habe nicht auf Sie gewartet, ich habe mich lediglich mit einem guten Bekannten verquatscht. Aber da Sie jetzt wieder da sind, könnten Sie mir doch sagen, was ›Sie haben etwas bei mir gut‹ genau bedeutet.«

Rike griff stattdessen nach ihrem Handy und tippte eine SMS ein: »Wie lange hast du Dienst?«

Nach nur einem Augenblick kam eine Antwort: »Bis 17 Uhr.«

Etwas enttäuscht ließ Rike das Gerät sinken. Also müsste sie diesen freien Nachmittag doch allein mit Putzeimer und Staubsauger verbringen, ganz wie geplant – und leider nötig. Aber vielleicht opferte sich Maren ja am Abend als Zuhörerin einer Geschichte, die mittendrin aufhörte.

»Lust auf ein paar Nudeln? Neunzehn Uhr bei mir? Grüße, Rike.«

Die Antwort kam postwendend. »Bis später, freue mich.«

Sie legte das Handy weg und startete den Wagen. Also Nudeln mit der Sandkastenfreundin statt eines romantischen Abends mit einem tollen Mann. Aber Nudeln machten glücklich, und Romantik wurde sowieso überschätzt. Vielleicht war alles gut so.

Maren fuhr auf den Parkplatz vor dem Haus, genau in dem Moment, in dem Onno die Gartentür hinter sich ins Schloss fallen lassen wollte. Er wartete, bis Maren vor ihm stand, und hielt ihr die Pforte auf. »Gnädige Frau, bitte schön.«

»Danke vielmals«, Maren küsste ihren Vater flüchtig auf die Wange. »Gehst du weg?«

Onno nickte. »Ja, ich fahre zu Inge. Wir wollen besprechen, wie wir bei der … ähm, Chorprobe vorgehen wollen. Und du? Wie war dein Tag? Gibt es was Neues?«

»Was wollt ihr denn zur Chorprobe besprechen?« Maren kramte nach ihrem Hausschlüssel. »Ihr stellt euch hin und singt. So habe ich mir das wenigstens immer vorgestellt. Und mein Tag war ziemlich turbulent, von wegen, auf der Insel passiert nichts. Schon wieder ein Einbruch.«

»Wirklich?« Onno guckte sie interessiert an. »Erzähl mal.«

»Papa«, mit einem Lächeln schob sie sich an ihm vorbei. »Ich kann doch nicht über laufende Ermittlungen sprechen. Sag mal, hast du vielleicht noch eine Flasche Wein da? Ich fahre gleich zu Rike zum Essen. Und ich habe keinen Wein mehr.«

»Nein, tut mir leid«, Onno sah sie freundlich an. »Ich habe auch nur noch eine angebrochene Flasche Roten zum Kochen. Ich trinke doch nie Wein. Du kannst eine

Kiste Bier mitnehmen. Bei wem ist denn eingebrochen worden?«

»Bitte, Papa, frag nicht so viel. Ich fahre noch zum Weinladen, soll ich dir mal was mitbringen?«

»Ich kriege Sodbrennen von dem Zeug, lass mal. Aber du kannst mir doch den Namen sagen.«

Maren ging einfach an ihm vorbei zum Haus.

Onno kam als Letzter zu Inge, Charlotte und Karl saßen schon am Esstisch, auf dem Karls Sparkassennotizbücher, einzelne Zettel, eine Straßenkarte der Insel und das Telefonbuch lagen.

»Moin«, sagte er beim Eintreten, gab jedem die Hand und setzte sich neben Charlotte. »Maren hat mir gerade gesagt, dass heute schon wieder ein Einbruch passiert ist, sie hat aber nicht den Namen gesagt.«

»Elisabeth Gerlach«, tönte es im Chor. »Wissen wir schon.«

»Nein«, perplex starrte Onno in die Runde. »Das gibt es ja nicht. Wieder eine Chorschwester. Und woher wisst *ihr* das? Was genau ist denn passiert? Wie geht es ihr?«

»Karl hat es herausgefunden«, sagte Inge mit einem stolzen Blick auf ihn. »Das nennt man wohl Instinkt.«

Karl warf sich in die Brust und schob seine Notizbücher gerade. »Ja. Entweder hat man den oder nicht. Und ich habe ihn einfach. Aber bevor wir hier mit der Heldenverehrung fortfahren, möchte ich an dieser Stelle etwas klären. Wir haben heute die erste offizielle Sitzung unserer Sonderkommission, und ich wäre sehr dafür, ein Protokoll zu führen. Wer meldet sich freiwillig?«

Alle sahen ihn an, niemand sprach. Karl nickte. »Gut. Dann bestimme ich Charlotte. Du hast die schönste Schrift.«

»Ich? Aber ...«

Karl schob ihr eines seiner Notizbücher und einen Stift zu. »Es ist alles vorbereitet, meine Liebe. Das Datum habe ich schon eingetragen. Bitte alle Details notieren, nicht, dass wir etwas übersehen oder vergessen.«

Charlotte stöhnte leise, klappte das Buch aber auf. »Dann fang an, ich schreibe mit.«

»Sehr gut. Also, ich war gestern Morgen zufällig auf dem Revier, als die Meldung kam, dass in der Keitumer Chaussee wieder ein Einbruch stattgefunden hat.«

»Warum warst du zufällig auf dem Revier?«, unterbrach ihn Onno. »Da kommt man doch nicht zufällig vorbei.«

»Deinetwegen«, Karl zeigte auf ihn. »Weil du mir am Telefon erzählt hast, dass dein Kind nicht frühstückt, kannst du dich erinnern? Und da bin ich als Patenonkel sofort zum Bäcker gegangen und habe ihr etwas zu essen gebracht. Und während wir da so nett standen, kam der Anruf.«

»Muss ich das auch aufschreiben?« Charlotte sah ihn stirnrunzelnd an. »Also, dass Maren nicht frühstückt?«

»Nein. Das nicht. Du musst ein Gespür dafür entwickeln, was wichtig ist und was du vernachlässigen kannst. Das schaffst du schon.«

»Und Maren hat dir dann gesagt, bei wem eingebrochen wurde?« Jetzt guckte Onno etwas beleidigt. »Mir nämlich nicht.«

»Mir auch nicht.« Karl zuckte mit den Achseln. »Darf sie auch nicht. Aber ich habe noch ein bisschen mit der kleinen Katja Lehmann geplaudert, das ist eine Polizeianwärterin. Und die hat mir erzählt, dass das Einbruchsopfer ins Krankenhaus gekommen ist. Mehr wollte sie mir auch nicht sagen. Aber ich habe ja gute Kontakte ins Krankenhaus, der Rest war einfach. Ja, und dann der Schock: unsere Elisabeth!«

Charlotte schüttelte empört den Kopf. »Du hast völlig recht, Karl, wenn wir warten, bis die Polizei die Bande kriegt, ist es nur eine Frage der Zeit, bis die bei einem von uns einsteigen. Und ich habe keine Lust, mich beklauen zu lassen. Wer hat denn bloß was gegen unseren Chor?«

»Niemand«, widersprach Inge. »Und es sind ja auch nicht nur Chormitglieder betroffen. Darf ich euch daran erinnern, dass weder Helga Simon noch Johanna Roth noch die Dritte, wie heißt die noch mal, Frau Dings, Frau, sag doch mal, Karl, im Chor singen?«

»Frau Geschke«, ergänzte Karl nach einem Blick auf seine Notizen. »Eva Geschke. Das war die Zweite. Aber wir sollten nicht spekulieren, wir sollten mal Ordnung in die Ermittlungen bringen. Auch, damit Charlotte es mit dem Protokoll leichter hat. Beginnen wir mal mit den einzelnen Opfern. Johanna Roth war die Erste. Inge, das war dein Job. Hast du was herausgefunden?«

Inge nickte und faltete die Hände auf dem Tisch. »Ja. Ich war vorhin da. Frau Roth hatte nur nicht viel Zeit, weil sie auf dem Sprung zum Bahnhof war, ihre Enkeltochter hat morgen Geburtstag, sie wird sechs, und da wollte sie hinfahren. Ihre Tochter lebt mit der Familie in Neumünster. Die haben da ein Reihenendhaus gekauft, ganz hübsch im Grünen. Der Schwiegersohn von Frau Roth ist bei der Stadt, also ein ganz sicherer Job, da war sie sehr erleichtert, weil die Tochter früher immer Krabben im Kopf hatte und nur Künstlertypen mit nach Hause gebracht hat. Aber jetzt ist alles wunderbar. Die Enkeltochter hat sogar einen kleinen Hund bekommen. So ein niedlicher weißer, wie aus der Werbung.«

»Aha«, Karl sah sie ironisch an. »Und wie heißt die Enkeltochter? Und wie der Hund?«

»Lola und Laila«, antwortete Inge. »Also, das Kind heißt Lola, der Hund Laila.« Sie überlegte einen Moment. »Oder war das umgekehrt? Na, ist ja auch egal, sind ja beides hübsche Namen.«

»Laila mit ai oder ei?«, Charlotte sah beim Schreiben nicht hoch, sonst hätte sie bemerkt, dass Karl die Augen verdrehte.

»Charlotte, das gehört zu den Dingen, die du eher vernachlässigen kannst. Aber, Inge, was weiter? Was war mit dem Einbruch? Gab es Beobachtungen? Was ist gestohlen worden? Ist ihr irgend etwas Verdächtiges aufgefallen?«

»So weit kamen wir gar nicht«, Inge guckte arglos in die Runde. »Wie gesagt, sie war auf dem Sprung zum Bahnhof. Ich habe ihr einen neuen Ableger meiner roten Clematis mitgebracht. Das habe ich schon mal gemacht, damals hat sie gesagt, dass sie sogar zwei Stellen im Garten hat, wo die Clematis hinsollte. Wir hatten nur fünf Minuten, konnten uns nicht mehr unterhalten, haben uns aber zu einer Tasse Kaffee nächste Woche verabredet.«

Onno überlegte, ob Inge das Wissen über die Familiengeschichten einfach eingeatmet hatte. Beim Händeschütteln. Er hätte mit Karl für dieselben Erkenntnisse mindestens eine halbe Stunde reden müssen. Frauen waren doch irgendwie anders. An Karls Gesichtsausdruck erkannte er, dass sein Freund etwas Ähnliches dachte. Der räusperte sich jetzt.

»Ach ja, okay. Und ihr, Onno und Charlotte? Ihr wart doch gestern bei Helga Simon, wie heißt denn deren Enkelkind?«

Überrascht hob Charlotte den Kopf. »Du, das haben wir gar nicht gefragt, jetzt, wo du das sagst. Wie unhöflich.

Sie hat sogar drei Enkelkinder und eine Tochter, die mit ihrem Mann in Köln eine Apotheke hat.«

Das hätte Onno alles gar nicht mehr sagen können. Köln, daran konnte er sich noch erinnern. Aber wie viele Enkelkinder?

»Onno. Da hättest du auch noch mal fragen können, du kennst sie doch von früher.«

Onno sah sie nachdenklich an. »Hat sie wirklich eine Tochter? War das nicht ein Sohn?«

»Onno!« Charlotte schüttelte missbilligend den Kopf. »Du musst auch genau zuhören. Jedenfalls hat sie ein paar sehr interessante Dinge erzählt.« Sie zog ihre Handtasche auf den Schoß und fing an, nach irgendetwas zu kramen, Karl wandte sich in der Zwischenzeit an Onno. »Und? Was hat sie so gesagt?«

»Sie ist sehr nett. Und kommt vielleicht auch mal zur Chorprobe. Wir wollen demnächst telefonieren. Und sie will das Haus nun doch nicht verkaufen.«

Ob es an seiner Stimme lag, an dem, was er gesagt hatte, oder an seinem Gesicht, plötzlich verharrten die anderen und starrten ihn irritiert an. Onno merkte das, räusperte sich schnell und fügte noch hinzu: »Und sie hat den Namen eines Mannes von der Bank genannt.«

»Warum?«, Inge wunderte sich. »Wenn sie das Haus nicht verkaufen will. Wollte sie denn?«

»Ja, nach dem Tod von ihrem Mann«, erklärte Charlotte. »Ich komme auch gleich auf den Namen …, wartet mal …, nein, ich muss an was anderes denken. Ich hatte mir extra ein paar Notizen gemacht, aber die habe ich anscheinend nicht eingesteckt, meine Güte …, wie hieß der noch …?«

Karl seufzte, stützte sein Kinn auf die Faust und sah von einem zum anderen. Das war ja eine Ermittlerrunde!

Er war so euphorisch gewesen, so sicher, dass sie zu viert, mit all ihren Erfahrungen, ihrer Inselkenntnis und nicht zuletzt dank seiner kriminalistischen Begabung diesem blöden Runge zeigen würden, wie man schnell, sicher und effektiv solche Fälle löst – und nun das. Leila und Lola. Und ein neues Chormitglied. Selbst Onno guckte komisch. Es war zum Verzweifeln. Da würde auch das Protokoll nichts retten. Kurz bevor er davon völlig übermannt wurde, schlug Charlotte triumphierend auf den Tisch.

»Gero Winter«, rief sie. »Der Mann heißt Gero Winter. Der arbeitet bei der Bank und ist unter anderem für Immobilien zuständig. Das habe ich im Internet recherchiert. Seht ihr, mein Gedächtnis funktioniert doch noch.«

Sie nickte zufrieden und stellte die Tasche wieder weg. »Genau. Karl? Was ist? Du hast so einen gelangweilten Gesichtsausdruck. Konzentriere dich mal, wir sitzen hier nicht zum Spaß. Also, jetzt mal mit ein bisschen mehr Ernsthaftigkeit: Du warst bei Elisabeth. Was ist dabei rausgekommen? Erzähl es ordentlich und in der richtigen Reihenfolge, sonst komme ich beim Schreiben durcheinander. Sagt mal ...«, sie sah die anderen plötzlich an. »Im Fernsehen trinken die Detektive doch immer beim Denken. Möchte vielleicht jemand einen Eierlikör?«

Karl legte langsam seine Hände auf den Tisch und lächelte sie an. Es ging doch. Sowohl bei den Ermittlungen als auch bei der Getränkeauswahl. Er liebte Eierlikör. Auch wenn man das einem harten Hund wie ihm gar nicht zutraute.

Freitagabend,
in einer kleinen Mansardenwohnung

Schmeckt super«, Maren ließ die Gabel kurz sinken und sah Rike bewundernd an. »Spaghetti vongole esse ich sonst nie, ich dachte immer, ich mag keine Muscheln in Nudeln, aber das ist echt toll.«

»Einfach mal was ausprobieren«, antwortete Rike und griff zur Weißweinflasche, um nachzuschenken. »So, jetzt erzähl mal. Was gibt's Neues?«

Maren sah sie stirnrunzelnd an. »Ich glaube, das ist auf dieser Insel die meistgestellte Frage. Und jetzt fängst du auch noch damit an.«

»Womit?«

»Na, mit der Frage, ob es was Neues gibt. Karl begrüßt einen damit, mein Vater hat mich das gleich gefragt, als ich kam. Und jetzt du!«

Rike hob gleichgültig die Schultern und stellte die Flasche zurück in den Kühler. »Vermutlich liegt es daran, dass Karl und Onno selbst nichts mehr erleben und wenigstens den neuesten Klatsch und Tratsch hören wollen.« Maren legte ihr Besteck zur Seite und wischte sich den Mund mit einer Serviette ab. »Na, wenn du es so genau wissen willst: falsch parkende Autos, verschwundene Hunde, zwei geklaute Fahrräder, ein verlorener Hausschlüssel und ein betrunkener Mann im Bus nach Hörnum. Und, ach ja, ein neuer Einbruch in Westerland. Falls du das meintest.«

»Ich meinte gar nichts Besonderes. Bist du satt?« Rike

stand auf, um die Teller abzuräumen. »Ich sitze nicht gern vor benutztem Geschirr. Oder möchtest du noch etwas? Es ist noch was da.«

Abwehrend hob Maren ihre Hände hoch. »Danke, ich bin pappsatt, in mich passt keine Nudel mehr.«

Sie beobachtete Rike, die die Teller zur Küchenzeile trug. Die Wohnung war klein, aber gemütlich. Die offene Küche ging in ein kleines Esszimmer über, an das sich das Wohnzimmer anschloss. Rike deutete auf ihr Sofa. »Willst du rübergehen? Oder bleiben wir am Esstisch sitzen?«

»Ich gehe rüber.« Mit ihrem Weinglas in der Hand ging Maren durch den Raum. An der Wand hinter dem Sofa stand ein Bücherregal, gegenüber das Fernsehgerät, daneben eine Kommode, in der Ecke, neben einer Stehlampe, Rikes großer roter Sessel. In den ließ Maren sich jetzt sinken.

»Wie lange hast du eigentlich schon diesen Sessel?«, fragte sie laut. Rike, die die Geschirrspülmaschine einräumte, drehte sich kurz um. »Den Sessel? Warte mal, den habe ich mir damals in Oldenburg gekauft ... nach dieser legendären Nacht. Vor fünfzehn Jahren? Da warst du doch dabei.«

»Ja«, nickte Maren nachdenklich. »Ich habe nur gerade überlegt, wann das war.«

In Oldenburg. Plötzlich sah Maren sich selbst und Rike in diesem Möbelgeschäft einen Sessel nach dem anderen ausprobieren. Rike hatte damals in Oldenburg als Krankenschwester gearbeitet. Maren war zu der Zeit Polizeianwärterin in Osnabrück, die Entfernung zwischen den beiden Städten war nicht allzu groß, deshalb sahen sie sich, sooft es ging – und trotzdem war es ihnen meist nicht oft genug: Rikes und Marens Dienstpläne waren nicht allzu kompatibel. Beide einte damals die Sehnsucht nach dem Meer – und eine nennenswerte Zahl mehr oder weniger unglücklicher Liebesgeschichten. Während Rikes größtem Liebeskummer waren sie in das teuerste Möbelgeschäft Oldenburgs gefahren, um für ihre ab diesem Zeitpunkt immerwährende Singlewohnung einen Sessel zu kaufen. Dieser Sessel war ein Statement.

»Das ist echt lange her«, sinnierte Maren, während Rike mit der Weinflasche zu ihr kam und sich dann aufs Sofa fallen ließ. »Hast du von deinem Doktor jemals wieder was gehört?«

»Zum Glück schon lange nicht mehr«, Rike zog ihre Beine an und machte es sich bequem. »Er hat immer mal wieder angerufen, meistens ein bisschen wein- und rührselig mit seinen ›Meine-Frau-versteht-mich-nicht‹-Tiraden und ›Ich-muss-immer-an-dich-denken‹. Und irgendwann habe ich ihm gesagt, dass ich beim nächsten Anruf sowohl die Kollegen in der Klinik als auch seine Frau informiere. Danach hat es aufgehört. Zum Glück. Es hatte genug Nerven gekostet. Aber wir haben das alles überlebt.«

Sie dachte einen Moment nach und fragte dann: »Und wie ist es mittlerweile mit Robert? Habt ihr mal geredet?«

»Wir reden fast jeden Tag.« Maren griff nach ihrem Glas. »Zumindest, wenn wir in derselben Schicht arbeiten. Zwangsläufig. Aber nur dienstlich. Ich gebe mir alle Mühe, mich für Schichten einzutragen, in denen er keinen Dienst hat. Das klappt aber nicht immer.«

»Ja, und? Wie geht es dir, wenn du ihn siehst? Du fandest ihn doch damals sehr anziehend, sonst hättest du dich doch nicht auf diese Nacht eingelassen.«

Maren starrte in ihr Weinglas. »Ach, ich weiß auch nicht. Er ist der schlechteste Autofahrer, neben dem ich je gesessen habe. Unfassbar. Na ja, und dann eben viel zu jung. Außerdem ist unsere kleine Polizeianwärterin ziemlich in ihn verknallt, und die ist zweiundzwanzig. Das passt doch viel besser.«

»Bla, bla, bla. Wirklich, Maren, du spinnst«, Rike sah sie kopfschüttelnd an. »Du willst mir doch nicht weismachen, dass du das wirklich so cool siehst? Du findest ihn doch immer noch gut, das sehe ich dir an. Warum machst du dir nicht einfach einen netten Sommer mit ihm, im September ist er doch sowieso wieder weg. Und dir täte nach diesem Albtraum mit Henry eine kleine Affäre bestimmt ganz gut.«

»Ach, hör doch auf. Er ist einfach zu jung.« Maren stellte ihr Weinglas mit Nachdruck auf den Tisch. »Zehn Jahre. Ich bitte dich. Ich mache mich doch nicht zum Affen.«

»Du bist einfach total spießig. Was genau ist denn dein Problem damit?«

In Marens Kopf entstanden plötzlich Bilder. Gudrun, die beste Freundin ihrer Mutter, die früher in Marens Elternhaus ein- und ausging. Die aufgrund ihrer eigenen Kinderlosigkeit Maren als Ersatztochter betrachtete. Die mit ihr den ersten BH kaufte, die Marens Teenagerwünsche erfüllt hatte, egal, ob es um fürchterliche Bikinis, zu bunte Röcke oder das erste Make-up ging. Die so souverän und gelassen – und Marens Idol war. Maren räusperte sich.

»Kannst du dich noch an Gudrun erinnern?«

Rike nickte. »Die beste Freundin von Greta? Ja, klar. Ich fand die echt toll damals.«

»Eben, ich auch.« Maren lächelte bitter. »Als ich in Hamburg auf der Polizeischule war, habe ich sie öfter besucht, sie wohnte ja bei mir um die Ecke. Sie lebte damals in einer tollen Wohnung, hat bei der Zeitung gearbeitet, hatte einen großen Freundeskreis, segelte am Wochenende auf der Alster, war immer gut gelaunt, ich wollte unbedingt so werden wie sie.«

»Ja, und?« Rike wartete mit gerunzelter Stirn auf die Pointe.

»Und dann hat sie sich in Christoph verliebt. Auf Mallorca. Der war mindestens zehn Jahre jünger als sie, nicht der Allerklügste, ständig pleite, organisierte irgendwelche Events und war davon überzeugt, der Größte zu sein. Er ist bei ihr eingezogen und Gudrun ist zum Mädchen mutiert. Sie war damals Mitte vierzig, zog sich an wie eine Achtzehnjährige, hungerte sich auf Größe vierunddreißig runter, hatte plötzlich blonde Strähnchen und keine Stirnfalten mehr, ging mit ihm auf seine albernen Partys und tat so, als wäre es die beste Zeit ihres Lebens.«

»Vielleicht war es ja auch so.« Nachdenklich sah Rike sie an.

»Wenn die beste Zeit des Lebens darin besteht, immer nur so zu tun, als wäre man noch ganz jung und hätte kein Problem mit einer Clique, in der alle viel jünger sind, nachts durch die Bars zu ziehen, morgens verkatert aufzuwachen, seinen alten Freundeskreis so zu vernachlässigen, dass niemand von denen mehr anruft, langsam ein Alkoholproblem zu kriegen, die Falten wegspritzen zu lassen, um dann schließlich den Herzallerliebsten im eigenen Bett mit einer Zwanzigjährigen zu erwischen, dann hast du natürlich recht.«

»Oh«, Rike nickte. »Blöd. Aber dann hatte es sich doch erledigt.«

»Hatte es nicht.« Maren sah sie unbewegt an. »Gudrun hat es geschluckt. Nicht nur diese Affäre, sondern auch noch einige andere. Und dieser unsägliche Christoph ist bei ihr geblieben, weil sie ihn ausgehalten hat. Alles hat sie

166

ihm gezahlt. Bis er irgendwann die Tochter eines Kneipen-besitzers geschwängert hat. Die war auch erst Anfang zwanzig, und Papa hat Christoph die Kneipe übergeben. Da war Gudrun dann ziemlich schnell ausgemustert. Sie hatte dann ein handfestes Alkoholproblem. Und ist vor fünf Jahren betrunken mit dem Auto ins Hafenbecken gefahren. Besoffen ersoffen. Christoph war noch nicht mal auf ihrer Beerdigung.«

Rike schwieg einen Moment. Dann sagte sie langsam: »Das ist ja tatsächlich grauenhaft. Aber du willst mir nicht erzählen, dass du deshalb nichts mit einem jünge-ren Mann anfangen würdest, weil alle so sind wie dieser Christoph? So dumm kannst du nicht sein.«

Maren beugte sich nach vorn und griff nach ihrem Glas. Sie trank langsam, setzte es wieder ab und antwor-tete leise: »Es muss ja nicht an dem Mann liegen, aber ich weiß nicht, ob nicht doch dieser Wahn, sich jünger zu machen, als man ist, in der Situation automatisch kommt. Nicht nur der Mann ist deutlich jünger als ich, auch sein gesamter Freundeskreis. Wie besteht man denn da? Im ständigen Vergleich mit den viel jüngeren Freundinnen der Freunde? Das ist schwer.«

»Ich werde jetzt nicht glauben, dass du so doof und unreflektiert bist, wie du gerade redest«, Rikes Lächeln nahm dem Gesagten sofort die Schärfe. »Vielleicht hatte Gudrun ohnehin Probleme mit dem Älterwerden, viel-leicht hatte sie Gedanken, die du überhaupt nicht geahnt hast, vielleicht hatte sie früher schon kein Selbstvertrauen, und alles war nur Fassade, das weißt du doch alles gar nicht. Ich sage dir nur eines: Wenn du aufgrund solcher Geschichten Dinge nicht machst, die du aber liebend gern machen würdest, dann bringst du dich um ganz viel. Und machst es dir auch ein bisschen zu einfach. Ich halte das für ausgemachten Schwachsinn, Robert ist nicht Christoph, du bist nicht Gudrun, trau dich doch einfach, und wenn deine Röcke immer kürzer werden und du den ersten Termin zur Botoxbehandlung hast, dann falte ich dich schon zusammen. Sei sicher. Was spricht denn gegen eine hübsche Sommerromanze? Meine Güte!«

»Das sagt ja genau die Richtige«, entgegnete Maren sofort. »Wann war denn deine letzte Romanze? Lass mich mal rechnen, du bist seit acht Jahren wieder auf der Insel und seitdem ungeküsst, wenn ich mich recht erinnere, oder? Und Gelegenheiten für Romanzen hattest du genug. Du wolltest bloß nie. Und mir willst du erzählen, dass ich mich einlassen soll. Sehr witzig.«

Ungerührt hielt Rike Marens Blick stand. »Ich bin nach jeder Trennung umgezogen, und ich hatte bislang einfach keine Lust, mich wieder in die Gefahrenzone einer Beziehung zu begeben. Was übrigens nicht heißt, dass ich in den letzten acht Jahren ungeküsst war. Urlauber sind ja nach den Ferien wieder weit genug weg, das ging dann schon.« Sie dachte einen Moment nach, dann fuhr sie fort: »Aber eigentlich fand ich in den letzten Jahren keinen Mann so interessant, dass ich Lust gehabt hätte, mich wirklich auf ihn einzulassen. Und das, meine Liebe, ist bei dir und Robert ja wohl etwas anders gelagert.«

»Unsinn«, Maren winkte sofort ab. »Und lass uns jetzt bitte damit aufhören. Wie muss denn ein Mann sein, damit du dich für ihn interessierst?«

Wie aus der Pistole geschossen kam die Antwort: »Knapp zwei Meter groß, kurze graue Haare, schöne Brille, tiefe Stimme, blaue Augen und im Moment leicht humpelnd.«

»Wie?« Maren sah sie mit großen Augen an. »Habe ich da was verpasst?«

Rike legte ihren Kopf schräg und lächelte verlegen. »Genau so jemanden hatte ich heute Mittag in der Praxis: Andreas von Wittenbrink hat sich das Knie verletzt. Mein Chef hat ihn zum Röntgen in die Klinik geschickt, und ich habe ihn hingefahren. Ich hatte ja frei. Warum ich das gemacht habe, kann ich dir gar nicht richtig erklären, irgendwie hat mich da was geritten, und er hat sich offenbar gern fahren lassen. Und dann saß ich plötzlich neben ihm im Auto und habe mich gefühlt wie mit fünfzehn. Aber vor der Klinik ist er dann einfach ausgestiegen, hat sich bedankt – aber glaub bloß nicht, er hätte mich gefragt, ob wir noch was trinken gehen wollen oder so, nichts. Und ich saß da und habe ihm hinterhergesehen. Völlig bescheuert. Ich weiß noch nicht mal, wie lange er auf der Insel ist, ob er verheiratet oder schwul ist, nur, dass ich ihn super finde. Blöd, oder?«

»Du hast ihn nicht gefragt?«

»Wonach genau?« Rike hob die Schultern. »Das ging alles zu schnell. Und ich war echt total durcheinander. Na ja. Aber – ach, das hatte ich ganz vergessen, dafür habe ich Torben auf dem Parkplatz vor der Klinik getroffen, bei seiner Tante ist ja eingebrochen worden. Elisabeth Gerlach, die liegt jetzt im Krankenhaus.«

Maren nickte. »Ich weiß. Der Einbruch war gestern Morgen. Ich hatte Dienst.«

»Und? Gibt es schon irgendwelche Spuren?«

Maren seufzte und schüttelte den Kopf. »Ich darf ja nicht darüber reden, also vergiss es sofort wieder. Die eifrige Putzfrau hat alles sauber gemacht und jede kleinste Spur solide vernichtet. Und Frau Gerlach hat nichts gesehen, sie hat nur erzählt, dass sie den Einbrecher möglicherweise mit einer Gehhilfe erwischt hat. Aber wie gesagt, du hast nichts von mir gehört. Sag mir lieber, wie das jetzt mit deinem, wie heißt der? Wittenburg? Wie das jetzt mit ihm weitergeht.«

»Von Wittenbrink«, korrigierte Rike. »Andreas von Wittenbrink. Ich weiß nicht, was jetzt ist. Ich hoffe, dass er morgen früh mit dem radiologischen Bericht in die Praxis kommt und mich zum Dank für den Fahrdienst einfach auf einen Kaffee einlädt oder so.«

»Rike!« Maren sah ihr grinsend in die Augen. »Du guckst ganz komisch. Hast du dich verknallt?«

»Kann sein«, verlegen griff Rike nach ihrem Weinglas und hob es in Marens Richtung. »Ich habe keine Ahnung, aber es fühlt sich an wie früher.«

Maren klopfte dreimal auf den Holztisch und hoffte, dass ihre Freundin den guten Rat, den sie Maren gerade gegeben hatte, vielleicht besser mal auf sich selber anwenden würde. Es wurde einfach mal wieder Zeit.

»Was denkst du?«, Rike war aufgestanden, ohne dass Maren es gemerkt hatte, und stupste sie an. »Du siehst aus, als ob du gerade eine Erleuchtung hattest.«

»Hatte ich auch«, Maren grinste sie an. »Ich wollte dich aber eigentlich fragen, ob du nächsten Samstag Lust hast, mit mir in die ›Sylt-Quelle‹ zu gehen. Da ist so eine Sommeranfangsparty, mit verschiedenen Bands und tausend Leuten. Ich war ewig nicht mehr tanzen. Wollen wir?«

»Nächsten Samstag?« Rike runzelte die Stirn. »Ich habe meiner Kollegin versprochen, mit ihr am Samstag ein Kleid zu kaufen. Sie heiratet doch in vier Wochen und braucht noch was fürs Standesamt. Und anschließend wollte sie noch mit mir essen gehen. Ich kann höchstens vorschlagen, dass wir das Essen verschieben und nur auf das Kleid anstoßen. Dann dauert es nicht so lange.«

»Ihr könnt ja nachkommen. Vielleicht hat deine Kollegin auch Lust.«

Rike schüttelte den Kopf. »Sie wohnt in Niebüll und muss dann mit dem Zug nach Hause. Das wird ihr bestimmt zu spät. Das ist der Nachteil, wenn man auf der Insel arbeitet und auf dem Festland wohnt. Vielleicht komme ich allein nach.«

»Das wäre schön«, Maren streckte ihre Beine aus. »Lass uns mal wieder tanzen. Muss ja nicht so spät werden, ich habe auch am nächsten Morgen Frühdienst. Wer weiß, vielleicht hast du bis dahin auch schon neue Geschichten von deinem Wunderknaben für mich?«

»Ach, das wäre zu schön«, Rike sah sie an. »Aber wahrscheinlich wird da sowieso nichts draus. Komm, lass uns mal das Thema wechseln: Wie funktioniert eigentlich dein Zusammenleben mit deinem Vater? Du hast ihn etwas falsch eingeschätzt, oder?«

Maren nickte langsam. »Ja und nein. Einerseits kommt er tatsächlich alleine gut zurecht. Er hat nie Langeweile, er hat ständig was vor oder zu tun, ist fast immer gut gelaunt und kann sich mit allen möglichen Dingen beschäftigen. Und er interessiert sich auch für erstaunlich vieles. Aber andererseits ist er doch ein bisschen einsam. Er redet mit dem Bild von meiner Mutter, das habe ich ein paar Mal gehört, das zerreißt mir jedes Mal das Herz. Sie fehlt ihm immer noch sehr, und Karl, der Chor oder sein Kochclub sind natürlich kein Ersatz. Er hat mir neulich erzählt, dass er keine neue Frau kennenlernen möchte, sondern seine Ruhe haben will, aber er hatte dabei irgendwie ganz traurige Augen.« Sie schwieg einen Moment und sah Onnos Gesicht vor sich. Wie er sie anlächelte. »Aber vielleicht mache ich mir auch Gedanken über Dinge, die mich gar nichts angehen.«

Rike beugte sich nach vorn und drückte Marens Hand. »Das stimmt. Und ich glaube nicht, dass er traurige Augen hat, ich habe das zumindest noch nie gesehen. Ich glaube, dass er mit Karl und seinen Chordamen ein ganz lustiges Leben hat. Und manchmal wäre ich gern Mäuschen, wenn die Runde zusammenhockt und über Gott und die Welt redet. Die haben Spaß zusammen, glaube es mir.«

Karl drehte das Radio leiser, weil er glaubte, ein Geräusch gehört zu haben, und lauschte. Tatsächlich, die Türklingel, sogar dreimal nacheinander.

»Ja, ja«, brummte er, drehte das Radio wieder laut, schlurfte langsam zur Tür und riss sie auf. »Ich hoffe, dass es was Wichtiges ... oh!«

»Es ist wichtig.« Peter Runge hatte einen Gesichtsausdruck, der Karl davon abhielt, ihn zu fragen, ob er denn wenigstens Brötchen mitgebracht hatte. »Darf ich?«

Karl dachte kurz darüber nach, einfach Nein zu sagen, aber eigentlich wollte er auch wissen, was Runge von ihm wollte. »Bitte«, sagte er deshalb und deutete ins Haus. »Kommen Sie rein, ganz durch und links.«

Während er ihm durch den Flur folgte, zuckte ein Gedanke durch seinen Kopf, der ihn zum Lächeln brachte. Er ahnte jetzt, was Runge von ihm wollte. Der Trottel kam nicht weiter. Es wurde eingebrochen und eingebrochen, Runge aber biss sich die Zähne aus, und jetzt endlich kam er zu ihm, zu Karl, und bat ihn um Hilfe. Das wurde aber auch Zeit. Und Karl würde sich nicht zieren, dafür war er nicht der Typ. Er würde Runge vielleicht ein bisschen zappeln lassen, die ein oder andere Frage stellen, aber dann selbstverständlich seine Hilfe zusichern. Das war er sich selbst und der Insel schuldig. Natürlich auch den Opfern und nicht zuletzt seinen alten

Kollegen. Aber schwitzen sollte der arrogante Runge schon.

Ein bisschen vorfreudig wartete er, bis sein Nachfolger im Wohnzimmer stand und sich umsah, dann fragte er sehr beiläufig: »Nehmen Sie doch Platz. Eine Tasse Tee? Oder etwas anderes?«

»Danke, nein«, Runge schüttelte ohne erkennbare Regung den Kopf. »Ich hoffe nicht, dass es allzu lange dauert.« Er setzte sich sehr gerade auf das Sofa und strich sich die Hosenbeine glatt. »Wir können gleich zur Sache kommen.«

»Gern«, Karl lächelte ihn an und wählte den Sessel gegenüber. Hier saß er etwas höher als Runge und sah so freundlich auf ihn herab. »Schießen Sie los.«

»Herr Sönnigsen.« Er machte eine Pause, die hätte Karl an seiner Stelle auch gemacht, immerhin war es ein Gang nach Canossa, das fiel keinem Mann leicht. Schon gar nicht einem von sich überzeugten Revierleiter von der Ostsee.

Karl konnte das nachvollziehen, er war ja kein Unmensch. Also nickte er verständnisvoll und sagte: »Nur zu. Keine Hemmungen. Ich bin einiges gewohnt.«

»Okay«, Peter Runge holte Luft. »Ich muss Sie in aller Deutlichkeit daran erinnern, dass Sie aus dem Polizeidienst ausgeschieden sind. Sie sind Zivilist. Gehen Sie angeln oder Fahrrad fahren, es ist mir völlig egal, aber ich will, dass Sie Ihre Besuche auf dem Revier ab sofort einstellen. Ich will Sie da nicht mehr sehen. Sie werden ab sofort die Kollegen und Kolleginnen nicht mehr von ihren dienstlichen Aufgaben abhalten, Sie werden aufhören, sich in unsere Arbeit einzumischen, und ich verbiete Ihnen, Ihre ehemaligen Kolleginnen und Kollegen auszuhorchen. Sie sind raus, Herr Sönnigsen, ein für alle

Mal. Und wenn Sie sich an meine Empfehlungen nicht halten, wird das Konsequenzen haben, notfalls müsste ich über ein Hausverbot nachdenken. Haben Sie mich verstanden?«

Karl starrte ihn an, ohne zu verstehen, was dieser Mann von ihm wollte. Nur langsam fing er an zu begreifen, dass er den Grund des frühen Besuchs wohl doch falsch eingeschätzt hatte. Ganz falsch. Dabei lag es doch auf der Hand, dass Runge ohne ihn aufgeschmissen war! Statt das einzusehen, wagte es dieser Trottel doch tatsächlich, ihn, Karl Sönnigsen, zu maßregeln! Es war nicht zu fassen, was sich diese Knalltüte erlaubte. Karl hustete, um Zeit zu gewinnen. Natürlich konnte er seiner Regung, diesem Runge einfach eins hinter die Löffel zu geben, nicht nachgeben, aber gefallen lassen musste er sich diese Unverschämtheit auch nicht. Während er noch über eine angemessene Reaktion nachdachte, erlöste ihn das Telefonklingeln aus seiner Situation. Würdevoll erhob er sich, blickte seinen Kontrahenten durchdringend an und sagte: »Einen Moment, bitte. Behalten Sie Platz.«

Er blies auf dem Weg zum Telefon schnell die Backen auf, dann nahm er den Hörer ab. »Sön...«

»Walter hat mich angerufen. Was ist da los?«

Wenn Gerda Sönnigsen ärgerlich wurde, klang ihre Stimme höher und jünger.

»Gerda, mein Schatz«, Karl versuchte, sich so hinzustellen, dass er Peter Runge beobachten konnte. Der saß unverändert auf dem Sofa.

»Nix, mein Schatz«, Gerdas Stimme klang wie die einer Sechzehnjährigen. »Walter hat mich informiert, dass du deine Zeit plötzlich wieder mit Inge verbringst. Wärmt ihr da was auf?«

Nein, wie vierzehn.

»Da bin ich einmal im Leben zur Reha, Walter macht ein Seminar, um sich weiterzubilden, und ihr vergnügt euch? Deshalb wolltest du mich wohl auch nie besuchen kommen!«

Zwölf.

Karl senkte seine Stimme, sowohl zur Beruhigung als auch, um Peter Runge nicht an diesem Unsinn teilhaben zu lassen. »Gerda, ich glaube, da hat Walter was in den falschen Hals bekommen. Wir haben uns lediglich zu mehreren getroffen, um einige Dinge zu besprechen.«

Peter Runge war aufgestanden und kam langsam auf ihn zu. Karl hob seine Hand und versuchte, eine Geste zu machen, die ihn zwingen sollte, sich wieder zu setzen. Ob es die falsche Geste oder Runges Dämlichkeit war, er blieb dicht vor ihm stehen, deshalb blieb es nicht aus, dass er die schrille Kinderstimme durch den Hörer vernahm.

»Haha, was habt ihr denn wohl zu besprechen? Walter macht sich ganz viele Gedanken, er kann sich kaum noch auf sein Seminar konzentrieren, sagt er. Und Inge hat sich wohl versucht rauszureden, von wegen Einbrüche auf Sylt, mit denen ihr was zu tun habt, das glaubt euch doch kein Mensch. Wozu gibt es die Polizei, das sollte man gerade dir doch nicht erklären müssen. Auch wenn du diesen Ruge, Rangel, Runge, wie auch immer, nicht leiden kannst, aber dass ihr vorschiebt, euch um Polizeiarbeit kümmern zu müssen, ist dermaßen lächerlich, also wirklich. Als ob Walter und ich euch diesen Schwachsinn glauben würden. Was also, in Herrgottsnamen, treibt ihr da?«

»Moment mal, Gerda«, Karl hatte versucht, den Hörer mit der Hand zu bedecken und so weit wie möglich von Runge wegzuhalten, Gerdas durchdringender Sopran war trotzdem nicht zu überhören. »Ich kann dir das alles erklären, ich ...«

Peter Runge trat noch näher auf ihn zu und sagte gefährlich leise. »Das war alles, Herr Sönnigsen. Grüße an die Gattin. Und nehmen Sie dieses Gespräch bitte ernst. Schönen Tag noch.«

Er ließ die Haustür hinter sich krachend ins Schloss fallen. Karl sah ihm hinterher, nahm dann die Hand vom Hörer und sagte: »Gerda, du hast ein unfassbares Talent, zum falschen Zeitpunkt das Falsche zu sagen. Jetzt beruhige dich mal und hör mir zu. Und rede bitte wieder normal, du kreischst nämlich wie eine Zwölfjährige. Und das geht mir auf die Ohren. Also, Folgendes ist hier passiert ...«

Inge drapierte ihr Tuch vor dem Flurspiegel locker um den Hals. Karl musste jeden Moment kommen, um sie zu einem Besuch in der Westerländer Stadtbücherei abzuholen. Dort saß das einzige Einbruchsopfer, das sie nicht kannten, am Empfang. Sie hatten sich einen genauen Plan gemacht, um unauffällig, aber ergebnisorientiert mit Eva Geschke ins Gespräch zu kommen. Ergebnisorientiert, das war das Stichwort, das Karl ausdrücklich erwähnt hatte. Weil sie angeblich bei ihrer letzten Recherche mit Johanna Roth eine falsche Befragungstaktik angewandt hatte. So ein Blödsinn, hatte Inge sich gedacht, sie hatte doch eine ganze Menge Informationen über Johanna Roth zusammenbekommen. Vielleicht waren es die falschen gewesen, aber dann hätte Karl einfach klarere Anweisungen geben müssen.

Sie warf einen abschließenden zufriedenen Blick in den Spiegel, bevor sie in die Küche zurückging, um ihre Handtasche zu holen. Sie sah durchs Fenster, Karl war noch nicht in Sicht, was ungewöhnlich war, er kam sonst immer zu früh. Stattdessen entdeckte sie den Mann von neulich wieder. Sie erkannte ihn sofort an seinem schönen Mantel.

Er stand schon wieder vor dem Haus von Jutta Holler und betrachtete es in aller Ruhe. Langsam wurde er ihr unheimlich. Inge überlegte kurz, was Karl in einer solchen Situation machen würde, und die Antwort war relativ einfach: Er würde ihn ansprechen. Kurz entschlossen griff Inge nach dem Hausschlüssel und ging nach draußen. Als sie an der Pforte angekommen war, sah sie den Mann sich langsam entfernen. Unschlüssig blieb sie stehen, sollte sie ihm hinterherrufen? Oder gar nachlaufen?

Karls Fahrradklingel kürzte die Überlegung ab. Erleichtert sah sie ihm entgegen und hielt ihm die Pforte auf, durch die er sein Rad schob.

»Wartest du schon auf mich?«, fragte er. »Ich bin leider ein bisschen später, bei mir haben sich heute Morgen bereits die Ereignisse überschlagen.«

Inge folgte ihm langsam durch den Garten, nachdem sie sich noch einmal umgedreht hatte. Der seltsame Mann war spurlos verschwunden.

»Du, Karl …«, fing sie an. »Vor dem Haus von …«

»Du musst Walter mal auf den Pott setzen«, unterbrach Karl, während er sein Rad an die Hauswand lehnte. »Ich hatte vielleicht einen Vormittag. Dieser Runge tauchte plötzlich auf und meinte, er müsse mir die Welt erklären. Du, ich hatte so einen Hals. Und mittendrin ruft mich Gerda an, stinksauer, weil dein Mann irgendwelche Verschwörungstheorien entwickelt.«

»Walter?« Überrascht hielt Inge beim Aufschließen inne. »Wieso Walter? Was hat der denn mit Gerda zu tun?«

»Er hat sie angerufen.« Empört sah Karl sie an. »Weil er vermutet, dass wir seine und Gerdas Abwesenheit ausnutzen, um unsere Jugendliebe zu reanimieren. Trinkt der zu viel? Ich habe eine halbe Stunde gebraucht, um Gerda zu beruhigen. Als ob ich dafür Zeit hätte. Jetzt, wo alles aus dem Ruder läuft.«

»Was läuft denn aus dem Ruder?« Inge hatte immer noch den Türgriff in der Hand.

»Ach, Inge!« Karl schüttelte unwirsch den Kopf. »Der Runge hat mir untersagt, meine Informationen im Revier zu erfragen. Ich sei ›Zivilist‹ und solle mich von den Kollegen fernhalten. Der hat doch nicht mehr alle Latten im Zaun. Zivilist. Einmal Polizist, immer Polizist, sage ich nur. Das kapiert man natürlich nicht, wenn man immer nur Dienst nach Vorschrift macht. Jedenfalls weiß ich jetzt, dass wir unsere Ermittlungen noch gründlicher, aber auch vorsichtiger, anstellen müssen. Aber wenn der glaubt, dass er mich mundtot machen oder ausbremsen kann, dann hat der sich getäuscht. Das wollen wir doch mal sehen.«

Bewegungslos hatte zumindest Inge seinen verärgerten Ausführungen gelauscht. Das war typisch Karl: Wenn er sich angegriffen fühlte, wurde er sauer. Inge konnte sich noch gut an einen Tanzabend im großen Saal des Casinos erinnern. Damals hatte ein Schulfreund von ihr sich über Karls Tanzstil lustig gemacht. Karl hatte nicht lange gefackelt, Inge und er hatten den jungen Mann aber wenigstens ins Krankenhaus begleitet. Karls Zorn hielt nie lange an, im Grunde seines Herzens war er ein guter Mensch. Aber leicht reizbar. Immer noch. Er war eben jünger als sie, das merkte man doch immer wieder.

»Und was ist jetzt?«, fragte sie vorsichtig.

»Was soll sein? Wir gehen nach Plan vor, du holst deine Sachen, und dann fahren wir mit eurem Auto zur Stadtbibliothek und lernen Eva Geschke kennen.« Karl öffnete den Reißverschluss seiner Regenjacke und lächelte sie an. »Wenn dieser aufgeblasene Möchtegernkriminalist meint, dass ich mir meine Pläne von ihm durchkreuzen lasse, dann hat er sich geirrt. Jetzt, meine Liebe, jetzt erst recht. Und danach rufst du bitte deinen verrückten Ehemann an und faltest ihn zusammen. Für solche Albernheiten haben wir beide im Moment keine Zeit.«

»Guten Morgen«, Karl betrat vor Inge die Stadtbibliothek und ging mit einem gewinnenden Lächeln auf die Frau zu, die hinter ihrem Schreibtisch konzentriert auf einen Bildschirm starrte. Als sie ihn hörte, hob sie den Kopf, musterte ihn von Kopf bis Fuß und sagte: »Eine Fußmatte ist dafür da, dass man sich die Füße darauf abtritt. Sie schleppen mir hier jede Menge Sand rein. Gehen Sie bitte noch mal zurück, wir sind hier nicht auf der Strandpromenade.« Ihre Stimme war ähnlich scharf wie ihr Blick.

Karl war so überrumpelt, dass er auf dem Absatz kehrtmachte. »Das liegt am Profil der Wanderschuhe«, erklärte er beflissen. »Da steckt man nicht drin.«

Inge vermied es, die Augen zu rollen, und stellte sich mit sauberen Schuhen vor den Schreibtisch. »Guten Tag«, begann sie das Gespräch, auf das sie sich diesmal gut vorbereitet hatte. Karl würde staunen. »Ich interessiere mich für einen Bibliotheksausweis, genauso wie mein Bekannter Herr Sönnigsen. Wissen Sie, wir lesen beide viel, und in unserem Alter will man ja nicht mehr jedes Buch besitzen. Irgendwann werden unsere Häuser verkauft und müssen vorher ausgeräumt sein, da muss man doch die Regale nicht mehr unnötig vollstellen.«

Statt einer Antwort knallte die Frau nur zwei Formulare auf den Tisch. »Hier, ausfüllen. Können Sie da vorn machen. Aber kein Buch als Unterlage nehmen.«

»Ah, ja, danke, Frau …?«

»Brauchen Sie einen Stift?« Der strenge Blick über die

Brille wies Inge schnell in ihre Schranken. Die schüttelte sofort den Kopf.

»Nein, danke, habe ich dabei. Komm, Karl, ausfüllen.«

Sie zog ihn am Ellenbogen mit in die Ecke, wo ein kleiner Tisch mit zwei Stühlen stand, und flüsterte: »Die ist nicht besonders kommunikativ, das müssen wir jetzt ganz vorsichtig angehen.«

Karl nickte und flüsterte zurück: »Ist das denn überhaupt Eva Geschke?«

Inge zuckte mit den Achseln. Sie mussten nicht lange warten, nur wenige Sekunden später klingelte das Telefon.

»Stadtbibliothek Westerland, mein Name ist Geschke.«

Zufrieden nickte Inge Karl zu. Er sah Eva Geschke neugierig an. Die holte gerade Luft und antwortete dem Anrufer.

»Ja, und was ist jetzt das Problem? Sie haben ein Buch ausgeliehen, das Sie vorgestern wieder zurückbringen mussten. Und jetzt ist es weg. Also kaufen Sie es neu. Und es ist mir völlig egal, was das kostet und wo Sie es bekommen. Morgen stehen Sie mit dem neuen Exemplar vor meinem Schreibtisch. Fertig.«

Sie hörte wieder zu und ließ dabei einen Bleistift zwischen ihren Fingern hoch- und runterwippen. »Das Buch ist lieferbar und kostet um die vierzig Euro … Natürlich ist das viel Geld, dann hätten Sie es eben nicht verlieren sollen. Wahrscheinlich haben Sie es auch nicht verloren, sondern beschädigt, es sind doch immer dieselben Ausreden … Ich weiß, dass Sie hier auf der Insel Lehrer sind, sonst hätten Sie ja kein Fachbuch ausgeliehen, aber das ist mir total egal. Wenn Sie nicht mit fremden Sachen umgehen können, dürfen Sie sich eben nichts leihen … Wie, Respekt? Junger Mann, ich war dreißig Jahre lang Vorstandssekretärin eines großen Unternehmens, meinen

Sie wirklich, Sie könnten mich beeindrucken? Morgen Mittag habe ich das Buch wieder. Schönen Tag noch.«

Sie ließ den Hörer fallen und hob den Kopf. »Füllen Sie das Formular immer noch aus?«

»Nein, ähm, doch ...«, Inge lächelte sie verbindlich an, schrieb schnell die gewünschten Angaben auf das Blatt und sprang auf. Während Karl noch mit gerunzelter Stirn das Kleingedruckte las, stand Inge schon wieder vor Frau Geschke und reichte ihr das Formular. »So, bitte. Ich habe alles ausgefüllt, ich hoffe, Sie können meine Schrift lesen.«

»Wenn nicht, machen Sie es noch mal.« Eva Geschke griff nach dem Blatt und überflog es. »Es geht aber.«

»Sagen Sie mal«, Inge beugte sich über den Tisch. »Kann es sein, dass wir uns kennen? Waren Sie nicht auch mal bei der Gymnastikgruppe in Westerland?«

Eva Geschke starrte sie an. »Sehe ich so aus? Ich habe noch nie in meinem Leben Sport gemacht und fange damit auch garantiert nicht mehr an. Ich hasse Sport.«

»Ach«, Inge biss sich auf die Unterlippe. »Und im Kunstverein? Haben wir uns vielleicht da getroffen? Sie kommen mir so wahnsinnig bekannt vor, aber ich komme nicht drauf.«

»Da werden Sie auch nicht drauf kommen, wir kennen uns nämlich nicht.« Sie zog eine Schublade auf und entnahm ihr zwei Ausweise, die sie nebeneinander auf den Tisch legte. »Was ist denn jetzt mit Ihrem Mann? Wird der heute noch fertig?«

»Das ist nicht mein Mann«, Inge warf Karl einen belustigten Blick zu und wandte sich wieder an Frau Geschke. »Herr Sönnigsen ist ein Bekannter. Er war Polizist und ist jetzt Rentner, nun hat er endlich Zeit zum Lesen. Und ich habe ihm vorgeschlagen, sich doch einen Büchereiausweis zu besorgen, er wollte erst nicht, aber wir Frauen können doch Männer überreden, nicht wahr?«

»Können wir?« Eva Geschke verzog keine Miene. »Das ist ja was ganz Neues. Hat er jetzt alles ausgefüllt? Oder braucht er Hilfe?«

»Karl?« Inge drehte sich zu ihm um. »Hast du gehört? Bist du fertig?«

»Aber ja«, langsam stand Karl auf und kam auf sie zu. »Hier, bitte schön. Ich lese mir immer das ganze Formular durch, bevor ich mit dem Ausfüllen beginne. Man weiß ja nie, was man da alles unterschreibt.«

»Sie kaufen hier kein Auto, Sie beantragen einen Bibliotheksausweis«, Eva Geschke sah ihn unwillig an. »Wenn Sie so misstrauisch sind, dann lassen Sie es doch bleiben.«

Inge musste sich beherrschen, um weiterhin freundlich zu bleiben. Frau Geschke hatte einen Ton drauf, an den sie sich nur schwer gewöhnen konnte. Aber es ging hier schließlich nicht um sie, es ging um die Ermittlungen. Trotzdem zählte sie innerlich bis zehn. So lange brauchte Karl nicht. Gleichbleibend freundlich schob er das Formular über den Tisch und erklärte entschuldigend: »Wissen Sie, das ist eine Berufskrankheit. Ich war fast vierzig Jahre lang im Polizeidienst, da entwickelt man ein natürliches Misstrauen. Nehmen Sie es nicht persönlich.«

Er legte den Zeigefinger an den Mund und sah Eva Geschke eindringlich an. Ein bisschen sah er jetzt aus wie Columbo, Inge fand es albern und überlegte, ob es vielleicht Absicht war. War es anscheinend, nur einen Moment später zeigte er mit dem Finger auf Frau Geschke und sagte leise: »Geschke. Sagen Sie, haben Sie nicht einen Sohn? Gregor? Georg? Da blitzt in meiner Erinnerung plötzlich etwas auf.«

Inge starrte ihn fragend an, dann sah sie zu Frau Geschke, die sich auf ihrem Stuhl zurückfallen ließ und Karl anstarrte. »Jörg«, sagte sie plötzlich unsicher. »Mein Sohn heißt Jörg.«

»Aha«, Karl nickte zufrieden und tippte sich an die Schläfe. »Da funktioniert noch alles. Und? Was macht er heute so?«

Inge verstand kein Wort, noch weniger, warum Eva Geschke jetzt blass geworden war. Sie legte jetzt ihre Hände auf den Tisch und sagte: »Ich konnte mich nicht mehr an den Namen des Beamten von damals erinnern. Sie waren das?«

Obwohl Karl gar nicht antwortete, sondern sie nur anguckte, redete sie weiter. »Wahrscheinlich war es gut, dass Sie ihn damals erwischt haben. Er hat seine Sozialstunden abgeleistet und dann zum Glück die Kurve gekriegt. Er arbeitet jetzt in einem Autohaus in Kiel, schon lange. Und er hat auch vernünftige Freunde, nicht mehr diese Kleinkriminellen von damals. Ich bin mit ihm ganz zufrieden. Aber dass Sie sich noch an ihn erinnern können …«

Karl zuckte lässig mit den Schultern. »Ich mochte ihn. Ich habe gleich gedacht, dass er kein schlechter Kerl ist, dass er nur den falschen Umgang hat. Hätte ich nicht an ihn geglaubt, wären die Konsequenzen sicherlich härter gewesen. Aber ich hatte immer schon einen guten Instinkt.«

»Ja. Das sieht so aus.« Eva Geschke konnte tatsächlich freundlich gucken. »Das ist heute selten.«

»Genau«, Karl war begeistert über diese Vorlage. »Die Kollegen heute machen in der Mehrheit nur noch Dienst nach Vorschrift. Da bleibt kaum ein Moment der Besinnung und der Menschlichkeit, sie werden zu einer Straftat gerufen, es wird nur das Nötigste gemacht, ein paar Fotos, ein paar Fingerabdrücke, ein Protokoll, das Opfer kann zusammenbrechen, das interessiert niemanden.«

Inge stöhnte auf und rettete sich in einen Hustenanfall. Karl übertrieb gnadenlos, damit würde er bei diesem Dragoner doch nicht durchkommen. Aber zu ihrer Überraschung nickte Eva Geschke sofort. »Das stimmt. Die Erfahrung habe ich sogar gerade selbst gemacht. Bei mir ist eingebrochen worden und die Polizei hat nichts rausgefunden, gar nichts. Völlig unfähig.«

»Genau das meine ich, ähm, genau das habe ich befürchtet.« Karl hüpfte fast vor Begeisterung über den Verlauf des Gesprächs. »Also, verehrte Frau Geschke, wenn Sie nach all den Jahren noch einmal meine Instinkte bemühen möchten, dann herzlich gern. Wenn Sie wollen, können wir uns mal in Ruhe über diesen Einbruch bei Ihnen unterhalten, vielleicht kann ich Ihnen weiterhelfen. Bei Jörg hat das ja auch geklappt.«

Sie sah ihn zögernd an. »Ja, vielleicht. Aber nicht hier.« Sie beugte sich vor, um auf die Wanduhr zu sehen. »Ich habe in einer Stunde Feierabend. Wenn Sie dann noch in der Stadt sind, könnten wir eine Tasse Kaffee trinken gehen. Im ›Café Wien‹.«

»Einverstanden«, Karl streckte seine Hand aus. »In einer Stunde. Wir warten auf Sie. Bis nachher.«

Er ließ Inge den Vortritt. Als sie schon an der Tür waren, rief Eva Geschke ihnen hinterher. »Was ist mit Ihren Ausweisen?«

»Könnten Sie sie uns bitte mitbringen? Vielen Dank, bis später.«

Als sie nebeneinander die Treppe hinuntergingen, stupste Karl Inge in die Seite. »Genialer Gesprächsverlauf, Inge, wirklich genial. Sie wird gleich alles erzählen, was wir wissen müssen. Und sei sicher, sie ist eine erstklassige Zeugin. Wenn es irgendetwas Auffälliges gibt, wird sie sich das gemerkt haben. Gute Arbeit, die wir da abgeliefert haben.«

Selbstverliebt tänzelte er die letzten Stufen runter. Inge sah ihn forschend an. »Was hat ihr Sohn eigentlich angestellt?«

Karl blieb stehen. »Keine Ahnung.«

»Aber du hast ihn doch bei irgendetwas erwischt.«

»Nein«, Karl lächelte sie an. »Ich wusste noch nicht mal, dass sie einen Sohn hat. Es war nur ein Versuch. Aber der hat geklappt.«

»Wie? Versuch?«

Karl strich sich langsam die Haare aus der Stirn. »Inge, das ist psychologische Verhörtaktik. Frauen wie die Geschke haben immer eine Leiche im Keller. Und das ist in vielen Fällen ein Kind. Es war einfach ein Versuchsballon. Aber so ist das: Das Glück ist mit den Tüchtigen. Aber das solltest du nach all den Jahren wissen: Du kannst dich auf mich verlassen. Ich habe einfach den richtigen Riecher.«

Donnerstag, gegen Mittag,
sehr blauer Himmel

Wo ist der Rest der Truppe?« Peter Runge hatte rote Flecken am Hals und sah sich hektisch um. »Wird hier nur noch gefrühstückt, oder was ist los? Thiele?«

Maren sah von ihrem Computer hoch und deutete in Richtung des Besprechungsraumes. »Lehmann und Schröder haben Zeugenbefragungen, die anderen sind in Kampen. Verkehrskontrolle. Wie Sie es angeordnet haben.«

»Und Sie? Was machen Sie gerade?« Er kam um ihren Schreibtisch und starrte auf ihren Bildschirm. Maren rollte ihren Stuhl ein Stück zur Seite, bevor sie antwortete.

»Ich bringe die verschiedenen Zeugenaussagen in eine vernünftige Ordnung. Es haben sich nach dem Aufruf der Zeitung über vierzig Zeugen gemeldet, die alle Aussagen über die Einbrüche machen können. Angeblich.«

»Und?« Runge stieß sich vom Schreibtisch ab und wippte ungeduldig auf den Fußspitzen. »Ergebnisse?«

Maren bemühte sich um einen sachlichen Ton. »Wir haben bis jetzt siebenundfünfzig verdächtige Personen, die in diversen Gärten und Straßen gesehen wurden. Ihre Größe schwankt zwischen einem Meter fünfunddreißig und zwei Meter zwanzig, sie verfügen über zwölf unterschiedliche Nationalitäten, sind sowohl männlich als auch weiblich, das Alter differiert zwischen dreizehn und fünfundsiebzig. Ach so, und es gibt in den meisten Fällen auch auffällige Merkmale, unter anderem Sonnenbrillen, Tätowierungen, stark behaarte Hände, grüne Haare, mehrere Helme, drei hatten ein kürzeres Bein, ein Verdächtiger lief auf allen vieren und einer saß im Rollstuhl.«

Sie hob den Kopf und sah ihren Chef freundlich an. »Leider wurde kein einziger Verdächtiger von mehreren Zeugen beschrieben. Jeder hatte seinen eigenen.«

Peter Runge schlug wütend mit der flachen Hand auf den Tisch. »Das kann doch wohl nicht wahr sein. Herrgott, auf dieser kleinen Insel passiert ein Einbruch nach dem anderen – und wir finden nichts? Was macht ihr eigentlich den ganzen Tag? Was haben denn die Spurensicherungen ergeben? Was ist mit den Fingerabdrücken? Was sagt das LKA? Wo sind die Listen der gestohlenen Gegenstände?«

Maren zog einen Ordner vom Stapel und schob ihn über den Tisch. »Es ist ja kaum etwas gestohlen worden, die Listen sind in den Akten. Mit Ausnahme von Frau Gerlach, bei der dreitausend Euro fehlen, sind es bei den anderen nur zusammen knapp dreihundert Euro. Bei fünf Einbrüchen. Fingerabdrücke gibt es keine, die uns weiterbringen, und andere Spuren haben die Täter nicht hinterlassen bzw. etliche Spuren sind zum Beispiel von engagierten Putzfrauen vernichtet worden.«

Wieder knallte die Hand auf den Tisch, Maren zuckte zusammen und war froh, dass Benni in diesem Moment zurückkam. Er nickte Runge kurz zu und setzte sich hinter seinen Computer. Peter Runge war sofort bei ihm. »Und? Zeugin?«

»Hermine Gehrke«, sagte er langsam, während er den Namen eintippte. »Sie hat einen VW-Bus beobachtet, der langsam am Haus von Elisabeth Gerlach vorbeigefahren ist.«

»Ja, und?« Mittlerweile hatte Runge die roten Flecken auch im Gesicht. »Weiter?«

Benni sah ihn lange an, während seine Finger über der Tastatur verharrten. »Es saßen sechs Chinesen in diesem Bus, bis an die Zähne bewaffnet, sagt Frau Gehrke. Sie ist sich sicher, dass es sich um eine professionelle Bande handelt. Das hat sie im Gefühl. Ihr Mann sagt auch, dass die Chinesen bekannt für solche Serieneinbrüche sind.«

Er schaffte es, ernst zu bleiben, Maren musste sich auf die Lippe beißen; Peter Runge sah aus, als würde er gleich kollabieren.

»So, das war die letzte Zeugin.« Katja Lehmann kam grinsend aus dem Befragungsraum und stutzte kurz, als sie Peter Runges Gesichtsfarbe sah. »Moin, Chef. Also, meine Zeugin ist ganz sicher, dass es sich um eine Täterin handelt. Und zwar um die neue Freundin ihres Exmannes. Sie hat sie ein paar Mal in verdächtigen Situationen beobachtet, sie ist überzeugt davon, dass die Frau kriminell ist und Geld für Drogen braucht. Und ihren Angaben nach tragen die Einbrüche die Handschrift dieser – Zitat –: ›Schlampe‹. Noch Fragen?«

»Ein bisschen mehr Konzentration, bitte«, Peter Runge hatte kurz Luft geholt und fing jetzt an zu brüllen. »Lehmann, Sie befragen diese verdächtige Frau, Alibiüberprüfung und das ganze Procedere. Alle Zeugenaussagen werden überprüft. Und, Thiele, ich will, dass Sie noch mal zu allen Einbruchsopfern fahren, nehmen Sie Jensen mit, und fragen Sie gründlicher, vielleicht fällt denen doch noch was ein. Ich will bis morgen früh alle Ergebnisse schriftlich, verdammt, wir werden doch wohl mit diesen billigen Einbrüchen fertig. Also, an die Arbeit.«

Mit einem wütenden Rundumblick stampfte er zur Tür und ließ sie krachend hinter sich zufallen. Nach einem Moment der Stille hörte man Katja Lehmann leise aufstöhnen. »Wie ist der denn drauf? Soll ich jetzt ernsthaft

189

zum Scheidungsgrund meiner Zeugin fahren? Die hält mich doch für hirnamputiert.«

»Ja«, antwortete Benni ernsthaft und sah kopfschüttelnd zu Maren, die sich ein Grinsen nicht verkneifen konnte. »Was soll *ich* denn sagen? Ich muss sechs bewaffnete Chinesen finden. Im Bully.«

»Du«, versuchte Maren, ihn zu trösten. »Vielleicht hast du Glück und die Kollegen haben sie längst geblitzt. Dann gibt es wenigstens ein Foto. Oder sie haben sie gleich wegen unerlaubten Waffenbesitzes festgenommen. Das waren sie doch, oder? Bis an die Zähne bewaffnet?«

Benni nickte. »Genau. Und wenn wir Glück haben, finden sie auch noch die Kohle, die geklaut wurde.« Er stand auf und zog seine Jacke über. »Ich löse Jensen mal ab, dann kannst du mit ihm noch mal die fünf alten Damen befragen. Also, viel Glück und bis später.«

»Und grüß die Chinesen«, rief Katja ihm hinterher. »Ich hätte gern einmal die 26, Hühnchen mit Bambus.« Sie kicherte beim Hinausgehen immer noch über ihren eigenen Witz.

»Frau Erhardt, bitte«, Rike blieb lächelnd an der Tür des Wartezimmers stehen und wartete, bis die zierliche alte Dame an ihr vorbeiging. »Sie kennen sich ja aus, nicht wahr? Ganz durch.«

»Natürlich, Kindchen«, die Patientin lächelte sie kurz an. »Sie sehen übrigens hübsch aus heute. Sehr hübsch.«

»Danke, Frau Erhardt«, entgegnete Rike und ging langsam zur Rezeption zurück. Das hätte sie lieber von jemand anderem gehört. Aber der Patient, der eigentlich heute Morgen einen Termin gehabt hätte, war nicht erschienen. Seit fast einer Woche spukte er Rike im Kopf herum, nur gesehen hatte sie ihn seit der Krankenhaus-fahrt nicht. Als er am nächsten Tag mit den Röntgenbildern zu Dr. Hansen gekommen war, hatte sie gerade einen Notfall verbunden. Es war ein Tourist gewesen, der sich eine Muschel in den Fuß getreten hatte, wirklich nichts Lebensbedrohendes, aber es dauerte zu lange. Als sie fertig war, war Andreas von Wittenbrink schon wieder weg. Ohne eine Nachricht zu hinterlassen. Rike hätte den Muschelpatienten anbrüllen können, so enttäuscht war sie. Dr. Hansen hatte ihr erzählt, dass das Knie nur geprellt war und der Patient nächste Woche noch einen Kontrolltermin hatte, aber das reichte aus, um Rike die nächsten Tage übellaunig zu machen.

Und heute war nun endlich der Kontrolltermin – und der Patient nicht erschienen. Dr. Hansen hatte nach ihm gefragt, aber der Patient hatte noch nicht einmal abgesagt. So was Dämliches. Und dafür hatte sie sich in ihr schönstes Kleid geschmissen, ihre Haare gewaschen und gegen den Strich geföhnt, ihre Augen mehr als sonst geschminkt und sogar Lippenstift aufgetragen. Das Kleid sah man aber unter dem Kittel nicht. Und ihre Haare nervten sie schon den ganzen Morgen beim Arbeiten, dauernd fielen ihr die Strähnen ins Gesicht, es hatte einen Grund, dass sie die Locken normalerweise zusammenband. Und wofür? Damit Frau Erhardt das Kindchen heute »hübsch« fand. Toll. Tief ausatmend ließ Rike sich auf ihren Stuhl fallen und sah auf die Uhr. Noch zehn Minuten bis zur Mittagspause, sie würde sich ein Fischbrötchen mit viel Zwiebeln kaufen, am Nachmittag Dienst nach Vorschrift machen und sich abends im Jogginganzug aufs Sofa werfen und einen blöden Film sehen. Aber übermorgen Abend würde sie mit offenen Haaren und Lippenstift die ganze Nacht in den Sommer tanzen. Das Leben war schön. So. Das wäre ja gelacht.

»War's das, Rike?«

Die tiefe Stimme von Dr. Hansen erinnerte sie daran, dass tatsächlich gleich Mittagspause war. »Ja, Doktor, wir sind durch.«

Die Klingel strafte ihre Worte Lügen, sie drückte auf den Summer und da stand er. Und lächelte sie an.

»Der Herr von Wittenbrink«, Rike hatte die Sprechtaste noch gedrückt gehalten. »Doktor, wir sind noch nicht durch.«

Sie ließ die Taste los und sah den Neuankömmling an. »Hatten wir nicht acht Uhr gesagt?«

Andreas von Wittenbrink lächelte sie an und Rike bekam Atemnot. »Es tut mir leid, wir hatten ein bisschen Stress auf der Baustelle. Und außerdem habe ich gedacht, dass Sie jetzt sicher gleich Mittagspause haben und ich die Chance, Sie als Dankeschön für letzte Woche zum Essen einzuladen.«

Rike war froh, dass sie ihren Gesichtsausdruck nicht selber sehen konnte.

»Rike? Dann schicken Sie ihn doch rein.«

Rike drückte erneut den Knopf. »Sofort.« Sie deutete mit dem Kopf in Richtung Sprechzimmer. »Der Doktor wartet auf Sie. Ganz durch, letzte Tür links.«

Sie konnte ihn nicht begleiten, Frau Erhardt stand bereits im Mantel vor ihr und wartete auf ihren neuen Termin.

»Danke, bis gleich.« Andreas von Wittenbrink nickte und beeilte sich, ins Sprechzimmer zu kommen. Rike wartete, bis sie die Tür klappen hörte, dann wandte sie sich Frau Erhardt zu. »So, und jetzt zu Ihnen. Wann sollen Sie denn wieder zur Kontrolle kommen?«

Keine zehn Minuten später begleitete Dr. Hansen seinen letzten Patienten zum Ausgang. »... und wenn noch was ist, dann gucken Sie wieder rein. Aber das sieht alles ganz gut aus, ein Knie hält doch so manchen Schlag aus. Sie werden es noch ein paar Tage merken, aber passieren kann da nichts mehr. Schönen Tag noch. So, Rike, ich bin dann weg, bis später.«

Sie warteten beide, bis sich die Tür hinter ihm geschlossen hatte, dann sah Rike Andreas von Wittenbrink an und fragte: »Und? Geht es dem Knie besser?«

»Es tut noch weh, aber Männer sind ja Indianer und reißen sich zusammen. Und Ihr Chef war zufrieden, das Tape und die Salbe haben gut geholfen. Es war ja auch nur geprellt. Zum Glück. Und jetzt? Gehen Sie mit mir Mittagessen?«

Rike stand langsam auf und zog ihren Kittel aus. »Also, Sie sind mir wirklich nichts schuldig, das Krankenhaus lag sowieso auf meinem Weg.«

Sie drehte sich zum Schrank um, in dem ihre Tasche stand, und kniff kurz die Augen zusammen. Was redete sie da für einen Blödsinn? Gleich würde er sich erleichtert bedanken und ein für alle Mal die Praxis verlassen. Ohne Mittagessen, ohne Nachsorgetermin, ohne gemeinsame Zukunft. Entschlossen holte sie die Tasche aus dem Schrank und drehte sich wieder um. Vermutlich war er bereits verschwunden.

Er war ruhig an der Tür stehen geblieben und hatte sie beobachtet. »Wo gehen wir hin?«

Kurz darauf saßen sie sich an einem Tisch in einem Café auf der Friedrichsstraße gegenüber und hatten Kartoffelsuppe mit Krabben bestellt. Rikes Mittagspause dauerte nur eine Stunde – zu schade, nicht mehr Zeit für den ersten Mann seit Jahren zu haben, der sie tatsächlich interessierte. Aber es war doch zumindest ein Anfang.

Andreas von Wittenbrink hatte eine Brille aufsetzen

müssen, um die Speisekarte zu lesen, es hatte Rike gerührt, auch wenn sie nicht genau wusste, warum. Vielleicht, weil er ansonsten so perfekt wirkte. Als hätte er ihre Gedanken gelesen, nahm er die Brille ab und verstaute sie in einem Etui. »Irgendwann kommt man nicht mehr ohne Hilfsmittel aus«, sagte er lächelnd. »Damit haben Sie vermutlich noch keine Probleme.«

Rike zog die Augenbrauen hoch. »So jung bin ich auch nicht mehr. Ich trage Kontaktlinsen, weil ich augenmäßig eher zur Gattung der Maulwürfe gehöre. Ich bin noch nie ohne Hilfsmittel ausgekommen. Ohne Brille oder Linsen kann ich gar nicht geradeaus gehen.«

»Dann passen Sie bloß auf sich auf«, sagte Andreas von Wittenbrink. »Ich konnte letzte Woche auf der Baustelle auch nicht geradeaus gehen. Und zack, ist das Knie dick.«

»Auf welcher Baustelle sind Sie eigentlich?«

»Die neue Hotelanlage in Wenningstedt. Sie liegt im Ortskern, wir wollen Ende des Jahres fertig sein.«

»Aha«, Rike wusste sofort, welche Anlage er meinte. Sie war der Meinung, dass es doch langsam genug Hotels auf der Insel gab, aber es wurden immer wieder neue gebaut. Damit immer mehr Menschen kamen. »Und was machen Sie da? Auf der Baustelle?«

»Ich bin der Architekt.« Er sagte es ohne jede Überheblichkeit. Rike begann, das Hotel schön zu finden. »Ich heiße übrigens Andreas.« Er hob das Wasserglas, als wäre es Champagner. »Und ich wollte mich noch mal für deine Fahrdienste bedanken. Ich bin ein Feigling, wenn es um Krankenhäuser geht, deshalb bin ich auch etwas unhöflich ausgestiegen. Aber mir war so flau im Magen, es war mir einfach unangenehm. Tut mir leid.«

»Gar keine Ursache«, Rike hatte tatsächlich Herzklopfen. »Ich heiße Rike.«

»Ich weiß«, Andreas nickte. »Ich habe deinem Chef zugehört.« Er wischte den Rest der Suppe mit einem Stück Brot aus, dann schob er den Teller zurück. »Die war gut. Aber so richtig satt bin ich nicht geworden. Du?«

»Mir reicht es. Ich muss auch gleich wieder in die Praxis.« Verstohlen warf sie einen Blick auf die Uhr. Die Hälfte der Zeit war schon rum. Schade.

Die Bedienung kam, um die leeren Teller abzuräumen, Andreas bestellte einen Espresso und sah Rike fragend an. Die nickte.

»Dann bitte zwei«, er fuhr sich mit der Hand durch die grauen Haare, Rike hätte das sehr gern für ihn übernommen. »Sag mal, hast du Lust, übermorgen Abend das Danke-Essen fortzusetzen? Mit mehr zu essen und mehr Zeit? Du kannst gern das Restaurant vorschlagen.«

Rikes Pulsfrequenz erhöhte sich. »Oh, ähm, eigentlich gern, allerdings kann ich am Samstag leider nicht. Wie schade. Aber, wenn du Lust hast ...«, sie hoffte, dass Maren sie verstehen würde. »Ich gehe etwas später noch zu einer Veranstaltung in die ›Sylt-Quelle‹, so eine Art Sommerfest Ende Mai. Ich weiß nicht, ob du zu solchen Festen Lust hast, es ist immer sehr schön da.«

Andreas nickte. »Ich habe die Plakate gesehen. Warum nicht? Soll ich dich irgendwo abholen?«

Es klappte, es klappte, es klappte. Hochzufrieden lächelte Rike ihn an. »Das ist schön. Aber am einfachsten wäre es, wenn wir uns dort treffen.« Jetzt musste sie es ihm aber doch sagen. »Meine Freundin Maren kommt auch, ich habe ihr versprochen, sie da zu treffen. Sie hat bestimmt nichts dagegen, wenn du auch dazukommst.«

Andreas' Blick wurde skeptisch. »Also, ich möchte auf keinen Fall einen Freundinnenabend stören. Vielleicht sollten wir ein anderes Mal ...«

»Aber nein, warum?« Rike wollte in diesem Moment kein Sommerfest mehr ohne Sommerflirt. »Meine Freundin Maren bleibt sowieso nicht so lange. Sie ist Polizistin und hat Sonntag Frühdienst. Außerdem ist sie erst vor Kurzem wieder auf die Insel zurückgekehrt, sie wird da so viele Leute wiedertreffen, dass sie überhaupt keine Zeit haben wird, sich um uns zu kümmern.«

Das Wort »uns« fühlte sich irgendwie gut an. Zumal auch jetzt die Bedienung kam und mit dem Satz: »Bitte schön, ihr beiden«, die Espressotassen auf den Tisch stellte. Andreas wartete, bis sie weg war, dann wandte er sich zurück an Rike und fragte interessiert: »Polizistin? Da hat sie wohl auch ziemlichen Stress in diesen Tagen, oder?«

Erstaunt blickte sie ihn an. »Wieso?«

»Diese Einbruchsserie, über die jeden Tag in der Zeitung berichtet wird? Ich lese das jeden Morgen. Scheint ja hier das Gesprächsthema Nummer eins zu sein.«

»Das stimmt«, antwortete sie schnell. »Aber die Polizei wird das Ganze bestimmt rasch aufklären. Maren ist gut.«

»Das ist ja beruhigend.« Andreas lächelte sie an. »Zumal die Zeitung ja auch Zeugen sucht. Die Redaktion glaubt anscheinend nicht an die Fähigkeiten deiner Freundin und ihrer Kollegen. Eigentlich eine Frechheit.«

»Ja, das ist es.« Rike sah jetzt doch auf die Uhr. »Oh, so spät schon. Ich muss los. Bleibt es also bei Samstagabend? So gegen halb zehn am Eingang?«

Andreas zögerte nur eine Sekunde, dann nickte er und stand auf. »Halb zehn. Wenn du losmusst, geh ruhig schon, ich zahle noch in Ruhe. Bis übermorgen. Ich freue mich.«

Sie drückte seine Hand eine Spur zu fest, dann beeilte sie sich, in die Praxis zu kommen. Als sie sich noch mal umdrehte, hob er mit leichtem Lächeln den Kopf. Ihr Puls konnte sich gar nicht wieder beruhigen.

Noch jemand eine Tasse Tee?« Inge schwenkte die Kanne. »Dann muss ich nämlich noch welchen kochen. Karl? Oder ein Eierlikörchen?«

»Och ja«, er hob den Blick über seine Brille. »Und eine Tasse Tee würde ich auch noch nehmen, wir fangen ja gerade erst an. Das muss übrigens besser werden, wir haben schon wieder viel zu lange geklönt, bevor wir an die Arbeit gehen.«

Charlotte stand sofort auf. »Jetzt fang mal nicht so an, Karl. Wenn das hier stressig wird, bin ich raus. Wir sind keine ausgebildete Sonderkommission, und ich habe keine Lust, mich rumkommandieren zu lassen. Warte, Inge, ich helfe dir.« Sie schoss aus dem Zimmer, um ihrer Schwägerin in die Küche zu folgen. Karl sah Onno irritiert an. »Habe ich was Falsches gesagt?«

Onno legte langsam seine Hände übereinander. »Charlotte hat sich über Heinz geärgert. Deswegen hat sie jetzt schlechte Laune. Und du musst hier nicht den Chef raushängen lassen, das verträgt sie heute nicht.«

»Aha«, Karl ordnete die Blätter, die vor ihm auf dem Tisch lagen. »Mache ich das? Das tut mir leid. Man darf sich aber bei kriminalistischen Aufgaben nicht von privaten Verstimmungen beeinflussen lassen. Da muss sich jeder zusammenreißen und auf die wirklich wichtigen Dinge konzentrieren.«

Onno schwieg, Karl auch, zumindest so lange, bis Inge wieder zurückkam. Sie stellte die Kanne schwungvoll auf den Tisch, dann hielt sie inne und sah die beiden an. »Habe ich was verpasst?«

»Was macht Charlotte denn jetzt?« Karl blickte sie treuherzig an.

»Keine Ahnung«, antwortete Inge und setzte sich. »Vielleicht Atemübungen? Könnt ihr diesen Käsekuchen nicht aufessen? Morgen schmeckt der nicht mehr.«

»Ich wollte sie nicht verärgern«, sagte Karl. »Sie ist aber auch sehr empfindlich heute.«

»Unsinn«, Inge drehte sich zu Charlotte um, die gerade eintrat. »Oder? Bist du empfindlich heute?«

»Nein.« Langsam nahm Charlotte wieder Platz und sah in die Runde. »Ich kann nur keine rechthaberischen Männer leiden. Heinz hat mir eine Stunde lang Verschwörungstheorien dargelegt. Seiner Meinung nach ist der Schlüssel zu den Einbrüchen die Immobilienmafia. Und dass wir das völlig falsch angehen. Das wäre aber egal, weil Walter und er ja übermorgen wieder da sind und sich dann persönlich in die Ermittlungen einschalten werden. So. Jetzt kommt ihr.«

»Immobilienmafia?«, wiederholte Karl. »Wie kommt er denn da drauf?«

Charlotte winkte ab. »Die sind doch auf diesem albernen Seminar über Immobilien. Und können anscheinend an nichts anderes mehr denken.«

»Na ja«, warf Inge ein. »Gisela hat aber auch schon gesagt, dass sie im ersten Moment überlegt hat, das Haus zu verkaufen, um zu ihren Kindern nach Oldenburg zu ziehen. Und sie hat auch erzählt, dass vor dem Einbruch ein netter junger Mann bei ihr war, der gefragt hat, ob sie nicht verkaufen wolle.«

Karl war jetzt hellhörig geworden. »Ach ja? Und wie hieß der?«

Inge hob die Schultern. »Das weiß sie nicht mehr. Sie hat seine Visitenkarte verloren. Und wir hatten dir das übrigens auch schon erzählt. Du hast nur nicht richtig hingehört. Du hast dich nur über meine falsche Ermittlungstaktik aufgeregt. Ich sag nur Lola und Laila.«

»Jetzt, wo wir drüber reden …«, Charlotte zeigte mit dem Zeigefinger auf Onno. »Helga Simon hat von einem Gero Winter gesprochen, das ist der junge Mann von der Bank. Ich weiß noch, dass ich in dem Moment, als sie das erzählt hat, gedacht habe, dass ich Gisela noch mal fragen muss, ob sie diese Visitenkarte wiedergefunden hat. Vielleicht ist es ja sogar derselbe Mann. Und dann habe ich es wieder vergessen. Ich rufe sie sofort mal an. Inge, wo ist dein Telefon?«

Während Charlotte im Flur mit Gisela sprach, nahm Karl das Kuchenmesser vom Teller und zog mit einem Bleistift an der Klinge entlang Linien auf ein Blatt. »Wir werden jetzt unsere Informationen der Reihe nach ordnen«, sagte er und wischte die Krümel vom Papier. »Damit die Ermittlungen mal ein Gesicht bekommen. Die Protokollführung des letzten Treffens ist nicht brauchbar, man muss die Ergebnisse auf einen Blick erkennen können. Und Charlotte hat wirklich jeden Blödsinn mitgeschrieben. Das sind zwölf Seiten geworden. Aber die Schrift ist schön.«

Inge hob kurz die Augenbrauen. »Wir hätten da auch ein Lineal. Hinter dir in der obersten Schublade. Damit das Ermittlungsgesicht nicht so klebrig ist. Mit dem Messer habe ich Käsekuchen geschnitten.«

Karl nahm sich Zeit für die Vorbereitung, hoch konzentriert zog er auf jedem Blatt Tabellenlinien, die er anschließend beschriftete. Mit geneigtem Kopf legte er danach die Papiere nebeneinander und sah sich um. »Wir warten jetzt noch auf Charlotte, und dann gehen wir einen Fall nach dem anderen durch.«

Wie aufs Stichwort kam sie zurück, setzte sich und sagte: »Gisela hat die Visitenkarte nicht wiedergefunden. Irgendetwas mit M, hat sie gesagt. Leider hatte Gisela immer schon ein schlechtes Namensgedächtnis. Sie lässt aber alle schön grüßen.«

»Danke«, antwortete Karl und nahm den Stift. »Das hilft uns jetzt auch nicht viel weiter. Wir fangen trotzdem mit ihr an, also, Charlotte und Inge, ist euch noch irgendetwas zu dem Einbruch bei Gisela eingefallen?«

Giselas Bogen fiel dünn aus. Der Einbruch hatte am frühen Vormittag stattgefunden, sie waren durch die Terrassentür eingedrungen, hatten nichts gestohlen, weil sie vermutlich gestört wurden, aber alles durcheinandergebracht. Die Polizei hatte keine Spuren gefunden, dafür hatte die Versicherung bereits bezahlt.

Karl schrieb den Namen »Johanna Roth« auf den zweiten Bogen und sah Inge an. »Frau Roth«, sagte er erwartungsvoll. »Inge, du wolltest doch noch mal hin. Hast du dieses Mal was herausgefunden?«

»Ja.« Inge zog mit stolzer Miene einen Schreibblock aus der Schublade. »Und ich habe es hinterher sofort aufgeschrieben, damit ich nichts vergesse.« Sie rückte ihre Brille zurecht und räusperte sich. »Also: Der Einbruch fand am Nachmittag statt, während Johanna Roth einkaufen war. Als sie zurückkam, hat sie sich gewundert, dass die Terrassentür so komisch aussah. Sie war aufgehebelt. Gestohlen wurden siebzig Euro, die lagen auf dem Esstisch, und eine Stange Zigaretten, die in der Küchenschublade aufbewahrt worden waren. Sonst nichts. Es gab auch keine Spuren, und niemand hat etwas bemerkt.«

»Wieso bewahrt Frau Roth eine Stange Zigaretten in der Küchenschublade auf?« Charlotte hatte das mit gerunzelter Stirn gefragt. »Eine ganze Stange?«

»Die wollte sie ihrem Hausmeister zum Geburtstag schenken«, antwortete Inge. »Sie hat gesagt, er hätte sonst schon alles, und Geld wäre so unpersönlich.«

»Zigaretten nicht?« Karl schüttelte den Kopf. »Wie heißt denn ihr rauchender Hausmeister?«

»Keine Ahnung«, Inge guckte ihn ungeduldig an. »Das habe ich nicht gefragt. Beim letzten Mal hast du gesagt, dass es dich nicht interessiert, wie ihr Enkelkind heißt, aber jetzt willst du den Namen vom Hausmeister. Wie soll man denn da wissen, was nun wichtig ist und was nicht?«

»Das hat man im Gefühl, Inge«, belehrte Karl sie. »Aber du kommst schon noch dahinter. Gab es sonst noch Auffälligkeiten?«

Inge schüttelte ein bisschen beleidigt den Kopf. »Nö.«

»Gut, dann weiter. Charlotte oder Onno, was haben wir Neues von Helga Simon?«

Onno war mit der Antwort schneller als Charlotte. »Ja, ich war noch mal bei ihr.«

»Ach?« Interessiert sah Charlotte ihn an. »Wann denn?«

»Zwei Tage nach unserem Besuch. Ich habe ihr einen Kuchen gebacken und mitgebracht, sozusagen als Dankeschön, dass wir auch so nett bewirtet wurden.«

»Onno hat sich verguckt«, sagte Charlotte leise zu Inge, wandte sich wieder Onno zu und fragte lauter: »Und? Über was habt ihr so geredet?«

Mit einem verlegenen Lächeln drehte Onno seine Teetasse, so lange, bis Inge ihre Hand auf seinen Arm legte.

»Mach mich nicht nervös. Über was habt ihr denn nun geredet?«

»Über dies und das.« Onno brauchte eine kleine Pause, ungeduldig sahen ihn drei Augenpaare an. »Zum Beispiel, dass es schwierig ist, wenn man sich plötzlich wieder um ein Kind kümmern muss, man ist dem in unserem Alter gar nicht mehr richtig gewachsen und macht Fehler. Und eigentlich hatte man ja gedacht, die Brutpflege sei beendet, und nun fängt man wieder an, also, es ist schwierig ...«

»Hä?« Karl starrte ihn verständnislos an. »Ich verstehe kein Wort. Kriegt Frau Simon ein Kind? Wie alt ist sie denn?«

Jetzt guckte Onno irritiert. »Sie ist siebenundsechzig. Das ist doch viel zu alt. Nein, ich habe von mir gesprochen. Dass Maren nun wieder da ist. Das ist für mich auch schwierig, wieder all die Sorgen und die Verantwortung, ihr fragt ja nie nach. Aber mit Helga ... mit Frau Simon habe ich darüber geredet, sie war ja eine Zeitlang in Köln bei ihrer Tochter und hat mich gut verstanden.«

»Und was hat das jetzt mit dem Einbruch zu tun?« Karl suchte immer noch einen tieferen Sinn in Onnos Ausführungen und fand ihn nicht.

»Gar nichts«, war die freundliche Antwort. »Charlotte hat mich gefragt, worüber ich mich mit Frau Simon unterhalten habe. Über so etwas eben.«

Karl atmete tief ein und aus. Nach einem hilfesuchenden Blick an die Decke versuchte er es betont ernsthaft. »Interessant. Und habt ihr auch noch mal über den Einbruch gesprochen?«

»Ja«, nickte Onno, der sich überhaupt nicht aus der Ruhe bringen ließ. »Aber sie war ja gar nicht da, als es passiert ist. Sie geht nämlich jeden Tag schwimmen, immer um halb neun. Sie ist wirklich sehr fit.«

Er lächelte, bevor er weitersprach, Inge und Charlotte tauschten einen vielsagenden Blick.

»Als sie vom Schwimmen zurückkam, war die Terrassentür aufgebrochen. Die Diebe haben alle Schubladen aufgezogen, alle Schränke geöffnet und sogar die Toilette benutzt. Und wisst ihr, wie sie das bemerkt hat? Der Toilettendeckel und die Brille waren hochgeklappt!«

»Dann handelt es sich um einen Mann«, bemerkte Inge.

»Ferkel. Da haben wir doch was.«

»Kann auch eine Finte sein«, meinte Karl. »Hat sie das der Polizei gesagt? Um Spuren zu sichern?«

Inge kicherte, Onno verstand nicht, warum, schüttelte aber den Kopf. »Sie hat sofort geputzt, weil sie es so unangenehm fand, und danach hat sie's vergessen. Kann ich aber verstehen. Sie hat der Polizei schon gesagt, dass hundert Euro gestohlen worden sind, sie hatte das Geld in kleinen Scheinen in einer Dose im Flur. Das war alles. Sonst fehlt nichts.«

»Aha.« Karl machte sich Notizen. »Das war's? Oder fällt dir noch was ein?«

»Sie isst gern Rouladen. Ich habe sie für Sonntag zum Essen eingeladen.« Inge und Charlotte starrten ihn neugierig an, Karl hingegen sagte: »Fein, ich komme auch, vielleicht können wir zusammen etwas mehr herauskriegen.«

»Das geht nicht«, antwortete Onno schnell. »Ich habe … mein Bräter ist nicht groß genug für mehrere Gäste. Ein anderes Mal vielleicht.«

Karl schüttelte den Kopf. »Du kannst dir doch einen von Inge oder Charlotte leihen, oder? Habt ihr auch nur so kleine Töpfe?«

»Ja.« Inge und Charlotte antworteten im Chor. Inge fuhr allein fort. »Aber du kommst vom Thema ab, Karl.

Was ist denn mit Eva Geschke? Von der hast du noch gar nichts erzählt. Ich musste früher los, ihr habt euch doch noch allein im Café unterhalten.«

Sie zwinkerte Onno zu und richtete dann ihre Aufmerksamkeit auf Karl, der sich entspannt zurücklehnte, bevor er seinen Bericht begann.

»Ja, die Frau Geschke.« Karl räusperte sich bedeutungsvoll und ließ die Blicke über die Runde schweifen. Er hatte sie alle im Griff, sie hingen an seinen Lippen. »Inge und ich waren ein gutes Team, wir haben die Befragung exzellent vorbereitet. Wir saßen ja dann im ›Café Wien‹, als Inge sich geschickt zurückgezogen hat. Ein gutes Gespür, meine Liebe, Frau Geschke wurde im Zweiergespräch sehr viel zutraulicher.«

»Hast du das geahnt?«, fragte Charlotte ihre Schwägerin erstaunt.

»Nö«, antwortete Inge. »Ich musste noch zur Reinigung und die macht um dreizehn Uhr zu.«

»Ist ja auch egal«, Karl zog seine Notizen näher heran und fuhr fort. »Es war jedenfalls sehr aufschlussreich. Eva Geschke kam vom ..., wie nennt sich diese Sportart mit den Stöcken? Nordic irgendwas ...«

»Walking«, ergänzte Charlotte. »Nordic Walking.«

»Genau, das macht sie wohl jeden Morgen, immer fünf Kilometer.« Karl nickte bestätigend. »So sieht sie ja auch aus, äußerst kernig, möchte man sagen.«

»Wie ein Dragoner«, erklärte Inge und erntete einen bösen Blick von Karl, der sich unterbrochen fühlte. Inge hob entschuldigend die Hände.

»Als sie wie üblich nach einer Stunde zurückkehrte, stellte sie die Spuren des Einbruchs fest. Übrigens ähnlich wie in den uns schon bekannten Fällen. Die Terrassentür war aufgehebelt, Schubladen waren aufgezogen, Schränke geöffnet und ausgeleert. Auch hier hält sich der Schaden in Grenzen, entwendet wurden lediglich knapp fünfzig Euro, zwei Mäntel und eine Flasche Whisky.«

»Was?«, fragte Onno erstaunt.

»Eine Flasche Whisky«, wiederholte Karl. »Und zwei Mäntel. Und fünfzig Euro.«

»Wer klaut denn zwei Mäntel?« Onno verstand gar nichts. »War das denn Pelz?«

»Nein«, Karl schüttelte den Kopf. »Es waren zwei Herrenmäntel. Die gehörten Frau Geschkes Sohn. Und das war auch der Grund, warum sie die Polizei so spät angerufen hat. Aufgrund der Beute hat sie nämlich zuerst befürchtet, dass ihr eigener Sohn bei ihr eingebrochen hat.«

»Der Jörg war als Jugendlicher nämlich schon kriminell«, ergänzte Inge. »Und jetzt ist er Autoverkäufer in Kiel. Hat sie uns erzählt. Aber angeblich ist er doch geläutert. Wie kommt sie denn auf ihn?«

Karl lächelte sie bedeutsam an. »Und genau dafür war es gut, dass du dann gegangen bist. Zu mir hat sie anscheinend sofort Vertrauen gefasst. Sie hat mir erzählt, dass sie ihrem Sohn nicht so ganz traut, weil er ein paar Mal Geld aus ihrem Portemonnaie geklaut hat. So ganz geläutert ist er nämlich nicht. Deshalb hat sie zuerst ihn angerufen. Weil es sowohl seine Mäntel waren, als auch sein Lieblingswhisky. Aber er hatte zu dem Zeitpunkt gearbeitet und war im Autohaus. Sie haben sich trotzdem gestritten, weil er sich über ihren Verdacht aufgeregt hat. Und deshalb hat Frau Geschke erst mal aus Wut staubgesaugt und erst später die Polizei benachrichtigt. Die dann, wen wundert es, nichts Verwertbares mehr gefunden hat. Auch keine Fingerabdrücke, keine anderen Spuren, nichts, nada, niente.«

»Wenn sie auch staubgesaugt hat …«, Charlotte sinnierte vor sich hin. »Aber dass man als Mutter seinem Kind nicht traut, ist ja auch furchtbar, oder? Ganz schrecklich.« Mit traurigen Augen leerte sie ihr Likörglas und stellte es langsam zurück auf den Tisch.

»Und das Schlimmste war, dass die Polizei sie auch noch gefragt hat«, Karl bemühte sich um einen ernsten Gesichtsausdruck. »Die haben das Vorstrafenregister von Jörg Geschke gesehen, der übrigens so einiges auf dem Kerbholz hat, und haben sie gleich mit dem Verdacht konfrontiert. Das war dann für Frau Geschke zu viel, und sie ist richtig unflätig geworden. Runge hat ihr mit einer Anzeige wegen Beamtenbeleidigung gedroht.« Jetzt grinste er. »Sie hat schon im Alltag einen eher herben Charme, und ich glaube, wenn sie unter Druck ist, dreht sie noch mal einen Gang auf. Die hat ihn bestimmt so richtig zur Schnecke gemacht.«

»Aber wieso ist sie denn so aus dem Häuschen gewesen«, fragte Onno, »wenn sie das doch auch selbst vermutet hat?«

»Als Mutter darf sie das«, erklärte ihm Charlotte sofort. »Aber ein Fremder doch nicht. Nur, weil der Jörg früher schwierig war, darf man ihn doch nicht gleich beschuldigen. Da verteidigt man als Mutter doch sein Kind.« Sie machte eine kleine Pause, bevor sie sich an Onno wandte. »Apropos Kind, was sagt denn Maren zu unseren Ergebnissen? Ich finde, wir waren gar nicht so schlecht bis jetzt.«

»Maren«, Onno kratzte sich am Kopf. »Also, sie ist nicht so richtig auf dem Stand unserer Ermittlungen.« Nach einem Hilfe suchenden Blick auf Karl, den der mit einem Nicken beantwortete, fuhr er zögernd fort: »Wisst ihr, wenn ich versuche, über Maren etwas herauszubekommen, dann hat sie immer ganz ausweichend geantwortet. So nach dem Motto: ›Papa, wir ermitteln, und ich kann dir doch keine internen Dinge erzählen.‹ Und jetzt habe ich mich mit Karl beraten und wir haben beschlossen, dass wir sie da komplett raushalten aus unseren Ermittlungen. Sonst kommt sie noch in einen Konflikt, weil Karl ja schon ein Hausverbot riskiert hat und sie alle vom Runge Redeverbot bekommen haben. Und deswegen müssen wir uns für eine Seite entscheiden. Kind her oder hin, sie steht auf der falschen Seite.«

»Onno«, entsetzt sah Inge ihn an. »Sie ist deine Tochter.«

Onno nickte. »Privat schon. Beruflich ist sie im Moment unser Feind.«

Charlotte und Inge schüttelten die Köpfe. »Also wirklich …«, aber sie schwiegen.

Karl dagegen sagte: »Onno hat ganz recht. Glaubt bitte nicht, dass es uns leichtfällt, ich darf euch daran erinnern, dass Maren auch meine Patentochter ist. Aber da sie nun mal nichts sagen darf und will, müssen wir eben Prioritäten setzen. Ich weiß wirklich nicht, wie Runge es geschafft hat, meinen ganzen ehemaligen Mitarbeitern eine Gehirnwäsche zu verpassen, aber nicht einmal Benni will mir noch Informationen geben. Es ist nicht zu fassen. Und ich sehe überhaupt nicht ein, dass wir denen helfen. Also können wir die Fälle gleich lieber selbst aufklären. Oder sieht das jemand anders?«

Inge zuckte mit den Schultern. »Kommst du wirklich an niemanden mehr heran? Die schweigen alle aus Angst vor dem Chef?«

Karl und Onno sahen sich verschwörerisch an. Dann beugte Onno sich vor und sagte lächelnd: »Wir haben da eine Idee. Aber das muss unter uns bleiben, Maren wird mich sonst umbringen. Also, es gibt da einen sehr sympathischen Saisonpolizisten, Robert Jensen. Ich habe Maren neulich ihren Schlüssel ins Revier gebracht, den hatte sie mal wieder in der Tür stecken gelassen. Das macht sie dauernd. Es ist nicht zu fassen, ich ziehe den ständig ab. Und das als Polizistin. Jedenfalls, dabei habe ich die beiden zusammen gesehen. Der Jensen ist total in Maren verknallt, das ist eindeutig, und so, wie Maren geguckt hat, ist das nicht so einseitig. Das sieht man nur als Vater, sie tut so, als wäre sie nicht an ihm interessiert. Als Maren wegmusste, habe ich mich dem Jensen mal vorgestellt und ein bisschen nachgehakt. Ganz unauffällig natürlich. Und dann habe ich ihn zum Essen eingeladen. Vielleicht wird er langsam locker.«

»Und was sagt Maren dazu?«, fragte Inge neugierig.

»Weiß ich nicht«, treuherzig sah Onno hoch. »Werden wir sehen. Ich nehme an, sie freut sich. Glaube ich zumindest.«

Inge hielt seinem Blick stand und schüttelte dabei ganz leicht den Kopf. »Das ist Kuppelei.«

»Nur für den guten Zweck, Inge«, Karl legte seine Hand auf ihre. »Wir brauchen einen Informanten. Und vielleicht stiften wir ja auch noch eine schöne Sommerliebe an. Onno und ich tun, was wir können.«

Samstagmittag,
bei strahlendem Sonnenschein

Guten Morgen, Papa«, Maren hielt ihre viel zu weite Schlafanzughose fest, als sie in die Küche kam. »Morgens schon Bratengeruch, das ist ja furchtbar.«

Onno warf ihr nur einen kurzen Blick über die Schulter zu und konzentrierte sich sofort wieder auf seinen Bratentopf. »Erstens«, sagte er und stellte die Herdplatte auf eine niedrigere Temperatur. »Erstens handelt es sich hier nicht um einen Braten, sondern um Rouladen. Zweitens ist es nicht mehr morgens, sondern schon mittags, und drittens ist es meine Küche und nicht deine, also, wenn du das nicht riechen magst, dann geh rüber. Hast du gut geschlafen?«

»Ja, danke. Ich habe es nicht geschafft, irgendetwas einzukaufen, und hatte die Hoffnung, ich bekomme vom Kochclub-Champion ein Frühstück.« Maren schwenkte die Teekanne. »Ist da noch was drin?«

»Natürlich«, Onno legte den Deckel auf den Topf und wandte sich um. »Setz dich, ich decke dir den Tisch. Du bringst mir sonst alles durcheinander. Willst du ein Rührei?«

»Gern«, Maren zog sich den Stuhl näher zum Tisch. »Das ist ja wie im Hotel.«

»Eine Ausnahme«, antwortete ihr Vater und stellte eine Pfanne auf den Herd. »Weil heute Samstag ist, aber gewöhn dich gar nicht erst dran. Tomate und Schnittlauch im Ei?«

Während sie beeindruckt zusah, wie ihr Vater mit professionellen Handgriffen die Kräuter hackte, fiel ihr ein, dass er früher sogar bei den Schulbroten überfordert war. Damals hatte er nicht mal daran gedacht, die Käserinden abzuschneiden. »Dass du das alles kannst«, sagte sie. »Mama wäre fassungslos. Ich bin es übrigens auch noch. Früher hast du kaum was in der Küche gemacht.«

»Deine Mutter hat mich auch nicht gelassen«, antwortete Onno und schlug die Eier in eine Schüssel. »Das war gar nicht böse gemeint, sie wollte mir ja was Gutes tun. Und sie konnte so gut kochen. Aber so ist es eben, alles hat seine Zeit. Und jetzt mache ich es.«

Er goss die gerührten Eier mit Schwung in die Pfanne und rührte leise pfeifend um.

»Kommt Karl zum Essen?« Maren zog die Teekanne näher. »Oder machst du die Rouladen für uns?«

Onno stellte ihr eine Tasse und einen Teller hin. »Karl kommt nicht zum Essen. Ich bekomme morgen einen Gast. Ich koche schon vor.«

»Aha«, neugierig sah Maren ihn an. »Wer ist es denn?«

»Eine Dame.« Er drehte sich wieder zum Herd und rührte weiter. »Kennst du nicht.«

»Und wie heißt die Dame?« Maren rührte Zucker in den Tee, ohne den Blick von seinem Rücken zu nehmen. Er zog die Schultern zusammen, das hatte er früher schon gemacht, wenn ihm unbehaglich war. »Papa? Wer ist es?«

Onno ließ das fertige Rührei auf einen Teller gleiten, schnitt umständlich ein Brötchen auf und stellte alles vor Maren auf den Tisch. »Guten Appetit.«

»Jetzt setz dich doch dazu«, forderte sie ihn auf. »Oder soll ich hier allein essen? Wir können uns doch ein bisschen unterhalten, wir haben uns die ganze Woche kaum gesehen. Also, wer kommt denn nun zu Besuch?«

Langsam ließ Onno sich auf den Stuhl sinken, der am weitesten von ihr entfernt stand. »Eine alte Bekannte. Die Witwe von einem ehemaligen Kollegen, wir haben uns zufällig in, ähm, beim Einkaufen getroffen. Sie kommt vielleicht auch zum Chor. Sie überlegt noch.«

»Ach?« Maren grinste. »Ich dachte, du wolltest keine langweilige, alte Witwe, mit der du deine Pension teilen musst. Und trotzdem willst du sie jetzt mit einer Roulade locken?« Sie schob sich die erste Gabel voll Rührei in den Mund. Es war perfekt. »Kann sie denn singen, die Frau …«

»Simon«, ergänzte Onno verlegen. »Helga Simon.«

Marens Gabel schwebte zwischen Mund und Teller. Entgeistert starrte sie ihren Vater an. »Helga Simon?«

Onno nickte. »Kennst du sie noch?«

Langsam legte Maren die Gabel auf den Teller. »Papa. Helga Simon ist eines der Einbruchsopfer. Aber das weißt du ja bestimmt schon. Sag mal, was macht ihr eigentlich? Letzte Woche habe ich Karl mit Eva Geschke im ›Café Wien‹ gesehen, war das auch ein Zufall? Was macht Karl eigentlich?«

»Nichts weiter«, beeilte sich Onno zu sagen. »Frau Geschke arbeitet doch in der Stadtbücherei. Und Karl ist ja eine echte Leseratte.«

»Karl? Eine Leseratte?« Maren sah ihn entgeistert an. »Das ist ja mal ganz was Neues. Hör mal, Papa, ich will wirklich nicht mit dir streiten, aber lass dich bitte nicht von Karl zu irgendetwas hinreißen. Er ist pensioniert und höchst beleidigt, dass er nichts mehr mitbekommt. Ich habe mit Benni gesprochen, meinem Kollegen, der kennt Karl wirklich gut, und er macht sich mittlerweile schon Sorgen um ihn.«

»Sorgen um Karl?« Onno stand plötzlich auf. »Das ist ja lächerlich. Möchtest du noch Tee?«

»Jetzt lenk nicht ab und bleib einen Moment sitzen.«
Maren starrte ihn so lange an, bis er ihrer Aufforderung
nachkam. »Benni ist der Meinung, dass Karl sich gerade
zu Tode langweilt. Gerda ist nicht da, und er hat anscheinend zu viel Zeit. Und er kann nicht loslassen, deshalb möchte er gern ein bisschen im Revier mitmischen.
Aber das geht nicht, Papa, das verstößt auch gegen alle
Vorschriften. Er muss lernen, sich ein Hobby zu suchen
und seine Zeit neu einzuteilen. Das ist bestimmt nicht einfach, aber ihm bleibt nichts anderes übrig. Dabei kannst
du ihm helfen, Papa, aber nicht, indem ihr euch in Ermittlungen einmischt, die euch nichts angehen. Wir spielen
doch hier nicht Räuber und Gendarm, bei dem jeder mal
drankommt. Also wirklich …«

Sie musste eine Pause machen, um sich nicht in Rage
zu reden, und schloss kurz die Augen. Ihr Vater schwieg.
Schließlich sah sie ihn wieder an und schüttelte dabei den
Kopf. »Papa, bitte, haltet euch zurück. Ich bekomme sonst
wirklich Schwierigkeiten. Wir werden schon rausfinden,
wer für diese Einbrüche verantwortlich ist. Es ist ja nicht
so, dass wir nicht ermitteln. Es ist unser Job.«

»Fertig?« Onno sah sie freundlich an. »Ich müsste nämlich mal aufstehen, um die Rouladen zu wenden.«

Maren nickte, während ihr Vater seelenruhig aufstand
und zum Herd ging. »Weißt du«, sagte er beiläufig, »ich
glaube, ihr macht euch zu viele Gedanken um Karl. Der
hat nämlich genug Hobbys und kann sich sehr gut allein
beschäftigen. Aber man kann ja schlecht während der
Chorprobe ein Gespräch mit, sagen wir mal …, Gisela ab-
lehnen, nur weil die zufällig gerade ausgeraubt wurde. Oder
mit Frau Geschke, die nun mal in der Bücherei arbeitet.
Soll er da sagen, er will nur mit ihrer Kollegin sprechen?
Wegen eines Leihausweises? Das ist doch lächerlich. Ihr

seht Gespenster. Sieh mal, ich bin auch am Anfang meiner Rente noch ab und zu zum Seenotretter gegangen, um die Kollegen zu besuchen. Die haben sich auch immer gefreut. Das lässt mit der Zeit sowieso nach, gerade, wenn immer mehr Kollegen kommen, die man gar nicht mehr kennt.«

Maren stocherte unkonzentriert in ihrem Rührei. »Papa, Karl besucht keine Kollegen, Karl schreibt Informationen aus Akten ab. Und zwar auf seine Arme. Ich habe es gesehen.«

»Apropos Kollegen«, Onno tat so, als hätte er den Einwand nicht gehört. »Dieser Robert Jensen ist ein Sympathischer, oder? Die Saisonpolizisten haben es ja auch nicht einfach. Sie kommen her, kennen niemanden, wissen abends nicht, wo sie hinsollen, haben bestimmt auch Heimweh, und so eine Saison kann lang sein.«

»Wie?« Mit gerunzelter Stirn sah Maren ihn an. »Was genau willst du mir jetzt sagen?«

Onno legte den Deckel wieder vorsichtig auf den Topf und drehte sich zu ihr. »Nichts Besonderes, Kind, nur, dass du jederzeit gern mal Kollegen zum Essen einladen kannst. Ich koche dann auch. Du musst nur einkaufen.«

»Schönen Dank. Robert Jensen wird bestimmt nicht mein Gast.«

Sie presste die Lippen zusammen, bevor sie etwas Unüberlegtes sagen konnte, Onno betrachtete ihr Mienenspiel interessiert. Sie hatte schon als Kind schmale Lippen bekommen, wenn sie ein Geheimnis hatte. Und sie musste ihn ja auch nicht einladen.

»Musst du ja nicht«, sagte er laut. »War nur ein Vorschlag. Bist du satt?«

»Ja, danke«, sie schob den Teller von sich. »Ich gehe dann mal duschen und fahre danach einkaufen. Brauchst du noch was?«

»Zwei schöne Flaschen Rotwein. Das wäre nett, dann brauche ich nicht los. Französischen gern. Die Flasche nicht unter fünfzehn Euro, lass dir keinen Fusel andrehen.«

Erstaunt stand Maren auf. »Französischen? Ich denke, du trinkst keinen Wein. Oder …? Ach so, dein Besuch.« Sie grinste und stellte das benutzte Geschirr auf die Spüle. »Dann hoffe ich mal sehr, dass Frau Simon wirklich als Gast kommt und nicht als Zeugin. Ansonsten, Papa, kriegen wir uns noch richtig in die Wolle.«

»Da kannst du ganz beruhigt sein.« Onno legte umständlich die Topflappen auf die Arbeitsplatte und strahlte Maren an. »Sie ist mein Gast.«

Sein Gesichtsausdruck und der Ton ließen Maren aufhorchen. »Alles in Ordnung, Papa?«

»Sicher.« Er nickte mit einer großen Ernsthaftigkeit. »Sehr in Ordnung. Und jetzt denk an den Wein, der Weinhändler hat nicht ewig geöffnet.«

Als Maren eine Stunde später vor dem Geldautomaten in der Sparkasse stand, legte sich plötzlich eine Hand auf ihre Schulter. »Hände hoch und heben Sie fünftausend Euro in kleinen Scheinen ab. Aber zack, zack!«

»Wie soll ich bitte Geld mit erhobenen Händen abheben?« Ungerührt schob Maren ihre Karte in den Automaten. »Rike, wenn du noch eine Karriere als Kriminelle starten willst, musst du auf die Feinheiten achten.«

»Okay«, Rike nahm ihre Hand weg und küsste die Freundin auf die Wange. »War ein Versuch. Und? Gibt es was Neues?«

»Noch einmal diese Frage, und ich schieße.« Maren drehte sich zu ihr um. »Onno hat mich zum Weinkaufen geschickt. Aber ich mochte ihn nicht nach Geld fragen. Wahrscheinlich hätte er es sowieso mit dem Frühstück verrechnet. Er hat mir nämlich Rührei gemacht. Und wir hatten ein seltsames Gespräch.«

»Ach ja? Worüber denn?«

Maren hob nur die Schultern und nahm die Scheine aus dem Automaten. »Die Rentner spielen Detektiv, befürchte ich. Aber mein Vater lässt nicht viel raus. Na, egal. Anderes Thema, bitte. Was machst du jetzt? Musst du gleich wieder los oder gehen wir einen Kaffee trinken?«

Mit einem Blick auf die Uhr schüttelte Rike bedauernd den Kopf. »Ich kann nicht, ich treffe mich gleich mit meiner Kollegin. Habe ich dir doch erzählt, das Kleid fürs Standesamt.«

»Ach ja.« Sie gingen langsam nebeneinander auf den Ausgang zu. »Wir sehen uns ja heute Abend. Was ziehst du an?«

»Hallo, Rike«, eine unscheinbare blonde Frau stand plötzlich vor ihnen und lächelte sie schüchtern an. »Wo ich dich gerade ..., ach, Entschuldigung, ich bin einfach so dazwischengeplatzt.«

Die Arme wurde sofort feuerrot, wodurch ihre schlechte Haut noch mehr auffiel. Sie blickte unsicher und trat ungelenk einen Schritt zurück.

»Heike«, entspannt legte Rike ihr kurz die Hand auf den Arm. »Wie geht es dir? Maren, das ist Heike Gerlach, das ist Maren Thiele, meine älteste Freundin, die jetzt wieder auf der Insel wohnt.«

»Ach, Sie sind das.« Jetzt war Heikes Gesicht ganz fleckig und ihre Stimme sehr leise. »Ich habe schon von Ihnen gehört, Sie sind die Polizistin, nicht wahr?«

Erstaunt gab Maren ihr die Hand. »Spricht sich das so schnell rum?«

»Nein, nein«, beim Kichern hielt Heike sich die Hand vor den Mund. »Das hat mir Torben erzählt, also mein

Mann. Er hat Ihnen doch beim Umzug geholfen. Und danach ist das ja leider mit seiner Tante passiert. Also mit Elisabeth. Und da hat er Sie ja schon wieder getroffen. Ja, die Insel ist eben doch klein.«

Sie kicherte wieder und wandte sich an Rike. »Ich habe vorhin schon in der Praxis angerufen, ich habe ganz vergessen, dass heute ja Samstag ist. Und ich brauche ein Rezept. Aber da muss ich wohl Montag kommen, oder?«

Rike nickte. »Ich kann dich aber gleich ganz früh dazwischenschieben. Ansonsten musst du in die Klinik fahren. Wenn es dringend ist.«

»Nein, nein«, winkte Heike ab und schob sich eine dünne Haarsträhne aus dem verschwitzten Gesicht. »Ich komme Montag ganz früh. Also, dann einen schönen Tag.«

»Ja, dir auch. Und grüß Torben.«

»Der ist dauernd unterwegs.« Sie ließ ihre Blicke zwischen Maren und Rike wandern. »Er hat so viel zu tun. Aber wenn ich ihn sehe, dann sage ich es ihm. Wiedersehen.«

Sie hob schüchtern die Hand und ging.

»Was war denn das?«, fragte Maren erstaunt und folgte ihr noch mit Blicken. »Das ist Torbens Frau? Die habe ich mir ganz anders vorgestellt.«

»Ja, die Arme.« Rike sah in dieselbe Richtung. »Sie ist so unsicher. Und dann diese Haut und die Haare. Sie taucht auch nie irgendwo auf, sitzt fast nur zu Hause. Aber sie ist seit zwanzig Jahren mit Torben verheiratet. Und findet ihn immer noch toll.«

»Bedauernswert«, Maren schüttelte mitleidig den Kopf. »Glaubst du, dass Torben treu ist?«

»Solange er Sina nicht sieht«, antwortete Rike achselzuckend. »Keine Ahnung. So, ich muss jetzt aber los, wir sehen uns heute Abend!«

Ein lauer Samstagabend,
an dem man nur aus der Ferne Fetzen von Musik hört

Der aufdringliche Parfümgeruch stieg ihm sofort in die Nase, als er den Flur betrat. So, wie es roch, waren alle Kleidungsstücke, die übereinander an der Garderobe hingen, damit getränkt. Er schüttelte sich, atmete flacher und stieg die Treppe nach oben. Im ersten Zimmer stand ein antiker Schreibtisch, die Schubladen waren nicht ganz zugeschoben. Ein Bündel Geldscheine war zu sehen, er griff danach und steckte sie in seine Jackentasche. Dann schlenderte er langsam durch die anderen Zimmer. Es sah genauso aus wie erwartet. Das ganze Haus war vollgestopft mit geschmacklosen, aber teuren Dingen. Nichts davon würde viel Geld bringen, wenn man es verkaufte, eigentlich konnte man das ganze Zeug nur an den Straßenrand stellen und hoffen, dass sich Geschmacksverirrte erbarmen würden. Das Schlafzimmer wurde von einem Himmelbett dominiert, es sah aus wie in einem orientalischen Puff. Auf der Fensterbank lag achtlos jede Menge Schmuck, ein paar Armbänder, Ketten, Ohrringe, zwei Uhren. Eine der Uhren war eine Rolex, er ließ sie in die andere Jackentasche gleiten. Auf einer Kommode stand eine ganze Batterie von Parfümflaschen, er schob sie langsam mit dem Arm von der Platte, zwei Flakons gingen kaputt, als sie auf dem Holzboden landeten. Er schob die Scherben mit dem Fuß zur Seite, als er zum Kleiderschrank ging und die Tür aufschob. Kleider, Jacken,

Blusen, alles durcheinander, nichts sortiert, vollgestopft bis oben hin. Auf der anderen Seite lag die Unterwäsche, mit spitzen Fingern griff er danach und ließ sie auf den Boden fallen. Ganz unten lag eine Mappe, er nahm sie heraus und sah hinein. Sein Gesicht verzog sich, es waren erotische Aufnahmen der Hausherrin, anscheinend professionell gemacht, trotzdem fand er sie grausam. Welke Haut, roter Lippenstift, knappe Dessous, eines der Bilder steckte er an den großen Spiegel. Der Fotograf war doch bestimmt viel zu teuer gewesen, als dass man diese Kunstwerke unten im Schrank vergammeln lassen sollte.

Als er im Badezimmer den Medikamentenschrank inspizierte, hörte er plötzlich ein Geräusch und hielt den Atem an. Sehr langsam richtete er sich auf und lauschte. Die Haustür wurde geöffnet, jemand kam mit schnellen Schritten durch den Flur und die Treppe hinaufgelaufen. Hohe Absätze knallten auf das teure Holz, jetzt waren sie ganz nah. Er lehnte sich eng an die Wand und atmete ruhig weiter. Die Schritte hielten an der Tür zum Schlafzimmer, er hörte einen Schrei, jetzt hatte sie wohl die Unterwäsche auf dem Boden gesehen. Hysterische Ziege, sie hörte gar nicht auf zu schreien. Er schloss die Augen und wartete ab. »Nein, nein, nein«, keifte sie. »Welcher Idiot …? Ich bring dich um …, was soll ich …? Verdammt …«

Sie trat gegen die Tür oder den Schrank, für einen kurzen Moment herrschte Ruhe, dann kamen die Schritte näher, gingen am Badezimmer vorbei und zurück zur Treppe. Sie würde die Polizei rufen, das hatte er im Gefühl. Das ging aber nicht. Als er die Tür plötzlich aufstieß, schrie sie wieder kurz auf. Dann weiteten sich ihre Augen. Zunächst erschrocken, dann erleichtert. »Du?«, fragte sie. »Wie bist du denn …?« Als sie seinen Gesichtsausdruck bemerkte, verstummte sie und bewegte sich langsam rückwärts in Richtung Treppe. Er folgte ihr im kleiner werdenden Abstand, ohne etwas zu sagen. Ihr Blick ging an ihm vorbei, dann zurück zur Treppe. Jetzt stand er vor ihr, sehr nah, direkt an der Treppe. Ihr Parfümgeruch hüllte ihn ein, ihm wurde schlecht. Sie beugte ihren Kopf nach hinten und sah ihn mit halb geschlossenen Augen an. »Was willst du von mir?«

Er dachte an die Fotos aus dem Schrank und musste fast lachen. Sie musste es gespürt haben, ihr Gesicht verzerrte sich, sie holte Luft. Bevor sie anfangen konnte zu schreien, hatte er sie an den Oberarmen gepackt. Sie wehrte sich, wandt sich, zappelte, er wollte sie ja gar nicht anfassen, nicht festhalten, also spannte er sich an und ließ sie plötzlich los. Nach einem kleinen Stoß. Einem ganz kleinen.

Mit dem Rucksack unter dem Arm ging er langsam die Treppe runter. Sie lag noch halb auf der Treppe, halb auf dem Flur, durch den Sturz hatte sich ihr Rock hochgeschoben, aus Ohr und Nase liefen blutige Rinnsale. Ihre Augen waren offen, der Blick wie der einer Puppe. Er betrachtete sie von oben. Manchmal war man einfach zur falschen Zeit am falschen Ort.

Die Haustür war nur angelehnt, der Schlüsselbund steckte von außen. Er zog ihn ab, schloss die Tür sorgfältig und verließ das Haus so, wie er gekommen war: durch die aufgehebelte Terrassentür. Draußen blieb er einen Moment stehen, sah sich um, holte tief Luft und warf die Schlüssel in einem hohen Bogen über das Grundstück. Dann lächelte er.

Derselbe Abend,
immer noch laue Luft, aber lautere Musik

Maren beugte sich zu Rike und deutete auf die Uhr. »Es ist halb zehn, wenn du deinen Traumtypen nicht verpassen willst, solltest du mal in Richtung Eingang gehen.«

Rike nickte mit betonter Lässigkeit. Kein Mensch musste mitkriegen, dass sie im Begriff war, vor einem Treffen mit einem Mann, den sie kaum kannte, ihre Nerven zu verlieren. »Ja, danke, ich sehe mich mal nach ihm um. Bleibst du hier stehen?«

»Ja«, Maren grinste sie an. »Ich bin viel zu neugierig, um mich von der Stelle zu bewegen. Hoffentlich ist der Wundermann pünktlich. Bis gleich.«

»Hey«, die Stimme ertönte so unvermittelt, dass Maren zusammenzuckte. »Da steht sie und lächelt.«

»Robert«, Maren fuhr herum und sah zuerst ihn und dann Katja Lehmann. »Ihr seid ja auch da.«

»Sehr gut beobachtet«, antwortete er und stellte sich dicht neben sie. »Man merkt sofort deine Ermittlererfahrung.« Er streckte Rike die Hand entgegen. »Hallo, ich bin Robert Jensen. Und das ist meine Kollegin Katja.«

»Freut mich«, Rike musterte erst beide, dann ihn neugierig. »Rike Brandt. Ich habe schon viel von dir gehört.« Sie ignorierte Marens zornigen Blick und lächelte. »Ich muss schnell nachsehen, ob meine Verabredung schon eingetroffen ist, wir sehen uns, bis gleich.«

Sie sahen ihr nach, wie sie mit langen Schritten zum Eingang lief, und Maren wünschte sich, sie könnte einfach hinterherlaufen, weg von Robert und ihrem Durcheinander im Kopf.

»Robert, ich hole uns schon mal ein Bier, okay?« Katja Lehmann musste sich näher zu Robert beugen, um die Musik zu übertönen. »Bleiben wir hier?«

Maren fühlte einen Stich, als sie die beiden zusammen betrachtete. Katja Lehmann war nicht nur hübsch und nett, sie war auch fünfzehn Jahre jünger als Maren. Und sie fand Robert allem Anschein nach toll, das war überhaupt nicht zu übersehen. Maren warf einen kurzen Blick auf Robert, der in Zivilkleidung noch viel besser aussah als in Uniform, und jetzt sagte: »Ich komme gleich nach, geh schon mal vor.« Dann wandte er sich wieder an Maren. »Ich finde das super, dass du hier bist. Vielleicht stimmt der beginnende Sommer dich ja etwas milder und du trinkst nachher was mit mir?«

»Ich bin mit Rike hier. Und ich bleibe nicht so lange, weil ich morgen Frühdienst habe. Und du hast ja eine Begleitung. Also, viel Spaß.«

Es gibt Momente, in denen man sich selbst nicht leiden kann. So ein Moment war dieser. Maren fühlte sich falsch, bekam sich nicht sortiert und sagte Dinge, die sie gar nicht sagen wollte. Robert schien das nicht zu merken. Statt sich einfach auf dem Absatz umzudrehen, beugte er sich nach vorn, strich ihr sanft mit dem Daumen über die Wange und sagte leise: »Sei doch nicht immer so stachelig, ich weiß, dass du was anderes denkst, wir sehen uns.« Erst dann ging er.

Sie sah ihm entgeistert hinterher. Es war unmöglich, sie wollte noch nicht einmal daran denken. Er war zu jung, ein zu schlechter Autofahrer, dazu noch ein Kollege, und trotzdem träumte sie immer noch von der Nacht mit ihm. Aber was sollte es bringen? Im September war er wieder weg, während sie blieb. Was sollte das denn werden? Eine Fernbeziehung? Sie wollte ja eigentlich überhaupt keine Beziehung. Und schon gar nicht mit jemandem, der so jung war. Sie würde einfach genauso weitermachen wie in den letzten Tagen. Ihm aus dem Weg gehen. So gut es ging. Und …

»Maren?« Unbemerkt war Rike zurückgekommen und tippte ihr leicht an die Schulter. »Das ist meine Freundin Maren Thiele, das ist Andreas von Wittenbrink.«

»Oh«, sofort sprang Maren auf und streckte ihre Hand aus. »Freut mich.« Erst dann sah sie ihn richtig an. Er war groß, wirkte sympathisch, gute Figur, stilvolle Kleidung – aber er war alt. Viel zu alt. Mindestens fünfzig! Verblüfft fragte sich Maren, was Rike an ihm fand. Sie riss sich zusammen, bemühte sich um ein Lächeln und sagte: »Das freut mich. Ich …, ich wollte gerade etwas zu trinken holen, soll ich Ihnen was mitbringen? Rike, dir auch?«

»Das übernehme ich«, er legte die Hand kurz auf Rikes Rücken. »Was möchtet ihr?«

»Ein Bier bitte, Maren, du auch?«

Maren schüttelte den Kopf. »Ein Wasser«, dann schob Andreas sich durch die Menge in Richtung Bar. »Was ist?« Rike beugte sich zu Seite. »Du guckst so komisch.«

»Ich habe ihn mir jünger vorgestellt«, antwortete Maren. »Der ist doch mindestens Anfang fünfzig.«

»Ja, und?« Rike runzelte die Stirn. »Sag mal, was hast du eigentlich für ein Problem mit dem Alter? Robert ist dir zu jung, Andreas zu alt – meinst du wirklich, das Alter ist so kriegsentscheidend?« Sie schüttelte genervt den Kopf. »Du machst dir das Leben wirklich schwer. Apropos, wo ist dein Robert denn?«

Maren winkte ab. »Mit Katja abgezogen. Es tut mir leid, ich wollte dir nicht den Abend versauen. Es war nicht so gemeint, also, das mit seinem Alter. Aber er sieht sympathisch aus.«

Der Kommentar sollte als Schadensbegrenzung wirken, Rike ging auch nicht näher darauf ein, sondern ließ ihre Blicke suchend über die Menschenmenge wandern. »Ist es so voll an der Bar? Ach, ich sehe ihn. Und da ist auch Robert. Jetzt kommen sie beide.«

Tatsächlich tauchte Robert mit Handy am Ohr direkt hinter Andreas auf, der zwei Bier- und eine Wasserflasche zwischen den Fingern balancierte. Robert steckte das Handy weg und beugte sich zu Maren. »Ich hoffe, du hast noch nichts getrunken, wir haben einen Einsatz.«

»Was?« Erstaunt sah sie ihn an. »Ich habe keinen Dienst. Was soll das?«

»Komm«, er zog sie mit sich. »Alles Weitere auf dem Weg.«

Auf dem Weg zum Ausgang drehte Maren sich noch mal zu Rike um, doch die hatte nur noch Augen für Andreas. Der allerdings hob den Kopf und sah Maren über Rikes Kopf hinweg an.

Katja Lehmann stand schon an ihrem Auto. Als sie Maren und Robert entdeckte, öffnete sie sofort die Tür und stieg ein. »Los, beeilt euch«, rief sie ihnen zu. »Runge hat noch mal angerufen, er gibt uns zehn Minuten.«

»Was, zum Teufel ...«, begann Maren, wurde aber von Robert unsanft in den Wagen geschoben, den Katja sofort startete.

»Runge hat einen Anruf aus Flensburg bekommen«, erklärte er, während er sich auf dem Beifahrersitz anschnallte. »Ein Rockerclub plant anscheinend eine Störaktion auf der Insel. Sie sind mit dem letzten Autozug angekommen, Runge befürchtet, dass sie das Sommerfest hier oder das Hafenfest in List aufmischen wollen. Alle verfügbaren Kollegen müssen aufs Revier. Höchste Alarmbereitschaft.«

Maren lehnte ihren Kopf an die Scheibe. Und das auf dieser friedlichen Insel.

»Gehen wir ein Stück? Irgendwie wird es mir hier zu laut«, Andreas hatte sich sehr nah an Rike gelehnt, sie roch sein Aftershave und spürte sofort erhöhten Pulsschlag.

»Gern.«

Sie drängten sich an den Besuchern vorbei und erreichten endlich den Parkplatz, weit genug weg von den dröhnenden Bässen und dem lauten Stimmenwirrwarr.

»Herrlich«, Andreas atmete tief durch. »Ich glaube, ich bin zu alt für diese Musik und diesen Geräuschpegel. Hast du Lust, noch irgendwo in Ruhe etwas trinken zu gehen?«

In diesem Moment sah Rike die Blaulichter von mehreren Wagen auf der nahe gelegenen Straße. Sie zuckte zusammen. »Was ist da denn los?«

Andreas hob die Schultern. »Vielleicht musste deine Freundin deshalb so schnell weg. Die suchen wohl jemanden.«

Skeptisch schüttelte Rike den Kopf. Sie war davon ausgegangen, dass Robert etwas von Maren wollte und sie deshalb mitgezogen hatte. Rike hatte nichts von dem, was er zu Maren gesagt hatte, verstanden. Und es hatte sie auch nicht sehr interessiert. Stattdessen war sie nur damit beschäftigt gewesen, endlich mal wieder verliebt zu sein.

»Da muss was passiert sein«, bemerkte sie jetzt. »Das sieht nach Großaufgebot aus.«

Andreas legte einen Arm um sie. »Das steht morgen

in der Zeitung«, sagte er beruhigend. »Wir rufen uns ein Taxi, fahren zurück nach Westerland und suchen uns irgendeine ruhige Bar. Du kannst deine Freundin ja morgen fragen, was das für ein Einsatz war.«

Unsicher verharrte Rike in ihrer Bewegung, dann spürte sie den leichten Druck seiner Hand. Und gab sich diesem Gefühl hin. Nichts außer ihnen war im Moment wichtig.

Maren gähnte, als sie sich unbeobachtet fühlte, und streckte ihren Rücken durch. Es war kurz vor eins, in ein paar Stunden würde ihr regulärer Dienst beginnen, und wenn Robert jetzt ohne Neuigkeiten zurückkam, würde sie hier im Stehen einschlafen. Bis auf ein paar betrunkene junge Frauen, die anscheinend einen Junggesellinnen-Abschied feierten, und einer letzten Clique in der Bootshalle waren keine Auffälligkeiten zu beobachten. Es war den ganzen Abend tote Hose gewesen, sie wollte nicht darüber spekulieren, ob das Ganze einfach falscher Alarm gewesen war, aber sie hatten hier nicht ein einziges Motorrad gesehen. Geschweige denn eine Rockertruppe, die die Insel aufmischen wollte.

Robert kam mit langen Schritten über den Platz gelaufen und sprach in sein Funkgerät, bevor er zu ihr kam. »Wir brechen ab«, sagte er. »In Rantum gab es auch keine Störungen und hier ist gleich sowieso Schluss. Benni und Katja sind schon los. Wir fahren zurück aufs Revier.«

Maren gähnte noch einmal und nickte. »Gut. Besser so als anders. Dann lass uns mal fahren.«

Sie ging an ihm vorbei, er hielt sie fest. »Warte mal«, sagte er leise. »Ich wollte dir noch was sagen.«

»Ja?« Maren blieb stehen und wartete. Robert heftete seinen Blick auf sie, beugte sich runter und küsste sie. »Das«, meinte er. »Und da du heute Nacht nicht ganz so unfreundlich bist, könnten wir jetzt noch was trinken gehen. Ich muss das ausnutzen, du machst ja freiwillig keinen Dienst mehr mit mir.«

»Ich habe gleich Dienst«, Maren hielt seinem Blick stand. »Frühdienst. Vergiss es.«

»Nein«, entgegnete er lächelnd. »Das werde ich nicht tun. Ganz und gar nicht. Verschieben vielleicht, aber auf keinen Fall vergessen. Komm, ich fahre dich nach Hause und schreibe dann noch den Bericht. Dafür kannst du dich gern bei nächster Gelegenheit revanchieren.«

Rike stützte sich auf ihren Ellenbogen, um Andreas besser ansehen zu können. Sein Gesicht war entspannt, er atmete langsam und sehr regelmäßig. Vorsichtig strich Rike mit ihrem Zeigefinger über seine Wange, spürte die Bartstoppeln, fuhr über seine Lippen, seine Ohren. Er wachte nicht auf, drehte seinen Kopf nur ein bisschen mehr zu ihr. Sie nahm die Hand weg und betrachtete ihn verwundert. Hatte sie das wirklich gemacht? Mit einem Mann geschlafen, den sie kaum kannte, mit dem sie erst ein paar Stunden verbracht hatte, aber der sie so anzog, dass ihr komplettes Inneres sich in Auflösung befand? Sie hatte. Und sie würde es sofort wieder tun. Ihr Blick fiel auf den Wecker, es war fast fünf. Und Sonntag. Sie könnte also theoretisch noch stundenlang hier liegen und diesen Mann anschauen. Und sich immer weiter freuen. Und in einer Glücksblase schwimmen, weil er ihr einfach so über den Weg gelaufen war.

Die ganze Nacht war wie ein kitschiger Popsong gewesen. Erst das Fest, dann die Bar in Westerland, der Spaziergang auf der Promenade, bewaffnet mit einer Flasche Wein, die sie in der Bar viel zu teuer gekauft und mitgenommen hatten. Der Strandkorb, in dem plötzlich sein Gesicht ganz nah war, die Küsse, die Unlust, diesen Abend zu beenden, und später die Fortsetzung bei ihr. Es war alles so unwirklich.

Sie hatten auch geredet, viel sogar, aber Rike hätte gar nicht mehr genau sagen können, worüber sie gesprochen hatten. Er war Surfer, das erinnerte sie noch, hatte in Hamburg studiert und war schon lange in diesem Architekturbüro. Seine Eltern lebten nicht mehr, er hatte auch keine Kinder und keine Frau. Das waren die einzigen Informationen gewesen, die Rike wirklich haben wollte. Keine Kinder, keine Frau. Das hatte sie behalten.

Er drehte sich plötzlich auf die Seite und stöhnte. Sie strich mit dem Finger beruhigend über seinen nackten Rücken, die Atemzüge wurden wieder ruhig.

Behutsam schlüpfte sie aus dem Bett und lief auf Zehenspitzen ins Badezimmer. Als sie auf der Toilette hockte, fiel ihr ein, dass sie immer noch nicht wusste, was Maren zu dem übereilten Aufbruch getrieben hatte. Sie würde es ihr schon erzählen. Falls sie sich überhaupt sehen würden. Im Moment konnte sie sich gar nicht vorstellen, dass Andreas gleich gehen könnte. Und hoffte, dass sie den ganzen Sonntag in diesem Bett bleiben würden. Vorsichtig schob sie sich unter die Decke und presste sich an seinen Rücken. Im Schlaf zog er ihre Hand vor seinen Bauch, Rike schloss glückselig die Augen.

Charlotte musterte die Auswahl ihrer Tischdecken mit kritischem Blick, bevor sie sich für eine cremefarbene entschied. Sie war sehr edel, jetzt musste sie nur noch die passenden Kerzenleuchter vom Boden holen, dann konnte sie sofort zu Onno fahren. Er hatte sie gestern Abend angerufen und sie verlegen gefragt, ob sie ihm vielleicht aus der Klemme helfen könne. Er habe doch Helga Simon zum Essen eingeladen, und sie hätte doch so ein gemütliches Haus, deshalb würde sie bestimmt auch Tischdecken und Kerzen und so was mögen, das hätte er aber alles gar nicht. Und jetzt wollte er Charlotte fragen, ob sie ihm vielleicht behilflich sein könnte. Er würde so gern alles ein bisschen hübsch machen. »Weißt du«, hatte er gesagt. »Wenn Karl zum Essen kommt, dann ist ja die Tischdekoration nicht so wichtig, der will ja nur satt werden, aber die Frau Simon …, also, du weißt schon, was ich meine, oder, Charlotte?«

Sie wusste es natürlich. Nach Gretas Tod hatten Inge und sie Onno geholfen, Gretas Kleidung auszusortieren. Onno hatte sie darum gebeten, nachdem er in seiner Trauer zuerst die gesamte Tisch- und Bettwäsche weggegeben hatte. So sinnlos das damals gewesen war, hatte ihn das schon völlig überfordert. Charlotte sah immer noch sein trauriges Gesicht vor sich, es hatte ihr fast das Herz zerrissen.

Und jetzt wollte er wieder Tischdecken, es war so schön. Und deshalb hatte sie auch noch ein paar Ranunkeln aus dem Garten gepflückt und eine passende Vase rausgesucht. Wenn Onno schon nach all den Jahren mal wieder ein Rendezvous hatte, dann musste man auch dazu beitragen, dass es schön wurde. Dafür waren schließlich Freunde da. Sie war ganz gerührt, dass Onno sich solche Mühe machte, Heinz wäre da nie drauf gekommen. Der hätte einfach den Topf mitsamt einem alten Holzbrett mitten auf den Tisch gestellt. Dieses Getue mit Tischdecke fand er ja immer überflüssig.

Dabei fiel ihr ein, dass er noch anrufen wollte, um ihr zu sagen, mit welchem Zug sie in Westerland ankommen würden. Das hatte er noch gar nicht gemacht. In diesem Moment klingelte das Telefon. Na bitte, nach jahrzehntelanger Ehe hatte man eben telepathische Fähigkeiten.

»Guten Morgen, Charlotte, hast du schon mit Heinz gesprochen?«

»Hallo, Inge, nein, ich dachte, er wäre es jetzt.«

Ihre Schwägerin setzte sich am anderen Ende in den Sessel neben dem Telefon. »Er hat vorhin bei dir angerufen, hat Walter gesagt. Aber du bist nicht drangegangen. Er hat aber nicht auf den Anrufbeantworter gesprochen.«

»Das macht er nie.« Charlotte klemmte sich den Hörer zwischen Ohr und Schulter, um die Tischdecke vorsichtig in eine Tüte zu schieben. »Er hat Angst vor seiner eigenen Stimme, falls er es selbst abhören muss.«

»Und deswegen ruf ich dich jetzt an.« Inge räusperte sich und fuhr dann bedeutsam fort: »Sie kommen nämlich heute nicht zurück. Christine hat sich, und jetzt reg dich nicht auf, soll ich an dieser Stelle sagen, irgendein Band im Knie gerissen. Jetzt kann sie nicht Auto fahren und läuft mit so einer Krücke durch die Gegend und …«

»Es heißt Gehhilfe«, korrigierte Charlotte und strich die Tüte glatt. »Und worüber soll ich mich aufregen?«

»Hörst du mir überhaupt zu? Du sollst dich *nicht* aufregen. Darüber, dass dein Kind sich verletzt hat.«

Charlotte hockte sich auf die unterste Treppenstufe und nahm das Telefon ans andere Ohr. »Ein Band im Knie gerissen? Muss das operiert werden?«

»Es kann sein, dass es so zusammen wächst. Mit Glück.«

»Und was wollen Heinz und Walter jetzt dabei machen? Sie durch die Gegend tragen?« So ganz war die Botschaft offenbar noch nicht in ihr Hirn vorgedrungen.

Inge antwortete: »Sie ist jetzt noch mal im Krankenhaus. Sicherheitshalber. Nur, um ganz sicherzugehen, dass sie nicht operiert werden muss. Deshalb hat Heinz hier angerufen. Sie haben beschlossen, erst mal dazubleiben. Damit sie Christine fahren können. Und einkaufen und so. Christine hat ja noch nicht einmal einen Fahrstuhl im Haus.«

»Ach Gott«, jetzt begriff Charlotte erst das Ausmaß. »Ich muss sie nachher gleich anrufen. Das Knie ist ja schon schlimm genug, aber dazu auch noch Walter und Heinz in der Wohnung … Und sie selbst kann nicht weg … Vielleicht fahre ich besser hin.«

Inge protestierte sofort. »Warte mal. Wie soll das denn gehen? Wenn du hinfährst, kommen Heinz und Walter sofort zurück, weil Heinz ja euren Garten nicht so lange allein lässt. Dann ist Heinz allein, ich muss wieder für ihn kochen und alles Mögliche machen, Walter sitzt nur noch bei euch, damit sein Schwager nicht so lange allein ist, und wenn ihnen langweilig wird, wollen sie mit uns ermitteln. Da habe ich überhaupt keine Lust zu.«

»Du redest von deinem Bruder, Inge.«

»Ja eben. Ich kenne ihn ja gut genug. Und sie haben ja

schon mitbekommen, dass Karl sich um die Einbrüche kümmert, da hängen sie sich doch sofort rein.«

Charlotte nickte, obwohl Inge es nicht sehen konnte. »Stimmt. Gibt es denn da was Neues?«

»Ja, deshalb rufe ich auch an. Ich habe Elisabeth gestern Vormittag getroffen. Auf dem Markt. Und sie hat festgestellt, dass beim Einbruch doch noch etwas gestohlen wurde. Nämlich ihre schönste Kette. Die kennst du auch, so eine goldene mit einem Rubinherz. Sie hatte sie nicht im Schmuckkästchen, sondern sie lag in einem Reparaturtütchen vom Juwelier in der Küche. Deshalb hat sie die Kette erst nicht vermisst. Jetzt ist es ihr wieder eingefallen. Das weiß Karl noch gar nicht. Und ich habe sogar noch ein Foto von Elisabeth mit der Kette. Das könnte doch die Zeitung auch abdrucken. Die haben ja sowieso schon berichtet und Zeugen gesucht.«

»Das ist eine gute Idee. Karl wird begeistert sein«, Charlotte zog sich am Treppengeländer hoch. »Ich fahre jetzt zu Onno und bringe ihm Tischdecken und Kerzenständer. Ich komme auf dem Rückweg zu dir.«

»Gut«, Inge machte eine kleine Pause, bevor sie fragte: »Und was machen wir jetzt mit Christine?«

»Ich rufe sie nachher an.« Charlotte überlegte einen Moment. »Und dann werde ich ihr sagen, dass sie da durchmuss. Man wächst an seinen Aufgaben. Und wenn es mit Heinz und Walter überhaupt nicht mehr geht, dann muss ich eben hinfahren. Aber sie soll es erst mal versuchen. Sie hat schon mal einen ganzen Urlaub allein mit ihrem Vater überlebt, sie hat Übung. Das wird sie schon hinkriegen. Also, Inge, bis später.«

Gegen Mittag stellte Karl das Fahrrad am Bahnhof ab und schlenderte langsam über den Platz. Er wollte sich die Sonntagszeitungen holen, dafür musste er eigentlich nicht extra zum Bahnhof fahren, aber das Polizeirevier lag direkt gegenüber. Vielleicht hatte er Glück und traf zufällig einen der ehemaligen Kollegen, die nicht Runges Gehirnwäsche zum Opfer gefallen waren. In einer Stunde war Schichtwechsel, es könnte gut sein, dass der ein oder andere im Zug saß, der gleich eintreffen würde. Eine ganze Reihe der Kollegen wohnte ja auf dem Festland. Er betrat die Bahnhofshalle und durchquerte sie. In der Bahnhofsbuchhandlung stand eine blonde Frau hinter der Kasse, die erfreut den Kopf hob, als sie Karl erkannte. »Herr Sönnigsen, Sie waren ja lange nicht hier. Wie geht es Ihnen als Pensionär?«

»Frau Schröder, das ist ja nett.«

Während seiner Dienstzeit war Karl zweimal in der Woche hier gewesen, um für Gerda Zeitschriften zu kaufen. Nachdem er in Pension gegangen war, hatte seine Frau die beiden Hefte abonniert. Jetzt kamen sie mit der Post und waren ein weiterer Baustein, sich überflüssig zu fühlen. Karl sah Frau Schröder an. »Zumindest bin ich dabei, es zu lernen. Also das Leben im Ruhestand, das ist gar nicht so einfach. Und meine Frau ist gerade zur Reha in Bayern, sie hat eine neue Hüfte bekommen. Und hier? Wie geht es Ihnen?«

Frau Schröder lehnte sich nach vorn. »Muss ja, nicht wahr? Aber eigentlich wie immer, viel Arbeit, aber das ist besser als zu wenig. Weil ich Sie gerade sehe, was war denn gestern Abend auf der Insel los? Ich bin noch mit dem Hund gegangen und auf dem Weg nach Hause war überall Polizei. Sie kriegen doch bestimmt noch alles mit, was haben die denn gesucht? Das sah ja gefährlich aus.«

Karl war sofort hellwach, blieb äußerlich wie immer gelassen. »Darüber darf ich Ihnen leider nichts sagen,

Frau Schröder, das sind ja laufende Ermittlungen. Aber es wird sicherlich in den nächsten Tagen in der Zeitung stehen. So, und ich muss unser nettes Gespräch jetzt abbrechen, ich habe noch eine ganze Menge auf dem Zettel. Also, schönen Tag noch.«

Als er den Laden verließ, rief sie ihm hinterher: »Wollten Sie nichts kaufen?«

»Nein, nein«, Karl tippte sich an die Schläfe. »Nur mal Guten Tag sagen.«

Im Blumenladen nebenan kaufte er einen kleinen Blumenstrauß und marschierte auf dem direkten Weg ins Polizeirevier. Manchmal musste man auch ein Risiko eingehen.

Als er am Zebrastreifen stand und wartete, dass die Ampel umsprang, stand plötzlich Rike neben ihm. »Hallo, Karl«, sagte sie und deutete auf die Blumen. »Kommt Gerda zurück?«

»Nein«, Karl ließ den Strauß sinken und sah sie verlegen an. »Den wollte ich Maren schenken, sie ist heute genau einen Monat hier.«

»Stimmt das?«, fragte sie skeptisch. »Ich glaube, du hast dich verrechnet. Es sind doch erst drei Wochen.«

»Ach, jetzt sei mal nicht päpstlicher als der Papst.« Karl lächelte den Einwand weg. »Und du? Was machst du hier am heiligen Sonntag?«

Die Ampel sprang auf Grün, Karl zögerte, folgte dann aber doch Rike über die Straße. »Ich wollte auch zu Maren«, antwortete sie. »Sie musste gestern ganz plötzlich weg, ich wollte hören, wie es ihr geht.«

»Das passt ja gut«, abrupt blieb Karl auf der Straße stehen. »Dann kannst du ja ...« Ein Autofahrer, der ungeduldig Zeichen gab, hupte, Rike drehte sich um. »Karl, was machst du denn? Geh doch weiter.«

Sie wartete, bis er, nach einem entschuldigenden Winken Richtung Fahrer, aufgeschlossen hatte. »Was passt gut?«

»Dass du Maren fragen willst, was gestern Abend los war. Das interessiert mich nämlich auch. Aber ich habe ein kleines Problem mit dem blöden Runge, wenn der jetzt auch da ist, könnte das ein großes Problem werden. Also wäre es das Sinnvollste, wenn du mit meinen Blumen zu Maren gehst, sie fragst und mir hinterher alles erzählst. Aber hör mal: Frag genau nach, jedes noch so kleinste Detail ist wichtig.«

Kopfschüttelnd blickte Rike ihn an. »Du mischst dich ein bisschen zu viel ein, oder? Das habe ich schon von Maren gehört. Warum tust du das?«

Karl hielt ihrem Blick selbstbewusst stand. »Erstens, weil ich es muss, und zweitens, weil ich es kann. Die kriegen doch die Einbrüche nicht aufgeklärt, und mittlerweile ist ein Teil meines eigenen Bekanntenkreises betroffen. Also, mach dir keine Gedanken um mich, sondern lieber um die Gefährdung auf unserer Insel. Und jetzt frag sie und komm gleich wieder. Ich warte hier in dem Lokal, dann können wir hinterher zusammen eine Tasse Kaffee trinken. Ich lade dich ein. Bis gleich. Und denk dran, auch die Details.«

Er drückte ihr die Blumen in die Hand, drehte sich auf dem Absatz um und verschwand hinter der Kneipentür.

»Guten Morgen«, Rike blieb vor dem Tresen stehen und wartete, bis der junge Polizist, der am Schreibtisch saß, Notiz von ihr nahm. »Ich möchte zu Maren Thiele, ist sie noch da?«

»Worum geht es denn?« Er griff schon zum Telefon.

»Mein Name ist Rike Brandt, ich bin eine Freundin von Frau Thiele. Es geht auch ganz schnell.«

»Maren, hier ist eine Frau Brandt für dich … okay.«
Er legte den Hörer auf und wandte sich zu Rike. »Sie
kommt.« Dann vertiefte er sich wieder in seine Unterlagen.

»Hey«, nur wenige Sekunden später stand Maren vor
ihr. »Was machst du denn hier? Am Sonntag? Ist was
passiert?«

»Ja, ich …« Rike warf einen Blick auf den jungen Polizisten. »Ich …«

Maren verstand sofort. »Komm eben mit durch. Ich
habe sowieso gleich Dienstschluss, das ist das Angenehme
am Frühdienst, ich muss nur noch einen Bericht zu Ende
schreiben, setz dich doch kurz dazu.«

Sie ging vor in ein Büro, schloss die Tür hinter ihnen
und grinste auffordernd. »Also, erzähl. Wie war es mit
deinem Andreas?«

Rike lehnte sich an die Fensterbank und suchte nach
den richtigen Worten. »Ja, wie war's?« Nach einer kleinen
Pause fing sie an zu strahlen. »Es war super. Ich habe ihn
gerade eben zum Bahnhof gebracht. Er hat morgen in
Hamburg im Büro eine Besprechung und kommt dann
am Mittwoch wieder.«

»Oh«, verblüfft ließ Maren sich auf den Schreibtisch
sinken. »Er hat bei dir übernachtet? Das ging ja schnell!«

»Ja, und es war richtig.« Rike ließ sich die rosa Wolke
nicht kleinreden. »Er ist wirklich das Beste, was ich in
den letzten Jahren getroffen habe. Da bin ich mir ganz
sicher. Ich wusste überhaupt nicht mehr, wie viel leichter das Leben wird, wenn man so voll Gefühl ist. Es
war schade, dass du ihn gar nicht richtig kennenlernen
konntest. Was war denn los? Ich habe mir Sorgen gemacht.«

Maren winkte ab. »Zum Glück war es blinder Alarm.

Runge hatte einen Tipp bekommen, dass ein Rockerclub auf dem Weg war. ›Kutten‹, wie er es ausdrückte. Deshalb gab es Alarm, weil befürchtet wurde, dass sie hier Ärger machen wollten. In Wahrheit handelte es sich lediglich um neun ältere Herren, die Harleys fahren und den fünfundsechzigsten Geburtstag ihres Kumpels heute in dessen Ferienvilla in Keitum gefeiert haben.« Sie verbiss sich ein Grinsen. »Zwei von ihnen waren Richter, sie haben sich sehr verständig bei unseren Kontrollen gezeigt. Runge hat trotzdem den Tippgeber heute Morgen rundgemacht. Hast du sogar beim Abschied Blumen bekommen?«

Rike griff sofort nach dem Strauß, den sie gedankenlos auf die Fensterbank gelegt hatte. »Nein, der ist von Karl für dich. Weil du heute einen Monat hier bist.«

»Das stimmt doch gar nicht«, erwiderte Maren sofort. »Es sind gerade mal drei Wochen. Was wollte er denn in Wahrheit?«

»Wissen, was gestern Abend los war«, Rike zuckte mit den Achseln. »Ich habe ihn an der Ampel hier unten getroffen. Er wollte zu dir, weiß aber genau, dass er das nicht soll. Und dann hat er mich eben geschickt. Mit seinem unnachahmlichen Charme. Und jetzt wartet er in der Kneipe auf meinen Rapport. Mit Details. Was soll ich ihm erzählen?«

»Gar nichts.« Maren stieß sich vom Schreibtisch ab und stellte sich neben Rike. »Du hast nichts aus mir herausbekommen. Ich will doch nicht, dass Karl Ärger bekommt, so langsam macht er mich wahnsinnig.«

»Und die Blumen?«

»Die darf ich nicht annehmen, das sollte Karl eigentlich wissen. Wenn er auf Zack ist, dann schenkt er sie dir. Sag mal, wollen wir besser später telefonieren? Ich werde nämlich gleich abgelöst und muss ja noch diesen Bericht schreiben. Auffahrunfall am Autozug. Das einzige Ereignis heute. Ruhiger Sonntag.«

»Okay, ich melde mich nachher. Bis später.« Rike hob die Blumen zum Gruß und verschwand.

Karl sprang sofort auf, als sie die Kneipe betrat, sich kurz umsah und dann gleich auf ihn zukam. »Und?«, er stützte sich mit den Armen auf den Tisch. »Sag.«

»Nichts«, Rike sah ihn harmlos an. »Sie darf mir nichts sagen und auch keine Blumen annehmen. Was du übrigens wissen solltest. Aber schöne Grüße. Du, ich habe eigentlich keine Zeit für einen Kaffee, ich muss los.«

Karl hatte genervt die Augen gerollt und dabei die Hand ausgestreckt. »Ich sage es dir, der Runge arbeitet mit Gehirnwäsche. Sie darf nichts sagen, pah. Na, gut, irgendwie kriege ich es schon raus. Rike?«

Zögernd betrachtete sie seine ausgestreckte Hand. Förmliche Verabschiedungen waren sonst nicht Karls Art, trotzdem schob sie ihre Hand in seine, er zog sie sofort weg. »Die Blumen«, meinte er knapp. »Maren durfte sie doch nicht annehmen. Dann will ich sie wiederhaben.«

»Also wirklich, Karl«, Rike reichte ihm kopfschüttelnd den Strauß. »Du bist ein richtiger Klotz. Schönen Sonntag noch.«

Verblüfft starrte er ihr hinterher. Manchmal verstand er diese jungen Frauen überhaupt nicht.

Ist das Karl?« Inge schob die Gardine ein Stück zur Seite. »Tatsächlich. Das passt ja gut, dann können wir ihm gleich das Foto von Elisabeth zeigen.«

Sie stand auf und ging mit schnellen Schritten durch den Flur. Bevor er klingeln konnte, hatte sie schon die Haustür geöffnet. »Das trifft sich gut, dass du vorbeikommst«, rief Inge ihm entgegen und beobachtete verwundert, wie er einen Blumenstrauß, der locker in eine Zeitung gewickelt war, mit leichter Gewalt aus dem Gepäckträger befreite. »Es gibt was Neues.«

Auf dem Weg zur Haustür fummelte Karl umständlich das Zeitungspapier ab und reichte Inge den etwas mitgenommenen Strauß. »Bitte, meine Liebe, ein kleiner Sonntagsgruß. Ist das Charlottes Auto? Oder sind eure Männer schon wieder da?«

»Unsere Männer müssen Christine betreuen, die hat sich was im Knie gerissen und kann nicht laufen.« Inge folgte ihm langsam bis ins Wohnzimmer, in dem Charlotte schon an der Tür stand. »Hallo, Karl, wir haben schon versucht, dich zu erreichen, aber du warst ja unterwegs. Was ist denn mit den Blumen passiert?«

»Die waren auf dem Gepäckträger«, Karl legte das zerknitterte Zeitungsblatt auf den Tisch und setzte sich. »Man muss ja auf dem Rad die Hände frei haben. Ich war in Westerland und wollte mit Maren über den Polizeieinsatz gestern Abend sprechen, aber das Gespräch kam nicht zustande. Macht aber nichts, weil ich anschließend am Bahnhof einen jungen Kollegen getroffen habe, der gerade mit dem Zug aus Niebüll zum Dienst kam. Den kannte ich schon, als der noch nicht wusste, dass er mal Polizist werden würde. Der hatte wenigstens einen Funken Loyalität im Leib und hat mir alles erzählt. Stellt euch vor, da sprengt der Runge fast die Geburtstagsfeier eines Fünfundsechzigjährigen, bloß weil das Geburtstagskind, ein sehr wohlhabender Radiologe übrigens, eine Harley Davidson fährt. Das ist doch ein Ding! Anstatt sich um die Einbrüche zu kümmern, ruft Runge alle verfügbaren Kräfte zusammen, weil er glaubt, dass ein verbotener Rockerclub hier Krieg will. Lachhaft. Neun respektable Herren auf Motorrädern, mehr nicht.«

»Na ja«, entgegnete Inge, die mittlerweile eine Vase aus dem Schrank geholt hatte und jetzt auf dem Weg zur Blumenrettung in die Küche war. »Besser eine Kontrolle zu viel als eine zu wenig.«

»Auf wessen Seite stehst du denn jetzt?«, rief ihr Karl hinterher.

»Ich habe das gar nicht mitbekommen«, warf Charlotte ein. »Ich meine: den Polizeieinsatz. Hast du was gesehen? Wo war das denn?«

»Ich habe davon gehört«, antwortete Karl. »Immer aufmerksam durchs Leben, Charlotte, das ist meine Devise.«

Die Blumen sahen auch in der Vase armselig aus, Inge stellte sie trotzdem auf den Tisch. »Bist du mit dem Fahrrad überhaupt am Auto von Frau Holler vorbeigekommen? Charlotte hat es fast geschrammt. Die Holler hat es so blöde geparkt, als wäre sie besoffen gewesen.«

»Tatsächlich?« Karl versuchte, von seinem Platz aus nach draußen zu sehen. »Ist mir gar nicht aufgefallen.

Wenn sie unter Alkoholeinfluss gefahren sein sollte, musst du das melden.«

»Karl«, tadelnd schüttelte Charlotte den Kopf. »Inge verpfeift doch keine Nachbarn, auch wenn sie so unsympathisch sind wie Jutta Holler. Aber geparkt hat sie trotzdem rücksichtslos. Ich habe ihr einen Zettel an die Scheibe gemacht.«

»Der Wagen steht seit gestern Abend da. Wenn der morgen früh nicht umgeparkt ist, dann werde ich bei ihr klingeln. Ich komm so nicht aus der Garage raus, die steht ja mit dem Heck auf meiner Auffahrt.« Inge schnaubte. »Der erzähle ich was. Die hat Glück, dass Walter noch nicht da ist.«

»Jetzt reg dich nicht auf«, beruhigte sie Charlotte. »Erzähl Karl lieber die Idee mit der Kette.«

»Ja, die Kette.« Sofort sprang Inge wieder auf und nahm ein Foto vom Tisch. »Sieh mal, Karl. Das habe ich auf dem letzten Chorball gemacht, Elisabeth Gerlach neben Walter. Und sie trägt hier ihre liebste Kette, siehst du?«

Sie tippte aufgeregt mit dem Zeigefinger auf Elisabeths Dekolleté. »Und jetzt hat Elisabeth festgestellt, dass die Kette seit dem Einbruch verschwunden ist. Was hältst du von der Idee, dass wir das Foto zur Zeitung bringen, damit die das veröffentlichen?«

Karl nahm das Foto in die Hand. »Hat sie das schon der Polizei mitgeteilt?«

»Nein«, triumphierend lächelte Inge ihn an. »Ich habe ihr gesagt, dass ihr das noch nicht einfallen soll, wir würden uns erst mal beraten. Das fand sie gut.«

»Hm.« Karl überlegte, Inge und Charlotte warteten ab. Dann räusperte er sich. »Ich muss erst nachdenken, wie wir mit diesem Indiz umgehen. Ich nehme das Foto mal zu unseren Unterlagen.« Er steckte es sorgsam weg, dann stützte er das Kinn auf die Hand. »Wie findet ihr es denn, dass Onno Alleingänge macht?«

»Was für Alleingänge?« Erstaunt sah Inge ihn an. »Davon weiß ich nichts.«

»Na ja, dieses geheime Treffen mit Helga Simon. Ich weiß gar nicht, was das soll. Wir sind ein Team, das haben wir doch gemeinsam beschlossen, da kann doch nicht einer plötzlich ausscheren. Und ...«

»Karl, bitte«, unterbrach ihn Charlotte. »Das Treffen ist keineswegs geheim, sonst wüsstest du ja gar nicht davon. Und ich gehe nicht davon aus, dass Onno Helga Simon im Zuge unserer Ermittlungen befragt. Die sprechen über ganz andere Dinge.«

»Ach ja? Worüber denn?« Karl sah verständnislos hoch. »Onno weiß doch gar nicht, wie man so ein Zeugengespräch sensibel führt. Seine bisherigen Ergebnisse waren ja nicht so toll, das habt ihr ja gemerkt. Wir würden zu zweit viel mehr herausfinden.«

Inge lächelte erst Charlotte, dann Karl an. »Karl Sönnigsen, du bist auf der falschen Fährte. Es geht nicht um den Einbruch. Es geht um etwas ganz anderes. Hast du Onno nicht angesehen, als er von seinem ersten Treffen mit Helga Simon gesprochen hat? Seine Augen haben geglänzt.«

»Ja, der hat doch Heuschnupfen, da tränen ihm die Augen immer so.«

Seufzend legte Charlotte Karl die Hand auf den Arm. »Ach, Karl. Wie auch immer, möchtest du zum Kaffee bleiben? Ich habe Kuchen mitgebracht. Inge? Sollen wir nicht mal einen Kaffee kochen? Was machst du denn da?«

Inge stand am Fenster, hatte die Gardine zur Seite geschoben und starrte hinaus. »Das ist wirklich unmöglich«, sagte sie laut. »Gerade eben ist ein Mofafahrer fast gegen Jutta Hollers Auto geknallt. Und wenn gleich was passiert, ist es auch noch auf unserem Grundstück. Ich gehe jetzt rüber und sag ihr, dass sie den Wagen wegfahren soll. Diese blöde Ziege. Sie hat nur Glück, dass Walter noch nicht hier ist. Der hätte schon lange einen Abschleppdienst angerufen.«

Sie griff nach ihrem Hausschlüssel und marschierte energisch zum Nachbarhaus.

Inge klingelte erst kurz, dann lang, danach hielt sie den Knopf gedrückt. Es passierte nichts. Sie legte das Ohr an die Tür, aber nicht ein Geräusch war zu hören. Ungeduldig trat sie zurück und ging die drei Stufen wieder hinunter. Jutta Holler war nicht da. Inge zögerte kurz, dann lief sie über den Rasen und umrundete das Haus. Auch hier war nichts zu sehen. Sie ging an den bodentiefen Fenstern vorbei, klopfte an die Scheiben und versuchte, ins Hausinnere zu sehen. Nichts rührte sich. Inge atmete tief durch. Auf der Terrasse entdeckte sie benutzte Gläser, die noch auf dem Tisch standen. So, wie sie es sich gedacht hatte, die Holler hatte mal wieder mit irgendeinem Mann eine wilde Party gefeiert und lag wahrscheinlich immer noch im Bett. Und das Auto versperrte weiterhin Inges Auffahrt. Bis die Gnädigste mal wieder nüchtern war. Vielleicht war die Idee mit dem Abschleppwagen doch nicht so schlecht. Inge wollte sich gerade wieder umdrehen und zurückgehen, als ihr Blick auf die Terrassentür fiel. Sie stand offen. Das Scharnier war verbogen, es sah nicht so aus, wie es aussehen sollte. Inge beschloss, dass sie besser Verstärkung holen sollte.

»Du kannst doch nicht einfach reingehen«, flüsterte Charlotte, die dicht an Karls Rücken klebte.

»Warum flüsterst du denn?«, fragte Karl zurück, wickelte seine Hand in ein Taschentuch und stieß die Terrassentür ein Stückchen weiter auf. »Selbst der Bundespräsident ruft zu Zivilcourage auf.«

»Aber wir können doch nicht gleich hier eindringen«, protestierte Inge schwach.

»Ich dringe nicht ein, ich gehe ordentlich durch die offene Terrassentür ins Haus.« Karl hatte die Tür ganz aufgedrückt. »Ihr bleibt vielleicht doch besser hier stehen.«

Charlottes Stimme war immer noch gepresst. »Sollen wir nicht lieber die Polizei anrufen?«

»Das dauert zu lange.« Karl flüsterte jetzt auch. »Hier ist Gefahr in Verzug.«

Karl durchquerte das Wohnzimmer auf Zehenspitzen und öffnete die Tür zum Flur vorsichtig einen Spalt. Er brauchte nur eine Millisekunde, um das, was er da sah, richtig einzuordnen. Langsam schloss er wieder die Tür und drehte sich zu Charlotte und Inge um, die ihn gebannt anstarrten. »Wir müssen doch die Polizei anrufen. Und die sollten die Kollegen von der Kripo verständigen. Und einen Krankenwagen. Das ist hier nicht nur ein Einbruch.«

Sönnigsen, Sie müssen hier nicht mehr warten, wir haben alles im Griff.« Peter Runge, dessen ungesunde Gesichtsfarbe ein Hinweis für seinen Stressfaktor war, baute sich vor Karl auf. »Sie haben alles zu Protokoll gegeben, haben die Absperrung begutachtet, den Abtransport der Toten gesehen, jetzt können Sie sich auf den Heimweg machen.«

»Herr Runge«, mit verschränkten Armen blieb Karl auf der Bank vor Inges Haus, von wo aus er den besten Blick auf das Holler'sche Grundstück hatte, sitzen. »Ich störe Sie doch gar nicht. Ich besuche lediglich eine alte Freundin, nämlich die Frau Müller, die zufällig in der Nähe eines Tatorts wohnt. Ich sitze hier schön in der Sonne und keinem Menschen im Weg. Sie können mir das nicht verbieten.«

Peter Runge öffnete den Mund und schloss ihn sofort wieder. Er würde sich nicht von diesem sturen Pensionär provozieren lassen, das käme ja überhaupt nicht infrage. Er schnaubte auf, drehte sich auf dem Absatz um und stapfte wütend zum Nachbargrundstück.

»Der platzt gleich«, mutmaßte Inge, die mit einem Glas Eierlikör in der Hand neben die Bank getreten war, und sah ihm hinterher. »Rutsch doch mal, ich will auch was sehen.« Karl machte ihr Platz, ohne den Blick von der Absperrung zu nehmen. »Ich bin gespannt, wer gleich aus

Flensburg kommt«, sagte er. »Ich habe das Gefühl, dass ich heute einen Lauf habe. Dann kenne ich die Kollegen.«

Inge nickte und nippte am Glas. »Willst du wirklich keinen Eierlikör? Im Film brauchen die Zeugen doch immer einen Schnaps. Nach so einer Entdeckung.«

»Ich bin so was gewöhnt. Und Tatorte auch.« Karls Stimme klang abgeklärt. »So schnell haut mich nichts um. Wo ist denn Charlotte?«

»Die kocht Kaffee«, Inge sah ihn an. »Macht dir so was gar nichts aus? Also, ich konnte Jutta Holler wirklich nicht leiden, sie war eine böse Frau, aber wenn man dann hört, dass sie tot ist, fühlt man sich ja doch irgendwie schlecht.«

»Du hast sie doch nicht erschlagen«, antwortete Karl. »Oder? Sag die Wahrheit.«

»Karl. Bist du verrückt? Wenn uns jemand hört.«

»Habe ich was verpasst?« Plötzlich stand Charlotte mit einem Tablett in den Händen vor ihnen. »Lohnt es sich noch, einen Stuhl zu holen, oder sind die drüben fertig?«

»Ich warte noch auf die K Eins und die K Sechs«, sagte Karl und erntete verständnislose Blicke. »Die Spurensicherung und die Mordkommission. Aus Flensburg. Die müssten jeden Moment eintreffen. So lange bleibe ich noch und warte.«

»Dann hole ich mir einen Stuhl«, entschied Charlotte. »Inge, noch ein Eierlikörchen?«

Maren drehte sich langsam auf die Seite, um das Ziffernblatt ihres Weckers erkennen zu können. Sie hatte tatsächlich fast drei Stunden geschlafen. Sie schwang die Beine aus dem Bett und streckte sich. Geweckt hatte sie ihr Hunger. Als sie vorhin vom Dienst nach Hause gekommen war, hatte Onno in seiner Küche gestanden und Gläser poliert. Verlegen hatte er sie begrüßt und gesagt, dass er im Moment keine Zeit für sie hätte. »Du siehst müde aus, Kind«, hatte er gemeint. »Leg dich doch hin, du hast doch jetzt frei. Ich muss hier noch meine Vorbereitungen machen, ich bekomme nachher Besuch.«

»Ach ja, Helga Simon«, hatte Maren gesagt und erstaunt bemerkt, dass ihr Vater rot wurde. »Dann will ich mal nicht stören.«

Er hatte noch nicht mal versucht, sie zu überreden, sich doch einen Augenblick zu setzen und vielleicht eine Tasse Kaffee mit ihm zu trinken. Stattdessen hatte er stumm weiter Gläser poliert.

Jetzt stellte sich Maren ans Fenster und sah auf den Deich. Es war schon seltsam. Sie hatte diese Versetzung beantragt, weil sie der Überzeugung war, dass ihr Vater einsam und unglücklich war und sein Leben ohne ihre Mutter überhaupt nicht in den Griff bekam. Bei ihren Besuchen hatte sie nur die eigenwillige Garderobe und seine stille Art registriert. Hatte sie ihn eigentlich einmal gefragt, womit er seine Zeit verbrachte oder ob er glücklich war? Hatte sie nicht. Sonst wäre sie jetzt nicht so überrascht, dass er mitnichten der einsame alte Mann war, für den sie ihn gehalten hatte. Er war längst Kochclub-König, dafür hatte er sogar einen Pokal bekommen für die besten Tapas – damit hatte er sogar einen Spanier abgehängt, der früher Koch gewesen und erst als Rentner in den Kochclub eingetreten war. Nach dieser Niederlage war der Spanier nicht mehr gekommen. Das hatte Charlotte ihr neulich erzählt. Im Moment übte Onno Sushi. Das war der nächste Wettbewerb, den der Club ausrichtete. Und den Onno gewinnen wollte. Und jetzt auch noch die Einladung an Helga Simon. Maren war nicht klar, inwieweit dieser Abend Karls Idee gewesen war, der immer noch in der polizeilichen Ermittlungsarbeit herumpfuschte, oder ob ihr Vater sich tatsächlich für die freundliche Helga Simon interessierte. Das wollte sie sich heute Abend mal ansehen. Schließlich wohnte sie hier, da lief man sich schon mal über den Weg.

Sie schlüpfte in eine ausgewaschene Sporthose, zog ein nicht ganz sauberes T-Shirt über den Kopf, band sich die Haare zum Pferdeschwanz, die Flipflops lagen noch vor dem Bett, dann schlenderte sie langsam um das Haus herum und blieb erstaunt stehen. Im Garten standen plötzlich ein weißes Zeltdach, darunter ein kleiner Tisch, zwei Stühle, ein Sektkühler, zwei Gläser und ein Strauß Ranunkeln. Langsam ging sie weiter und trat ins Haus. Hier war im Esszimmer gedeckt. Eine cremefarbene Tischdecke, passende Stoffservietten, Kerzenständer, das gute Geschirr und noch ein Strauß Blumen. Maren klappte den Mund wieder zu und ging in die Küche. Onno stand mit Schürze am Herd, es roch so gut, dass Marens Magen laut knurrte. Ihr Vater drehte sich um. »Na? Ausgeschlafen?«

Sie nickte und fragte: »Das sieht aus, als würdest du gleich eine Hochzeit ausrichten. Tischdecken, Blumen, Kerzen, Sektkühler, wer hat das denn alles gezaubert?«

»Ich.« Onno ging auf sie zu und schob sie sanft zur Seite, um an den Einbauschrank zu kommen. »Aber Charlotte hat mir ein paar Sachen geliehen. Du stehst im Weg, setz dich mal hin, da ist auch noch Kaffee in der Kanne.«

Sie folgte der Aufforderung und setzte sich. »Ich habe so einen Hunger. Wenn ich jetzt Kaffee trinke, wird mir übel.«

Etwas ratlos sah er auf sie hinunter. »Hast du nichts mehr im Kühlschrank? Du kannst dir ein Käsebrot machen, was anderes ist jetzt schlecht. Mein Besuch kommt in einer halben Stunde, das gart hier alles auf den Punkt, auf allen Flammen.«

»Dann Käsebrot. Obwohl es hier so gut riecht.«

Onno legte ein Holzbrett, Käse, Butter und zwei Tomaten auf den Tisch, zog ein Messer aus der Schublade und setzte sich dazu. »Soll ich es dir machen?«

Erstaunt sah sie ihn an. »Papa, ein Käsebrot kriege ich gerade noch so hin. Aber danke.«

Er heftete seine Augen konzentriert auf ihr Messer. Als Maren beim Streichen innehielt, hob er den Blick und sagte: »Könntest du mir einen Gefallen tun?«

»Sicher. Was denn?«

Onno verlagerte sein Gewicht auf dem Stuhl und schob ihr die Tomate näher ans Brett. »Also, ich habe …, vielleicht könntest du mal mit nach oben kommen, wegen des Hemdes …?«

»Soll ich es dir bügeln?«

»Nein, nein, das ist alles gebügelt, das mache ich immer sofort. Ich weiß nicht so genau, was zusammen schön aussieht. Also, soll ich eine blaue Hose und ein gestreiftes Hemd anziehen oder lieber das gelbe mit der schwarzen Hose …? Ich kenne mich in so modischen Sachen nicht so gut aus. Wenn du mir dabei helfen könntest, wäre das gut.«

Maren musste sich räuspern. Da saß ihr ernsthafter Vater, von dem sie gedacht hatte, er wäre ein alter, einsamer Mann, hatte zwei Tage gekocht, Tische gedeckt, sich Gedanken gemacht – und alles, was er jetzt brauchte, war Hilfe bei der Auswahl seiner Garderobe. Sie hatte ihn wahnsinnig gern. Entschlossen biss sie von ihrem Käsebrot ab, um Zeit zu gewinnen, kaute, schluckte und sagte dann mit fester Stimme: »Natürlich. Ich esse schnell auf und dann suche ich dir was raus. Du wirst umwerfend aussehen. Frau Simon kann sich auf den Abend freuen. Hoffentlich weiß sie das alles zu schätzen.«

Onno wurde wieder rot, nickte aber mit leichtem Lächeln und stand auf. »Davon bin ich überzeugt. Aber können wir das nicht sofort machen? Sie kommt ja gleich.« Er hatte glänzende Augen.

»Okay.« Maren biss noch einmal ab und folgte ihm. An der Tür drehte er sich zu ihr um und sagte: »Und vielleicht könntest du dich auch ein bisschen hübsch machen. Und kämmen. Du musst ihr nicht in diesen alten Sportklamotten und mit wirren Haaren begegnen. Das macht nicht so einen guten Eindruck.«

»Papa.« Maren ging kopfschüttelnd an ihm vorbei. »Meine Adoption ist dann erst der nächste Schritt. Überstürzt es nicht.«

Karl sprang auf, als er die Frau erkannte, die aus dem dunklen Passat mit Flensburger Nummer ausstieg. »Ich wusste es, ich habe einen Lauf. Das ist die wunderbare Anna Petersen.«

Die blonde, schlanke Frau in Jeans und Lederjacke unterhielt sich mit den Polizisten, die an der Absperrung standen, einer von ihnen hob das Band an und ließ sie durch. Ein weiterer Polizist in Zivil folgte ihr, Karl stand immer noch da und sah begeistert hin.

»Du kennst sie?«, fragte Inge interessiert und reckte den Hals, um an Karl vorbeisehen zu können. »Sieht nett aus. Und die ist Kommissarin? Die ist doch viel zu jung, um Mörder zu fassen.«

»Sie ist eine der Besten.« Karl setzte sich wieder. »Und, ich glaube, ich kann es so sagen, sie hatte immer schon eine Schwäche für mich.«

Inge und Charlotte wechselten einen vielsagenden Blick. »Na dann«, sagte Charlotte. »Ich fahre jetzt trotzdem mal nach Hause. Man sieht ja nicht viel von dem, was da drinnen passiert. Und außerdem müsste einer von uns Onno diese Neuigkeiten erzählen, der weiß noch von nichts.«

»Der hat ja heute was Besseres zu tun.« Karl klang beleidigt. »Wenn wir ihm das morgen erzählen, reicht es auch noch. Und ich gehe jetzt mal rüber und begrüße Anna Petersen. Sie muss mich sowieso als Zeugen befragen.«

Charlotte wartete, bis er die Gartenpforte hinter sich geschlossen hatte. »Manchmal benimmt sich Sherlock wie ein Mädchen. Nur weil Onno ihn nicht mit zum Essen eingeladen hat, ist er jetzt zickig.«

Inge zuckte mit den Achseln. »Er kriegt sich schon wieder ein. Jetzt lenkt ihn erst mal die hübsche Kommissarin ab. Die kommt bestimmt auch noch zu mir, wir sind doch auch Zeugen. Oder? Willst du nicht doch bleiben?«

»Nein.« Entschlossen schüttelte Charlotte den Kopf. »Es ist fast sechs Uhr. Ich will gleich mal Heinz anrufen und fragen, was mit Christines Knie ist. Er hat bestimmt schon versucht, mich zu erreichen, ich war ja den ganzen Tag unterwegs. Wir können nachher telefonieren. Also, bis dann.«

Sie ging langsam zur Pforte und drehte sich noch mal um. »Und heute Morgen haben wir uns noch aufgeregt, weil Jutta Holler ihren Wagen so blöde geparkt hat. Da darf ich gar nicht drüber nachdenken.«

»Dann lass es.« Inge hob die Hand. »Trink noch einen Eierlikör. Und, Charlotte?«

»Ja?«

»Erzähle den Männern lieber noch nichts. Sonst machen sie sich Sorgen.«

Sie winkte ihrer Schwägerin hinterher und ging nachdenklich zurück ins Haus. Charlotte hatte ja recht. Es war gruselig. Da lag Jutta Holler tot in ihrem Haus, und sie hatten ahnungslos nur ein paar Meter weiter gesessen. Und über die Einbrüche geredet wie über eine spannende Fernsehserie. Und jetzt war das Böse so nah herangekommen. Mit einer Toten. Inge bekam eine Gänsehaut und blieb im Flur stehen. Ob Sina schon Bescheid wusste? Auch wenn Jutta Holler eine unmögliche Person gewesen war, sie war trotzdem Sinas Mutter. In Filmen gaben sich die Polizisten immer Mühe bei der Überbringung schlechter Nachrichten, hoffentlich war es im echten Leben genauso. Inge beschloss, auf Karl zu warten, um es mit ihm zu besprechen. Und außerdem war ihr noch etwas eingefallen, was sie ihm unbedingt mitteilen musste. Und das am besten, bevor die hübsche Kommissarin sie befragen würde.

»So, und jetzt gehe ich in meine Wohnung und sehe mir einen Krimi an«, sagte Maren unter dem eigens aufgebauten, romantischen Zeltdach und stellte ihr leeres Glas vorsichtig auf die schöne Tischdecke. »Ich wünsche einen guten Appetit und einen schönen Abend.« Sie hatte keine Ahnung, was genau ihr Vater hier gemixt hatte, aber diese zwei Gläser hatten es in sich gehabt. Vielleicht wollte er Helga Simon willenlos machen. Maren unterdrückte ein albernes Kichern.

»Ach, essen Sie nicht mit uns?«, fragte Helga Simon erstaunt. »Obwohl es in der Küche riecht wie in einem Sternerestaurant? Da entgeht Ihnen aber bestimmt etwas.«

»Maren hat schon gegessen«, beeilte sich Onno zu sagen, nicht ohne seiner Tochter einen drohenden Blick zuzuwerfen. »Sie kann das späte Essen nicht so gut vertragen. Empfindlicher Magen.«

»In Ihrem Alter?« Helga Simon sah Maren unsicher an. »Und dann sehen Sie sich abends Krimis an? Ich mag keine Toten im Fernsehen.«

»Besser im Fernsehen als während der Dienstzeit«, antwortete Maren und stand auf. Sie schwankte ein bisschen. Als sie Helga Simons erschrockenes Gesicht sah, ergänzte sie: »War ein schlechter Witz, ich bin Polizistin. Entschuldigung. Es hat mich gefreut, Sie kennenzulernen, Frau Simon. Bis bald mal.« Sie streckte ihr die Hand entgegen, Helga Simon hatte einen festen Händedruck und ein sympathisches Lächeln. »Ja, bis bald, Maren. Und Ihnen auch einen schönen Abend.«

»Ja, wir können dann auch ins Haus gehen«, kürzte Onno die Verabschiedung ab. »Ich habe hier nur den Aperitif geplant. Helga?«

Er reichte ihr den Arm, verblüfft sah Maren ihnen hinterher und wurde unsanft von einem ankommenden Auto gestört, das den Kies auf der Einfahrt beim Bremsen hochspritzen ließ. Und dann auch noch hupte.

Sie fuhr herum, wollte diesem Idioten zurufen, dass er gerade einen romantischen Moment zerstört hatte, weil auch Helga und Onno sofort stehen geblieben waren, um zu sehen, welcher Trottel da plötzlich aufgetaucht war, als sie das Auto erkannte. Und auch den aussteigenden Fahrer. Sie hätte gleich beim Bremsmanöver darauf kommen können: Robert.

Maren wandte sich an ihren Vater und Helga, Onno hatte Robert schon lächelnd gegrüßt und seinen Weg fortgesetzt. Erstaunt ging Maren ihrem Kollegen entgegen. »Was machst du denn hier? Und wieso hat Benni dir seinen Wagen geliehen? Weiß der, wie du Auto fährst?«

Robert sah gut aus in seiner Jeans und der Wildlederjacke. Maren schloss kurz die Augen und versuchte, an etwas Unangenehmes zu denken. Ihr fiel so schnell nichts ein. Ärgerlich. Sie öffnete die Augen, er stand jetzt dicht vor ihr und sah immer noch so gut aus. Und er roch ganz wunderbar. Wenn er jetzt auch noch das Richtige sagen würde, hätte sie unter Umständen ein Problem. Ein großes Problem.

»Sei froh, dass du heute Frühdienst hattest«, sagte er statt einer Begrüßung. »Hast du es schon gehört?«

»Dass ich Frühdienst hatte? Ja.« Maren ging einen Schritt zurück, um einen Abstand zu schaffen, der sie nicht auf komische Gedanken brachte. »Woher weißt du überhaupt, wo ich wohne?«

»Dein Vater hat es mir gesagt. Letzte Woche, als er mich zum Essen eingeladen hat. Während wir beide ja immer noch keinen Termin ausgemacht haben.«

»Mein ... Vater?« Maren musste sich verhört haben. »Zum Essen? Dich? Warum?«

»Das ist doch jetzt egal.« Robert hatte den Abstand wieder verringert und behielt seine ernste Miene. »Ich wollte dir nur kurz mitteilen, dass wir gestern Abend einen weiteren Einbruch hatten. Es war dasselbe Muster, allerdings mit einem Unterschied: Es gibt eine Tote.«

»Wann und wo? Und wer ist die Tote?« Maren war zu sehr Polizistin, als dass sie sich von unnötigen, privaten Dingen vom Wesentlichen ablenken ließ. Und sie fühlte sich sofort fast nüchtern. »Komm rein.«

Kurz danach saßen sie sich in Marens Wohnzimmer gegenüber. Robert hatte alles inspiziert: den hellen Holzboden, auf dem sich zwei Ledersofas gegenüberstanden, den kleinen Kachelofen, das helle Bücherregal, die antike Kommode, auf der ein großes Bild von Greta stand, hatte die Fensterbänke vor den Sprossenfenstern registriert, die üppigen Pflanzen darauf und die bunten Flickenteppiche. »Du hast es wirklich schön hier«, sagte er anerkennend. »Passt zu dir, alles sehr nordisch. Nordisch gemütlich, nicht unbedingt nordisch unterkühlt.« Er heftete seinen

Blick auf Maren, sie zwang sich, ihm nicht auszuweichen. »Also, schieß los. Was ist passiert?«

»Du kennst alle Beteiligten«, antwortete Robert. »Deshalb wollte ich es dir selbst erzählen. Das Opfer heißt Jutta Holler.«

Maren zog hörbar die Luft ein. »Scheiße. Ich bin mit ihrer Tochter Sina zur Schule gegangen.«

»Ja, ich weiß«, nickte Robert. »Das hat mir Karl erzählt.«

»Karl? Wieso Karl? Was hat der denn schon wieder mit dem Fall zu tun?«

»Er hat die Tote gefunden. Und die Kollegen angerufen.«

»Nein!« Fassungslos starrte Maren ihn an. »Das glaube ich jetzt nicht. Wie hat er das denn hinbekommen? Wann war denn das genau?«

»Heute Mittag. Er war bei der Nachbarin zu Besuch. Inge Müller. Und die hatte gerade Besuch von ihrer Schwägerin, Charlotte Schmidt. Frau Müller hat sich geärgert, weil Jutta Holler ihren Wagen halb bei Müllers auf der Auffahrt geparkt hat. Deshalb ist sie rübergegangen, hat dabei die aufgehebelte Terrassentür gesehen und Karl geholt. Und der hat dann die Tote gefunden. Und uns alarmiert.«

Maren biss sich auf die Unterlippe. Karl, Charlotte und Inge. Da fehlte nur noch ihr Vater, und die Clique war komplett. Zum Glück hatte Onno heute ja was anderes zu tun gehabt. »Warst du mit am Tatort?«

Robert nickte. »Die Kripo ist auch gleich mitgefahren, Karl hat am Telefon ja schon genaue Anweisungen erteilt. Wir haben alles abgesichert, und dann kamen nach fünf Minuten schon die Schaulustigen. Die mussten wir auch noch in den Griff bekommen. Bis auf Karl und seine beiden Chorschwestern ist es uns auch gelungen. Nur die drei blieben auf der Bank vor Frau Müllers Haus sitzen und sahen die ganze Zeit zu.«

Maren stöhnte, sie hatte das Bild vor sich. Insgeheim bedankte sie sich bei Helga Simon, sonst wäre ihr Vater auch dabei gewesen. »Na ja, viel konnten sie ja hinter der Absperrung nicht sehen. Aber dafür ist Karl sicher ein guter Zeuge?«

»Und wie.« Robert grinste. »Zumal eine Anna Petersen von der Flensburger Mordkommission die ermittelnde Kommissarin ist. Und Karl kennt sie von früher. Er ist sofort auf sie los, und sie hat sich tatsächlich gefreut, ihn zu sehen. Natürlich auch, weil er ein so guter Zeuge ist. Sie haben sich für heute Abend zum Essen verabredet. Als Runge das mitbekommen hat, ist er fast kollabiert.«

Maren rieb sich die Stirn. »Wie ist Jutta Holler denn gestorben?«

»Die Leiche wird noch obduziert. Aber allem Anschein nach ist sie die Treppe runtergestürzt. Es sieht nach Genickbruch aus, wir müssen aber auf den Bericht warten.«

»Vielleicht hat sie den Einbrecher überrascht?«

Robert zuckte mit den Achseln. »Wie gesagt, der Bericht kommt morgen. Jetzt ermitteln die Flensburger.«

»Und Karl«, entfuhr es Maren, die sich dafür auf die Lippe biss.

»Wieso ermittelt er?« Robert sah sie erstaunt an.

Maren hielt seinem Blick lange stand. Dann zog sie ihre Beine auf die Couch. »Du kennst ihn ja nicht. Aber wenn Karl rein zufällig mit sämtlichen Betroffenen der Einbrüche Kaffeetrinken geht, sie an ihren Arbeitsplätzen belästigt oder sie im Krankenhaus besucht, dann macht er das nicht, weil er Vater Teresa ist, sondern weil er das Gefühl hat, dass wir keine Ahnung von Ermittlungsarbeit haben. Und weil er Runge für unfähig hält. Ich habe ihm schon hundertmal gesagt, dass er den Blödsinn lassen soll, aber er denkt gar nicht dran. Und jetzt ist er auch noch Zeuge. Das wird furchtbar.«

»Aber er mag Anna Petersen«, erinnerte sie Robert. »Und er hält sie für eine der Besten, das hat er mir vorhin gesagt. Dann überlässt er ihr doch sicher die Ermittlungen?«

Maren zog äußerst skeptisch die Augenbrauen hoch. »Das …«

Ein lautes Klopfen an der Haustür unterbrach sie. Maren stand auf, um zu öffnen, Onno stand mit einer Flasche Rotwein vor ihr. »Ist dein Besuch noch da?«

»Ja.« Einen kurzen Moment war sie versucht, ihm zu erzählen, was sie gerade erfahren hatte, sie konnte sich gerade noch zurückhalten. Er gehörte schließlich auch zu den Hobbydetektiven. Aber vielleicht war er gerade deswegen da. Und Karl, Inge und Charlotte waren schon auf dem Weg. »Was gibt es denn?«

»Nichts.« Onno lächelte und schwang die Flasche. »Wir haben zu viel Rotwein, und ich dachte, vielleicht möchtest du mit deinem netten Kollegen noch ein Schlückchen trinken?«

»Wie bitte?«

»Rotwein«, Onno wiederholte das Wort langsam. »Wenn Menschen, die sich mögen, zusammensitzen, dann trinkt man manchmal ein Glas Rotwein zusammen.«

Robert war unbemerkt hinter sie getreten. Maren zuckte zusammen, als sie plötzlich seine Stimme hörte. »Guten Abend, Herr Thiele, ich wollte gerade wieder los.«

»Aber warum denn? Ich dachte, Sie besuchen meine Tochter. Und die Essenseinladung steht ja auch noch aus. Was halten Sie denn von morgen Abend? Ich wollte Sushi machen, mögen Sie das?«

»Papa, was, um alles …«

»Sehr gern«, Robert beugte sich nach vorn, um Onno die Hand zu schütteln. Der drückte ihm sofort die Flasche Wein in die Hand.

»Ja, dann bis morgen. Und ein schönes Glas Rotwein könnt ihr auch noch trinken. Versuchungen sollte man nicht widerstehen, man hat keine Ahnung, wann sie wiederkommen. Schönen Abend noch.«

Er drehte sich auf dem Absatz um und ging. Maren schluckte eine Antwort runter, während Robert ihr die Hand auf die Schulter legte und sie sanft zu sich drehte. »Komm«, sagte er leise. »Das ist doch eine gute Gelegenheit, einiges zwischen uns zu klären.«

Ergeben schloss sie die Tür und folgte ihm zurück ins Wohnzimmer.

Robert verteilte den Rest der Flasche auf ihre beiden Gläser. Er hatte Maren mit keinem Wort unterbrochen, keine Frage gestellt, keine Kommentare abgegeben. Er hatte einfach nur zugehört. Und Maren hatte ohne Punkt und Komma erzählt. Unsortiert und so, wie es ihr gerade einfiel. Von Henry und seinem Betrug, vom Tod ihrer Mutter, von ihrer Rückkehr auf die Insel, von der armen Gudrun, die nichts mehr von ihr wissen wollte, nachdem sie den viel zu jungen Christoph kennengelernt hatte, nur weil sie Angst hatte, er würde Maren anbaggern, womit sie auch recht haben sollte, genau das war nämlich bei einer zufälligen Begegnung der drei passiert, von Onno, von Karl und seinen Ermittlungen, von ihrem Herzklopfen beim Seminar und dem Schock, als sie am nächsten Tag Roberts Geburtsdatum gesehen hatte, von Anna Petersen und Katja Lehmann, die altersmäßig besser zu ihm passen würde und vermutlich sowieso in ihn verknallt war, von Helga Simon und den glänzenden Augen ihres Vaters und dem Cocktail, den er vorhin gemixt hatte und auf den jetzt dieser Rotwein geflossen war.

Ihr Monolog wurde von einem schweren Schluckauf beendet.

»Du musst an etwas Schönes denken«, empfahl ihr Robert. »Dann geht er weg.«

»Klug… Scheißer«, war Marens hicksende Antwort, selbst der Rotwein nützte nichts. Sie schloss die Augen und versuchte, sich auf etwas Schönes zu konzentrieren, und als Robert sich vorbeugte, um sie zu küssen, war der Schluckauf beendet.

Maren hielt die Augen geschlossen, auch als der Kuss immer länger dauerte und Roberts Hand sich plötzlich auf ihrem Bauch befand. Als er sich kurz von ihr löste, murmelte sie: »Schieb es auf den Alkohol, mein Problem mit deinem Alter ist nicht gelöst.«

»Muss es ja auch nicht«, antwortete er leise, bevor er sie wieder küsste. »Darum kümmern wir uns später.«

»Das lässt sich nicht lösen.« Ihre Augen blieben geschlossen, ihre Haltung entspannt. »Das kannst du vergessen.« Gleichzeitig legte sie ihre Hand um seinen Nacken und zog ihn näher zu sich heran.

Maren stand auf, als die blasse, ganz in Schwarz gekleidete Sina das Revier betrat. »Sina. Es tut mir sehr leid.« Sie ging auf sie zu und blieb unschlüssig vor ihr stehen. Dann legte sie ihr kurz die Hand auf den Arm.

»Danke.« Sina lächelte gequält. Ihre Stimme war belegt. »Ich bin …, ich soll mich bei Frau …, ich habe den Namen vergessen, melden.« Unvermittelt schluchzte sie und drückte sich ein gebrauchtes Taschentuch vor den Mund. »Entschuldigung, aber ich …« Sie verstummte, während ihr die Tränen in die Augen stiegen. »Es ist so …«

»Furchtbar«, half Maren. »Ich weiß. Ich bringe dich zu Frau Petersen, sie leitet die Ermittlungen. Möchtest du einen Kaffee? Oder ein Wasser?«

Sina schüttelte den Kopf. »Nein. Ich möchte nur wissen, was passiert ist.« Sie folgte Maren durch den Flur, bis zu einem Besprechungszimmer. Maren klopfte kurz, bevor sie die Tür öffnete. Anna Petersen erhob sich sofort und kam ihnen entgegen. Maren deutete auf Sina. »Das ist Sina Holler, Sina, das ist Hauptkommissarin Anna Petersen.«

»Mein Beileid, Frau Holler.« Annas Händedruck war fest, Sina sah sie nur kurz an, dann liefen schon wieder die Tränen. »Danke«, schluchzte sie. »Was ist denn genau …?«

Behutsam schob Anna Petersen sie in Richtung eines Stuhls. »Setzen Sie sich doch. Ich weiß, dass es für Sie schwierig ist, aber wir müssen Ihnen einige Fragen stellen. Meinen Sie, dass Sie das schaffen?«

Langsam setzte Sina sich, wischte die Tränen weg und nickte. »Es geht schon.« Sie warf einen flehenden Blick auf Maren, die an der Tür stehen geblieben war. Anna Petersen folgte dem Blick und sagte: »Frau Thiele, ich hätte Sie gern dabei.«

Etwas erstaunt wartete Maren, bis Anna Petersen auf einen Stuhl neben sich deutete. Ohne lange Vorrede wandte sie sich dann an Sina. »Frau Holler, wann haben Sie denn das letzte Mal mit Ihrer Mutter gesprochen?«

Sina faltete die Hände auf dem Tisch und antwortete leise: »Am Freitag. Gegen Abend. Ich habe sie angerufen, um ihr zu sagen, dass ich am nächsten Wochenende komme.«

Anna nickte. »Und hat Ihre Mutter irgendetwas Ungewöhnliches erzählt? Ist ihr etwas aufgefallen? Fühlte sie sich zum Beispiel beobachtet?«

Sina überlegte, dann schüttelte sie den Kopf. »Ich …«, sie stockte, dann schluchzte sie wieder auf und sagte: »Ich weiß immer noch nicht, was genau passiert ist. Die Polizisten in Hamburg haben mir nur gesagt, dass es einen Unfall mit Todesfolge oder so ähnlich gegeben hat. Und dass bei uns eingebrochen wurde. Mehr weiß ich auch nicht.« Ihre Stimme war lauter geworden. Die Tränen liefen wieder.

Anna Petersen wechselte einen kurzen Blick mit Maren. Die beugte sich vor und fragte: »Sina, möchtest du nicht doch einen Kaffee oder ein Glas Wasser?«

Sina schüttelte den Kopf. »Nein. Ich will nur wissen, was passiert ist.«

Anna Petersen nickte. Dann sagte sie: »Ihre Mutter hatte ihren Wagen so geparkt, dass das Heck auf der Ausfahrt der Nachbarn stand. Frau Müller wollte Ihre Mutter bitten, den Wagen wegzufahren. Auf ihr Klingeln wurde nicht geöffnet, und beim Rundgang um das Haus hat die Zeugin dann die offene Terrassentür gesehen. Sie hat zwei Bekannte, die bei ihr zu Besuch waren, dazu geholt. Und die haben Ihre Mutter dann leblos unten auf der Treppe aufgefunden.«

Sina schluchzte laut auf.

Anna Petersen sah sie unverwandt an und schob ihr ein Päckchen Taschentücher hin. »Geht es?«

»Ja. Danke.« Sina nickte schwach und räusperte sich. »Woran ist sie denn gestorben?«

Anna Petersen zog eine schmale Akte näher zu sich und schlug sie auf. »Die Todesursache ist vermutlich ein Genickbruch, den sich Ihre Mutter beim Sturz zugezogen hat. Sie war allem Anschein nach sofort tot. Allerdings sind dem Gerichtsmediziner Hämatome an den Oberarmen aufgefallen, es liegt also im Bereich des Möglichen, dass dieser Sturz kein Unfall war. Das wird aber noch näher untersucht. Inwieweit dieser Sturz mit dem Einbruch in ihrem Haus im Zusammenhang steht, das werden die weiteren Ermittlungen ergeben.« Sie hob den Blick von der Akte. »Der Todeszeitpunkt liegt am Samstag zwischen achtzehn und neunzehn Uhr.«

Sina schlug die Hände vors Gesicht. »Samstag schon?« Sie schluchzte laut. »Und dann liegt sie da auch noch die ganze Nacht ...«

Maren stand auf. »Ich hole dir ein Glas Wasser.«

Benni sah hoch, als Maren die Küche betrat. »Und«, fragte er. »Wie geht es ihr?«

»Schlecht«, Maren nahm ein Glas aus dem Schrank. »Die klappt uns gerade völlig zusammen.«

»Na ja«, Benni hob die Schultern. »Es ist ja auch schrecklich. Kennst du sie eigentlich?«

»Ich bin mit ihr zur Schule gegangen.« Sie zog eine Wasserflasche aus dem Kasten und ging wieder zur Tür. »Ach, übrigens, falls Karl hier nachher noch als Zeuge auftaucht: Ich muss ihm noch was sagen.«

Benni sah sie unbewegt an. »Er war schon hier. Um acht. Brachte belegte Brötchen, damit wir in Ruhe ermitteln können, jetzt ginge es ja um Mord, und deshalb sollen wir keine Zeit vertrödeln, indem wir uns beim Bäcker in die Schlange stellen. Und er wollte seiner Anna schnell Guten Morgen sagen.«

»Seiner Anna?«

»Ja. Seiner Anna. Die kennen sich von früheren Fällen, und sie hat offenbar noch nicht so richtig überrissen, was es mit seiner Einmischung auf sich hat. Allerdings hat Runge sofort nach Karls Besuch um ein Vieraugengespräch mit ihr gebeten, man ahnt ja, worum es da ging. Das Ergebnis hat sich aber noch nicht rumgesprochen.«

Maren stöhnte auf, dann schüttelte sie den Kopf. »Ich werde wahnsinnig. Ich muss zurück.«

Im Besprechungsraum hatte sich Sina inzwischen beruhigt und mit einem dankbaren Blick das Wasser getrunken. Anna Petersen wartete einen Moment, dann überflog sie ihre Notizen.

»Ihre Mutter hat sich Ihnen gegenüber also nicht anders als sonst geäußert. Und auch nichts von neuen Bekanntschaften oder seltsamen Begegnungen erzählt. Ihr ist demnach nichts Besonderes aufgefallen. Hatte sie eigentlich einen Lebenspartner?«

Sina zog die Augenbrauen hoch. »Nein. Sie wollte nach dem Tod meines Vaters keinen neuen Mann, hat sie mal gesagt. Allerdings hatte sie ständig irgendwelche ... Kurzaffären. Sie ist ..., war ja sehr attraktiv. Und lebenslustig. Und vermögend. Aber es war nie etwas Ernsthaftes dabei.«

»Aha. Wissen Sie denn, ob es in der letzten Zeit jemanden gab?«

»Ja. Einen Karsten. Den Nachnamen weiß ich aber nicht. Er hat wohl eine Wohnung in Kampen, ist Architekt und kommt aus Berlin. Und er fährt einen weißen Porsche. Mehr kann ich Ihnen nicht sagen. Ein Schmierlappen, übrigens, aber das waren die meisten.« Sie biss sich auf die Lippe.

»Kennen Sie den Freundeskreis Ihrer Mutter? Gibt es Kollegen, beste Freundinnen?«

»Meine Mutter hatte keine Freunde.« Sina nahm sich ein neues Taschentuch und wischte sich wieder über die Augen. »Sie war lieber für sich. Und Kollegen hatte sie keine, sie hat ja nie gearbeitet. Brauchte sie ja auch nie.«

Jetzt liefen ihr wieder Tränen übers Gesicht. Maren beugte sich nach vorn und wollte ihr Wasser einschenken, Sina legte die Hand über das Glas.

»Nein, danke. Wie viele Fragen haben Sie denn noch? Ich würde jetzt gern nach Hause. Ich kann nicht mehr.«

Anna wechselte einen Blick mit Maren und schob ihre Notizen zur Seite. »Wir können an dieser Stelle erst mal aufhören, Frau Holler, ich kann verstehen, dass das schwer für Sie ist. Einer der Kollegen wird Sie nach Wenningstedt fahren. Ich gebe Ihnen meine Karte, und wenn Ihnen noch etwas einfällt, dann können Sie mich jederzeit anrufen.« Sie schob eine Visitenkarte über den Tisch, die Sina in ihre Tasche schob.

»Danke«, sagte sie leise. »Ich möchte lieber mit dem Taxi fahren, nicht mit einem Polizeiwagen. Ich gehe rüber zum Bahnhof, da stehen ja genug.«

»Kann ich verstehen.« Maren stand langsam auf. »Ich bringe dich raus.«

Dankbar lächelte Sina sie an, dann gab sie Anna Petersen die Hand und ging langsam zur Tür.

»Ach, Frau Thiele?«

Maren drehte sich an der Tür um und sah Anna Petersen fragend an. »Ja?«

»Kommen Sie bitte gleich noch mal zurück. Ich müsste kurz mit Ihnen sprechen.«

Maren nickte und folgte Sina zum Ausgang. Kurz danach kehrte sie in den Besprechungsraum zurück. Anna Petersen hatte mittlerweile zwei Tassen und eine Thermoskanne Kaffee auf den Tisch gestellt. Als Maren wieder vor dem Tisch stand, deutete Anna auf den Stuhl. »Setzen Sie sich, Frau Thiele, ich wollte ein paar Dinge mit Ihnen besprechen.«

Gespannt ließ Maren sich auf den Stuhl sinken. Anna rührte in ihrem Kaffee und lächelte sie offen an. »Ich komme gleich zur Sache. Was ist denn hier im Revier eigentlich los? Ich war gestern Abend mit Ihrem Patenonkel Karl essen, wir kennen uns seit meinen Anfängen bei der Kripo, und ich habe immer viel von ihm gehalten. Er hat mir von dieser Einbruchsserie erzählt. Und heute Morgen hatte ich ein seltsames Gespräch mit Polizeihauptkommissar Runge, der sich über Karl und seine angeblichen Einmischungen beschwert hat. Ich würde jetzt gern alles geordnet und ohne Emotionen hören. Gibt es Ihrer Meinung nach einen Zusammenhang zwischen den Einbrüchen und dem Tod von Jutta Holler? Und was haben wir an Erkenntnissen über die anderen Einbrüche?

Ich habe hier die Akten, vielleicht können Sie mir mal sagen, wieso Karl Sönnigsen so auf die Ermittlungsarbeit der Kollegen schimpft?«

Maren warf einen Blick auf die Akten, dann sah sie Anna Petersen an. »Wie soll ich das am besten erklären? Ich bin ja erst seit drei Wochen hier und habe das alles selbst noch nicht so richtig verstanden.«

»Karl ist Ihr Patenonkel und hat Sie ein paar Mal erwähnt. Sie wären neben Benni Schröder die Einzige, die in der Lage ist, komplizierte Zusammenhänge und kriminelle Gefahren zu sehen und aufzudecken. Dieses Revier sei führungslos, ideenlos und ständig auf der falschen Spur. Das sind harte Vorwürfe, finde ich, was sagen Sie denn dazu?«

Maren schluckte. Was sollte sie jetzt sagen, ohne schlecht über Karl oder auch ihren Chef zu reden? »Ja, also«, fing sie zögernd an. »Karl ist ja noch nicht so lange pensioniert und hat vielleicht noch Probleme mit dem Loslassen. Das kann ich auch verstehen, aber er kann sich natürlich mit seinem neuen Status als Zivilist nicht in laufende Ermittlungen einmischen. Er ist schließlich nicht mehr der Revierleiter, daran muss er sich aber noch gewöhnen.«

»Runge hat sich über Karl beschwert«, entgegnete Anna. »Nicht nur bei mir, sondern auch in Kiel. Ich mag ihn, also Karl, und ich will nicht, dass er Schwierigkeiten bekommt. Anscheinend hat er tatsächlich auf eigene Faust Befragungen bei den Einbruchsopfern durchgeführt. Dabei wurde er auch noch von irgendwelchen Freunden unterstützt. Das geht natürlich nicht. Das habe ich ihm auch gesagt. Er wollte mir aber nicht sagen, wer ihn bei seiner Detektivarbeit begleitet.« An dieser Stelle machte sie eine Pause und lächelte Maren harmlos an. Dann wurde sie wieder ernst. »Haben Sie eine Ahnung, wer hier noch so ermittelt?«

Maren deutete ihren Gesichtsausdruck richtig. »Also, ich bin es nicht«, stellte sie fest. »Allerdings ist mein Vater Karls bester Freund. Ich habe ihn gewarnt. Mit sehr viel Nachdruck. Und mit Karl kann ich gern auch noch mal reden. Aber wenn ich noch etwas sagen darf?«

Anna nickte.

»Polizeihauptkommissar Runge übertreibt vielleicht ein wenig. Es ist nicht so, dass Karl hier dauernd herumschnüffelt und alle von der Arbeit abhält. Und die Androhung des Hausverbotes fanden wir alle etwas übertrieben. So schlimm ist er ja gar nicht.«

Anna lächelte. Sie schob ihren Stuhl zurück und stand auf. Unvermittelt streckte sie ihre Hand aus. »Ich heiße Anna«, sagte sie beiläufig. »Und ich habe auch nicht angenommen, dass du gegen Vorschriften verstößt. Aber wir sollten ein Auge auf Karl und seine Freunde haben. Es muss ja nicht sein, dass so etwas die ganze Atmosphäre auf dieser Dienststelle belastet.«

»Klar, das habe ich schon richtig verstanden.« Maren ergriff Annas Hand. »Heute Abend macht mein Vater Sushi. Eine Premiere, bisher hat er nur geübt. Neben Karl sind auch Inge Müller und Charlotte Schmidt eingeladen. Falls du Lust hast, um acht?«

Zur selben Zeit,
ein Dorf weiter

Inge ging langsam den Weg zur Pforte entlang und bemühte sich, im Nebenhaus etwas zu erkennen. Es war aber nichts zu sehen, alle Fenster und Türen waren geschlossen. Vermutlich war Sina Holler noch gar nicht da. Oder sie durfte noch nicht ins Haus.

Inge schloss den Briefkasten auf und entnahm ihm die ›Sylter Zeitung‹. Eine kleine Meldung fiel ihr sofort ins Auge: »Erneuter Einbruch – diesmal mit Todesfolge«. Das wusste sie ja bereits. Jetzt würde sie sich einen Kaffee machen, die Zeitung lesen und auf heute Abend warten. Da waren sie bei Onno eingeladen, er wollte was Besonderes machen, und Karl konnte alle auf den neuesten Stand bringen. Er hatte ja zum Glück einen engen Draht zu der Kommissarin, Inge war schon sehr gespannt.

Sie legte die Zeitung auf den Küchentisch, bevor sie die Kaffeemaschine vorbereitete. In Bezug auf die Zeitung war es eigentlich ganz schön, dass Walter nicht da war. Inge las nämlich am liebsten den Regionalteil, den wollte Walter aber auch immer als Erstes. Und weil Inge friedliebend war, fing sie deshalb mit dem Blick in die Welt an, um erst danach die dann meistens marmeladenfleckigen Regionalseiten zu bekommen. Jetzt konnte sie es so machen, wie sie wollte. Mit einem Lächeln und noch im Stehen strich sie die Nachrichten der Insel glatt und schnappte nach Luft. Mitten auf der Seite prangte ein Foto von dem Mann, den Inge vor dem Haus von Jutta Holler gesehen hatte. Eindeutig. Sie erkannte ihn sofort wieder. Obwohl er seinen schönen Mantel nicht trug. Sie überflog den Text unter dem Bild und holte das Telefon. Bei Karl meldete sich nur der Anrufbeantworter, dasselbe passierte bei Charlotte. Auch Onno ging nicht ran. Verärgert legte Inge den Hörer wieder auf die Station. Was war das denn für eine Haltung? Keiner war da, dabei wusste man doch aus den Fernsehkrimis, dass gerade die ersten Stunden nach den Taten bei der Aufklärung die wichtigsten waren. Und was machte die Ermittlungsgruppe? Sie waren alle unterwegs und nicht erreichbar. Nicht zu fassen!

Zehn Minuten später trommelte Inge unruhig mit den Fingern auf dem Zeitungsausschnitt. Das war doch jetzt eine brandheiße Spur! Sollte sie die Polizei anrufen? Ihr Blick blieb auf der Eierlikörflasche haften, die noch vom gestrigen Tag auf der Arbeitsplatte stand. Kurz entschlossen goss sie sich ein kleines Glas ein und trank. Und es half tatsächlich. Inge kam zu der Überzeugung, dass es ein Fehler wäre, jetzt überstürzt zu handeln und die Arbeit ihres Ermittlungsteams in Gefahr zu bringen. Sie lächelte, weil sie es in Gedanken so gut und in Karls Sinn formuliert hatte. Stattdessen würde sie heute Abend bei Onno diesen Zeitungsartikel aus der Tasche ziehen und die anderen damit schwer beeindrucken. Und dann wäre sie die Heldin. Zufrieden mit dieser Vorstellung, spülte sie das Glas aus und stellte es auf die Arbeitsplatte. Beim Blick aus dem Fenster überlegte sie, ob die Beamten wohl die Terrassentür repariert hatten, nicht, dass gleich der nächste Einbruch stattfinden würde. Das fiel unter Nachbarschaftshilfe, fand sie, es machte ihr ja keine große Mühe. Sie griff nach ihrem Schlüssel und verließ das Haus.

Langsam lief sie auf dem gepflasterten Weg zum Holler'schen Haus. Vorn sah alles verschlossen aus, die Absperrung hatten sie schon wieder entfernt. Anscheinend konnte man das Haus jetzt wieder betreten, Inge war gespannt, wann Sina ankommen würde. Vielleicht könnte sie ihr ein Stück Kuchen rüberbringen, immerhin war ihre Mutter ermordet worden. Inge nahm sich vor, freundlich zu Sina zu sein, schließlich war das Kind jetzt Vollwaise. Das war ja auch nicht schön.

Sie überquerte den Rasen und betrachtete die Rückseite des Hauses. Alle Fenster waren verschlossen, auch die Terrassentür war notdürftig repariert. Sie umrundete das Haus, stellte nichts Auffälliges fest und ging langsam zurück. Die vertrockneten Hortensien von Jutta Holler sahen schlimm aus, Inge widerstand der Versuchung, sie zu gießen. Das ging sie ja nun wirklich nichts an. Überhaupt müsste der gesamte Garten mal in Ordnung gebracht werden. Walter regte sich jeden Sommer darüber auf. Er behauptete, dass das Unkraut, das in ihrem Garten auftauchte, einzig und allein aus dem Holler'schen Garten zu ihnen hinüberkroch. Inge sagte nie etwas dazu. Stattdessen freute sie sich, dass ihre eigenen Pflanzen so schön wuchsen.

Auch jetzt ging sie stolz an ihren üppigen Hortensien vorbei. Walter, der sich ständig über die Umweltsünden auf der Insel aufregen konnte, kippte massenweise Blaukorn in die Beete. Deswegen waren die Hortensien auch so groß, und nicht, wie Walter behauptete, weil er mit den Pflanzen redete. Was er unter Reden verstand: Vor einigen Wochen hatte sie ihn beobachtet, wie er die Hortensien anpöbelte, weil Borussia Dortmund verloren hatte. Unverdient. Da war Blaukorn vielleicht doch die sanftere Lösung.

Sie blieb einen Moment vor dem Rosenbeet stehen und besah sich die Knospen. Plötzlich bemerkte sie ein Glitzern im Beet. Sie trat ein Stück vor und spähte unter die Rosen, die übrigens auch dringend mal gegossen werden sollten. Irgendetwas lag da, was nicht dort hingehörte. Erst dachte sie an ein Stück Alufolie oder Metall, und als sie sich bückte, um an den Gegenstand zu gelangen, erkannte sie es. Es war ein Schlüsselbund, an dem ein Anhänger glänzte. Ein kleiner Schutzengel aus Kristall, der neben drei Schlüsseln und einem silbernen »J« hing. J wie Jutta. Inge richtete sich langsam wieder auf. Sie hatte einen richtigen Lauf, das war schon wieder ein Mosaiksteinchen, das wichtig für die Ermittlungen werden würde. Sie griff in ihre Jackentasche, holte etwas daraus hervor, womit sie die Schlüssel aus dem Beet fischen konnte. Dieser Schutzengel hatte ja nicht besonders viel genützt. Konnte er auch nicht, wenn er hier lag. Wie immer er da hingekommen war. Nur gut, dass wenigstens einer der Ermittler hier eine so gute Arbeit leistete. Karl würde begeistert sein.

In ihrem Haus klingelte das Telefon. Inge beeilte sich, ins Haus zu kommen. Es wurde auch Zeit, dass einer von ihnen zurückrief, ihr war es ganz egal, ob Karl, Charlotte oder Onno, aber mit all diesen neuen, wichtigen Erkenntnissen konnte sie ganz schlecht bis heute Abend warten.

»Na, endlich«, rief sie ins Telefon und riss sich sofort zusammen, als sie die Stimme erkannte.

»Ingelein, es tut mir leid, ich konnte nicht früher anrufen, hier herrschten Chaos und Besorgnis.«

»Warum Besorgnis?« Inge ging langsam mit dem Telefon ins Wohnzimmer. »Muss Christine jetzt doch operiert werden?«

»Nein«, antwortete Walter. »Das wohl nicht. Aber es ist auch so schlimm genug. Sie kann ja gar nicht gehen. Nicht mal zum Einkaufen. Humpelt nur durch die Gegend und wird immer gleich unwirsch. Aber jetzt ist sie gerade noch mal zum Arzt gefahren. Mit einer Freundin. Sie wollte nicht, dass wir mitkommen. Wahrscheinlich möchte sie ihren Vater schonen. Heinz ist ja so sensibel.«

Heinz sensibel. Und Christine unwirsch. Inge hatte grenzenloses Mitleid mit ihrer Nichte. Christine stellte sich nie an, zumindest nicht, wenn es um Schmerzen ging. Sie konnte da einiges aushalten. Aber ihren Vater und ihren Onkel in der Wohnung, die wahrscheinlich alles vom Sofa aus kommentierten, das war eine ganz andere Nummer. Der nächste Satz von Walter war die Bestätigung. »Sie lässt sich auch gar nichts sagen. Ich wollte ihr in aller Ruhe die richtige Handhabung der Gehhilfen zeigen, ich kann das ja und ich fand, es sieht bei ihr komisch aus. Aber sie hört ja gar nicht zu.«

Inge war verwundert. »Du bist doch noch nie mit Gehhilfen gelaufen.«

»Doch.« Walters Antwort kam prompt. »Als Charlotte ihre Knie-Operation hatte, haben wir sie doch in der Reha besucht, da habe ich das mal probiert.«

»Du hast die Handgriffe mit Schaumstoff umwickelt, weil Charlottes Hände wehtaten.«

»Ja. Und danach musste ich es selbst ausprobieren.«

»Walter.« Inge stöhnte auf. »Du kannst nicht mit Gehhilfen laufen. Zum Glück brauchtest du das auch noch nie. Was willst du Christine denn erzählen? Da wäre ich an ihrer Stelle auch unwirsch.« Sie machte eine kleine Pause. Dann fragte sie vorsichtig: »Was war noch?«

»Ach«, sie sah seine ausweichende Miene direkt vor sich. »Wir haben die eine oder andere kleine Reparatur in der Wohnung vorgenommen. Da hat es ein paar Missverständnisse gegeben. Ist auch egal. Und bei euch? Was gibt es Neues?«

»Nichts«, sagte Inge schnell. »Alles wie immer.«

»Aber wir haben hier im Internet die ›Sylter Zeitung‹ gelesen. Da stand doch wieder was von einem Einbruch. Mit Todesfolge. Hast du nichts davon gehört?«

Inge war die miserabelste Lügnerin der Welt. Sie hatte das noch nie gekonnt. Sie fing an, zu stottern und albern zu lachen, wenn sie lügen musste. Das durfte ihr jetzt nicht passieren.

»Apropos, Walter«, sagte sie stattdessen. »Bei unserem letzten Telefongespräch war Christines Knie ja wichtiger, deshalb bin ich noch gar nicht zu meinem eigentlichen Thema gekommen. Was hast du dir bloß dabei gedacht, Gerda anzurufen? In der Reha? Um ihr einen solchen Schwachsinn zu erzählen? Von wegen, Karl und ich. Woher hast du überhaupt ihre Telefonnummer gehabt?«

»Was hat das denn mit dem Einbruch zu tun?« Walter klang irritiert.

»Nichts«, antwortete Inge schnell. »Gar nichts. Das mit Gerda ist viel ärgerlicher.«

»Du hast aber ›apropos‹ gesagt. Und ich habe vorher vom Einbruch geredet. Wieso ›apropos‹?«

»Walter, lenk nicht ab. Das ist einfach so eine Redensart. Jedenfalls war mir dein Anruf bei Gerda wahnsinnig peinlich. Was soll sie denn denken? Dass ich mich nach über vierzig Jahren mit Karl verlustiere? Wie kannst du nur so was machen? Du musst doch mal dein Gehirn einschalten, bevor du solche Gerüchte in die Welt setzt. Ich konnte Karl am nächsten Tag gar nicht angucken. Wirklich, Walter, das war völlig daneben.«

In Walters Stimme lag etwas Lauerndes. »Am nächsten Tag? Ihr seht euch jetzt täglich? Statt einmal die Woche im Chor? Das ist ja auch seltsam, findest du nicht?«

Inge biss sich auf die Lippe. Sie durfte nichts verraten,

nichts sagen über die Einbrüche, ihre Ermittlungen und auf keinen Fall den Tod von Jutta Holler ausplaudern. Sonst drehte Walter durch. Ob aus Sorge, aus Angst oder aus Verärgerung, dass er nichts mitbekommen hatte, war egal. Er würde garantiert einen Aufstand machen.

»Da ist gar nichts seltsam. Onnos Tochter, Maren, ist doch wieder da, deshalb hat ..., hat er uns alle einge... geladen.«

Es war noch nicht mal eine richtige Lüge, und trotzdem stotterte sie. Aber am Telefon bekam Walter das anscheinend nicht mit. Auch nicht, dass die Begründung völlig idiotisch war. Onnos Tochter war der Grund, dass Karl und sie sich ständig sahen? Walter war doch kein Trottel. Inge biss sich auf die Unterlippe. Aber sie hatte Glück. Im Hintergrund hörte sie plötzlich Christines Stimme, dann die von Heinz. Wieder Christine, diesmal lauter.

»Fragt mich doch einfach, Herrgott, das kann doch nicht so schwer sein.«

»Walter, was ist denn bei euch los?«

Walters Stimme war unsicher. »Du, Ingelein, hier gibt es gerade wieder ein Missverständnis. Ich muss mich mal eben darum kümmern. Wir telefonieren wieder, nicht wahr?«

Bevor die Verbindung unterbrochen wurde, hörte Inge noch Christine brüllen: »Ich brauche keine Gardinenstangen, hört ihr, ich brauche sie nicht, ihr könnt die sofort wieder abbauen und die Löcher zuspachteln ...«

»Also, Inge, tschüss denn, bis bald.«

Inge starrte auf den Hörer, bevor sie ihn wieder auf die Station legte. Ihre Nichte hatte überall Jalousien, weil sie Gardinen hasste. Wenn die Männer ihr vor jedes Fenster Gardinenstangen geschraubt hatten, war das tatsächlich ein Missverständnis.

Immer noch Montag,
unter zartblauem Himmel mit Schleierwölkchen

Auf dem Weg zum Taxistand wurde Sina schwindelig. Sie blieb stehen, bis es besser wurde, und ging dann langsam weiter. Im Bahnhof gab es einen Kiosk, sie würde sich was zu trinken kaufen, das kleine Glas Wasser im Revier war nicht genug gewesen.

An der Kasse stand eine Frau, auf dem Namensschild stand »Frau Schröder«.

»Moin«, sagte Frau Schröder eine Spur zu laut. »Ein Wasser, und kommt da noch was dazu?«

»Eine ›Sylter Zeitung‹«, antwortete Sina automatisch. Sie hatte auf der Titelseite die kleine Meldung gesehen.

Frau Schröder tippte sofort darauf. »Ja, stellen Sie sich vor, was hier passiert ist. Sind Sie ein Gast? Dann dürfen Sie nicht glauben, dass so etwas ständig passiert. Wir sind hier ein Hort der Glückseligkeit. Und dann so was. Tja, ich sag immer, böse Leute gibt es wirklich überall. Drei Euro sechzig, bitte.«

Sina suchte in ihrem Portemonnaie nach Kleingeld, sie hatte schon wieder viel zu wenig Geld dabei. Das musste sich ändern.

Kurz bevor der Taxifahrer in Wenningstedt in die Zielstraße einbog, tippte Sina ihm auf die Schulter. »Lassen Sie mich bitte hier vorn an der Ecke raus.«

»Aber wir sind doch gar nicht ...«

»Hier vorn an der Ecke.« Sie sagte es so bestimmt, dass er fast eine Vollbremsung machte. Sina reichte ihm einen Zehn- und einen Fünfeuroschein und sagte lässig: »Stimmt so.« Es war ihr letztes Geld. Ab hier würde sie zu Fuß gehen müssen.

Sie lief die Westerlandstraße entlang, vorbei am Mittelweg und an der Strandstraße. An ihrer linken Hacke bildete sich langsam eine Blase, sie war diese blöden Fußmärsche nicht mehr gewohnt, und in diesem Augenblick schwor sie sich, dass sie sich auch nicht mehr daran gewöhnen wollte. Aber das würde jetzt ja auch nicht mehr nötig sein.

Sina verkniff sich ein Lächeln, das passte schließlich nicht zu einer Tochter in Trauer. Und Wenningstedt war nun mal ein Dorf, es konnte gut sein, dass ihr irgendeine neugierige, klatschsüchtige Nachbarin entgegenkam. Die sollte nur das blasse Gesicht und die tränenverschmierte Wimperntusche sehen. Sina drückte sicherheitshalber noch ein paar Tränen raus, sie hatte das immer schon gekonnt, auf Knopfdruck heulen. Dieses Talent steckte in den Genen von Jutta.

Zum Glück war keiner der Nachbarn zu sehen, als Sina die Treppen zum Holler'schen Haus emporstieg. Sie fischte ihren Hausschlüssel aus der Tasche und schloss auf. Ein komischer Geruch empfing sie, muffig, parfümiert und staubig. Sina durchquerte den Flur und das Wohnzimmer und riss alle Fenster auf. Die Terrassentür ließ sich nicht öffnen, Sina fiel es erst wieder ein, als sie erfolglos am Griff zog. Die Polizisten hatten sie nur notdürftig verschlossen. Anscheinend musste sie sich selbst um die Reparatur kümmern. Aber zunächst hatte sie etwas anderes zu tun.

Langsam ging sie zurück in den Flur und blieb an der Treppe stehen. Hier irgendwo musste Jutta gelegen haben, auf dem Parkett klebten noch Markierungsstreifen. Sie würde irgendjemanden engagieren müssen, der hier einmal richtig putzte. Es war ein komisches Gefühl. Die tote Jutta, auf dem Boden liegend. Wie sie wohl ausgesehen hatte? Geblutet hatte sie anscheinend nicht viel, zumindest waren keine großen Flecken auf dem Holzboden zu sehen.

Mit einem Schaudern stieg Sina über die Reste der Markierungen und machte sich auf den Weg nach oben. Sie würde mit Juttas Schlafzimmer anfangen und sich Schublade für Schublade vornehmen. Erst mal brauchte sie Bargeld und dann einen Überblick, wie ihre finanzielle Zukunft jetzt aussah. Als sie die erste Schublade aufzog, fing sie an zu lächeln.

Eine ganze Weile später war das Lächeln verschwunden, die schwarze Bluse verschwitzt, die Hose staubig und Sinas Laune im Keller. Sie hatte alles Mögliche in Juttas Schlafzimmer gefunden, neben unendlichen Mengen an Wäsche, Kleidung, Modeschmuck, Nippes und anderen geschmacklosen Dingen knapp neunhundert Euro, aber überhaupt nichts, was man schnell und sicher zu Geld machen könnte. Sie wischte sich die klebrigen Hände an der Hose ab und sah sich im Schlafzimmer um. Es war und blieb ein hässliches Zimmer, die Entrümpelungsfirma würde eine Menge zu tun haben. Aber vorher musste Sina alles durchsehen, es würde in diesem Chaos Tage dauern.

Das Handyklingeln war eine willkommene Unterbrechung, Sina hoffte, dass es Torben war. Die Nummer im Display war eine andere.

»Ja?«

»Sina?« Die männliche Stimme am anderen Ende hatte ihr jetzt gerade noch gefehlt. »Wieso meldest du dich nicht richtig?«

»Mir geht's nicht gut«, Sina hauchte die Antwort und ließ wieder Tränen fließen. »Meine Mutter ist tot.«

»Ach? Ja, tut mir leid.« Dr. Uwe Faust machte eine kleine Pause, bis er sagte: »Trotzdem, Sina, ich habe die Nase voll. Entweder bezahlst du jetzt deine Schulden, oder ich zeige dich an. Und ich bin so großzügig, dass ich die tausendachthundert Euro Lackschaden, den du an Manuelas Wagen verursacht hast, nicht einrechne.«

»Das kannst du mir auch gar nicht beweisen«, unterbrach Sina ihn schnippisch, bevor sie sich wieder auf ihre Situation besann. Lieber wieder Tränen. »Und wie kannst du mich jetzt im Moment mit so einem Kleinscheiß belästigen? Ich habe es doch gerade gesagt, ich habe meine Mutter verloren.«

»Kleinscheiß?« Ihr ehemaliger Liebhaber lachte zynisch. »Liebe Sina, soll ich dir vorrechnen, was ich von dir bekomme? Zehntausend Euro, die ich dir geliehen habe, sechstausendachthundert Euro für das Ausbessern des Parketts, die Reparatur der Arbeitsplatte und den Neuanstrich in meiner Wohnung, Schadensbehebung einer deiner Wutanfälle. Ich rede jetzt nicht von den Dingen, die du dir bei deinem Auszug unter den Nagel gerissen hast, dann wäre die Summe noch sehr viel höher.«

»Das waren Geschenke.« Sinas Stimme zitterte. »Du kleinlicher Idiot.«

»Geschenke?« Uwe Faust blieb gefährlich ruhig. »Du hast die Hälfte der Möbel mitgenommen. Und Teppiche und Lampen, ich kann mich nicht erinnern, dir solche Geschenke gemacht zu haben. Du, ich habe es satt. Du kannst mich nicht mehr erpressen, meine Frau weiß Bescheid. Ich will das Geld, und ich will, dass du endgültig aus meinem Leben verschwindest. Ansonsten, wie gesagt, zeige ich dich an. Mir reicht's.«

Sina atmete geräuschvoll durch die Nase. »Ich habe wirklich wichtigere Dinge zu tun, als mich mit dir Sparbrötchen rumzuschlagen. Mach mir eine schriftliche Aufstellung, dann überweise ich dir dein blödes Geld. Schick es mir an die Adresse auf Sylt, erst mal bleibe ich auf der Insel. Und leg dich gehackt, du warst der langweiligste Liebhaber, den ich je hatte.«

Wütend beendete sie das Telefonat. Was bildete sich dieser Idiot ein? Einer Trauernden solch ein Gespräch aufzuzwingen. Unmöglich. Sie würde trotzdem nicht sofort bezahlen. Er sollte sich ruhig noch ein bisschen aufregen. Vielleicht zahlte sie später aus Spaß noch Zinsen dazu. Das könnte sie sich jetzt ja leisten.

Aber erst musste sie noch die Bankunterlagen und Konten ihrer Mutter finden. Da oben nichts deponiert war, würde sie sich jetzt das Wohnzimmer vornehmen. In irgendeinem Schrank mussten doch Ordner stehen. Oder Kisten mit Akten. Bislang hatte Sina noch nicht einmal die Kontonummern.

In einer kleinen Kommode wurde sie endlich fündig. Die Schublade ließ sich zwar kaum aufziehen, weil Jutta Holler alle möglichen Schriftstücke einfach brutal hineingestopft hatte, aber zumindest ließ sie sich so weit öffnen, dass Sina an eine durchsichtige Mappe gelangen konnte, in der sie die Kundenkarten der verschiedenen Banken entdeckte. Beim Herausreißen sprang die ganze Lade auf, ein Schwung Papier ergoss sich auf den Boden. Sina ging in die Hocke und blätterte alles hektisch durch, es war ein einziges Chaos. Garantiescheine von irgendwelchen Haushaltsgeräten, Überweisungsduplikate, Versicherungspolicen, Gebrauchsanweisungen, handgeschriebene Zettel,

Rechnungskopien. Sie würde Ewigkeiten brauchen, um das alles zu sortieren. Und fühlte sich in diesem Moment total überfordert.

Frustriert erhob sie sich und ließ die Blätter, die sie noch in der Hand hatte, achtlos auf den Boden fallen. Was sie jetzt brauchte, war ein Glas Wein und etwas zu essen. Und ein Shoppingerlebnis. Bargeld hatte sie, also würde sie jetzt mit dem Taxi nach Westerland fahren und sich einen schönen Nachmittag machen. Das hatte sie sich verdient. Und danach würde sie Torben bitten, ihr bei diesem Chaos zu helfen. Er kannte sich bestimmt auch damit aus.

»Es tut mir leid, Frau Holler, aber ohne eine Vollmacht kann ich Ihnen kein Geld von diesem Konto auszahlen.«

Sina starrte die Blondine im dunkelblauen Hosenanzug an. Sie hörte wohl nicht richtig. Diese Banktrulla lächelte dämlich, Sina stieg die Hitze ins Gesicht.

»Ich muss aber Geld abheben. Es sind Rechnungen zu bezahlen. Meine Mutter ist tot, sie kann das ja wohl schlecht selbst erledigen. Und wie geht es jetzt weiter?«

»Ich brauche einen Erbschein. Oder eine notariell beglaubigte Abschrift des Testaments. Sonst kann ich da leider nichts machen.«

»Dann nicht.« Sinas Wut war so groß, dass sie sich einfach auf dem Absatz umdrehte und die Bank verließ. Draußen setzte sie sich auf eine Bank und vergrub das Gesicht in den Händen. »Scheiße, Scheiße, Scheiße«, sagte sie laut und trat mit dem Fuß gegen den Mülleimer neben der Bank. Sie brauchte Geld, und zwar sofort. Ein Passant sah sie irritiert an. Sina starrte wütend zurück: »Ist was?«, fauchte sie ihm hinterher. Sollte er sich doch um seinen eigenen Kram kümmern.

Jutta Holler hatte Konten bei drei verschiedenen Banken. Es war doch nicht möglich, dass Sina nirgendwo an Geld kam. Schließlich gehörte ihr doch jetzt alles. Sie würde sich nicht von einer arroganten Blondine in einem schlecht sitzenden Hosenanzug fertigmachen lassen. Entschlossen schulterte sie ihre Handtasche und ihre Einkaufstüten und machte sich auf den Weg zur nächsten Bank.

Trotz Tränenausbrüchen und einem Fast-Nervenzusammenbruch blieben auch die beiden anderen Bankangestellten unerbittlich. Sie bestanden auf diesem Erbschein, hatten kein Verständnis für ihre verzweifelte Situation, faselten nur irgendetwas von einem Notar oder dem Amtsgericht und verweigerten die Auszahlung. Der letzte Bankaffe hatte sie sogar aufgefordert, die Bank zu verlassen, nachdem sie ihm lautstark gesagt hatte, was sie von ihm hielt. Es war das Letzte.

Inzwischen musste sie die Tränen gar nicht mehr simulieren, sie liefen ihr vor lauter Wut übers Gesicht. Blind vor Tränen war sie durch die Friedrichsstraße gelaufen. Das zuständige Amtsgericht war in Niebüll, wie sollte sie denn da hinkommen? Und sie hatte noch nicht mal eine Ahnung, was für Unterlagen sie brauchte. Einen Totenschein? Den Polizeibericht? Warum hatte ihr diese Kommissarin denn nichts gesagt? Die hatte nur bescheuerte Fragen gestellt, ihr aber überhaupt nicht geholfen. Sina musste sich doch auch irgendwie um die Beerdigung kümmern. Was sollte sie denn dem Bestattungsunternehmer sagen? Und wann? Und als ob das nicht alles wäre, wollte auch noch dieses Arschloch von Dr. Uwe Faust sechzehntausendachthundert Euro von ihr.

Sina blieb stehen, um sich zu beruhigen. Sie musste jetzt überlegen, was sie tun könnte. Ein Notar. Sie musste erst mal zu einem Notar gehen, und zwar sofort. Das hatte dieser Banktyp gesagt. Weil sie sonst nicht an ihr Erbe kam. Das ihr zustand. Sie riss ihr Smartphone aus der Tasche und tippte »Notar – Sylt« ein. Gleich bei der ersten Nummer meldete sich eine Frauenstimme. Ob es von der Wut über die Banken oder von der Erfolglosigkeit dieses Vormittags kam, Sina brach sofort in echte Tränen aus. »Ich …, ich brauche ganz dringend einen Termin«, stammelte sie. »Es ist wirklich furchtbar wichtig.«

Die Frauenstimme klang mitfühlend. »Um was geht es denn?«

»Meine Mutter ist tot. Sie ist ermordet worden. Jutta Holler. Ich weiß nicht, was ich jetzt tun soll.«

»Um Himmels willen«, am anderen Ende wurde erschrocken nach Luft geschnappt. »Bleiben Sie dran, bitte, ich verbinde Sie mit Dr. Luetge.«

Zehn Minuten später hatte Sina für den nächsten Vormittag einen Termin.

Onno legte das letzte Paar Stäbchen auf den langen Tisch und trat zufrieden ein Stück zurück, um sein Werk zu betrachten. Es sah hervorragend aus, sehr fein, nicht zuletzt, weil ihm Charlotte in ihrer Großzügigkeit ihre Tischdecken noch für diesen Abend überlassen hatte. Onno nahm sich vor, sich von Maren eine Tischdecke zum Geburtstag zu wünschen, sie fragte doch immer nach einer Idee für ein Geschenk, und jetzt hatte er eine. Genau so eine Decke wollte er haben. Groß, weiß und gestärkt. Es war einfach schade, dass er damals in seiner Trauer Gretas schöne Tischwäsche weggegeben hatte. Aber das ließ sich jetzt nicht mehr ändern. Und jetzt sollte er nach vorn sehen. Maren sollte am besten Charlotte fragen, wo es solche Decken gab.

»Das sieht ja aus wie in einem Restaurant!« Inge kam erstaunt ins Zimmer. »Dein Schlüssel steckt von außen. Ich habe aber gerufen«, sagte sie und trat neben ihn. »Sehr schön. Hat Maren das gemacht?«

»Nein, das war ich.« Onno nahm ihr eine Flasche Wein und ihre Jacke ab. »Wir haben neulich im Kochclub Tische gedeckt. Also, wir haben es geübt. Gefällt es dir?«

»Ja.« Inge nickte. »Sogar sehr.« Sie gab Onno einen leichten Klaps auf den Arm. »Ist das Charlottes Decke? Die kommt mir so bekannt vor.«

»Ja. Die Kerzenständer gehören ihr auch. Sie hat sie mir

geliehen, weil ich gestern doch Helga Simon zum Essen eingeladen habe. Die Blumen hat sie mir auch vorbeigebracht. Die sind doch noch in Ordnung, oder?«

Inge musterte die etwas schlaffen Ranunkeln und das trübe Blumenwasser und zuckte mit den Achseln. »Schön sind die nicht mehr.« Als sie Onnos enttäuschtes Gesicht bemerkte, sagte sie schnell: »Ich gehe mal durch deinen Garten, vielleicht kann ich die Dekoration etwas auffrischen.«

Sie schoss aus dem Zimmer, Onno sah sie durchs Fenster durch den Garten gehen. »Siehst du, Greta«, sagte er an das gerahmte Bild gewandt, das auf der Kommode stand. »Jetzt pflückt endlich mal wieder jemand Blumen im Garten. Und ich verspreche dir, dass ich mich ab sofort auch wieder mehr um deine Pflanzen kümmern werde.«

Er musterte abschließend den gedeckten Tisch, bevor er zur Tür ging. Vor dem Bild blieb er einen Moment stehen, legte seinen Finger auf Gretas Wange und sagte leise: »Du findest doch Helga Simon auch nett, oder?« Er wartete einen Moment, bis er nickte. »Ich wusste es.« Dann ging er in den Flur, um Inges Jacke auf einen Bügel zu hängen.

Kurze Zeit später stand Inge an der Spüle und ordnete die frischen Blumen in eine Vase. »Wann kommen denn die anderen?«, fragte sie und sah sich nach Onno um, der eine Ingwerwurzel in Scheiben schnitt. »Ich habe etwas ganz Wichtiges zu erzählen.«

»Was denn?« Onno sah kaum hoch.

Inge steckte die letzte Blume hinein und drehte sich rasch zu ihm. »Ich wollte eigentlich warten, bis alle da sind, aber ich bin so aufgeregt. Also, ich habe einen Schlüsselbund in Jutta Hollers Garten gefunden, und dann geht es um diesen Mann, der ...«

»Was machst du denn in Jutta Hollers Garten?« Onno

hob jetzt erstaunt den Kopf. »Dann gib ihr doch den Schlüssel. Wenn er in ihrem Garten lag, wird er ihr auch gehören.«

»Wie? Ihr geben?« Jetzt war Inge überrascht. Sie starrte Onno an und hatte plötzlich einen Gedanken. »Sag mal, hast du eigentlich gestern oder heute noch gar nicht mit Maren oder Karl gesprochen?«

»Bei Maren war es spät, gestern Abend«, lächelte Onno. »Sie hatte ja Besuch von dem netten Robert Jensen. Und heute Morgen ist sie ganz früh zum Dienst, sie war gar nicht mehr bei mir. Sie muss aber auch gleich kommen. Und Karl ist anscheinend noch beleidigt, weil ich ihn gestern nicht mit zum Essen eingeladen habe. Aber Helga Simon war doch da, und du weißt ja, wie Karl ist, er hätte die ganze Zeit nur mit ihr über die Einbrüche geredet, das wollte ich nicht. Weißt du, wir haben ja viel von früher …«

»Sag mal, Onno«, unterbrach ihn Inge. »Weißt du überhaupt, was am Samstagabend passiert ist?«

»Da war das Sommerfest«, antwortete Onno gleichmütig. »Und Maren hatte anschließend einen Einsatz wegen irgendwelcher Mopedfahrer. War aber blinder Alarm.«

»Jutta Holler lag tot in ihrem Haus«, platzte Inge heraus. »Wir haben sie Sonntag gefunden. Also, Karl, Charlotte und ich. Hast du denn die Zeitung heute noch nicht gelesen? Da gab es schon eine Meldung, ein Einbruch mit Todesfolge. Es stand nur nicht dabei, wer die Tote war. Jetzt ist die Kripo da und die Spurensicherung und das ganze Programm. Hat dir das niemand gesagt?«

Schockiert legte Onno das Messer beiseite und drehte sich zu ihr um. »Jutta Holler? Nein. Das darf ja nicht wahr sein. Ich habe die Zeitung überhaupt noch nicht gelesen, ich habe ja die ganze Zeit gekocht. Und das in deinem Nachbarhaus? Das ist ja ein Ding! Und wer war das?«

»Also, ich glaube, dass …, wie soll ich anfangen? Ich habe heute in der Zeitung ein Bild gesehen, von einem Mann, und der …«

»Hallo, ihr zwei!« Charlottes durchdringende Stimme ließ Inge zusammenfahren. »Die Tür stand auf, oh, das sieht ja gut aus.« Sie war vor dem Küchentisch stehen geblieben, auf dem mehrere Platten mit Sushi standen. Charlotte beugte sich nach vorn, um sie besser betrachten zu können. »Meine Güte«, ihre Stimme klang ehrfürchtig. »Nigiri-Sushi, Maki-Sushi, Sashimi, Hoso-Maki …, du hast ja alles gemacht. Dann brauche ich ja zum Sushi-Wettbewerb gar nicht mehr anzutreten. Wie lange hast du denn geübt?«

Onno wippte geschmeichelt auf den Zehenspitzen. »Och, ich glaube, mir liegt diese japanische Küche einfach.«

Inge hatte kein Wort verstanden von dem, was Charlotte gerade gesagt hatte. Als ob es im Moment nichts Wichtigeres gäbe. Diese Kochclub-Arie ging ihr sowieso langsam auf die Nerven. Mit Onno und Charlotte konnte man gar nicht mehr richtig essen gehen, weil sie alles, was auf den Tisch kam, sofort sezierten, um es nachzukochen. Viermal im Jahr gab es einen Kochwettbewerb, bei dem Charlotte und Onno immer abwechselnd gewannen. Sie waren so furchtbar ehrgeizig. Inge war im letzten Jahr mit ihrem Tafelspitz gnadenlos untergegangen, danach hatte sie den Kochclub verlassen. Gegen die beiden Köche hier hatte man sowieso keine Chance.

»Und wegen dieser Fischrollerei hat Onno noch nicht mal mitbekommen, dass Jutta Holler tot ist«, warf sie jetzt ein, um wieder zum Thema zurückzukommen. »Stell dir das mal vor.«

»Aber Wasabi und Sojasauce musst du noch anrichten«, sagte Charlotte, ohne den Blick von den Platten zu nehmen. »Oder hast du das vergessen?«

»Natürlich nicht«, Onno deutete auf mehrere kleine Schälchen, die auf der Fensterbank standen. »Die sind schon gefüllt.«

Inge wurde ärgerlich und wiederholte lauter: »Hallo. Charlotte. Er wusste nicht, dass Jutta Holler tot ist. Onno hatte keine Ahnung.«

»Ach?« Jetzt endlich sah Charlotte erst sie und dann Onno an. »Wirklich nicht? Ja, das ist ein Ding, oder? Da hast du echt was verpasst. Aber das hat Inge dir bestimmt schon alles geschildert. Ich bin gespannt, was Karl gleich erzählt, der kennt ja die Kommissarin gut und wollte mit der essen gehen. Jetzt sitzt er endlich wieder an der richtigen Informationsquelle. Wo bleibt er eigentlich?«

Onno wirkte plötzlich ganz schuldbewusst. »Jetzt, wo du das sagst ... Ich habe ja gar nicht mit ihm gesprochen, weiß er eigentlich, dass wir heute Sushi essen? Charlotte, das haben wir beide doch im Kochclub besprochen, letzte Woche. Hast du Karl Bescheid gesagt?«

»Nein, nur Inge«, antwortete Charlotte und sah ihn an. »Dann ruf ihn schnell mal an, sonst ist er total beleidigt.«

Während Onno ins Wohnzimmer ging, um zu telefonieren, sahen Inge und Charlotte Robert Jensen auf einem Fahrrad kommen. Robert stellte sein Rad ab, strich seine Haare glatt und kam aufs Haus zu. Eine Sekunde später klingelte es. »Tür ist offen«, rief Inge, ohne sich von der Stelle zu bewegen. Kurz darauf stand er vor ihnen und sah sich unsicher um. »Guten Abend«, er streckte die Hand aus. »Robert Jensen, ich wollte zu Herrn Thiele. Er hat mich zum Sushi-Essen eingeladen.«

»Er telefoniert gerade.« Neugierig sah Charlotte ihn an.

»Ach, Sie müssen der neue Kollege von Maren sein, oder? Charlotte Schmidt.« Sie gab ihm die Hand. »Und das ist meine Schwägerin Inge Müller. Wir singen mit Onno und Karl im Chor.«

Robert schüttelte Charlotte die Hand und wandte sich Inge zu. »Angenehm. Ist Maren noch nicht da?«

»Nö.« Inge musterte ihn von Kopf bis Fuß. »Wir sind die Ersten.«

»Karl setzt sich aufs Rad, er war gar nicht mehr beleidigt.« Onno war zurück, verharrte kurz an der Tür und ging sofort auf Robert zu. »Robert, das ist ja schön, dass Sie es einrichten konnten. Maren muss auch jeden Moment kommen, dachte ich zumindest.« Er runzelte die Stirn. »Wobei ich gerade erfahren habe, dass bei euch ja jede Menge los ist. Die tote Jutta Holler. Gibt es da schon was Neues?«

Robert hob die Schultern. »Herr Thiele, da darf ich leider nicht …«

»Sag doch bitte Onno: ›Herr Thiele‹ klingt so alt.«

Robert sah ihn einen Moment irritiert an. »Ja …, also ich darf jedenfalls nicht …«

»Na, macht nichts«, Onno lächelte ihn entwaffnend an. »Karl kommt ja gleich, der hat mir gerade eben gesagt, dass er mit der Kommissarin gesprochen hat, da weiß er sicher mehr. Kommt ihr mit rüber? Wir können uns ja schon mal setzen.«

Sie hatten gerade Platz genommen, als Inge sich an die Stirn griff und wieder aufsprang. »Meine Tasche ist noch im Flur«, sagte sie entschuldigend und verließ den Raum. Charlotte sah ihr hinterher. »Die klaut doch keiner«, rief sie ihr nach und wandte sich wieder den Platten mit den Sushis zu. »Sieht ja sagenhaft aus, Onno. Ich glaube, Inge hat Tupperdosen in der Tasche und sackt nachher die

Reste ein. Falls es überhaupt welche gibt. Warten wir auf Karl, oder kann ich schon mal eines probieren?«

Sie hatte schon die Stäbchen in der Hand und ließ sie über der Platte schweben.

»Fangt an«, gestattete Onno. »Ich bin ja auch gespannt, was du sagst.«

»So.« Inge war zurück, stellte ihre Handtasche neben sich auf den Boden und setzte sich wieder. »Ich habe nämlich zwei Dinge dabei, die ich euch unbedingt zeigen muss. Aber ich wollte warten, bis Karl …« Sie unterbrach den Satz, weil ihr Blick plötzlich auf Robert fiel. Gehörte er jetzt zum Feind oder zu ihnen? Sie würde abwarten, was Karl dazu sagte. »Wir dürfen anfangen?«

»Onno.« Charlotte hielt die Augen geschlossen und kaute mit Inbrunst. »Das ist sensationell.«

Onno nickte zufrieden. »Fein. Weißt du, Robert, wir kochen zusammen in einem Club, und demnächst machen wir einen Sushi-Wettbewerb. Hast du Maren erst auf der Insel kennengelernt?«

»Nein.« Robert hatte gerade geschluckt und war verblüfft, wie gut es schmeckte. »Das ist wirklich super. Maren und ich haben uns letztes Jahr auf einer Weiterbildung zum ersten Mal getroffen. Dass wir uns hier wieder begegnet sind, war reiner Zufall.«

»Zufälle gibt es nicht.« Inge begriff in diesem Moment, warum Onno diesen gut aussehenden Polizisten eingeladen hatte. Er passte gut zu Maren, fand sie, die beiden gaben ein hübsches Paar ab. Und Onno hatte vermutlich keine große Lust, sich dauernd um seine Tochter zu sorgen. Die in ihrem Alter nun wieder Kind im Haus war. »Ich glaube, das ist alles Bestimmung.« Hoffentlich kam Karl bald. Sie waren schließlich nicht nur zum Essen hier. Es ging um einen Todesfall, es gab eine Menge zu besprechen. Und sie wusste immer noch nicht, ob Robert auf der richtigen Seite stand. Bis Karl hier war, würde sie nichts sagen, sondern sich einfach aufs Essen konzentrieren. Inge fischte das nächste Röllchen von der Platte und sah Charlotte mitleidig an. So, wie es aussah, würde Onno den Wettbewerb ganz klar gewinnen, ihre Schwägerin sollte sich da mal lieber keine Hoffnungen mehr machen.

Charlotte legte ihre Stäbchen jetzt zur Seite. »Tja, Onno«, sagte sie schließlich. »Das ist mal eine Vorlage. Aber ich habe ja noch ein paar Tage Zeit. Wo bleibt Karl denn? Und Maren?«

Als hätte er auf das Stichwort gewartet, polterte jemand in den Flur. »Hallo, ich bin da!« Karl klopfte beim Eintreten erst an den Türrahmen, dann Onno auf die Schulter: »Mahlzeit allerseits.«

Dann nickte er Charlotte und Inge zu, blieb vor Robert stehen und grinste. »Ach? Schon Familienanschluss? Was gibt es denn?«

Robert klappte den Mund wieder zu, Karl Sönnigsen hatte auch keine Antwort erwartet. Robert hoffte nur, dass Maren bald käme, langsam fühlte er sich hier etwas komisch.

Nachdem Karl kurz die Platten gemustert hatte, drehte er sich um und ging in die Küche. Man hörte eine Schranktür auf- und zugehen, dann kehrte er mit einer Scheibe Schwarzbrot in der Hand zurück.

»So«, sagte er gut gelaunt und legte das Brot auf den Teller. »Es ist ja einiges passiert. Ich war gestern Abend noch eine Kleinigkeit mit Anna Petersen essen, das ist die leitende Kommissarin aus Flensburg, falls es hier am Tisch noch jemanden gibt, der das nicht weiß. Ich habe ihr in aller Ruhe gesagt, was hier im Revier alles schiefgelaufen ist. Ich glaube, sie war entsetzt. Robert, eure Gurkentruppe unter diesem unsäglichen Runge hat ja nicht ansatzweise die Ergebnisse ermittelt, die nötig gewesen wären, um diese schlimme Tat am Samstag zu verhindern.«

Statt zu protestieren, beobachtete Robert gebannt, wie Karl sich fünf Sushis nebeneinander auf die Brotscheibe legte und sie mit dem Messer flach drückte.

»Und um es ganz klar auszudrücken: Ich glaube, wir holen Anna zu uns ins Boot. Ich habe vorhin mit ihr telefoniert, sie kommt auch gleich noch. Maren hat sie eingeladen, es wird jetzt alles ein bisschen professioneller.«

Er nahm das Besteck zur Hand und fing an, die platt gedrückten Sushis auf Schwarzbrot zu essen. »Oh, lecker. Ist das Matjestartar?«

Eine Antwort blieb aus. Nach einem Moment fragte Onno: »Kann mich jetzt vielleicht mal jemand auf den neuesten Stand bringen?«

»Nach dem Essen.« Karl hob die Gabel zum Mund. »Kann ich ein Bier haben? Das ist mir zum Fischbrot lieber als so ein Wein.«

»Sushibrot«, korrigierte Charlotte. »Du isst gerade Sushibrot. Stimmt, dazu kannst du auch ein Bier trinken. Das ist dann auch egal.«

Onno war schon unterwegs in die Küche. Als er aus dem Fenster sah, stieg Maren gerade aus ihrem Wagen aus. Die Beifahrertür wurde geöffnet, die blonde Frau in Marens Alter wirkte sympathisch und musste Anna Petersen sein. Onno ging ihnen mit der Bierflasche in der Hand entgegen.

Keine Stunde später waren die Platten leer. Die Gespräche beim Essen kreisten jedoch nicht um die aktuellen Ereignisse auf der Insel. Stattdessen hatten Anna und Karl erzählt, wie sie sich vor zehn Jahren kennengelernt hatten. Annas erster

Fall hatte sie nach Sylt geführt, ausgerechnet über Pfingsten, eine Zeit, in der die Insel immer brechend voll war. Es war damals nicht nur Annas erster Fall, sondern auch ihr erster Besuch auf Sylt. Deshalb hatte sie sich auch nicht rechtzeitig um ein Hotelzimmer gekümmert und musste mit einem winzigen Loch in einer kleinen Pension vorliebnehmen. Völlig überfordert von dem unfreundlichen Pensionswirt und dem dunklen, hässlichen Zimmer, hatte sie zu Karl gesagt, dass sie überhaupt nicht verstehen könne, dass Menschen hier freiwillig Urlaub machten. Das ließ Karl nicht auf sich sitzen, kurzerhand wurde Anna im Gästezimmer des Sönnig'schen Hauses untergebracht, bekam von Gerda den Kaffee ans Bett und geschmierte Klappstullen für den Tag gebracht. Seitdem war Anna ein Fan der Insel und auch ab und zu ein Kaffeegast von Gerda Sönnigsen.

Jetzt lehnte Anna sich seufzend zurück und tupfte ihren Mund mit der Serviette ab. »Herr Thiele ...«

»Anna«, unterbrach Karl sie. »Du kannst einfach ›Onno‹ sagen, meine Freunde sind auch deine Freunde.«

Mit einem leichten Lächeln sagte sie: »Onno, das waren die besten Sushis, die ich seit Langem gegessen habe. Großartig.«

»Dass ihr den Fisch so ohne Brot mögt.« Karl schüttelte den Kopf. »Nur wegen diesem Trennkostquatsch. Das schmeckt doch gar nicht. Na ja, wie auch immer. Wir sind mit dem Essen fertig. Jetzt mal ran an die Buletten. Was gibt es an neuen Erkenntnissen?«

Robert sah Maren irritiert an. Die zuckte mit den Schultern. Sie hatte während des gesamten Essens in einer Wolke gesessen. Robert in dieser vertrauten Umgebung wirkte überhaupt nicht fehl am Platz oder seltsam. Nach dem letzten Abend und dem klärenden Gespräch fühlte sich das alles so richtig an, so vertraut auf der einen Seite – gleichzeitig aber pochte ihr das Herz bis zum Hals, und ob sie wollte oder nicht: Sein Anblick hier, in dieser Umgebung, hatte sie gerade total durcheinandergebracht. Am liebsten hätte sie ihn ständig berührt, ihm immerzu gesagt, was sie alles an ihm mochte, wie besonders er war. Aber natürlich riss sie sich zusammen und strengte sich an, sich nichts anmerken zu lassen. Sie war gerade erst wieder auf die Insel gezogen, sie war zehn Jahre älter, er würde nach der Saison wieder gehen, sie würde bleiben, sie wollte nicht verliebt sein, das machte einen ja doch nur unkonzentriert und emotional, sie wollte sich auf ihren Job konzentrieren, auf ihr neues Leben, und da passte er nun mal nicht hinein. Vielleicht würde sie in einem anderen Leben auch wieder mit ihm ins Bett gehen, nur jetzt und zu diesem Zeitpunkt käme das nicht infrage. Das hatte sie ihm gestern Abend schon gesagt, er hatte es sogar verstanden. Hatte er zumindest behauptet, bevor er nach einem letzten Kuss gegangen war.

Sie hob den Kopf und konzentrierte sich jetzt auf Anna, die Karl gerade auf irgendeine Frage antwortete. »Karl, du weißt doch genau, dass ich euch keine Auskunft über laufende Ermittlungen geben kann. Das muss ich dir doch nicht erklären.« Plötzlich musste sie niesen und hob Hilfe suchend den Kopf. »Hat vielleicht irgendjemand ein Taschentuch?«

Sofort riss Inge ihre Handtasche hoch, öffnete sie mit einer schnellen Handbewegung und konnte nicht verhindern, dass sie von ihrem Schoß rutschte und sich ihr Inhalt zu ihren Füßen entleerte.

»Was hast du denn da drin?« Charlotte beugte sich verwundert zur Seite. »Ist das ein Gummihandschuh?«

Mit hochrotem Kopf ging Inge in die Knie, um die Tasche wieder einzuräumen. Zunächst reichte sie Anna ein Päckchen Taschentücher, dann angelte sie mit zwei Fingern nach dem rosafarbenen Gummihandschuh und legte ihn vorsichtig auf den Tisch.

»Was um alles in der Welt ist das?« Karl nahm eine Gabel und drehte den umgestülpten Handschuh um. Die anderen musterten ihn neugierig.

»Das ...«, Inge sah stolz in die Runde, »das ist Beweismaterial.«

»Ein Gummihandschuh?« Charlotte betrachtete ihn skeptisch.

»Nein.« Inge griff zu einem Essstäbchen und schob den Handschuh in Richtung Anna. »Nicht der Handschuh. Den habe ich nur benutzt, weil ich keine kleine Plastiktüte hatte, so, wie die Kommissare sie immer in den Krimis benutzen. Ich hatte ein Paar in der Jacke. Das, was drin ist, ist der Hausschlüssel von Jutta Holler. Den habe ich heute Morgen in meinem Hortensienbeet gefunden. Und ich habe ihn nicht angefasst.«

Anna hatte – als richtige Kommissarin – zufällig eine kleine Tüte in der Tasche. Sorgsam griff sie den Handschuh und ließ erst den Schlüssel und dann den Handschuh in die Tüte gleiten. »Der lag bei Ihnen im Garten?« Sie hielt die Tüte näher ans Gesicht, um den Schlüssel genauer betrachten zu können.

»Ja.« Inge nickte nachdrücklich. »Bei mir. Der Einbrecher, oder sogar der Mörder, müssen ihn zu uns rübergeworfen haben. Wie gesagt, er lag in meinem Hortensienbeet.«

Karl nickte in Inges Richtung und hob den Daumen. »Sehr gut gemacht, Inge. Siehst du, Anna, genau das meinte ich. Da turnt die Polizei den ganzen Tag herum, aber den Schlüssel muss einer von uns finden. Weil er sonst übersehen wird.«

Maren warf ihm einen bösen Blick zu. »Karl, ich bitte dich. Wenn der Schlüssel bei Inge im Garten lag, konnten die Kollegen den auch nicht finden.«

»Über den Tellerrand gucken, meine Liebe.« Karl strich ihr über die Hand. »Oder über den Grundstücksrand. In diesem Fall.« Er kratzte sich am Kopf. »Wieso hatte der Einbrecher den Schlüssel? Ist das denn …«, er beugte sich vor, »Jutta Hollers eigener Schlüssel? Sieht so aus mit diesem ›J‹. Steckte er vielleicht von außen? Ist der Täter so reingekommen? Dann müsste er aber nicht die Terrassentür aufhebeln. Also wieso …?«

»Das ist interessant«, Anna schob den Plastikbeutel in ihre große Handtasche. »Sehr gut. Auch, dass Sie den Gummihandschuh benutzt haben. Das war sehr überlegt von Ihnen.« Sie sah Inge nachdenklich an. »Da fällt mir noch etwas ein. Sie sind ja so aufmerksam, haben Sie in der letzten Zeit einen weißen Porsche vor dem Haus von Frau Holler gesehen?«

»Ja.« Inge nickte sofort. »Ein schöner Wagen. Und ein unsympathischer Fahrer. Das Kennzeichen war HH WI-95.«

Perplex sahen alle sie an. Inge lächelte. »Das ist einfach zu merken. Hamburg – Walter – Inge – 9. Mai. Da haben wir geheiratet.«

Anna war beeindruckt. »Meine Güte, Frau Müller, Sie sind ja die Traumzeugin jedes Ermittlers.«

Inge lächelte geschmeichelt. Vielleicht waren Onno und Charlotte die besseren Köche, aber in der Ermittlungsarbeit lag sie, Inge Müller, im Moment weit vorn. »Ich habe da noch etwas«, sagte sie jetzt, betont bescheiden, und beugte sich zu ihrer Handtasche, aus der sie den gefalteten Regionalteil der Zeitung zog. »Ich habe schon ein paar Mal versucht, euch etwas mitzuteilen, aber entweder ihr seid nicht ans Telefon gegangen oder ihr habt mich unterbrochen oder es kam etwas dazwischen.« Sie hob die Zeitung hoch und tippte vielsagend mit dem Finger auf das Papier. »Vor einigen Tagen ist mir ein Mann aufgefallen, der vor Jutta Hollers Haus stand. Ich war in der Küche und habe ihn vom Fenster aus beobachtet. Eigentlich ist er mir nur aufgefallen, weil er einen so schönen Mantel trug. So ein kurzer, flotter Mantel, ich wollte Walter immer schon zu so etwas überreden, er immer mit seinen blöden Windjacken, aber er ist der Meinung, dass diese schönen Mäntel ...«

»Inge, komm mal zum Punkt.« Karl hatte sich gespannt vorgebeugt, Walters modische Vorlieben interessierten ihn in diesem Zusammenhang überhaupt nicht.

»Jedenfalls«, fuhr Inge ungerührt fort, »dieser Mann stand nicht nur einmal vor dem Haus. Er hat nicht geklingelt, er ist auch nicht aufs Grundstück gegangen, er stand nur da und starrte das Haus an. Das fand ich irgendwie seltsam.«

»Wissen Sie, wer das war?« Anna war ganz auf Inge konzentriert, die das sichtlich genoss. Deshalb kostete sie das Interesse auch noch ein bisschen aus und ließ sich Zeit mit der Antwort. Bedächtig faltete sie die Zeitung auseinander und sprach sehr langsam weiter: »Bis heute Morgen wusste ich es nicht. Bis ich ihn in der Zeitung wiedererkannt habe.« Sie legte den Artikel auf den Tisch und tippte mit dem Finger auf das Foto. Fünf Köpfe beugten sich darüber. »Dieser Mann war das. Ganz bestimmt.«

Sie machte den anderen Platz und beobachtete sehr zufrieden die Reaktionen auf ihre Eröffnung. Anna und Karl bewegten beide ihre Lippen beim Lesen, Onno und Charlotte kniffen die Augen in Ermangelung ihrer Lesebrillen zusammen und erkannten vermutlich trotzdem nichts, Robert las ebenfalls konzentriert. Inge sah jetzt zu Maren und stellte erstaunt fest, dass die sehr blass geworden war und ungläubig auf das Foto starrte.

»Andreas von Wittenbrink«, Anna las jetzt laut. »Architekt aus Hamburg ... das neue Wellnesshotel in Wenningstedt ... mehrere Architekturpreise erhalten ...«

»Als wenn die Insel noch mehr Hotels bräuchte!« Karl hatte den Text gelesen und lehnte sich wieder zurück. »Es kommen doch schon genug Leute. Und dieser Architekt stand nun also vor Jutta Hollers Haus? Das kann doch auch Zufall gewesen sein. Vielleicht wohnt der in der Nähe im Hotel und geht bei euch nur auf dem Weg zur Arbeit vorbei.«

»In unserer Straße gibt es kein Hotel«, sagte Inge entrüstet. »Wo soll der denn in der Nähe wohnen? Bei Manske im Keller? Das sind die Einzigen, die bei uns noch vermieten, und in der Rumpelkammer wohnt garantiert kein Architekt, der schöne Hotels baut.«

Onno zuckte die Achseln. »Vielleicht sucht der auch ein Haus für sich. Im Moment wollen doch alle Leute, die viel Geld verdienen, Immobilien auf Sylt kaufen.«

»Dann hätte er ja auch mal vor Inges Haus stehen können«, wandte Charlotte ein. »Da ist der Garten viel schöner und das Haus ist auch nicht schlechter. Hat er denn auch bei dir vor dem Haus gestanden, Inge? Oder nur vor Hollers?«

»Ich habe ihn nur da gesehen. Und, wie gesagt, mehrere Male.«

Maren räusperte sich, alle sahen sie an. Inge hatte es gleich bemerkt. »Maren, du bist ganz blass. Ist alles in Ordnung?«

Maren fühlte Roberts besorgten Blick und seine Hand,

die sanft ihren Rücken berührte. »Alles okay«, antwortete sie schnell. »Ich habe vielleicht zu viel gegessen. Ich hole mal einen Schnaps. Möchte noch jemand?«

»Unbedingt«, antwortete Karl. »Fisch muss schwimmen. Am besten was Klares.«

»Wenn ihr einen Eierlikör habt?«, fragte Inge. »Charlotte bestimmt auch, oder?«

»Ich hole beides«, Maren stand auf, nachdem sie Robert einen Blick zugeworfen hatte. »Papa, du auch? Kannst du mitkommen, Robert, Gläser tragen?«

In der Küche angekommen, lehnte sie die Tür an. Robert strich ihr vorsichtig eine Haarsträhne aus dem Gesicht. »Es ist der Freund von deiner Freundin, oder?«, fragte er leise. »Den wir auf dem Fest getroffen haben.«

Maren nickte mit zusammengepressten Lippen. »Ja, ach Mensch, Rike hat immer nur Pech mit Männern gehabt, hat sich jahrelang auf nichts eingelassen, und jetzt endlich mal verliebt sie sich ...«

Beruhigend und wie selbstverständlich küsste Robert sie auf die Stirn. »Warte erst mal ab. Er stand vor dem Haus von Jutta Holler, na und? Das ist nicht strafbar und kann wirklich reiner Zufall sein. Und außerdem war er doch auf dem Fest mit euch. Dann kann er doch gar nichts damit zu tun haben.«

»Er kam erst um halb zehn«, presste Maren heraus. »Ich hasse so etwas.«

»Müsst ihr den Schnaps erst brennen?« Karls Stimme ließ sie auseinanderfahren. Er grinste, als er die Tür aufdrückte. »Störe ich? So, so, ihr Turteltauben. Nichts für ungut, Maren, aber Anna fragt, ob sie noch eine Tasse Kaffee haben kann.«

»Mach ich ihr«, Maren drehte sich zur Kaffeemaschine. »Wenn ihr die Gläser reinbringt.«

Karl grinste Robert breit an, bevor er ihm den Vortritt ließ.

Als Maren einen Moment später mit dem Kaffee zurückkam, war Karls Grinsen verschwunden. Stattdessen starrte er Anna ziemlich verärgert an. Und sie hielt seinem Blick ungerührt stand.

»Habe ich etwas verpasst?« Marens Blicke gingen zwischen den beiden hin und her. »Habt ihr gestritten?«

»Wir haben nicht, wir streiten noch«, knurrte Karl, ohne sie anzusehen. »Ich möchte wissen – das heißt: Ich möchte nicht nur wissen, ich denke, ich habe ein *Recht* darauf, zu wissen –, was es für eine Entwicklung in diesem Fall gibt. Und jetzt erzählt mir Anna, dass sie mir nichts erzählen darf. Mir! Steckst du jetzt mit Runge unter einer Decke, oder was?«

»Karl.« Annas Stimme klang besänftigend. »Ich muss dir doch nichts von Dienstvorschriften erzählen, wenn einer die kennt, dann bist du das doch. Ihr seid Zivilisten, unterbrich mich jetzt nicht, du auch, Karl. Ich kann euch doch nicht in laufende Ermittlungen einbeziehen, wie stellst du dir das vor?«

Inge sah zu Karl, dessen Gesicht rot angelaufen war. Das hatte er wirklich nicht verdient. Vorsichtig sagte sie: »Aber wir haben doch die ganze Zeit über den Fall gesprochen. Und ich habe Ihnen meine Funde gezeigt. Das ist doch nur gerecht, dass wir dann auch mal was erfahren.«

»Sie hat uns nur als Zeugen missbraucht!« Karl fuchtelte wütend mit dem Finger in Annas Richtung. »Wir machen anderer Leute Arbeit, und zum Dank wird man als Zivilist beschimpft.«

»Karl, bitte.« Der sanfte Onno hasste Streit und laute Stimmen. »Jetzt übertreib mal nicht.«

»Übertreiben?« Karl holte Luft. »Ich …«

Charlotte legte Karl ihre Hand auf den Arm. »Denk an deinen Blutdruck«, sagte sie leichthin. »Und im Übrigen argumentierst du schon so ähnlich wie Heinz. Und der kommt auch nie damit durch.«

»Karl, hör doch zu.« Auch Anna war um Schlichtung bemüht. »Ich habe dir schon gesagt, dass ich mich gefreut habe, dich zu sehen. Und dass du als Zeuge natürlich hervorragend bist. Trotzdem muss ich mich an die Vorschriften halten, es gibt kaum jemanden, der das besser wüsste als du. Ich kann dir nicht gestatten, Einblick in die Ermittlungen zu nehmen, ich muss mich in einem laufenden Verfahren bedeckt halten.«

Karl sah sie lange an. Dann atmete er tief durch und faltete seine Hände auf dem Tisch. »Gut«, sagte er mit plötzlich gelassener Stimme. »Ich will auch nicht, dass du Ärger bekommst. Dann werden wir sehen, ob du deinen Job kannst. Ich verlasse mich auf dich, Anna, die Einbrüche und der Tod von Jutta Holler müssen aufgeklärt werden. Und sie hängen miteinander zusammen, das sagt mir mein Instinkt. Also dann: Viel Glück.«

Inge hatte aufmerksam zugehört. Es war völlig klar, auf wessen Seite sie stand. »Also, ich hätte gern meinen Handschuh zurück. Das ist ein reißfester, ganz neu. Und wenn wir nur Zeugen sind, dann müssen wir der Polizei ja nichts schenken.«

Anna Petersen lächelte. »Den kriegen Sie zurück. Sobald das Labor sich das angesehen hat. Und, Karl, ich gebe alles. Sei unbesorgt. Und jetzt müsste ich mal so langsam ins Bett, es war ein langer Tag. Maren, könntest du mich ins Hotel fahren?«

»Ich werde dann auch mal aufbrechen.« Robert sah erst Maren und dann Anna an. »Ich habe morgen Frühdienst.«

Maren nickte. In ihrem Kopf herrschte ein riesiges Durcheinander. Robert, Rike und Andreas von Wittenbrink, der verärgerte Karl, sie war froh, dass sie dieser Runde jetzt entkommen konnte. An der Tür stehend, wartete sie ab, bis Anna und Robert sich angemessen bei Onno bedankt und von den anderen verabschiedet hatten, dann ging sie langsam zu ihrem Auto. Robert schloss sich ihnen an: »Ich kann doch das Fahrrad stehen lassen? Habe zu viel Wein getrunken. Nicht, dass mich noch jemand anhält ...« Nach einem kurzen Blick auf Maren stieg er hinten ein.

»Kein Problem. Das steht hier warm und trocken.« Maren bemühte sich um einen neutralen Ton.

»Das ist ja vielleicht eine Truppe«, in Annas Stimme schwang sowohl Belustigung als auch Sympathie, während sie sich auf dem Beifahrersitz anschnallte. »Ich kann Karl ja verstehen, aber wir müssen ihn tatsächlich ein bisschen bremsen. Runge hat sich heute Morgen furchtbar bei mir beschwert.«

Robert beugte sich von seinem Rücksitz nach vorn. »Was passiert denn jetzt mit diesem Architekten?«

Maren war froh, dass Robert die Frage gestellt hatte. Sie überlegte schon die ganze Zeit, ob sie Anna sagen sollte, dass sie ihn kannte, aber Rikes Gesicht schob sich immer wieder dazwischen. Sie atmete tief aus, Robert behielt wenigstens die Nerven, sie musste das erst mal sacken lassen.

»Wir fahren morgen früh mal zu der Baustelle und unterhalten uns mit ihm«, antwortete Anna leichthin. »Vielleicht gibt es einen Grund, dass er vor dem Haus stand, vielleicht auch nicht, vielleicht war er es gar nicht, das werden wir morgen schon herausfinden.«

»Und wenn er nicht da ist?«, fragte Robert.

Eine blöde Frage, dachte Maren, so blöde, dass sie sie nicht gestellt hätte. Dabei wusste sie die Antwort. Und sie war Polizistin.

»Er wird wahrscheinlich nicht da sein«, sagte sie leise. »Ich habe ihn zufällig kennengelernt. Und dabei mitbekommen, dass er bis Mittwoch in Hamburg ist.«

»Ach.« Erstaunt sah Anna sie an. »Aber lass uns darüber morgen früh reden. Wir fahren trotzdem erst mal zur Baustelle.« Sie drehte sich zu Robert um. »Der gefundene Schlüssel muss ins Labor, Fingerabdrücke, Faserspuren, machst du das bitte noch?«

Robert nickte und ging über das selbstverständliche »Du« hinweg. »Mach ich.«

Mittlerweile waren sie vor Annas Hotel angekommen. Sie stieg aus und beugte sich noch einmal in den Wagen. »Danke. Und bis morgen.«

Robert und Maren sahen ihr nach, bis sie im Hotel verschwunden war.

»Du darfst deiner Freundin nichts sagen«, meinte Robert leise, ohne Maren anzusehen. »Das weißt du.«

Maren nickte. »Ja. Ich weiß.« Sie drehte sich zu ihm um und strich über seine Wange. »Ich halte mich an die Vorschriften, versprochen.«

Er hielt ihren Finger fest und küsste ihn. »Ja. Ist wohl besser.«

Karl stieß sich von der Fensterbank ab und drehte sich zu den anderen. »So«, sagte er entschlossen. »Sie sind weg. Jetzt reden wir mal Klartext.«

»Und worüber?« Onno fing langsam an, die Teller und Schälchen zusammenzustellen. »Es ist doch alles klar. Deine Freundin Anna schweigt, aber Inge ist die weltbeste Zeugin.«

»Nun lass das doch mal stehen.« Karl nahm Onno die Teller aus der Hand und setzte sich wieder. »Wir folgen wieder Plan A. Der kurzfristig Plan B wurde, aber jetzt wieder Plan A ist.«

»Ich verstehe kein Wort.« Neugierig sah Charlotte ihn an. »Erzähl mal für Blöde. Was war warum und wann A und B?«

»Ganz einfach.« Karl stand wieder auf, ging in den Flur, holte eine Aktentasche und kam wieder zurück. Während er seine Notizbücher und verschiedene Folien mit eng beschriebenen Blättern auf dem Tisch ausbreitete, sprach er weiter. »Plan A war, dass wir uns nicht auf die Pfeife Runge verlassen und stattdessen selbst ermitteln. Für Gerechtigkeit und Sicherheit auf dieser Insel. Als ich gestern Abend Anna Petersen traf und erfuhr, dass sie jetzt die Ermittlungen leitet, ging ich davon aus, dass wir ihr unsere kompletten Ergebnisse übergeben können und sie dann unsere Arbeit zu Ende bringt. Das bezeichne ich als Plan B. Aber jetzt, nach diesem Gespräch, kann ich nicht mehr auf sie zählen. Es kann ja nicht angehen, dass wir die Arbeit machen und sie die Lorbeeren kassiert. Und uns behandelt wie einfache Zivilisten, die keine Ahnung haben.«

»Na ja«, Onno hatte die Hand gehoben. »Wir sind aber …«

»Unterbrich mich bitte nicht. Ich habe jedenfalls Informationen, die ich heute nicht an Anna Petersen weitergegeben habe. Im Gegensatz zu Inge, die ja alles, was sie wusste, rausgehauen hat. Anstatt erst mal abzuwarten.«

»Ich konnte ja nicht wissen, dass das so endet«, verteidigte sich Inge. »Du hast gesagt, sie gehört zu uns.«

Karl winkte ab. »Vergiss es. Das Kind ist in den Brunnen gefallen. Aber es ist ja nicht so, dass wir keine anderen Asse im Ärmel haben.«

Er zog einen Bogen Papier aus einer Folie und wedelte damit vor Inges Nase herum. »Manchmal ist es ganz gut, dass ich euch nicht gleich alles erzähle. Also, ich habe heute Morgen Eva Geschke besucht. Und jetzt haltet euch fest: Sie hat ihr Haus verkauft.«

Charlotte, Inge und Onno sahen ihn abwartend an. Schließlich zuckte Charlotte mit den Achseln. »Und?«

Karl sah sie lange an. »Sie hat mir erzählt, dass sie sich seit dem Einbruch unwohl gefühlt hat, sie mochte nicht mehr in dem Haus wohnen. Jetzt zieht sie aufs Festland. Und ratet, wer ihr bei dem Verkauf maßgeblich geholfen hat?«

Er bekam keine Antwort.

»Leute, konzentriert euch. Welcher Name könnte fallen, um bei mir einen Denkprozess in Gang zu setzen? Charlotte, du hast die Protokolle geschrieben.«

Nachdenklich tippte Charlotte mit dem Zeigefinger an ihre Lippen. Plötzlich erhellte sich ihre Miene. »Gero Winter?«

»Korrekt.« Karl nickte lobend. »Und daraufhin bin ich bei Gisela vorbeigefahren. Und habe sie mit dem Namen konfrontiert. Und sie hat das bestätigt. Der hat auch bei ihr angerufen.«

»Zu mir hat sie gesagt, es wäre ein Name mit M«, wandte Charlotte ein. »Ich habe sie doch gefragt.«

»Du hast ihr aber nicht den Namen genannt. Und von selbst wäre sie nicht darauf gekommen. M – W, das ist ja ähnlich. So, und was folgt daraus?«

»Es gibt da eine Verbindung«, sagte Onno nachdenklich. »Er kam in Giselas Geschichte vor, in Helgas, also Helga Simons, und jetzt hier. Das kann aber auch Zufall sein.«

»Kann«, bestätigte Karl. »Muss aber nicht. Wir sollten

uns den jungen Mann mal näher anschauen. Und ich habe einen genialen Plan geschmiedet.«

»Das ist aber unser Plan, oder?«, wollte Inge wissen. »Also, das machen wir wieder alleine?«

»Selbstverständlich«, Karl sah entschlossen in die Runde. »Ab jetzt wieder Plan A. Es war Annas Entscheidung. Sie hatte es in der Hand. Also passt auf …«

Dienstagmorgen,
Polizeirevier bei noch leichter Bewölkung

Mit einem triumphierenden Gesichtsausdruck stand Maren an Annas Schreibtisch. »Bingo«, sagte sie und legte ihr einen Ausdruck auf den Tisch. »Ich habe das Kennzeichen des weißen Porsches eingegeben, und Sie ..., du wirst es nicht glauben. Der Wagen ist zugelassen auf den Namen Manfred Wagner, wohnhaft in Berlin mit Zweitwohnsitz in Kampen. Am Sonntagmorgen um 1 Uhr 30 wurde der Wagen im Rahmen einer Alkoholkontrolle in Kampen angehalten. Der Fahrer war nicht der Halter, sondern Karsten Baum, Architekt und auch wohnhaft in Berlin. Er ist mit dem Halter verschwägert. Der Alkoholtest hat eins Komma neun Promille ergeben, die Kollegen haben den Wagen an der Feuerwache in Kampen abgestellt. Was machen wir?«

Anna hatte den Ausdruck überflogen. »Sehr gut«, sagte sie. »Dann sehen wir uns Frau Hollers letzten Liebhaber doch mal an.«

Die Ampel sprang auf Grün und Maren fuhr nach links in Richtung Wenningstedt und Kampen. Anna war in eine Akte vertieft, die sie jetzt zuschlug. »Ich bin gespannt, was er erzählt«, sagte sie und sah aus dem Fenster. »Eins Komma neun Promille in dem Porsche seines Schwagers. Da wird der Haussegen jetzt wohl etwas schief hängen.«

Sie schwiegen, bis sie den Ortseingang von Kampen erreicht hatten. Maren verlangsamte die Geschwindigkeit und warf einen Blick auf die Feuerwache. Sofort bremste sie ab. »Seltsam«, wunderte sie sich. »Ich dachte, der Wagen wurde hier abgestellt. Ich sehe ihn aber nicht.«

Anna beugte sich vor, um an Maren vorbeisehen zu können. »Ich auch nicht. Und so ein weißer Porsche ist eigentlich nicht zu übersehen. Okay. Dann auf zum Hans-Hansen-Wai.«

Maren gab Gas.

Ein paar Minuten später verlangsamte sie die Geschwindigkeit erneut und hielt Ausschau nach der Hausnummer. »Da ist es«, sagte sie und lenkte den Wagen in eine Parkbucht vor dem Haus. »Und da ist auch der Wagen.«

Vor dem weißen Reetdachhaus stand ein Mann vor der geöffneten Tür des Porsches und stellte eine Reisetasche hinein. Als Anna und Maren auf ihn zugingen, ließ er die Tür zufallen und schloss ab.

»Herr Baum?« Anna beschleunigte ihre Schritte, als sie sah, dass er sich zum Haus wandte. »Einen Moment, bitte.«

Er drehte sich zu ihnen um und sah sie genervt an. »Was wollen Sie?«

Seine Augen waren gerötet, seine feuchten Haare streng zurückgekämmt. Er trug eine Jeans und eine Lederjacke, die Uhr war etwas zu protzig, der lässig geknotete Schal zu bunt. »Machen Sie es kurz. Mein Bedarf an Polizei ist für den Moment gedeckt.«

Anna musterte erst ihn, dann den Wagen – und zückte schließlich ihren Dienstausweis, den er keines Blickes würdigte. »Anna Petersen, Kripo Flensburg. Wie ist denn der Wagen hierhergekommen?«

»Hat ein Kumpel geholt.« Er sah über sie hinweg. »Noch was?«

»Wollen Sie abreisen? Und fährt dieser ›Kumpel‹ Sie auch nach Hause? Weil Sie ja nicht mehr fahren dürfen?«

Karsten Baum schob seine Hände in die Jackentaschen und wippte auf den Zehenspitzen. Mit sarkastischem Grinsen fragte er: »Hat die Kripo nichts anderes zu tun, als Alkoholsünder zu kontrollieren? Ist Ihnen das nicht zu blöd?«

»Nein.« Anna ließ sich nicht aus der Ruhe bringen. »Im Gegenteil. Das ist immer so schön einfach. Wann haben Sie Jutta Holler das letzte Mal gesehen?«

Jetzt war sein Gesichtsausdruck überrascht. »Jutta Holler? Was hat die denn mit dem Auto zu tun?«

»Nichts.« Anna blieb gelassen. »Also noch mal: Reisen Sie ab?«

Im Nachbarhaus öffnete sich die Haustür. Eine Frau ging langsam zum Zaun und tat so, als würde sie etwas aus dem Briefkasten holen. Ihr neugieriger Blick war unverhohlen auf Anna, Maren und den Polizeiwagen gerichtet. Karsten Baum hatte sie gesehen und sagte jetzt: »Können wir das im Haus besprechen?«

Anna nickte: »Sicher. Wir folgen Ihnen.«

Er führte sie in ein großzügiges Wohnzimmer, Designermöbel, Teppiche, Bilder, alles sehr geschmackvoll eingerichtet. In der angrenzenden offenen Küche deutete Baum auf zwei unbequeme Hocker. »Kaffee?«

»Nein, danke«, Anna lehnte sich an die Arbeitsplatte. »Also: Wann haben Sie Jutta Holler das letzte Mal gesehen?«

Karsten Baum hantierte ungeschickt an der überdimensionierten Espressomaschine herum, bekam sie nicht in Betrieb und gab es schließlich auf. Mit einem Glas Wasser

in der Hand lehnte er sich an den Schrank, Anna gegenüber. Maren beobachtete die Szene von der Tür aus. »Was
soll diese Frage? Hat Jutta mich angezeigt? Die hat es gerade nötig, die schluckt doch selbst ganz gern. Und viel.«
Er wurde vom Klingeln des Telefons unterbrochen und
nahm den Hörer, der hinter ihm lag, auf. »Ja, was ist? ...
Nein, es ist nichts passiert ... Kein Einbruch, nein, sagte
ich doch ... Nur eine Zeugenbefragung ... Kümmern Sie
sich doch um Ihren eigenen Kram ... Ja, Sie mich auch.«

Er ließ das Telefon auf die edle Spüle fallen. »Die Nachbarin«, sagte er mit einem arroganten Lächeln. »Gattin
eines Richters, wollte wissen, was die Polizei in dieser vornehmen Straße macht. Wahrscheinlich hat sie Schiss, dass
ihre Millionenvilla als Nächstes ausgeraubt wird. Aber
jetzt wird sie es gleich allen erzählen, blöde Ziege.«

»Das Haus gehört Ihrem Schwager?« Anna stellte es
mehr fest, als dass sie fragte. Karsten Baum nickte. »Und
meiner Schwester. Die diesen reichen, alten Sack geheiratet hat. Aber ihr verkommener Bruder darf hier ab und
zu wohnen. Das ist die Wiedergutmachung dafür, dass er
mich aus seinem Scheißarchitektenbüro geschmissen hat.
Ich hatte sowieso keinen Bock mehr, für diesen Spießer
zu arbeiten. Dafür mache ich jetzt umsonst Urlaub, fahre
Porsche, bis gestern Abend jedenfalls, und gehe meinem
Schwager gehörig auf den Sack. Er kocht jedes Mal vor
Wut, aber meine Schwester pflegt einen ausgeprägten Fa-
miliensinn. So, und was wollen Sie jetzt? Mich abholen
und aufs Revier bringen, damit ich mich entschuldige,
dass ich ein paar Biere getrunken habe, bevor ich in die
Scheißkarre gestiegen bin?«

»Ich möchte immer noch wissen, wann Sie Jutta Holler
zuletzt gesehen haben.«

Maren war beeindruckt, wie souverän Anna Petersen

mit diesem arroganten Blödmann umging. Karsten Baum sah sie verständnislos an, ob es wieder am Alkohol oder an seiner auch sonst nicht sehr regen Hirntätigkeit lag, er schien nicht zu kapieren, dass Anna tatsächlich eine Antwort von ihm wollte. Stattdessen drehte er sich um und kippte den Rest des Wassers schwungvoll in die Spüle. Mit dem Rücken zu Anna sagte er: »Was haben Sie denn mit Jutta? Ich habe keine Ahnung, Samstagvormittag, -nachmittag, was weiß ich? Wen interessiert das denn jetzt?«

Maren musterte ihn. Er war erheblich jünger, als er aussah. Sie hatte seine Personalien im Protokoll gesehen. Er war gerade fünfzig geworden und somit als letzter Liebhaber von Jutta Holler tatsächlich fünfzehn Jahre jünger als sie. Maren fragte sich, ob das inzwischen ein Trend war, mit dem nur sie ein Problem hatte.

Annas Frage lenkte sie von ihren Gedanken ab. »Sie hatten mit Jutta Holler eine Beziehung?«

»Beziehung?« Er grinste zynisch. »Wenn Sie es als Beziehung bezeichnen, dass man ab und zu zusammen in die Kiste steigt. Und sich hin und wieder ein Essen bezahlen lässt. Dann ja.« Jetzt stutzte er und starrte sie an. Eine steile Falte erschien über seiner Nasenwurzel. »Was sollen diese Fragen? Was hat das denn mit meinem Führerschein zu tun?«

Anna starrte zurück. »Herr Baum, wo waren Sie am Samstag zwischen achtzehn und zwanzig Uhr?«

»Was?« Er schnappte nach Luft. »Um was geht es hier eigentlich?«

»Würden Sie mir bitte meine Frage beantworten?«

»Keine Ahnung.« Er fuhr sich mit der Hand durch die Haare. Die vorher so streng zurückgekämmte Pracht stand jetzt in alle Richtungen ab. »Warum, verdammt?«

»Jutta Holler ist tot.« Anna fixierte ihn mit ihrem Blick.

»Und ich möchte wissen, wo Sie am Samstag zwischen achtzehn und zwanzig Uhr waren.«

Karsten Baum war kreideweiß geworden. Er öffnete den Mund, schloss ihn wieder, überlegte einen Moment, dann sagte er: »Ich möchte meinen Anwalt anrufen.«

»Machen Sie das«, antwortete Anna und deutete auf das Telefon, das hinter ihm lag. »Und so lange warte ich dann auf Ihre Antwort. Ansonsten würde ich Sie vorläufig festnehmen.«

Er starrte sie an, fuhr sich wieder durch die Haare und griff zum Telefon. Er drückte nur einmal, entweder war der Anwalt gespeichert oder er benutzte die Wahlwiederholung. Nach wenigen Augenblicken hatte er eine Verbindung.

»Thomas, ich bin es, Karsten. Hör zu, ich habe ein Problem. Hier steht jemand von der Kripo, am Samstag ist eine Frau ums Leben gekommen, die ich …, wie soll ich sagen, flüchtig oder vielleicht ein bisschen mehr kannte. Die wollen jetzt wissen, wo ich war.«

Er hörte einen Moment zu, dann sagte er: »Ja, schon … Ja, natürlich, aber das muss ja nicht bekannt werden. Kannst du nicht …?«

Die Antwort kam so laut, dass sowohl Maren als auch Anna es hören konnten: »Bist du bescheuert? Sag es ihnen. Oder gib mir mal die Beamtin.«

Karsten Baum reichte Anna den Hörer. Sie hatte sich kaum vorgestellt, als der Anwalt schon anfing. »Ist mein Mandant verdächtig? Oder geht es um eine Zeugenaussage?«

Anna blieb gelassen. »Das müssen Sie schon uns überlassen. Ich möchte lediglich wissen, wo sich Herr Baum am Samstagabend aufgehalten hat. Mehr nicht. Ich weiß nicht, wo das Problem liegt.«

»Stellen Sie doch bitte mal das Telefon auf Lautsprecher.«

Anna drückte die Taste und hörte überrascht, dass der Anwalt sagte: »Karsten, du gehst jetzt mit der Polizei zu Eva, ich hoffe, dass sie da ist. Ich gehe davon aus, dass die Kripo die Sache diskret behandelt. Dann ist der Verdacht sofort ausgeräumt. Du kommst sonst vor lauter Diskretion in ein Strafermittlungsverfahren. Das fehlt noch. Ruf mich später an.«

Er legte auf und Anna und Maren sahen Baum abwartend an. Er atmete lang aus, dann sagte er: »Mein Anwalt weiß Bescheid, ich musste ihn ja Sonntagmorgen wegen dieser Führerscheinsache anrufen. Und er wollte wissen, wo ich war. Ich war mit einer Frau zusammen, wir haben erst in Hörnum gegessen, auf dem Tisch da liegt noch die Visitenkarte von dem Restaurant, und waren danach bei ihr. Ich bin von da aus in diese Scheißkontrolle gefahren.«

»Gut.« Anna nickte. »Dann fragen wir sie doch einfach, ob sie das bestätigen kann. Wo wohnt sie denn?«

Karsten Baum zögerte einen Moment, bevor er antwortete. »Drei Straßen weiter. Aber sie wird es vermutlich abstreiten. Sie … sie ist mit dem Geschäftspartner und besten Freund meines Schwagers verheiratet.«

Maren grinste innerlich. Sie mochte keine Klischees, trotzdem war das eine Geschichte, die man eher in Realityshows der privaten Fernsehsender sah. Die Dramen der Schönen und Reichen. Sie steckte die Visitenkarte des Nobelrestaurants ein.

Anna wandte sich zur Tür. »Sie begleiten uns, Herr Baum. Und dann schauen wir mal, was sie sagt.«

Das große Anwesen lag tatsächlich fast um die Ecke. Umso dämlicher fand Maren die Tatsache, dass Karsten

Baum am Sonntagmorgen diesen kurzen Weg betrunken gefahren war. Vermutlich hatte er es riskanter gefunden, den Wagen sichtbar über Nacht stehen zu lassen. Was für ein blöder Fehler.

Sie blieben vor dem schmiedeeisernen Tor stehen, und Anna wies auf die Klingel. »Bitte, Herr Baum. Und hoffen Sie, dass Frau ..., wie heißt sie?«

»Eva Hoffmann.«

»Dass Frau Hoffmann zu Hause ist. Dann sind Sie uns gleich wieder los.«

Karsten Baum drückte auf den Klingelknopf, Sekunden später erklang eine Stimme: »Ja?«

»Eva, ich bin es, machst du mal auf?«

Der Summer ließ das Tor aufspringen, Anna folgte Karsten in kurzem Abstand.

»Was machst du ...?« Die Frau, die in der offenen Tür stand, sah nicht so aus, als freue sie sich über diesen Besuch. Sie trug knappe Shorts, ein Trägerhemd, ihre Haare waren hochgesteckt. Als sie Anna und Maren bemerkte, zuckte sie zusammen. »Was soll das? Ist was passiert?«

Anna ging an Karsten Baum vorbei, Maren blieb neben ihm stehen, um zu verhindern, dass er Eva Hoffmann irgendwelche Zeichen gab. Es war nicht nötig, Eva Hoffmann würdigte ihn keines Blickes. Stattdessen sah sie Anna entgegen, die ihren Ausweis zeigte und sagte: »Frau Hoffmann, mein Name ist Petersen, Kripo Flensburg. Ich ermittle in einem Todesfall und möchte wissen, wo Sie am Samstagabend zwischen achtzehn und zwanzig Uhr waren.«

»Ich?« Sie war völlig perplex. »Wie kommen Sie auf mich? Ich war mit Freunden essen.«

»Mit Freunden?«, fragte Anna nach. »Oder mit Herrn Baum?«

»Mit Freunden«, wiederholte sie mit Nachdruck. Karsten Baum trat einen Schritt vor. »Eva, das stimmt doch nicht. Wir waren ...«

»Bitte, Herr Baum«, Maren hielt ihn am Arm fest. Anna warf ihm einen kurzen Blick zu, dann fixierte sie Eva Hoffmann. »Sie wissen, dass eine Falschaussage strafbar ist? Also noch mal: Wo waren Sie am Samstag zwischen achtzehn und zwanzig Uhr?«

Wütend starrte Eva Hoffmann Karsten an. »Was hast du mit solchen Sachen zu tun? Was erzählst du denn? Mein Mann kommt jeden Augenblick, was soll das?«

»Dann machen wir es ganz kurz.« Anna trat einen Schritt auf sie zu. »Ich möchte die Adressen Ihrer Freunde, dann ist alles gut. Wenn Sie sich sicher sind, dass das die richtige Antwort war.«

Plötzlich ließ Eva die Schultern sinken. »Ich war mit Karsten in Hörnum essen. Und anschließend hier. Bis kurz vor eins. Bitte, mein Mann darf das nicht erfahren, können Sie das bitte diskret behandeln? Ich will diese Affäre sowieso beenden.« Sie sah Anna flehend an. Die trat einen Schritt zurück und nickte.

»Ich versuche es, Frau Hoffmann. Aber ich muss Sie bitten, morgen noch bei uns vorbeizusehen und ein Protokoll zu unterschreiben.«

»Muss das sein?«

Genau in diesem Moment hörte man, wie sich das Tor der Auffahrt öffnete. Ein dunkelblauer Jaguar rollte auf das Haus zu. Anna sah kurz hin, dann wieder auf Eva Hoffmann. »Ja. Das muss sein. Also, dann noch einen schönen Tag. Herr Baum, Ihnen natürlich auch.«

Sie ging neben Maren zurück zum Tor, nickte dem grau melierten Mann zu, der gerade mit verwundertem Gesicht aus dem Jaguar stieg, dann verließen sie das Grundstück.

»Autsch«, sagte sie leise zu Maren. »Da bin ich aber gespannt, wie diskret die beiden dem Herrn Hoffmann unsere Anwesenheit erklären werden.«

»Aber Karsten Baum ist raus«, stellte Maren fest. »Oder?«

Anna nickte. »Davon gehe ich aus. Der hat sich mit seiner Geliebten die Kante gegeben. Ruf sicherheitshalber noch mal in dem Restaurant in Hörnum an, man braucht da immer eine Reservierung. Aber wir können uns jetzt den Nächsten vornehmen. Diesen Architekten, den Frau Müller in der Zeitung erkannt hat. Du hast gesagt, du hast ihn kennengelernt? Erzähl doch mal.«

»Kennengelernt?« Maren war als Erste am Auto angekommen und öffnete die Tür. Während sie sich anschnallte, sah sie wieder Rikes strahlendes Gesicht vor sich. Maren schloss kurz die Augen, wartete, bis auch Anna eingestiegen war, und sagte: »Kennengelernt ist übertrieben. Meine Freundin arbeitet bei einem Allgemeinarzt in Westerland, er war dort als Patient. Ich habe auf dem Sommerfest kurz mit ihm gesprochen.«

»Weißt du denn mehr über ihn als in der Zeitung steht?« Anna sah sie neugierig an.

»Nee. Ich weiß auch nur, dass er der leitende Architekt dieser neuen Hotelanlage ist, aus Hamburg kommt und schon mehrere Preise für seine Bauten bekommen hat.« Maren gab sich Mühe, ihre Stimme fest klingen zu lassen. »Und dass meine Freundin Rike ihn sehr sympathisch findet.« Sie fand, dass das diplomatisch genug ausgedrückt war.

Anna nickte. »Du bist also nicht befangen.« Sie stellte es mehr fest, als dass sie fragte, Maren antwortete nicht. Anna warf ihr einen kurzen Blick zu, bevor sie sagte: »Wir können uns nachher mal die Baustelle ansehen. Vielleicht gibt es eine ganz einfache Erklärung, warum Frau Müller ihn in ihrer Straße gesehen hat. Ich habe Benni übrigens gebeten, von Wittenbrink durch den Computer laufen zu lassen. Wir fahren jetzt erst mal zurück aufs Revier.«

Maren hielt vor einer roten Ampel und sah aus dem Fenster. Vor einem Lokal standen gut gelaunte Gäste und tranken Champagner. Um elf Uhr morgens. Das Leben konnte auch leicht sein.

»Grüner wird's nicht«, Anna grinste, und Maren richtete den Blick sofort wieder auf die Straße. »Sorry. Sag mal, soll ich dich denn nachher auch noch auf die Baustelle begleiten? Dann müsste ich das vielleicht doch mal mit Runge absprechen.«

»Das habe ich schon«, antwortete Anna munter. »Ich habe dich sozusagen für meine Ermittlungen abgezogen, ihm blieb gar nicht viel anderes übrig, als dem zuzustimmen. Aber bei der Atmosphäre zwischen Karl und ihm halte ich es für besser, dass Karls Patentochter aus der Schusslinie ist. Und ich finde, mit uns läuft das doch auch ganz gut so. Oder?«

»Alles bestens«, Maren lächelte. »Danke.«

Sie hoffte nur inständig, dass es tatsächlich eine ganz einfache Erklärung dafür gab, dass der preisgekrönte Architekt vor dem Haus von Jutta Holler gestanden hatte. Oder, dass es nur eine blöde Verwechslung war.

Nervös faltete Charlotte die Serviette in immer kleinere Dreiecke und sah dabei alle zwei Minuten auf die Uhr. Wo blieben Inge und Karl denn bloß? Dieses Warten machte sie ganz verrückt, wenn es noch länger dauerte, würde sie dieses Vorhaben abblasen. Vermutlich war es sowieso eine bescheuerte Idee und sie kämen alle in Teufels Küche und danach aufs Polizeirevier. Und an das nachfolgende Gespräch mit Heinz mochte sie gar nicht denken.

»Charlotte, wir sind da!«, erklang Inges fröhliche Stimme durch den Garten. »Jetzt geht's los!«

Charlotte sprang auf und ging ihr entgegen. »Na, endlich. Ich sitze hier wie auf Kohlen. Wo ist Karl?«

»Der schließt noch sein Fahrrad ab.« Inge deutete in die Richtung, aus der sie gerade gekommen war. »Und außerdem haben wir gesagt, dass wir um zwölf hier sind, und jetzt ist es gerade mal acht Minuten nach.«

»Aber sonst bist du immer zu früh«, Charlotte war nicht zu beruhigen. »Der Termin ist um halb zwei und wir müssen vorher doch alles noch mal durchgehen. Das hatten wir verabredet. Und um eins müssen wir losfahren. Ihr kommt wirklich auf den letzten Drücker.«

»Entspann dich«, versuchte Inge, sie zu besänftigen. »Setz dich wieder hin, trink ein Wasser und atme tief durch. Da ist Karl ja schon.«

»Hallo, Charlotte«, mit einem breiten Lächeln und erhobenen Armen kam Karl auf sie zu. »Na? Nervös vor dem großen Auftritt?«

Inge fuhr sich hinter Charlottes Rücken mit den Fingern über die Kehle und schickte ihm einen bösen Blick, bevor sie schnell sagte: »Oh, wie schön, Lachs- und Krabbenbrötchen. Setz dich hin, Karl, ich habe Hunger.«

»Gern«, sofort setzte er sich an den Tisch und griff zu. »Sehr gute Idee. Mit leerem Magen kann man keine Leistung bringen. Was ist, Charlotte? Du guckst so komisch?«

»Ich bin mir nicht sicher, ob wir …«

Inge unterbrach sie sofort. »Doch, wir sind uns sicher. Wieso bist du jetzt so nervös? Wir machen das doch zusammen, es ist alles durchgesprochen.«

»Nervös?« Karl schüttelte den Kopf und beugte sich zu Charlotte. »Es gibt überhaupt keinen Grund, nervös zu sein. Ich warte vor dem Gebäude auf euch, das heißt, euch kann doch gar nichts passieren. Es ist ein genialer Plan, das muss ich an dieser Stelle mal sagen, auch wenn er von mir ist. Kinderleicht umzusetzen, das wirst du sehen. Also, jetzt reiß dich zusammen, es geht um das große Ganze. Wir greifen an. Wenn wir es nicht tun, dann geht das Grauen weiter.«

Unbewegt sah Charlotte ihn an. Dann biss sie entschlossen in ein Krabbenbrötchen. Sie kaute langsam und schluckte, bevor sie Inge und Karl wieder ansah. »Dann los«, sagte sie schließlich. »Lass es uns noch mal durchgehen.«

Vor dem Gebäude stand eine Bank, auf der Karl Position bezog. Er setzte sich zurecht und hob einen Daumen, erst dann nickten Charlotte und Inge sich zu und wandten sich zum Eingang.

»Okay«, sagte Charlotte und strich ihre Jacke glatt. »Inge, wenn ich ohnmächtig werde, gib mir die Kreislauftropfen aus der Seitentasche.« Ohne die Antwort abzuwarten, drückte sie die Eingangstür auf.

»Guten Tag«, sie sah die junge Frau am Schalter fest an. »Mein Name ist Schmidt. Ich habe um dreizehn Uhr dreißig einen Termin mit Herrn Winter.«

Die Frau nickte lächelnd. »Einen kleinen Moment, Frau Schmidt, ich melde Sie kurz an.« Mit dem Hörer am Ohr warf sie einen Blick auf Inge, dann sagte sie: »Gero, Frau Schmidt ist jetzt da. Danke.« Sie legte auf und lächelte wieder. »Er holt Sie sofort. Möchten Sie solange da vorn Platz nehmen?«

»Wie lange braucht der denn hierher, dass wir erst noch Platz nehmen müssen?«, flüsterte Inge, während sie langsam auf die Sitzgruppe zugingen. »Und kaum sitzt man, dann kann man sich schon wieder hochrappeln. Bis jetzt machst du das übrigens sehr gut.«

»Pst«, Charlotte nahm auf dem unbequemen Ledersessel Platz. »Keine Kommentare.«

Wenige Minuten später kam ein blonder, sportlicher, junger Mann die Treppe heruntergeeilt.

»Frau Schmidt?« Er reichte Inge strahlend die Hand, die sie gleich ergriff und schüttelte, bevor sie antwortete: »Nein, Müller, ich bin Frau Müller, Frau Schmidt ist meine Schwägerin, ich unterstütze sie nur.«

»Ach«, sein Lächeln wurde erst schmaler, dann wieder breiter, als er sich Charlotte zuwandte. »Dann müssen Sie Frau Schmidt sein, sehr erfreut, Gero Winter, wir haben telefoniert. Ja, meine Damen, darf ich Sie bitten, mir zu folgen? In meinem Büro wartet schon eine schöne Tasse Kaffee auf uns. Ich gehe vor?«

Er marschierte auf einen Fahrstuhl zu, Inge beugte sich

zu Charlotte und flüsterte: »Müssen wir uns die teilen, diese schöne Tasse Kaffee?«, und kicherte. Charlotte stieß ihr den Ellenbogen in die Rippen und sah sie böse an. »Reiß dich zusammen.«

Sie hoffte, dass Inge das schaffte. Immer, wenn sie log, wurde sie albern und fing an zu stottern. Sie durften es nicht verderben.

Das Büro von Gero Winter war im zweiten Stock. Er öffnete die Tür und ließ Charlotte und Inge den Vortritt. »Bitte«, er deutete auf einen Glastisch, um den vier Stühle gruppiert waren. »Nehmen Sie doch Platz.«

Er schenkte Kaffee aus einer silbernen Thermoskanne ein, es hatte zum Glück jede eine eigene Tasse, schob den Schreibblock vor sich ein Stück zur Seite, faltete seine Hände auf dem Tisch und sah beide Frauen freundlich an. »Wie kann ich Ihnen behilflich sein?«

»Ja, also …«, Charlotte hielt zunächst ihren Blick auf Inges Hände gerichtet, die umständlich versuchten, den Deckel des kleinen Milchdöschens aufzureißen. Als sie es geschafft hatte, wischte Charlotte mit dem Finger einen Tropfen von ihrem Ärmel und hob den Kopf. »Also, ich habe am Telefon ja schon kurz gesagt, um was es geht. Wissen Sie, mein Mann ist seit ein paar Tagen verreist. Und jetzt sind doch diese Einbrüche passiert. Unter anderem auch bei einer engen Freundin von uns. Meine Schwägerin Inge und ich haben ihr beim Aufräumen geholfen und sie natürlich auch trösten müssen, nicht wahr, Inge?«

»Ja.« Inge nickte, während sie am Verschluss des nächsten Aludeckels zerrte. »Stimmt.«

»Die Einbrüche«, Gero Winter nickte verständnisvoll. »Das ist wirklich eine schlimme Sache. Und davon ist auch eine Freundin von Ihnen betroffen? Das ist ja furchtbar.«

»Ja«, Charlotte legte ihre Hand an die Wange, um zu fühlen, ob ihr Gesicht schon heiß wurde. Es ging noch. Sie ließ die Hand wieder sinken. »Jedenfalls gehen mir seitdem so viele Gedanken durch den Kopf. Mein Mann und ich sind nicht mehr die Jüngsten, die Insel verändert sich, unsere Kinder wohnen in Hamburg, es wäre alles einfacher, wenn wir dichter dran wären. Und dann, Herr Winter, dann ist dieser Einbruch in Wenningstedt passiert. Der, bei dem die Eigentümerin ums Leben gekommen ist. Und seitdem kann ich nicht mehr ruhig schlafen, weil ich dauernd Geräusche im Haus höre. Ich werde noch ganz verrückt. Ich bin ja im Moment allein im Haus.«

Gero Winter beugte sich ein bisschen vor und legte den Kopf schief. »Das kann ich gut verstehen, Frau Schmidt. Man fühlt sich plötzlich nicht mehr sicher in seinem eigenen Zuhause, das kann natürlich zu einer großen Verunsicherung führen.«

Inge hatte den Deckel mit Gewalt abgerissen, der Inhalt ergoss sich über den Tisch. »Oh, Entschuldigung«, sagte sie und holte ein Tempo aus der Tasche. »Die sind aber auch blö… blöde, diese Kaffeesahnetöpfchen. Erzähl weiter, Charlotte, du hast also Angst im … im Haus.« Sie tupfte die Milch von der Glasplatte.

»Genau.« Charlotte faltete ihre Hände. »Und deshalb habe ich überlegt, ob wir das Haus nicht besser verkaufen sollten. Ich habe neulich von einer Bekannten gehört, dass Sie sich mit so was auch auskennen. Also, das heißt, ich müsste natürlich wissen, was man so ungefähr dafür bekommen könnte, weil wir uns ja eine Wohnung oder ein kleines Haus in Hamburg kaufen müssten. Können Sie mir das ungefähr sagen? Also, den Preis?«

Gero Winter lächelte sie an. »Tja, Frau Schmidt, das kann ich natürlich nicht so ad hoc sagen, das wäre auch nicht seriös. Aber ich kann mir das Haus gern mal ansehen, ich habe Erfahrung mit den Preisen, die man mit Immobilien auf der Insel erzielen kann. Wir finanzieren ja auch einen großen Teil der Haus- und Wohnungskäufe hier. Und Ihr Mann sieht das genauso wie Sie?«

»Mein Mann?« Charlotte zuckte die Achseln. »Mein Mann ist nicht der große Entscheider vor dem Herrn. Bei ihm muss immer erst was passieren, bevor er etwas ändert. So ist er nun mal. Aber ich habe keine Lust, auf einen Einbruch zu warten und erst dann zu überlegen, ob ich noch gern hier wohne. Ich schlafe ja jetzt schon schlecht. Und deshalb habe ich mir überlegt, jetzt, wo mein Mann mit meinem Schwager verreist ist, schon einmal ein Gespräch mit Ihnen zu führen. Dann bin ich vorbereitet, wenn Heinz, also mein Mann, zurückkommt, und kann ihm Preise, Fakten und Vorgehensweise vorlegen. Damit kriege ich ihn rum. Er braucht Argumente – Gefühle sind ihm egal.«

Gero Winter sah sie irritiert an, Charlotte überlegte, ob sie zu dick auftrug, und suchte den Blickkontakt mit Inge. Aber die hielt den Blick gesenkt und pulte schon am Verschluss des dritten Milchdöschens.

»Ja, Frau Schmidt«, begann Gero Winter und zog den Schreibblock wieder zu sich heran. »Es ist immer vernünftig, beizeiten Informationen einzuholen, wenn man seine Immobilie veräußern möchte. Ich darf Ihnen an dieser Stelle sagen, dass es momentan überhaupt kein Problem ist, ein Haus auf Sylt zu verkaufen. Es gibt viel mehr Anfragen als Angebote. Natürlich muss man sich einen seriösen Partner suchen, aber Sie können sich darauf verlassen, dass Sie sich richtig entschieden haben, zunächst mit mir zu sprechen. Haben Sie denn jetzt Unterlagen dabei? Grundrisse, Fotos, irgendetwas, womit ich mir ein Bild machen kann? Ich muss mir das Objekt natürlich auch noch selbst anschauen, aber so hätte ich schon mal einen ersten Eindruck.«

Inge hatte inzwischen das vierte Milchdöschen geöffnet und fing endlich an, ihren Kaffee umzurühren. Dabei lächelte sie Gero Winter an, der mit dem Taschentuch Milchreste von seinem Schreibblock wischte.

»Natürlich«, Charlotte öffnete ihre große Handtasche und nahm einen Umschlag mit einem Stapel Fotografien heraus. »Also, Bilder habe ich jede Menge, von hinten, von vorn, von der Seite, von innen, mit Familie, ohne Familie, die können Sie sich alle ansehen. Die Grundrisse habe ich jetzt nicht dabei, aber wenn Sie sowieso noch vorbeikommen, kann ich sie Ihnen dann ja geben.«

Gero Winter betrachtete das erste Foto. Charlotte beugte sich sofort nach vorn und tippte mit dem Finger darauf. »Das ist mein Mann, hier rechts meine Tochter Christine, da war die noch richtig dünn, daneben mein Sohn Georg. Der hat aber heute weniger Haare.«

Gero Winter nickte, steckte das Foto hinter den Stapel, schaute auf das nächste.

»Der Mann im karierten Hemd ist Walter, mein Schwager, daneben Inge, also Frau Müller ... Inge, wann war das denn noch mal? Diese rote Jacke hast du doch gar nicht mehr?«

Bevor Inge antworten konnte, hob Winter die Hand. »Frau Schmidt, Frau Müller, das ist im Moment nicht so wichtig, es geht mir ja mehr um das Haus.« Er blätterte die Fotos schnell durch und schob dann Charlotte den Stapel wieder hin. »Vielen Dank, für den ersten Eindruck reicht mir das durchaus. Ich werde dann sowieso noch eine Aufnahme machen, wenn ich bei Ihnen bin.«

»Und?« Charlotte sah ihn neugierig an. »Können Sie schon sagen, in welcher Preisklasse wir da liegen?«

Nach einem abschließenden Blick auf den Fotostapel zog Gero Winter einen silbernen Kugelschreiber aus dem Jackett und schrieb eine Zahl auf den Block, den er danach über den Tisch schob. Charlotte beugte sich hinunter und schlug die Hand vor den Mund. Langsam drehte sie sich zu Inge, dann wieder zu Gero Winter. »Achthunderttausend Euro? Das ist ja fast eine Million.«

Lächelnd nickte Gero Winter. »Bei diesem großen Grundstück denke ich, dass das die Größenordnung ist, über die wir reden können. Falls Ihr Mann zustimmt.«

»Bei der Summe?« Charlotte lächelte zurück. »Mein Mann ist stur, aber nicht dumm. Da wird keine große Überzeugungsarbeit nötig sein. Das ist ja wunderbar. Ach, was bin ich froh, dass ich diesen Termin bei Ihnen gemacht habe.«

»So soll es auch sein«, Gero Winter steckte den Stift wieder zurück in sein Jackett. »Kundenzufriedenheit hat bei uns die höchste Priorität. Also, wann darf ich denn mal vorbeikommen? Wann passt es Ihnen? Vielleicht gleich heute Nachmittag? Oder morgen?«

»Heute und morgen ist ganz schlecht«, antwortete Charlotte sofort. »Vielleicht Donnerstag? Das wäre besser. Ich muss ja auch noch mal drüber schlafen. Und vielleicht schon mal meinen Mann am Telefon vorbereiten. Lieber Donnerstag.«

»Gut.« Gero Winter erhob sich langsam, Charlotte tat es ihm nach und stieß Inge an, die immer noch in ihrer Tasse rührte. Sie hatte noch gar nicht getrunken.

Als alle drei standen, reichte Winter erst Charlotte, dann Inge die Hand und sagte: »Dann bis Donnerstag. Die Adresse habe ich ja. Sollen wir halb elf sagen?«

»Gern«, Charlotte nickte ihm ein letztes Mal zu, dann folgten Inge und sie ihm nach unten. Als sie vor dem

Haupteingang standen, drehten sie sich noch mal zu ihm um. Er stand neben der Aufzugstür und telefonierte mit dem Handy. Als er sie sah, hob er zum Abschied lächelnd die Hand.

»Und?« Karl war sofort aufgesprungen, als er Charlotte und Inge aus der Bank kommen sah. »Wie ist es gelaufen?«

»Gut«, Charlotte nahm ihn am Arm und dirigierte ihn in Richtung Parkplatz. »Aber wenn du hier schon herumschreist, hätte ich mir nicht solche Mühe geben müssen. Es muss doch niemand hören.«

»Ich habe nicht geschrien«, protestierte Karl. »Du solltest mich mal schreien hören.«

»Nein, danke.« Charlotte beschleunigte ihre Schritte, bis sie an ihrem Auto stand. Erst als sie alle drei im Wagen saßen und die Türen zugeschlagen waren, drehte Charlotte sich zu Karl um. »Achthunderttausend«, sagte sie. »Er hat gesagt, wir würden für das Haus achthunderttausend Euro bekommen. Stell dir das mal vor. So viel Geld.«

»Also hat er angebissen?« Karl schlug mit der Hand auf den Vordersitz. »Dann hat er euch also geglaubt, dass ihr überlegt zu verkaufen?«

»Was heißt, euch?« Charlotte sah Inge auf dem Beifahrersitz an. »Inge hat die ganze Zeit bloß an ihrer Kaffeesahne rumgefummelt, wirklich, Inge, das war ganz schön nervig. Du nimmst doch sonst nicht so viel Milch, was sollte das denn?«

»Mir fielen halt die ganze Zeit komische Dinge ein«, antwortete Inge verlegen. »Ich musste mich auf irgendetwas konzentrieren, sonst hätte ich losgekichert.«

»Die will ich jetzt aber nicht hören, diese komischen Dinge«, ging Karl dazwischen. »Nur das Wesentliche. Was habt ihr für einen Eindruck?«

»Der ist sehr nett«, sagte Charlotte nach einem kleinen Moment des Nachdenkens. »Ein ganz sympathischer junger Mann. Ich glaube, da ist nichts dran, also, dass er irgendwie das ..., wie hast du das ausgedrückt? Das verbindende Element ist.«

»Hier ist kein Platz für Spekulationen, Charlotte.« Karl hatte wieder seine Ermittlerstimme. »Wir haben jetzt eine Lunte gelegt und werden sehen, ob jemand die anbrennt. Aber du hast deine Rolle so gespielt, wie wir das verabredet haben? Also: alles das gesagt, was ich vorbereitet hatte?«

»Das hat sie«, Inge sagte das mit Nachdruck. »Charlotte war brillant. Ich habe ihr das fast selbst geglaubt. Herr Winter hat sich die Fotos angesehen und will Donnerstag um halb elf vorbeikommen. Charlotte hat gesagt, dass das der früheste Termin ist, genau so, wie es auf deinem Plan stand. Ich habe nicht viel gesagt, aber Charlotte war sehr überzeugend. Da merkt man doch, dass du als junges Mädchen bei der Laienspielgruppe mitgemacht hast.«

»Ja.« Zufrieden stellte Charlotte den Rückspiegel so ein, dass sie sich selbst darin sehen konnte. »Gelernt ist gelernt.«

Dass Karl ungeschickt ihre Schulter tätschelte, nahm sie als Kompliment.

Als Anna und Maren das Revier betraten, war von Benni nichts zu sehen, aber Robert stand direkt am Eingang und löste bei Maren sofort eine Pulsbeschleunigung aus. Anna nickte ihm zu. »Morgen. Weißt du, wo Benni Schröder steckt?«

Robert hielt den Blick auf Maren geheftet und antwortete: »Er nimmt eine Anzeige auf. Fahrraddiebstahl vor der Strandsauna. Ist im Besprechungszimmer.«

»Okay«, Anna runzelte die Stirn. »Dann hat er mir hoffentlich die Abfrage auf den Schreibtisch gelegt.« Sie ließ die beiden stehen und ging zu ihrem Büro. Als sie um die Ecke war, sah Maren Robert an. »Wollen wir heute Abend essen gehen? Beim Italiener in der Strandstraße? Um acht?«

Überrascht sah er sie an. »Gern. Ist alles in Ordnung?«

Sie lächelte ihn schief an. »Das weiß ich vielleicht heute Abend. Wir fahren jetzt auf die Baustelle und fragen nach Andreas von Wittenbrink. Ich erzähle dir dann alles Weitere später.«

»Gut. Dann behalt die Nerven. Und, Maren: Ich freue mich.« Er berührte sie leicht am Arm und ließ die Hand sofort wieder sinken, als sie Annas Schritte auf dem Gang hörten.

»Maren, wir fahren jetzt zur Baustelle. Robert, kannst du Benni bitte daran erinnern, dass er eine Computer-abfrage über Andreas von Wittenbrink machen sollte? Die hätte ich gern so bald wie möglich auf meinem Tisch. Bis später.«

Robert lächelte, als Maren sich an der Tür noch einmal umdrehte.

Die Baustelle war schon von Weitem zu erkennen. Die zukünftigen Hotelgebäude waren eingerüstet und mit Planen verdeckt, Baufahrzeuge standen vor dem Grundstück, Werbebanner mit Fotos der entstehenden Anlage hingen vor der Absperrung. Maren parkte davor und stellte den Motor aus. »Das wird ja ein Riesenhotel«, sagte sie mit Kopfschütteln. »Ich weiß gar nicht, wie viele Gäste noch auf diese Insel kommen sollen.«

»Am Strand verläuft sich das«, antwortete Anna gleichmütig. »Und es kommen zum Glück ja nicht alle auf einmal.« Sie stieg aus und schlug die Beifahrertür zu. »Dann wollen wir doch mal sehen, ob wir was über Andreas von Wittenbrink erfahren.«

Maren folgte ihr langsam, die Erinnerung an Rikes Lächeln brachte ihr schlechtes Gewissen zurück. Hoffentlich gab es für Inges Beobachtung eine ganz einfache und schlüssige Erklärung. Vor einem Baucontainer, dessen Tür offen stand, blieb Anna stehen und sah hinein. »Guten Tag, wissen Sie vielleicht, wo ich Herrn von Wittenbrink finde?«

Ein älterer Mann in Arbeitskleidung erhob sich vom Tisch und kam, einen Kaffeebecher in der Hand, zur Tür. »Der ist heute gar nicht auf der Baustelle«, sagte er freundlich. »Kommt erst morgen zurück. Um was geht es denn?« Erst jetzt hatte er Maren entdeckt, die Uniform ließ ihn sofort besorgt aussehen. »Oh, ist etwas passiert?«

Anna zückte ihren Ausweis. »Es geht lediglich um eine

Zeugenbefragung«, antwortete sie ruhig. »Es kann sein, dass uns Herr von Wittenbrink im Rahmen einer Ermittlung helfen kann, deshalb würden wir gern mit ihm sprechen. Wo können wir ihn denn finden?«

»Der ist nach Hamburg gefahren«, der Mann trat einen Schritt zurück und deutete auf den Tisch. »Kommen Sie doch rein, mein Name ist übrigens Wilksen, ich bin hier der Bauleiter.« Sein Blick ging schnell über die Köpfe von Anna und Maren, vermutlich befürchtete er, dass es keinen guten Eindruck machte, wenn die Polizei plötzlich auf seiner Baustelle stand. Er bot beiden einen Stuhl und einen Kaffee an, sie lehnten dankend ab, und Anna fuhr gleich fort: »Herr von Wittenbrink ist hier der leitende Architekt?«

»Ja«, Wilksen nickte. »Sehr sympathisch übrigens – und fachlich hervorragend. Da hatte ich schon ganz andere Architekten auf Baustellen. Sein Büro ist in Hamburg, da ist er jetzt auch, er hatte Termine mit einigen Gewerken. Morgen Mittag ist er wieder da. Wollen Sie seine Nummer haben?« Er wartete die Antwort gar nicht ab, sondern zog eine Schublade hinter ihm auf und nahm eine Visitenkarte heraus. »Hier, bitte schön.«

»Danke«, Anna überflog die Karte und schob sie in ihre Jackentasche. »Wo wohnt Herr von Wittenbrink denn auf der Insel?«

»Gleich hier um die Ecke«, Wilksen deutete vage in eine Richtung. »Wir haben für die leitenden Mitarbeiter mehrere Ferienwohnungen gemietet. Zwei Minuten von hier entfernt, das Appartementhaus heißt ›Meeresbrise‹. Blöder Name, aber sehr schöne Wohnungen.«

Maren kannte das Haus vom Vorbeifahren, es lag von Jutta Hollers Haus aus genau am anderen Ende des Ortes. Zu weit entfernt, um zufällig mal vorbeizukommen.

Sehr seltsam. Aber irgendeinen Grund musste es dafür geben.

Sie räusperte sich und fragte: »Hat Herr von Wittenbrink hier Bekannte oder Freunde, von denen er mal gesprochen hat? Oder die er mal besucht?«

Überrascht hob Wilksen die Augenbrauen. »Das weiß ich nicht. Er ist hier der Chef, ich frage ihn nicht, was er in seiner Freizeit macht, das geht mich doch gar nichts an. Er teilt mir mit, wann er wo zu erreichen ist, das reicht. Und am Samstag ist er nach Hamburg gefahren und morgen kommt er zurück. Am besten wäre, wenn Sie ihn selbst fragen.«

Plötzlich schoss Maren ein Gedanke durch den Kopf. Ein Satz, der in einem der Protokolle stand. Eine Aussage von Elisabeth Gerlach. Über die sie noch gar nicht in Ruhe nachgedacht hatte. »Sagen Sie, Herr Wilksen«, Maren zögerte mit der nächsten Frage, aber sie hatte das Gefühl, sie stellen zu müssen. »Herr von Wittenbrink hatte ja einen Unfall auf der Baustelle. Er hat sich vor ein paar Tagen am Knie verletzt und war in ärztlicher Behandlung. Wie ist das denn passiert?«

Wilksen schüttelte den Kopf. »Ein Unfall auf der Baustelle? Nein, davon weiß ich nichts. Wir haben so hohe Sicherheitsbestimmungen, die werden auch strengstens eingehalten, das hätte ich also mitbekommen!«

Maren schluckte und mied Annas fragenden Blick. Stattdessen hakte sie nach: »Das heißt: Sie werden generell über jede noch so kleine Verletzung auf der Baustelle informiert?«

»Natürlich. Ich bin der Bauleiter. Es geht ja auch um die Versicherung, das muss alles ordnungsgemäß aufgenommen und protokolliert werden. Da kann man sich keine Schlamperei leisten.« Wilksens Ausdruck war entschlossen. »Hier hat es keinen Arbeitsunfall gegeben, da haben Sie irgendetwas falsch verstanden. Kann es sich um eine Verwechslung handeln?«

»Hoffentlich«, dachte Maren und sah Anna an. Die lächelte nur, streckte Wilksen die Hand hin und sagte: »Möglich, Herr Wilksen. Erst mal vielen Dank für die Auskunft, ich werde Herrn von Wittenbrink anrufen. Also, dann wünsche ich Ihnen noch einen schönen Tag.«

Sie verließen den Baucontainer und gingen langsam zum Auto zurück. Als Wilksen außer Hörweite war, sagte Anna, ohne Maren anzusehen: »Warum hast du nach dem Unfall gefragt?«

Nach kurzem Zögern antwortete Maren: »Meine Freundin hat ihn als Patienten kennengelernt. Er hatte eine Knieverletzung, die er sich auf der Baustelle zugezogen hat. Hat er gesagt.«

Anna sah sie jetzt an. »Aha. Aber der Bauleiter weiß nichts davon. Na ja, das muss nichts heißen. Vielleicht ist von Wittenbrink nur irgendwo gegengerannt und hat es nicht als Unfall gemeldet.«

Maren zuckte die Achseln. »Wenn es auf der Baustelle passiert ist, dann ist es ein Arbeitsunfall. Aber egal. Das wird sich noch klären.«

»Sag mal«, Anna blieb plötzlich stehen, als sei gerade ein Groschen gefallen: »Verfolgst du einen bestimmten Gedanken? Und hat der vielleicht mit den Protokollen der Einbrüche zu tun?«

Ihrem Gesichtsausdruck nach ahnte sie, was Maren dazu bewogen hatte, nach dem Unfall zu fragen. Maren nickte langsam.

»Elisabeth Gerlach. Sie hat den Täter mit ihrer Gehhilfe erwischt.«

Sie fühlte sich elend beim Gedanken an Rike, während

Anna in den Streifenwagen stieg und sagte: »Gut gemacht, Polizeiobermeisterin Thiele, wir fahren zurück zum Revier und sehen uns mal die Abfrage über von Wittenbrink an.« Sie schnallte sich an, bevor sie sich zu Maren beugte. »Wahrscheinlich ist es überflüssig zu sagen, aber du solltest deiner Freundin gegenüber nichts erwähnen.«

»Es ist überflüssig.« Mit zusammengepressten Lippen startete Maren den Motor. Ein Gedanke drängte sich ihr auf, den sie aber für sich behielt. Wilksen hatte gesagt, dass Andreas von Wittenbrink am Samstag nach Hamburg fahren wollte. Das hatte er um einen Tag verschoben. Die Frage war nur, ob der Grund dafür Rike oder Jutta Holler gewesen war. Maren wünschte sich inständig, dass sich Andreas von Wittenbrink einfach und Knall auf Fall in Rike verliebt hatte. So sehr, dass für nichts anderes in seinem Kopf noch Platz war.

»Wir stehen kurz vor der Lösung dieses Falles«, Peter Runge empfing sie mit einem triumphierenden Lächeln und wedelte mit einem Blatt in Annas Richtung. »Sie werden staunen.«

Langsam folgte Maren Anna in den Besprechungsraum, auf dem Weg dorthin fing sie Roberts Blick auf. Er sah sie ernst, fast mitfühlend an, Maren beschlich ein ungutes Gefühl.

Im Besprechungsraum hatten sich bereits mehrere Kollegen versammelt. Runge stellte sich dicht neben Anna, die mit gerunzelter Stirn das Blatt überflog. Einen kurzen Moment wirkte sie überrascht, dann hob sie den Kopf und bat um Ruhe. »Also«, begann sie mit lauter Stimme, »ich habe hier die Auskunft über Andreas von Wittenbrink, der nach Aussage einer Zeugin mehrere Male vor dem Haus des Tatopfers gesehen wurde. Was wir bereits wussten, ist, dass Andreas von Wittenbrink Mitinhaber eines Architekturbüros, wohnhaft in Hamburg und auf Sylt der leitende Architekt des neuen Hotelkomplexes in Westerland ist. Es gibt keine polizeilichen Eintragungen, keine Auffälligkeiten bei der Schufa, allerdings eine Besonderheit in diesem Fall. Er war verheiratet mit Silke von Wittenbrink, deren Namen er nach der Hochzeit angenommen und nach der Scheidung behalten hat. Vorher hieß er Holler. Andreas Holler ist der Stiefsohn von Jutta Holler. Er wurde im Alter von zwei Jahren von Wilhelm Holler und seiner ersten Frau Paula adoptiert. Nach ihrem Tod heiratete Wilhelm Holler seine zweite Frau Jutta. Beim Tod Wilhelm Hollers war Andreas achtzehn.«

»Das ist das Motiv!«, rief Runge dazwischen. »Der abgeschobene Adoptivsohn, der Rache für seine schlechte Kindheit nimmt. Eindeutig.«

Anna sah ihn scharf an. »Wir beurteilen Fälle nach wie vor nach Beweislage. Aber wir werden mit Herrn von Wittenbrink sprechen. Vorher möchte ich die Ergebnisse der Spurensicherung vom Tatort auf meinem Tisch haben. Das war alles für den Moment. Maren, kommst du gleich noch mal in mein Büro?«

Im Besprechungsraum entstand die Unruhe des Aufbruchs, Maren lief wie paralysiert hinter Anna her. Andreas Holler. Sinas Stiefbruder. Von dem Sina nie etwas erzählt und von dem Maren noch nie etwas gehört hatte.

An der Tür zu ihrem Büro blieb Anna stehen und wartete, bis Maren vor ihr stand. »Ich weiß, dass das schwer ist«, sagte sie leise. »Aber du musst rausfinden, mit welchem Zug von Wittenbrink morgen ankommt. Vielleicht weiß deine Freundin das. Wir müssen mit ihm sprechen. Er könnte tatsächlich ein Motiv haben.«

Maren nickte. Ihr war übel. Sie schluckte. »Okay. Ich versuche es.«

Anna legte ihr kurz die Hand auf den Arm. »Gut. Wir telefonieren. Und du hast jetzt Dienstschluss. Bis morgen dann.«

Maren wandte sich ab und ging langsam zu den Umkleideräumen. Auf halber Strecke kam Robert ihr entgegen. »Ich habe es gehört«, sagte er tröstend. »Aber es muss ja noch gar nichts heißen.«

Sie hob den Kopf und sah ihn verzweifelt an. »Ich soll rausfinden, mit welchem Zug er morgen kommt. Ich soll Rike fragen, unauffällig natürlich, das ist doch furchtbar.«

Er strich ihr mit einem Finger zärtlich über die Wange. »Das schaffst du schon. Sollen wir das Essen verschieben?«

»Nein«, entschlossen schüttelte sie den Kopf. »Um acht. Es bleibt dabei. Sonst zermartere ich mir ja doch nur den ganzen Abend das Hirn.«

»Bis später«, er sah sich kurz um, dann beugte er sich runter und küsste sie auf den Mund. Maren ließ es zu.

Als sie später, immer noch in Gedanken vertieft, die Strandstraße entlanglief, prallte sie fast mit Rike zusammen. »Hey«, Rike beugte sich vor, um ihr ins Gesicht zu schauen. »Erde an Maren. Du bist ja ganz woanders. Augen auf im Straßenverkehr, das gilt auch für Fußgänger.« Rike lachte.

»Oops, ja«, Maren trat einen Schritt zurück und riss sich zusammen. »Ich war tatsächlich in Gedanken. Hallo, Rike. Alles in Ordnung?«

Irritiert sah Rike sie an. »Ja. Bei dir auch? Du wirkst so seltsam. Ist was passiert?«

»Nein, nein«, mit einer abwehrenden Geste versuchte

Maren ein Lächeln. »Alles bestens.« Ihr Blick fiel auf den Stoffbeutel mit dem Aufdruck eines Weinhändlers an Rikes Hand. »Gibt es was zu feiern?«

Immer noch irritiert, folgte Rike ihrem Blick und nickte langsam. »Ich bekomme morgen Besuch und habe zur Feier des Tages Champagner gekauft. Ist bei dir echt alles in Ordnung?«

»Ja, sicher.« Maren sah ihre beste Freundin fest an. »Wer kommt denn?«

Mit einem kleinen Lächeln antwortete Rike: »Andreas. Wir haben jeden Tag telefoniert, und morgen um kurz nach zwölf hole ich ihn vom Zug ab. Vielleicht können wir diese Woche ja mal alle zusammen essen gehen, damit du ihn kennenlernst. Ich bin mir sicher, dass du ihn magst, er ist wirklich toll. Hast du Lust? Vielleicht Donnerstag? Oder Freitag?«

»Ja, mal sehen«, Maren hatte sich noch nie so schlecht gefühlt. »Ich melde mich, du, ich muss weiter. Habe meinem Vater versprochen, ein paar Dinge für ihn zu besorgen. Wir telefonieren, bis bald!«

Sie küsste Rike flüchtig auf die Wange und machte sich eilig auf den Weg. Und dann war es auch noch so einfach gewesen, an die Information zu kommen. Viel zu einfach. Maren fühlte sich wie in einer giftigen Wolke aus schlechtem Gewissen. Man konnte es ihr bestimmt aus jeder Entfernung ansehen. Sie war eine hundsmiserable Freundin. Mit einem beschissenen Job.

Später saß Maren an ihrem Küchentisch und blies Luft auf ihre frisch lackierten Fingernägel. Sie hatte alle möglichen Dinge unternommen, um sich abzulenken, der Nachmittag war trotzdem quälend langsam verstrichen. Jetzt hatte sie hellrote Fingernägel, die nur noch trocknen mussten.

Sie sah ihnen dabei zu, im Irrglauben, es würde dann schneller gehen, als Onno sie mit einem Klopfen an ihrer Tür aufschreckte.

»Maren? Bist du da?«

»In der Küche.«

Sofort stand er vor ihr. »Der Schlüssel steckte von außen«, sagte er entschuldigend. Und dann gleich etwas vorwurfsvoller: »Du sollst ihn doch abziehen! Was machst du gerade?«

Statt einer Antwort hielt sie ihm die Hand entgegen, erst dann sah sie ihn genauer an. Er trug eine Jeans und ein grell gemustertes Hemd. Sie kannte es, seit sie zehn war, er hatte es sich während ihres ersten Familienurlaubs auf Ibiza gekauft. Als Erinnerung. So sah es auch aus.

»Oh, das Hemd lebt noch?« Sie unterdrückte ein Grinsen. »Ich fand als Kind diese bunten Schmetterlinge immer toll. Ist inzwischen vielleicht ein bisschen spack um die Taille?«

Onno sah unsicher an sich herunter. »Was meinst du mit ›spack‹?«

»Zu eng, Papa. Du hattest vor achtundzwanzig Jahren weniger Bauch.«

»Tatsächlich?« Onno hob den Kopf. »So lange ist das her? Also, meinst du, ich kann das nicht mehr zum Ausgehen anziehen?«

»Nein. Auf gar keinen Fall«, Maren stand auf und umkreiste ihn. »Wirklich nicht. Das kannst du sofort in die Altkleidertonne stecken. Du siehst aus wie ein Papagei.«

Langsam strich Onno über die Ärmel. »Schade. Es sind so schöne Farben. Für den Garten geht es aber noch, so etwas schmeißt man doch nicht einfach weg. Du meinst, ich sollte ein anderes Hemd anziehen? Aber die Jeans kann ich anbehalten?«

»Wo willst du denn überhaupt hin?«

»Ich gehe mit Helga Simon ins Kino. Da war ich seit zwanzig Jahren nicht mehr. Ich habe ihr das vorgeschlagen, habe aber vergessen, welcher Film läuft.« Er überlegte einen Moment. »Du, aber das ist doch dunkel im Kino. Kann ich das Hemd nicht doch ...?«

»Nein.« Maren wedelte mit den Händen, um den Lack trocken zu bekommen. »Du wirst Frau Simon doch bestimmt anschließend noch zu einem Glas Wein einladen. Die kriegt einen Lachkrampf, wenn sie dich so sieht. Zieh ein weißes Hemd an. Oder dieses hellgraue, was du beim Sushi-Essen anhattest. Das sah gut aus.«

»Ja, das ist auch wieder gebügelt. Danke.« Onno lächelte sie an und wandte sich wieder zur Tür. »Schönen Abend wünsche ich dir.«

»Papa?«

Er drehte sich wieder um. »Ja?«

»Sag mal«, langsam ließ sie sich wieder auf den Stuhl sinken. »Kanntest du eigentlich Wilhelm Holler?«

»Den Antiquitätenhändler?« Onno nickte. »Natürlich. Netter Mann. Wir haben damals die Lampe im Wohnzimmer bei ihm gekauft. Aber der ist schon lange tot.«

»Ich weiß.« Maren zögerte einen Moment. »Kanntest du auch seine Frau? Wusstest du, dass sie einen Adoptivsohn hatten?« Gespannt wartete sie auf die Antwort. Onno lehnte sich an den Türrahmen und schob die Hände in die Jeanstaschen. »Warte mal«, sagte er nachdenklich. »Da war irgendwas. Ja, ich glaube, die Paula Holler konnte keine Kinder bekommen. Und dann haben sie einen kleinen Jungen angenommen. Paula ist leider früh gestorben, da war der Junge noch ziemlich klein. Aber wie das genau war ...? Das weiß ich nicht mehr. Vielleicht kann sich Charlotte daran erinnern, die hat ja ein Gedächtnis wie ein Elefant. Wie kommst du darauf?«

»Nur so«, sagte Maren leichthin. »Irgendjemand hat was von einem Adoptivsohn erzählt und ich hatte noch nie von ihm gehört. Ich kann ja mal Charlotte fragen. Du musst dich noch umziehen, Papa, nicht vergessen. Viel Spaß im Kino.«

»Danke«, er lächelte sie an. »Aber die Geschichte mit den Hollers kannst du auch nicht gehört haben, Kind, das war lange vor deiner Zeit. Also, bis morgen dann.«

Maren sah ihm hinterher und beschloss, am nächsten Tag mal bei Charlotte vorbeizufahren. Jetzt musste sie sich erst mal für ihre Verabredung in Schale werfen.

Dienstagabend,
in Charlottes Wohnzimmer

D er Mann stand zu weit weg und zudem noch halb
hinter der ausladenden Hecke ihres Nachbarn, als
dass Charlotte ihn hätte erkennen – oder ausmachen
können, was er da tat. Sie dachte nur, dass er sich seltsam verhielt, und hatte den Eindruck, dass er ihr Haus
beobachtete. Erleichtert sah sie in diesem Moment
Inges Auto schwungvoll auf die Einfahrt rollen. Und Karl
saß auf dem Beifahrersitz. Nach einem letzten Blick zur
Nachbarshecke stellte sie fest, dass der Mann weg war.
Einfach weg, als hätte die Hecke ihn verschluckt. Kopfschüttelnd lief sie zur Haustür, um ihren Besuch ins Haus
zu lassen.

»Habt ihr den Mann gegenüber gesehen?«, fragte sie
statt einer Begrüßung.

»Nö.« Karls Antwort war wie immer kurz und bündig.
»Wer stand denn da?«

»Das weiß ich eben nicht. Aber er hat mich irritiert,
weil er nur dastand und das Haus angestarrt hat. Und
jetzt ist er weg.«

»Dann ist es doch gut.« Inge war ausgestiegen und stellte eine Schüssel aufs Dach, bevor sie den Wagen abschloss.
»Ich habe rote Grütze gemacht. Die Erdbeeren mussten
weg. Aber ich hatte keine Vanillesauce mehr. Du?«

»Ich glaube schon«, Charlotte blickte immer noch auf
die Hecke. »Komisch. Na ja, kommt rein.«

Inge schulterte ihre Handtasche und hob die Schüssel vom Auto, bevor sie irritiert Karl beobachtete, der den Wagen umrundet hatte und jetzt stehen geblieben war.

»Wenn Walter sieht, dass du eine Glasschüssel aufs Autodach stellst, habt ihr einen Heidenkrach.« Karl strich mit dem Finger über den Lack. »Das gibt doch Kratzer.« Er rieb etwas kräftiger.

»Nur wenn ich mit der Schüssel obendrauf losfahre«, entgegnete Inge ungerührt. »Und wenn Walter wüsste, warum wir uns hier bei Charlotte treffen, dann hätte ich sowieso einen Heidenkrach. Da kannst du sicher sein.«

»Wieso das denn? Wir kämpfen für die Sicherheit der Insel – und du verursachst Materialschäden. Das ist doch wohl was ganz anderes.« Karl zog ein Stofftaschentuch aus der Hosentasche, spuckte drauf und fing an, die Stelle auf dem Dach zu polieren. »Ich glaube aber, das hier ist gut gegangen.«

»Sag ich doch.« Inge trug die Schüssel zur Haustür und drehte sich kurz um. »Karl, jetzt komm. Wenn Walter sehen würde, dass du mit Spucke auf dem Auto herumschmierst, hättest du den Heidenkrach.«

»Na und?« Empört betrachtete Karl das Taschentuch. »Was ist denn dagegen zu sagen? Den Wagen könntest du ohnehin mal durch die Waschanlage fahren.«

»Karl!« Charlottes energischer Ruf unterbrach das Gemetzel. »Wie lange soll ich denn noch an der Haustür stehen und warten?«

»Ich komme ja schon.«

Kurz danach saßen alle drei vor den Dessertschalen mit Inges roter Grütze und den Resten von Charlottes Vanillesauce. Auf dem Tisch: ein Aktenordner, drei Wassergläser, drei Likörschälchen, eine Flasche Eierlikör und ein Diktiergerät, auf das Karl gerade mit seinem Löffel deutete.

»Das habe ich heute in Westerland gekauft. Ein echtes Schnäppchen. War um die Hälfte heruntergesetzt, weil die Verpackung kaputt war. Aber wer braucht die denn schon? Wir können unsere Besprechung einfach aufnehmen und das Protokollschreiben entfällt.«

»Was war denn mit meinem Protokoll nicht in Ordnung?« Misstrauisch beäugte Charlotte das Gerät. »Ich habe es extra noch mal ins Reine geschrieben.«

Karl schob seine Neuanschaffung etwas mehr zur Tischmitte. »Charlotte, deine Schrift ist wirklich sehr schön. Aber du hast etwas zu viel ..., wie soll ich es sagen? Du hast sehr ausführlich protokolliert. Es ist nicht so wichtig, wer, wann und wie oft zur Toilette gegangen ist. Und dass Inge um sechzehn Uhr zwölf die dritte Kanne Tee gekocht hat. Oder wie viel Eierlikör getrunken wurde. Es geht mehr um die sachdienlichen Fakten.«

»Das hast du so aber nicht gesagt«, erwiderte Charlotte. »Du hast gesagt, ich muss den genauen Verlauf der Unterredung protokollieren. Das habe ich gemacht. Den Verlauf.«

»Ja, ja«, Karl schaltete das Gerät ein und diktierte sehr laut: »Aufzeichnung des Treffens zum Zweck der Verbrechensbekämpfung auf der Insel Sylt bei Charlotte Schmidt. Anwesend sind: Karl Sönnigsen, Charlotte Schmidt, Inge Müller und ...« Er sah plötzlich hoch und fragte: »Was ist mit Onno?« Er drückte auf die Stopptaste. »Wir sind ja noch gar nicht vollzählig.«

»Onno ist mit Helga Simon im Kino«, sagte Charlotte prompt. »Sie kommen nach.«

»Er ist wo?« Fassungslos sah Karl die beiden an. »Im Kino? Warum denn das?«

»Um einen Film anzuschauen?«, insistierte Charlotte mit sanfter Stimme. »Und um sich etwas besser kennenzulernen?«

»Die kennen sich doch schon.« Karl war fassungslos. »Was will Onno denn im Kino? Der sieht sich im Fernsehen doch nur die Sportschau und die Nachrichten an. Wird der jetzt drollig im Kopf – oder was?«

»Ach Karl«, beruhigend legte Inge ihm die Hand auf den Arm. »Du bist manchmal so unsensibel. Charlotte und ich haben ihm das vorgeschlagen. Er hat uns gefragt, womit uns ein Mann, mit dem wir uns erst seit Kurzem wieder treffen, beeindrucken und erfreuen könnte.«

»Was für einen Mann habt ihr denn vor Kurzem getroffen?«

»Keinen«, Charlotte wurde ungeduldig. »Es war ein Beispiel. Aber wenn ich zum Beispiel einen Herren kennenlernen würde, ganz zufällig, und der würde mich ins Kino einladen, dann wäre ich beeindruckt. Und würde mich auch auf weitere Treffen mit ihm einlassen.«

»Du hast doch einen Mann. Was sagt Heinz denn dazu?«

Seufzend stützte Inge ihr Kinn auf die Hand und sah ihn an. »Karl, du bist manchmal so ein Klotz.«

Karl überlegte, wo er das schon mal gehört hatte. Er kam nicht drauf.

»Wie auch immer«, sagte er stattdessen. »Wenn Onno meint, dass seine privaten Eskapaden wichtiger sind, als die Insel zu schützen, dann ist es so. Dann fangen wir jetzt aber trotzdem an. Und diese Sache mit euren ominösen Herren und dem Kino sollten wir wirklich nicht an die große Glocke hängen. So, kommen wir zum Thema. Ich gehe noch mal mit euch das Gesprächsprotokoll von heute Mittag durch. Ich habe alles notiert, es ist zwar mehr ein Gedächtnisprotokoll, aber zwischen dem Gespräch und eurer Schilderung ist ja nicht viel Zeit vergangen. Ich lese es einfach mal vor und nehme mich dabei gleich auf. Korrigiert mich, wenn euch noch etwas einfällt.« Er schlug den Aktenordner auf, drückte auf den Startknopf des Aufnahmegerätes, räusperte sich und begann: »Kontaktaufnahme der verdeckten Ermittler Müller und Schmidt bei Gero Winter ...«

Eine halbe Stunde später war er fertig, klappte den Ordner zu und legte ihn wieder weg. »Noch Ergänzungen?«

»Und das fandest du jetzt nicht zu ausführlich?« Charlotte sah auf die Uhr. »Eine halbe Stunde. Du hast sogar das Bankgebäude beschrieben. Und die Kunden, die reingegangen sind. Wen interessiert das denn?«

»Ich saß ja lange genug vor der Tür«, verteidigte sich Karl. »Und unter den Menschen, die in der Zeit das Gebäude betreten haben, können auch potenzielle Zeugen sein. Das lass mal meine Sorge sein, das ist ein exzellentes Protokoll. Fehlt da noch etwas? Oder ist das vollständig?«

»Total vollständig«, antwortete Charlotte. »Alles drin. Und jetzt geht es nach Plan weiter? Morgen rufe ich ihn an?«

»Natürlich.« Karls Miene war entschlossen. »Der Plan ist genial. Morgen Nachmittag ist dein nächster Einsatz. Ich habe ein sehr gutes Gefühl. Wir sind auf dem richtigen Weg, das sagt mir mein Bauch. Wann wollte Onno denn nachkommen?«

Inge sah auf die Uhr. »Der Film ging so um siebzehn Uhr los, dann noch ein kleines Glas Wein, danach muss er noch herkommen, vielleicht in einer halben Stunde?«

»Onno kriegt Sodbrennen von Wein, der trinkt gar keinen. Nur als Ausnahme.«

»Genau, Karl«, Charlotte stand auf und ging zum Fenster, um es zu kippen. »Und heute ist eine Ausnahme. Ist euch auch so warm?«

Sie spähte aus dem Fenster, von dem Mann war nichts mehr zu sehen. Erleichtert wollte sie sich gerade abwenden, als plötzlich ein Taxi vor dem Haus hielt, aus dem erst Onno und dann Helga Simon stiegen. »Onno mag wohl lieber Eierlikör«, sagte sie lächelnd. »Da kommen die beiden.«

»Ich habe mir erlaubt, in Begleitung zu kommen«, begrüßte Onno Charlotte verlegen, als sie ihnen die Tür öffnete. »Ich habe Helga von unserer, ähm, Tätigkeit erzählt, und sie gehört ja auch zu den Betroffenen.«

»Es freut mich sehr«, Charlotte streckte Helga Simon begeistert die Hand entgegen. »Bitte, treten Sie ein. Gerade durch ins Wohnzimmer, da sitzen die anderen.« So unauffällig wie möglich hielt sie Onno am Ärmel fest. »Und?«, flüsterte sie neugierig. »Wie war's?«

»Schön«, lautete seine knappe Antwort. Seine Augen strahlten. »Ich glaube, sie findet mich auch nett. Aber den Film haben wir nur bis zur Hälfte gesehen, er war nicht so gut.«

Zufrieden nickte Charlotte und klopfte ihm stolz auf den Rücken. Er würde nicht mehr lange alleinerziehender Vater sein, da waren sie und Inge sich sicher. Sie hatten die Anzeichen richtig gedeutet.

Karl stand sofort auf, um Helga Simon zu begrüßen. Zu Onno gewandt, meinte er: »Wir haben gedacht, du wärst im Kino, deshalb haben wir schon angefangen.«

»Wir sind früher gegangen, es war ein seltsamer Film«, antwortete Onno. »Es ging um Dinosaurier, aber einer von ihnen war neu gezüchtet und bösartig, wir haben es irgendwie nicht ganz verstanden«, er lächelte Helga Simon an. »Oder?«

Sie nickte. »Es war auch furchtbar laut. Wir hatten uns etwas ganz anderes darunter vorgestellt. Nach einer Stunde hat es uns gereicht. Ich hoffe, es ist in Ordnung, dass ich einfach so mitgekommen bin.«

»Selbstverständlich«, Charlotte hatte schon weitere Gläser aus dem Schrank geholt und auf den Tisch gestellt. »Setzen Sie sich doch, Onno, du auch. Eierlikör?«

Während sie einschenkte, räusperte Karl sich und sah in die Runde. »Apropos bösartig. Da sind wir beim Thema. Ich wiederhole jetzt aber nicht die gesamten Ausführungen, Onno. Du kannst dir das Protokoll selbst durchlesen oder die Verlesung auf dem Aufnahmegerät abhören. Es geht um den heutigen Termin von Charlotte und Inge.«

Onno hatte die Hand schon auf den Ordner gelegt und zog sie jetzt wieder zurück. »Ach so, das weiß ich schon alles, ich habe ja heute Nachmittag mit Charlotte telefoniert.«

Sie schüttelte den Kopf. »Aber so ausführlich, wie Karl es protokolliert hat, habe ich es dir nicht erzählt.«

»Warst du doch dabei?« Onno sah Karl erstaunt an. »Ich dachte, du hättest draußen gewartet.«

Karl ignorierte Onnos Frage und wandte sich stattdessen an Helga Simon. »Sind Sie überhaupt schon im Bilde? Oder soll ich Sie auf den genauen Stand der Dinge bringen?«

»Nein, ich glaube, ich weiß Bescheid.« Helga warf Onno einen kurzen Blick zu und lächelte ihn an. »Wir haben sehr ausführlich darüber gesprochen. Und ich finde es zwar gut, dass Sie die Initiative ergreifen und selbst Anteil nehmen, ich habe bloß die Befürchtung, dass Sie sich in Schwierigkeiten bringen. Ich habe Onno geraten, seine Tochter in Ihre … Überlegungen einzubeziehen, sie ist doch in diesen Fall involviert.«

Sie brach ab, weil sie Karls Miene richtig deutete, und hob beschwichtigend die Hand. »Ich will mich natürlich nicht einmischen, das können Sie selbst besser beurteilen, ich wollte es nur mal gesagt haben.«

»Mhm.« Karl sah sie lange an. »Das stimmt. Ich kann das besser beurteilen, weil ich diese Polizeistation wirklich lange und gut geleitet habe. Deshalb habe ich beschlossen, meine Erfahrung in die Aufklärung dieser Fälle einzubringen, aber man, besser gesagt: dieser unfähige Mensch, der meine Nachfolge übernommen hat, lässt mich nicht. Was soll ich tun, Frau Simon, kann ich nicht auch einfach Helga sagen?« Er wartete die Antwort gar nicht ab. »Ich kann doch nicht einfach zusehen, wie aus meiner Heimatinsel ein Sumpf wird. Und Maren? Sie hat sich aus welchen Gründen auch immer auf die falsche Seite geschlagen. Aber das schreibe ich mal der Tatsache zu, dass sie erst so kurz auf dem Revier ist und sich deshalb noch den Gegebenheiten unterordnet. Sie wird schon noch zu Verstand kommen. Und ich werde ihr das auch nicht nachtragen. Beim nächsten Mal wird es sicherlich schon ganz anders laufen.«

Nach dieser Rede erntete er beeindruckte Blicke und gedankenvolles Schweigen.

Inge fand als Erste Worte. »Was genau meinst du mit ›beim nächsten Mal‹?«

»Das hat er nur so gesagt«, antwortete Onno sofort auf ihre Frage. »Wir wollen ja nicht hoffen, dass wir uns in Zukunft ständig um die Verbrechensaufklärung auf der Insel kümmern müssen. Wir bringen das hier jetzt ordentlich zu Ende, und dann sehen wir weiter.« Er griff zu seinem Likörglas. »Prost, ihr Lieben, jetzt lasst uns Helga mal nicht verschrecken.«

Sofort hoben auch Inge und Charlotte die Gläser. »Ja, zum Wohl! Und auf gute Zusammenarbeit.«

Karl setzte sein Glas ohne Trinkspruch an, bemerkte aber Onnos tadelnden Blick und riss sich zusammen. »Ja, dann Prost!« Er schob den Aktenordner etwas nach links und sah Helga an. »Dann mal herzlich willkommen in dieser Runde.«

Onno lächelte ihn stolz an, als ihm noch etwas einfiel. »Ach, Charlotte, ich wollte dich doch was fragen. Kannst du dich an die erste Frau von Wilhelm Holler erinnern? Die haben doch damals einen Jungen adoptiert. Was ist eigentlich aus dem geworden?«

Erstaunt sah Charlotte ihn an. »Wie kommst du denn jetzt auf den?«

»Maren hat mich vorhin danach gefragt. Und ich bekomme die Geschichte nicht mehr zusammen.«

»Warte mal ...«, Charlotte rieb sich nachdenklich die Stirn. »Die Hollers haben den Jungen aus einem Kinderheim geholt, glaube ich. Da war er vielleicht zwei oder drei. Ein ganz süßer, aber ein bisschen still. Und nach dem Tod von Paula Holler ist er wohl aufs Internat gekommen. Ich weiß gar nicht mehr, wie alt er da war.«

»Er war elf oder zwölf«, mischte sich Helga Simon ein. »Ich kann mich gut daran erinnern, weil Wilhelm Holler damals sein Segelboot neben unserem im Hafen hatte. Und Hein hat den Andi ein paar Mal mit zum Segeln genommen, als es Wilhelm nach dem Tod von seiner Frau so schlecht ging.«

»Stimmt.« Charlotte suchte immer noch in ihren Erinnerungen – und hatte sie plötzlich gefunden. »Und dann hat Wilhelm Holler später Jutta geheiratet, und der Junge wurde abgeschoben, als sie schwanger war. Das war wirklich unmöglich. Da haben sich doch alle aufgeregt, die Paula noch gekannt hatten.«

»Ja«, Helga Simon nickte. »Das war nicht in Ordnung. Andreas war dann nur noch in den Ferien da. Und hatte eine schwere Pubertät, er hat viel Unsinn gemacht.«

»Unsinn?« Charlotte wandte sich an Karl. »Das war ein bisschen mehr als Unsinn, oder, Karl? Du musst dich doch noch an ihn erinnern. Er war doch mit fünfzehn, sechzehn richtig auffällig.«

»Wer?« Karl hatte sich während des Gesprächs eingehend mit der Gebrauchsanweisung des Aufnahmegeräts befasst. »Hier muss doch irgendwo stehen, wie man die Aufnahme löschen kann. Was hast du gesagt, Charlotte?«

»Andreas Holler. Der Sohn von Wilhelm. Kleinkriminell. Weißt du noch?«

Sie hatte sehr langsam, sehr deutlich und sehr laut gesprochen. Karl zuckte zurück. »Schrei mich doch nicht an. Natürlich erinnere ich mich an ihn. Er hatte Schwierigkeiten. Er hat ein bisschen geklaut, sich ab und zu mal geprügelt und den Wagen von seinem Vater in die Dünen gesetzt. Aber eigentlich war er ein guter Junge, er hatte es nur schwer im Leben. Er war ja auf einem Internat, und ich glaube, er hatte Heimweh. Und in dem Alter machen ja viele Jungs ein bisschen Ärger. Und wieso kommt ihr auf ihn? Habt ihr ihn getroffen? Ich weiß gar nicht, wo der heute steckt, das wäre ja mal interessant.«

»Maren hat mich nach ihm gefragt«, sagte Onno. »Sie wusste gar nicht, dass Sina einen Bruder hat.«

»Das ist ja auch alles lange her«, meinte Charlotte. »Nach dem Tod von Wilhelm habe ich ihn nie wieder gesehen. Wie alt wird er heute sein? Anfang fünfzig?«

»Bestimmt.« Karl hatte nachgerechnet. »Das kommt

hin. Die haben ihn bestimmt wegen der Beerdigung verständigt. Das erklärt es. Na, dann sehe ich ihn ja mal wieder. Ich bin gespannt, was aus ihm geworden ist. So, können wir weitermachen? Diese privaten Gespräche nehmen gerade überhand.«

Du lässt das Auto aber stehen, oder?«
»Natürlich«, Maren fing an zu kichern. »Obwohl
ich betrunken immer noch besser Auto fahre als du nüchtern.«

Robert quälte sich ein Lächeln ab. »Solche Sätze will
ich nicht hören, du bist Polizistin. Außerdem fahre ich
nicht gern Auto, und wenn man sich ein bisschen anstellt,
übernehmen plötzlich alle Kollegen gern das Fahren. Hat
bei dir ja auch geklappt.« Seine Augen waren fest auf sie
gerichtet. Maren musste den Blick senken, um nicht die
Beherrschung zu verlieren, ansonsten wäre sie auf der
Stelle aufgestanden, um den Tisch gegangen und hätte ihn
geküsst. Und zwar richtig. Und sie wollte nicht anfangen.
Noch nicht. Und nicht hier.

Die Stimmung zwischen ihnen hatte sich im Laufe des
Abends immer mehr aufgeladen. Anfangs hatten sie tatsächlich fast nur über den Fall Holler gesprochen. Über
Marens schlechtes Gewissen Rike gegenüber, auch über
die Furcht, dass bei diesen Ermittlungen etwas herauskommen könnte, was Rike das Herz brechen würde.

»Du glaubst ernsthaft, dass Andreas von Wittenbrink
was mit dem Tod von Jutta Holler zu tun hat?«

Maren hatte abwehrend die Hand gehoben. »Andreas
von Wittenbrink hieß früher Holler. Er ist der Stiefsohn.
Dann noch diese Sache mit dem Arbeitsunfall, von dem

auf der Baustelle offenbar niemand wusste. Und es geht nicht darum, was ich glaube. Aber das sind mir einfach zu viele Zufälle. Ich habe Angst, dass morgen alles zusammenkracht. Und Rike und ich stecken mittendrin.«

An dieser Stelle hatte Robert seine Hand auf ihre gelegt. »Ich bin ja dabei, Liebes. Und jetzt warte doch erst mal ab, was die Befragung ergibt. Und denk ab sofort an was anderes. Jetzt, in diesem Augenblick sollten wir vielleicht wirklich über andere Dinge reden ...«

»Liebes«. Maren schluckte. Seit ihre Mutter tot war, hatte niemand mehr »Liebes« zu ihr gesagt. Und ausgerechnet der Mann, in den sie sich auf keinen Fall verlieben wollte, hatte es gerade eben getan: »Liebes«. Plötzlich war ihr heiß und kalt und alles gleichzeitig. Vielleicht doch ganz gut, dass sie ein Zimmer im Hotel reserviert hatte. Sie hatte diesen Entschluss vorhin spontan gefasst. Und jetzt ging er ihr nicht mehr aus dem Kopf. Der Entschluss nicht und auch nicht die Nacht auf dem Seminar, die sie vermutlich in ihrer Erinnerung total verklärt hatte. Vielleicht war es ja gar nicht so schön gewesen, vielleicht waren die Bilder im Kopf viel bunter, als die Realität tatsächlich gewesen war, vielleicht würde sie ihn nach einer weiteren gemeinsamen Nacht gar nicht mehr mögen, vielleicht hätte sich morgen früh sowieso schon alles wieder erledigt. Aber sie wollte es herausfinden, und das ging weder in den Bereitschaftszimmern des Reviers noch bei ihr, wo immer die Gefahr bestand, dass Onno plötzlich vor der Tür stand. Obwohl sie neulich schon kurz davor gewesen waren. Hätte Onno nicht geklopft, weil Helga Simon sich verabschieden wollte, wären sie an dem Abend vielleicht schon im Bett gelandet. Als Robert gegangen war, hatte Maren sich geärgert.

»Was ist mit dir?« Robert beugte sich vor und sah sie

besorgt an. »Du siehst aus, als würdest du jeden Moment aufstehen und nach Hause gehen wollen.«

»Nein.« Entschlossen griff Maren zu ihrem Weinglas und trank den Rest aus. Falls es peinlich würde, könnte sie es auf den Alkohol schieben. »Im Gegenteil. Lass uns bezahlen, ich möchte mit dir noch woandershin.«

»Du bist verrückt«, Robert zog die Decke ein Stück von Marens Schulter und küsste sie sanft auf die Stelle. »Wie bist du auf diese großartige Idee gekommen!?«

»Mich noch mal mit dir einzulassen oder das Zimmer zu mieten?«

»Beides.«

Maren drehte ihren Kopf zur Seite und sah ihn an. »Du hast mich seit unserem Wiedersehen so durcheinandergebracht. Ich wollte heute rausfinden, ob das wirklich gut ist. Und zwar ohne meinen Vater oder irgendwelche Bereitschaftskollegen nebenan. Es kann ja auch sein, dass ich mich in eine kitschige Geschichte reingesteigert habe. Prinzessin auf dem Weg zum Prinzen. So in der Art.«

»Und? Bin ich jetzt der entzauberte Frosch?«

»Nein, Robert. Das bist du nicht.« Sie setzte sich auf und stopfte die Decke um sich. An die Wand gelehnt, versuchte sie, mit den Fingern ihre Haare zu ordnen. »Ich habe so einen Durst. Ist da eigentlich Wasser in der Minibar?«

Robert ging nackt, wie er war, durchs Zimmer zur Minibar, sie sah ihm hinterher. Nein, null entzaubert. Es waren keine bunten Bilder gewesen, sie hatte nichts verklärt, er war einfach ein toller Mann. Sie seufzte leise, Robert sah sich sofort um und lachte. »Du siehst aus, als hättest du gerade eine Hiobsbotschaft bekommen.« Mit einer Wasserflasche in der Hand kam er zurück und ließ sich auf die

Bettkante sinken. Langsam schraubte er den Verschluss auf und reichte ihr das Wasser. »Ein Glas, Liebes?«

Maren schüttelte den Kopf und setzte die Flasche an die Lippen. Da war es wieder: »Liebes«. War sie tatsächlich gerade dabei, sich richtig zu verlieben? Sie hatte keine Ahnung, ob sie ihm das sagen sollte. Also trank sie weiter, um Zeit zu schinden. Jetzt bloß keinen Fehler machen.

Ohne den Blick von ihr zu wenden, blieb Robert neben ihr sitzen. Als sie die Flasche sinken ließ, nahm er sie ihr ab und stellte sie auf den Boden.

»Mir ging es nach dem Seminar ziemlich mies«, sagte er unvermittelt, hob die Decke an und legte sich wieder neben sie. Den Kopf auf die Hand gestützt, sah er sie ernst an. »Ich habe überhaupt nicht verstanden, was damals so schiefgelaufen ist. Du hast weder auf Anrufe noch auf SMS noch auf meine Mails reagiert. Ich habe irgendwann gedacht, dass du vielleicht an diesem Abend einfach nur Sex haben wolltest, aber das konnte ich mir auch nicht so richtig vorstellen, ich hatte dich ganz anders eingeschätzt. Dann war da die Möglichkeit, dass du zu Hause liiert bist und dass es sich um einen alkoholisierten Ausrutscher gehandelt hatte, der dir danach peinlich war, aber dafür warst du nicht betrunken genug. Ich habe wirklich wochenlang alles im Kopf hin und her gewendet – und es trotzdem nicht verstanden. Und als du mir neulich die Geschichte von der Freundin deiner Mutter, wie hieß die noch … ach ja, Gudrun, erzählt hast, war ich, ehrlich gesagt, ein bisschen fassungslos.«

Maren fuhr langsam mit den Fingern durch seine Haare. »Warum fassungslos?«

»Weil ich dir ein solches Schubladendenken nicht zugetraut hätte.« Er küsste sie auf den Bauch. »Weil ich nicht dachte, dass du es dir so leicht machst. Wenn *ein*

Typ sich so danebenbenimmt, dann machen es alle? Dann braucht man überhaupt nicht mehr zu überlegen, ob man sich drauf einlässt, weil man sowieso weiß, wie es ausgeht? Das ist natürlich einfach. Und genauso dämlich übrigens.«

Er hatte sich dabei aufgesetzt und sah sie jetzt an. »Und außerdem bist du nicht Gudrun. Und es beleidigt mich, dass ich mit diesem Typen in eine Schublade gesteckt werde. So, das wollte ich dir schon seit dem Abend sagen.«

Maren hatte den Blick nicht von ihm abgewandt. »Es tut mir leid«, sagte sie leise und strich ihm mit dem Finger über die Stirn. »Ich war total überfordert. Und saß plötzlich in einem Gedankenkarussell: Ich will nicht wieder verlassen werden, ich will nicht wieder verlassen werden – das will ich unbedingt verhindern. Und dann stellte ich mir vor, wie ich immer älter und faltiger werde und du eben nicht, oder zumindest nicht so schnell, und es nur eine Frage der Zeit ist, bis du dich in eine Jüngere verliebst. Du brauchst nichts zu sagen, ich weiß, dass ich noch nicht einmal vierzig bin und mir Gedanken mache, die völlig idiotisch sind. Aber es sind trotzdem zehn Jahre. Als ich Ende zwanzig war, waren für mich zehn Jahre ältere Frauen einfach alt. Und dann ist der Zeitpunkt, mich zu verlieben, ziemlich doof. Ich habe gedacht, ich kann dieses aufkommende Gefühl für dich einfach im Keim ersticken, dann käme ich gar nicht in die Gefahr, unglücklich zu werden.«

»Toller Plan«, Robert grinste zynisch. »Und dann diese Klischees! Maren! Alle Männer wollen immer nur jung, blond und faltenfrei. Für wie doof hältst du mich eigentlich?«

»Das geht nicht gegen dich«, Maren betrachtete das kleine Tattoo auf seinem Oberarm. Ein Delphin. Ihr

Lieblingstier. »Eine Freundin hat einmal gesagt, dass sie Klischees deswegen hasse, weil man irgendwann feststellt, dass sie doch wahr sind.« Sie zeichnete mit dem Zeigefinger den Umriss des Delphins nach. »Und ich habe gerade in meinem Leben so viel geändert, dass ich Angst davor habe, jetzt wieder alles durcheinanderzubringen. Und dazu noch mit jemandem, der viel jünger ist.«

Robert zog sie an sich. »Hör zu: Du bist sexy, schön, klug, witzig, und ich bin total verliebt in dich. Kannst du das nicht bitte einfach mal so stehen lassen? Lass es doch einfach zu.«

»Aber im September bist du wieder weg.« Ihr Protest war nur noch schwach. »Und der Altersunterschied bleibt. Und meine Vorbehalte ...«

Selbst Maren konnte nicht gleichzeitig küssen und reden.

Mittwoch, sehr früh am Morgen,
vor dem Polizeirevier

Als Maren um kurz vor sieben auf den Parkplatz vor dem Revier fuhr, kam Robert ihr schon entgegen. Er lächelte und blieb neben ihrem Auto stehen.

»Na?« Er hielt ihr die Tür auf, wartete, bis sie ausgestiegen war, und küsste sie flüchtig auf den Mund. »Hat Papa was gemerkt?«

Sie waren um fünf aufgestanden, weil Maren noch mal nach Hause wollte, bevor ihr Frühdienst begann. Arm in Arm hatten sie das Hotel verlassen, Robert hatte sie zu ihrem Auto gebracht und sie lange umarmt. »Ich bin so froh«, hatte er in ihr Haar gemurmelt. »Dass du dich nicht mehr wehrst. Das wird schön mit uns, wart's ab.«

Auf dem Weg hatte sie das Radio aufgedreht und laut mitgesungen. Zumindest so lange, bis die Radiomoderatorin erwähnt hatte, dass heute Mittwoch sei und sie allen Hörern einen schönen Tag wünschte. Erst da war Maren wieder eingefallen, was ihr heute bevorstand. Sie würde heute Mittag mit Anna Petersen am Bahnhof auf die Ankunft von Andreas von Wittenbrink warten, der früher Holler geheißen hatte. Sie würde damit ihre beste Freundin verraten. Egal, wie sehr Robert versucht hatte, sie zu beruhigen: Rike würde sich verraten fühlen. Und sie hätte recht.

Sie hatte die Musik sofort leise gedreht. Egal, was mit

ihr und Robert jetzt war oder wie es weiterging, es musste warten.

»Hat er was gemerkt?« Roberts Stimme holte sie wieder zurück auf den Parkplatz. Maren sah ihn an. »Nein«, antwortete sie. »Mein Vater war gar nicht da. Vielleicht ist er mit Karl angeln gegangen, das machen sie manchmal um diese Uhrzeit. Da beißen die Makrelen am besten.«

»Um sechs Uhr?« Robert schüttelte den Kopf. »Das würde mir nicht im Traum einfallen.«

Maren schloss den Wagen ab und wandte sich zum Eingang des Reviers. »Ich würde jetzt lieber angeln gehen, als meinen Dienst zu machen«, sagte sie im Gehen zu Robert. »Mir steht ein mieser Tag bevor.«

»Hey«, er hielt sie sanft am Ärmel fest. »Maren, wenn du dich befangen fühlst, dann sag Anna Petersen, dass du nicht mitgehen willst. Ich glaube schon, dass sie dafür Verständnis hat.«

»Ich aber nicht.« Maren zog ihren Arm zurück. »Und der Verrat bleibt derselbe. Es ist mein Job. Fertig, aus. Und jetzt will ich nicht mehr darüber reden.«

Sie beschleunigte ihre Schritte und lief die Treppen zum Eingang hoch. Robert sah ihr nachdenklich hinterher.

»Der Obduktionsbericht ist da«, Anna Petersen kam aus ihrem Büro und wedelte mit einer dünnen Akte. »Maren, du kannst Sina Holler anrufen, bis spätestens Freitag wird die Leiche freigegeben, sie kann sich jetzt um die Beerdigung kümmern.«

Maren hob sofort den Kopf. »Und was ist das Ergebnis?«

»So, wie es der Gerichtsmediziner schon bei der ersten Untersuchung vermutet hat. Die Todesursache war der

Genickbruch. Jutta Holler hat an den Oberarmen leichte Hämatome, die aber eher auf ein Festhalten als auf einen Stoß deuten. Vermutlich hat der Täter sie zu plötzlich losgelassen, sie kann das Gleichgewicht verloren haben und ist dann die Treppe runtergestürzt. Sie hatte Alkohol im Blut, ganz sicher war sie wohl auch nicht auf den Beinen. Rufst du die Tochter bitte gleich an?«

Maren nickte und griff zum Hörer.

Der Vormittag verging quälend langsam. Maren sah immer wieder auf die Uhr, nur um festzustellen, dass kaum mehr als ein paar Minuten vergangen waren, seit sie das letzte Mal nachgesehen hatte. Um halb zwölf würde sie sich mit Anna Petersen zusammen auf den Weg zum Bahnhof machen. Bis dahin konnte sich ihr rebellierender Magen vielleicht mit etwas Glück noch beruhigen.

»Wieso stöhnst du so?« Benni war unbemerkt hinter Maren getreten, erschrocken fuhr sie herum. »Ich stöhne doch nicht.«

»Doch«, lautete seine Antwort. »Tust du. Ist was passiert?«

Langsam drehte Maren sich auf ihrem Stuhl zu ihm herum. »Noch nicht. Aber gleich.« Sie drückte ihre Hand auf den Magen. »Sag mal, hast du vielleicht irgendetwas gegen Übelkeit dabei? Ich habe das Gefühl, ich muss mich gleich übergeben.«

»Falls das ansteckend ist, dann geh nach Hause«, antwortete Benni sofort und trat einen Schritt zurück. »Ich hasse diese Magen-Darm-Viren – die bekomme ich immer sofort.«

»Es ist kein Virus«, resigniert drehte Maren sich wieder zurück. »Hat Judas eigentlich vorher auch gekotzt?«

»Judas wer?« Benni hatte keine Ahnung, was sie meinte.

»Kenne ich nicht. Wir haben aber irgendwelche Tropfen im Medikamentenschrank im Waschraum. Musst du mal gucken. Ich fahre jetzt mit Robert nach List zum Hafen. Da ist ein Taschendieb unterwegs. Bis später.«

»Ja, bis später«, antwortete Maren und stand langsam auf. Bevor sie die Waschräume erreicht hatte, kam ihr Anna Petersen entgegen. »Da bist du ja schon, wir müssen los.« Sie trat einen Schritt zurück und betrachtete Maren genauer. »Alles okay? Du bist ganz blass.«

»Alles okay. Ein bisschen Magendrücken«, Maren gab sich Mühe, ihre Stimme lockerer klingen zu lassen, als sie es selbst war. »Ich habe wohl was Falsches gegessen. Wollen wir?«

Sie folgte Anna durch den Flur zum Ausgang und riss sich so zusammen, dass ihr die Schultern wehtaten.

Die Ankunft des Zuges aus Hamburg-Altona war bereits am Leuchtschild angezeigt, der Bahnsteig füllte sich langsam mit Menschen, die entweder jemanden abholten oder selbst zurück nach Hamburg wollten. Maren und Anna hatten sich am Eingang der Bahnhofsbuchhandlung postiert. Von hier aus hatten sie den Bahnsteig im Blick, konnten aber nicht sofort von den aussteigenden Reisenden gesehen werden.

»Auf Gleis zwei fährt ein der Regionalzug aus Hamburg-Altona, planmäßige Ankunft zwölf Uhr fünf, bitte Vorsicht bei der Einfahrt des Zuges.«

Marens Herz schlug in gefühlt doppelter Geschwindigkeit. Sie hatte Rike am Anfang des Bahnsteigs entdeckt, wo sie in sehr gerader Haltung in einer schmalen Jeans und in einer weißen Bluse stand. Die Haare hatte sie zu einem lockeren Knoten geschlungen, was ihr gut stand, ihr Gesicht war gerötet, ihr Lächeln ließ sie von innen heraus strahlen: So sah Freude aus. Maren fühlte sich grauenhaft.

Langsam rollte der Zug ein, zischend und quietschend hielt er schließlich an. Sofort gingen die Türen auf, nach wenigen Sekunden war der Bahnsteig voller Menschen. Anna hielt ihren Blick konzentriert auf Rike gerichtet, Maren stand ein Stück hinter Anna und hoffte, dass die nicht bemerkte, wie schwer sich Maren gerade tat. Jetzt bewegte sich Rike, hob den Arm und ging ein paar Schritte nach vorn.

»Los«, Anna setzte sich sofort in Bewegung, und ohne Rike aus den Augen zu lassen, lief sie auf sie zu. Maren folgte ihr mit einem kleinen Abstand.

Rike hatte nichts von alldem bemerkt. Sie stand jetzt mit dem Rücken zu ihnen, in einer Umarmung mit Andreas von Wittenbrink und hatte für nichts anderes Augen und Gedanken, als für diesen Mann, diese Umarmung und das Glück über ihr Wiedersehen.

»Herr von Wittenbrink?« Anna hatte die beiden erreicht und ihre klare, durchdringende Stimme hatte diesen Moment sofort zerstört. Andreas löste sich langsam aus der Umarmung und sah Anna über Rikes Kopf hinweg an. »Ja. Das bin ich.«

»Mein Name ist Anna Petersen, Kripo Flensburg«, sie hielt ihren Ausweis hoch. »Ich möchte Sie bitten, mich auf das Revier zu begleiten. Ich muss Ihnen ein paar Fragen stellen.«

Rike hatte sich langsam umgedreht und Anna Petersen überrascht angesehen. »Was …?«, begann sie, dann entdeckte sie Maren, die jetzt aufgeschlossen hatte. Rikes Augen wurden größer, sie sah zwischen Maren, Anna und Andreas hin und her, dann blieb ihr Blick an Maren hängen. »Das ist jetzt nicht dein Ernst, oder? Was soll das?«

Andreas von Wittenbrink blieb gelassen. Ohne seine Hand von Rikes Hüfte zu nehmen, fragte er freundlich: »Darf ich fragen, um was es geht?«

»Um den Tod von Jutta Holler«, antwortete Anna. »Wir würden in diesem Zusammenhang gern mit Ihnen sprechen. Begleiten Sie uns bitte aufs Revier?«

»Das muss eine Verwechslung sein!« Rikes Stimme zitterte vor Ärger. »Was soll Andreas denn mit Jutta Holler zu tun haben? Wie kommt ihr denn auf diesen Schwachsinn?« Sie lachte unsicher.

»Wir haben eine Zeugin, die Sie mehrere Male vor dem Haus der Hollers gesehen hat, Herr von Wittenbrink«, Anna sprach langsam. »Wir müssen dem nachgehen.«

Nachdenklich betrachtete Andreas erst Anna, dann Maren, dann wandte er sich wieder Rike zu. »Es ist okay. Fahr du schon mal vor, ich komme nachher zu dir.« Er wirkte erstaunlich souverän.

Im Gegensatz zu Rike. Sie starrte Maren fassungslos an, ignorierte die neugierigen Blicke der Vorbeilaufenden und würdigte Anna keines Blickes. »Vielen Dank«, sagte sie leise, doch Maren spürte Rikes Enttäuschung fast körperlich. »Du hast mich tatsächlich ausgehorcht, du hast kein Wort gesagt, und jetzt stehst du hier, als ob nichts wäre: Ich glaube das alles nicht.«

»Rike, bitte, ich …« Maren machte einen Schritt auf sie zu, Rike wich sofort zurück. »Lass mich in Ruhe.« Sie drehte sich zu Andreas. »Soll ich mitkommen und warten?«

»Nein«, er schüttelte den Kopf und strich ihr zärtlich über die Wange. »Ich habe zwar keine Ahnung, wie lange so was dauert. Aber ich rufe dich so rasch wie möglich an. Mach dir keine Sorgen, die werden schon wissen, was sie tun.« Nach einem flüchtigen Kuss wandte er sich zurück zu Anna. »Wir können gehen.«

Bevor sie um die Ecke bogen, drehte Maren sich noch einmal um. Rike stand wie festgefroren mit hängenden Schultern an derselben Stelle. Ihren Gesichtsausdruck würde Maren nie mehr vergessen. So also fühlte sich Verrat an, dachte Maren. Rabenschwarz und eiskalt. Sie hätte heulen können.

Und deshalb habe ich es mir nun doch anders überlegt«, Charlotte blieb stehen und überflog ihren
Spickzettel, bevor sie weiterschritt. Während des Probens
war sie gestikulierend auf und ab gegangen, das war für
sie immer noch die beste Art, etwas auswendig zu lernen. Sie hatte ihren Text drauf, daran bestand überhaupt
kein Zweifel. Sie hätte gar nicht so viel üben müssen.
Inge hatte recht gehabt, das Schauspielern lag Charlotte
irgendwie im Blut. »Sehen Sie, wenn mein Mann etwas
nicht will, dann will er es nicht. Da muss schon einiges
passieren, damit er seine Meinung ändert. Eigentlich muss
es ihm passieren. Für mich ist das auch sehr schwierig, das
können Sie mir glauben.«

Mittlerweile stand sie vor dem Garderobenspiegel und
betrachtete sich. Sie sah tatsächlich aus wie eine enttäuschte Ehefrau, die aus Furcht vor Kriminellen ihr Haus
loswerden wollte und deren Herzenswunsch nun durch
ihren unsensiblen Mann unerfüllt blieb. Sie legte den Kopf
schräg, sah sich selbst traurig an und seufzte. »Ich fühle
mich wegen der ganzen Überfälle nicht mehr sicher, aber
ich weiß einfach nicht, wie ich ihn zum Verkauf überreden
kann. Er ist so, so …« Ihr kamen jetzt tatsächlich fast die
Tränen. Bevor sie zum Finale übergehen konnte, klingelte
das Telefon.

»Ja«, Charlotte musste sich räuspern. »Schmidt.«

»Charlotte? Was ist denn mit deiner Stimme? Bist du erkältet?«

»Ach, Heinz«, noch ganz in ihrer Rolle, ließ sie sich traurig auf die kleine Bank im Flur sinken. »Du bist es.«

»Ja.« Er klang erstaunt. »Das ist doch nicht so ungewöhnlich, dass ich dich anrufe.«

»Nein«, Charlotte hob langsam den Kopf und sah wieder in den Spiegel. Sie sah richtig unglücklich aus. »Natürlich nicht.« Zitterte ihre Stimme genug?

»Sag mal, ist was passiert? Du klingst so komisch.«

»Weißt du, Heinz«, sie lehnte sich langsam zurück. »Mir gehen so viele Gedanken durch den Kopf. Ist man sich hier seines Lebens wirklich sicher? Sollte man nicht doch die Reißleine ziehen, bevor etwas passiert? Halte ich das alles weiter aus?«

»Was für eine Reißleine? Und was musst du aushalten? Ich verstehe kein Wort. Hast du Fieber? Tut dir was weh?« Heinz versuchte, sich am anderen Ende der Leitung einen Reim auf Charlottes seltsames Verhalten zu machen. »Habe ich was verpasst? Ich wollte dir eigentlich nur erzählen, dass Christine inzwischen richtig gut mit den Krücken laufen kann. Dafür ist ihr Nervenkostüm aber ganz schön dünn geworden, das kommt vielleicht vom Schock. Sie regt sich so schnell auf, weißt du.«

Charlotte hatte Christine in diesem Moment überhaupt nicht auf dem Schirm. Sie wollte sich jetzt auch nicht davon aus ihrer Rolle bringen lassen, es hatte lang genug gedauert, sie so perfekt auszufüllen. Deshalb sagte sie nichts. Heinz hatte auf eine Antwort gewartet und wurde ungeduldig. »Bist du noch dran? Was ist denn los mit dir?«

»Nichts. Aber …«, Charlotte ließ ihre Stimme wieder zittern. »Es sind diese Einbrüche. Heinz: Wir könnten die nächsten Opfer sein! Und seit der Sache mit Jutta Holler stehen wir hier alle unter Schock. Ich habe seit Tagen nicht mehr richtig geschlafen.«

»Jutta Holler?« Heinz war jetzt alarmiert. »Was ist mit Jutta Holler?«

»Sie ist tot. In ihr Haus wurde auch eingebrochen, und sie muss den Täter überrascht haben. Und jetzt ...« Das war genau der Moment, in dem Charlotte merkte, was sie hier eigentlich anrichtete. Erschrocken starrte sie jetzt ihr Spiegelbild an. Heinz war das völlig falsche Publikum für ihre Rolle, das ging hier gnadenlos schief. »... und jetzt ermittelt die Polizei.« Sofort hob sie ihre Stimme und redete schneller. »Hier war ganz schön was los. So, und jetzt erzähl noch mal von Christine. Sie hat aber bestimmt noch Schmerzen, oder?«

»Jutta Holler ist ermordet worden?« Heinz klang so, als stünde er kurz vor einer Ohnmacht. »Wann war denn das?«

»Samstagabend. Aber du musst dich jetzt nicht mehr aufregen, du kannst sowieso nichts machen.«

»Charlotte.« Jetzt war ihr Mann ärgerlich. »Warum hast du mich nicht verständigt? Du rufst sonst wegen jeder Kleinigkeit an, und wenn wirklich mal was passiert, dann sagst du nichts? Ich sitze hier ahnungslos bei Christine und muss mit ihr streiten, und dabei brauchst du mich an deiner Seite? Das halte ich ja im Kopf nicht aus! Wenn du dich allein im Haus unsicher fühlst, dann musst du mir das doch sagen. Dann komme ich doch sofort nach Hause! Geht es Inge auch so schlecht wie dir?«

Mist, das war schiefgegangen, Charlotte biss sich vor Ärger in die Fingerknöchel. »Nein, nein, Inge geht's gut. Mir übrigens auch, Heinz, du kannst ... musst auf gar keinen Fall zurückkommen, Christine braucht dich doch auch. Ich kann jederzeit Karl oder Onno um Hilfe bitten, jetzt ändere bloß nicht deine Pläne. Das ist völlig unnötig.«

Heinz und Walter durften auf keinen Fall hier aufkreuzen. Nicht, solange die Ermittlertruppe ihren Plan noch nicht durchgezogen hatte. Die Männer würden alles zerstören, sie kannte Heinz und Walter doch. Karl würde ausflippen, wenn sie ihm die Tour vermasselten, Charlotte überlegte fieberhaft, wie sie ihren Fehler wiedergutmachen konnte.

»Sieh mal, heute ist ja schon Mittwoch. Heute Abend treffen wir uns hier, um ... ähm, Sushis zu üben. Für den Kochwettbewerb. Und morgen gehe ich mit ... Inge ins Kino. Da bin ich auch beschäftigt. Und Freitag ist Chor. Kommt doch ganz normal und wie geplant am Samstag. Sonst sitzt du die ganze Zeit hier allein rum. Das ist doch Unsinn. Ich würde es sonst wirklich sagen. Hörst du, Heinz? Fahrt am Samstag zurück. Wie besprochen. Du kannst doch sowieso keine Planänderungen leiden. Und Walter auch nicht.«

Sie hatte immer schneller gesprochen, in der Hoffnung, dass sich Heinz davon beruhigen ließ. Er schwieg immer noch.

»Heinz? Und ihr habt doch auch schon die Fahrkarten gekauft. Mit Zugbindung. Wenn ihr früher fahrt, wird das richtig teuer. Du kennst doch Walter. Das wird ihn nur aufregen. Nein, nein, lasst mal alles so, wie es ist. Wir sehen uns am Samstag.«

»Bist du sicher?«

Na bitte. Charlotte lächelte. »Ganz sicher, Heinz. Mach dir keine Sorgen, ich habe das vorhin gar nicht so gemeint, wie es anscheinend geklungen hat. Mir geht es gut, Inge geht es gut, und sie mochte Jutta Holler sowieso nicht. Also, grüß Christine und Walter, und wir sehen uns am Samstag. Wenn was ist, kannst du ja auch noch mal anrufen. Tschüss, tschüss.«

»Ja, tschüss.«

Erleichtert legte Charlotte den Hörer auf. Das war knapp gewesen. Aber das lag dann wohl daran, dass sie so eine Vollblutschauspielerin war. Da waren die Anfänge und Enden der Rolle fließend. Aber jetzt musste sie sich wieder konzentrieren. Auch die Details mussten stimmen. Charlotte erhob sich und atmete konzentriert ein und aus. Beim dritten Ausatmen klingelte wieder das Telefon. Sie brach ab, sah sofort aufs Display und meldete sich erleichtert: »Inge. Gott sei Dank. Ich hatte schon die Befürchtung, dass es noch mal Heinz ist.«

»Wieso? Was hat er denn gemacht?«

»Ach, Inge, er nichts. Aber ich habe mich verplappert. Ich war noch so in meiner Rolle, ich habe meinen Text noch mal geprobt und mittendrin rief dann Heinz an. Na ja, dabei ist mir was rausgerutscht. Also, dass die Holler tot ist und so.«

»Nein«, Inge war entsetzt. »Auch über unsere Gruppe?«

»Das nicht«, beruhigte sie Charlotte. »Aber er hat sich trotzdem ein bisschen aufgeregt und wollte sofort kommen. Ich glaube, ich habe es aber abgewehrt, es bleibt bei Samstag. Auch wegen der Zugbindung.«

»Hoffentlich«, Inge war bestürzt. »Charlotte, ehrlich, hättest du dich nicht mehr konzentrieren können? Du weißt doch, wie Heinz ist. Der lässt sich doch nicht so was erzählen und bleibt danach ruhig. Dass du so einen Fehler machst. Wenn die beiden uns jetzt dazwischenfunken … Karl wird ausflippen. Ich rufe Walter gleich mal an und versuche herauszubekommen, ob sie womöglich doch früher zurückkommen wollen. Vielleicht kann ich dann notfalls den Schaden begrenzen. Ich würde ihm dann einfach erzählen, dass du im Gespräch mit Heinz übertrieben hast, oder ich sage dann so was wie, du hättest schlecht geträumt oder könntest den Ostwind nicht vertragen. Mal sehen.«

»Gute Idee«, Charlotte war erleichtert. »Ich glaube zwar, dass Heinz sich schon wieder eingekriegt hat, aber sicher ist sicher. Was wolltest du denn eigentlich?«

Inge musste kurz überlegen. »Ach so, ich wollte dir erzählen, dass ich heute ganz frühmorgens mit meinen Nordic-Walking-Stöcken unterwegs war, schon um kurz vor halb sieben, ich konnte nicht mehr schlafen. Und wer kommt mir da im Taxi entgegen? Onno. Um diese Zeit. Ich habe erst gedacht, es wäre was passiert, und bin erschrocken. Er hätte ja auch aus dem Krankenhaus kommen können. Also bin ich gleich zu ihm hin. Und jetzt rate mal.«

Charlotte war zu gespannt. »Inge. Keine Ahnung, sag es.«

»Er hat bei Helga Simon übernachtet.« Inge antwortete mit stiller Freude. »Im Gästezimmer, wie er betont hat. Weil sie eine Dame ist und man alles wie ein Gentleman angehen muss. Sagt er. Aber sie hätten sich noch lange so schön unterhalten und dann mochten sie sich nicht trennen. Also ist er dageblieben. Er wollte aber nicht zum Frühstück bleiben, weil er befürchtet hat, dass ihn Nachbarn sehen würden und das den Ruf von Helga Simon beschädigen könnte. Du, ich glaube, der ist verliebt, mich freut das richtig.« Sie seufzte vor Begeisterung.

Charlotte seufzte mit, dann fiel ihr aber ein, was eigentlich das Thema des Tages war. »Inge«, sagte sie deshalb. »Das ist alles sehr schön, aber heute haben wir wirklich was anderes zu tun. Ich werde mich noch ein bisschen auf morgen vorbereiten. Alles andere besprechen wir später.«

»Genau«, antwortete Inge. »Das wird alles werden. Ich rufe jetzt Walter an und versuche herauszufinden, ob Schadensbegrenzung nötig ist. Bis nachher.« Sie legte auf.

Charlotte erhob sich langsam, fuhr einen Moment mit ihren Atemübungen fort. Das erneute Klingeln des Telefons brachte sie wieder raus. »Meine Güte«, ungeduldig ließ sie die Arme sinken und nahm den Hörer von der Station. »Was ist denn heute bloß los? Ja, Schmidt?«

»Frau Schmidt?« Die joviale Stimme kam ihr sofort bekannt vor. »Gero Winter. Es gibt gute Nachrichten, ich habe schon eine potenzielle Interessentin für Ihr Haus. Das wird schneller gehen, als Sie es sich geträumt haben. Und dabei auch noch höchst lukrativ. Ich würde meiner Kundin das Haus gern schon morgen Vormittag zeigen. Da sind wir beide ja sowieso verabredet.«

»Herr Winter«, Charlotte versuchte, Zeit zu schinden. Es war der falsche Zeitpunkt, es war anders geplant. »Das kommt jetzt etwas überraschend für mich, wissen Sie.« Sie zögerte und suchte fieberhaft nach einer Idee. »Aber ich hätte Sie sowieso gleich angerufen, morgen früh ist das nämlich ganz schlecht, da kommt, da habe ich, also da geht es gar nicht. Und ich hatte bisher noch gar nicht richtig die Gelegenheit gehabt, mit meinem Mann zu sprechen. Er ist noch nicht so richtig auf das Thema Verkauf angesprungen. Ich muss noch mal in Ruhe mit ihm reden. Wissen Sie, ich hatte mich auch ein bisschen in diese Verunsicherung und Angst reingesteigert. Inzwischen habe ich mich schon wieder ein bisschen beruhigt. Bei uns ist ja gar nichts passiert.«

Während Gero Winter am anderen Ende Luft holte und charmant, aber entschlossen auf sie einredete, blickte Charlotte nach draußen und ihr Blick fiel auf einen Motorradfahrer, der mit Helm und in Lederkluft neben seinem Motorrad lehnte und zu ihrem Haus herüberschaute. Sein Gesicht war unter dem Helm nicht zu erkennen, Charlotte ging mit dem Hörer am Ohr vorsichtig zur Haustür und sah durch die Scheibe. In diesem Moment stieg er auf und fuhr weg. Es könnte sich um denselben Mann handeln, den sie bereits gestern Abend gesehen hatte. »Ja, Herr Winter, natürlich bin ich noch dran.« Sie schluckte laut und traf eine Entscheidung. »Wissen Sie, mein Mann kommt erst am Wochenende zurück. Ich kann ja noch mal mit ihm telefonieren, vielleicht ändert er seine Meinung noch. Und wenn jemand das Haus besichtigt, dann ist es ja noch lange nicht verkauft. Also gut, dann bleibt es bei morgen früh um halb elf. Ihre Durchwahl? Nein, die habe ich nicht. Ja, ich habe etwas zu schreiben.«

Während sie die Nummer auf die Fernsehzeitung notierte und seinen letzten Erklärungen folgte, nickte sie zufrieden. Sie waren auf dem richtigen Weg. Karl hatte einfach einen genialen Instinkt.

Andreas von Wittenbrink saß mit übereinanderge-
schlagenen Beinen und entspannter Haltung Anna
Petersen gegenüber am Tisch des größten Besprechungs-
zimmers. Maren hatte auf einem Stuhl an der Wand Platz
genommen, sie war sich nicht sicher, ob sie das, was hier
gleich besprochen werden würde, tatsächlich auch hören
wollte, aber Anna hatte ihr mit einer kurzen Geste bedeutet, dass sie teilnehmen sollte. Also sagte sie sich zum
hundertsten Mal an diesem Tag, dass es ihr Job war, ver-
drängte das Bild von Rike aus dem Kopf und versuchte,
sich auf Annas Fragen und von Wittenbrinks Antworten
zu konzentrieren.

Anna hatte ihm Wasser oder Kaffee angeboten, Andreas von Wittenbrink hatte beides abgelehnt. »Von mir aus
können wir gleich anfangen«, sagte er freundlich. »Dann
sind wir schneller durch.«

»Gut«, Anna nickte und schaltete das Aufnahmegerät
ein. »Sie haben nichts dagegen, dass wir dieses Gespräch
aufzeichnen?«

Er schüttelte den Kopf. »Nur zu.«

»Herr von Wittenbrink«, begann Anna das Gespräch
und sah ihn dabei aufmerksam an. »Es geht um den Einbruch mit Todesfolge bei Jutta Holler, der am vergange-
nen Samstagabend verübt wurde. Es gibt eine Zeugin, die
ausgesagt hat, dass Sie mehrfach vor dem Haus von Jutta

Holler gestanden haben. Die Zeugin hat sie auf dem Foto wiedererkannt, das kurz danach in der ›Sylter Zeitung‹ abgebildet war. Waren Sie vor dem Haus?«

»Ja.« Die Antwort war so knapp wie schnell, Maren hielt den Atem an.

Anna machte sich eine Notiz. »Und warum?«

Dieses Mal überlegte Andreas von Wittenbrink einen Moment. Dann sagte er: »Ich wollte es mir ansehen. Ich war lange nicht hier.«

»Sie hießen vor ihrer Heirat Andreas Holler. Das Haus ist ihr Elternhaus. Und somit ist die Tote Ihre Stiefmutter. Allzu sehr erschüttert scheinen Sie jetzt nicht zu sein? Wann haben Sie denn mit Jutta Holler das letzte Mal gesprochen?«

Andreas legte eine Hand locker über die andere. Er wirkte nicht im Mindesten angespannt, Maren hatte genügend Seminare zum Thema Körpersprache besucht, um das zu sehen. Vielleicht war ja doch alles nur ein Missverständnis. Seine Antwort ließ sie zusammenzucken.

»Am letzten Samstagvormittag. So gegen elf Uhr.«

Das war der Tag, an dem alles passiert war. Maren bekam eine Gänsehaut. Sein Besuch bei Jutta Holler, das Sommerfest, Andreas und Rike und irgendwann dazwischen die Tat. Maren starrte auf ihre Schuhe. Sie hörte nur zu, sie stellte keine Fragen. Anna Petersen zögerte kaum merklich, dann fragte sie: »Wie lange sind Sie schon auf der Insel?«

Wieso hakte sie nicht nach? Maren wartete gespannt ab.

»Mit Unterbrechungen sechs Wochen. Seit dem Richtfest des Hotelbaus. Vorher war ich immer nur ein, zwei Tage hier. Seit sechs Wochen begleite ich die Bauarbeiten vor Ort. Mit kleinen Abstechern nach Hamburg ins Büro. Wenn was anliegt.«

Er antwortete immer noch mit ruhiger Stimme, ohne seine entspannte Körperhaltung zu verändern.

Auch Anna blieb weiterhin freundlich und verbindlich. »Sie waren vor einiger Zeit in medizinischer Behandlung wegen einer Knieverletzung, die Sie sich angeblich auf der Baustelle zugezogen haben. Davon wusste Ihr Bauleiter gar nichts. Muss so etwas nicht gemeldet werden?«

Fast unmerklich hob Andreas von Wittenbrink eine Augenbraue. »Wurde die Schweigepflicht bereits aufgehoben?« Sein Blick fiel auf Maren, er lächelte. »Ach so, okay. Daher kommen die Informationen.« Er sah wieder Anna an. »Natürlich muss ein Arbeitsunfall gemeldet werden. Aber ich hatte keinen, es ist woanders passiert.«

Elisabeth Gerlachs Gehhilfe. Der Gedanke kam schneller als von Wittenbrinks Erklärung. Maren starrte ihn an. Er lächelte wieder und fuhr fort. »Ich bin, um es ganz ehrlich zu sagen, betrunken vom Fahrrad gestürzt. Und das war – Sie können sich das denken – etwas peinlich. Ein ›Sturz auf der Baustelle‹ klingt professioneller. Und ich wollte nun mal, dass Rike, ich meine, Frau Brandt, nicht gleich einen schlechten Eindruck von mir bekommt. Es gibt übrigens einen Zeugen für meinen Sturz. Der Mann heißt Henning, wir haben uns in einer Kneipe beim Fußballschauen kennengelernt und sind gemeinsam ziemlich abgestürzt. Er hat mir nach dem Sturz wieder auf die Beine geholfen. Ich habe seine Visitenkarte. Falls Sie das überprüfen wollen.« Er lachte leise. »Champions League. Dortmund hat gewonnen. Wir haben uns aus Freude betrunken.«

Anna lachte nicht mit. »Sie sind also der Stiefsohn von Jutta Holler. Aber nicht einmal Sina Holler hat über Sie gesprochen. Warum?«

»Kann ich vielleicht doch ein Glas Wasser haben?«

Anna drehte sich um und sah Maren an. »Würdest du bitte Wasser und Gläser holen?«

Maren sprang sofort auf. Sie wollte auf keinen Fall was verpassen, deshalb ließ sie die Tür offen. Das wäre gar nicht nötig gewesen, denn Andreas von Wittenbrink schwieg tatsächlich so lange, bis sie wieder da war und ihm ein Glas hingestellt hatte.

»Danke«, sagte er freundlich und nahm einen Schluck, bevor er Annas Frage beantwortete: »Jutta Holler war nicht wirklich meine Stiefmutter. Meine Eltern, also Wilhelm und Paula Holler, haben mich adoptiert, als ich zwei war. Meine leiblichen Eltern sind bei einem Verkehrsunfall gestorben, ich war danach ein paar Monate in einem Heim. Es gab auch keine anderen Familienmitglieder. Und dann kam ich zu den Hollers. Als ich zwölf war, ist Paula an Krebs gestorben. Mein Vater war danach völlig überfordert. Die Trauer, sein Geschäft, ein zwölfjähriges Kind, das war ihm alles zu viel. Er hatte zwar eine Haushälterin und ein paar Freunde, die sich ab und zu um mich gekümmert haben, es war aber trotzdem schwierig. Ein Jahr später lernte er dann Jutta kennen. Sie war im Urlaub auf Sylt, suchte einen reichen Mann, fand meinen Vater und hat ihn so lange umschwirrt, bis er sie geheiratet hat. In meiner Erinnerung ging das alles ziemlich schnell, sie war immer schon sehr zielgerichtet. Nach der Hochzeit hat sie meinem Vater klargemacht, dass sie zwar ihn, nicht aber dieses angenommene Gör wollte. Mein Vater kam auf Dauer nicht gegen sie an, an meinem fünfzehnten Geburtstag wurde mir gesagt, dass Jutta schwanger war und ich einen Internatsplatz in Kiel hatte. Damit ging die neue Frau meines Vaters als Siegerin hervor. Ich habe Sina nie richtig kennengelernt. Als sie zur Welt kam, war ich schon im Internat, und die wenigen Tage im Jahr, an denen ich auf Sylt war, fuhr Jutta mit ihrer Tochter meistens weg. Nicht, dass dieses fremde Kind womöglich schlechten Einfluss auf das leibliche nahm. Schließlich hatte man ja keine Ahnung, was für Gene in angenommenen Kindern stecken. Das waren übrigens Juttas Worte. Ich bin mir gar nicht sicher, ob Sina überhaupt noch weiß, dass es mich gab.«

Gebannt hatte Maren zugehört. Es war eine grausame Geschichte, die er hier gerade erzählt hatte. Und dabei klang noch nicht einmal ein bitterer Ton durch. Wie konnte das sein? Ein kleiner Junge, dessen Eltern tödlich verunglücken, dann eine neue Familie, der frühe Tod der zweiten Mutter und zuletzt die Abschiebung durch die neue Frau des Vaters. Mit fünfzehn. Wenn dieser Mann keinen Grund hätte, Jutta Holler zu hassen, wer dann?

Anna Petersen hatte ihn unverwandt angesehen. Maren konnte nichts aus ihrem Gesichtsausdruck schließen und wartete gespannt auf die nächste Frage. Die ließ denn auch gar nicht lange auf sich warten. »Ich nehme an, Ihr Verhältnis zu Jutta Holler war nicht gerade von Sympathie geprägt? Was genau wollten Sie denn am letzten Samstag von ihr?«

Nach einem kurzen Zögern antwortete er: »Als ich achtzehn war, starb mein Vater. Mein letztes Zusammentreffen mit Jutta Holler war auf der Beerdigung, bei der sie mich übrigens nicht dabeihaben wollte, und bei der anschließenden Testamentseröffnung. Das alles war so daneben, dass ich es komplett aus meinem Gedächtnis verdrängt hatte. Aber jetzt, wo ich längere Zeit auf der Insel zu tun habe, wollte ich mir nach all den Jahren einfach mal wieder das Haus ansehen. Und diese Frau fragen, was sie sich damals bei alldem gedacht hat. Ob sie überhaupt irgendetwas gedacht hat. Sie war über meinen Besuch übrigens nicht allzu erfreut.«

Es klopfte zweimal an der Tür, und Peter Runge trat, ohne eine Antwort abzuwarten, ein. Er warf einen Blick auf Andreas von Wittenbrink und legte einen Ausdruck vor Anna Petersen auf den Tisch. »Wir haben da noch was gefunden«, sagte er triumphierend. »Wenn Sie sich das mal ansehen wollen?«

Maren bekam schon wieder eine Gänsehaut. Und das Bild von Rike bekam sie ohnehin gerade nicht mehr aus dem Kopf.

Anna nahm das Blatt in die Hand und hob erstaunt die Augenbrauen. »Ach so? Wo haben Sie das denn her?«

Peter Runge schob die Hände in die Hosentasche und wippte lässig auf den Zehenspitzen. »Gute Kontakte zum Landschaftsamt. Das lässt doch alles gleich ganz anders aussehen, oder?«

Maren verstand kein Wort, Andreas von Wittenbrink wartete in aller Ruhe ab. Allzu lange dauerte das nicht: Runge, außerordentlich begeistert von sich selbst, beugte sich über den Tisch und tippte auf den Ausdruck.

»Ja, Herr von Wittenbrink, Sie mussten doch gar nicht vor dem Haus stehen, Sie hätten einfach reingehen können.«

»Nein, das hätte ich nicht gekonnt. Jutta Holler wohnte doch darin.« Er lächelte Runge an, der schon wieder einen roten Kopf bekam.

»Aber das Haus gehört Ihnen.« Runge wurde lauter. »Und in diesem, in Ihrem Haus, wohnte Ihre verhasste Stiefmutter, die nicht ausziehen wollte. Mal ehrlich: Sie haben doch allen Grund gehabt, Frau Holler loswerden zu wollen.«

Andreas von Wittenbrink zog fast unmerklich einen

Mundwinkel hoch und sah dann Anna Petersen an. Die berührte Runge leicht am Arm. »Danke«, sagte sie zu ihm, bevor sie sich an Andreas wandte. »Herr von Wittenbrink, warum haben Sie uns das nicht gesagt?«

»Sie haben mich noch nicht gefragt«, war die Antwort. »Ich habe das Haus geerbt, aber mein Vater hat Jutta Holler ein Wohnrecht eingeräumt. Deshalb kann ich auch nicht einfach reingehen.«

»Und dieses Wohnrecht läuft jetzt ab, und sie hat sich geweigert auszuziehen? Haben Sie sich deswegen mit ihr gestritten?«

Anna hatte ihre Frage leichthin gestellt, Maren krampfte sich schon wieder der Magen zusammen. Andreas von Wittenbrink blieb unbeeindruckt.

»Das Wohnrecht hatte er ihr für die Dauer von dreißig Jahren eingeräumt. Es ist bereits vor einigen Jahren abgelaufen. Mir war das egal. Ich wollte das Haus nicht, von mir aus hätte Jutta da wohnen bleiben können. Ich wollte an diesem Samstag einfach nur mit ihr reden. Das können Sie mir glauben oder nicht.«

Am frühen Abend,
auf der Terrasse der Strandhalle

Jedenfalls kümmert sich jetzt dieser Beerdigungsunternehmer um den ganzen Kram«, Sina wischte sich eine imaginäre Träne aus dem Augenwinkel, genug, um Torbens Blick mitleidig werden zu lassen. »Der Termin ist wahrscheinlich am nächsten Montag. Ich hasse Beerdigungen.«

»Wer nicht?« Torben legte seine Hand über ihre. »Falls ich irgendetwas für dich tun kann, sagst du mir Bescheid.«

Sein Blick schweifte über die Terrasse, er zog seine Hand wieder zurück. Sina fragte sich, ob er plötzlich Angst hatte, seine Frau könne etwas von seinen außerehelichen Eskapaden mitbekommen. Ihr selbst war das eigentlich egal. Wenn sie erst ihr Erbe angetreten hatte, spielte Torben sowieso in der falschen Liga. Außerdem hatte sie seine unterwürfige Bewunderung schon so lange satt. Was glaubte er eigentlich? Dass sie mit ihm leben würde? Einem Hausmeister? Das war doch lächerlich. Aber im Moment brauchte sie ihn noch, sie hatte keine Lust, sich allein um alles Weitere zu kümmern. Das Haus musste entrümpelt und in Ordnung gebracht werden, in dem jetzigen Zustand würde sie nicht das Geld dafür bekommen, das es wert sein könnte. Deshalb musste sie sich Torben mit seinen handwerklichen Fähigkeiten und seinen Kontakten unbedingt warmhalten. Was nach dem Verkauf passierte, war im Moment nicht wichtig.

Sie schob ihre Hand zurück auf seine und lächelte ihn an. »Ich bin so froh, dass du da bist«, sagte sie. »Du bist wirklich mein einziger Freund.«

Er drückte ihre Hand. »Ich weiß. Sag mal, sollen wir nachher noch mal aufs Boot gehen?«

Das Letzte, wirklich das Allerletzte, wonach Sina gerade der Sinn stand, war Sex mit Torben. Sie hatte so viele andere Dinge im Kopf. Nur durfte sie ihm das natürlich nicht sagen. »Das würde ich liebend gern«, antwortete sie zögernd. »Aber ich habe noch so viel zu erledigen. Und morgen früh muss ich unbedingt noch mal zum Notar, du weißt schon: dieser Dr. Luetge. Er wollte sich eigentlich so schnell wie möglich bei mir melden, das hat er am Montag gesagt, aber heute ist Mittwoch und ich habe noch nichts gehört. Ich brauche doch alle möglichen Unterlagen, um Geld …, um alles zu organisieren. Tut mir leid, Torben, aber aufs Boot schaffe ich es heute nicht. Ein anderes Mal.«

Torben sah sie irritiert an. »Okay …«, sagte er gedehnt. »Dann ein anderes Mal. Ich habe übrigens etwas für dich. Es passt sogar zu deinem Outfit.« Er heftete seinen Blick auf den tiefen Ausschnitt von Sinas schwarzem Kleid. »Sehr sexy, übrigens.«

Langsam griff er in die Innentasche seines Jacketts und zog eine kleine Schachtel hervor, die er über den Tisch in ihre Richtung schob. »Als Trostpflaster für deinen Verlust.«

Sina hatte der Versuchung widerstanden, ihre Hand auf das Dekolleté zu legen, sollte er doch starren. Jetzt sah sie erstaunt auf die Schachtel. »Ein Geschenk?«

Aufmunternd nickte er ihr zu. »Mach es auf. Ich wollte dir in dieser schweren Zeit eine Freude machen. Ich hoffe, es gefällt dir.«

Vorsichtig hob Sina den kleinen Deckel ab, zögerte und nahm dann das Schmuckstück aus der Verpackung. Die Kette war scheußlich. Eine dünne Goldkette mit einem kitschigen Herz aus Rubin. Das perfekte Geschenk für eine alte Frau. Eine völlige Geschmacksverirrung. Was für ein Idiot. Sie hob den Kopf und strahlte ihn an. »Sie ist wunderschön, Torben, aber ich kann sie nicht annehmen. Sie ist zu wertvoll.«

Er stand plötzlich auf, umrundete den Tisch und nahm ihr die Kette aus der Hand. »Für dich ist nichts zu wertvoll.« Er legte sie ihr um und küsste sie kurz auf den Nacken. »Hinreißend.«

Er lehnte sich viel zu eng an sie, und sie hatte sein Rasierwasser noch nie gemocht, das ihr jetzt in die Nase stieg.

»Hallo, Torben«, die unbekannte Männerstimme ließ ihn sofort ein Stück zurücktreten. Erleichtert drehte Sina sich um. Sie *hatte* den Mann tatsächlich noch nie gesehen – Torben *wollte* ihn anscheinend im Moment nicht sehen. Er nickte ihm nur knapp zu und schob sich an ihm vorbei, zurück zu seinem Platz. Der Mann blieb nicht nur, er stützte sich auch noch mit beiden Händen auf den Tisch und betrachtete mit einem zynischen Lächeln erst Sina, dann ihren Ausschnitt und schließlich Torben. »Das sieht ja fast aus wie eine Verlobungsfeier. Willst du mich nicht vorstellen?«

Torben wollte nicht. Er sah den Mann nur abschätzend an. »Ehrlich gesagt, störst du gerade. Wir telefonieren morgen.«

Der Mann lächelte. Dann stieß er sich so plötzlich vom Tisch ab, dass die Gläser klirrten, wandte sich an Sina und streckte ihr die Hand hin. »Gero Winter. Sehr erfreut.«

»Sina Holler, ich …« Sie kam nicht weiter, Torben war

abrupt aufgestanden und stellte sich vor Gero Winter, den er um mindestens einen Kopf überragte. »Ich habe doch gesagt, ich rufe dich morgen an. Schönen Abend.«

Gero Winter rührte sich nicht vom Fleck. Völlig unbeeindruckt verschränkte er die Arme vor der Brust und sah mit einem süffisanten Grinsen hoch. »Halt mich nicht für blöd. Du sitzt hier mit der Tochter. Da läuft doch was. Wir haben einen Deal, Gerlach, vergiss das nicht. Und ich habe mitbekommen, was du da gedreht hast. Ohne mit mir zu sprechen. Und anscheinend auch auf eigene Rechnung. Das geht nicht. Also, du rufst mich an. Morgen. Und dann unterhalten wir uns mal in aller Ruhe. Und glaube nicht, dass du an mir vorbeiarbeiten kannst. Schönen Abend noch.«

So schnell, wie er aufgetaucht war, verschwand er wieder. Sina sah Torben verständnislos an. »Was war das denn?«

»Nichts.« Torben hielt seinen Blick auf den Tisch gerichtet. »Nicht wichtig.«

Er hob den Arm und gab der Bedienung ein Zeichen. »Zahlen, bitte.«

Sina schüttelte den Kopf. »Was soll das denn jetzt? Wir haben doch noch gar nicht gegessen. Ich will noch nicht zahlen.«

»Das tust du doch sowieso nicht.« Torben sah sie an. Sein Blick hatte etwas Kaltes, so hatte er sie noch nie angesehen. »Ich zahle jetzt, und dann fahren wir zum Boot. Ich muss was mit dir besprechen.«

»Auf dem Boot?« Sina verstand jetzt nichts mehr. »Ich habe doch gesagt, dass das heute schlecht ist.«

Die Bedienung kam mit der Rechnung, Sina wartete, bis Torben bezahlt und die Bedienung die Hörweite verlassen hatte. »Was ist denn jetzt los?«

»Komm.« Er stand schon, griff nach ihrem Handgelenk und zog sie hinter sich her. »Wie gesagt: Wir haben etwas zu besprechen. Und zwar in Ruhe.«

Das Boot lag im Hafen von Munkmarsch. Sina hatte zwar keine Ahnung, was Torben gerade dachte, aber irgendetwas an ihm war seltsam. So seltsam, dass sie nicht wagte, Einspruch gegen seinen Plan zu erheben. Also folgte sie ihm widerspruchslos aufs Boot, ergriff sogar seine Hand, die ihr half, vom Steg auf das Boot zu gelangen. Er ging voraus, sie folgte ihm. Vor der Koje blieb sie stehen und sah ihn mit großen Augen an. »Und nun? Sex?«

»Ach, Sina.« Er ließ sich auf einen Hocker sinken und schüttelte den Kopf. »Du hast mich leider dein Leben lang unterschätzt. Schalte doch mal dein Hirn ein, bevor du redest.«

Sina blieb fast die Luft weg. »Was ist denn …?«, begann sie, Torben unterbrach sie. »Was ist deiner Meinung nach mit deiner Mutter passiert?«, fragte er. »Glaubst du ernsthaft, dass deine Wünsche sich einfach so erfüllen?«

Sina starrte ihn an. Ganz langsam drang ein Gedanke in ihr Bewusstsein. »Du?«, fragte sie. »Du hast – ich meine: Du hast etwas damit zu tun? Und dieser Typ gerade eben, der weiß Bescheid? So war das nicht gemeint, Torben, du solltest doch nicht … Ich geh zur Polizei.«

»Das glaube ich nicht.« Torbens Augen funkelten plötzlich eisblau. Sina bekam eine Gänsehaut. »Du hängst da mit drin, meine Süße. Ich bekomme die Hälfte vom Hausverkauf, weil du ohne mich gar nicht dahin gekommen wärst.«

»Du spinnst doch.« Sina wurde sauer. Was erzählte ihr dieser Idiot da? »Ich war doch gar nicht hier. Ich habe nichts damit zu tun. Meine Mutter ist tot, was denkst du, wie es mir damit geht?«

Er grinste, zog sein Handy aus der Tasche und hielt es ihr hin. »Sina, Sina«, sagte er. »Du bist so vergesslich.« Er drückte auf eine Taste und hielt das Telefon in ihre Richtung. Plötzlich hörte sie ihre eigene Stimme. *»Vertreib sie aus ihrem Haus. Überfall sie, mach ihr Angst, raub sie aus, bring sie um. Was immer du willst, Hauptsache, sie verkauft die Hütte und säuft für den Rest ihres Lebens in einer Zweizimmerwohnung, weit weg von mir.«* Er drückte wieder auf die Taste und steckte das Handy ein. »Und? Was glaubst du, was die Polizei daraus macht? Ich sage es dir: Das nennt sich ›Anstiftung zu einer Straftat‹. Entweder wir teilen uns die Kohle oder diese Aufnahme geht sehr schnell anonym an die Polizei. Das kannst du dir jetzt aussuchen.«

Sina war schlecht. Und schwindelig. Sie sah Torben an und wusste: Sie hatte gerade ein riesiges Problem.

Blut. Alles war voller Blut. Es sah aus, als wäre die Tote geschlachtet worden.« Schaudernd schlug Charlotte das Buch zu. Das war ja widerlich. Das wollte sie nicht lesen, auf keinen Fall. Sie las sonst nur Liebesromane, nicht so was Brutales. Aber Karl hatte ihr geraten, sich kriminalistisch fortzubilden, und zu diesem Zweck hatte er ihr dieses Buch mitgebracht. Wollte er, dass sie Albträume bekam? Das hatte er vermutlich geschafft. »Geschlachtet.« Herr im Himmel. Entschlossen stand sie auf und legte das Buch oben auf den Schrank. Danach schenkte sie sich ein Gläschen Eierlikör ein und stellte sich ans Fenster. Auf der anderen Straßenseite stand ein blauer Wagen. Charlotte kniff die Augen zusammen. Sie hatte den Wagen vorher noch nie gesehen. Das war nichts Besonderes, die meisten ihrer Nachbarn vermieteten an Feriengäste, die ständig mit fremden Autos kamen. Aber in diesem saß jemand. Vielleicht wartete er auf etwas. Oder er beobachtete sie. Sofort machte Charlotte einen Schritt zurück. Dieser bescheuerte Krimi. Jetzt fühlte sie sich schon von blauen Autos bedroht. Kriminalistische Fortbildung. Karl hatte doch einen Vogel. Charlotte leerte das Glas in einem Zug und beschloss, Onno anzurufen. Um sich abzulenken. Nach dem zweiten Freizeichen war er dran.

»Hier ist Charlotte. Störe ich dich beim Üben für den Sushi-Wettbewerb?«

Onno verstand selten schlechte Scherze. Auch jetzt nicht. »Nein, Charlotte«, antwortete er freundlich. »Ich habe mich gründlich auf den Wettbewerb vorbereitet, ich habe ein gutes Gefühl. Vielleicht solltest du auch noch ein bisschen üben, sonst bin ich der Favorit.«

»Ich weiß schon.« Sofort hatte Charlotte den Geschmack seiner Sushis auf der Zunge. »Aber wir haben ja auch noch eine Woche Zeit. Sei dir mal nicht zu sicher. Wie geht es dir sonst?«

»Gut«, Charlotte hörte sein Lächeln. »Warum?«

»Nur so«, mit dem Hörer am Ohr war Charlotte langsam durchs Wohnzimmer gegangen. Die Gardinen vor der Terrassentür waren nicht zugezogen, sie wollte es gerade machen, als sie plötzlich eine Bewegung an der Hecke wahrnahm und erschrocken die Luft einsog. Da draußen hatte jemand gestanden, sie war sich sicher. Und er war durch die Hecke geflohen, die sich hinter ihm geschlossen hatte.

»Charlotte«, fragte Onno jetzt besorgt. »Was ist?«

»Hier war gerade jemand im Garten«, flüsterte sie. »Ich habe etwas gesehen.« Sie trat näher an die Terrassentür und riss sie plötzlich auf. »Hallo, ist da jemand?«

»Charlotte!« Onno hatte fast den Hörer fallen lassen. »Was machst du da? Bleib drin. Keine Alleingänge.«

»Hier ist jetzt keiner mehr.« Charlotte war auf die Terrasse getreten und redete absichtlich laut. »Du brauchst also nicht die Polizei zu rufen, Onno, ich habe hier alles im Griff.« Sie verriegelte die Tür von innen. »Die Luft ist rein. Vielleicht war es auch nur ein Hase. Karl hat mir so einen blöden Krimi geliehen, der hat mich ganz durcheinandergebracht. Ich glaube, ich sehe schon Gespenster.« Sie war zurück in die Küche gegangen und hatte dort aus dem Fenster gesehen. Der blaue Wagen war weg. »Vor dem Haus steht auch niemand mehr. Komm, lass uns das Thema wechseln. Erzähl mir, was es Neues von Helga Simon gibt.«

Onno ließ sich nicht so schnell ablenken. »Was meinst du damit, dass vorm Haus keiner mehr steht? Wer stand denn da?«

»Ach, niemand«, Charlotte wollte jetzt wirklich lieber das Neueste dieser sich anbahnenden Liebesgeschichte hören, aber Onno war in einem anderen Film.

»Du hast gerade gesagt, dass vorm Haus keiner mehr steht. Also muss da ja wohl vorher jemand gestanden haben. Hast du das schon Karl gesagt?«

»Onno, ich bitte dich. Nachdem ich jetzt weiß, was für Bücher Karl liest, ist mir klar, woher er seine Theorien hat. In dieser Straße stehen dauernd irgendwelche unbekannten Autos. Sylt ist eine Ferieninsel, da soll es vorkommen, dass fremde Menschen mit fremden Autos hier sind. Jetzt hör bitte auf, ich will mich nicht in Angst und Schrecken versetzen lassen. Ich ärgere mich sowieso schon, dass ich es dir erzählt habe. Also, was ist denn jetzt mit Helga Simon und dir?«

Onno machte eine nachdenkliche Pause, bevor er sagte: »Darüber möchte ich nicht gern am Telefon reden. Ich könnte mich aber auf mein Moped setzen und zu dir kommen. Was hältst du davon, dass wir eine schöne Tasse Tee trinken und uns ein bisschen unterhalten? Dann bist du auch nicht allein im Haus, falls doch jemand auf dumme Gedanken kommt.«

Nach einem kurzen Blick in den dunklen Garten merkte Charlotte, dass sie Onnos Anwesenheit doch ganz beruhigend fände. Und bei der Gelegenheit konnte er auch endlich mal ausführlich von seinem zweiten Frühling und der siebten Wolke erzählen.

»Gute Idee«, stimmte sie deshalb zu. »Ich setze schon mal Wasser auf, bis gleich.«

Aus dem »gleich« wurde eine Dreiviertelstunde, was Charlotte wunderte, da Onno für den Weg von sich zu ihr maximal fünfzehn Minuten brauchte und er eigentlich ein Ausbund an Pünktlichkeit war. Gerade als ihre Unruhe stieg und sie bereits Bilder von zermalmten Mopeds oder einem im Wasser treibenden Onno in den Kopf bekam, klingelte es an der Haustür. Erleichtert stand Charlotte auf, um zu öffnen, und nahm sich ernsthaft vor, nie mehr im Leben ein Buch von Karl auszuleihen. Sie riss die Tür auf und sah ihn.

»Karl?«, fragte sie erstaunt. »Was machst du denn hier?« Ihr Blick fiel auf eine kleine Reisetasche, die er in der Hand trug.

»Ich warte auf Onno. Der stellt gerade sein Moped unter euren Carport«, antwortete er und drängte sich an ihr vorbei ins Haus. »Wir haben nur länger gebraucht, weil wir noch ein paar Sachen für die Nacht einpacken mussten.«

Erstaunt sah Charlotte erst ihm nach und dann Onno entgegen, der mit einem kleinen Rucksack zum Haus kam. »Es ist sicherer, wenn du nicht allein im Haus bist«, sagte er entschuldigend. »Und da ich es nicht für schicklich halte, nur mit dir hier zu übernachten, also gerade jetzt, auch wegen Helga, habe ich Karl erzählt, dass du jemanden im Garten gesehen hast. Und der hat natürlich sofort vorgeschlagen, dass wir beide dich hier beschützen.«

Kopfschüttelnd schloss Charlotte hinter ihm die Tür und folgte ihm ins Wohnzimmer, wo Karl schon auf dem Sofa saß. »Ich habe nicht konkret jemanden im Garten gesehen«, versuchte sie es nochmals. »Nur eine Bewegung.

Das kann auch ein Hase oder eine Katze gewesen sein. Und dafür macht ihr so einen Aufstand.«

»Es kann durchaus auch ein ›Jemand‹ gewesen sein, der schon mal den Tatort ausspäht«, korrigierte Karl. »So abwegig ist das ja angesichts der momentanen Gefahrenlage nicht. Vertraue einfach meinem Instinkt. Ich erwarte in den nächsten Tagen einiges. Du bist unser Lockvogel, ich habe dir gleich gesagt, dass das eine große Verantwortung bedeutet. Aber die musst du zum Glück nicht alleine tragen, wir sind ja ein Team. Hast du schon Abendbrot gegessen? Ich nämlich nicht.«

Onno war an der Tür stehen geblieben und sah Charlotte an. »Kann ich dir helfen? Groß kochen müssen wir ja vielleicht nicht, aber eine Kleinigkeit?«

Charlotte sah die beiden ausdruckslos an. »Gekocht wird um diese Zeit nur noch Tee. Aber ich mache ein paar Schnittchen. Onno, du kannst gern mit in die Küche kommen.«

»Geh ruhig, Onno«, rief Karl ihm zu und zog sich die Fernsehzeitung näher heran. »Und lasst euch Zeit, jetzt kommt nämlich gleich die Zusammenfassung vom Tennis, die möchte ich mir gern angucken. Und nicht so viel Käseschnittchen bitte, mehr Wurst.«

In der Küche lehnte Charlotte sich an die Arbeitsplatte und sah Onno an. »Ihr schlaft hier nur unter zwei Bedingungen.«

Er nickte. »Welche sind das?«

»Erstens: Ich will alles über Helga Simon und dich wissen, und zweitens: Du zeigst mir deine Tricks beim Sushimachen. Ich habe ja im Moment überhaupt keine Zeit, mich anständig vorzubereiten.«

»Okay.« Onno nickte und setzte sich an den Küchentisch. »Womit möchtest du anfangen?«

Charlotte lächelte. »Mit Helga Simon. Aber mit allen Details.«

Während Charlotte Brotscheiben mit Butter bestrich, schnitt Onno Tomaten und Gurken klein und schilderte den Moment, als er zum ersten Mal das kleine Grübchen auf Helgas linker Wange bemerkt hatte. »Bei jedem Lächeln hat sie das«, sagte er leise. »So was Schönes habe ich noch nie gesehen.«

Charlotte seufzte gerührt und legte die Schinkenscheiben doppelt aufs Brot.

Zwei Platten Schnittchen, eine Kanne Tee und sechs Gläser Eierlikör später war Charlotte auf dem neuesten Stand der wohl schönsten späten Liebesgeschichte der Welt, wie sie fand. Sie wusste nun, welche Filme Helga Simon mochte, welche Musik sie hörte, dass ihre Lieblingsfarbe Blau und ihre Lieblingsblumen Anemonen waren. Im nächsten Monat wollten die beiden nach Hamburg in die Oper fahren, in einer Oper war Onno noch nie gewesen, aber, davon war Charlotte nach seinen begeisterten Erzählungen überzeugt, für Helga Simon würde der sonst so zurückhaltende Onno so ziemlich alles ausprobieren. Der Mann war verliebt. Und Charlotte begeistert.

Karl hatte diese zu Herz gehende Geschichte fast komplett verschlafen. Er hatte sich im Verlauf der Spätnachrichten ein Kissen in den Nacken gestopft, seine Brille abgenommen und war eingenickt. Sein leises Schnarchen nahm Onnos Geschichten zwar ein bisschen von der Romantik, aber sie waren trotzdem wunderschön.

Irgendwann stand Charlotte auf. »So, ich muss ins Bett. Onno, weck mal Karl, wenn der die ganze Nacht so auf dem Sofa schläft, hat er morgen einen steifen Hals. Einer von euch kann in Christines altem Zimmer schlafen, der andere in Georgs. Die Betten sind bezogen. Das Badezimmer der Kinder ist auch oben. Gegenüber von Christines Zimmer. Handtücher liegen im Schrank.«

»Wir machen solche Umstände«, sagte Onno leise, während er sanft Karls Schulter schüttelte. »Geht das nicht auch anders?«

»Wie denn?« Erstaunt sah Charlotte ihn an. »Wir alle drei im Ehebett?«

»Ist doch nur für eine Nacht.« Karl war aufgewacht und hatte den Rest im Halbschlaf gehört. »Wir fassen dich schon nicht an.«

Langsam tippte sich Charlotte an die Schläfe. »Gute Nacht. Und achtet mal schön auf die Verbrecher im Garten.«

Derselbe Abend,
unter dem Sternenhimmel in Onnos Garten

Die alte Kinderschaukel quietschte leise, während Maren mit einem Glas Rotwein in der Hand leicht vor- und zurückschwang. Es hatte immer schon gequietscht, wahrscheinlich taten das alle Schaukeln, dieses Geräusch gehörte zu Marens Kindheitserinnerungen – genau wie Rike: ihre Stimme, ihr Lachen, ihre gute Laune, ihre bedingungslose Freundschaft.

Maren stieß sich heftiger vom Boden ab und verschüttete dabei die Hälfte des Rotweins. Sie fühlte sich unglaublich elend. So elend, dass ihr schon auf dem Weg nach Hause im Auto die Tränen gekommen waren. Wie ein kleines Kind war sie heulend zu Onnos Tür gelaufen, ihr Vater war aber gar nicht da. Die Küche war aufgeräumt, das Moped fehlte, wahrscheinlich verbrachte er auch diesen Abend wieder bei seiner neuen Herzdame. Maren gönnte es ihm, sehr sogar, aber heute Abend hätte sie sich gern an seine Brust gelehnt und mindestens eine Stunde geheult. Onno hätte sie sanft geschaukelt und ihr ins Ohr geflüstert, dass schon alles wieder gut werden würde, und ganz sicher hätte er auch schon gewusst, wie. Dafür waren schließlich Väter da.

Maren hielt die Seile der Schaukel umklammert und sah in den Sternenhimmel. Es standen unzählige Lichter am Himmel, und jetzt, um diese Jahreszeit, waren doch sicher auch Sternschnuppen unterwegs. Maren hatte immer schon daran geglaubt, dass die Wünsche, die man hatte, wenn eine Sternschnuppe aus dem Himmel fiel, sich erfüllen würden. Oh ja, sie hatte Wünsche. Jetzt. Und die mussten einfach in Erfüllung gehen. Ganz unbedingt.

Aber da waren keine Sternschnuppen. Dafür hatte sie wieder die Bilder im Kopf: dieser gelassene Andreas von Wittenbrink. Und die enttäuschte Rike. Annas Fragen, von Wittenbrinks Antworten, ihre Ängste. Und dann auch noch Runge. Immer mehr Informationen, die auf den Tisch kamen. Maren wusste nicht mehr, was sie denken sollte. Sie wusste nur, dass sie unbedingt mit Rike reden musste. Es konnte doch nicht sein, dass alles kaputtging.

Sie schwang sich noch einmal auf, dann fing sie sich mit den Füßen ab, sprang von der Schaukel und ging ihr Handy suchen. Rikes Nummer war seit Jahren gespeichert – dabei kannte sie sie sogar auswendig. Sie tippte die Kurzwahl, ließ sich auf die Gartenbank sinken und wartete. Ihre Erleichterung, dass das Gespräch angenommen wurde, wich der Enttäuschung, dass es eine männliche Stimme war. »Ja? Von Wittenbrink am Apparat von Rike Brandt?«

»Sie?« Maren musste sich räuspern. »Hier ist Maren Thiele. Ich möchte Rike sprechen.«

»Hallo«, seine Stimme war weich, dunkel und seltsamerweise sehr freundlich. »Rike steht gerade unter der Dusche. Sie hat mich gebeten, das Gespräch anzunehmen.«

Im Hintergrund klappte eine Tür, plötzlich hörte Maren Rikes Stimme. »Wer ist es denn?«

»Deine Freundin Maren Thiele.«

Er hatte ihr das Telefon anscheinend hingehalten, Maren hörte seine Stimme nur noch im Hintergrund. Dafür hörte sie Rikes Stimme sehr deutlich. »Ich will sie nicht sprechen.« Dann ein anderes Geräusch und das Besetztzeichen.

Mit geschlossenen Augen ließ Maren das Telefon sinken. Sie hätte es sich denken können. Sie hatte Rike schließlich verraten, was hatte sie denn gedacht, wie Rike reagieren würde? Das Schlimmste war, dass sie an keinem Punkt die Wahl gehabt hätte, sich anders zu verhalten, *sie* konnte doch nichts dafür, dass Rike sich in einen Verdächtigen verliebt hatte. Maren hatte einen Job, es ging hier nicht um Befindlichkeiten, Freundschaft oder Liebesromanzen, es ging hier um die Aufklärung eines unklaren Todesfalls. Schließlich war noch immer nicht geklärt, was genau an diesem Abend im Haus von Jutta Holler passiert war.

Mitten in der Vernehmung war Anna Petersen einigermaßen überraschend aufgestanden und hatte Andreas von Wittenbrink gesagt, dass er jetzt gehen könne. Peter Runge hatte sie angestarrt, als hätte sie gerade Hannibal Lecter auf freien Fuß gesetzt: Vermutlich hatte er schon den Schlüssel für eine der Zellen in der Hosentasche gehabt und war ganz heiß drauf gewesen, endlich mal jemanden über Nacht im Polizeirevier wegschließen zu können.

»Halten Sie sich bitte weiterhin zu unserer Verfügung«, hatte Anna nur knapp gesagt. »Wir melden uns.«

Er überragte Anna um fast zwei Köpfe, sie öffnete die Tür und ließ ihn hinaus.

»Bis dann«, sagte er lächelnd und nickte Maren kurz zu, die ihm langsam folgte. »Einen schönen Feierabend.«

Noch im Flur zog er sein Handy aus der Tasche. »Ich bin es«, seine Stimme war laut genug, damit Maren es hören konnte. »Ich bin jetzt hier fertig, nehme mir ein

Taxi und komme zu dir. ... Das erzähle ich dir gleich alles in Ruhe. Ich freue mich auf dich.«

Er schob das Telefon zurück in die Tasche, drehte sich noch einmal zu Maren um und hob grüßend die Hand. Dann klappte die Ausgangstür hinter ihm zu.

Abrupt stand Maren auf und beschloss, ins Bett zu gehen. Was immer auch passiert war, sie würden es herausfinden. Sie zwang sich, Andreas von Wittenbrink zu diesem Zeitpunkt weder für schuldig noch für unschuldig zu halten. So viel Professionalität musste in ihrem Job einfach sein. Dass ihre beste Freundin ihn toll fand, war kein Beweis dafür, dass er mit dem Tod von Jutta Holler nichts zu tun hatte.

Karl trug einen Helm, auf dem ein Blaulicht befestigt war, das die ganze Umgebung zum Flackern brachte. Er saß angeschnallt auf einer Art Pilotensessel, Onno hinter ihm auf dem Moped mit den Armen um Karls Bauch. Onno brüllte: »Bahn frei, Bahn frei!«

Sie kamen genau auf Maren und Robert zugefahren, vielleicht sahen sie sie nicht? Robert begann hektisch, mit den Armen zu rudern, und riss Maren im letzten Moment zur Seite. Sie stürzten zusammen auf den Kiesweg, es tat weh, aber weder Onno noch Karl schien das zu kümmern, sie rasten einfach weiter. Dann spürte Maren Roberts Lippen auf ihrem Mund, bevor er ihr ins Ohr flüsterte: »Dabei habe ich ihnen den Tipp gegeben. Die Spielbank wird gerade ausgeraubt! Karl wird Rike und Andreas endlich stellen, dieses Grauen muss ein Ende haben. Für uns, für Helga Simon und für die Insel.«

Maren wollte endlich vom harten Kiesboden aufstehen, aber ihre Beine waren von Schlingpflanzen umwickelt, sie kam nicht hoch, und plötzlich konnte sie auch nicht mehr reden. Dabei wollte sie gerade sagen, dass Rike auf keinen Fall die Spielbank überfallen würde, sie spielte noch nicht mal Mau-Mau. Marens Hüfte tat so weh, sie sah Robert flehend an, der stand aber auf und sagte: »Onno war nicht angeschnallt«, und ging weg. Sie streckte ihre Hand nach ihm aus und stieß damit gegen eine Holzwand. Er hatte sie eingesperrt, damit sie Rike nicht helfen konnte! Mit aller Kraft trat sie gegen die Wand und schrie nach ihrem Vater. Davon wachte sie auf.

Stöhnend drehte Maren sich zur Seite. Sie lag vor ihrem Bett auf dem Boden, verheddert in ihre Bettdecke, mit schmerzender Hüfte und verdrehter Hand. Langsam befreite sie sich aus der Decke und setzte sich auf. Dann sah sie auf die Uhr. Es war halb sechs. Und Donnerstag. Sie schob die Decke zurück aufs Bett und unterdrückte beim Aufstehen nur mühsam einen Schmerzensschrei. Sie musste mit vollem Schwung auf ihre Hüfte gebrettert sein. Zu doof, um im eigenen Bett liegen zu bleiben. Sie streckte sich, bis es im Rücken knackte, und humpelte langsam ins Bad. Jetzt konnte sie auch aufbleiben, der Wecker hätte sowieso in einer halben Stunde geklingelt.

Als sie wenig später geduscht, aber noch im Bademantel, an ihrem Küchenfenster stand, hörte sie das Geräusch des herannahenden Mopeds. Sie beugte sich vor und sah Onno, der das Moped in den Schuppen schob. Maren lief mit dem Kaffeebecher in der Hand zur Tür und öffnete. »Papa?«

Sofort kam Onno aus dem Schuppen, nahm im Gehen den Helm ab und lächelte sie verlegen an. »Guten Morgen, Kind. Du bist ja schon wach.«

»Es ist sechs«, Maren hob den Becher. »Möchtest du Kaffee?«

»Och«, unsicher blieb Onno stehen. »Ich weiß nicht, ich müsste mal …«

»Papa«, Maren musste sich zusammennehmen, um nicht zu lachen. »Ich schimpfe doch gar nicht. Und ich habe dich auch nicht gefragt, ob du mal auf die Uhr gesehen hast oder wo du um diese Zeit überhaupt herkommst. Ich habe auch nicht geklagt, dass ich die ganze Nacht verrückt vor Angst am Fenster gestanden und schon überlegt habe, die Polizei anzurufen. Ich habe nur gefragt, ob du einen Kaffee möchtest.«

»Wieso solltest du auch die Polizei anrufen?« Onno grinste schief. »Du siehst sie doch gleich. Ich trinke morgens keinen Kaffee. Nur Tee. Also, lass mal, wir sehen uns bestimmt später.« Er wandte sich zu seinem Hauseingang, Maren trat einen Schritt vor und rief ihm hinterher: »Du sagst mir wirklich nicht, woher du jetzt kommst?«

»Du hast doch gar nicht gefragt.« Onno hob die Schultern. »Das hast du sogar extra betont. Schönen Tag noch.«

Hinter ihm klappte die Tür zu. Maren schloss ihren Mund. Es war ja völlig in Ordnung, dass Onno bei Helga Simon übernachtete. Aber warum um alles in der Welt fuhr er da so früh weg?

So«, Karl faltete den Bogen sorgfältig zusammen und schob ihn in seine Hemdtasche. »Das ist so weit klar. Sag mal, da Onno sich ja so früh vom Acker gemacht hat, kann ich sein Ei haben?«

Achselzuckend schob Charlotte es ihm vor seinen Teller. »Das wäre dein drittes. Meins hast du doch auch schon gegessen. Was hast du eigentlich für einen Cholesterinspiegel?«

Sanft klopfte Karl mit dem Eierlöffel auf die Schale. »An Tagen wie diesen, meine Liebe, sollte man körperliche Schwächen wirklich ganz hintanstellen. Heute brauche ich Kraft und Konzentration, nächste Woche lasse ich die Eier wieder weg. Noch mal zum Thema: Hast du noch irgendwelche Fragen? Oder ist dir der Ablauf klar?«

»Es ist alles klar«, entgegnete Charlotte und schob mit dem Finger die Eierschalen, die Karl abgepellt hatte, auf der Tischdecke zusammen. »Ich werde gegen halb zehn telefonieren, dann hole ich Inge ab. Währenddessen packen Onno und du alles Notwendige zusammen, und wir treffen uns anschließend wieder hier und bauen auf. Richtig?«

»Richtig.« Karl betrachtete sie stolz. »Du strahlst eine so professionelle Ruhe aus, Charlotte, das finde ich wirklich erstaunlich. Als wenn du so etwas seit dreißig Jahren machst. Respekt. Sehr gute Eier, übrigens, perfekt gekocht.«

»Das mache ich übrigens seit über dreißig Jahren.« Sie drehte den Kopf zur Seite, als hätte sie etwas gehört. »Ist das das Telefon? Ja. Entschuldige mich kurz.«

Sie riss die Tür zum Flur auf, sofort wurde das Klingeln lauter, und eilte mit wenigen Schritten zum Tisch. »Schmidt?«

»Na? Was macht der junge Tag?«

»Guten Morgen, Heinz.« Der junge Tag? In ihrem Esszimmer saß ein pensionierter Mann, der zum dritten Ei das vierte Brötchen aß, aber den meinte Heinz sicher nicht. Und die Erklärung dafür war Charlotte jetzt auch zu mühselig. »Der junge Tag ist hier noch nicht aufgetaucht. Und? Was gibt es bei euch Neues?«

»Ja …«, die Pause verhieß nichts Gutes. Charlotte warf einen Blick ins Esszimmer, Karl kaute konzentriert und las dabei die Zeitung. Wenn man schnell hinsah, könnte da auch Heinz sitzen. Seltsam, dass es so wenig Unterschiede gab. Beeindruckt von dieser Erkenntnis, verpasste sie den Anfang vom nächsten Satz. »… Missverständnis.«

»Wer hat ein Missverständnis?« Jetzt war sie wieder bei ihrem Mann. »Wenn du ›Missverständnis‹ sagst, heißt das doch, dass du dich wieder mit Christine gestritten hast. Was genau war da los?«

»Ach, nichts weiter«, Heinz gab sich Mühe, harmlos zu klingen. »Es gab nur eine kleine Diskussion mit einem Gast von Christine, der irgendwie nicht nach Hause wollte. Sie hat ja nur diesen einen Fernseher im Wohnzimmer. Und Walter und ich wollten gern die Tennisübertragung sehen. Aber diese jungen Leute haben ja kein Gespür für die Bedürfnisse anderer. Deshalb mussten wir ihm unser Tennisbedürfnis erklären. Er ging ja dann auch rechtzeitig. Aber nun ist Christine aus irgendeinem Grund verschnupft. Ist aber egal, wir wollten nur sagen, dass wir doch früher nach Hause kommen. Bis Samstag ist es vielleicht zu lang.«

Im Esszimmer fiel etwas scheppernd zu Boden, gefolgt von einem Fluch. Sofort fragte Heinz: »Was war das denn? Hast du Besuch? Um diese Zeit?«

»Natürlich nicht«, antwortete Charlotte. »Das war im Radio. Wann genau kommt ihr denn jetzt?«

»Wir wollten ...«

»Charlotte«, Karl hatte entweder vergessen, dass sie telefonierte, oder es war ihm egal. »Hast du noch eine Zahnbürste?«

Er stand plötzlich direkt vor ihr, Charlotte fiel fast das Telefon aus der Hand. »Ich habe meine vergessen.« Sie schob ihn mit einem warnenden Blick zurück, drehte sich um und ging in die Küche. »Heinz? Bist du noch dran? Das Radio ist wohl kaputt, das wird von ganz allein lauter. Was hast du zuletzt gesagt?«

Die Antwort kam zögernd. »Da steht ein Mann neben dir, der eine Zahnbürste will? Kannst du mir das erklären?«

»Das Radio, Heinz, das habe ich doch gesagt. Es ist ein Hörspiel. Oh, ich muss Schluss machen, meine Kartoffeln kochen über.«

Sie drückte schnell die rote Taste und legte das Telefon zur Seite. »Karl, bist du bescheuert?«

Er stand immer noch im Flur. »Was denn? Putzt du dir nicht nach dem Frühstück die Zähne? Ich habe überall Ei kleben.«

»Du kannst doch warten, bis ich das Gespräch mit Heinz beendet habe.«

»Ach, das war Heinz?« Karl lächelte arglos. »Dann

hättest du ihn ja auch grüßen können. Hast du jetzt eine Zahnbürste?«

»Wenn Heinz heute Abend auf der Matte steht, ist das deine Schuld«, sagte sie wütend. »Ich glaube nicht, dass er mir das Hörspiel abgenommen hat. In dem die Heldin auch noch Charlotte heißt. Du machst ja totale Anfängerfehler!«

»Und du? Kartoffeln, die morgens um halb acht überkochen?«

Immer das letzte Wort, dachte Charlotte und verschränkte die Arme vor der Brust. Wie Heinz. »Pellkartoffeln«, sagte sie deshalb belehrend. »Für Kartoffelsalat. Die kocht man immer morgens, sonst werden die ja nicht kalt. So. Gästezahnbürsten liegen oben im Badezimmer. Zweite Schublade links. Ich ziehe jetzt die Betten ab.«

»Wir stecken fest.« Im Polizeirevier schob Anna zur selben Zeit ungeduldig die Protokolle der letzten Tage zusammen. »Es gibt keinen einzigen handfesten Beweis. Wir müssen alles noch mal gründlich durchgehen, vielleicht haben wir etwas übersehen.«

Sie hatte im Besprechungszimmer alle bisherigen Ergebnisse zusammengefasst. Den größten Teil hatte die Schilderung des Gesprächs mit Andreas von Wittenbrink eingenommen. Runge hatte sich eingemischt, kaum, dass Anna ihren Bericht beendet hatte. »Für mich ist das ein klares Motiv. Ein Heimkind, mit Wer-weiß-was-für-Genen, das seine Adoptivmutter verliert und ein paar Jahre von der bösen Stiefmutter in den Wald geschickt wird.«

»Ins Internat«, warf Maren ein. »Nicht in den Wald.«

»Habe ich doch gesagt«, Runge funkelte sie wütend an. »Jedenfalls hat sie sein Leben versaut, und dafür nimmt er jetzt Rache.«

»Er hat kein versautes Leben«, Anna schüttelte den Kopf. »Er ist ein erfolgreicher Architekt, wohlhabend, beliebt, ich sehe da keinen Grund.«

»Aber er hat eine kleinkriminelle Vergangenheit«, Runge fuchtelte mit dem Zeigefinger in ihre Richtung. »Ich habe mal ein paar Erkundigungen eingezogen. Andreas Holler war als Jugendlicher auf der Insel polizeibekannt. Diebstahl, Körperverletzung, Fahren ohne Führerschein, Drogen, Alkohol. Wer weiß denn schon, aus was für einem Stall so ein Heimkind kommt? Was sagen Sie jetzt?«

Anna sah ihn mit zusammengepressten Lippen an. »Ihre persönlichen Gedanken zu elternlosen Kindern stehen hier gar nicht zur Debatte. Und wieso sind die Delikte nicht dokumentiert? Woher haben Sie denn die Akten, Herr Runge?«

Selbstzufrieden lehnte Runge sich zurück. »Ich habe diese Informationen quasi erst in den letzten Stunden zusammengetragen. Ein guter Revierleiter hat eben nie Feierabend.«

Marens Blick fiel auf Benni, der die Augen verdrehte. Runge war wirklich ein Kotzbrocken. »Andreas Holler war kein Kleinkrimineller«, berichtigte sie ihn spontan. »Ich habe gehört, dass er einfach nur ein unglücklicher Jugendlicher war, der ab und zu pubertären Blödsinn gemacht hat. Es gab nie eine Strafanzeige.«

»Ach nein?« Runge lächelte ironisch. »Wer sagt das denn?«

»Mein Vater.« Runges Lächeln wurde breiter. Maren setzte nach. »Und der weiß es von Karl Sönnigsen, der damals hier Revierleiter war.« Runges Lächeln erstarb. »Sönnigsen«, knurrte er. »Als ob ...«

»Können wir bitte sachlich weitermachen«, Anna

klopfte mit einem Kugelschreiber auf den Tisch. »Da es offenbar damals keine Anzeigen gegen Andreas von Wittenbrink gab, spielt das für die jetzige Ermittlung keine Rolle.«

»Aber er hat ein Motiv«, bellte Runge dazwischen, der die Blickwechsel zwischen den Kollegen richtig gedeutet hatte. »Und was für eins. Ich wette ...«

»Andreas von Wittenbrink hat für die Zeit des Einbruchs ein Alibi«, unterbrach ihn Katja Lehmann, die gerade den Raum betreten hatte. »Sie sind übrigens bis auf den Flur zu hören, in dem Leute sitzen.«

»Haben Sie etwas Neues?« Anna hatte sofort hochgesehen und griff jetzt nach dem Blatt, das Katja Lehmann ihr hinhielt.

»Ja«, antwortete die mit einem seltsamen Blick auf Runge. »Ich habe diesen Henning Kruse angerufen, mit dem Andreas von Wittenbrink den Fußballabend verbrachte, an dem er sich das Knie verletzt hat. Kruse hat die Aussage bestätigt, wollte von Wittenbrink sogar ins Krankenhaus begleiten. Das wollte der aber nicht. Und dann hat er noch gesagt, dass sie sich ein zweites Mal getroffen haben. Das war am letzten Samstag am frühen Abend. Da waren sie gemeinsam essen. In Westerland. Und anschließend hat Herr Kruse von Wittenbrink zum Sommerfest gefahren. Er selbst hatte keine Lust und ist zurück ins Hotel. Von Wittenbrink hat ein Alibi für die Tatzeit.«

»Vermutlich gekauft.« Missfällig winkte Runge ab. »Ich verwette meinen Hintern, dass von Wittenbrink der Täter ist. Das sagt mir meine Nase.«

Maren hätte zu gern etwas entgegnet, rief sich aber ins Gedächtnis, dass dieser Kotzbrocken ihr Chef war und Anna Petersen nach diesem Fall wieder zurück nach

Flensburg gehen würde. Sie sollte sich besser bedeckt halten. Dafür stand Anna plötzlich auf.

»Maren, wir fahren noch mal los. Danke, Kollegen, für die Aufmerksamkeit, wir sehen uns später.«

Sie verließ so schnell den Raum, dass Maren Mühe hatte, ihr zu folgen. Erst am Auto sagte Anna: »Wir fahren zu Karl. Ich glaube, er kann uns helfen.«

Nach dem zweiten Klingeln trat Anna einen Schritt näher an die Tür und versuchte, durch die Scheibe zu sehen. »Er ist nicht da«, sagte sie enttäuscht. »Schade.«

Sie wandte sich zu Maren. »Dann lass uns …«

In diesem Moment hörten sie hinter sich die Gartenpforte quietschen. »Moin, Moin.«

Mit einer Reisetasche in der Hand kam Karl aufs Haus zu. »Zu wem wollt ihr denn?«

»Zu dir, natürlich«, Maren blickte auf die Tasche und ging zur Seite, um ihn vorbeizulassen. »Gerda ist ja nicht da.«

»Richtig.« Karl tippte mit dem Zeigefinger in Marens Richtung und zog den Hausschlüssel aus der Hosentasche. »Ich wüsste gar nicht, was euch zu mir treiben könnte. Euer Desinteresse an meiner Unterstützung hat Anna mir ja neulich lang und breit bekundet. Dann habt ihr euch wohl bei der Adresse vertan.«

»Jetzt sei doch nicht so stur, Karl.« Anna wollte ihm die Tasche abnehmen, er ließ es nicht zu. »Warst du verreist?«

Inzwischen hatte er die Tür geöffnet und war eingetreten. Er machte keinerlei Anstalten, Maren und Anna hereinzubitten, sondern schob die Tür wieder ein Stück zu und sah die beiden freundlich an. »Ich habe leider im Moment keine Zeit für Gäste. Und auch nichts an Gebäck oder Ähnlichem da. Vielleicht ein anderes Mal, schönen Tag noch.«

»Karl.« Anna stellte ihren Fuß in die Tür und funkelte ihn wütend an. »Ich dachte nicht, dass du so nachtragend bist. Außerdem ging es nicht gegen dich. Vielleicht brauche ich doch deine Hilfe.«

»Tja, meine Liebe«, mit der Hand an der Tür und dem Blick auf Annas Fuß machte er eine vielsagende Pause. Schließlich hob er den Kopf und sah sie an. »Jetzt gerade ist es ganz schlecht. Wie gesagt. Wenn du möchtest, können wir ja morgen oder übermorgen zusammen Mittag essen. Du kannst dir ja Fragen ausdenken, bei denen ich dir helfen kann. Und bis dahin wendest du dich einfach an den großen Kriminologen Runge. Der hat doch Ahnung. Also, ihr beiden, tschüss dann.«

Langsam zog Anna ihren Fuß zurück. »Du bist so ein sturer Bock, Karl Sönnigsen.«

»Aber nein, Anna«, er lächelte. »Ich bin pensioniert. Und Zivilist. So einfach ist das.« Langsam schloss er die Tür.

Um halb zehn,
in Charlottes Wohnzimmer

Charlotte verfolgte den Sekundenzeiger ihrer Armbanduhr, bis er auf die Zwölf sprang. Dann begann sie, eine Nummer einzutippen. Gespannt wartete sie, bis ihr Gesprächspartner sich meldete. »Winter.«

»Guten Morgen, Herr Winter, hier ist Schmidt. Es geht um den Termin nachher.«

»Einen wunderschönen guten Morgen, Frau Schmidt. Ja, ich weiß, wir sind für halb elf verabredet. Meine Interessentin ist schon auf dem Weg.«

»Ja«, Charlotte legte ein Zögern in ihre Stimme. Sie war wieder in Form. »Es ist mir so peinlich, Herr Winter, aber ich muss den Termin leider kurzfristig absagen. Mein Mann hat heute Morgen angerufen, ich habe mich aus Versehen verplappert, und er ist ganz ungehalten geworden. Er hat gesagt, über so einen Entschluss muss man in Ruhe nachdenken, und nur weil ich von diesen Einbrüchen gehört habe, solle ich mal nicht hysterisch werden. Jedenfalls kommt er morgen zurück, und vorher wird hier gar nichts besichtigt. Es tut mir leid.«

»Aber Frau Schmidt«, Gero Winter hatte wirklich eine nette Stimme. »Das ist doch kein Problem. Dann verschieben wir es eben. Vielleicht Anfang nächster Woche?«

»Ach, Herr Winter«, Charlotte kniff ihre Augen so lange zusammen, bis sie tränten. »Es geht nicht ums Verschieben. Ich war zu voreilig. Ich glaube, mein Mann wird auf keinen Fall verkaufen. Er nimmt meine Ängste auch gar nicht ernst. Ich bin wirklich unglücklich. Ich muss immer daran denken, was hier alles passiert ist. Und dann auch noch die tote Frau Holler. Die wohnte neben meiner Schwägerin. Und dann sagt mein Mann, ich solle mich nicht so anstellen, unser Haus ist sicher. Ich ...« Sie putzte sich lautstark die Nase. Was war sie wieder gut. »Entschuldigen Sie, ich wollte Sie nicht mit meinen Problemen belästigen. Vielleicht sollte ich mich einfach beruhigen und irgendwann später telefonieren wir noch mal. Wenn mein Mann mich vielleicht ein bisschen besser versteht.«

Gero Winters Stimme klang betroffen. »Frau Schmidt, ich mache mir gerade richtig Sorgen um Sie. Kann ich Ihnen helfen?«

»Nein.« Charlotte schluchzte oscarreif. »Nein, das können Sie nicht.«

»Sind Sie jetzt allein? Haben Sie niemanden, der Sie beruhigen könnte?«

»Nein. Ich bin allein. Mein Mann kommt ja erst morgen. Vielleicht kann ich heute Abend zu meiner Schwägerin gehen und dort auch übernachten. Wissen Sie, ich kann einfach nicht mehr. Ich muss auflegen. Danke für alles, Herr Winter.«

Ohne die Antwort abzuwarten, legte Charlotte auf. Hoffentlich hatte sie jetzt nicht zu dick aufgetragen. Sofort nahm sie den Hörer wieder in die Hand und rief Karl an. »So, geschafft.«

»Sehr gut«, Karl klang äußerst fröhlich. »Du hast dich an alle Vorgaben gehalten? Heinz kommt morgen, und du gehst vermutlich heute Abend zu Inge? Und er hat alles geschluckt?«

»Ich denke schon.« Charlotte stand auf. »Ich war ziemlich gut, Karl. Wenn es schiefgeht, liegt es bestimmt nicht an mir.«

»Gut.« Karl lachte leise. »Ich mochte immer schon selbstbewusste Frauen, Charlotte. Wusstest du das?«

»Natürlich. Gerda lässt sich doch auch nichts von dir sagen. Also, dann weiter im Plan, ich hole jetzt Inge ab, und wir treffen uns nachher hier. Bis später.«

Eine Weile,
später in Onnos Haus

O nno?« Karl drückte die Haustür auf und rief durch den Flur. »Wo steckst du denn? Ich bin da.«

»Schuppen.« Die Stimme kam aus dem Garten, Karl machte kehrt und betrat den rot angestrichenen Gartenschuppen, in dem Onno im Blaumann vor einem großen Karton stand. Als er Karl in der Tür stehen sah, lächelte er breit und sagte: »Ich habe sie gefunden. Es sind tatsächlich zwei.«

»Hast du sie auch ausprobiert?« Mit Skepsis musterte Karl den verblichenen Karton. »Nicht, dass die über die Jahre ihren Geist aufgegeben haben.« Er runzelte die Stirn. »Da steht ›neunzehnhundertzweiundachtzig‹ drauf.«

»Das ist nur der Karton.« Onno wischte den Staub von der Pappe. »Und ich habe sie selbstverständlich ausprobiert. Warum habe ich mich wohl so früh auf den Weg gemacht? Du hast doch bestimmt noch in aller Ruhe bei Charlotte gefrühstückt, oder?«

»Natürlich«, Karl sah sich neugierig im Schuppen um. »An Tagen wie diesem muss man mit seinen Kräften haushalten. Hast du genug Verlängerungskabel?«

Sofort deutete Onno auf drei Kabeltrommeln, die bereits neben der Schuppentür standen. »Schon bereit. Und ich habe noch etwas organisiert. Das wird dich begeistern, sieh mal.« Mit Stolz zog er zwei weitere Kartons unter der Werkbank hervor. »Was sagst du dazu?«

Ächzend ging Karl in die Knie, um die Aufschriften besser lesen zu können. Dann sah er zu Onno hoch und grinste breit. »Toll«, sagte er langsam. »Wo hast du das denn her?«

»Von Götz seinem Sohn. Der macht so was an den Wochenenden. Wir sollen bloß nichts kaputt machen, aber das haben wir ja auch nicht vor. Die Elektronik hat er mir erklärt, das kann man alles wunderbar zusammenschließen. Haben wir vorhin auch schon kurz ausprobiert. Eine Wucht sage ich dir.«

»Perfekt.« Karl streckte Onno eine Hand entgegen, damit der ihn wieder hochzog. »Wirklich perfekt. Dann kann es ja bald losgehen. Zeitvergleich?«

»Was?«

Karl tippte auf sein Handgelenk. »Das gehört dazu. Zeitvergleich.«

»Ich habe doch gar keine Uhr.«

»Dann nicht.« Achselzuckend setzte Karl sich in Bewegung. »Ist auch nicht so wichtig. Es reicht, wenn ich die Zeit im Blick habe. Und wir können vor dem Einladen noch eine Tasse Kaffee trinken. Charlottes Kaffee war ja so dünn.«

Auf dem Weg durch den Garten zum Haus zog Karl eine Liste aus seiner Jackentasche, die er im Gehen entfaltete. »Punkt eins abgehakt, Punkt zwei abgehakt, Punkt drei abgehakt«, sagte er leise und blieb plötzlich stehen. »Tauwerk. Was ist mit Tauwerk?«

»Ist bereits im Auto. Genauso wie Klebeband und Karabinerhaken.«

»Abgehakt, abgehakt, abgehakt«, Karl nickte zufrieden. »Letzter Punkt: Proviant.«

»Darum kümmern sich Inge und Helga. Wie abgesprochen.«

»Dann haben wir alles.« Karl schob die Liste zurück in die Tasche und klopfte Onno auf die Schulter. »Bestens.«

Langsam setzten sie sich wieder in Bewegung. Nach einem friedlichen Moment der Stille sagte Onno: »Um was genau hast du dich eigentlich gekümmert?«

Entrüstet blieb Karl wieder stehen. »Um die Planung, mein Lieber. Ohne die wäre das alles nur ein Sammelsurium von Dingen in deinem Auto. Ich gebe unserem Plan ein Gesicht. Einer muss in unserer Gruppe die Verantwortung übernehmen, sonst endet alles in Chaos und Verderben. Aber letztlich spielt es überhaupt keine Rolle, wer was macht und warum. Wir sind ein Team, keiner muss alleine kämpfen. Denk doch nur mal an die gestrige Nacht. Was hättest du denn bei Charlotte gemacht, wenn es tatsächlich eine verdächtige Person oder einen Übergriff gegeben hätte?«

»Ich wäre rausgegangen und hätte die Person vertrieben«, antwortete Onno sofort. »Dasselbe hätte ich auch gestern machen müssen, weil du nämlich überhaupt nicht wach geworden wärst.«

»Unsinn«, widersprach Karl energisch. »Ich war hellwach, ich habe nur geruht.«

»Klar«, Onno hielt Karl die Haustür auf. »Du solltest dir mal so eine Schnarch-Maske besorgen. Charlotte und ich haben die halbe Nacht überlegt, wie Gerda diesen Lärm bloß aushält.«

»Macht euch mal keine Sorgen um Gerda«, antwortete Karl gut gelaunt. »Von ihrem Schnarchen wache nämlich ich auf. So, aber jetzt freue ich mich erst mal auf den Kaffee.«

Sina riss ein Kleidungsstück nach dem anderen aus dem Schrank und warf die Sachen auf zwei verschiedene Haufen. Der linke war für die Altkleidersammlung, auf den rechten kamen die Stücke, für die man noch Geld bekommen könnte. Der linke Haufen wurde immer größer. Als sie mit der Schrankseite fertig war, ließ sie sich auf den unbequemen Designersessel fallen. Um die Möbel musste sie sich auch noch kümmern, genauso wie um die Massen an Geschirr und anderem Zeug, dieses Haus war von oben bis unten vollgestopft, Sina fühlte sich gerade maßlos überfordert. Am liebsten hätte sie eine Entrümpelungsfirma beauftragt, das Haus einfach leer zu räumen und den ganzen Scheiß zu verbrennen. Aber einige Sachen waren dann doch zu wertvoll. Und so lange das Haus nicht verkauft und das Geld nicht auf Sinas Konto war, konnte sie sich das Wegwerfen von teuren Dingen schlichtweg nicht leisten. Gestern um diese Zeit hätte sie einfach Torben angerufen und ihn überredet, ihr beim Ausräumen und Sortieren zu helfen. Vor diesem grauenhaften Abend. Der Abend, an dem sich ihr alter Freund Torben als das Superarschloch entpuppt hatte. Vor Wut stiegen ihr die Tränen in die Augen. Sie hatte die ganze Nacht wach gelegen, sich von einer Seite auf die andere gewälzt und fieberhaft überlegt, wie sie aus dieser Nummer rauskommen könnte. Sie hatte keinen Weg gefunden. Stattdessen musste sie diesen alten Kasten jetzt alleine ausmisten, die Beerdigung am Montag überstehen, den Hausverkauf über die Bühne bringen und wahrscheinlich auch noch vom Erlös des Hauses Torben die Hälfte abgeben. Es war so ungerecht.

Ihr Blick fiel auf das benutzte Weinglas, das sie gestern auf dem Tisch stehen lassen hatte. In der Flasche musste noch etwas sein, Sina stand auf, um sie zu holen. Es war doch egal, ob sie nüchtern oder alkoholisiert über ihr Dilemma nachdachte, es gab ohnehin keine Lösung. Das Telefonklingeln unterbrach ihre Überlegung.

»Frau Holler? Hier ist die Kanzlei Luetge, Zimmer am Apparat.«

»Na, endlich«, Sina ging langsam in die Küche und öffnete den Kühlschrank. »Ich hätte Sie auch gleich an- gerufen, die Papiere müssen doch schon lange da sein. Ich muss langsam mal an die Konten. Und ich muss zum Makler, um hier mal alles abwickeln zu können. Wann kann ich die Unterlagen holen?«

Sie hatte sich das Glas vollgeschenkt und nahm einen ordentlichen Schluck.

»Dr. Luetge möchte Sie morgen früh gegen zehn gern hier in der Kanzlei sehen. Er muss Ihnen einiges erläutern. Können Sie das einrichten?«

»Wozu brauchen wir einen Termin? Was will er mir denn erläutern? Ich brauche den Erbschein für die Bank, und zwar schnell. Der muss doch bei Ihnen liegen, dafür brauche ich keine Erläuterungen und schon gar keinen Termin. Ich komme nachher vorbei.«

»Dr. Luetge ist heute nicht im Büro. Deshalb sollte ich mit Ihnen den Termin ausmachen.«

»Habe ich mich nicht klar ausgedrückt? Ich brauche keinen Termin, sondern den Erbschein.« Sina merkte selbst, dass ihre Stimme hysterisch wurde. Sie konnte nichts dagegen tun. »Ihr Chef soll mich selbst anrufen und mir sagen, was er will. Ich habe keinen Bock, mit irgendwelchen Vorzimmertussen zu reden. Ich will den Erbschein, den können Sie mir auch zuschicken. Und morgen werde ich ganz sicher nicht um zehn bei Ihnen auf der Matte stehen. Schönen Tag noch.«

Sie legte wütend auf und trank das Glas in einem Zug aus. Das konnte doch alles nicht wahr sein! Das hatte sie echt nicht verdient. Nur weil der feige Uwe sich nicht von der blöden Alten trennen konnte, musste sie jetzt dieses Leben führen. Sie hatte immer nur Pech. Sie hatte keinen Mann, keinen tollen Job, ihre dunkle, kleine Wohnung lag zu weit von den angesagten Stadtteilen entfernt, ihre Klamotten kamen aus Secondhandläden und sahen nur teuer aus, sie ging nicht aus, fuhr nie in den Urlaub, sie hatte alles so satt, satt, satt. Und endlich war mal etwas passiert, sie stand so kurz davor, ein Haus auf Sylt verkaufen zu können, um ihr Leben zu drehen – und jetzt war schon wieder alles gegen sie! Und dann noch Torben, der anscheinend völlig durchgedreht war und sie so seltsam angesehen hatte. Mit seinen kalten blauen Fischaugen.

Sina holte aus und schmiss das leere Glas mit aller Kraft an die Wand. Ein Glas weniger zu entsorgen. Sie riss die Flasche aus dem Kühlschrank und trank direkt daraus. Sie musste mit Torben fertigwerden. Sie brauchte einen Plan. Und jemanden, der ihr dabei half. Wie hieß der Typ vom gestrigen Abend? Sina trank noch einen Schluck und überlegte. Dann fiel es ihr wieder ein: Gero Winter. Und irgendwie hatte Torben Angst vor ihm gehabt. Oder zumindest war er nicht sein größter Fan. Sie musste herausfinden, was Winter machte. Das konnte ja nicht so schwer sein. Ihr Handy lag noch im Wohnzimmer, der Typ war doch sicher übers Internet ausfindig zu machen.

Torben sollte sie besser nicht unterschätzen, sie würde nicht kampflos aufgeben.

Während Sina sich durchs Internet klickte und dabei die Weinflasche gleich in der Hand behielt, klingelte wieder das Telefon. Sie wollte jetzt nicht drangehen, stattdessen suchte sie mit zusammengepressten Lippen alle Einträge auf ihrem Display durch. Winter, Andreas, Winter, Bernd, Winter, Boris, Winter, Cäcilia …

Und plötzlich hörte sie Dr. Luetge auf den Anrufbeantworter sprechen. »Luetge, guten Tag, Frau Holler, meine Frau Zimmer hat mir gesagt, dass Sie etwas ungeduldig und aufgebracht waren. Nun, das tut mir leid, aber so schnell wird sich Ihr Fall wohl nicht klären lassen, deshalb gebe ich Ihnen den dringenden Rat, unseren Termin morgen früh in der Kanzlei wahrzunehmen …«

Sina war aufgesprungen und hatte den Hörer von der Station gerissen. »Ja? Hallo, sind Sie noch dran …?«

»… ich erbitte …«, Luetge unterbrach sofort, als er sie hörte. »Sie sind ja doch da. Guten Tag, Frau Holler.«

Ohne Zeit mit Höflichkeitsfloskeln zu verschwenden, fragte sie mit leicht verwaschener Stimme: »Was soll der Quatsch denn? Ich will die nötigen Papiere, um hier alles abzuwickeln, wieso kriegen Sie das denn nicht hin? Das kann doch nicht so schwer sein. Das macht doch jeder Dorfnotar.«

»Normalerweise ist es auch nicht schwer.« Dr. Luetge ging gar nicht auf Sinas beleidigenden Ton ein. Stattdessen sagte er nur sehr ruhig: »Wenn die Besitzverhältnisse eindeutig sind, ist es sogar nur eine Formalität. Aber in Ihrem Fall ist das leider nicht so. Und darüber würde ich Sie gern morgen früh in aller Ruhe aufklären und gegebenenfalls eine mögliche Vorgehensweise überlegen.«

Sina spürte plötzlich die Wirkung des Alkohols, um

sie herum begann sich alles zu drehen. »Ich verstehe kein Wort. Meine Mutter ist tot, sie hatte ein Haus, und das gehört jetzt mir. Ich bin das einzige Kind, es gibt keine anderen Erben, was sind denn daran keine eindeutigen Besitzverhältnisse? Ich will das jetzt wissen. Jetzt machen Sie doch nicht so ein Theater. Was ist Ihr Problem?«

»Ich habe kein Problem«, Luetge atmete tief aus. »Frau Holler, Sie haben ein Problem. Das Haus gehörte nicht Ihrer Mutter. Und deshalb ist es auch nicht Ihr Erbe. Und alles Weitere kann ich Ihnen gern morgen erklären, auf Wiederhören, Frau Holler.« Er legte auf.

Sina ließ das Telefon fallen und spürte, wie etwas in ihr explodierte. Dann ließ sie sich langsam an der Wand runterrutschen. Er musste sich irren, dieser trottelige Notar musste sich einfach irren, das konnte doch nicht sein, das war doch totaler Schwachsinn! *Sie* hatte dieses Haus geerbt, das ihr Vater gebaut hatte, das Haus, in dem sie aufgewachsen war. Alles andere war sicher ein Irrtum. Es würde sich klären, morgen würde sich das alles klären. Das Haus, ihr Erbe, der Erbschein, Torben, dieser Gero Winter, alles würde sich morgen aufklären und zurechtrütteln. Jetzt würde sie sich betrinken. Um nicht mehr an Torbens kalte Augen zu denken. Morgen würde alles gut.

Charlotte kam in den Gartenschuppen gehuscht, lehnte die Tür an und ging gebückt an den Tisch. »Jetzt kann's losgehen.«

»Pscht, nicht so laut«, Inge zog einen Klappstuhl vorsichtig neben sich: »Setz dich schnell. Von hier aus kannst du durchs Fenster sehen.«

»Hier ist dein Teebecher«, flüsterte Helga und schob ihn über den Tisch. »Sitzen die Männer schon in Position?«

Charlotte nickte und deutete durchs Fenster. »Einer rechts, einer links. Sie haben beide eine Taschenlampe, mit der geben sie Zeichen. Dreimal kurz heißt, dass gleich einer von ihnen reinkommt. Wegen Essen und so. Habt ihr den Kartoffelsalat schon probiert? Muss da nicht noch ein bisschen Salz dran?«

Inge schüttelte den Kopf. »Dass ihr jetzt essen könnt! Ich bin so aufgeregt, ich bekäme keinen Bissen herunter.«

»Das ist komisch«, erwiderte Charlotte und schob sich eine kleine Frikadelle in den Mund. »Aufregung macht mich immer hungrig. So unterschiedlich ist das.«

Nur ihr leises Kauen durchbrach die Stille.

Sie hatten die Aktion stundenlang vorbereitet. Während Onno meterweise Verlängerungskabel durch den Garten legte, lief Karl mit einer Liste hinter ihm her und gab Anweisungen. Er hatte eine sehr genaue Zeichnung gemacht, an welcher Stelle des Gartens die jeweiligen Requisiten aufgebaut werden sollten. Und es gab einen exakten Zeitplan. Sie hatten eine Punktlandung hingelegt. Die Technik war komplett fertig, im Gartenschuppen standen Kartoffelsalat, Frikadellen, ein Apfelkuchen, drei Kannen Tee und eine elektronische Schaltvorrichtung, die nur Onno bedienen durfte. Unter den Trauerweiden standen Klappstühle, jeder hatte ein stumm geschaltetes Handy in der Tasche, und zur Sicherheit hingen Regencapes und Wolldecken an der Schuppentür. Sogar daran hatte Inge gedacht, obwohl es in dieser lauen Sommernacht nicht die geringste Veranlassung dafür gab. Aber Inge fühlte sich so sicherer. Bei den Vorbereitungen hatten sie gut zusammengearbeitet, nur an einer Stelle hatte es geringfügigen Unmut gegeben: als nämlich Karl die Eierlikörflasche vom Schuppen wieder zurück ins Haus trug. Im Einsatz gäbe es keinen Alkohol, sagte er vielleicht eine Spur zu schroff. Aber so war er nun mal. Und Diskussionen mit ihm konnte man sich ja ohnehin sparen.

Das Haus war dunkel, nicht einmal die kleine Lampe über der Haustür war angeschaltet. Im Carport standen nur zwei Fahrräder und der Rasenmäher. Charlotte hatte ihren Wagen vorhin zu Inge gefahren, Karl hatte sie mit dem Moped wieder abgeholt, danach hatten sie Onnos Wagen auf den Parkplatz der Gemeinde gestellt und zum Schluss Karls Moped hinter die Hecke geschoben. Alles hier wirkte verlassen und vorübergehend unbewohnt.

Unter der Trauerweide blinkte es dreimal, kurz danach ging leise die Schuppentür auf und Karl steckte seinen Kopf herein. »Habt ihr das Zeichen gesehen?«

Alle drei nickten.

»Habt ihr mich auch gehört?«

»Nein«, flüsterte Inge. »Du schwebst über den Boden wie eine Elfe. Absolut lautlos.«

»Sehr gut.« Karl drückte die Tür ein Stück ran. »Ich wollte es nur mal ausprobieren. Aber wenn ich schon mal hier bin, kann ich ja auch ein bisschen Kartoffelsalat und eine kleine Frikadelle essen. Für die Zeit müsste eine von euch meine Position besetzen. Inge?«

Sofort stand sie auf und ging auf Zehenspitzen zur Tür. »Die Taschenlampe«, sagte sie und streckte die Hand aus. »Bis gleich.«

Sie verschwand im Garten, die anderen sahen ihr hinterher. »Wann glaubst du denn, ist es so weit?«, fragte Helga Simon etwas besorgt, weil sie sich wohl Sorgen um Onno machte, der jetzt nur von Inge unterstützt wurde. Karl zuckte kauend die Achseln. »Kann jetzt jeden Moment passieren. Aber ihr könnt ganz ruhig bleiben, wir sind so gut vorbereitet, da kann man nebenbei sogar was essen. Keine Sorge, Helga, wir haben das alles im Griff.«

Nach zwei Frikadellen und einem Berg Kartoffelsalat nahm er sich noch ein Stück Kuchen auf die Hand und stand auf. »Dem Kartoffelsalat fehlte eine Idee Salz«, sagte er zu Charlotte, bevor er ging. »Macht aber nichts. Bis später.«

Eine halbe Stunde später blinkte Onnos Taschenlampe. Auch er kam kurz danach in den Schuppen, um etwas zu essen, diesmal huschte Charlotte unter die Trauerweide. Mit großer Zufriedenheit bemerkte Inge die Blicke, die Onno und Helga sich währenddessen zuwarfen. Als Helga Onno auch noch Zucker in seinen Teebecher rührte, breitete sich eine wohlige Freude in Inge aus. Sie mochte Liebesgeschichten.

Als Charlotte wieder in den Schuppen kam, atmete sie erleichtert aus. »Ich bin froh, dass wir hier sicher sitzen«, sagte sie leise. »Irgendwie ist es gruselig, unter der Trauerweide auf dem Klappstuhl zu warten, dass was passiert. Ich habe Blutdruck bis in den Hals und mir ist ein bisschen schwindelig.«

»Kipp hier bloß nicht um.« Mit kritischem Blick musterte Inge ihre Schwägerin. »Das wäre jetzt ganz ungünstig. Brauchst du einen Eierlikör?«

»Das wäre schön«, Charlotte stützte ihr Kinn auf die Faust. »Aber den hat Karl ja verboten. So was Blödes.«

Inge lächelte und bückte sich zu ihrer Tasche. Sie holte einen silbernen Flachmann heraus und schraubte ihn auf. »Voilà«, sagte sie und reichte ihn Charlotte. »Den hat Walter mal beim Bingo gewonnen, jetzt kommt er endlich zum Einsatz. Da passt ganz schön was rein.«

Mit geschlossenen Augen nippte Charlotte am Eierlikör und reichte den Flachmann an Helga weiter. »Herrlich.«

Minute um Minute verging. Helga gähnte als Erste, Inge sah verstohlen auf die Uhr, Charlotte streckte sich und flüsterte. »Mir wird langsam langweilig. Ich hätte mein Strickzeug mitnehmen sollen.«

In diesem Moment blinkten beide Taschenlampen zweimal: Jetzt passierte etwas. Endlich. Die drei Frauen hielten den Atem an. Charlotte hörte das quietschende Gartentor, dann das Geräusch, auf das sie gewartet hatten. Jemand trat auf das lose Brett der Terrasse, das dabei knallend hochschlug. Es war Onnos Idee gewesen, die Schrauben zu lösen.

»Es geht los«, Inge faltete aufgeregt die Hände. »Gott, ist das aufregend!«

Aus dem Haus drang das Läuten des Telefons.

O kay.« Anna sah auf ihre Uhr und dann Maren an. »Ich glaube, ich zahle mal und dann brechen wir die Zelte ab. Heute wird ja nicht mehr viel passieren.«

»Ja, wahrscheinlich hast du recht.« Maren trank ihren Tee aus und streckte sich. »Ich muss auch mal ins Bett. Danke, dass du mir zugehört hast.«

Anna lächelte. Sie hatte Maren zum Essen eingeladen und sie, noch bevor sie etwas bestellt hatten, gefragt, was ihr so auf der Seele liege. Und Maren hatte ohne Umschweife alles erzählt. Von ihrer langen Freundschaft mit Rike, von ihrem unfreiwilligen Verrat und dem schlechten Gewissen, von der Befürchtung, dass womöglich ein Mann, der es nicht ehrlich mit ihr meinte, Rikes Herz brechen würde – und von ihrer eigenen Hilflosigkeit. Anna hatte die ganze Zeit verständnisvoll zugehört. Sie hatten lange geredet, und jetzt fühlte Maren sich tatsächlich ein bisschen erleichtert und war froh, dass Anna sie ermutigt hatte, ihr alles zu offenbaren.

»Ich bin froh, dass du mich eingeweiht hast«, sagte Anna und stützte ihr Kinn auf die Hand. »Sag mal, noch was ganz anderes: Robert und du, seid ihr eigentlich ein Paar?«

Maren fühlte, dass sie rot wurde, und fragte sich, wie sie das jetzt beantworten sollte. Sie hatte keine Ahnung. Annas Handyton verschaffte ihr Zeit zu überlegen.

»Petersen«, Anna hielt das freie Ohr zu und runzelte die Stirn. »Wer spricht denn da?«

Sie hörte angestrengt zu, dann gab sie Maren ein Zeichen, ihr nach draußen zu folgen. »Moment bitte, ich kann Sie ganz schlecht verstehen, ich gehe schnell vor die Tür. Reden Sie weiter.«

Anna und Maren bahnten sich einen Weg durch das Lokal, Anna trat ein paar Schritte neben den Eingang und stellte dann den Lautsprecher an. Tief über das Handy gebeugt, hörten sie eine eindeutig alkoholisierte, weibliche Stimme.

»Eine Aussage, ich will eine Aussage machen. Wegen der toten Jutta Holler. Sie sollten sich Torben ansehen, Torben Gerlach, er ist nicht ganz koscher, er ist ein Drecksack, er hat was damit zu tun. Und mit anderen Sachen auch, da bin ich sicher.«

Maren sah Anna irritiert an. Die sprach ganz ruhig ins Telefon. »Vielen Dank für den Hinweis. Mit wem spreche ich denn? Können Sie mir Ihren Namen und Ihre Adresse sagen? Sollen wir uns treffen?«

»Treffen?« Die Frau fing an zu lachen, dann hustete sie und lallte: »Ihr wisst jetzt Bescheid. Ich will mit dem ganzen Scheiß nichts zu tun haben. Torben Gerlach. Und mich lasst ihr in Ruhe.« Dann legte sie auf.

Anna ließ das Handy sinken. »Torben Gerlach? Sagt dir das was?« Sie sah Maren an. »Was war denn das jetzt?«

»Das war Sina Holler.« Maren war sich sicher. »Ich habe ihre Stimme erkannt. Das ist sehr seltsam. Wie spät ist es denn jetzt?«

Anna wandte sich wieder zurück zum Eingang. »Halb zehn. Ich gehe schnell bezahlen, und dann fahren wir mal kurz bei Herrn Gerlach vorbei. Nur aus Interesse.«

Das Haus, in dem Toben Gerlach wohnte, lag am Ende einer Sackgasse. Maren war die Straße langsam entlanggefahren und hielt auf dem Wendeplatz. »Nummer neunzehn«, sagte sie. »Hier muss es sein.«

Sie folgte Anna, die zielstrebig auf den Eingang zulief, und wunderte sich, dass Torben Gerlach hier wohnte. Irgendwie hatte sie sich ein größeres, moderneres Haus vorgestellt, nicht so eine Hausscheibe aus den Dreißigerjahren.

Anna stand schon an der Tür und klingelte. Nur Sekunden später öffnete Heike Gerlach die Tür. »Ja?« Unsicher blickte sie von Anna zu Maren und wieder zurück. »Ist … ist was passiert?«

Mit einem beruhigenden Lächeln zückte Anna ihren Ausweis und hielt ihn Heike hin. »Mein Name ist Anna Petersen, Kripo Flensburg«, sagte sie. »Wir würden gern Ihren Mann sprechen. Ist er da?«

»Mein Mann?« Heike wurde blass. »Worum geht es denn? Was ist denn …?« Hilfesuchend sah sie Maren an. »Ach, du bist doch die Freundin von Rike. Torben hat dir beim Umzug geholfen. Ist ihm …, ich meine: Ist was …?«

»Ja, genau, Maren Thiele. Nein, keine Sorge, Frau Petersen wollte ihn nur etwas fragen. Ist er denn zu Hause?«

»Nein«, Heike schüttelte heftig den Kopf. »Er arbeitet noch. Eine Kundin hat angerufen, dass ihr Waschmaschinenschlauch abgesprungen ist. Torben soll das reparieren. Ich weiß nicht, wann er wiederkommt.«

»Wie heißt denn die Kundin?«, fragte Anna. »Dann fahren wir da einfach hin.«

»Ich weiß es nicht.« Heike sah aus, als würde sie gleich in Tränen ausbrechen. »Mein Mann redet mit mir nicht über seine Arbeit. Ich kann Ihnen nicht helfen.«

Nach einem kurzen Moment griff Anna in ihre Jackentasche und zog eine Visitenkarte hervor, die sie Heike reichte. »Ihr Mann soll mich bitte anrufen, wenn er wieder zu Hause ist«, sagte sie ruhig. »Auch wenn es später wird. Auf Wiedersehen.«

Sie trat zurück und wollte zum Auto gehen, als ihr offenbar noch etwas einfiel. »Ach, Frau Gerlach«, sagte sie leichthin. »Hatte Ihr Mann eigentlich Streit mit Sina Holler? Wissen Sie das zufällig?«

Heikes Gesicht erstarrte. Keine Spur mehr von Verunsicherung darin, stattdessen presste sie wütend die Lippen aufeinander und zischte: »Ganz im Gegenteil. Aber das sollten Sie die Schlampe vielleicht besser selber fragen.« Dann schlug sie ihnen die Haustür vor der Nase zu.

Anna sah Maren an. »Oh«, meinte sie leise. »Treffer, versenkt. Dann lass uns doch mal fahren.«

»Wohin zuerst?« Maren folgte Anna, die mit langen Schritten zurück zum Auto lief.

»Na, zur Schlampe.« Anna sah Maren an, die den Wagen entriegelte und die Fahrertür öffnete. »Wir fragen Sina Holler mal, warum sie mich eigentlich angerufen hat. Falls sie noch reden kann. Ansonsten können wir sie vielleicht vor einer Alkoholvergiftung retten.«

Eins, zwei, drei«, zählte Inge mit aufgeregter Stimme und deutete auf die Taschenlampensignale aus der Gartenecke. »Jetzt!«

Die drei standen gleichzeitig auf, zogen sich ihre Kapuzen über und stellten sich ans Fenster. Onno kam geduckt über den Rasen, drückte die Tür des Gartenhauses vorsichtig auf und trat ein. »Zugriff«, flüsterte er. »Jeder auf seine Position. Viel Glück.« Mit hochkonzentrierter Miene setzte er sich vor die Schaltvorrichtung und ließ seine Hand darüberschweben.

Sie nickten ihm zu und huschten nacheinander durch den Garten. Helga lief auf Onnos verlassenen Platz unter die Trauerweide, Inge und Charlotte kauerten sich auf die Schaumstoffkissen unter dem Flieder. Inge tippte Charlotte an: »Du musst dich richtig auf das Kissen knien«, wisperte sie. »Schont die Gelenke. Hab ich mir für die Gartenarbeiten im Beet bestellt. Ich bin so aufgeregt!«

»Pst.« Charlotte warf ihr einen warnenden Blick zu. »Reiß dich zusammen.«

Inge gab ein gurgelndes Geräusch von sich. Sie hatte Angst, vor lauter Aufregung wieder einen Lachkoller zu bekommen. Sie zog den Flachmann aus der Jackentasche. »'Tschuldigung.« Nach einem kleinen Schluck ging es besser.

Das Telefonklingeln zerriss die angespannte Stille. Einmal, zweimal, dreimal, viermal, jetzt sprang der Anrufbeantworter an. Nach ein paar Sekunden setzte das Klingeln wieder ein.

»Wer ruft denn da schon wieder an?«, flüsterte Inge. »Der ist aber hartnäckig.«

»Garantiert Heinz«, Charlotte streckte die Hand nach dem Flachmann aus. »Allerdings ist das gar nicht seine Zeit. Was will er denn bloß?«

Bevor sie noch einen Schluck nehmen konnte, hörten sie ein leises Scheppern aus dem Haus. Sofort beugte Charlotte sich nach vorn. »Oh, nein«, stöhnte sie leise. »Der macht mir da ja alles kaputt! Wenn das die neue Lampe war, kriege ich einen Anfall.«

Tröstend drückte Inge ihren Arm. »Pst, pst. Ist ja gleich vorbei.«

Wie gebannt warteten sie in der Dunkelheit. Es herrschte Totenstille, bis das Telefon erneut klingelte, dann folgte ein gedämpftes Klirren. Nur wenn man wusste, dass jemand im Haus war, konnte man es sich erklären. »Ich glaube, das war mein Geschirr«, Charlotte ballte die Faust. »Dem werde ich was ...«

Eine Bewegung auf dem Rasen ließ sie sofort innehalten. Karls Gesicht tauchte zwischen den Fliederbüschen auf. »Haltet ihr einen Plausch?« Obwohl er flüsterte, klang seine Stimme empört. »Ihr solltet euch besser konzentrieren.«

»Karl, der zerdeppert mein Geschirr«, zischte ihn Charlotte so leise wie möglich an. »Darüber reden wir aber noch.«

»Ja, ja«, er winkte ab, ohne das Haus aus den Augen zu lassen. »Schwund ist immer. Was ist das denn?«

Im oberen Stockwerk ging in diesem Moment die Beleuchtung an. Nur für einen Moment, dann ging sie wieder aus. »Macht der sich Licht an?«

»Bewegungsmelder«, Charlotte kniff die Augen zusammen. »Hat Heinz sich eingebaut, damit er nachts nicht im Dunkeln aufs Klo muss.«

»Gute Idee«, Karl nickte. »Darüber reden wir auch später. Jetzt kommt gleich der große Moment. Also, absolute Konzentration. Handy in Bereitschaft?«

Statt einer Antwort bekam er nur ein zweifaches Nicken. »Alles klar. Viel Erfolg!«

Er verschwand durch den Flieder, Inge wartete einen Moment und zog den Flachmann wieder unter dem Kissen hervor. »So«, sagte sie leise, aber entschlossen. »Jetzt komm raus. Ist ja jetzt auch mal gut. Ich kann gar nicht mehr knien.« Plötzlich stieß sie Charlotte in die Rippen. »Er kommt! Ich habe das lose Brett gehört.«

Tatsächlich sahen sie jetzt eine Bewegung auf der Terrasse, gefolgt von einem Blinken aus der Trauerweide. Sofort griff Inge nach dem Bündel, das hinter ihnen lag, und nickte Charlotte zu. Die erhob sich langsam, hob irgendwas Zusammengerolltes hoch und atmete tief durch. Zentimeter für Zentimeter schoben sie sich an den Fliederbüschen vorbei. Charlotte warf einen Blick zur Trauerweide und sah die Schatten von Helga und Karl, die sich parallel zu ihnen durch den Garten bewegten. Und genau im richtigen Moment legte Onno im Gartenhaus den Schalter um.

»Nichts«, Anna trat einen Schritt zurück und betrachtete das Haus, das ruhig und still vor ihr lag. Sie drückte noch einmal auf die Klingel und wartete mit schräg gelegtem Kopf. »Entweder ist sie nicht da, oder sie ist zu betrunken, um die Tür zu öffnen.«

Maren blieb erst unschlüssig stehen, dann sagte sie: »Ich gehe mal ums Haus. Vielleicht kann ich was durch die Terrassentür sehen.« Sie durchquerte langsam den Garten, es herrschte eine friedliche Ruhe, niemand war zu sehen. Auch bei Inge Müller nebenan war nichts los, kein Licht, keine Stimmen, alles wirkte wie ausgestorben. Auf der Terrasse standen Kartons und Mülltüten, Sina hatte anscheinend angefangen, ihr Erbe zu ordnen –, das ja vermutlich nur aus den Habseligkeiten ihrer Mutter bestand. Maren fragte sich, ob sie das überhaupt schon wusste. Mit der armen Sina wollte man wirklich nicht tauschen. Vielleicht hatte sie es auch heute erfahren und sich deshalb so betrunken.

Maren trat an die Terrassentür und spähte hinein. Ihre Augen mussten sich erst an das Halbdunkel gewöhnen, bevor sie etwas erkennen konnte. Innen herrschte ein heilloses Durcheinander. Der Boden war übersät mit Papieren, überall lagen Klamotten auf Haufen, halb leere Kartons standen zwischen vollen, auf dem Tisch standen benutzte Gläser und leere Weinflaschen. Das hier war wohl die Stätte von Sinas Besäufnis gewesen, nur von Sina selbst keine Spur. Maren klopfte mit den Fingerknöcheln an die Scheibe: keine Reaktion. Resigniert wandte sie sich wieder um und ging zurück. Anna kam ihr an der Ecke entgegen. »Und?«

Maren schüttelte den Kopf. »Nichts. Und was machen wir …?«

Der laute Klingelton von Annas Handy unterbrach sie, Anna meldete sich knapp. »Ja? Petersen.«

Sie hörte erst stumm zu, dann runzelte sie ihre Stirn und hob eine Hand. »Langsam, langsam. Wie bitte!? Wo? … Und sie hat *was* gesagt? … Das glaube ich alles nicht … Wir sind unterwegs!«

Ungläubig ließ sie das Handy sinken und sah Maren an. »Charlotte Schmidt hat in der Wache angerufen. In ihr Haus wurde eingebrochen, offenbar von diesem Serientäter, aber sie haben ihn überwältigt! Karl hat die Sache im Griff, weil er den Täter mit einer Waffe in Schach hält. Aber wir müssen sofort hin und den Mann festnehmen.«

Maren starrte zurück. »Großer Gott«, stöhnte sie. »Sind sie etwa alle dabei? Na, dann mal los, schnell!«

Kurz hinter Kampen schlug Maren wütend mit der Hand aufs Lenkrad. »Mensch, jetzt fahr doch, du Trottel.«

Das Taxi vor ihnen fuhr höchstens sechzig, obwohl sie das Ortsausgangsschild längst passiert hatten. Wegen des Gegenverkehrs konnte Maren nicht überholen, sie war versucht, ihre Hupe einzusetzen, ließ es aber. Sie war Polizistin.

»Du fährst zu dicht auf«, sagte Anna, die zwischendurch mit Robert auf dem Revier telefoniert hatte. »Überhol doch einfach.«

»Wie denn?«, schnaubte Maren. »Taxifahrer. Die Nummer merk ich mir, der wird morgen garantiert kontrolliert.«

Endlich entstand im Gegenverkehr eine Lücke, Maren scherte aus und konnte sich gerade noch beherrschen, keine unflätige Geste zu machen. Das machten dafür die hinten sitzenden Fahrgäste. Zwei ältere Männer, von denen ihr einer den ausgestreckten Mittelfinger zeigte. Jetzt musste sie doch hupen.

Bevor sie Charlottes Haus erreicht hatten, sahen sie schon die Blaulichter der ankommenden Einsatzfahrzeuge. Maren fuhr an ihnen vorbei, hielt mitten auf der Straße, Anna sprang aus dem Auto und rannte zum Haus, Maren folgte ihr und fragte sich, woher dieses ganze Licht kam. Und dann sahen sie es: Mitten auf der Terrasse lag eine Person, eingewickelt in ein Fischernetz und verschnürt mit Tauen und Klebeband. Das ganze Grundstück war in gleißendes Licht getaucht, und nach einigen Momenten hatte Maren die Quellen ausgemacht. Auf dem Rasen und auf dem Dach des Gartenhauses standen große Suchscheinwerfer, die auf die Terrasse gerichtet waren. In den Bäumen hingen rote, blaue und grüne Lampen, die alles in zuckendes Licht tauchten, und genau über der Terrasse drehte sich eine silberne Discokugel. Das verschnürte Bündel auf der Terrasse bewegte sich, plötzlich sah Maren, wer da unter dem Netz lag. In sicherer Entfernung standen Charlotte und Helga Simon. Beide trugen dunkle Regenjacken mit Kapuzen, Helga lächelte Charlotte an. An die Hauswand gelehnt, beobachtete Onno interessiert die Ankunft der Einsatzkräfte, als er Maren entdeckte, hob er aufmunternd die Hand. Nur ein paar Meter daneben stand Karl. Er hatte den Täter fest im Blick und richtete eine goldene Pistole auf ihn.

Als Anna endlich bei ihm angelangt war, hob er den Blick und ließ die Pistole sinken. »Über zehn Minuten«, sagte er tadelnd. »Vom Anruf bis zur Ankunft der Polizei. Das ist einfach zu lange. Es hätte auch jemand tot sein können.«

»Was ... was macht ihr hier?« Anna rang sichtbar um Fassung. »Und wieso hast du noch eine Waffe?«

»Was ich hier mache!? Euren Job!«, antwortete Karl und schob die Pistole in seine Jackentasche. »Ihr habt das ja nicht auf die Reihe gekriegt. Da hast du übrigens deinen Täter. Torben Gerlach. So. Und jetzt brauche ich was zu trinken. Inge?«

Mit dem Flachmann in der Hand krabbelte Inge aus

der Hecke. »Prost, Karl. Guter Job. Und die Pistole hat so schön golden im Licht gefunkelt. Es war wie im Film.« Stolz lächelte sie ihn an und strich ihm über die Wange. Es war genau der Moment, in dem ein Taxi vor dem Haus hielt und zwei Fahrgäste aussteigen ließ. Maren drehte den Kopf und erkannte die Nummer des viel zu langsamen Fahrers wieder. Sie wollte gerade ihren Blick wieder abwenden, als sie sah, dass die beiden ausgestiegenen Männer ungläubig auf den beleuchteten Garten starrten. Dann kamen sie langsam auf das Haus zu, der Taxifahrer folgte ihnen zögernd mit den Koffern in der Hand, in seinem Gesicht stand ein großes Fragezeichen. Und dann drehte Charlotte sich um und schlug die Hand vor den Mund. »Ach Gott, Heinz. Was wollt ihr denn schon hier?«

Heinz blieb neben Maren stehen und sah erst seine Frau und dann die vielen umstehenden Menschen an. »Wir haben angerufen, aber keiner ging ran. Ihr hattet wohl zu tun.«

Am nächsten Tag,
zu einem sehr späten Frühstück bei Onno

Ihr hättet uns in die Ermittlungen einbeziehen müssen«, Heinz musterte skeptisch einen Brotaufstrich, den Onno aus Frischkäse und Kräutern gemacht hatte. »Wir haben uns doch intensiv mit dem Thema Immobilien beschäftigt, wir wären gleich auf den Makler gekommen. Kann man das so aufs Brot schmieren oder muss da Butter unter?«

»Ohne Butter«, antwortete Charlotte sofort. »Da ist genug Fett drin. Es war aber nicht nur der Makler. Sondern Torben Gerlach. Stell dir mal vor, der hilfsbereite Torben Gerlach. Der hat dir doch auch beim Umzug geholfen, Maren, oder? Dass du da gar nichts geahnt hast.«

Maren war gerade in Onnos Küche gekommen und hatte verblüfft die große Runde am Tisch angesehen. Alle Beteiligten des gestrigen Abends saßen in Onnos Küche und sahen Maren erwartungsvoll entgegen. Sie schüttelte den Kopf und blieb stehen. »Guten Morgen. Was habe ich nicht geahnt?«

»Dass es Torben war«, half Inge nach und wehrte Walters Gabel ab, die auf ihren Teller zusteuerte. »Schneid dir selbst Käse ab. Hat er denn jetzt gestanden? Erzähl doch mal, du warst doch bis zum Schluss im Revier.«

Maren hatte das, was gestern geschehen war, noch immer nicht ganz begriffen. Erst um halb vier war sie völlig erschöpft in ihr Bett gefallen. Als sie nach Hause gekommen war, hatte ihr Vater im Schlafanzug freudig an der Tür gestanden und ihr angeboten, einen heißen Kakao zu machen. »Ich will jetzt nicht mit dir reden, Papa«, hatte sie nur knapp gesagt. »Und keine Erklärungen mehr hören. Und keine Fragen beantworten. Alles morgen. Gute Nacht.«

Onnos enttäuschten Blick hatte sie gar nicht mehr wahrgenommen.

Jetzt stand er auf und holte die Kaffeekanne. »Setz dich, Kind«, sagte er munter. »Trink erst mal einen Kaffee, bevor du alles erzählst.«

Maren ließ sich resigniert auf den freien Stuhl neben Walter sinken. »Ich will gar nichts erzählen«, antwortete sie. »Ich möchte viel lieber hören, was euch geritten hat, so ein Feuerwerk abzufackeln. Ihr hättet eure Erkenntnisse auch einfach Anna mitteilen können. Das ist Sache der Polizei, keine von Hobbydetektiven.«

»Jetzt mach mal einen Punkt«, widersprach Karl. »Ich habe ja weiß Gott genug Angebote gemacht. Aber da wird man als Zivilist beschimpft und bekommt fast Hausverbot, nur weil man vorausschauend und systematisch an einen Sachverhalt geht. Nein, nein, liebes Kind, für mich, oder besser für uns, gab es genau zwei Möglichkeiten: entweder den Dingen ihren Lauf zu lassen und sich damit abzufinden, dass hier ein Haus nach dem anderen ausgeraubt wird, weil ihr, ja, ich sage *ihr*, kein Talent für die Ermittlungen bewiesen habt, oder, Möglichkeit zwei, unsere Bürgerpflicht wahrzunehmen und dem Ganzen ein Ende zu setzen. Du musst zugeben, dass diese zweite Möglichkeit gestern zum vollen Erfolg geführt hat.«

Walter sah, dass Maren die Augen verdrehte, und schaltete sich ein. »Hör mal, Maren, wir, also Heinz und ich, sind ja sozusagen nur Zaungäste gewesen, aber ich muss

Karl da jetzt recht geben. Bürgerpflicht und Zivilcourage sind die Stichworte. Wenn wir hier gewesen wären, hätten wir uns auch sofort eingeschaltet. Vermutlich wären wir schneller auf die Rolle des Maklers gekommen, wir sind da ja gerade im Thema. Immobilienspekulation als Gewinnmöglichkeit. Klappt oft. Machen viele. Oder, Heinz? Für so viel Geld vergisst man auch gern mal den Anstand.«

Heinz nickte vielsagend und strich Butter auf den Frischkäse. »Stimmt.« Er biss ab und betrachtete das Brötchen. »Ohne Butter ist dieses Zeug ein bisschen trocken.«

Helga Simons Blicke gingen von einem zum anderen, bevor sie fragte: »Welcher Makler denn? Meint ihr Gero Winter? Der ist doch gar kein Makler. Der ist bei der Bank.« Helga genoss es ganz offensichtlich, neben Onno zu sitzen und Teil dieser skurrilen Runde zu sein.

Maren sah sie an. Sie war wirklich eine zauberhafte Person. Und den Blicken nach zu urteilen, mit denen Onno sie betrachtete, fand der das auch. Da bahnte sich tatsächlich etwas an. Ihr zuliebe verstieß Maren denn auch zum ersten Mal gegen ihren Grundsatz, Dienstgeheimnisse zu bewahren. Bei Rike hatte sie sich daran gehalten und es war schiefgegangen.

»Torben hat im Auftrag von Gero Winter gearbeitet«, sagte sie deshalb. »Winter kannte die Hausbesitzer. Er hat ihnen vorgeschlagen zu verkaufen. Wenn sie dazu bereit waren, hat er ihnen eine Bekannte vorbeigeschickt. Die hat eine Firma auf dem Festland, hat die Häuser günstig erworben, sie in kurzer Zeit aufgehübscht und für wesentlich mehr Geld wieder verkauft. Den Gewinn haben sie sich geteilt. Wenn die Hausbesitzer nicht verkaufen wollten, hat Torben dafür gesorgt, dass sie ihre Meinung ändern. Er kommt ja als Hausmeister ziemlich rum. Manchmal hat er ihnen einfach gesagt, dass seiner Einschätzung nach binnen kürzester Zeit erhebliche Renovierungskosten auf sie zukämen, er kannte sich ja aus. Diejenigen, denen das Geld dafür fehlte, konnte Torben gut an Gero Winter verweisen. Aber in der letzten Zeit wurde es zäher, und nach einem Einbruch ändert man ganz schnell seine Meinung. Das war der Deal.«

»Und warum hat der Gerlach da mitgemacht? Der ist doch eigentlich ganz nett.« Helga Simon konnte es noch immer nicht fassen.

»Geld«, antwortete Maren. »Torben hatte Schulden bei Gero Winter. Er hat jahrelang gezockt und Winter hat ihm Geld geliehen. Das hat er auf diese Weise abgearbeitet.«

»Ach?« Mit großen Augen sah Helga in die Runde. »Das hat er euch erzählt? Das ist ja nicht zu fassen.«

Karl beugte sich nach vorn, um besser an den Brotkorb zu kommen. »Das hätte ich euch auch erzählen können«, sagte er leichthin. »Bei mir hat es geklingelt, als ich von der gestohlenen Stange Zigaretten für den Hausmeister bei der Johanna Roth gehört habe. Da war mir der Zusammenhang klar. Torben Gerlach hat bei allen Opfern gearbeitet, bei allen. Und dann habe ich ihn ein bisschen beschattet. Und mit wem hat er dann im Auto auf dem Parkplatz am Sendeturm gesessen? Richtig, mit Winter. Und da kann ein alter Kriminalist wie ich natürlich eins und eins zusammenzählen. Gib mir mal die Butter, Helga.«

»Du hättest das sagen müssen«, Maren schüttelte verärgert den Kopf. »Das muss ich dir doch nicht erzählen. Anna ist übrigens auch sauer auf dich. Sie kommt nachher noch vorbei. Allein schon, um mit dir über deinen Waffenschein zu sprechen. Da kommt ein bisschen Ärger auf dich zu, fürchte ich.«

Karl lächelte sie an. »Dann soll sie mal vorbeikommen. Ich freue mich immer, wenn ich Anna sehe.«

»Interessiert sich auch mal jemand für unser Seminar?« Heinz hatte sich mit der Serviette den Mund abgetupft und seinen Teller zurückgeschoben. »Wir könnten bestimmt auch noch Details zur Erklärung dieser unschönen Sache beitragen.«

»Später«, wehrte Charlotte ihn sofort ab. »Aber was ist denn jetzt eigentlich bei Jutta Holler passiert? Wisst ihr das auch schon? Ist Torben da ausgeflippt oder war das aus Versehen? Erzähl doch mal.«

Maren schob den Stuhl zurück und stand auf. »Nein. Fragt Anna Petersen, wenn sie nachher kommt, vielleicht will sie es euch sagen. Ich gehe dann jetzt mal ...«

Ein ungeduldiges Klingeln an der Haustür unterbrach sie, es musste etwas Dringendes sein.

»... zur Tür«, vollendete sie den Satz und ging, um dem neuen Besucher zu öffnen.

»Ist er hier?« Peter Runge stand kurzatmig und mit hochrotem Kopf vor Maren. Erschrocken trat sie einen Schritt zurück, was er sofort nutzte, um sich an ihr vorbeizuschieben. Dicht hinter ihm hielt sich Benni, der Maren achselzuckend ansah. »Er platzt gleich«, flüsterte er ihr zu. »Er will Karls Waffe, die hat der nämlich gestern nicht abgegeben. Ich glaube, jetzt ist Karl fällig. Armer Kerl.«

Maren schloss eilig die Tür und beeilte sich, hinterherzukommen. In der Küche standen sich Runge und Karl gegenüber, der eine kurz vor einem Wutanfall, der andere mit einem süffisanten Lächeln und vor der Brust verschränkten Armen.

»Sie haben keinen gültigen Waffenschein«, brüllte Runge jetzt. »Wo haben Sie die Waffe überhaupt her?

434

Sie händigen sie mir jetzt sofort aus, sonst muss ich Sie festnehmen.«

Gut gelaunt wippte Karl auf den Fußspitzen, dann riss er sich los und ging zum Stuhl. An der Lehne hing eine Tüte. Langsam griff er hinein und zog die goldene Pistole von gestern hervor. Sie war auf eine glänzende Holzplatte montiert. Vorsichtig legte er sie auf den Tisch und tippte auf das Messingschild.

Karl Sönnigsen.
Mit grossem Dank des Polizeireviers
Westerland

»Die habe ich von den Kollegen bekommen«, antwortete Karl stolz. »Mein Abschiedsgeschenk zur Pensionierung. Ein vergoldeter Nachbau meiner Dienstwaffe. Es waren nur vier kleine Schrauben zu lösen. Sieht doch aus wie echt? Musste man nur abschrauben. Und hinterher wieder drauf.«

Die nachfolgende Stille hielt nur wenige Sekunden. Ausgerechnet Helga Simon prustete los. Runge löste seinen Blick von der funkelnden Waffe, drehte sich auf dem Absatz um und knallte die Haustür mit solcher Wucht hinter sich zu, dass das Altglas im Flur nur so klirrte.

Nach einem anstrengenden Tag,
endlich bei ruhiger Abendsonne

Bis später«, Maren knotete sich ihren Pulli um die Hüfte und winkte ihrem Vater und Helga Simon zu. Die beiden saßen mit einem Glas Wein auf der Bank im Garten. Sie hoben beide die Hand, es sah aus wie einstudiert.

Aufatmend schlug Maren den Weg zum Deich ein. Was war das für ein Tag gewesen? Sie musste jetzt laufen und danach aufs Wasser sehen, um die ganzen Bilder, Gedanken und Sätze in ihrem Kopf zu sortieren.

Kurz nach Runges Abgang war Anna in Roberts Begleitung gekommen. Sie hatte sich erst vor Karl aufgebaut und ihm ihre Meinung gesagt, bevor sie ihn in den Arm genommen und gemeint hatte, dass sie so froh sei, dass niemandem etwas passiert war. Karl hatte abgewinkt. Später hatte er verkündet, er wolle jetzt seinen alten Zögling Andreas Holler, oder wie er jetzt hieß, von Wittenbrink, besuchen, um zu sehen, ob der durch die verheerende Polizeiarbeit Schaden genommen hätte.

Irgendwann hatten sich alle verabschiedet. Fast alle, Robert und Helga Simon waren geblieben und hatten geholfen, Onnos Küche wieder in den Urzustand zu versetzen. Zeitweise hatte es darin wie in einer Begegnungsstätte ausgesehen.

Maren zog das Tempo an, als sie an Robert dachte. Als sie einen Moment allein gewesen waren, hatte sie ihn gefragt, ob er noch einmal mit Andreas von Wittenbrink oder Rike gesprochen hätte.

»Von Wittenbrink war noch mal auf dem Revier«, hatte Robert geantwortet. »Er musste das Protokoll unterschreiben.«

»Und? Wie war er?«

»Erstaunlich gelassen«, Robert hatte gelächelt. »Er hat gemeint, es wäre unser Job gewesen. Und er lässt dich grüßen.«

Dann hatte Robert sie in den Arm genommen. »Maren, das wird sich wieder einrenken. Du konntest es nicht anders machen. Hör jetzt auf mit den Selbstvorwürfen, bitte.«

Er hatte leicht reden. Er hatte ja niemanden verraten. Maren verlangsamte das Tempo, um ihre Atmung zu kontrollieren. Ihr Puls war viel zu schnell, sie lief mit letzter Luft den Deich hoch und blieb schwer atmend stehen. Vor ihr lag das Wasser, ruhig, beständig, mit roten Lichtreflexen von der Abendsonne. Den Blick in die Ferne gerichtet, ging sie langsam weiter bis zu einer Bank. Das war Gretas Lieblingsplatz gewesen. Maren hatte sich seit ihrem Tod nicht mehr hierher getraut. Heute konnte sie es. Mit den Fingern tastete sie an der Rückenlehne entlang. Da war es. Ungeschickt eingeritzt: Gretas bester Platz der Welt. Maren hatte Monate dafür gebraucht, sie war als Kind nicht das größte Schnitztalent gewesen.

»Na, Mama?«, sagte sie jetzt leise. »Das ist doch verrückt, was hier alles passiert ist, oder?« Eine Möwe flog kreischend vorbei. Maren nahm das als Antwort und lächelte. Sie ließ sich auf die Bank sinken, lehnte sich zurück, streckte die Beine aus und schloss die Augen. Wirklich verrückt.

»Hey«, die Stimme kam so aus dem Nichts, dass Maren

zusammenzuckte. Rike stand vor ihr, eine Flasche Wein und zwei Gläser in der Hand und sah sie an. »Rutsch mal.«

Maren war baff und starrte Rike an wie eine Erscheinung. »Was machst ..., woher wusstest du, dass ich hier ...?«

»Jetzt rutsch doch mal«, als Rikes Worte Marens Hirn endlich erreicht hatten, setzte sie sich neben sie. »Ich komme gerade von deinem Vater.« Sie stellte die Weingläser auf den Boden, fingerte einen Korkenzieher aus ihrer Jackentasche und begann, die Weinflasche zu öffnen. »Er hat gesagt, ich soll nachsehen, ob du auf Gretas bestem Platz der Welt bist. Er hätte so ein Gefühl, dass ich dich heute hier finde.«

Maren nickte und wartete ab, während Rike weitersprach. »Sie sind ein Paar, dein Vater und Helga Simon, oder? Sie saßen Hand in Hand im Garten. Echt süß.«

Maren nickte wieder, jetzt sah Rike sie an. »Du musst aber auch was sagen. Ich habe mich nicht auf den Weg gemacht, damit du vor dich hin schweigst.«

»Rike, es war furchtbar: Ich hatte keine Wahl, und ich hab mich gefühlt wie eine Verräterin, das musst du mir glauben. Aber ich saß wie ein Kaninchen in der Falle: Ich wollte dich nicht aushorchen und ich wollte auch nicht, dass Andreas ..., vielleicht hätte ich mich einfach als befangen erklären sollen, ich kann aber verstehen, dass du sauer auf mich bist, aber es ...«

Rike hielt ihr ein gefülltes Weinglas hin. »Weißt du, dass das unser erster Streit war? Das erste Mal nach zweiunddreißig Jahren! Und ich gebe zu, dass ich es überhaupt nicht geschafft habe, mich in dich hineinzuversetzen. Aber ich hab's ja kapiert. Robert hat mich angerufen. Und Andreas meinte auch, es kann doch nicht sein, dass wir uns deswegen streiten. Maren, lass uns das bloß ganz schnell vergessen. Okay?«

Ohne den Blick abzuwenden, nahm Maren das Glas. »Robert hat dich angerufen?«

Rike nickte. Sie tranken und sahen dabei aufs Meer. Dann räusperte Maren sich. »Es ... es tut mir wirklich von Herzen leid.«

»Das sagtest du schon. Aber jetzt ist es auch mal gut.«

Maren lächelte. »Ich wollte eigentlich sagen, dass es mir leidtut, wie wir Andreas behandelt haben. Er war dafür extrem souverän.«

»Er ist ja auch einfach ein guter Typ«, Rike lächelte. »Er hat mir seine ganze Geschichte schon am ersten Abend erzählt, es gab nur keine Gelegenheit, dass ich dir das hätte sagen können. Vielleicht wäre es dann gar nicht zu diesem Verhör gekommen. So musstet ihr ja glauben, dass er ein Motiv hat. An seiner Stelle hätte ich die blöde Holler schon vor Jahren erwürgt. Verdient hatte sie es.«

»Rike. Bitte.«

Rike wischte den Einwand weg. »Nein, ernsthaft. Sie hat ihm seine Kindheit und Jugend schon ganz schön versaut. Aber egal, er ist großherzig, dann sollte ich es ja wohl erst recht sein.«

»Hat er auch was von Sina erzählt?«

»Ja«, Rike nickte nachdenklich. »Er war bei ihr. Heute Morgen. Sie war in einem katastrophalen Zustand, total verkatert und panisch, das Haus sieht aus, als hätte eine Bombe eingeschlagen. Andreas hat ewig gebraucht, um sie zu beruhigen. Und danach ausführlich mit ihr gesprochen.«

»Und was passiert jetzt? Mit Sina und dem Haus?«

»Andreas hat ihr vorgeschlagen, dass er es renoviert und sie erst mal da wohnen kann. Anscheinend sieht ihr

Leben in Hamburg auch völlig anders aus, als wir dachten. Sie hat wohl bei einem Ex-Liebhaber Schulden, arbeitet gar nicht in einem Hotel, sondern in einer ziemlich abgewrackten Pension, wo man ihr gerade gekündigt hat, und ihre Wohnung ist ein Loch. Die gute Sina hat ein ganz kleines, verkorkstes Leben. Hätte ich nie gedacht.«

Maren war verblüfft. »Und warum macht Andreas das?«

»Weil er, wie gesagt, ein ziemlich guter Typ ist.« Rike lächelte. »Und sie ist …, ja, was eigentlich? Seine Adoptiv-Stiefschwester. Er hat ja sonst keine Familie. Aber ein großes Herz.«

Sie schwiegen. Und Maren merkte, wie das schlechte Gefühl der letzten Tage sich langsam im Sonnenuntergang auflöste. Sie saß hier auf dem Lieblingsplatz ihrer Mutter. Zusammen mit ihrer besten Freundin. Und gemeinsam würden sie gleich zurück zu ihrem Vater gehen, der mit seiner neuen Liebe Händchen haltend im Garten saß und ein spätes, schönes Glück gefunden hatte. Und sie selbst bekam Herzklopfen, wenn sie an jemanden Besonderen dachte. Anscheinend so laut, dass ihre beste Freundin das merkte. Und mit leiser Stimme fragte: »Und du und Robert? Ist er immer noch zu jung?«

»Vielleicht.« Maren lächelte. Vielleicht aber auch nicht. Jetzt kam erst mal der Sommer. Und über alles Weitere würde sie später nachdenken. Nur nicht jetzt. Jetzt sah sie in die untergehende Sonne mit all ihren Farben und fand das Leben schön.

Anzahl der Begegnungen verschiedener Paare:

Maren und Robert
Die ersten drei Monate bis September 72 Mal, berufliche
Zusammenarbeit nicht mitgerechnet, nach dem Ende des
Bädereinsatzdiensts 8 Mal (dienstfreie Wochenenden)

Rike und Andreas
96 Mal, mit dem Vorsatz, es öfter zu schaffen

Helga und Onno
142 Mal, Tendenz steigend, da Helgas Haus verkauft
wurde und der Einzug bei Onno unmittelbar bevorsteht

Benni Schröder und Katja Lehmann
Seit dem Polizeifest 39 Mal, außerhalb der Dienstzeiten.
Tendenz ebenfalls steigend

Charlotte und Heinz
Wieder täglich

Inge und Walter
Wieder täglich

Karl und Gerda
Täglich, nach leichten Eingewöhnungsschwierigkeiten

Torben und Heike
Nach Antritt der Haftstrafe 6 Mal

Karl und Onno
51 Mal ohne Chor, dazu noch 24 Mal mit Chor

Karl und Peter Runge
Null

Anzahl der verkauften Karten für das Chorkonzert
300

Anzahl der Verhöre von Sina, bevor das Verfahren gegen sie eingestellt wurde
4

Anzahl der Sonnenstunden
707

Anzahl der Straftaten auf der Insel Sylt
22

Anzahl der Tage, an denen Heinz und Walter damit gehadert haben, nicht an der Aufklärung des Falls beteiligt gewesen zu sein
21

Anzahl der Gewinner im Sushi-Wettbewerb des Kochclubs
2 (punktgleich Onno Thiele und Charlotte Schmidt)

Ähnlichkeiten zwischen dem blöden Runge und dem echten Revierleiter der Polizei Westerland
Null

Ich bedanke mich:

Bei meinem Agenten Joachim Jessen, Meister des Plots und des Timings, der mir viel Geduld und Disziplin beigebracht hat und immer noch daran arbeitet.

Bei Bianca Dombrowa für eine so unkomplizierte, leichte und knackige Zusammenarbeit.

Und zum Schluss, aber ganz besonders, bei meinem Verleger Wolfgang Balk, der jetzt das Revier, sorry, den Verlag verlassen hat, um in den Ruhestand zu gehen, was mich für ihn freut, aber auch wehmütig macht, der aber die Größe und die Zufriedenheit besitzt, niemals mit Brötchen in sein altes Revier kommen zu wollen, um nach dem Rechten zu sehen. Weil er es nicht braucht. Danke für die herzliche Zusammenarbeit.

dtv

Leseprobe

DORA HELDT

Wir sind die Guten

Kriminalroman

dtv
premium

ISBN 978-3-423-26149-4
Auch als **eBook** erhältlich

www.dtv.de

Prolog

Die schöne Frau hat rotes Haar. Es leuchtet in der schummrigen Kneipe. Durch das Fenster hindurch leuchtet es, fast wie ein Heiligenschein. Ich trete näher und lege die Handflächen auf die kalten Fensterscheiben. Sie sind gefroren, an den Stellen, an denen meine Hände liegen, taut die Eisschicht und gibt die Sicht frei. Da sitzt sie. An einem Tisch, zusammen mit den Männern. Sie lacht und gestikuliert wild. An ihren Handgelenken blitzt üppiger Schmuck, Armreifen, ich kann das Geklimper bis hier draußen hören. Nur das Geklimper, nicht das, was sie sagt. Seltsam. Ihr Mund bewegt sich, ihre Hände bewegen sich, sie wirft ihre Haare zurück, die roten Haare, die aussehen, als hätte man sie gerade gebürstet. Schöne Haare, sehr lang, lockig und so rot. Die Männer starren sie an. Sie sagen nichts, aber ich weiß plötzlich, was sie denken, ich kann es hören. Ich presse meine Stirn an die Scheibe, ich will, dass sie mich ansieht, sie bemerkt mich nicht, sie lacht die Männer an und klimpert mit ihren Armreifen. Ich presse meine Hände auf die Ohren, ich kann dieses Geräusch nicht ertragen, ich will hören, was sie sagt, aber die Armreifen sind zu laut. Einer der Männer beugt sich über den Tisch und greift ihr in das rote Haar. Er wickelt eine Locke um den Finger und lächelt. Seine Augen lächeln nicht, nur der Mund. Sie merkt es nicht, sie lässt es zu, dass er ihr Haar anfasst, ich will an die Scheibe klopfen, um sie zu warnen, aber ich kann meine Hand nicht heben. Sie ist zu kalt. Jetzt lachen sie wieder. Musik setzt ein, laute Rockmusik, die Bässe wummern durch die Nacht, ich rufe laut, niemand hört mich. Am wenigsten die rothaarige Frau. Sie lacht.

»Du musst es verhindern.« Ich erkenne die leise Stimme und drehe mich um. Ich sehe in seine freundlichen blauen Augen und weiß nicht, was ich machen soll. Er wird mir nicht helfen, er dreht sich um und geht weg, ich kann ihm nicht folgen, ich stehe hier wie angewurzelt und sehe auf meine Füße. Sie sind nackt. Deshalb kann ich wohl nicht laufen. Ich stehe barfuß auf einem gefrorenen Weg, der voller kleiner Steinchen ist, aber ich spüre nichts. Ich kann mich nur nicht von der Stelle bewegen. Mir wird heiß und ich sehe wieder durchs Fenster. Die rothaarige Frau ist aufgestanden, sie legt sich einen Schal um ihren schönen Hals. Ich kann den Schal jetzt ganz deutlich erkennen, er ist grün mit kleinen roten Rosen. Ein hübscher Schal, sie legt ihn doppelt und zieht ihn zusammen, er steht ihr gut, so einen hätte ich auch gern. Die Männer folgen ihr. Einer von ihnen zieht jetzt einen Autoschlüssel aus der Tasche, ich kenne diesen Schlüssel, ich kenne auch das Auto, jetzt kann ich etwas tun, jetzt muss ich etwas tun. Es wird alles gut, ich weiß es, ich mache einen Schritt, ich kann laufen, ich gehe um die Ecke zum Parkplatz, meine nackten Füße spüren keine Kälte, keine Steinchen. Die Gruppe kommt mir entgegen, die roten Haare leuchten von Weitem, sie geht ein Stück hinter den Männern, sie ist schön und sie lacht. Ich laufe auf sie zu, es geht leicht, ich bin schnell, aber sie sehen mich nicht. Jetzt habe ich sie erreicht, ich stelle mich vor die Frau, breite meine Arme aus, sage: »Bleib stehen, geh nicht mit ihnen mit, du ...«, aber sie geht einfach an mir vorbei. Ich bin unsichtbar.

Ich fasse sie am Arm, ich höre ihre Armbänder klimpern, laut, deutlich, sie schüttelt mich ab und steigt ins Auto. Und ich fange an zu schreien.

Schweißgebadet und mit rasendem Puls lag sie im Bett. Mühsam setzte sie sich auf, knipste die kleine Lampe an, sah sich um. Ihr Herz pochte wild durch ihren Körper, sie versuchte, Ruhe in ihre Atmung zu bekommen, stellte die Füße auf den kalten Boden und legte die Hände an die Schläfen. Sie zählte bis zwanzig, dann öffnete sie die Augen. Ihr Blick wanderte durchs Zimmer, der kleine Schreibtisch, ihre Kleidung vom Vortag, die über dem Stuhl hing. Die blaue Strickjacke, die bunte Bluse, die Jeans. Vertraute Einzelheiten. Sie war in Sicherheit. Alles war gut. Ihr konnte nichts mehr passieren. Sie stand auf und sah durchs Fenster in die Nacht. Die Äste der großen Linde vor dem Haus bewegten sich. Es ging ein leichter Wind, der auch um den Fahnenmast fuhr. Die Metallösen an den Bändern schlugen an den Mast, es hörte sich fast an wie klimpernde Armreifen.

D ie meisten Unfälle passieren im Haushalt.« Inge blieb an der Tür stehen und schüttelte empört den Kopf. »Und genau deshalb habe ich diese teure Leiter gekauft. Sabine, die müssen Sie jetzt aber auch benutzen.«

»Bis ich die aufgestellt habe, ist das Fenster schon geputzt.« Lächelnd stieg Sabine Schäfer vom Stuhl und nahm den kleinen Eimer von der Fensterbank. »Schon fertig. Ohne Unfall.«

»Es ist mein Ernst.« Energisch ging Inge durch den Raum und schob den Stuhl zurück an den Tisch. »Dieser Stuhl ist erfunden worden, damit man sich drauf *setzt*, nicht *stellt*. Ich will nicht noch einmal sehen, dass Sie darauf balancierend die Fenster putzen. Sie sind doch hier nicht im Zirkus. So. Und jetzt kommen Sie, Kaffee ist fertig. Sie müssen unbedingt diese kleinen schwedischen Kuchen probieren. Rezept von Charlotte. Meine Schwägerin backt immer so besondere Sachen.«

Sabine folgte ihr langsam in die Küche, leerte den Eimer aus und wischte sich die Hände trocken, bevor sie sich setzte. »Frau Müller, Sie müssen sich doch nicht immer solche Mühe machen.« Ihr Blick wanderte über den gedeckten Tisch. »Ich bin ja kein Kaffeebesuch.«

»Na, zum Glück.« Inge goss Kaffee in die Tassen. »Wissen Sie, wie Charlotte und ich Sie nennen? Die Fee. Was ist dagegen ein langweiliger Kaffeebesucher?«

Sabine lächelte und nahm sich ein kleines Stück Kuchen vom Teller. Ein zufriedenes Lächeln huschte über Inges Gesicht. Sabine Schäfer war ja so ein Glücksgriff. Inge würde alles tun, um es ihr so schön wie möglich zu machen. Nur damit sie nie auf den Gedanken käme, ihre Tätigkeit im Hause Müller zu beenden, nur weil sie sich vielleicht in anderen Häusern wohler fühlte. Oder da weniger zu tun hatte. Inge hoffte inständig, dass so etwas nie passieren würde. »Und?«, fragte sie, während sie den Teller noch ein Stück näher zu Sabine schob. »Wie geht es Ihnen sonst so?«

»Danke.« Sabine hob den Blick und sah sie an. »Gut. Jetzt wird das Wetter ja auch noch schön, da hat man doch gleich bessere Laune.«

»Ja.« Inge nickte. »Für Mai ist es bis jetzt ja auch ganz schön kalt.« Sie machte eine Pause und wartete, bis Sabine in der nachfolgenden Stille das kleine Stück Kuchen aufgegessen und Kaffee getrunken hatte. »Haben Sie eigentlich für den Sommer irgendwelche Urlaubspläne?«

»Noch nicht.« Lächelnd schob Sabine ihren Teller von sich und sah Inge an. »Und wenn, dann sage ich Ihnen rechtzeitig Bescheid.«

»So war das gar nicht gemeint.« Inge hob die Hände. »Ich habe wirklich nur aus Interesse gefragt. Sie können natürlich jederzeit in den Urlaub fahren, Hauptsache, Sie kommen wieder.«

Sabine lachte. »Ich bin mit der Arbeit bei Ihnen sehr zufrieden, Frau Müller, Sie müssen sich nicht solche Gedanken machen. Aber jetzt muss ich mal auf die Uhr sehen. Ich habe nur noch eine Stunde und oben noch gar nicht angefangen. Danke für den Kaffee.« Sie stand schon und trug ihr Geschirr zur Spüle, bevor sie den Raum verließ.

»Die Leiter«, rief Inge ihr hinterher, dann nahm sie sich selbst ein Stück Kuchen und sah nachdenklich aus dem geputzten Fenster. Immer wieder hatte sie die Hoffnung auf einen kleinen Plausch mit Sabine Schäfer gehabt. Aber die zog ihre Kaffeepause genauso effizient durch wie ihre Arbeit. Still und schnell. Und ohne Spuren zu hinterlassen. Davon abgesehen war sie ein Hauptgewinn. Inges Haus war noch nie so sauber gewesen wie in den letzten Monaten, in denen Sabine sich darum gekümmert hatte. Genauso war es bei ihrer Schwägerin Charlotte. Alle vierzehn Tage schwebte abwechselnd bei beiden die Fee durch und anschließend blinkte und blitzte es. Es war wie im Märchen. Nur Klatsch und Tratsch war Feen fremd. Das war das Einzige, was Inge bedauerte. Sie selbst war ja sehr kommunikativ. Aber sie konnte nicht alles haben.

Eine Stunde später wartete sie, bis Sabine ihre Schuhe gewechselt hatte und in ihre Jacke geschlüpft war, dann drückte sie ihr die vereinbarten Geldscheine in die Hand.

»Vielen Dank, meine Liebe, und dann bis in zwei Wochen.«

Sabine schob das Geld sorgsam in ihr Portemonnaie. »Danke auch, Frau Müller. Einen schönen Tag wünsche ich Ihnen. Bis zum nächsten Mal.«

Inge sah ihr nach, wie sie mit langen Schritten zur Bushaltestelle lief. Der Bus kam genau in dem Moment, in dem Sabine die Haltestelle erreicht hatte. Ohne sich noch einmal umzusehen, stieg sie ein. Dann fuhr der Bus ab. Inge blieb stehen, bis er aus ihrem Sichtfeld verschwunden war. Sie wollte gerade die Haustür schließen, als sie das kleine rote Auto ihrer Schwägerin entdeckte. Charlotte fuhr langsam auf ihr Haus zu, blinkte vorschriftsmäßig und parkte neben der Auffahrt. Langsam stieg sie aus.

»Hallo Inge, wartest du auf mich?«

»Nein.« Inge trat einen Schritt zurück und hielt die Tür auf. »Ich habe immer noch keine telepathischen Fähigkeiten, obwohl ich manchmal glaube, ich sei ganz dicht dran. Ich habe Sabine und dem Bus hinterhergesehen. Du hättest sie fast noch getroffen.«

»Ach? Ist das schon so spät?« Charlotte sah sofort auf die Uhr. »Tatsächlich. Ich habe mich so vertrödelt, stell dir vor: Beim Einkaufen habe ich den halben Chor getroffen. Erst Gisela auf dem Parkplatz, dann Onno an der Kühltheke, Helga beim Gemüse, und im Waschmittelgang stand dann auch noch Elisabeth. Da kommst du nicht durch, mit oder ohne Einkaufszettel, ich habe fast eine Stunde gebraucht.«

»Gibt es was Neues?«

Inzwischen war Charlotte eingetreten und hatte ihre Jacke an die Garderobe gehängt. »Nö. Nichts Besonderes. Es riecht hier so gut. Herrlich. Ich freue mich schon auf nächste Woche, da bin ich dann dran.«

»Kaffee?«

»Gern.«

Die Thermoskanne stand immer noch auf dem Küchentisch, Inge holte eine frische Tasse aus dem Schrank und setzte sich Charlotte gegenüber. »Ich mache ja jedes Mal eine ganze Kanne Kaffee«, sagte sie, während sie einschenkte. »Aber Sabine trinkt immer nur eine Tasse, isst eine Kleinigkeit, weil sie zu höflich ist, um abzulehnen, und dann springt sie auf und macht weiter. Kannst du dich mit ihr richtig unterhalten?«

»Was heißt richtig?« Charlotte inspizierte die kleinen Törtchen. »Sind die nach meinem Rezept? Da musst du mehr Zimt drauf machen.«

Inge schob ihr die Milch zu. »Ich meine, dass man mal ein bisschen länger klönt. So über Gott und die Welt. Aber sie ist so arbeitsam.«

»Ja, Gott sei Dank.« Charlotte sah sie überrascht an. »Inge, wir haben sie als Putzfrau engagiert. Nicht als Gesellschafterin. Und sie muss in drei Stunden fertig werden, da kann sie sich doch wohl nicht gemütlich in deine Küche setzen und über das dänische Königshaus reden.«

»Wieso das dänische Königshaus?« Inge hob irritiert die Augenbrauen. »Was ist denn mit denen?«

»Nichts«, winkte Charlotte ab. »Die fielen mir nur gerade ein. Weil du dich doch für die Königshäuser interessierst.«

»Du doch auch.«

»Inge, das war doch nur ein Beispiel.« Charlotte probierte das Törtchen und nickte anerkennend. »Schmecken sonst gut. Aber wie gesagt, oben drauf mehr Zimt. Jedenfalls bin ich froh, dass sie so schnell und zügig arbeitet. Du, das ist immer noch mein Albtraum: Irgendwann kommen Heinz und Walter früher aus der Sauna zurück und treffen auf sie. Mit dem Staubsauger in der Hand, da können wir dann auch nicht mehr sagen, dass sie nur Kaffeebesuch ist. Stell dir das mal vor!«

»Bloß nicht.« Inge schüttelte sich. »Ich hoffe nur, dass uns was einfällt, wenn das wirklich mal passiert. Wird schon. Aber die Wahrscheinlichkeit, dass die Männer früher zurückkommen, geht gegen null. Sie ändern nie ihre Gewohnheiten. Und wenn, müsste richtig was passieren, dann wären sie im Krankenhaus. Und wir wären raus.«

Charlotte sah sie an. »Also Inge«, sie schüttelte den Kopf. »Manchmal bist du mir zu brutal. Krankenhaus. Du hast vielleicht Ideen.«

»Es sind keine Ideen.« Unbekümmert biss Inge in ein

zweites Törtchen. »Ich habe manchmal Bilder im Kopf. Und das Bild von Walter und Heinz beim Zusammentreffen mit Sabine möchte ich dir gar nicht beschreiben. Haben Onno und Helga von ihrem Urlaub erzählt?«

»Nur ganz kurz.« Charlotte lächelte. »Dass sie ein sehr schönes Hotel hatten, von ihrem Zimmer aus auf die Ostsee sehen konnten und viel Fahrrad gefahren sind. Helga wird immer ein bisschen rot, wenn sie erzählt. Irgendwie niedlich.«

»Sie muss sich vielleicht noch daran gewöhnen, dass sie wieder verliebt ist. In ihrem Alter.« Seufzend stützte Inge ihr Kinn auf die Faust. »Es ist aber auch zu schön. Fast siebzig und Herzklopfen wie eine Siebzehnjährige. Und Onno sieht auch so glücksselig aus. Oder?«

Ihre Schwägerin nickte. »Das stimmt.« Ihr Blick ging zum Fenster. »Oh. Und jetzt müssen wir auch glücksselig aussehen, da kommen unsere Männer.«

Heinz und Walter brachten eine Wolke von Dusch- und Saunaduft in den Raum. »Hier kommen die Gesalbten.« Heinz blieb vor dem Tisch stehen und betrachtete interessiert die Törtchen. »Das sieht ja gut aus. Setz dich, Walter, wir haben uns so viele Kilos weggeschwitzt, da passt jetzt wieder Kaffee und Kuchen rein.«

»Vom Saunieren nimmt man nicht ab«, sagte Inge und sah ihren Bruder Heinz stirnrunzelnd an. »Und was sind die Gesalbten?«

»Männer im besten Alter, die sich nach drei Saunagängen und einigen Bahnen athletischen Schwimmens nach dem Duschen mit Nivea eingecremt haben.« Walter strich seiner Frau leicht über den Kopf. »Ingelein, wir haben eine Haut wie ein Kinderpopo.« Er setzte sich und sah sich suchend nach einer sauberen Tasse um.

»In der Küche.« Inge hatte seinen Blick verstanden, blieb aber sitzen. »Da müsstest du deinen Kinderpopo aber selbst hinbewegen. Ich habe den ganzen Morgen geputzt.«

»Ja.« Walter erhob sich sofort. »Natürlich. Ich habe das schon bemerkt. Es riecht so gut nach Zitrone. Heinz, willst du auch eine Tasse?«

»Ja.« Heinz hatte schon die Hand auf dem Kuchenteller. »Aber mach nicht gleich alles wieder schmutzig.« Er zog Charlottes Teller zu sich. »Du bist ja fertig mit dem Kuchen, oder?« Ohne die Antwort abzuwarten, legte er ein Törtchen drauf. »Wir haben Maren in der Sauna getroffen. Schöne Grüße.«

»Welche Maren?« Inge schob ein paar Krümel, die Heinz vom Teller gefallen waren, auf ein Häufchen. »Halt mal den Mund über den Teller, du krümelst alles voll.«

»Maren Thiele.« Beim Antworten flogen die nächsten Krümel über den Tisch. »Onnos Tochter.«

»Die hatte heute frei.« Walter war mit zwei Tassen in der Hand aus der Küche zurückgekehrt. »Hier passieren im Moment ja nicht so viele Verbrechen. Da kann die Polizei auch mal eine ruhige Kugel schieben und sich in die Sauna setzen.« Er nahm Platz, griff nach der Kaffeekanne und schenkte sich und seinem Schwager ein. »Sie hat erzählt, dass sie ihre Überstunden abbummelt, weil es gerade so ruhig ist. Ich glaube ja, dass es ihr hier auf Dauer zu langweilig wird. Immer nur Alkoholsünder, Raser und Urlauber ohne Benehmen. So ein junger Mensch will doch auch mal einen Serienmörder oder eine Politikerentführung oder eine Millionenerpressung. Aber in dieser Hinsicht ist auf Sylt ja nichts los.«

»Na, Gott sei Dank«, antwortete Charlotte und stand auf. »Ich brauche das auch nicht. Wobei ich dich daran erinnern muss, dass wir im letzten Jahr eine Erpressung und einen Todesfall hier hatten. Du bist ja nur immer noch beleidigt, dass ihr nichts davon mitbekommen habt. So, ich muss los, ich habe meine ganzen Einkäufe noch im Auto. Heinz, kommst du gleich mit oder fährst du nachher mit dem Bus?«

»Ich komme mit.« Im Aufstehen trank er seinen Kaffee aus. »Der ist nicht mehr ganz heiß, Inge. Steht schon zu lange. Macht aber nichts. Ich trinke nach der Sauna sowieso lieber ein Bierchen.«

Charlotte stand schon an der Haustür und drehte sich ungeduldig um. »Jetzt komm. Und nimm deine Saunatasche mit, du bist gerade an ihr vorbeigelaufen.«

Heinz machte auf dem Absatz kehrt und schulterte die Tasche. »Ich dachte, du hast sie schon. Tschüss, Familie. Bis bald.«

Freitag, der 6. Mai,
blauer Himmel, 19 Grad

Sie liebte diesen Platz. Sie saß auf einem der hohen Stühle unter einem Schirm und hatte einen freien Blick auf den Trubel, der um sie herum herrschte. Familien mit Kindern, Fahrradfahrer, die ihre Tour hier unterbrachen, Touristengruppen, die mit Bussen über die Insel gefahren wurden und eine Stunde Aufenthalt hatten, um ein Fischbrötchen oder ein Eis zu essen, verliebte Paare, die auf Sylt ein paar Tage Zweisamkeit genossen, und Cliquen aus Hamburg, die das schöne Wetter für ein Partywochenende nutzten. Der Lister Hafen war ein Anziehungspunkt für die Sylter Gäste, hier wurde gegessen, getrunken, eingekauft, hier buchte man Ausflugsfahrten oder saß einfach eine Zeitlang in der Sonne. Obwohl sie Menschenmengen hasste: hier gab es immer einen Platz in einer Ecke, an dem man ungestört einen Kaffee oder Wein trinken konnte, von wo aus man in aller Ruhe die Menschen beobachten, sich ihre Geschichten und Leben ausmalen konnte und Teil einer Leichtigkeit wurde, für die man nichts machen musste. Sie kam nicht oft her, es wäre sonst nichts Besonderes, aber bei so schönem Wetter wie heute, bei diesem blauen Himmel, den wenigen Federwolken und dieser seltenen Windstille war das einer der besten Orte, die sie kannte. Sie hielt ihr Gesicht in die Sonne und schloss die Augen, es war herrlich. Sie liebte diese ersten Frühsommertage, sie fühlten sich so vielversprechend an, so zärtlich und optimistisch. Zur Feier dieses Sommertages hatte sie sich ein Glas Weißwein und ein paar Scampi bestellt, es schmeckte nach Urlaub und guter Laune. Am Nebentisch saßen zwei Frauen, die sich in einer Stimmlage unterhielten, die es unmöglich machte, dem Gespräch nicht zuzuhören. Manche Informationen brauchte man eigentlich nicht – an denen hier kam sie aber leider nicht vorbei. Eine der beiden hatte vor zwei Wochen unangemeldet ihre beste Freundin besucht und dabei ihren Mann getroffen. Wäre er vollständig angezogen gewesen, hätte er sich sicherlich mit der einen oder anderen notwendigen Reparatur herausreden können, so allerdings war die Sache eindeutig. Jetzt ging es nur noch um die Beruhigung aller Gemüter, was zu diesem Zeitpunkt aussichtslos schien. Hier war kein Platz mehr für Erklärungen oder Versöhnung, hier ging es um Geld, Rache und die allgemeingültige Ächtung der ehemals besten Freundin. Die Begleitung der Betrogenen war vermutlich vorher nur die zweitbeste Freundin gewesen, hatte sich aber sofort bereit erklärt, erste Hilfe auf Sylt zu leisten. So waren sie also zu zweit in ein schönes Hotel gefahren, schmiedeten nun Rache- und Zukunftspläne und tranken Sekt zwischen Verzweiflung, Wut und Zuversicht.

Sie legte ihre Gabel in das leere Scampischälchen und stand mit ihrem Glas Wein in der Hand auf, um sich einen anderen Platz zu suchen. Es war ihr entschieden zu viel Privates, was sie sich hier anhören musste. Sie wollte Leichtigkeit und keine Katastrophen. Ein ganzes Stück weiter stand gerade ein Mann mit einem halbwüchsigen Sohn auf. Alleinerziehend, mutmaßte sie. Oder ein getrennter Vater, der vor lauter schlechtem Gewissen Vater-Sohn-Wochenenden auf Sylt verbrachte. Die beiden mochten sich, das sah man, es war nicht ihr erster gemeinsamer Ausflug. Also doch kein schlechtes Gewissen, sondern väterliche Zuneigung. Sie schlenderte langsam auf den Tisch zu, die beiden lächelten sie an. »Wir gehen«, sagte der Sohn. »Falls Sie das gerade fragen wollten. Wir machen jetzt eine Fahrt zu den Seehundsbänken.«

»Viel Spaß«, antwortete sie und sah den beiden hinterher. Der Vater legte seinem Sohn beim Laufen den Arm um die Schultern. Hier war wieder Leichtigkeit im Leben. Sie setzte sich und trank einen Schluck Wein. Die Fähre aus Dänemark fuhr langsam an ihr vorbei zum Anleger. Sie folgte ihr mit den Blicken und nahm sich vor, demnächst mal wieder mitzufahren. Es war zwar keine große Reise, aber sie mochte Schiffe. Sie hatte es schon ab und zu mal gemacht, etwas über eine halbe Stunde hin, ein kleiner Spaziergang am Hafen, ein dänisches Hotdog auf die Hand und dann wieder zurück. Es war wie ein kleiner Urlaub, manchmal reichten auch ein paar Momente auf dem Meer, um sich lebendig zu fühlen. Die Fähre verschwand aus ihrem Blickfeld, und sie sah sich wieder um. Hinter ihr war eine Gruppe junger Leute, vielleicht Mitte Zwanzig. Sie waren in Feierlaune, einer von ihnen hatte anscheinend großzügige Eltern, die ihnen ihr Ferienhaus für ein Wochenende zur Verfügung gestellt hatten. Der Sohn kannte sich aus, machte Vorschläge für die kommenden Tage und hatte etwas leicht Gönnerhaftes. Zwei der jungen Mädchen wechselten einen Blick, anscheinend tat es ihnen schon leid, der Einladung des Knaben gefolgt zu sein. Sie hatten zwar Sylt umsonst, aber dafür einen Angeber mit langweiligen Vorschlägen an der Hacke.

Zwei Tische neben ihr saß ein altes Paar, beide in zweckmäßigen Regenjacken, ihre war rot, seine blau. Es war schon seltsam, dass manche Zuordnungen ein ganzes

Leben lang hielten. Die beiden hatten jeweils ein Fischbrötchen in der Hand, Matjes mit Zwiebeln, dazu trank er ein Bier und sie einen Kaffee. Auch nicht ungewöhnlich. Ungewöhnlich war, dass sie die Köpfe zusammensteckten und sich so angeregt unterhielten. Er sagte etwas, das sie zum Lachen brachte, dann antwortete sie und er wollte sich fast ausschütten. Sie hatten Spaß zusammen und miteinander, das war ganz deutlich zu sehen. Vielleicht kannten sie sich noch gar nicht so lange und entdeckten einander gerade erst. Dann hatten sie sich viel zu erzählen. Oder sie hatten einfach Glück: da hatten sich womöglich die zwei Menschen getroffen, die einander ihr Leben lang genug zu sagen hatten. Sie wandte ihren Blick ab, bevor sie neidisch wurde. Manchmal fehlte ihr ein Seelengefährte, jemand, bei dem ein Blick genügte, um zu wissen, dass man dasselbe dachte, jemand, der zu einem gehörte und von dem das auch alle wussten. Sie sah über den Platz, an dem die Betrogene mit ihrer ehemals zweitbesten Freundin saß. Das war das Gegenprogramm. Das brauchte sie nicht mehr. Wirklich nicht. Hinter ihr machte sich die Gruppe der jungen Leute auf Geheiß des Angebers auf den Weg. Die Armen, dachte sie und griff wieder zu ihrem Weißwein. Sie trank langsam und auch immer nur ein einziges Glas. Sie mochte keine angetrunkenen Menschen, sie waren ihr zuwider. Als wenn sie laut gedacht hätte, tauchten zwei solcher Exemplare hinter ihr auf. Sie drehte sich gleich wieder um, die Männer sahen so aus, als würden sie sofort einen dämlichen Spruch raushauen, wenn sie beachtet wurden. Zwei Männer mittleren Alters, gut aussehend, wahrscheinlich erst spät zu Geld gekommen, das vermutete sie, weil beide so krampfhaft bemüht wirkten, die richtige Kleidung zu tragen. Teure Massenware mit den entsprechenden Schriftzügen, dazu trugen sie passende Schirmmützen, beide teure Sonnenbrillen. Und sie redeten laut. Damit bloß niemand übersah, dass es sich hier um echte Kerle handelte, wohlhabend, selbstbewusst, unabhängig und wahnsinnig cool. Sie stellte sich vor, was die Jungs zu Hause für einen Alltag lebten. Wahrscheinlich hatten sie Frauen, die sich um Haus und Kinder kümmerten. Die Kinder wurden durch Tennisvereine und Musikschulen organisiert, die Frauen hatten ihre Freundinnen, ihre Friseure, ihre Shoppingnachmittage, während die Kinder in der Schule oder im Freizeitstress waren. Alles ging so lange gut, bis Papi die erste Affäre anfing. War die Neue jünger, schöner und umgänglicher, zog Papi aus, sah die Kinder nur noch alle zwei Wochen und … An dieser Stelle rief sie sich selbst zur Ordnung. Sie neigte dazu, in ihrem Zynismus ein Klischee nach dem anderen zu sehen. Vielleicht handelte es sich einfach nur um zwei Freunde oder Arbeitskollegen, die sich hier mit ihren Frauen verabredet hatten.

»Guck dir mal die Blonde dahinten an.« Sie merkte der Stimme schon an, dass hier nicht der erste Wein bestellt wurde. »Mein lieber Mann, die würde ich auch nicht von der Bettkante schubsen. Heißes Gerät.«

Gemeint war eine junge Blondine, die allein an einem Tisch stand und offensichtlich auf jemanden wartete. Dieser Jemand kam auch in diesem Moment: groß, breitschultrig, tätowiert. Die blonde Frau hatte Glück, die Männer auch, der Begleiter hatte den dämlichen Spruch nicht gehört.

»Leg dich mit dem bloß nicht an.« Auch der zweite Mann hatte eindeutig schon einen sitzen. »Ich geh mal lieber noch einen Wein holen. Wir sind ja nicht zum Spaß hier.«

In das laute Gelächter fiel der erste wieder ein: »Ist meine Runde, ich gehe«, rief er großspurig.

Etwas an seiner Stimme zwang sie, sich umzudrehen. Er ging etwas unsicher zum Tresen, Jeans, Hemd mit Emblem, Pulli über die Schulter geworfen. Dieser Gang, diese Stimme ... er fühlte sich tatsächlich unwiderstehlich. Jetzt drehte er sich um und sah in ihre Richtung. Ihre Blicke trafen sich. Sie sah sofort zur Seite, das fehlte noch, dass er glaubte, sie würde sich für diesen Idioten interessieren. Als sie einen Augenblick später wieder hochsah, stand er immer noch unverändert da und starrte sie an. Vermutlich würde er ihren erneuten Augenkontakt für Interesse halten und gleich auf sie zukommen. Abrupt stand sie auf, griff nach ihrer Tasche und machte sich mit langen Schritten auf den Weg zur Bushaltestelle. Sie drehte sich nicht mehr um, deshalb sah sie auch nicht, dass er immer noch wie versteinert auf der Stelle stand und ihren schnellen Abgang mit seinen Blicken verfolgte. Er sah aus, als hätte er einen Geist gesehen. Nur wenige Sekunden später setzte er sich in Bewegung.

M000314729

"A most valuable guide to a very important subject. This book is both a fascination to read and invaluable as a work of reference."

Rupert Sheldrake, Ph.D.
author of *A New Science of Life*

"Dr. Benor's manuscript goes well beyond anything that I have seen in documenting the abundance of work in the psychic-healing field. I am personally delighted to have had an opportunity to review the manuscript prior to publication. Work such as this needs wide dissemination."

C. Norman Shealy, M.D. Ph.D.
founding president, *American Holistic Medical Association*

"I find the book to be an excellent resource on research in healing. Some of the studies quoted in his book I can find nowhere else. I refer to this book often. It is well-written and contains much valuable information."

Richard Gerber, M.D.
author of *Vibrational Medicine*

". . .truly a remarkable effort. This book makes available the literature not only on healing but also on other diagnostic and therapeutic modalities. By adopting an energy paradigm, Dr. Benor brings a coherence to what would otherwise be a confusing picture."

Bernard Grad, Ph.D.
a pioneer in healing research

"Spiritual Healing is a comprehensive overview of scientific investigations on spiritual healing. In this volume, Dr. Benor has assembled data from all over the world. His explanatory theories provide a solid base for badly needed research on these controversial phenomena. The material is clearly presented, masterfully organized and discussed in a manner that is fascinating without being sensationalized. "

Stanley Krippner, Ph.D.
authority on Shamanism

SPIRITUAL HEALING

SCIENTIFIC VALIDATION OF A HEALING REVOLUTION

PROFESSIONAL SUPPLEMENT

by

DANIEL J. BENOR, M.D.

Vision Publications

Library of Congress Control Number: 2001095175

ISBN 1-886785-12-0

Vision Publications
21421 Hilltop St., #28, Southfield, MI 48034
email sales@spiritualone.com, web site www.spiritualone.com

Parts of this book appeared in a different version in
Healing Research, Holistic Energy Medicine and Spirituality,
© 1992 by Helix Editions Ltd.

Printed in the United States of America

1

CONTENTS

FOREWORD vii

ACKNOWLEDGMENTS xi

INTRODUCTION 3
    Examining The Evidence 10

CHAPTER 4
Controlled Studies 15
    Healing for Human Physical Problems 21
    Healing for Subjective Experiences 66
    Intuitive (Clairsentient) Assessments 141
    Miscellaneous theses and Dissertations 162
    Healing action on Electrodermal Activity and Muscle Strength 164
    Healing Action on Animals 189
    Healing Action on Plants 228
    Healing Action on Single-celled Organisms 254
    Healing Action on Bacteria 260
    Healing Action on Yeasts 267
    Healing Action on Cells in the Laboratory (*in vitro*) 277
    Healing Effects on the Immune System 288
    Healing Action on Enzymes and Chemicals 291
    Healing Action on DNA 303
    Future Research 309
    Summary 311

CHAPTER 5
Further Clues to the Mystery of Healing 319
    Historical Notes on Healing Research 321
    Healings at Shrines 327
    Clinical and Laboratory Observations on Healing 332
    Qualitative Studies of Healing 417
    Surveys of Healees 438
    Benefits vs Risks of Healing 444
    Shamanism 447
    Conclusion 453

Appendix A, Healing in the Bible 455
Appendix B, Healing Organizations 459
Appendix C, Most Significant Studies 467
Endnotes 469
Glossary 505
Bibliography 519
Name Index 558
Subject Index 566

FOREWORD

Predicting the future is generally a hazardous thing to do. We can make one prediction, however, with 100 percent certainty: Modern medicine will change dramatically in the future. Throughout history, medical theory and practice have been extraordinarily dynamic: change has been the rule.

What will "future medicine" look like? It is certain to retain its technological face. There will be further developments in immunology, genetic manipulation, and transplant science. New fields such as psychoneuroimmunology will continue to evolve. Entirely new breakthroughs in high-tech medicine will also emerge, probably on fronts we cannot now imagine. But perhaps the most important area in which radical change will occur is our understanding of the nature of consciousness and its role in healing.

Many in the field of so-called holistic or complementary, alternative medicine believe that future developments in using "the power of consciousness" will be limited to the intrapersonal area-the purposeful use by an individual of his or her thoughts to bring about healthful effects in his or her body. There is a wealth of clinical data supporting this possibility. For example, by using mental techniques in conjunction with diet and exercise, coronary artery disease has been reversed. People who had been so severely disabled by heart disease that they were scheduled for cardiac surgery have been able to alter their own bodies to the point that they are able to exercise normally. Group dynamic therapy, in which feelings are allowed to surface freely and are then explored, has been shown to correlate with a doubling of survival time following the diagnosis of metastatic breast cancer, when used in conjunction with standard forms of therapy.

These developments, as marvelous as they are, are the tip of the iceberg of the power of consciousness to intervene in illness. We face abundant evidence that an individual's mind can affect not just his or her own body, but may affect the body of a another person, sometimes at a great distance. Much of this evidence is reviewed in Volume I of *Healing Research*. This evidence is crucial in formulating a comprehensive image of the mind, and is extended in Volumes II, III, and IV.

Healing Research asks the reader to set aside all preconceived ideas of how the mind ought to work. It asks us to venture to the frontiers of science-to go through the emerging data about the nature of consciousness, not around it.

Today, most scientists equate the mind with the chemistry and anatomy of the brain. There are, however, serious reasons to question this belief. There is compelling evidence that there is some aspect of the mind that cannot be confined to points in space, such as brains or bodies, or to points in time, such as the present moment. Such an aspect of the mind is said to be nonlocal.

The spiritual implications of a nonlocal view of the mind are rich indeed. Nonlocality, as currently conceived within science, implies infinitude in space and time (a limited nonlocality is a contradiction in terms). If something of the mind is nonlocal, therefore, it is omnipresent, eternal, and immortal. If some aspect of consciousness is nonlocal, it cannot be confined to individual brains and bodies and walled off from all other minds. At some level, nonlocal minds must merge, leading to the ancient idea of the Universal or One Mind. Then there are implications of a nonlocal mind for the concept of our relationship to the Absolute (God, Goddess, the Divine and so forth). In the West, we have traditionally assigned certain qualities to the Absolute-omnipresence, immortality, infinitude in space and time. These are precisely the qualities suggested by the empirical evidence for a nonlocal aspect of consciousness. This implies shared characteristics between human beings and the Absolute-the idea of 'the Divine within,' which has occupied a high place in so many of the world's great religious traditions.

Nonlocality of consciousness permits phenomena such as intuitive diagnosis and healing at a distance, amply evidenced in the anecdotes and research reviewed in this volume; biological energy medicine, reviewed in Volume II; and reincarnation, apparitions, out-of-body experiences, and the like, reviewed in Volume III-although it cannot confirm them. One cannot defend such robust claims in a foreword. This has been done elsewhere, and that is one of the tasks of *Healing Research*. A familiarity with the possibility of nonlocal mind allows the discussions in these volumes to feel less strange, and makes it possible for us to be more open to the evidence.

As we enter a new millennium, we are in the process of reevaluating our fundamental ideas of the nature of human consciousness-its space/time/energy characteristics, how it manifests in the world, and its relationship to the brain and body. Current theory is being expanded so drastically that in the future it will hardly be recognizable, except by persons with a knowledge of the history of these ideas. Oddly-or perhaps predictably-the picture of consciousness coming into view within science resembles many ancient ideas of the mind: mind as infinite, mind as creative and generative, mind as a unity, mind as divine.

Because these ideas are ancient, there is a temptation to think that the emerging evidence of the mind's nonlocal nature is somehow old-fashioned or wrong. But in science it does not matter what we think about an idea; what counts is what can be demonstrated. That is why many of these ideas are likely to survive, old as they may be: they rest on empirical evidence.

If the emerging picture of the mind is old, why do we need science? Why not go with the ancient models? There are several reasons. One is that we are obliged to construct our own world view, our own "story" of our existence, although we may be guided by the prior wisdom and experience of others. If we appropriate wholesale someone else's world view, it is unlikely to serve us well because it will not be genuinely and authentically our own. Furthermore, a culture's "story" always changes: if it does not evolve, it ceases to impart life, and ossifies and dies. Also, our story cannot be like the story of earlier cultures because, for better or worse, we honor the language and methods of empirical science. This means that if our picture of consciousness is inconsistent with science, it is unlikely to prove satisfying. Science is our language, and our story of who we are needs to be anchored in it.

When the history of the exploration of the role of consciousness in healing is written, Daniel J. Benor will occupy an important place. His research and writings have been very instrumental in forming the new picture of the mind. He has glimpsed the emerging vision, and he has had the courage to attempt to share it.

Larry Dossey, M.D.

Co-chair, Panel on Mind/Body Interventions
Office of Alternative Medicine
National Institutes of Health
Bethseda, Maryland, U.S.A.
Author of *Healing Words*, and Editor of the *Journal of Alternative Therapies*.

ACKNOWLEDGMENTS

My thanks to all the authors, journals and publishers who agreed so generously to permit me to quote their works. My thanks to all the healers who have given of their time and who have shared openly of themselves, explaining to this initially skeptical scientist about their work and beliefs.

My deepest thanks to the healers who have given me healing. It is through the experience of having healing that I have come to know most about myself, about healing, and about what feels important in the world.

My special thanks to Larry Dossey, who has been an inspiration and support in my work. In his many books he has articulated wholistic and spiritual concepts and has promoted awareness of research in these areas. I am also grateful personally that Larry included an early summary of *Healing Research* in his well known book, *Healing Words*.

I am grateful to J. Warren ("Jack") Salmon, Ph.D. for his review and helpful comments on an early edition of the MS of this book, and to Kathy Falk, MD for her editorial inputs in sections of the revised edition.

Acknowledgment is made to the following for permission to quote longer excerpts from copyrighted material:

American Journal of Acupuncture, for excerpts from Kenneth Sancier, Medical applications of qigong and emitted qi on humans, animals, cell cultures and plants, 1991.

Image: Journal of Nursing Scholarship, for materials from Patricia Rose Heidt: Openness-a qualitative analysis of nurses' and patients' experiences of Therapeutic Touch, 1990, 22(3), 180-186, Copyright © by Sigma Theta Tau International, used by permission.

Nancy E. M. France, *Journal of Holistic Nursing* I 1 (4), p.319-33 1, Copyright ©1993 by Sage Publications, Inc; Reprinted by permission of Sage Publications, Inc.

Quotes reprinted from *Pain,* 1990 Supplement, Meehan , T.C. et al., The effect of Therapeutic Touch on postoperative pain, p.. 149, Copyright 1990 with kind permission of the publishers.

Pamela Potter Hughes, *Journal of Holistic Nursing* 14(l), p.8-23, Copyright © 1996 by Sage Publications, Inc., Reprinted by permission of Sage Publications, Inc.

Kenneth Sancier, East West Academy of Healing Arts, Menlo Park, CA, for excerpts from the Qigong Database

INTRODUCTION

Miracles do not happen in contradiction to Nature, but only in contradiction to that which is known to us in Nature.

St. Augustine

This volume is a supplement to the popular edition of *Healing Research*, Volume I. This supplement includes only the chapters on research: Chapter 4, with randomized, controlled studies, and Chapter 5, with exploratory research. The presentations in this volume are much more extensive, including detailed descriptions of the studies and information on statistical analyses. The introductions and summaries before and after the studies are for the most part identical to those in the popular edition.

The popular edition includes a detailed introduction to spiritual healing.* [1] Chapter 1 shares descriptions from a broad spectrum of healers on what they do and how they do it. Chapter 2 reviews studies of healers' abilities to produce effects on non-living systems (such as water, electromagnetic instruments and photographic film). Chapter 3 discusses psi (parapsychology) and how healing appears to fit within the spectrum of psi effects.

For those who elect to read only this Supplement, a few paragraphs from the popular version are replicated to explain some of the basics of healing.

Healers practice in every country in the world. They report they can help to improve nearly every malady known to man. In rare instances they facilitate very rapid, "miraculous" cures for illnesses for which conventional medicine offers only a diagnosis and disheartening prognosis. Far more often they provide a modest amelioration of suffering and a healthier perspective.

Healing in the forms of prayer, healing meditation or the laying-on of hands has been practiced in virtually every known culture. Prayers and rituals for healing are a part of most religions. Reports of folk-healers are familiar from legend, the Bible, anthropological studies of traditional cultures, the popular press and more recently from scientific research.

---

*First a note on endnotes. As a reader of others' endnotes, I have been frustrated by not knowing whether I will find information or a reference when I got to the back of the book, and annoyed when I found whichever type that I was not interested in. For readers of this book there is the following code: Endnotes in ordinary numerals are bibliography references when more than two sources are cited. Those *italicized* are cross-references within the four volumes of *Healing Research* and may contain ordinary references as well. Those **bold** contain information, and occasionally bibliography references, too. ***Bold and italicized*** are combinations of the last two. Though this may seem complicated at first, it will be helpful as you get used to it.

There are two broad categories of healing. In the first, prayers or meditation for the ill person's return to health are conducted either by an individual or a group. The healer(s) may be at the side of the healee[2] or may be many miles away. The second form of healing involves some variation of a laying-on of hands. Healers place their hands either on or near the body and may move them slowly or in sweeping fashion around the body. The two forms of healing are not mutually exclusive.

I prefer the term *spiritual healing* or simply *healing*. Others favor *intuitive healing, mental healing, psychic (psi) healing, faith healing, bio-energy-therapy*, or any of an enormous variety of other names. (See Table Intro.-1.)[3] All touch upon some part-truths in a phenomenon that *Healing Research* explores in depth. The difficulty in choosing an appropriate term reflects our ignorance of mechanisms involved in the healing process.

A wide spectrum of sources was tapped for this book. I hope that the availability of the literature presented here will excite interest in healing, will alert more people to its benefits and will facilitate further healing research. Volumes I and II appeared in European editions in 1992-3. This revised edition includes many new research reports[4] and personal observations of healers that were not available for the first edition. I include many quotes from healers in Volume I because I feel it is essential to present the words of other explorers in the realms of healing in addition to my own. We are discussing inner experiences that are difficult to put into words. Because of the limitations of language to describe inner experiences, each is only an approximation of the truth. The more points of view we have, the greater will be the accuracy in sorting out the common denominators between the views. I point out important features of each anecdotal and research report in my introductory remarks and summarizing discussions. I do not limit the reports to those features, because if I did so I would be imposing my own biases upon the reporters—who may have presented us with gold that I could have mistakenly taken to be dross.

For the purposes of this review *spiritual healing* is defined as a systematic, purposeful intervention by one or more persons aiming to help another living being (person, animal, plant or other living system) by means of focused intention, hand contact, or *passes* to improve their condition. Spiritual healing is brought about without the use of conventional energetic, mechanical, or chemical interventions. Some healers attribute healing to God, Christ, other "higher powers," spirits, universal or cosmic forces or energies; biological healing energies or forces residing in the healer; psychokinesis (mind over matter); or self-healing powers or energies latent in the healee. Psychological interventions are inevitably part of healing, but spiritual healing adds many dimensions to interpersonal factors.

Table Intro.-1.
Many names speculate on the forces or energies associated with healing.

NAME FOR ENERGIES/ FORCES	SOURCE
Qi (pronounced *chee*; alt. sp. *chi, ki*)	Ancient Chinese, Japanese
Prana	Ancient Hindu
Atua	Maoris (New Zealand)
Mana	Pacific civilizations, parts of ancient Europe
Pneuma	Pythagoras
Vis medicatrix naturae	Hippocrates
Archaeus/Mumia	Paracelsus
Gana	South America
Astral light	Kabbalists
Vital fluid	Hermes Trismegistus
Universal fluid	Jan Baptista von Helmont; Franz Anton Mesmer
Odic force	Baron Karl von Reichenbach
Orgone energy, *Od* or *Odyle*	Wilhelm Reich
X-Force	L. E. Eeman
Life beams; *Spiritus*	Robert Fludd
Prephysical energy/biomagnetism	Geroge de la Warr
Eloptic energy	T. Galen Hieronymus
Reiki	Usui (Japan)
Astral Light	H. P. Blavatsky
L-fields	Harold S. Burr; Leonard Ravitz
T-fields	Edward Russell
DC fields	Robert Becker
Telergy	Brother Macedo
Paraelectricity	Ambrose Worrall
Psychotronic energy/Bioplasma	Soviet and Eastern European healers and researchers
Biothermal reaction	Alexei Sergeyev
Zoophoretic light	Gordon Turner
Non-Hertzian fields	Glenn Rein
Distant Mental Influence on Living Stystems (DMILS)	William Braud
Love energy	Benor

A wealth of research, some rigorous, some not, and a wide range of anecdotal evidence demonstrate that healing, biological energy fields and related phenomena exist. More controlled experiments have been conducted on healing than on all the other complementary therapies (with the exception of hypnosis and psychoneuroimmunology).[5] There is significant evidence for healing effects on enzymes, cells in the laboratory, bacteria, yeasts, plants, animals, and humans. These findings challenge Western medicine to make major adjustments in its basic understanding of health and illness, and reflect more general winds of change overtaking western science.[6]

Many scientists will dispute my interpretations of findings reported in this book. They will seek explanations within conventional science to account for unusual healings. Skeptics often argue that healing cannot be more than the effects of suggestion, that is known to promote self-healings of many physical problems. There are, for instance, endless cures for warts, such as buying them off someone, painting them with various nostrums, praying them away, burying a piece of paper under a tree during the full moon with the wish written on the paper that the warts should be gone; and the like. Various researchers have confused these sorts of cures with healings. Such wart cures all have the common denominator of suggestion that enable people to cure themselves.

The mechanical and biochemical models favored by conventional medicine cannot explain many aspects of health and illness. The mind and body are intimately linked, each influencing the other. For example, hypnotic and postanesthetic suggestion can dramatically alleviate pain and other post-surgical discomforts and complications.[7]

Despite the rigorous research reviewed in this book, the revolutionary ideas associated with healing and energy medicine are so radical within Western scientific paradigms that they are often ignored or totally rejected.[8] Theories to account for healing phenomena are presented in Volume IV, Chapter 2. Many of these theories have been handed down from the earliest recorded history and are part of the customs and understanding of many other cultures but are alien to Western, Newtonian scientific thinking.

Many studies of healing have been published in journals of complementary/ alternative therapy and parapsychology. Most of the parapsychological journals have professional peer review systems.[9] A measure of the acceptance of parapsychology is that it is included as a subsection within the American Academy for the Advancement of Science.

Some readers will view with suspicion studies published in parapsychological rather than in medical journals. This is an unfair criticism. Until very recently, most medical journals have refused to publish articles on healing research because it is not within the accepted realms of Western medical practice and because it has not been published previously in medical journals. An entire issue of the *Journal of the American Medical Association (JAMA)* was devoted to such problems of publication bias (March 9, 1990).

Despite this earlier awareness of publication biases, the editor of *JAMA* in 1998, George D. Lundberg, M.D., demonstrated an egregiously glaring example of publication bias. He published a study (*done by a fourth grade student!!*) that only tested the abilities of healers to sense the energy field of the experimenter. Though the study produced negative results, it in no way assessed the subjects' healing abilities. The study is seriously flawed, and the adult authors (members of an organization that is anti-parapsychology and healing) grossly misrepresent the research evidence available in the published literature.[10] Nevertheless, Lundberg suggests that on the basis of the negative results in this study "I believe that practitioners should disclose these results to patients, third-party payers should question whether they should pay for this procedure, and patients should save their money and refuse to pay for this procedure until or unless additional honest experimentation demonstrates an actual effect." Newspapers such as the *New York Times* trumpeted the failure of healing on the basis of this article and editorial.

Chapter 4 reviews experiments meeting rigorous research standards, each followed by comments on its strengths and weaknesses.

Of the 191 controlled studies of healing, 83 (43.4 percent) demonstrate effects at statistically significant levels that could occur by chance only one time in a hundred or less ($p < .01$); and another 41 (21.5 percent) at levels that could occur between two and five times out of a hundred ($p < .02-.05$). In other words, just under two thirds of all the experiments demonstrate significant effects. This is an impressive body of research, including studies demonstrating healing effects on wounds, hypertension, pain, anxiety, depression, enhancement and retardation of growth of plants and of various organisms, and alterations in DNA.[11]

Studies performed by different researchers reassure us that initial findings were not due to chance results. There have been successful replications of studies of healing for increasing yeast growth, increasing and decreasing bacterial growth, enhancing plant growth, waking mice selectively from anesthesia, accelerating wound healing in mice, influencing human electrodermal responses, reducing post-surgical pain, reducing anxiety, treating problems in a cardiovascular intensive care unit, and treating AIDS.[12] See the *Most Significant Studies Chart* in Appendix C.

Chapter 5 presents less rigorous—though no less interesting—studies, followed by a brief discussion of shamanism.

Volume II reviews the spectrum of self-healing and energy medicine to clarify how healing may transcend ordinary and extraordinary mind-body interactions (like charming away warts).

Volume II, Chapter 1 explores psychological mechanisms for self-healing.

Volume II, Chapter 2 highlights aspects of the numerous complementary therapies proliferating today. Many of these variations on the theme of energy medicine have broad overlaps with healing.

Changes in the world of matter appear to require energy. Descriptions of healing phenomena also suggest that the process of healing may involve one or more biological energies (Benor 1984). Fields and energies in and near the body are discussed in Volume II, Chapters 3 and 4, and Volume IV, Chapters 2 and 3.

Healers find that spiritual changes often accompany treatments. Some healers report that spirits help in doing healing and that healings may include aspects of reincarnation. These, along with religious contexts for healing, are considered in Volume III. Psychic surgery, combining many aspects of energy medicine and mediumistic phenomena, is reviewed in Volume III, Chapter 7.

Spirituality is a facet to healing which is again alien to much of Western science. Volume III considers research which begins to confirm that consciousness survives death and that our spirit appears to be a vital part of our being. Many healers consider that the spiritual effects of their treatments are more important than the physical ones. After prolonged studies I have overcome my skepticism and agree with them—both on the basis of reason and of personal spiritual awarenesses that have opened within me as a result of my involvement with healing.

My own beliefs shifted as I immersed myself in writing this book. I set out to clarify the basis for believing that healing might be effective. From extensive reading in parapsychology I was receptive to that possibility. Although I had studied medical and psychological research, placebo effects, suggestion, hypnosis, biofeedback and other methods by which people can cure themselves, I was still skeptical of healing. Subsequent personal experiences and studies have convinced me that healing exists and is a potent therapy.

I have done my best to present the enormous complexity of healing as clearly as possible. As it is impossible to be entirely neutral in any such presentation, I have done my best throughout the four volumes of *Healing Research* to keep summaries of research separate from discussions and speculations. Brief summaries and observations precede and follow the statements of healers and researchers. In Volume IV, Chapters 2 and 3 I present broader and briefer topical summaries and discussions. In Volume IV, Chapter 1, I share my personal experiences of being a healee and of learning to be a healer, my Weltanschauung and biases.

The reader is challenged to join in the discussions and criticisms, and to suggest further theories to explain (or to explain away) the findings and healing theories considered here and in later volumes.

I dedicate this book to the scientists who brave their colleagues' skepticism, disapproval and sanctions against healing. They are exploring parts of a world that Western society has not only neglected but actually shunned. I take my hat off to those who have chosen to explore and champion subjects that are at best tolerated by much of the establishment, and frequently rejected out of hand. They risk their professional standing in researching methods and exploring new theoretical frontiers to help deal with physical, emotional, and spiritual suffering. These modern-day Galileos dare to question the credos of the established Newtonian scientific community; dare to suggest that mind and spirit are separable from brain but intimately integrated with the entire body; and dare to explore the implications and consequences of these beliefs. Although not threatened with burning at the stake, they risk inquisitions and ostracism by their peers, curtailment of research funds, and termination of employment.

I dedicate this book equally to the healers who have learned to trust their inner guidance and to provide a service that benefits healees, all the while braving the censure of disbelievers from scientific and healing communities.

The community of healing practitioners is divided into many houses, each with its own beliefs and practices, some separated off by thick walls or even with barbed wire. Sadly, many healers are no more tolerant than their critics when it comes to the beliefs of others. I hope that this book may serve to open the eyes and ears and hearts of healers to the many rooms in the mansions of healing. One may visit or live in any one room without rejecting the others.

EXAMINING THE EVIDENCE

Doubt everything or believe everything: these are two equally convenient strategies. With either we dispense with the need for reflection.

—Henri Poincaré

Science has viewed with skepticism anecdotal reports of healers such as those presented in Volume I, Chapter 1. Reports of healings contradict conventional beliefs too drastically. Scientists demand a theory consistent with conventional paradigms to explain healing.[13] They have a hard time acknowledging that modern science may not have arrived as yet at the final explanations of our cosmos, and that scientific theories may require serious modifications in the light of findings presented by *Healing Research*.

Because our understanding of healing is embryonic, research is essential to explain it and to help it become more generally accepted. Unfortunately, little systematic research was done with humans until the last few decades. This has fed the skepticism of Western scientists, resulting in a vicious circle.

Established institutions are unwilling to invest in studies of healing, so long as respected journals hesitate to publish works on healing. Since only a few *medical* publications on the subject are available, the scientific community remains largely ignorant of the considerable evidence of the nature and efficacy of healing. This, in turn, feeds the skepticism.

Scientists wish to protect the public from charlatanism. They recommend that treatments which are not sound and effective should not be used, and that explanations which are unsupported by research evidence should not be promoted.

Suggestion, hypnosis, and other mind-body mechanisms can bring about dramatic cures of many illnesses. In essence, these are methods of self-healing. Instances of alleged healings such as the healing of a headache may be no more than self-healings which are brought about by psychophysiological changes.

Healers have countless success stories like those of Volume I, Chapter 1. People often come for healing late in the course of their illnesses, often as a last resort, after many months and years of conventional treatments with less than satisfactory results. Healers argue that instances of significant improvements following healing, in chronic illnesses that did not respond to all that conventional medicine had to offer, should be convincing evidence that healing works.

However, some people experience spontaneous wanings of symptoms in the course of many illnesses. Scientists question whether self-healing factors may have produced the reported improvements rather than the spiritual healing.

Researchers seek to answer this question by conducting a *controlled* study of any new treatment, be it medication, surgical procedure, psychotherapy or any other ministration for illness. This is done in the following way: Individuals with similar problems are randomly assigned to two groups. The experimental group is given the treatment while the control group is given a treatment of known effect or no treatment. All other variables (such as age, sex, severity of illness) are kept constant between the two groups as far as possible. If people in the experimental group change more than in the control group, the treatment being studied is given the credit (Benor/Ditman).

In interpreting research results, scientists worry about two types of errors: *Type I errors* that lead us to accept as true or valid some findings that are really due only to chance; and *Type II errors* that lead us to reject as false other findings that are actually valid.

Statistical analyses indicate whether or not the differences between the groups are too great to be explainable as chance effects.

About one third of any group of people may respond readily to suggestions that they are getting an effective treatment. The power of suggestion (the *placebo effect*) could explain improvements which appear to be due to healing.

Even in a controlled study, if *experimenters* are aware of which treatment is being provided to which group, *they* may give subtle cues to members of the group receiving the experimental treatment that their condition *ought* to improve, or may unintentionally hint to the control group that they do not expect improvement (Shapiro/Morris). For these reasons it is common to run controlled experiments in *double-blind* fashion, concealing from the experimenters and experimental subjects which group is receiving the active treatment and which is the control group.

Randomization is a further precaution. Assigning subjects randomly between the experimental and control groups distributes extraneous factors as evenly as possible between experimental and control groups, leaving the variable under study as the one most likely to have caused any differences.[14]

Some studies use a *cross-over design with sequential self-controls*. In these studies each individual receives one form of treatment for a certain period and is then switched (if possible, without clinicians' or patients' knowledge of the timing of the switch) to an alternative treatment. Identical active drug and placebo pills can be used in coded fashion. This experimental design is especially appropriate for studies of drug efficacy in chronic illnesses where treatment alleviates symptoms but does not cure the disease. Because people serve as their own comparison, this design lessens uncertainty about whether control and experimental groups are comparable.

Western medicine, in its zeal to avoid making *Type I experimental errors* (of accepting as true something that is not), has sometimes gone to the extreme of a *Type II research error* (rejecting as being useless some treatments that actually are of value). In this way it has dismissed out of hand even a consideration of the possibility that healing may be effective. Western medicine behaves as Petrarch admitted, "I am so afraid of error that I keep hurtling myself into the arms of doubt rather than into the arms of truth."

How we interpret the results of experiments is a matter of personal belief and preference. There is no way to know whether we are definitely making a Type I or a Type II error. For this reason I discuss the results of studies in

Volume I, Chapter 4 from the vantages of more accepting and less accepting biases, leaving you, the reader to decide which appears more appropriate.[15]

To ensure that we do not reject valuable information as a result of rigorous standards for assessing healing effects, anecdotal reports and clinical observations that have not been verified by controlled studies are reviewed in Volume I, Chapter 1 and Volume I, Chapter 5. The latter also includes more systematic, in-depth studies of individuals' responses to healing through *grounded theory* research.

Cost effectiveness may also be assessed by research. This is an important element in these days of concern over spending for health care. Anecdotal reports indicate that people who have had healing need less medication and fewer visits to their doctors. One study of cost-effectiveness of healing in a primary care physician's practice confirmed that considerable savings are possible.[16]

Western science distrusts personal experiences and assumes that people cannot be *objective* in reporting what goes on inside themselves. It is assumed that we can be objective in reporting observations outside ourselves. In fact, *there is no such thing as objectivity*. We all interpret our perceptions in the light of our beliefs and expectations. We must even interpret the readings on the dials of an objective machine in order to derive meaning from them.

Let us summarize the several different ways to study healing:

1. *Personal experience*—providing individual, personal, direct and immediate inner awarenesses.

2. *Anecdotal observations*—helpful particularly when presented by an educated observer who can explore aspects of healing that those who are studied might not think to ask. As accounts of similar experiences begin to accumulate, directions for more focused research are suggested.

3. *Qualitative research*—systematic, very detailed studies of subjective experiences of individuals or groups of people. A start is made towards systematically exploring commonalties across the experiences of groups of people.

4. *Observational studies*—of larger groups of people, either selected by outcome and compared for prevalence of experiences which might explain the outcome, or selected by treatment and followed for outcomes.

5. *Randomized controlled trials (RCT)*—methodically comparing several groups of subjects who are randomly assigned to receive different treatments and then observed for differences between the groups to assess the efficacy of the treatments.

6. *Outcome studies*—following subjects after treatment for longer-term outcomes, including side-effects, quality of life, and cost-effectiveness.

Some readers will find the evidence sound but will have difficulty accepting the implications of the findings. This is a common problem when one's world view is challenged with new materials which appear to contradict "common sense."

Danger of Type I errors—of accepting as true something which is not, due to personal biases which may not be immediately apparent—are greater towards the top of the list. Danger of Type II errors—of rejecting as false something which is true—are greater towards the bottom of the list.

We are biased by our materialistic society to believe that anything that is not measurable through our senses is non*sense* or *immaterial*. Healing suggests that intuitive information may be valid in its own right, even if this information may appear to contradict the laws of the material world as we currently understand them. We have the same situation in modern theoretical physics, where explanations make no sense in terms of classical, Newtonian physics. Further analogies with modern physics and other hypotheses to explain healing are presented and discussed in Volume IV.[17]

Healing offers at least a non-toxic adjunct to conventional therapies for many illnesses and for this reason alone may prove to be a treatment of choice. With further research, it may also become a treatment of first choice. Healing aspects of other complementary therapies, in the framework of wholistic* medicine, are discussed in Volume II, Chapter 2.

This book challenges the reader to see the world anew. There is considerable evidence some individuals can heal themselves and others by what have been termed *paranormal* means. In Volume I, Chapters 1, 4, and 5 I have quoted liberally from a wide spread of reports in diverse publications because I fear that if I summarize the ideas of others, sifting their concepts through my understandings of them, I would be presenting my interpretations of these phenomena and not theirs.

The annotated bibliography of research on healing in Chapters I-4 and I-5 permits you to arrive at your own conclusions. I hope this review will challenge your imagination and stimulate further investigations of this important frontier, which has barely begun to be explored by science.

The reader may find a straight reading of these materials daunting. Skimming may suit better than plowing directly through. Studying the evidence for healing is rather like learning bridge. It is difficult to understand the suit of healing in the game of life until one has some comprehension of other parts, such as the trumps of dis-ease of mind that may lead to disease of body. Other points cannot be fully understood without an appreciation of the evidence for healing. An ancient Chinese proverb notes, "If you pull one blade of grass, you get the entire field."

The glossary can be of help in clarifying some of the terminology.

I highly recommend the serious reader to examine the original works reviewed and to the other references mentioned in the footnotes. Many more sources of material are available than could be summarized in this work, large as it is. I have tried to include as complete a sampling of relevant data as could be reasonably assembled in a single work.

The coherence that emerges from considerations of the diverse practices and theories considered in *Healing Research* can best be appreciated after reading the entire series.

* Please see the glossary for a concise definition of wholistic.

CHAPTER 4

CONTROLLED STUDIES

> *There is really no scientific or other method by which man can steer safely between the opposite dangers of believing too little or believing too much. To face such dangers is apparently our duty and to hit the right channel between them is the measure of our wisdom.*
>
> —*William James*

Does healing work? If so, how does it work? This chapter answers these two questions by carefully examining published research.

First, does healing work? Does research confirm that healing is an effective therapy?

The studies in this chapter explore in a methodical way the effects of healing on people, animals, plants, and other living matter like bacteria, yeasts, enzymes and DNA.

There are more scientific studies on healing than on most of the other complementary therapies.[1] If we could use the number of studies as a measure of success, healing would be an impressive therapy. Quality of research, however, must be considered as well as quantity. This survey will carefully consider the strengths and weaknesses of each study.

Controlled studies attempt to answer with precision a series of questions posed in a scientific manner, comparing a group given healing (the experimental, "E" group) with a second group which is not given healing (the control, "C" group). The C group must resemble the experimental group as closely as possible in order to accurately assess the variables being studied. The C group may be given a comparison treatment such as *mock* healing, to see whether the suggestion of healing may bring about improvements. Then a second Control group which receives nothing (the non-treatment group) should be included as a baseline for comparison with the other two groups. This provides as rounded a picture as possible. If mock healing alone is used for the C group, there is no guarantee that mock healers do not, in fact, give healing. If a non-treatment group is the only control, it is difficult to separate out suggestion effects from healing effects in the E group.

The following minimal information must be included in a research paper to assure that an experiment was performed to accepted scientific standards:

1. *Descriptions of selections of healees* must be clear in order to allow generalization of the results from one study to another. For instance, we must know whether a study of healing was conducted with people who were ill for a long time and had reached the end of the road of conventional medical treatment or with people who came for help for the first time. We also want to know whether healees volunteered or were selected by the researchers, as their motivations may differ greatly.

Age, sex, prior experiences with healing, and many other variables may influence the degree to which a given population responds or does not respond. As it is impossible to control every variable, it is important to randomize assignments of subjects.

2. *Randomization of subjects between E and C groups* distributes all extraneous differences as evenly as possible. Otherwise differences will be potentially *confounding* by biasing one or more of the groups to respond differently to the treatment under study. For example, if the average age or the chronic nature of problems in one group is much higher than in the other, then one group may be slower to respond to healing. The difference in results might not be due to the healing itself, but to the fact that healing may not have the same effects upon groups of people who are older or sicker, or on groups including more members of one sex.

If randomization equalizes all factors in subjects in the E and C groups, observed differences between experimental outcomes can then be attributed with greater confidence to differences in the treatments.

Furthermore, to preclude experimenter bias (conscious or unconscious) from influencing the distribution, random assignments of subjects should be with random numbers generated by carefully automated procedures, preferably outside the researcher's own laboratory. These might be automated random number generators or published tables of specially prepared random numbers.

Because it is often difficult for researchers to anticipate which factors will be relevant to assess at the start of a study, it is necessary to determine at the end of the study if any significant differences in demographic variables existed between E and C groups at the onset.[2]

3. *Blinds* are techniques for keeping subjects and experimenters unaware of which person is receiving which treatment. Blinds prevent experimenters and subjects from responding differently to E and C conditions according to preconceived anticipations of outcomes. Experimenters might otherwise bring about results through suggestion or placebo effects.[3] If a researcher believed in healing, for example, and no blinds were used, then that researcher might notice improvements in the healing group more than in the C group. The use of blinds ensures the impartiality of the experimenters who are evaluating the outcomes.

4, *Procedures employed in the experiment and measurements used to evaluate results* should be described in sufficient detail to enable others to replicate the study. Although it is impossible to duplicate precisely any biological experiment because of the indescribable complexity of subjects and healers and other relevant yet unknown variables, we must nevertheless make every effort to come as close as possible to doing so.[4]

5. *Data* must be presented in sufficient detail to permit independent evaluation of the results.

6. *Statistical analysis of differences between E and C groups* assures us that the observed differences are unlikely to have occurred by chance. If we are told that in the E group 25 out of 38 people treated with healing improved, while in the C group only 19 out of 41 improved, we would not know whether these are meaningful differences. Such differences could occur by chance. Statistical analysis can tell us *how likely* it is such differences indeed occurred by chance.

Statistics are reported as probabilities. We would like to have studies in which the findings were so unlikely to have occurred by chance (such as one time in a million) that the results are very convincing. In most studies the results are not so impressive. A scientific minimum for acceptable probability ("p"), representing a *true difference* between E and C groups, is that the observed results would have occurred only five times in one hundred (abbreviated as *p less than .05* or *p < .05*). Naturally it is more convincing to find results that are even less likely to have occurred by chance, perhaps less than once in a hundred (p < .01), or less than once in a thousand (p < .001) trials, and so on. However, if we set our criterion for acceptance too high, we risk rejecting some true effects. Therefore most scientific studies use a p value of .05 (1 time in 20) as the minimum criterion for acceptance of results as being unlikely to have occurred by chance.

Various experimental conditions require that particular statistical procedures be applied. As most readers are not trained in statistics, this information is included (whenever available in the original reports) in the endnotes.

In recent years, a *power analysis* has been added to the statistical analysis. This is a statement of the numbers of subjects that are required to reach a level of statistical significance with that particular experimental design.

These six requirements assure that an experiment was performed to accepted scientific standards.

The following two criteria are required in order to allow replication of a study of healing.

7. *Healers* should be described. Their different beliefs and expectations about outcomes of healing, levels of competence, and experience could account for variability between studies.

8. *Type and duration of healing and ritual practices* may vary widely between healers. At a minimum one would like to know whether touch, near or distant healing was employed, the duration of each treatment, and over how many days or months healers worked with subjects.

The studies in this chapter have been scrutinized for adequate attention to the above criteria. Where lacking, this has been mentioned in the comments following the review.

Some studies have been published without sufficient details to permit a fair assessment of their worth. This is especially true of a growing number of studies of qigong healing in China. These have been placed at the end of each section, with comments to alert readers to the fact that the report is translated and/or inadequately reported or a pilot study. These studies are not included in the tables that summarize the significance of the *series* of healing studies as a whole.[5]

Paradoxically, the more precise the question one studies, the more limited the information one obtains with the narrow, exact focus of science.

We would like to know whether any single study answers the question, *"Does healing work?"* Regretfully, science cannot answer this question definitively. With the William James caveat from the head of this chapter in mind, a **Discussion** is presented after each study. In these discussions attention is paid to the two possible research errors I have previously referred to: in a *Type I research error* one accepts as true something which is not true; and in a *Type II research error* one rejects as false something which *is* true.[6]

Colleagues and editors have suggested that I simply present my opinion of each study rather than forcing readers to decide between two alternatives. They say that readers simply want to know whether the studies are good or not. This completely misses the point that the studies (as with all research) simply present data. It is up to each reader to interpret the data. Open-minded readers will interpret the data one way, Skeptics will views it differently. Neither is all right or all wrong. One must decide whether one prefers to risk accepting the evidence as true when it might not be true, or of rejecting it a false when it might be true. My presentations of the polarities of acceptance and rejection will leave the reader with a more real picture, which is that most studies actually provide partial evidence.

Richard Broughton observed, "Scientific data do not arrive with little 'true' and 'false' labels attached to them. On the controversial frontiers of science, be they in medicine, physics, or parapsychology, each scientist has to make decisions regarding whether to accept or reject certain data as representative of reality. It is at this point that science ceases to be objective, because in making those decisions each scientist brings with him or her the full weight of past experiences as well as preconceptions and simple blind prejudices."

Research is a never-ending process of refinement of observations—to confirm or to modify our theories. This book will take you into the experience of the *process* of research and interpretations of research evidence. Our world is not the black and white place that Western science would like it to be. Not only are there many intervening shades of gray, but there are all the colors of the rainbow in between. Spiritual healing is particularly prone to rainbows of possibilities.

In walking the fine line between possible Type I and Type II research errors, I take a conservative view in this chapter, strongly biased in the direction of refuting endence that does not demonstrate the efficacy of healing beyond a reasonable doubt.

Obviously, the review and assessment of studies is a complex matter. At the end of the discussions following each study I have made my assessments of the studies according to the following rating system.

I. **Excellent study**, including all the items required for a blinded, randomized controlled study, with adequate reporting of data to confirm the results.

II. **Study lacking in some details**, but reason suggests the flaws are not serious.[7]

III. **Details available are seriously deficient**, such as when essential data to support reported findings are missing. Regretfully, I have had to include many dissertations in this category, as I have not had the resources to obtain more than the dissertation abstracts for many doctoral and masters' studies. Post hoc findings are also included in this category.

IV. **Critical elements are missing**, such as blinds, any form of randomization, or a clear confound was suggested by the researchers or myself.[8]

V. **Poorly designed study**, where it is unlikely that significant effects could be found. The otherwise excellent study of Schlitz/Braud (1985) is in the category because healers were required to produce a healing effect within a timeframe of 30 seconds, alternating with 30 second periods of non-healing. Healing simply isn't turned on and off at will within such brief time periods. Healers have to center themselves and take some time to enter the healing state of being.

I have been stringent in rating the studies. I feel that we must be as careful as possible in assessing these studies, to rule out any shred of possibility that confounding factors other than healing might have produced the observed results.

This is not to say that studies rated III or IV are necessarily poorly-conceived studies. Many are simply limited by a serious flaw in an otherwise excellent design and execution—such as neglecting to check whether medications taken (types and timing) by subjects in the experiment and control groups were similar. Other apparently good studies are limited by inadequate reporting of their methodology, data, or analyses.

There are other systems for rating studies. One commonly used is that of A.R. Jadad and colleagues. I am unhappy with this one in particular because it can give what I consider a falsely high rating to a study I would rate as category V.[9]

I am impressed with the quality of evidence in favor of healing. Considering that we are in the early days of healing research and that most of the studies were done without financial support, the body of evidence is all the more impressive.[10] Rigorous studies with humans are far more difficult to design and execute than studies with less complex organisms. Many of the more tightly controlled studies are with animals, plants, and other non-human subjects.

Our second question is far more challenging: How does healing work?

The studies in this chapter provide many clues to ways in which healing may work.

1. *Clinical efficacy* is established by those studies that demonstrate that healing alleviates particular symptoms, objectively identifiable diseases, and subjective dis-eases. Studies in humans and animals explore whether healing can be of benefit in wound healing, hypertension, pain, anxiety, and more.

2. *Mechanisms for the action of healing* are suggested by studies on effects of healing on human and non-human subjects. Animals, plants, bacteria, and other organisms lend themselves to more structured studies because they are less complex than humans and their environments can be more carefully controlled. Human studies are always open to extraneous influences such as psychological, social, dietary, and environmental factors which may alter the responses to healing. Although these variables are likely to remain unknown to the experimenter, randomization should distribute such variables evenly between E and C groups. When they are unknown, however, one cannot check whether this has been the case. A modicum of doubt as to the validity of research results must therefore remain even in the best of all scientific studies.

Another factor that makes research in healing difficult is that healing may work simultaneously on several levels, so that multiple mechanisms may be relevant. Healing, for instance, will usually be accompanied by some form of suggestion that may influence outcomes along with the healing.

With most studies, brief introductions and summaries are provided for those readers who may find the minute details of controlled studies too much to wade through. For readers with only a passing interest in research, there are also paragraphs at the start and end of chapter sections that summarize the focus and findings.

If you would like to sample the flavor of scientific research, I recommend the studies of healing on anesthetized mice. This series nicely illustrates the process of refining the questions posed in experiments so that the answers are ever more certain and precise. (See pp. 218–227.)

The mechanisms of healing are still a mystery. Healing appears to transcend the ordinary, accepted laws of science.[11] Clues to help resolve the mystery can be found in a careful examination of the controlled studies in this chapter and in the less rigorous studies and reports surveyed in Chapter 5.

HEALING FOR HUMAN
PHYSICAL PROBLEMS

*In research the horizon recedes as we advance...and
research is always incomplete.*

—Mark Pattison (1875)

A growing collection of controlled studies on human subjects has been
published since the mid 1980s.

   In the first two studies, physical effects of healing were studied for severe
heart problems in patients hospitalized in intensive care units.

Randolph C. Byrd

**Positive therapeutic effects of intercessory prayer in a coronary care unit
population** *(Southern Medical Journal* **1988)**

Byrd, a physician, summarizes his study:

> The therapeutic effects of intercessory prayer (IP) to the Judeo-
> Christian God, one of the oldest forms of therapy, has had little
> attention in the medical literature. To evaluate the effects of IP in a
> coronary care unit (CCU) population, a prospective randomized
> double-blind protocol was followed. Over ten months, 393 patients
> admitted to the CCU were randomized, after signing informed consent,
> to an intercessory prayer group (192 patients) or to a control group (201
> patients). While hospitalized, the first group received IP by
> participating Christians praying outside the hospital; the control group
> did not. . . . After entry, all patients had follow-up for the remainder of
> the admission. The IP group subsequently had a significantly lower
> severity score based on the hospital course after entry (p < .01).
> Multivariant analysis[12] separated the groups on the basis of the outcome
> variables (p < .0001). . . . These data suggest that intercessory prayer to
> the Judeo-Christian God has a beneficial therapeutic effect in patients
> admitted to a CCU.

There were no differences between groups on admission in degree of severity of
myocardial infarction or in numerous other pertinent variables.
   "Intercessors" were "born again" Christians who prayed daily and were
active with their local church. Three to seven intercessors prayed for each
patient. Intercessors were given patients' first names, their diagnoses and
updates on their condition and ". . . each intercessor was asked to pray daily for

a rapid recovery and for prevention of complications and death, in addition to other areas of prayer they believed to be beneficial to the patient." Significantly fewer patients in the prayer group required intubation/ventilation (p < .002) or antibiotics (p < .005), had cardiopulmonary arrests (p < .02), developed pneumonia (p < .03) or required diuretics (p < .05).

Despite the differences between groups, the mean times in CCU and duration's of hospitalization between groups were nearly identical.

Discussion

A. This study demonstrates significant effects of distant healing in cardio-pulmonary patients. It is curious that duration of hospitalization was not influenced, despite a specific focus by the healers on this aspect of recovery.

As Byrd notes, some of the patients in the control group may have had outsiders praying for them, which presumably would have reduced the differences between groups. If this is the case, the results are even more impressive.

It would be of interest to know more about the healers and their methods.

B. This appears to be an excellent study. It would be of help to have more details as to how blinds were maintained. Rating: I

Byrd's study has been criticized because he gave periodic feedback to the healers on patients' conditions during their hospitalization, thereby "diluting" the double blinds. It has also been pointed out that the various factors which demonstrated significant changes with healing were interrelated (Wittmer/Zimmerman).

The study of Byrd is one of the most cited studies in the healing literature. It was well designed, included large numbers of subjects, had excellent blinds, and produced positive results with distant healing in patients with severe cardiac problems. It is puzzling that despite the improvements in physical conditions duration of hospitalization was not shortened.

William S. Harris and colleagues

A randomized, controlled trial of the effects of remote, intercessory prayer on outcomes in patients admitted to the coronary care unit (*Archives of Internal Medicine* 1999)

Effects of intercessory prayer were studied in a randomized,[13] controlled, double-blind, prospective, parallel-group study of 990 consecutively admitted patients[14] on a coronary care unit (CCU) at the Mid America Heart Institute (MAHI), Kansas City, MO, over a 12 month period. There were 466 in the prayer group and 524 in the C group. No significant differences were noted in comorbid conditions, age, or sex between the groups. Neither patients nor staff knew the study was being done, and therefore informed consent was not obtained.[15]

Intercessors were recruited from the local community if they agreed with the statements: "I believe in God. I believe that He is personal and is concerned with individual lives. I further believe that He is responsive to prayers for healing made on behalf of the sick." Intercessors were randomly assigned to 15 teams, each with 5 members (total 75). Intercessors were 35% non-denominational, 27% Episcopalian, and the rest Protestant or Roman Catholic. Their mean age was 56 and 87 percent were women.

A secretary (blind to the subjects' diagnoses and severity of illness) phoned the team leader for a team, providing only the subject's first name. Prayer was offered individually, with team members having no contact with each other, except for the initial information from the team leader. The secretary kept the records of E and C assignments and no one else had access to them till the end of the study. The secretary had no contact with the subjects, data collectors, or statistician. Team leaders contacted the other four members of their teams, providing the subject's name and reminding them to log their name on the study form provided for this. Prayers commenced by at least one intercessor by the second day after admission to the CCU.[16] Intercessors were requested to pray daily over the following 28 days for " 'a speedy recovery with no complications' and anything else that seemed appropriate to them." Duration of prayer time was not specified. The 28 days covered the CCU patients' entire hospitalization in 95 percent of the cases.

An additional source of prayer was the hospital chaplain, for about five percent of patients who requested this.

Demographics were obtained and all assessments made from hospital records. The physician who reviewed the charts retrospectively for comorbid conditions at the time of admission was blinded. New events during the CCU stay were assessed by an internist and three experienced cardiologists. As no standard scales exist for the assessment of CCU cardiac status or progress,[17] the researchers developed their own, and assigned weighted values to various events, procedures and new diagnoses.

> . . . For example, if, after the first day in the CCU, a patient developed unstable angina (1 point), was treated with antianginal agents (1 point), was sent for heart catherization (1 point), underwent unsuccessful revascularization by percutaneous transluminal coronary angioplasty (3 points), and went on to coronary artery bypass graft surgery (4 points), his weighted MAHI-CCU score would be 10. Another patient might have developed a fever and received antibiotic treatment (1 point) but experienced no other problems and been discharged from the hospital with a score of 1. A third patient might have suffered a cardiac arrest (5 points) and died (6 points), for a total weighted score of 11 points. . .

Inter-rater reliability for the MAHI-CCU scores was high.[18]

A second, unweighted count of CCU events, procedures, and prescriptions was recorded, giving just one point for each event. For the above patients the scores would be 5, 1, and 2, respectively.

A third rating, the Hospital Course Score used in the study by Byrd,[19] was recorded as well, rating subjects' progress as good, intermediate, or bad.

Results: All data were analyzed blindly.[20] On the AHMI-CCU weighted scale, the E group scored $6.35 \pm .26$ compared to the C group, which scored $7.13 \pm .27$, an 11 percent difference ($p < .04$). On the unweighted scale there was also a 10 percent difference ($p < .04$). No significant differences were noted between E and C groups on individual components of the MAHI-CCU scores.

No significant differences between groups were evident in the Byrd hospital course scores, although there was a trend in favor of the E group.

Interestingly, median hospital stay was 4 days and no significant differences were noted between the two groups.[21]

Authors' Comments: It is puzzling why no significant effects were noted in this study on the Byrd scores. One possibility is that in Byrd's study the informed consent resulted in 12.7 percent of the patients refusing to participate, making the Byrd subjects a self-selected group. In the Byrd study the intercessors were given the diagnoses, severity of illness, and progress notes on subjects throughout the hospital stay and prayers were sent only until the time of discharge. In this study, no information was provided to the intercessors other than subjects' names. Prayers were sent for 28 days in every case, regardless of length of hospitalization.

Discussion

A. A modest but significant effect of distant healing is demonstrated in this study.

B. It is difficult to know how to assess a very limited effect with an assessment scale that has not been validated. Rating: I

Significant effects of distant healing are again demonstrated in patients in a cardiac intensive care unit.

There were differences between this study and the study of Byrd, in the information given to patients (and consequently in the selection of patients), in the information provided to healers, in the number of days during which healing was sent, and in the assessment scales that demonstrated significant differences. The scale used by Byrd did not show significant effects in this study.

Another significant aspect of the studies of Byrd and of Harris et al is that they are published in respected, conventional American medical journals. Until recently, most medical journals would routinely reject articles on spiritual healing.

This demonstration of absent healing introduces Newtonian medicine to the action of mind from a distance, "nonlocal consciousness" (Dossey 1993). One would hope that the benefits of such an inexpensive intervention would appeal to those who are claiming concern over the high costs of medical care.

Many people feel that there is a distinction between prayer healing and healing done outside of religious settings or frameworks. As yet there is no research which would validate this view.

The specter of AIDS increasing in countries around the world is frightening. Millions of people are now dying of AIDS in Africa, and millions of children are being orphaned. While palliative therapies are available, many of these have negative side effects and are very costly. As of this writing, no curative treatment exists. The following two studies explore the use of healing for AIDS.

Fred Sicher, Elisabeth Targ, Dan Moore, and Helene S. Smith

A randomized, double-blind study of the effects of distant healing in a population with advanced AIDS, (*Western Journal of Medicine*, 1998)

An earlier six-month pilot study of healing (by these authors) for 10 people with AIDS compared with 10 who did not receive healing showed promising results. None of the E group died, compared with four who died in the C group. This was an inconclusive exploration, however, because the average age of the C group was older than the E group. This study ended in January 1996, prior to the introduction of "triple drug therapy"[22] for AIDS, which has proven to decrease mortality significantly.

Another randomized, double-blind study was then done at California Pacific Medical Center's Complementary Medicine Research Institute. This study examined the effects of distant healing on 40 volunteers (37 men, 3 women) who had advanced AIDS.[23] Volunteers were solicited through local advertisements. Diagnoses were confirmed by standard criteria for HIV+ disease. Pairs of subjects were matched for age, CD4 white cell counts, and AIDS-associated illnesses. They were randomly assigned to receive either distant healing or no healing. All received standard medical care from their own doctors, at several different medical centers.

Healing was sent by 40 healers in various parts of the United States. All healers had at least five years' experience, including treatment of AIDS, and were accustomed to sending distant healing. There was never any contact of any sort between healers and subjects. Healers had only the first names and photographs of five of the subjects. They sent healing for an hour each day, six days per week, over a 10-week period. Healers were rotated randomly in weekly healee assignments, so that every healee had 10 different healers who sent healing over the course of their treatment. Healers' religious backgrounds included Christianity, Buddhism, Judaism, Native American and other Shamanic traditions, and healing traditions included several modern-day healing schools. Healers' average length of practice was 17 years. Subjects and doctors were blind to who received the healing and to when the healing was sent.

Physical condition was assessed on a Wahler Physical Symptom Inventory (PPSI), and a Medical Outcomes Survey (MOS) for AIDS measured quality of life. After six months, a medical chart review was conducted by a doctor who was blind to E and C assignments.

Results: There were no significant differences between E and C groups on demographic and study variables prior to the start of healing treatments.

At six months following the initial assessment, E group had significantly fewer AIDS-related illnesses (p < .04) and lower mean severity of illnesses (E 0.8; C 2.65, p < .02). Visits to doctors were less frequent in E (9.2) vs. C (13.0) group (p < .01), as were hospitalizations of E (0.15) vs. C (.6) group (p < .04), and days in hospital for E (0.5) vs. C (3.4) group (p < .04).

Mood was assessed on the Profile of Mood States (POMS). Again there was significantly more improvement in E (-26) vs. C (14) group (p < .02).[24] A higher mean score (not significant) was found in the E group at baseline. This could have contributed to the greater improvement shown on this variable. CD4 counts and scores on the WPSI and MOS did not differ significantly between the two groups.

At the end of the study, those subjects who had had recoveries from illnesses were more likely to guess correctly that they had been in the E group (p < .05), although this was not so when this factor was explored at the midpoint of the study.[25]

All six of the cultural minority subjects were randomized into the C group. Though they had more hospitalizations, this was not a significant finding.

The authors point out that the overall improvements appear to indicate "a global rather than a specific distant healing effect." They suggest that measures of viral load and activity of natural killer (NK) cells may be more useful measures of healing effects than CD4+ counts.

Discussion

A. Excellent study, demonstrating significant effects of healing on AIDS.

B. Excellent study design and reporting. However, no comparisons between groups were made on the treatments used, administered by different doctors at different treatment centers. It is possible that there were significant differences between groups in these or in other unidentified variables, with the E group receiving medical treatment which gave them some advantage compared to that given to the C group. Rating: II

It is particularly encouraging to have a study showing significant benefits of distant healing for AIDS. I hope this study will encourage replicating research.[26] It would be particularly useful to have research with a tighter design, having both experimental and control groups treated at the same center under the same treatment regimen.

Clare Thomasson Garrard

The Effect of Therapeutic Touch on Stress Reduction and Immune Function in Persons with AIDS (Immune Deficiency), **(doctoral dissertation, University of Alabama, 1996)**

Garrard explored the effects of Therapeutic Touch (TT) and Mock TT (MTT) treatments on 20 men between the ages of 22 and 34 who were HIV positive.[27]

TT is a potentially important method for treating AIDS, because no cure is known. When CD4 counts (the type of white cell which is deficient in AIDS) are below 500/cu mm., people with AIDS are prescribed various therapies which can help[28] but commonly have serious side effects. Antiretroviral therapy (AZT) can produce headaches, muscle pains, insomnia, and anemia. With further decreases of CD4 cells, other agents are given, including "DDI, DDC, and aerosolized or intravenous pentamidine" (Garrard, p. 39; Flaskerud). These may cause hypoglycemia, peripheral nerve changes, and pancreatitis. Furthermore, HIV viral strains resistant to all of these agents have developed (Larder, et al.).

Methods: One TT healer with six years' experience administered TT treatments for 20 minutes to the men in the TT group, using five of those minutes for assessing the energy field and 15 minutes for treatment. All subjects wore headphones and sleep masks so that they would not be aware of the presence of the healer. In the MTT group, the healer entered the room silently and was there for 20 minutes without giving healing.

Two measures of healing effects were made:

First, CD4 counts were taken prior to treatments and after three, six, and nine weeks. In people with AIDS, CD4 cell counts usually decrease by 7/cu mm every month (Bartlett).

Second, the Coping Resource Inventory for Stress (CRIS) has 280 questions which assess "coping resources which are believed to help lessen the negative effects of stress. These . . . consist of personal behaviors, attitudes, and beliefs which are largely modifiable through training and skill acquisition" (Garrard p.7; Matheny et al.). The CRIS was given prior to treatment and at 9 weeks.

After consenting to participate, the men were matched for age, medications, and CD4 counts before being assigned randomly to TT or MTT by a coin toss. Each man was given a code number which was used on the laboratory samples and the CRIS. CD4 counts, CRIS tests, and data analyses were handled by outside agencies.

Results: TT and MTT groups showed no significant differences on the initial CD4 counts or on the initial CRIS items which are considered "wellness inhibitors." However, the pretreatment scores of the TT group ranged 33.7-43.9, a much narrower range than those of the MTT group, which were 4.8-90.8.

Significant differences[29] were found in the CD4 counts at week 9 between TT and MTT groups (p < .05).[30]

The coping resource effectiveness (CRE) scores of the CRIS in the TT group showed significant improvements at week 9 (p < .0001).[31] CRIS subtests which indicated changes included Self-Directedness, Confidence, Acceptance, Stress Monitoring, Tension Control, Structuring, and Problem Solving. The MTT showed no significant changes on the CRIS.

Checks on internal consistency of responses revealed that two men in the TT group responded randomly to the questions.

Garrard speculates that in addition to any direct effect of TT on AIDS, TT might also help by decreasing stress responses. Inhibitions of the immune system, particularly in natural killer cells and T lymphocytes, has been associated with stress (Kiecolt-Glaser et al.).

Discussion

A. Significant effects of TT on white cell counts and on stress are demonstrated by this study.

B. This study does not confirm that TT is effective in treating AIDS.

The much wider range of initial CRIS scores in the MTT group compared to the TT group leaves the possibility that the MTT group included men who were under greater stress or coped more poorly with stress. The fact that two men in the TT group responded randomly to the questions may have contributed to the significant effects. Rating: IV

These two studies are of great importance because thus far there have been no curative treatments for AIDS. The second is of particular note because stress appears to contribute to the deterioration of health in HIV positive people, and HIV illness is very stressful. A treatment that can improve both aspects of this disease, with no known side effects, is most welcome.

Anxiety and stress bring about changes in the immune system. Changes in circulating immune proteins such as immune globulins (Ig) and lymphocytes may thus provide measures of physiological stress responses, as in the following study.

Melodie Olson, Nancee Sneed, Mariano LaVia, Gabriel Virella, and Ramita Bonadonna

Stress-Induced Immunosuppression and Therapeutic Touch (*Alternative Therapies*, **1997**)

The authors anticipated that students who were to take their professional board examinations would be highly stressed and would show changes in their immune systems which could be influenced by Therapeutic Touch (TT). They hypothesized that a group of students who received TT would demonstrate the following specific changes in their immune systems as compared to another group of students who did not receive TT:

- Less decrease in immune globulins,[32]
- Stronger T-lymphocyte responses to mitogens,[33] and
- A stronger response to *Haemophilus* vaccine.

Methods: From a group of medical and nursing students who were within two weeks of their final exams, 22 who scored one standard deviation above average on anxiety scales were chosen. Exclusion criteria included significant weight change in the six weeks prior to exams, medication use for chronic conditions, or presence of acute or chronic illness or pregnancy. Students were randomized into E and C groups with a "sealed-envelope technique."

Stress was measured with the State-Trait Anxiety scale (STAI) and the Profile of Mood Scale (POMS). An Impact of Events Scale (Horowitz et al.) was modified to focus on the examination as the stressor which it assessed. Three stress assessments were made: one week and one day prior to the exams, and three weeks following the exams. Laboratory measures were made of lymphocytes and antibodies.[34]

Three TT treatments, at least 24 hours apart, were given by an experienced practitioner, following standard TT practices (as described by Heidt). The C group was given the same assessments but had no treatment interventions.

Results: Measuring immune system values after TT treatment on the day prior to the exams, significant differences were noted for IgA and IgM ($p < .05$), and for a T-lymphocyte function (apoptosis, $p < .05$).[35]

E and C groups showed comparable levels of stress at the start of the study. The STAI scores changed in the expected direction but did not reach significance.[36]

The authors note that confounding factors might have included nutritional changes, especially as dietary intake might have been altered prior to exams. No differences on this variable were noted between groups by self-report, but closer monitoring would be required to rule this factor out. The presence of a caring person for the E group was not counterbalanced in any way for the C group, and might in some way have contributed to the observed results.

Discussion

A. A well-designed and reported study. A significant effect of healing on the immune system is noted, all the more impressive for the small numbers in the study.

B. As the authors note, the relaxing factor of presence of an accepting person (rather than the TT intervention) in the E group cannot be eliminated as the cause of the observed immune system changes. Rating: IV

The results of this study are a good supplement to the studies of Sicher et al and of Garrard, suggesting a healing effect on the immune system.

Further suggestive evidence can be found in the animal studies on qigong healing, reviewed later in this chapter and in the study of Quinn and Strelkauskas in the next.

In England healing is finding increasing use by general practitioners. Some refer patients to healers and others, like Michael Dixon, have invited healers to work in their offices. This study suggests ways in which healing can be helpful in clinical practice.[37]

Michael Dixon

Does 'healing' benefit patients with chronic symptoms? A quasirandomized trial in general practice (*Journal of the Royal Society of Medicine,* 1998).

Following a successful pilot study,[38] Michael Dixon recruited 57 patients in the clinic where he works with seven other primary care physicians. All had conditions that had been present at least six months, including arthritis (6), neck/back pain (6), depression (5), psoriasis (4), migraine/head pain (3), stress (2), post stroke (2), and (1) each limb pain, Crohn's disease/ulcerative colitis, and abdominal pain. Each of the above diagnoses was present also in the C group. In addition, the E group contained (1) each: leg ulcer, discharge in sinus, urinary tract infection, post myocardial infarction, post head injury, schizophrenia, and chronic cough. The control group had one person with phantom pains after amputation.

Methods: A research nurse assigned patients alternately to E and C groups after obtaining their consent to participate. E patients received 40 minutes of healing weekly for 10 weeks from a gifted healer, Gill White. The healer discussed each patient's symptoms and general well-being, then gave healing with her hands passing several inches over the body while she visualized white light passing through her to the patient. Relaxing music was played during the healing. C patients received routine care from their doctor, and were given healing 12 or 24 weeks later.

All patients were assessed at the start of the study and at three months on the Hospital Anxiety and Depression (HAD) scale (Zigmond/Snaith), and for physical and mental function on the Nottingham Health Profile (S. Hunt). At six months all the E and half the C groups were assessed again. In addition, patients scored their symptoms with the research nurse on a scale of 0 (no symptoms) to 10 (unbearable), and were also asked to report any changes they perceived in their symptoms at three and six months. Immune functions were assessed by assays of natural killer cells (CD16 and CD56).[39] The numbers of medical visits for E and C patients in the year prior to starting the study were compared with those during the six months following the study. The research staff was not blind to E and C conditions.

Out of 73 patients referred by their general practitioner to the study, 30 E and 27 C patients were entered in the study. The groups were similar in duration and severity of problems.

Results: After receiving healing for three months, the E group scored significantly better on symptoms scores (p < .05).[40] No significant differences were found at six months between the E and C groups. The self-assessments of "whether they thought their symptoms had improved or deteriorated" showed significantly more improvements in the E group compared to the C group at three months (p < .01)[41] and at six months (p < .05).[42]

E group affective states improved significantly more on the HAD anxiety scale than the C group at three months (p < .01),[43] and on the depression scale (p < .05)[44] and both anxiety (p < .01)[45] and depression (p < .05) at six months.[46]

On the Nottingham Health Profile, E group also showed significantly greater mean improvements than C group[47] at three months (p < .01)[48]. At six months the E group maintained its improvement, but there was no significant difference compared to the C group.[49]

The percent of CD56 and CD16 cells did not significantly change during the study for E or C groups.

Patients' self-assessments on changes in their medications suggested that E group was more likely to have a decreased need for medical treatment (p < .05),[50] but these self assessments were not corroborated.

In summarizing the study, Dixon observes that 52 percent of the patients reported substantial improvements after healing, when they had previously been unresponsive to conventional treatments. None were worse. After six months the general sense of well-being was better maintained than the improvements in specific symptoms.

He notes that the lack of blinds, the sequential rather than random assignment to E and C groups, and the small numbers leave the results more in a category of a pilot investigation than a confirmatory study.

Discussion
A. Significant effects of healing are demonstrated for patients in general practice.
B. The lack of formal randomization and the failure to impose blinds leaves the results of this study open to serious questions. Rating: IV

Most patient visits are to a general practitioner. This study is very encouraging, showing that a wide variety of chronic problems can respond to healing. The study also confirms the subjective impression of healers and other wholistic practitioners that quality of life is enhanced with healing, despite the fact that symptomatic improvements may not be effected or maintained over a long period of time.

The fact that the numbers of immune cells of patients in general practice did not increase with healing is an interesting finding. Healers speculate that healing probably enhances immune system functioning. This study suggests that if that is so, it is not generically so. It is more likely, in view of M. Green's and Garrard's studies that show significant effects of healing on immune cells in AIDS, that healing enhances immune functions when there is a specific need for this enhancement.

The next four TT studies explore healing effects on hemoglobin, a protein found in red blood cells, carrying oxygen to every cell in the body. These studies were done by Dolores Krieger, one of the originators of this method of healing, and are among the most frequently cited in the healing literature.

Dolores Krieger

Therapeutic Touch: the imprimatur of nursing (*American Journal of Nursing*, 1975); Healing by the "laying-on" of hands as a facilitator of bioenergetic change: the response of in-vivo human hemoglobin (*Psychoenergetic Systems*, 1976)

Krieger was intrigued with Bernard Grad's (1965) research,[51] which suggested an increase in the amount of chlorophyll in plants watered by healer-treated water. Knowing that hemoglobin is similar in chemical structure to chlorophyll, Krieger hypothesized that hemoglobin levels could be increased in humans with healing. In three separate experiments, Krieger reports significant effects in E versus C groups ($p < .01$ twice, $p < .001$ once).[52] Only one to two of the 28, 76, and 75 subjects in these studies, respectively, were anemic. The rest of the subjects had a variety of other diagnoses.

Oscar Estebany, the healer studied in Grad's experiments, was also the healer in Krieger's first three experiments. In Krieger's fourth experiment, 32 nurses who were taught to do Therapeutic Touch were the healers. Results on hemoglobin levels were again significant ($p < .001$).[53]

Psychological tests on the nurses confirmed Krieger's expectations that they had a self-actualized personality type.

Discussion
A. Krieger's pioneering studies show that healing is effective.

It is unfortunate that more detailed descriptions are not provided regarding healing touch treatments (duration; whether touch or near-the-body healing was used; and whether treatments were global and standardized or focal and individualized). She does not tell us how long the effects lasted. We don't know whether the results were *clinically* significant.

Krieger provided further details of the experimental conditions.[54] Patients in E and C groups were matched for hemoglobin and hematocrit levels. The patients were blind to whether they were in E or C groups and were selected for their willingness to participate in the study, without regard to diagnosis. The healing seemed especially effective in pernicious anemia, producing results within two hours.

B. Because raw data are not provided on hemoglobin levels in individual patients, independent analysis of the data cannot be made. In addition, blinds were not used for experimenters, and no randomization is mentioned.

Schlotfeldt adds a number of criticisms. Some of these criticisms appear to me to be questionable. I have indicated those questions in parentheses.

- Subjects were selected for the experiment according to the healer's intuition that the healer could help them. This might have biased the results. (If subjects were randomized properly, this criticism need not apply. Krieger does not mention randomization.)
- It was suggested that subjects could meditate to enhance the healing. The meditation and not the healing might have produced the results. (If both E and C group patients meditated, again this criticism may be irrelevant. It would be helpful to query the subjects as to their years of practice in meditation and whether they did, in fact, meditate during the study. A better design would have included separate groups which meditated, one of which received TT and the other not.)
- Time of treatment was not standardized and varied widely between patients. (This seems to me an irrelevant criticism, considering the nature of healing. Healing is not administered in arbitrarily "standardized doses" but rather according to the intuition of the healer regarding the needs of the healee.)
- No follow-up was done to check whether increases in hemoglobin were sustained.
- The demography of the C group is not described. They may have differed significantly from the experimental group.[55] Rating: IV

Scientists are always skeptical about research reports, particularly when they involve a therapy that is new or unfamiliar to them. Even though a given study may suggest that healing is effective, there might have been unusual, unnoticed conditions which produced the observed results of TT healing on hemoglobin in Krieger's studies. The laboratory may have made errors in measurements, the researcher may have made errors in calculations, and so on. It is therefore important for studies to have replications by independent scientists.

The next study is a replication of the Krieger's' studies on hemoglobin, using Reiki, a different form of healing.

Wendy S. Wetzel

Reiki healing: a physiologic perspective (*Journal of Holistic Nursing,* 1989)

Following the studies of Krieger which showed that Therapeutic Touch may increase hemoglobin levels, Wetzel studied the effects of Reiki healing on hemoglobin levels.[56]

A self-selected sample of 48 adults taking training in Reiki healing in California were given first degree Reiki training after a blood sample was drawn. A second sample was drawn 24 hours after the first. Ten healthy medical professionals who were uninvolved with Reiki formed the control group and had two blood samples taken 24 hours apart.

Changes in the hemoglobin and hematocrit values were analyzed using absolute numbers to determine the net change without reflecting directionality [i.e. there were both increases and decreases of hemoglobin levels]. Analysis of these data show a significant change in both parameters in the experimental group at the p < .01 level.[57] The control group remained homogenous and demonstrated no significant change . . . [T]he pre-test means of the control and experimental groups demonstrated no significant difference.

Wetzel notes that her study is limited by a lack of randomization, small control group, and lack of blinds for the experimenter who performed the fingersticks and read the hemoglobin and hematocrit values.

Discussion
A. A significant effect on hemoglobin levels is noted for the group undergoing Reiki healing training.

It is somewhat difficult to assess the significance of this observation because of a lack of clarity between Reiki *training* and healing *treatments*. The implication is that in learning to activate their healing gifts and applying this system, the healers also activate their own self-healing mechanisms. Alternatively, in this particular training group the students may have received healing from the teacher. The induction procedure, where the Master *inducts* the students into the Reiki healer state, may be equivalent to giving healing. In replicating this study one wouldn't know whether to replicate the training or the (presumed) treatment.

The increases and decreases in hemoglobin points to a dual effect of healing on hemoglobin levels.

In personal communication Wetzel speculates: "I feel that some individuals have overabundance of hemoglobin, and Reiki simply seeks to bring them to a level most beneficial to each individual . . . ."
B. To combine increases and decreases in hemoglobin and hematocrit values as a statistical test of the effects of healing seems illogical in terms of conventional diagnoses and treatments. Except in instances where an excess of hemoglobin is produced by the body, it is usually assumed that increases in hemoglobin are desirable and that decreases could produce anemia.

Furthermore, based on Krieger's studies, one would predict that hemoglobin and hematocrit levels should rise significantly. Wetzel predicted "a significant change" and is thus within the bounds of legitimate claim to significant results.

Where no blinds are employed, experimenters may bias the results to conform with expectations or to produce significant effects. Lack of randomization could introduce unknown biases. Rating: IV

The hemoglobin studies begin to confirm a positive answer to the question, "Does healing work?" Significant effects of healing are demonstrated in Krieger's and Wetzel's studies.

However, it isn't clear how meaningful these changes are. There can be statistical significance of a study while there is not a whole lot of clinical significance. In other words, there might be small changes that we can definitely identify but which wouldn't make a whole lot of difference in terms of a person's health. As Oliver Wendell Holmes suggested, "Certitude is not the test of certainty." Though Reiki influenced hemoglobin levels, further studies must be done on people with too little and too much hemoglobin to see whether their clinical conditions are improved as a result of the changes.

As Edward Whitmont noted (p. 37), "It is the glorious privilege of academics to know that they are on the track of knowing everything. It is the humble gloom of the practitioner to know that nearly everything remains uncertain and paradoxical."

If valid, these studies suggest one possible mechanism whereby healing may improve health. With anemia the lack of oxygen-carrying capacity of the blood can weaken an organism. If the anemia is corrected then the blood can carry increased oxygen to the tissues and organs of the body, helping one maintain health and fight off all sorts of illnesses.

The decreases of hemoglobin are unusual and unexpected. My personal experience and observations contributed by others indicate that Reiki seeks to return us to whatever physical state is most beneficial and in the greatest harmony.

Snel and Hol found decreases in hemoglobin in a study of healing for amyloidosis in mice.[58] Interestingly, a study of healing on red blood cell cultures (Straneva) produced effects in both directions.

W. H. Sullivan observed, "It is much easier to make measurements than to know exactly what you are measuring."

Healers believe that healing harmonizes the body's functions, facilitating and enhancing ordinary body processes so that the best possible physiological state of health is achieved. It is difficult to comprehend the functional benefits of a decrease in hemoglobin and hematocrit to the well-being of normal individuals. This suggests that conventional medicine might yet find benefits in a re-examination of the ancient treatment of bleeding, which was discredited as an effective treatment in a study of an influenza epidemic in the middle of the nineteenth century. It may be that there are problems other than influenza for which bleeding is helpful. It is of course helpful in the condition of polycythemia, a condition in which excessive numbers of red blood cells are produced. It may be helpful in other conditions as well, or there may be more people suffering from polycythemia than we appreciate.

Healers claim healing can help people come through surgery with less debilitation from physical and emotional stress and pain. The next two studies explore this possibility. Relaxation touch, a relatively new method, was the focus of the first study.

Concepcion Silva

The effects of relaxation touch on the recovery level of postanesthesia abdominal hysterectomy patients (Summary: *Alternative Therapies*, 1996)

Relaxation touch is an "energy-based technique . . . consisting of modulation and stimulation of the patient's energy, while the investigator was in a meditative state." It is based on Therapeutic Touch methods. The effects of relaxation touch were observed in postoperative patients who underwent abdominal hysterectomy.[59] Subjects were 35-65 years-old (average 46). They were assigned randomly,[60] to include 20 per group, to receive either relaxation touch for 20 minutes, a back rub with massage oil by the investigator for 20 minutes, or no treatment. "There were no significant differences among the three groups in the medical and family history, diagnostic category, surgical procedure, frequency of medications in the postanesthesia care unit, and the proportion of preadmitted versus same day admission patients." The back massage group differed significantly from the other groups in having longer times in surgery ($p < .04$) and longer times in the recovery room than the relaxation touch subjects.

Interventions were given by the author to all groups shortly following surgery and on the subsequent two days. Her mental focus was:

- Centering, a meditative state of consciousness which focused intent prior to relaxation touch.
- Focused attention on patient comfort during the back massage.
- Review of medical charts during no-treatment interval.

Assessments of recovery level relied on the Recovery Index developed by Silva, focusing on pulmonary, gastrointestinal, urinary, and motor activity.[61] Relaxation was assessed by systolic and diastolic blood pressures, pulse and respiratory rates. Assessments were made "daily for three consecutive days, beginning with the first postoperative day prior to the administration of a treatment. This was done to evaluate the effects of the treatment administered the previous day." The last assessments were at 72 hours postoperatively.

Notes were also made on vital signs, bowel treatments, and doses of self-administered narcotic analgesic.

Results: Relaxation touch produced earlier recovery (particularly in pulmonary and gastrointestinal systems) than either of the other conditions, with highly significant results after one ($p < .00005$), two ($p < .0001$), and three ($p < .00005$) treatments.[62] "Post hoc analyses indicated the experimental condition recovered faster than either control condition at all three points." Effects were prominent in the pulmonary and gastrointestinal systems, and no significant differences were noted in vital signs, bowel treatments, or narcotic use.

Discussion

A. A benefit of relaxation touch is demonstrated in enhancing postoperative recovery after hysterectomy.

B. Blinds for those assessing the status of the subjects are not mentioned and data are not presented. It is difficult to assess the validity of the findings without these. The longer time in surgery and recovery room for the massage group could account for their poorer responses. Rating: IV

Here we find suggestive evidence that healing may be effective in relaxing surgical patients, but too few details were presented to allow for full assessment of validity.

The following pilot study was done by Zvi Bentwich, an Israeli doctor I met when he was working in America.[63] *Bentwich started out a complete skeptic but felt the research which had been done on animals deserved to be extended to humans. He was kind enough to give me credit for designing the protocol for the study, the results of which he presented to my pleasant surprise at a wholistic medicine conference in Israel at which I was invited to present my work.*

Zvi Bentwich, S. Kreitler, R. Pfeffermann, and Daniel J. Benor

Effect of distant healing on recovery from surgery (Presentation at 2nd International Dead Sea Conference on the Anatomy of Well-Being, Tiberias, Israel, 1993)

Conference summary:

> Fifty-three men hospitalized for surgery of Inguinal hernia were divided into three groups before the operation, to receive either distant healing, suggestion healing, and no additional treatment, respectively. Distant healing was administered by healers located 30 miles away from the hospital. Suggestion was administered through taped messages following the operation. All patients were followed after the operation for 36 variables evaluating the recovery from surgery, and all completed a series of psychological questionnaires determining cognitive orientation (CO) of health and suggestion. The study was double-blind except for the suggestion group.
>
> *Results*: There was a significant difference between the healer group and the other groups in doing better by nine major variables used in the study (p < .05). There was a significant correlation between the CO for health and recovery from the operation, and there was no evidence for personality characteristics to account for these differences.

Bentwich notes that the study bears repetition with larger numbers. In personal communication he shared that he prefers to wait for replications before releasing further details of this study.

Discussion

A. A healing effect in enhancing recuperation from hernia surgery is shown in this study.

B. Regretfully, too few details have been provided by Bentwich to allow confidence in this report. Patient characteristics, randomization, target symptoms, criteria for measurement, raw data, and statistical procedures should be presented so that independent assessment of the results would be possible. Rating: III

This study suggests that healing can help people who are recovering from surgery, though it is unclear in which ways they were helped. Zvi Bentwich is a conservative researcher and prefers not to publicize results until he is certain that they are replicable.

The next series of experiments deals with the effects of healing on autonomic functions of the human body, such as blood pressure.

Robert N. Miller

Study of absent psychic healing on hypertension (*Medical Hypotheses*, 1982)

Miller states in his report, "A statistical study, which involved eight healers and ninety-six patients, was conducted to determine the effectiveness of remote mental healing."

Miller selected highly gifted natural healers to participate in the study who appeared able to produce significant clinical effects. Each healer sent distant healing to six patients, aged 16 to 60, under double-blind conditions. Improvements were assessed in diastolic and systolic blood pressure, pulse and weight.

Though randomization is not mentioned in the original paper, in personal communication Miller clarified that alternate patients were assigned to E and C groups as they were referred by the doctor. The only deviation from this procedure was an effort to maintain male/female balance among the groups.

> . . . First, the pre- and post-treatment data for each parameter for the healer-treated groups and for the control group were compared. Then the results of the four healers who had the highest number of returned patients were compared with the average of the control group. The final analysis was based on the number of patients who improved instead of upon the numerical change for each parameter.

In a report to the Holmes Center, Miller explains that not enough of the patients of the other four healers returned for post-treatment blood pressure measurements to permit statistical analyses of their results.

Results:

The statistical analysis showed a significant improvement ($p < .014$) in the systolic blood pressure of the healer-treated group as compared with the change in the control group.[64] There were no significant differences in the change of diastolic blood pressure, pulse, and weight of the two groups.

An analysis of the treatment procedures used by the eight healers who participated in this study reveals that the four Science of Mind Practitioners use the same general procedure. This consists of the following steps:

- Relaxation.
- Attunement with a Higher Power.
- Visualization and/or affirmation of the patient being in a state of perfect health.
- An expression of thanks.

Some of the healers concluded their treatment in a few minutes, one spent approximately ten minutes affirming the perfect health of each patient.

Of the four effective healers, three were Science of Mind Practitioners, and the methods of the fourth were similar.

Discussion

A. This study supports a belief that healing is helpful for hypertension. Even a modest reduction of blood pressure could be clinically helpful, both directly and in reducing the amount of medication needed.

Though specific medications are not tabulated, presumably their effects would be neutralized through randomization of subjects.

It would be of interest to know the normal medical treatments, since healing may interact better with certain ones than with others. It may be that healing has only a modest contribution to offer hypertensive people when given in addition to medications.

Though the *average* change was small, healing may be of help to *selected* patients with hypertension.

B. A serious flaw in this study is that the prescribed medications are not mentioned. It is conceivable that the observed differences between E and C groups were caused by this variable rather than by healing.

Another very questionable procedure is to select the best results for analysis, without reporting the remaining results.

Only the means of the blood pressures were reported. Therefore one does not know whether a small reduction occurred in all patients or whether sizable reductions were noted in a few.

Dropouts of experimental subjects reduced the apparent success of some of the healers. These irregularities leave open the possibility that the experimenters might have biased the assignments of patients to E and C groups and that those who had insignificant or negative effects from the healing might not have returned, thereby inflating the apparent effects of healing.

Even if we accept the results as statistically significant that an effect of healing is demonstrated, the average *clinical* efficacy seems minimal. Systolic blood pressure is labile. It is this component of blood pressure that responds most quickly to tensions and anxieties. Rating: V

Janet F. Quinn

Therapeutic Touch as energy exchange (*Nursing Science Quarterly*, 1989)

Quinn performed this study to clarify effects of TT on anxiety.[65] A post hoc finding was that diastolic blood pressure was significantly reduced with TT treatments ($p < .007$).[66] Because it is the systolic pressure that usually varies with stress states and diastolic pressure usually remains constant, no prediction had been made concerning diastolic pressure in the original research proposal.

Discussion
A. Healing appears to produce a significant decrease in diastolic blood pressure. It is fascinating that diastolic blood pressure should be affected by TT in patients receiving antihypertensive and cardiotonic medications. The diastolic component is usually not greatly influenced by anxiety, so this finding may indicate that healing can reduce hypertension by means other than relieving anxiety.

B. Strict research methodology proscribes acceptance of post hoc findings as more than suggestive, because if one studies sufficient variables one will find a few by chance which demonstrate significant results. Quinn's finding needs replication before one can accept them as valid.

Means of data are presented, with pre- and post-treatment differences in the range of only 1 mm Hg. It is impossible to know, without the raw data, whether this finding is *clinically* significant. If two people had substantial decreases it would be of greater clinical interest than if everyone had minor decreases.

Medications were not recorded for E and C groups, leaving this as a potential confounding factor. Rating: IV

Ethel Lombardi (1982), a Reiki Master, reports that iliac pulses transiently disappear periodically during her healings. I have witnessed this phenomenon. When testing for blood pressure changes during and immediately after healing, measurements ought to be frequent.

Healers report that they can help people with asthma. Here is a study that addresses this possibility.

Jaap J. Beutler, Johannes T. M. Attevelt, et al.

Paranormal healing and hypertension (*British Medical Journal,* 1988*)*

Two hundred patients were chosen out of 587 volunteers who returned questionnaires and consent forms. World Health Organization criteria for hypertension were followed: systolic blood pressure 140 mm Hg or above or diastolic pressure of 90 mm Hg or above, without or despite antihypertensive therapy. The 120 remaining, after those with complications (e.g., hypertension, kidney disease, and diabetes) were dropped from the study, participated in the experiment. They were placed in groups of three with comparable diastolic pressures per measurements in the screening visit. Those taking or not taking antihypertensive drugs were grouped into separate triads. Eighty were taking antihypertensive medications.

Patients in each triad were randomly assigned to: group 1–laying on of hands; group 2–distant healing; group 3–no healing. Groups 2 and 3 were treated behind one-way mirrors, so that patients and experimenters were unaware whether a healer was present.

Twenty-minute treatments were given once weekly over 15 weeks. Twelve healers, members of several Dutch healer societies, provided the treatments.

In the three-week interval from screening to start of the study, all three groups demonstrated a significant reduction in systolic and diastolic pressures ($p < .05$) with average reductions, respectively, 12.6 and 4.7 mm. Hg. The difference for each of the three groups in blood pressures between week 0 and week 15 were also significant ($p < .001$). However, there were no significant differences in reductions between E and C groups.[67]

Diastolic pressure increased significantly ($p < .05$) after each laying-on of hands session, by an average of 1.8 mm Hg, although diastolic pressure measured prior to treatment sessions fell over the 15 weeks of treatment in group 1.

> Because of logistic problems only 84 of the 115 patients completed the questionnaire on general well being at the end of the study . . . After 15 weeks of treatment 30 (83%) of the 36 patients in group 1 felt improved compared with 9 (43%) of the 21 in group 2 and eleven (41%) of the 27 in group 3 ($p < .005$). No patient felt worse. . . . There was no correlation between improved well being and the reduction in blood pressure.

The experimenters conclude:

> In this study no treatment was consistently better than another and the data cannot therefore be taken as evidence of a paranormal effect on blood pressure. Probably the fall in blood pressure in all three groups either was caused by the psychosocial approach or was a placebo effect of the trial itself.

Discussion

A. Healing may have produced the greater well being in group 1. Subjective improvement in group 1 might, however have been due to psychosocial or suggestion factors related to the presence of the healer. To clarify whether any part of this may be due to healing, a study such as that of Heidt or Quinn (reviewed below), employing mock healing for the control group, would have to be done. The blind controls in this study were for distant healing, so that comparisons between subjective assessments in groups 1 and 3 cannot provide answers to such a question.

No mention is made of individual analysis of various individual healers' efficacy.

The very slight but significant increase in diastolic blood pressure after laying-on of hands treatments might be explained by anxiety regarding the treatment. This would not be difficult to explore in a replicating study.

B. This appears to have been a carefully performed study, showing no benefits of healing for hypertension. The increase of diastolic pressure with healing should be scrutinized.

In personal communication, Brian Millar, a Dutch parapsychologist, indicates that groups 2 and 3 were treated consistently in separate rooms, apparently to preclude a *linger effect* (see Watkins 1979).[68] This does not appear to have influenced the blinds. See further comments after the next study.

Rating: I

A study by Catherine Leb on healing for depression[69] also found mild effects of healing on systolic blood pressure in subjects without hypertension.

These studies of healing on blood pressure leave us with inconclusive results. Anecdotal reports from numerous healers indicate that blood pressure appears to respond to healing. Many healees are able to reduce the amounts of antihypertensive medications they take, and some are even able to discontinue medication. Perhaps the results of these three studies indicate that in hypertension it is suggestion and self-healing which are effective, more than spiritual healing. The exclusion of patients with complications of hypertension may have removed those who would have responded best to healing. Healing often appears to be most effective where serious needs for healing exist.[70]

Healing frequently relaxes healees. Relaxation may lower blood pressure. Healing might thus help indirectly by reducing the stress response, which then lowers the blood pressure and produces other beneficial physical effects.

Asthma and bronchitis have been reported by many healers to respond to healing. The next study explores this possibility.

Johannes T. M. Attevelt

Research into Paranormal Healing (doctoral dissertation, University of Utrecht, The Netherlands, 1988)

Attevelt organized a carefully controlled study of healing for 90 patients with asthma and/or asthmatic bronchitis. Patients were first matched for severity of asthma, measured by the *forced expiratory* (breath) *volume* in one second (FEV1). They were then randomly divided into three groups, receiving either: 1. "optimal treatment in the form of the laying-on-of-hands with subsequent ironing movements ('passes')"; 2. distant healing from behind a one-way mirror; or 3. no treatment. Groups 2 and 3 were treated identically so that the patients could not tell whether or not healing was given.

Patients were treated weekly by healers in a laboratory in 15-minute sessions, eight times in two months. The FEV1 and the *peak expiratory flow rate* (PEFR l/min.) were measured at various times during the day by the patients themselves in their homes, and periodically by the experimenters in the laboratory. These measures reflect the degree of spasm of muscles, of irritative thickening of linings (due to allergic reaction and infections), and of presence of mucus in the airways to the lungs. Patients also reported on frequency, severity and duration of asthmatic attacks; color of sputum (reflecting presence of infections); use of medication; interference of illness in daily duties and sleep; and subjective assessment of illness.

Group 1 showed the following significant improvements: increased PEFR and subjective improvements.[71]

The C group demonstrated an increase in average PEFR and decrease in dyspnea attacks, and decreased medication usage.[72]

Most important in this study of healing, *there were no significant differences between the three groups.* Attevelt concludes that because no healing effects greater than placebo could be demonstrated in group 2, which received distant healing, no aspect of the positive results in group 1 can be attributed to healing. He suggests that improvements in all groups were related to attention given by healers and/or research staff; to patients' expectations regarding treatment results; and to the initiative generated by the patients in participating in the study.

Attevelt also found that patients' subjective evaluations were correlated with some of the objective clinical measurements of improvement: average PEFR l/min in the morning (p < .003); and in the evening (p < .004).[73]

Discussion

A. Attevelt seems biased that contact healing is "optimal" in contrast with distant healing, which—by inference—he must view as less than optimal treatment. The results of this study may in part represent experimenter effects. His insistence that only distant healing can demonstrate healing effects seems likely to lead to a Type II error.

There may also be a negative healer effect related to the 15-minute duration of the distant healing treatments. One ought to question the healers regarding their usual practices for distant healing. In my experience with numerous healers, distant healings are often done in about 1 to 5 minutes, while touch healings may take 15 to 45 minutes. The experimental requirement for standard 15-minute treatments may have introduced a negative element in both types of healing.

Some positive effects of healings in humans may be placebo responses. In other words, it may be that suggestion in humans activates *self*-healing.

The confirmation that subjective reports correlated with objective findings is an important one. This adds credence to the various other healee surveys that found high percentages of positive results.[74]

No mention is made of analysis of treatment by individual healers.

B. This study is meticulously designed and described, except that effects in group 2 are not clearly delineated. It is flawed by the lack of blinds for the experimenters. No evidence is found for a healing effect beyond that produced by suggestion or expectation. Rating: IV

It is difficult to know why some studies show no effects of healing. Believers will say there must have been negative confounds. Skeptics will say that this reflects the true worth of healing.

It may seem unfair to criticize studies for limiting the duration of healing treatments when some experiments show significant effects with only 5 to 15 minutes of treatment. I believe the criticism is valid because some healers may be able to produce effects within a brief period and others may need a longer time.

Mothers of premature infants frequently have difficulties with milk letdown. They express milk manually from their breasts with a suction pump because their babies are often in incubators and in any case cannot suck as vigorously as babies born at term.

Cynthia A. Mersman

Therapeutic Touch and Milk Let Down in Mothers of Non-nursing Preterm Infants (doctoral dissertation, New York University, 1993)[75]

Mersman hypothesized that mothers of preterm infants treated with Therapeutic Touch (TT) would have a greater letdown of milk because TT can reduce anxiety. Controls included mock-TT (MTT) and no treatment (NT). It was also suggested that the quantity and fat content would be greater in milk expressed after TT than after MTT or NT.

Subjects who participated included 18 Caucasian, Hispanic, and Black mothers (mean age 31), with their premature babies (mean birth weight 3.7 pounds). Mothers served as their own controls, as the three treatments were given in a randomized order just prior to their expressing milk. Each treatment was given on three out of five consecutive days. Length of TT treatment was not standardized, to allow healers to give as much healing as they intuitively felt was needed (mean 10.7 minutes). The duration of MTT "matched the previously administered TT."

Each mother kept a diary of breast feeding, as well as answering questionnaires following the study. Each also graded her perception of her baby's condition on a visual analog scale (VAS) prior to every treatment.

Results: Statistical analysis[76] of the amount of expressed milk and its fat content[77] showed no significant difference between the treatments.

Supplementary analyses showed that significantly more milk was expressed following TT than MTT or NT ($p < .05$). Leaking of breast milk was more common with TT than with MTT or NT ($p < .05$). Fat content showed no significant difference between the treatments. No greater effect of treatments or different outcomes were noted in correlation with the order in which particular treatments were given.

Discussion

A. While the abstract does not specify what the "supplementary analyses" were, a significant effect of TT is noted in this study. The leaking of breast milk following TT could be due either to a greater quantity of milk or to a relaxed state of mind produced by TT which led to inattention.

B. While one cannot know precisely what is meant by "supplemental analyses," one must be skeptical of results that are made on a post hoc basis rather than through the procedures and analyses set out in the original design of the study.

It is unclear from this brief abstract how treatment order could be randomized if MTT duration was matched to the previously administered TT, unless this factor was applied across the sample of women (MTT for the same length of time was given to the next assigned mother regardless of whether the previous TT was given to that mother or to another mother) and not to each woman individually. If this is the case, then durations of treatments by MTT and TT would not have been comparable in some of the mothers due to one or the other being noticeably longer than the other. This factor would have to be analyzed to assess the validity of the findings. Rating: III

Chemotherapy can severely reduce the quality of life of people who may have only a short while to live. It can directly cause nausea, stomach cramps, vomiting, diarrhea, headaches, dizziness, dysmenorrhea, edema, weakness, and hair loss, and can indirectly cause anxiety and depression. The symptoms are so severe and unpleasant that treatments are usually interrupted for several weeks of rest, so that body and spirit can recover before treatments are continued.

Anecdotal reports indicate that healing can reduce or eliminate many of these negative effects. It is good to have a study that begins to confirm this benefit of healing.

Kathleen Anne Sodergren

The Effect of Absorption and Social Closeness on Responses to Educational and Relaxation Therapies in Patients with Anticipatory Nausea and Vomiting During Cancer Chemotherapy (doctoral dissertation, University of Minnesota, 1993)[92]

People who undergo repeated chemotherapy treatments often develop nausea and vomiting *prior* to the administration of the drugs because they come to anticipate these effects.

Sodergren explored whether objective non-evaluative information, Therapeutic Touch (TT), and progressive relaxation could help people to overcome these symptoms when compared to no treatment. This study also sought possible explanations of therapeutic effects via *absorption*, "a disposition to maintain an attentional focus," and "*social closeness*,[78] which is a disposition to seek affiliation." Further explorations planned to identify any interactions between such factors as mood and the various treatments.

Subjects included 80 people who suffered anticipatory nausea and vomiting in their courses of chemotherapy. Each was randomly assigned to one of the four groups. Self assessments were used to rate "absorption, social closeness, positive and negative affect, disruption in usual activities, and symptom distress and symptom severity both before and after chemotherapy." Interventions were made over three cycles of chemotherapy.

Non-evaluative information and TT increased positive affect and decreased the severity of symptoms after chemotherapy. TT and relaxation lessened symptom distress and severity prior to and following chemotherapy. No interaction effects were found between treatment, absorption, and negative and positive affect.[79]

The results suggest the effects of TT occur through relaxation.

Discussion

A. Possibly significant effects of healing are demonstrated in chemotherapy.

B. It is impossible to assume that significant effects are demonstrated with such a brief report, particularly in the absence of statistical data. Rating: III

It is not surprising, in view of the studies showing healing effects on anxiety and depression, that these effects of healing would be of help to those receiving chemotherapy.

It is a sad commentary on conventional medical care that healing is not used more widely in conjunction with toxic chemotherapies. Even when hospital staff know how to give healing, they may not feel safe to do so because of the skepticism and criticisms of their peers, which could even jeopardize their jobs and careers.

One nurse who worked in a setting that is hostile to healing found a way around this. She quietly gave healing to the chemotherapy IV bottles prior to hooking them up to patients' veins. Her patients had far fewer side effects than those of other nurses. This was noticed by her supervisor, who even checked to see that she was correctly following the procedures for administering chemotherapy. Her supervisor simply could not understand what was going on!

Even when we have further, confirmatory studies of these benefits of healing, it will probably take a while for conventional medicine to offer healing instead of giving other medications to handle the side effects of the chemotherapy.

The next pilot study of leukemia is of interest because of its subject, but has serious faults in its design and the limited details provided in the report. It may be a victim of limited publication options and poor reporting of the results.

P.J. Collipp

The efficacy of prayer: a triple-blind study (*Medical Times*, 1969)

Ten out of 18 leukemic children were randomly selected for treatment by a prayer group at a church (in addition to routine medical treatment). At the church, ten families were asked to pray daily for the children and received weekly reminders of their obligation. Neither treating physicians, patients, nor praying families knew they were subjects of this study. The praying families did not know their prayer was part of a study.

Evaluations by doctors and parents (apparently focused on global changes—criteria were not mentioned) were performed at unstated intervals. Table 4-1 summarizes the results, which were not significant.[80]

Table 4-1.
Data on 18 children with acute leukemia who participated in prayer study

AGE AT DIAGNOSIS	SEX	TYPE OF LEUKEMIA	DRUG* THERAPY	SURVIVAL AFTER DIAGNOSIS (MONTHS)
19	M	lymphatic	a - d; g	14
12	F	lymphatic	a - g	23
8	F	lymphatic	a - e; g	36 + (alive)
6	F	lymphatic	a - d; f; g	23
4	M	lymphatic	a - g	36 + (alive)
5	M	lymphatic	a; c; d	15 + (alive)
3	F	lymphatic	a - e	41 + (alive)
3	F	lymphatic	a; b; d	54 + (alive)
3	M	lymphatic	a - e	21 + (alive)
3	F	lymphatic	a - f	17 + (alive)
3	M	lymphatic	a - e	21
2	F	lymphatic	a - d	130 +
2	M	lymphatic	a - f	22 +
3	M	lymphatic	a d; h	15
19	M	lymphatic	b - d	4
14	F	myelogenous	b - d	2 +
7	M	lymphatic	a - d; f	14 + (alive)
1	M	myelogenous	a - e; g; i	5 +

* Drugs Used

a: methotrexate; b: 6-mercaptopurine; c: vincristine; d: prednisone;
e: daunamycin; f: bis-chlorethyl-nitroso-urea; g: cytosine-arabinoside;
h: tryptophane mustard; l: fluorinated progesterone

Discussion

A. It is sad that a study of cancer in humans, one of the most serious challenges to healing, is so seriously flawed it is useless.

B. Although the author feels the data support the hypothesis that prayers are efficacious, the results are not statistically significant.

Weaknesses in this study include:

- The small numbers of patients studied.
- Control group biased by inclusion of two patients with myelogenous leukemia, a generally more malignant, rapidly fatal form of leukemia.
- A patient in the control group who lived more than 11 years after diagnosis, biasing the results by chance.
- Criteria for improvement unstated.
- Different chemotherapies for different patients, possibly accounting for variability in responses between groups.
- Intervals for measurements of improvement unspecified.
- No checks made to see whether families actually prayed for the patients, and if so, how often; and no mention of type of prayer.

Because of these problems no conclusions can be drawn from this study.

Rating: V

Leukemia includes many varieties of blood cancers. Some of these respond very well to chemotherapy. Some have been reported in rare instances to remit under self-healing approaches. Healers have also reported favorable responses. Children with several different types of leukemia were included in this study, thereby confusing the picture. We await a well-designed study of healing for leukemia.

Effects of healing on human physical problems are summarized in Table 4-2.

The replicated studies for problems in cardiac intensive care units are most impressive. While a good start has been made, there are only three studies with excellent design showing significant effects for physical problems.

Table 4-2 *Effects of healing on human physical problems*

SUBJECT OF HEALING	RESEARCHERS	T/N/ D/V*	TIME	HEALERS	RESULTS	SIGNIFICANCE RATINGS

AIDS	Sicher, et al	D	1 hr 6/7 days 10 weeks	Prayers varied weekly	40 HIV+, E & C matched
					Fewer E vs C group
					  AIDS-related illnesses
					  Visits to doctors
					  Hospitalizations
					  Days in hospital
						II
						
						$p < .02$
						$p < .01$
						$p < .04$
						$p < .04$

	Garrard	T/N?	?	T T	20 HIV+ men, TT vs MTT CD4 cell counts Coping resources	IV $p < .05$ $p < .0001$
Immune System	Olson, Sneed, et al 1997	N	5 mins x 3	T T	22 students with exam anxiety IgA, IgM & T- lymphocyte function, E vs C groups Anxiety E vs C groups	IV $p < .05$ NS
	Dixon	N	40 mins	Gillian White	GP practice spectrum 30 E vs 27 C at 3, 6 mos. Immune CD56 and CD16 cells Both E and C groups	IV NS

Hemoglobin (Hgb)	Krieger	T/N	15 mins	Estebany	1. 19 patients, pre- vs post -
					healing
					  Hgb levels
					9 controls, pre- vs post-time
					  Hgb levels
					  E vs C Hgb levels
						IV
						
						$p < .02$
						
						NS
						$p < .01$

					2. 43 healing vs 33 controls	$p < .01$
					3. 46 healing vs 33 controls, matching for diet, breathing exercises, medications	$p < .001$

		T/N	?	32 nurses T T	4. 2 patients each, one E and
					one C
					  Healed: pre- vs post-
					    treatment Hgb levels
					  C: pre- vs post-time
					  Hgb levels
						
						$p < .001$
						
						NS

	Wetzel	T	?	Reiki	48 volunteer Reiki students vs 10 healthy volunteers Hemoglobins & hematocrits Before vs after training	IV $p < .01$
Surgery	Silva	N	5 mins x3	Relaxa- tion touch	40 hysterectomy patients Relaxation Therapy vs Back rub and vs no Treatment After 1 - 3 treatments	IV $p < .00005 -$ $.0001$

	Bentwich, et al	D	?	?	53 men with inguinal hernia Healing vs suggestion, $p < .05$ Healing vs no treatment $p < .05$	III
Hypertension	Miller	D	?	8 healers	48 hypertensives, healing added to conventional treatments: Decreased systolic BP $p < .01$	IV
	Quinn, 1989	N	5 mins	Quinn	51 anxious cardiac surgery patients each in TT, MTT and C groups Diastolic pressure lower TT vs C $p <.007****$	IV

	Beutler, et al	T & D	20 mins	12 Healers	All E and C patients, BP pre- vs post-interventions $p < .001$, so E vs C NS
					Touch healing:
					  Diastolic BP increased $p < .05***$
					  Subjective improvement $p < .005$
						I

Coronary Care Unit	Byrd	D	?	Prayer groups	No. of patients: 192 E 201 C
					Intubation/
					  ventilation 0 12 $p < .002$
					Antibiotics 3 16 $p < .005$
					Cardiopulmonary
					  arrest 3 14 $p < .002$
					Congestive heart
					  failure 8 0 $p < .03$
					Pneumonia 3 13 $p < .03$
					Diuretics 5 15 $p < .05$
						I

	Harris et al	D	? 28 days	5 individuals	466 E vs 524 C Fewer E events, procedures, Prescriptions $p < .04$	I
Asthma/ asthmatic bronchitis	Attevelt	T & D	15 *mins*	Healers	30 each, T, D, and controls, pre- vs post-healing E & C both improved NS	IV
Milk let down	Mersman	T/N ?	Mean 10.7 mins	TT	18 mothers of premature babies Milk let down and fat content TT vs MTT vs no treatment NS Amount of milk expressed TT vs MTT $p < .05$ Leaking of breast milk TT vs MTT $p < .05$	III
Leukemia	Collipp	D			Healing: 10 lymphatic leukemia vs Control: 6 lymphatic and 2 myelogenous leukemia NS	V

*T/N/D/V: Touch/Near/Distant/Vehicle   **NS: Non-Significant
***Significant effects but in direction opposite to anticipations
****Post-hoc finding, not included in count of significant studies

Qigong healing, taught by masters in China, is for the most part self-healing through mental focus and physical exercise (K. Cohen 1997; Kuang et al.). A biological energy called qi (pronounced chi) has been recognized over many centuries as the active component of acupuncture. Qi is a life force which flows through the body.

Qigong masters may also give healing by transmission of external qi (waiqi), again using combinations of mental focus with physical movements.

Kenneth Sancier, a senior scientist in the Materials Research Laboratory of SRI International, and Vice President of the Qigong Institute, at the East West Academy of Healing Arts, has an extensive database of research on qigong. With his kind permission, I include several studies of external qi treatments.

Sancier's qigong summaries are inserted at the ends of appropriate sections with a minimum of comments because so many questions are raised by the limited information provided in the original reports and by problems in translations.[81] Some of these studies might be of a level equal to studies included earlier in this chapter, if attention was given to randomization, if blinds for the animal handlers and laboratory staff counting cells were included, if data and methods of data analysis were included in the reports, and if methodologies were adequately described.

Although the studies may not be up to Western standards, they point to ways in which healing may act upon people, animals, microorganisms, and cells. There are more studies from China than can reasonably be included in this chapter. Selections are presented following related Western studies. The remainder are cited in summaries at the end of relevant sections. The breadth of scope of these studies is witness to the enigmatic, wakening giant, China.[82]

There are various ways of studying blood flow. One of them, a laser Doppler flow meter, showed positive effects of healing in this next study.

Ruijuan Xiu, Xiaoyou Ying, Jun Cheng, Chouggao Duan; Tao Tang Institute of Microcirculation, CAMS, Beijing

Studies of qigong effect on the human body [via] macro and micro-circulatory parameters measurement (*1st World Conference for Academic Exchange of Medical Qigong, Beijing, 1988*—from Qigong Database of Sancier)

> During the qigong test, the computerized synchronous system for macro- and microcirculatory parameters measurement was used to check the heart rate, respiration, body temperature, electrocardiogram, carotid arterial pulse, photoelectric plethysmogram, skin microcirculatory blood flow, blood pressure, and the nail-fold microcirculation.

Of the parameters measured, the most significant effect of qigong was on the SMBF measured by a laser Doppler flowmeter. The results showed marked effects in amplitude of SMBF both of the qigong master and recipients [$p < .05$]. All other parameters showed detectable changes during the qigong test, but not enough to be statistically significant. This elucidates that qigong is very effective on the increase of the peripheral blood flow volume, thus enhancing the microvascular vasomotion. The investigation is continuing.

Discussion

The reported dilation of blood vessels in the skin with qigong healing confirms healers' reports that healees relax and flush when receiving healing. This may also explain, in part, reports of heat sensations during healing.

This is a translated study.

Acupuncture treatment is given at points along meridians (energy lines) which run the length of the body. All of the points have reference numbers and many have names such as Laogong. Qigong healers focus on emitting qi energy from particular acupuncture points on their hands (and sometime on other parts of their bodies), directing the energies to acupuncture points on the healee's body.

Tokuo Ogawa, Shigemi Hayashi, Norihiko Shinoda; Norkazu Ohnishi-Aichi Medical University, Japan/Chinese-Japanese Institute of Qigong, Japan/Shakti Acupuncture Clinic, Japan/Aichi Medical University, Japan

Changes of skin temperature during emission of qi (*1st World Conference for Academic Exchange of Medical Qigong, Beijing, 1988*—from the Qigong Database of Sancier)

The concept of qi is philosophical or psychological and its efficacy has been poorly evidenced scientifically. Previously we examined effects of Nei-Qigong. . . and demonstrated changes in skin temperature and sweat rate during the practice of qigong.

In the present study, we observed changes of skin temperature of the hands of the qigong master and the recipient during the emission of qi by means of infrared thermography. The effect of the combination of quiescent and dynamic qigong was also examined.

Methods: Experiments were carried out with cooperation of two qigong masters—one male and one female, and several volunteers of both sexes as recipients of the emitted qi. A few of the latter had been practicing qigong for some time.

In a climatic chamber controlled at the air temperature of 23°C and the relative humidity of 40%, the qigong master was directed to practice the quiescent qigong and emit his qi. Qi was transmitted to the tip of the second and third fingers and emitted towards the meridian point, *Laogong* (P 8) or *Hegu* (L I4) of the recipient. During the whole session, skin temperatures of the hands and fingers of both the master and the recipient were monitored by an infrared color thermograph.[83] The same practice was repeated immediately after the dynamic qigong practice.

Results: The skin temperatures of the palm and fingers elevated after the start of the qigong exercise. Transmission of qi to the peripheries reached the maximum in 3 to 4 min., the temperature was as high as 4°C. They returned to the original level within a few minutes after the session of the exercise. Soon after the start of qi emission towards Laogong (P 8) area, the palmar temperature of the recipient began to rise and the maximum rise up to 4°C was reached in 4 to 5 minutes. Occasionally the skin temperature of the recipient's palm became higher than that of the master's fingertips. A trend was noted that the skin temperature of a trained recipient elevated more readily than that of an untrained recipient. The skin temperature of the recipient lowered to the original level in several minutes after qi emission was discontinued. Qi emission towards the Hegu (LI4) area was less effective than that towards the Laogong area, and only a rise of 1° to 2°C in its vicinity was observed.

The skin temperature of the hands of the qigong master showed a considerable rise after the practice of the dynamic qigong was completed. However, the effects of the exercise as well as that of qi emission were similar to those before the dynamic qigong practice.

Discussion: The inner energy, qi, is said to be accumulated at the fingertips by the practice of qigong and emitted to the hand of the recipient by the practice of qi emission, but the entity of the emitted qi has not been clarified. It may be possible to assume that qi comprises electromagnetic waves including ample far-infrared spectra. It should be considered, however, that radiant heat dissipation from the recipient's hand may be blocked by the master's fingers and the recipient may be unconsciously practicing qi transmission to the hand by his (or her) mental concentration during the session. Dynamic qigong showed no immediate effect on the efficacy of the qigong exercise as well as qi emission practice on the skin temperature. However, it may augment the efficacy of the qigong training.

Is it dilation of capillaries that produces sensations of heat or is it a subtle energy? Western studies have not shown increased skin temperatures with healing.

This is a translated study.

Guo and Ni

Study of Qigong in treatment of near-sightedness
(Cited in David Eisenberg with Thomas Lee Wright,
Encounters with Qi, 1985)

Eighty myopic (nearsighted) children aged 12 to 15 were randomly selected from an ophthalmology clinic. Each had measurements of vision, corneal curvature, and anterior chamber dimension. They were divided into four groups of 20 each:

1. No treatment.
2. Placebo eye drops.
3. Instruction in the practice of Qigong meditative exercises (similar to those used for hypertensive patients).
4. Treatment by a Qi Gong master "who spent twenty minutes a day with one hand in front and one hand behind each child's head "emitting external Qi" in the direction of the eyeballs."

The results were as follows:

1. & 2. No improvement in vision after two months
3. Two improved
4. 16 improved

The authors speculate that group 3 showed few improvements because the children may have been too young to concentrate in the meditative exercises.

Discussion

Myopia is a condition which conventional medicine believes almost never improves spontaneously and quite often worsens with time until late in life. A healing effect seems evident in this study, as there is no other established treatment for myopia in children. Qigong healers claim myopia responds frequently to healing.

Unfortunately, few details are reported. It would be important in replicating this study to know precisely which measurements were altered by the treatments and by how much. As reported, the research is unconvincing.

A similar study by Wengguo Huang showed that qigong treatments for hypermetropia (long-sightedness) was effective, and that improvements continued for weeks following treatments.

This is a translated study.

Healing of myopia is also reported in America. Jacob Liberman, an ophthalmologist, and a few other pioneering researchers have shown that visual perception may be altered through various self-healing exercises, some of them taken from Chinese traditions. Liberman finds that vision is not limited by the physical apparatus of the eye but is often limited by the psychological mind-set of the people he treats. When they release the fears of looking at various aspects of their lives, past and present, and relax into a state of allowing the eyes to see rather than forcing them to focus, their vision may improve dramatically.

Liberman himself has improved his vision from 20/200 to better than 20/20.

This appears to be a psychological self-healing rather than an energy healing, although the mechanisms for this might involve the energy body.

In Eastern Europe healing was frowned upon by the communist authorities when they were in power, especially if it was used with any connotations of spirituality. Healers and researchers had to use terminology which was culturally neutral, so they coined the term bioenergotherapy, *referring to the biological energy field which is apparent around the bodies of humans and other organisms. They drew support from Kirlian photography, which was developed and widely used in Eastern Europe. This electrophotographic technique shows an apparent energy field around living things. The auras of color in Kirlian photography and related photographic techniques have been interpreted as reflecting the states of health and illness of plants and animals.*[84]

The next study comes to us from Eastern Europe. It explores healing effects on epilepsy and on the electroencephalogram (EEG), which measures the electrical brainwave activity.

Ewa Purska-Rowinska and Jerzy Rejmer

The effect of bioenergotherapy upon EEG tracings and on the clinical picture of epileptics (*Psychotronika*, 1985)

Bioenergotherapy was used with 42 epileptic patients. There was a definite reduction in the severity of epileptic attacks, with no change in frequency. No distinct alterations in the EEGs were noted. Some improvement was seen in mood, with increased loquacity in adult patients.

Discussion

Though this report is too brief for proper assessment, it is encouraging to learn that healing may be a helpful adjunct for treatment of epileptics.

This is a translated study.

Extensive anecdotal observations of synchronizations of EEGs between healers and healees have been reported by Maxwell Cade and Geoffrey

Blundell. Sometimes the EEG patterns of healers and healees will lock into an identical pattern during the time of healing. These observations are fascinating, but it is impossible as yet to know what they indicate. The obvious suggestion is that a resonation or harmonization of biological energies occurs which may enable healers to suggest or induce changes in their healees. Much further research will be required to clarify how this works and whether the synchronization is a primary, causal interaction or a secondary effect of other processes.

A growing body of studies shows that the brainwaves of healers and of healees may become synchronized during healings.

Desong Li, Qinfei Yang, Xiaoming Li, and Jiming Shi; Institute Qigong Science, Beijing College of Traditional Chinese Medicine, Beijing 100029

Spectrum analysis effect of emitted qi on EEG on normal subjects (*2nd World Conference for Academic Exchange of Medical Qigong, Beijing 1993*—from Qigong Database of Sancier)

It is still a disputable question if a qigong master can emit qi to influence others without any psychological suggestion. The spectrum analysis is a mature technique for the study of brain function. In these experiments the EEGs of a qigong master and subjects were synchronically recorded, and one qigong master and twelve normal subjects took part in the experiments. By means of designed program the effects of psychological suggestion of the subjects were prevented. An imitator group was included that the subjects received the imitator "qi" from other people. The spectrum analysis of EEG was done by a computer online. Two samples were made before emitting qi and averaged.

Results: When subjects receiving qi and four were made emitting qi, the changes of EEG took place mainly in the beta frequency segment, and the power of beta segment was higher than that of the control. The increases were statistically significant[85] . . . $p < .05$. The power of EEG of the qigong master in the beta segment also increased when he was emitting qi, and apart from Cl and Pz points in beta 1 and C4 point in beta 2 segment, the increases in all other points were statistically significant. In the imitator group, there was no obvious change in the power of EEG in the beta segment . . . .

Similar changes of power in the beta segment of EEG that took place in both the qigong master while emitting qi and subjects when receiving qi suggested that the qigong master had somehow influenced EEG of subjects. The mechanism and significance of these phenomena are unclear yet and further studies are needed.

This is a translated study.

Synchronization of EEGs of healers and healees during healing suggest some sort of resonation occurring between them. Healers and healees often sense heat, tingling, vibrations, and other sensations during the laying-on of hands. This is often interpreted as an energy exchange. Numerous Western scientists have measured a broad spectrum of electromagnetic radiations without consistent findings of emissions from healers that might be correlated with healings.

Researchers in China are reporting that infrasonic sound[86] is emitted from acupuncture points on the healer's body, and that this may be, at least in part, what produces healing effects.

Lu Yan Fang, Ph.D., of the National Electro Acoustics Laboratory in China, recorded infrasonic sound emitted from the hands of qigong masters during external qi healings. She was able to produce healing effects with synthetic infrasonic sound at similar frequencies, reporting benefits for pain, circulatory disturbances, and depression. Infrasonic qigong, based on these explorations, is now being studied in the United States.

Electroencephalograms record the electrical activity of the surface of the brain, relying on electrical contacts which are placed on the scalp. This provides a very crude measure of what is happening in the enormous complexity of the brain. In order to sharpen the focus of this method it is possible to see what responses are evoked in the extreme complexity of the EEG by a standard, repeated stimulus to the body of the subject (somatosensory evoked potential), as in the following study. The many repetitions of the standard stimulus to the body become identifiable as corresponding electrical responses in the brain. Changes in the evoked response can then be used to check whether qigong influences the nervous system, as in the next study.

Xueyan Peng and Guolong Liu; Beijing College of Traditional Chinese Medicine, Beijing

Effect of emitted qi and Infrasonic sound on somatosensory evoked potential (SEP) and slow vertex response (SVR) (*1st World Conference for Academic Exchange of Medical qigong, Beijing 1988*—from the Qigong Database of Sancier)

Methods:
The qigong practitioners who can release their qi were tested and the intensity of qi was more than 70 dB. We also used the instrument which could generate infrasonic (60-90 dB). The subjects sat comfortably on a sofa in a shielded room. SEP and SVR changes before, after and during the course of receiving the emitted qi or infrasonic were

observed. Equal number of subjects were examined as a control group. SEP and SVR were recorded with a "Neuropack II." The SVR recording electrodes (0.6 cm in diameter tin discs) were attached to the skin over the vertex and both ears were given click stimuli at a rate of 0.5/sec (duration 01 ms). Sixty-four responses were averaged, analysis times of 1000 ms and the frequency response of 0.5-30 c/sec were used.

Results:

1. When the healthy subjects received the emitted qi the amplitude of most SEP waves decreased obviously (P < .01), but the latency of the waves did not change significantly. The amplitude of N4 increased in some cases. The changes were similar to those in meditation.

2. SVR amplitude in seven out of 14 healthy cases increased obviously when they received the emitted qi (P < .001). The latency was prolonged (P < 0.05). The amplitude of another 7 cases decreased and that of one diminished (P < 0.01). The latency did not change significantly.

3. The SEP changes . . . were different from that caused by the emitted qi and meditation. The N1 amplitude decreased (P < .01). and the amplitude of N2 and N3 increased (P <. 05) and the latency of each wave did not change much.

4. The infrasonic sound caused the amplitude of SVR waves to decrease in 12 out of 17 cases (P < .01) . Another five cases had no significant change. The results were obviously different from that of the emitted qi.

Researchers' Discussion:

1. The emitted qi may change SEP of the healthy subjects. It is suggested that the emitted qi may be received by the living body and it may influence the activities of the brain and have some similar effect in meditation. This might provide theories for explaining that the emitted qi can regulate the function of the living body.

2. The SVR changes caused by the emitted qi reflect the state of different cortical inhibition. This state is generally considered to have a protective effect and to diminish the effect of harmful agents. The phenomena of increased SVR amplitude and prolonged latency were similar to that of II and III phase of sleep, but not entirely the same. They might have similar nervous mechanisms.

3. The emitted qi and infrasonic sound both have obvious effects on the nervous system, but they vary significantly. We cannot say that the effective component of the emitted qi is the infrasonic sound, but we can assume that the infrasonic sound is an important agent in the emitted qi or a carrier for other components.

This study suggests that infrasonic sound produced from the healer may be an active force in bringing about changes in nervous system activity. However, this study did not produce evidence in this study that the infrasonic sound is able to bring about changes similar to healing.

It would also be of great interest to clarify how the healer emits the infrasonic sound.[87]

This is a translated study.

The studies of the effects of qigong on EEGs suggest that the nervous system may be the site of primary spiritual healing influence. As the nervous system is one of the main controlling systems in the body, many other effects of healing might be mediated through the brain, the peripheral nerves, and the neurohormonal and neuroimmunological systems.[88]

Many healers believe that the nervous system is a secondary site of influence for spiritual healing. They sense that there are biological energy fields around the bodies of healers and healees and that these are the primary transformers for healing, bringing the subtle energies of healing from more refined vibrations into more dense vibrations which can influence the brain and then, secondarily, the rest of the body.[89]

It is entirely possible that both theories may be valid, and that healing works through several pathways simultaneously.

It has been suggested that there may be some sort of resonation between healers and healees which puts them in tune with each other and allows healing changes to happen. This might be like a crystal which resonates with a given radio frequency.

EEGs provide a way of checking whether resonations might be occurring in the brains of healers and healees, as explored in this next report.

Masaki Kashiwasake

Double-blind test of qi transmission from qigong masters to untrained volunteers (*Journal of Mind-Body Science*, 1993)

Masaki Kashiwasake studied the EEGs of qigong masters and their normal, healthy male healees during healing. In addition, peripheral blood flow rate, electromagnetic emissions, activity in the meridians, biochemical blood tests, and psychological tests were studied under double-blind conditions.

> The results showed synchronization between the transmitters and receivers in their EEGs and AMIs,[90] a remarkable increase in the electromagnetic emission from the receiver, and an increase in the number of white blood corpuscles of the transmitter. . . . [P]sychological tests showed that the Qigong masters had subconscious desires to influence other people and that their psychology had a strong affinity with the affect-drive impulse . . .

This brief English translation of a Japanese language report provides too few details to permit assessment of the validity of the findings. It suggests there may indeed be some sort of resonation between healers and healees.

Xin Niu, Guolong Liu, and Zhiming Yu; Beijing College of Traditional Chinese Medicine, Beijing

Measurement and analysis of the Infrasonic waves from emitted qi (*1st World Conference for Academic Exchange of Medical Qigong, Beijing, 1988*—from the Qigong Database of Sancier)

The theory of traditional Chinese medicine suggests that qi is one of the fundamental substances in human bodies. Modern scientific research on the essence of the emitted qi has yielded some positive results. In order to find out the relation between the emitted qi and infrasonic waves, to explore the mechanism of the emitted qi, to find out how a person generates and receives the emitted qi, to provide a quantitative physical scale for indicating the strength of the emitted qi for experimental studies . . . we measured and analyzed the infrasonic waves from the qi emitted by qigong masters.

The test which was done by an infrasonic testing system made in Denmark was conducted in a noise-proof room in the Institute of Sound and Electronics under the Ministry of Electronic Industry. The background noise in the room was lower than 30 dB (decibel). The microphone was hung in the air over Laogong (P 8) [acupuncture point at the center of the hand], the distance being 2' 0.5 cm with no contact.

Twenty-seven qigong masters were put to the test . . . twenty-four were males and three were females. Their ages ranged from 20 to 53 years old. The period of practice of qigong ranged from 4 to 32 years. While on testing, the patterns of qigong were not restricted. Non-qigong masters were used as controls. The tests were done during the daytime. The tested persons lay on their backs in a noise-proof room, breathing quietly.

The experiment tested the release of the emitted qi at [acupuncture points] Laogong (P 8). Mingmen (Du 1), Baihui (Du 20), Dantian and Jianzhi. Special attention was paid to the test of Laogong (P 8).

1. The top frequency of the infrasonic waves from the tested qigong and non-qigong masters ranged from 8 to 12.5 Hz. In one case the frequency reached 16 Hz. In another two it reached six Hz.

2. The infrasonic waves from the qigong masters ranged from 45 to 76 dB and those from the non-masters, 45 to 50 dB. Comparison of the intensity of infrasonic waves during the qigong state and the non-qigong state before and after the emission of qi showed a statistically significant increase ($P < 0.01$). The increase of wave intensity of the qigong masters compared with that of the non-qigong masters was also obviously significant ($P < 0.01$). The energy of the qigong masters was over 100 times higher than that of ordinary persons.

3. Different qigong patterns called for the exercisers to concentrate their minds on different acupoints and the testing results were different. When we tested the same qigong master at the same point, the intensity of the infrasonic waves decreased with the increase of distance.

4. The masters who had practiced qigong for many years and often emitted qi to treat patients had a higher intensity of infrasonic waves, reaching over 70 dB. Those who started to practice qigong a short time before and mainly practiced Nei Yang Gong had a lower intensity of the infrasonic waves (lower than 60 dB).

5. While on testing, some qigong masters in the Valsalva state [blocking exhalation at the throat while contracting chest and abdominal muscles], or non-qigong masters who simulated Valsalva, showed a higher intensity of the infrasonic waves.

Experimenters' discussion:

Infrasonic and ultrasonic waves are all sound waves which cannot be detected by human ears. The frequency of infrasonic waves is below 20 Hz. Many natural phenomena and artificial actions may generate infrasonic waves. Human bodies may act as a source or a receptor of infrasonic waves giving rise to a biological effect. The infrasonic information we acquired from the measurement of the emitted qi makes it possible to study the effect of the emitted qi.

The Valsalva state in which a qigong master emits his qi is the breath-regulating state of qigong and is also the state of emitted qi in the breath-holding exercise. Non-qigong masters who simulate the Valsalva state also send out more intense infrasonic waves. It shows that every person has infrasonic characteristics. A long period of practicing qigong helps increase the radiative intensity of infrasonic waves. Entering the Valsalva state helps in the emission of qi. The qi emitted by masters who adopted Song Jin Gong (relaxed and quiescent pattern) had more intense infrasonic waves (reaching 72 dB). Thus, the mechanism of the emitted qi released by different exercise patterns is different.

We have found by a series of tests that very able qigong masters can keep the energy of infrasonic waves at a relatively high level (over 70 dB). So tests on infrasonic waves can be used to screen qigong masters.

The human body can generate and emit infrasonic waves. As far as acoustics is concerned, the most suitable resonant frequency of human tissues is within the range of infrasonic waves. It shows that the human body readily receives infrasonic waves.

Infrasonic waves are a strong, effective part of the emitted qi because of their quick, long distance transmission, strong penetration and non-decreasing vibration. It is possible that infrasonic waves themselves transmit the messages between the qigong masters and the subjects, or serve as a carrier.

The performer's EEG power spectrum was increased, desynchronized and the dominant peak frequency was moved to the right near the beta rhythm while the performer emitted his qi.

When it was applied to healthy subjects, the emitted qi can make the alpha rhythm of EEG synchronize and the power spectrum increase, which is similar to the changes of EEG during the qigong state, i.e., the frontal-occipital reverse of the alpha dominant peak frequency.

The measurement of the characteristics of the Infrasonic sound in the emitted qi proved that there was infrasonic radiation in the emitted qi. The dominant peak frequency of the infrasonic was between 8 and 12.5 Hz, closely coinciding with the alpha frequency of EEG. The infrasonic intensity of the emitted qi was 60 to 75 dB. It should be mentioned that the receivers of the emitted qi who showed their dominant alpha peak frequency tended to synchronize with the dominant peak frequency of the infrasonic of the emitted qi. It suggested that the infrasonic is one of the most effective elements in the emitted qi that makes the receiver's EEG change.

By using an infrasonic generator that simulates the emitted qi we found the effect on the receiver's EEG. The receiver's EEG power spectrum was increased and synchronized, and these changes have a certain latency and after effect. It indicates that the human body can receive infrasonic and respond to it, the effect is similar to the emitted qi, so we postulate that the infrasonic or the infrasonic component in the emitted qi may make the circulative pathway of neurons in the hypothalamus resonate and alter the EEG power spectrum.

The effects of the emitted qi and infrasonic on EEG and evoked potentials were more or less similar but not all the same. It indicates that the infrasonic may be one effective element of the emitted qi or perhaps a main element that affects the central nervous system, especially the hypothalamic neurons.

This is a translated study

Discussion

While this study clarifies that infrasonic sounds are emitted from the bodies of healers at particular acupuncture points, it does not clarify whether it is *not* emitted from most other acupuncture points, nor does it show that healing effects are transmitted by the infrasonic sound. [91]

Zhifu Yuan, Family Acupuncture Center, San Clemente, CA, USA

Survey of 100 doctors using simulated qigong in the USA (*2nd World Conference for Academic Exchange of Medical Qigong. Beijing, 1993*—from the Qigong Database of Sancier)

Many thousands of treatments are provided every month by doctors across America using a simulator of emitted qi. The results, while not as dramatic as those of the leading qigong masters in China, are nonetheless consistently valuable to the recovery of a wide variety of patients. A study of these results reveals similarities and differences between the emitted qi from a master and that from the simulated qigong device. The device used was developed at the China National Institute of TV and Electro Acoustics and is marketed in the USA under the name "Infrasonic QGM." Unlike the emitted qi from a master, simulated qi is consistent from machine to machine and from treatment to treatment. This allows us to analyze the observations of many doctors who use the device to draw conclusions as to how it varies from that of qigong masters and how it can be best used in a medical setting. The following is based on a survey of more than 100 doctors who use the simulator regularly in their practice. Conclusions are as follows:

Patients feel very relaxed after using the simulator, supporting the findings of Professor Liu Guolong as presented in the First World Conference for Academic Exchange of Medical Qigong (FWCAEMQG) which showed that, like the emitted qi, the simulated qi creates a state of enhanced alpha power spectrum in the EEG. Alpha is known to be related to deep relaxation and focused concentration.

Patients report that they obtain greater energy and clarity of thinking. Specific symptoms diagnosed as qi deficiency, such as difficult breathing and chronic bronchitis (deficient lung qi) and nausea and diarrhea (deficient digestive qi), were consistently relieved of these symptoms. This supports both the contention that qi can be transferred to patients and that the device simulates an aspect of the emitted qi.

Doctors consistently reported that the simulator softened muscles, facilitating the repositioning of vertebrae and deep muscle manipulation. They also reported that vertebrae repositioned in this way were more likely to remain correctly positioned. This is an example of neuromuscular re-education and might be attributed to facilitation of nerve communication to the brain achieved by the simulated qi.

While there have been many reports of relief from pain and nausea in cancer patients, the simulator is usually used with other therapies, so no conclusions can be drawn as to its effectiveness. Thus the findings of Professor Feng Lida, as reported at the conference, that simulated qi can be effective in treating leukemia in rats were not supported in this survey of clinical applications.

Patients suffering from chronic fatigue and opportunistic infection have consistently shown improvement using the simulator. This supports the results or Dr. Lu Yanfang, the inventor of the device, that antibody production was several times higher in rabbits treated with the simulator than in the control group.

Summary: While the magnitude of the improvements was generally less than reported by the famous qigong masters in China, there is a distinct shortage of masters in the USA, and thus, most Americans must settle for a lesser therapy. A second deficiency of the simulator is that it lacks diagnostic capabilities. While a qigong master can often pinpoint a disease and direct the emitted qi precisely as required for optimal healing, a simulation device is simply a tool . . . .

It is still too early to know whether infrasonic sound conveys total spiritual healing. Anecdotal reports I have heard indicate that only partial healing is brought about by devices that produce infrasonic sound. My expectation is that the human instrument is far more subtle and potent than any other instrument.

I would also question whether the infrasonic devices act purely in and of themselves, or whether they might be variations of radionics devices (instruments which project healing without any known radiation), which are known to be linked to the operators of the devices. That is, the devices seem to amplify the healing of the operators, projecting them to any location around the globe.[92] Clearly, infrasonic waves could not bring about healing effects at a distance of more than a few hundred feet, so they cannot account for the entire range of known and scientifically demonstrated healing effects.

Western healers generally do not specify parts of their bodies other than their hands as conveyers of healing energies. Chinese healers identify specific acupuncture points on the hands and face for emission of healing energies. One must wonder about qualitative or quantitative differences in energies emitted from healers' foreheads and hands, and whether qigong healing differs from Western healing methods in substantial ways.

Sancier has summarized further studies of external qi healing on diabetes (L. Feng et al.); hypertension with renal insufficiency (Pan/Zhang); pain (Houshen Lin; J. Zhang et al.); liver and gallstones (Jinzheng Li/Hekun Liu); cerebral atrophy (Guang Zhao/Qigang Xie); softening scars (Dingxing Ma); hypermetropia (far-sightedness) in children (L. Li et al.); food allergies (Chow Chu); putting people to sleep (Z. Zhong et al.); cardiac arrhythmias (C. Lo et al.); on skin blood flow (Xiu et al.); evoked EEG potentials (G. Liu et al.). These Chinese studies are referenced in the bibliography.

In summary: The evidence from controlled studies of healing for physical problems is modest, replicated for problems in cardiac intensive care units, with multiple studies for AIDS, and changes in hemoglobin levels. Healing is of suggestive benefit for hypertension, post-surgical problems, and milk let-down.

HEALING FOR SUBJECTIVE EXPERIENCES

Presently, science is not yet able to capture the spirit of life in order to quantify it, but it continues to try to reduce the infinite source of existence into a finite research study.

—Catherine Leb, p. 45

Having reviewed studies on human problems for which there are objective observations and measures, let us consider now a range of problems which are subjective in nature, such as pain and stress. Science tends to be even more cautious of reports of successful healings in these areas. Skeptics are suspicious that these reports merely represent effects of such techniques as relaxation, suggestion, placebo, and hypnosis.[93] Carefully controlled studies are therefore particularly important.

This next series of studies explores the benefits of healing for surgical pain, headaches, back and neck pain, arthritis, and chronic pains of other causes.

There is no direct measurement for pain. People may respond very differently to what is apparently a similar injury or other cause of pain, with some reporting excruciating distress and others saying that their pain is modest and tolerable.

Attempts have been made to use objective measures that appear to correlate with pain. For instance, skin resistance (used as the basis for the lie detector test) reflects states of tension and relaxation in the body. Pain generally makes a person tense, so measures of tension should theoretically correlate with intensity of pain. However, there can be great variability in people's skin resistance, in comparing one person to another or even in the same person over a period of time. This makes skin resistance an unreliable indicator of pain. The same is true of measures of muscle tension which bear a rough correlation with subjective pain experiences.

Research shows that people's serial assessments of their own pain over a period of time appear to be reliable indicators of their subjective experiences. A simple way of quantifying pain is to have people put a mark on a 10-centimeter line which is labeled "no pain" at one end and "worst possible pain" at the other end. This sort of Visual Analogue Scale (VAS) is widely used in pain research (McCormack et al.). Several pain questionnaires are also used, relying on a standard series of self-assessment questions.

The first study examined effects of distant healing for pituitary (brain) surgery, which can be very anxiety-provoking in addition to being painful.

William Michael Green

The Therapeutic Effects of Distant Intercessory Prayer and Patients' Enhanced Positive Expectations on Recovery Rates and Anxiety Levels of Hospitalized Neurosurgical Pituitary Patients: A Double-blind Study **(doctoral dissertation, California Institute of Integral Studies, San Francisco, 1993)**

Green explored the effects of 10 people praying from a distance for reduced anxiety and enhanced recovery in 57 subjects (43 women, 14 men, mean age 38 years) who had pituitary tumor surgery. People praying received the name and date of surgery for each subject but had no contact with subjects.[94]

Green simultaneously studied effects of heightened expectation for recovery in the same subjects.

Subjects were randomly assigned to one of four contingencies:

1. Distant prayer and enhanced expectations (13 subjects)
2. Enhanced expectations only (16)
3. Prayer and normal expectations (12)
4. Normal expectations only (16)

Each subject was randomly assigned to one of these groups after signing an informed consent form. Green established enhanced expectations through the following statement to subjects selected for Groups (1) and (2):

> Since I don't know myself at this point, I cannot tell you if you will be in the experimental prayer group or not. But whether or not you are in that group, it is important for your part in the study to really expect and hope for an enhancement of your recovery process beyond what has been normally predicted based on the fact that you may be included in the experimental prayer group.

To establish normal expectations in Groups (3) and (4), Green stated:

> Since I don't know myself at this point, I cannot tell you if you will be in the experimental prayer group or not. You may be in it and you may not. But whether or not you are in that group, it is important for your part in the study to expect a normal recovery from your surgery as would ordinarily be predicted.

Assignments to distant healing were made by Green after the establishment of normal or enhanced expectations. Green physically left the hospital before making the healing assignments. Strict double-blind procedures were maintained, with hospital staff not informed who was in which experimental group, subjects unaware whether they were being sent prayer healing, and the people praying receiving no feedback during the study on the progress of the people they prayed for.

Neurosurgery for pituitary tumors is done through an incision above the front teeth, extending back to the base of the brain. This approach is used because surgery through any other avenue is likely to damage other parts of the brain. The same neurosurgeon performed all of the operations and the same two nurses cared for all of the patients during the standard, 5-6 day hospitalization.

Anxiety was measured with the State-Trait Anxiety Inventory Form Y (STAI). Recovery from surgery was assessed in two ways: 1. *Subjective assessments* of pain the day on which patients resumed self-care and the day their appetite improved; and 2. *Objective criteria* of whether cerebrospinal fluid leaked from their surgical wound, whether headaches were present, whether diabetes insipidus developed (excessive urinating and drinking of water due to lack of a pituitary hormone), duration of hospitalization, and the dose of pain medication at the time of discharge. The objective data were taken from discharge summaries, with Green assuming that if problems were not mentioned then they were not present. An additional questionnaire studied subjects' belief in the power of prayer to help.

Results: No significant differences in pre-surgery levels of anxiety or in beliefs in prayer were found between the groups.

Mean daily pain ratings for group 1, who received prayer and enhanced expectations, decreased significantly ($p < .001$)[95] as well as for Group 4, with no prayer and normal expectations, were also decreased significantly ($p < .001$).[96]

Green speculates that Groups 1 and 4 may have shown significant decreases in pain because these were the groups that started with the highest pain levels, even though the initial differences between these groups and the other two were not significant. Group 1 had the lowest pain rating on day 5.

Significant decreases in state anxiety were found only in Group 3, who had normal expectations and prayer ($p < .0002$).[97]

Decreases in *trait* anxiety were found in Groups 1 and 2, both with enhanced expectations, while trait anxiety actually increased in Groups 3 and 4, with normal expectations. In Group 1, which also included prayer, the decreases in trait anxiety were significant ($p < .023$).[98] The differences between the enhanced and normal expectation groups was also significant ($p < .041$).[99]

It is unusual to find a change in trait anxiety over a brief time period, as this is meant to be a measure of inherent personality characteristics that relate to anxiety responses. Green speculates that pituitary surgery, involving the face and head "may be quite symbolic of a person's sense of identify and sense of control . . . a kind of threat to a person's self-esteem or sense of adequacy. Insofar as this may be the case, then a lowering of trait anxiety would be a helpful adjunct to treatment."

The correlation of prayer with enhanced expectations was a little short of reaching significance in decreasing pain trend ($p < .087$).[100]

While the objective findings were not significant, there were 8 subjects in the no prayer group who developed diabetes insipidus and only 4 in the prayer group. Three subjects in the no prayer group received the heaviest pain medication, while none in the prayer group did.

Discussion

A. A significant effect of distant prayer healing on pain and anxiety is demonstrated. It is unusual that decreases were found in *trait* as well as in *state* anxiety.

The small numbers may have limited the significance of the findings. As with Byrd, there is no way to know whether non-research prayers may have been sent to subjects in the C group.

Green may have missed some instances of objective physical findings by relying on discharge notes rather than on specific questionnaires which would require notations of presence or absence of the problems.

B. This is a well-designed and well-reported study. Significant subjective improvements were found. Rating: I

Distant healing appears to be helpful for surgical patients. While some are of the opinion that prayer healing is different from Reiki, LeShan, or other, non-religious methods, I know of no evidence to support such an assertion. It would be most interesting to explore this question, and not at all difficult to design a study to do so.

Postoperative pain is reasonably well handled by analgesic and narcotic medications. These have side effects including drowsiness, unsteadiness, constipation, allergic reactions and more. Healing may offer a treatment that relieves pain without side effects, or that enables the administration of lower doses of pain medicine, at longer intervals.

Thérèse Connell Meehan

Therapeutic Touch and Postoperative Pain: a [M. Rogers]Rogerian Research Study **(doctoral dissertation, New York University, 1985; *Nursing Science Quarterly*, 1993)**

This study compared the effectiveness of five minutes of Therapeutic Touch (TT) healing with routine treatment by pain medication in alleviating pain after "major elective abdominal or pelvic surgery at a major North American urban medical center."

Subjects included 74 women and 34 men (23 to 79 years old) who agreed to participate in the study, out of 193 who were approached. The most common reason for refusing was that they felt overwhelmed by hospitalization and anticipation of surgery.

The study was conducted under the approval of the institutional review boards of both a university and a medical center. Consent was sought from potential participants, who received an explanation of TT procedures the evening prior to surgery. Subjects were informed that "many nurses who use it believe that it can decrease pain but that this had not been scientifically tested." Subjects were told that if they agreed they would be divided randomly into groups which would either receive TT, mock TT, or standard pain medication.

They were told that they would still have the option to request an injection for pain if the nursing intervention did not provide adequate pain relief. Subjects were accepted into the study only if they clearly understood the research design and had no reservations about participating.

After surgery, when patients asked for analgesics, the pre-intervention pain measurements were assessed if at least 24 hours had elapsed since recovery from anesthesia and at least three hours had elapsed since the previous dose of analgesic. Subjects were accepted for the study only when they indicated they had moderate or severe pain.

> Subjects were reminded that if they fell into the TT or MTT group, they would receive a nursing intervention instead of an injection of pain medication. It was stressed that if the nursing intervention did not help their pain, they should press their call light, and their injection of pain medication would be administered as soon as they requested it. Subjects were also reminded that they could withdraw from the study at this time or at any time they wished to do so.

The 108 who agreed to participate were divided into three groups of 36, to receive TT, mock TT (MTT), or standard intervention (SI) of pain medicine alone. A randomized block procedure was used in assigning patients to groups, so that equal numbers who were experiencing either "moderate," "severe," or "bad as can be" pain prior to surgery would be assigned to each of the three groups. "There were no significant differences between groups according to age, sex, ethnocultural identification, previous pain experience, length and type of surgery, or other selected variables."

Healing was administered by three TT healers, who were nurses with at least two years' experience. MTT was given by seven female registered nurse research assistants who had no previous experience with TT. They were instructed by Meehan in how to move their hands around the body to mimic TT treatment, while counting backwards mentally by sevens. Verbal interactions between nurses and patients with both TT and MTT were kept to a minimum. The SI consisted of an intramuscular injection of narcotic analgesic as prescribed for the patients by their physicians.

A Visual Analogue Scale (VAS) was used to assess pain immediately prior to and one hour following interventions, timed to coincide with the anticipated period of maximal medication effect. The VAS was administered by eight female research assistant registered nurses, all blind to the assignment of patients to treatment groups.

If subjects who received TT or MTT asked for an injection of analgesic prior to the one-hour post-intervention assessment, the analgesic was administered and the time noted. In these patients pain was not measured post-intervention. Instead, these patients were given a post-intervention assigned score identical to their pre-intervention score for purposes of data analysis. "This is an established method for determining intervention effects in the clinical setting" (U.S. Department of Health, Education and Welfare 1979).

The analgesic injections included: 6 patients—meperidine 100 mg.; 12 patients—75 mg.; 17—50 mg.; and 1 patient—morphine 6 mg.

Results: A substantial reduction in pain occurred in the SI group, with a slight reduction in the TT group and no reduction in the MTT group.

Statistical analysis showed SI to be superior to TT and MTT. TT just missed showing a significant advantage over MTT (.05 < p < .06).[101] No subjects in the SI group had assigned scores due to analgesics administered in the hour following the initial assessment. Statistical analysis of the 16 in the TT group and 27 in the MTT group who had assigned scores showed a significance of (p < .05).[102] None of the patients in the TT group reported increased pain at that time, whereas 27 in the MTT and three in the SI groups did.

Looking at demographic characteristics of patients, there were no differences between those in the TT who had measured or assigned scores. In the MTT group there were 15 females with measured and eight with assigned scores, while there were 12 males with measured and only one with assigned score (p < .05).

Looking at the time between the initial intervention and the next injection of analgesic, the TT group waited a significantly longer time compared with the MTT group (p < .05).[103]

No significant differences were noted between the effects of the treatments on the patients of the three different nurses, nor were there systematic differences in VAS measurements of the eight nurses who administered them.

Meehan observes that five minutes of TT cannot compete with standard pain medication in alleviating postoperative pain. However, the limitation of five minutes may have hampered healers from providing the maximal healing effects they might have given with a longer treatment time. She suggests that a combination of TT with pain medication could prolong the time of analgesic effect.

She speculates that the blinds may not have been effective and that patients may have been able to guess if they were in the MTT group. This might explain why so few patients experienced a placebo effect. Nurses administering MTT "reported feeling anxious and guilty because they perceived themselves to be giving an ineffective intervention to patients who were in need of pain relief."

Discussion

A. This study was well designed, considering the constraints of doing healing research in an American hospital at a time when healing still appeared strange to most medical authorities. It suggests that TT healing may offer mild reductions in postoperative pain when combined with pain medications and can extend the time between injections of analgesics.

The results of this study on pain are the more impressive for having occurred after the repeated negative suggestions from the research staff regarding the possibilities that the "nursing intervention" might not be effective. Though such suggestions are unavoidable under the requirements of hospital research boards for informed consent of patients to participate in studies, there are more positive ways to phrase them.

It appears that males may have a stronger response than females to TT given for postoperative pain relief.

In view of the near-significance of the effects of TT on pain, it would seem likely that a replication of this study with larger numbers of subjects is warranted. **B.** The statistical analyses show very modest effects of healing. Further replications are required before any firm conclusions can be drawn. Rating: I

Meehan replicated her study with a larger group of subjects.

T. C. Meehan, C. A. Mermann, M. E. Wiseman, B. B. Wolff, and R. G. Malgady

The effect of Therapeutic Touch on postoperative pain (*Pain*, 1990)

Journal report:

Aim of investigation: The purpose of this study was to investigate the effect of Therapeutic Touch on postoperative pain in 159 patients who underwent major elective abdominal or pelvic surgery (142 women, 17 men; ages 21 to 80, mean 44).

Methods: A randomized blocking procedure was used to assign subjects to one of three treatment groups: an experimental group receiving Therapeutic Touch, a single blind control group receiving Mimic Therapeutic Touch, or standard control group receiving standard care (no study treatment). Subjects received the assigned treatment the evening before surgery and seven times during the postoperative period. The number of doses and amount of analgesic medication received over the postoperative period was calculated. Pain was measured before and at four intervals following one treatment administered in conjunction with p.r.n. [as needed] analgesic on the first postoperative day using a Visual Analog Scale, and the time lapse until receiving the next analgesic medication calculated.

Results: Subjects who received Therapeutic Touch in conjunction with a p.r.n. narcotic analgesic waited a significantly longer time before requesting further analgesic medication (p < .01). No significant difference was found in pain intensity scores over the initial three hour post-treatment period. Subjects who received Therapeutic Touch requested fewer doses of analgesic and received less analgesic medication over the entire postoperative period than the control groups but this decrease was not significant at the .05 level. The analgesic effect associated with Therapeutic Touch was significantly greater in women than men.

Conclusion: Therapeutic Touch given in conjunction with narcotic analgesic medication can reduce the need for further analgesic medication. This finding replicated an earlier controlled study finding, suggesting that Therapeutic Touch may have potential beyond the placebo effect in the treatment of postoperative pain.[104]

Discussion

A. It is good to have a replication of research showing that TT healing is significantly effective in prolonging the postoperative efficacy of pain medication.

It would be helpful to have more details, such as the length of time TT was administered and the levels of experience of the healers.

B. This summary is too brief to permit proper evaluation of its procedures, results, and conclusions. Rating: III

The reduction in total medicine required for pain management, when healing is introduced, appears a logical follow-on to the above study, and well worth pursuing in further research.[105]

It is curious that in Meehan's study women responded better to the TT compared to women in the previous study. Perhaps this has to do with the specific types of surgical procedures[106] which were used on the men and women.

In the next study, people with chronic postoperative pain were given Healing Touch by experienced and inexperienced practitioners, with an interview serving as a control treatment. Each person received all three interventions, but the sequence of interventions was randomized (a Latin square research design) so that there would be no systematic bias of the study due to a particular treatment being given first, second, or third.

Victoria E. Slater

The safety, elements, and effects of Healing Touch on Chronic Non-malignant Abdominal Post-operative pain (doctoral dissertation, University of Tennessee, College of Nursing, 1996)[107]

The experimental quantitative and qualitative Latin Square study was designed to study the effects of Healing Touch (HT) on chronic non-malignant pain and the experiences of giving and receiving HT. Twenty-three men and women received three sessions: HT given by a trained provider, HT given by a naive provider, and a placebo control interview. Subjects acted as their own controls. Thus, treatment order was randomized rather that subjects. All subjects had non-malignant post-operative pain lasting more than six weeks after abdominal surgery. Fourteen had had their surgeries more than one year prior to the study.

Two standard HT techniques, magnetic unruffling and wound sealing/filling, were taught to all trained and naive HT providers via videotape and written instructions. All were female RNs.

The responses to the HT treatments differed from the placebo interview qualitatively at a highly significant level ($p < .0001$), indicating that HT is not a simple placebo. Quantitative and qualitative results comparing the two HT treatments contradicted each other. Quantitatively, subjects had fewer pain sensations after naive HT than after trained HT. Qualitative descriptions of recipients' responses indicated that they experienced relaxation, some pain relief, and various physical sensations during both naive and trained treatments, but more so during treatments by trained HT providers. In addition, recipients reported more unpleasant non-pain sensations such as nausea and headache after receiving trained HT than after naive HT. Three recipients reported total pain relief after trained HT; two of those three were treated by the same nurse. More than half of the trained and naive provider/ recipient pairs reported similar sensations during the treatments. Naive providers reported more uncomfortable sensations while giving treatments than did trained providers.

There are five primary implications of the study.

1. Both trained and untrained HT providers gave treatments that recipients report as relaxing and pain relieving.

2. The most experienced providers' treatments were followed by the most dramatic and long lasting pain relief.

3. HT training successfully prepares providers to protect themselves from uncomfortable sensations while giving treatments.

4. HT training also may prepare practitioners to modify energy in such a way that pain relief occurs, but relatively inexperienced practitioners do so in a manner that is followed by slight non-pain discomfort.

5. Quantitative results may have reflected the nature of the McGill Pain Questionnaire more than subjects' responses to treatment. HT and other energetic research should combine quantitative and qualitative measures.

In short, the most experienced providers' treatments were followed by the most pain relief and no additional side effects. Other trained HT providers' treatments were followed by transient pain relief and some additional non-pain side effects. Naive providers' treatments, were followed by transient pain relief and few non-pain side effects. Naive providers found the treatments uncomfortable; trained providers did not. The results suggest that HT is a natural phenomenon that can be modified with training.

Discussion

A. Significant effects of healing on pain are demonstrated. Healing Touch appears to be effective even when given by very inexperienced healers.

B. It is difficult to maintain that anything more than suggestion produced the pain relief, when naive "healers" produced as much improvement as trained healers. Rating: I

This study confirms effects of healing on pain, but is unclear on whether more experienced healers may be more effective.

F. Scott Fitzgerald (1936) observed, "The test of a first-rate intelligence is the ability to hold two opposed views in the mind at the same time and still retain the ability to function."

Arthritis is a crippling, illness for which Western medicine has only limited treatments. Some conventional treatments can produce serious side effects.

Many healers have reported they are able to relieve pain and increase mobility in arthritis. The following studies examine the benefits of healing for arthritis and other pains.

Robin Redner, Barbara Briner, and Lynn Snellman

Effects of a bioenergy healing technique on chronic pain, (*Subtle Energies* 1991)

> B. Johnston (1975) developed a method of healing that begins with the treater's assessment of the bioenergy field around the patient's physical body. Using their hands, the treater senses only imbalances, (which may evidence as heat, a dense quality, or a sense of blockage), and treats the imbalance by visualizing the energy becoming balanced and free flowing. This visualization continues until the treater senses a change towards balance or the free flow of energy in that area.
>
> . . .Johnston's technique occurs entirely off the body in the patient's energy field. . . .

With a superficial review of research on Therapeutic Touch, citing Clark and Clark's (1984) criticisms of the early TT studies,[108] the authors dismiss TT as of unproven value. They feel this study introduces a major improvement by including an *attention placebo control group*—which is intended to control for expectancy effects and for relaxation effects which occur when one receives attention from a caring person. They feel this study also has the advantage of two treaters providing 30-minute interventions four times during the study, which is clearly longer than the usual TT research treatments. Additional features introduced here were: to compare bioenergy diagnoses with medical diagnoses; to study positive and negative moods as well as levels of anxiety; to check outcome measures one week after healing; and to explore healing effects in three chronic conditions.

Johnston healer training includes a series of three courses. Treaters in the study had completed two or more courses (four of the eleven treaters had completed all three and had six months' additional practice) and participated in weekly practice sessions for two years. Mean age of treaters was 47; 10 were women; and all either had university degrees or health caregivers.

Participants, recruited with ads in local papers, suffered from arthritis, headaches and low back pain separately or in combination of all three. They must have had the arthritis for six months, or the headaches or backaches for six weeks, and must not have been taking narcotic medications or have been receiving massage, physical therapy, acupuncture or acupressure during the study. (Additional inclusion criteria were applied, specific to each diagnosis.) The 47 participants were randomly assigned to E or C groups, with equal numbers of each diagnosis in E and C groups.[109] They were told that there were two possibilities but remaining blind regarding assignment. They were randomly assigned to a treater pair for the duration of the study.[110]

The experimental model was a 2 x 3 x 2 repeated measures design. That is, participants were divided into a High-Intensity (HI) treatment group or a Low-Intensity (LI) placebo group; had one or more of the three diagnoses; and were assessed before and after healing.

For this study, treaters followed a prescribed treatment regimen for placement of their hands near to but not touching the body, with visualizations of providing more energy or removing excess energy as intuitively perceived to be appropriate.

For the placebo group, treaters made random motions of their hands around subjects' bodies for the same length of time. Treaters engaged in various mental exercises intended to block potential healing energy flows, such as rehearsing multiplication silently, "reviewing mundane life activities...slightly crossing their legs . . . [and] visualizing the participants as surrounded by a wall. . ."

Pre- and post-healing physical exams were done by six osteopathic doctors and one advanced medical student. Assessors were randomly assigned and blind to the E or C group assignments. The same assessor was assigned each pre- and post intervention pair of examinations.

> The major aspects of arthritis assessed during the physical examination were: temperature, swelling, quality of motion, and appearance of the one major joint affected by arthritis, cervical flexion and extension, standing lumbar range of motion in flexion and standing lumbar range of motion in side bending.
>
> The variables of importance for chronic headaches included: sinus tenderness, mandibular motion, musculoskeletal posture, tissue tension of the vertebra and segmental motion restriction of the vertebra.
>
> The major aspects of low back pain assessed during the physical examination were: lumbar range of motion flexion, side bend range of motion, standing flexion test, seated flexion test, sum of tissue tension for the various vertebra, sacrum posture, pelvis axis and level of pelvis.

Treaters made a "Bioenergy Evaluation," rating such items as energy flow, vitality, and health status of physical organs and systems. They also rated each session, estimating how effective they had been in healing and in mimicking healing.

Participants did the following self-evaluations:

- Weekly evaluations of sleep, eating, pain, physical energy, mood.
- McGill-Melzack Pain Questionnaire (MMPQ), modified to cover the experiences of the preceding week (Melzack).
- McGill-Melzack Home Recording Form for rating pain twice daily and tabulating doses of pain medicine taken.
- Profile of Mood Scale (POMS) to assess six mood states weekly. This is a 65-item adjective rating scale, producing scores for six mood factors: tension-anxiety, depression-dejection, anger-hostility, vigor-activity, fatigue-inertia, and confusion-bewilderment. It can also give a summated score for global assessment of affective state.

- A "Manipulation Check" was made by an independent bioenergy treater who had four years' experience, assessing the quality of energies at six major energy centers of several participants selected randomly from High-Intensity and Low-Intensity groups.

Results: The only finding on the POMS was that the High-Intensity group showed increased anxiety over time, while the Low-Intensity group showed less anxiety (p < .05).[111]

The McGill-Melzack Home Recording Form showed no significant changes in pain or in pain medications used.

The MMPQ showed that the High-Intensity group rated *sensory aspects* of their pain as less severe following treatment, while the reverse was true of the Low-Intensity group (p < .05).[112] The *affective scale* focused on tension, fear, and autonomic aspects of the pain experience likewise showed positive changes in favor of the High-Intensity group and conversely for the Low-Intensity group (p < .05).[113] The *evaluative scale*, describing pain as either annoying, troublesome, miserable, intense, or unbearable, showed trends in favor of the High-Intensity group but did not reach significance. The *miscellaneous scale* also did not reach significance, though similar trends were demonstrated. The disorders were examined separately, but no one illness category contributed more significantly to the results than the others.

Several assessments were not analyzed for significance. Medical history was taken primarily to screen participants for inclusion in the study. Testers' session assessments and participants' weekly evaluations were used to track progress and adherence to study protocols. The testers' bioenergy evaluations showed little agreement and was felt to be unreliable.

The Manipulation Check assessed greater changes of energy flow and vitality in the High-Intensity group, though numbers were too small for statistical analysis.

No physical examination outcome variable showed significant changes.[114]

Authors' Discussion: This study demonstrated significantly reduced severity of affective and sensory aspects of pain one week after the healing intervention. The persistence of pain reduction one week after healing is a significant finding over previous research on healing for pain.

The lack of findings on the physical measurements and Bioenergy Evaluation may have been due to small numbers in each of the target problem categories. Another possibility is that with such chronic conditions, longer treatment periods may be necessary before physical effects are evident.

The increase in anxiety in the High-Intensity group is unexplained.

Discussion

A. A well-designed study, well reported. A significant decrease in sensory aspects of pain and anxiety, lasting a week, is demonstrated in the healing group.

The increased anxiety on the mood scale in the high intensity group might have been due to discomfort with particular healers or some other aspect of the research process.

It is of note that these effects were obtained with a group of healers that included some who were only partially trained in the Johnston methods. No breakdown of results by level of healer training is offered by the authors.
B. A well-designed and well reported study. A significant effect of healing on pain is demonstrated. However, the increase in anxiety bears caution. Rating: I

I am not impressed with the authors' assessment of TT as being inferior to the Johnston method. A controlled study would be required to support such claims.

Arthritis decreases quality of life, particularly in the elderly, who have less strength to cope with disease. This study explored Therapeutic Touch healing for arthritis.

Susan D. Peck (Eckes)

The Effectiveness of Therapeutic Touch for Decreasing Pain and Improving Functional Ability in Elders with Arthritis (doctoral dissertation, University of Minnesota, 1996)

Peck compared the effects of routine medical treatments plus six sessions of either Therapeutic Touch or progressive muscle relaxation (PMR) on symptoms of degenerative arthritis in 108 people aged 55 or older. Subjects were assigned randomly to treatments after a four-week baseline period without TT or PMR. No significant differences in demographic variables were identified between the two groups. Treatments were given once weekly, with 84 people completing all six sessions and also completing the questionnaires.

Measurements: Functional abilities, pain, and distress were assessed with a Visual Analogue Scale (VAS), the McGill Pain Questionnaire (MPQ), and version 2 of the Arthritis Impact Measurement Scale (AIMS2). These were given when subjects were accepted into the study, at the third baseline week, and following the first, third, and sixth treatments.

Results: Statistical analyses revealed no demographic differences[1115] between the TT and PMR groups.

Significant differences were demonstrated by both TT and PMR when comparing test scores before and after treatments[116] for various aspects of pain measurement.[117]

TT was significantly more effective[118] than PMR on several AIMS2 scales.[119] PMR also produced lower work scores (p < .05).[120]

Pain measures showed no statistical differences between TT and PMR.

Discussion
A. This excellent study shows significant effects of healing for both the physical and functional aspects of arthritis.

B. A well-designed study, but impossible to evaluate solely from a brief dissertation abstract. Rating: III

Peck's study of healing confirms clinical observations of healers that functional disabilities of arthritis respond to healing as well as pain.

Andrea Gordon, Joel H. Merenstein, Frank D'Amico, and David Hudgens

The effects of Therapeutic Touch on patients with osteoarthritis of the knee (*Journal of Family Practice,* 1998)

Gordon and colleagues explored the effects of six weekly Therapeutic Touch (TT) healings on pain and physical disability in people aged 40-80 who had osteoarthritis of one or both knees. Those who had knee replacement(s) in their affected knee(s) were excluded from the study. Of 31 people recruited, 27 completed the study.

Subjects were divided into three levels of severity of disease and were randomly assigned within each level. Severity was assessed through symptom questionnaires and radiographic readings. This assured equal severity of illness across the groups, including 8 TT, 11 mock TT (MTT) and 8 non-treatment C subjects.

TT was given by a healer, MTT by a woman of similar age and appearance who had experience in health care. TT and MTT treatments were videotaped to assure that naïve observers could not distinguish between the two.

Measurements: The Stanford Health Assessment Questionnaire (HAQ) assessed health and general functional status, use of medications, and use of medical services. The West Haven-Yale Multidimensional Pain Inventory (MPI) with 13 scales assessed subjects' pain and its impact. Visual analog scales (VAS) were also used to assess pain and general well-being. Depth interviews were conducted by an independent anthropology doctoral student with all subjects at weeks 6 and 13 to assure that quantitative assessments did not miss data that would be apparent in qualitative assessments.

Assessments were made prior to and following each TT and MTT treatment, and at 7 and 13 weeks from the start of treatment. The C group subjects were only given the VAS at the initial assessment and at weeks 7 and 13.

Results: There were no significant differences in age or test scores between the groups prior to treatment.[121]

The TT group demonstrated significant improvements on 10 out of 13 of the MPI scales: TT vs. MTT—less pain (p < .04-.0003), enhanced activities (p < .01-.0002); TT Vs C—less pain (p < .04-.002), enhanced activities (p < .05-.0005).[122]

Significant differences were not demonstrated on the HAQ in functional disability but were found for general health status: TT Vs C (p < .05-.001). Items on which significant improvements were shown included: energy level, coping with frustrations of arthritis, mood, and general health status. The MTT group showed no significant improvements on the HAQ compared to the C group.

Changes present at seven weeks were maintained at week 13.

The authors suggest that the HAQ may not be as sensitive a measure because it includes only 2-3 questions on each scale, focused primarily on functional abilities (such as ability to pick up clothing from the floor). Each MPI scale includes 3-11 questions.

The VAS showed no significant changes for any groups except on one measure where the C group improved significantly more than the MTT group.[123]

The depth interviews supported the quantitative findings. TT group subjects who had significant pain at the start reported less pain, fewer arthritic symptoms, and enhanced activity. Several of these were able to postpone or reduce other treatments which would ordinarily have been required to deal with their symptoms. The MTT group reported less intense responses.

Discussion
A. Significant effects of TT on arthritis pain and movement limitations are demonstrated in this study.
B. As no blinds were used for experimenters, it is impossible to rule out the possibility of suggestion as a cause for the observed changes. Rating: IV

The next study of healing for arthritis is very limited.

Randi Anderson Bucholtz

The use of Reiki therapy in the treatment of pain in rheumatoid arthritis (master's thesis, University of Wisconsin, Oshkosh, 1996)[92]

Bucholtz studied the effects of Reiki touch healing compared to casual touch for relief of pain in patients with rheumatoid arthritis. This was a single-blind, randomized, crossover study in which subjects served as their own controls.

Pain was assessed with a Visual Analog Scale and a Descriptor Differential Scale (Gracely/Kwilosz) before and after interventions. Six subjects, 18 years or older, were studied. The healer, a nurse with two years of experience in Reiki, level 2, administered the healing and casual touch treatments. Three treatments were given over a one-week period. A month later, a second series of three treatments was given, with a crossover from either E to C or C to E intervention.

Though consistent decreases in pain were noted in comparisons of the measurements before and after healing, as well as over the series of treatments, the results did not reach a significance level.

As the author notes, both the small number of subjects and the use of the healer to provide the C treatment mitigated against significant findings.

Discussion
A. A positive effect of healing on arthritis is suggested by this study. Further study appears warranted.

The use of a healer to administer the casual touch is likely to diminish the differences between E and C group responses, as the healer may not be able to block healing effects in the C group.

B. It is sad to see efforts wasted in a study that is unlikely to bear results. Though the design is in principle a reasonable one, the small number of subjects makes it highly unlikely that significant results would be found. This is a problem not only in terms of the absolute numbers, but also because arthritis is a disease in which patients frequently experience spontaneous waxing and waning of symptoms. Rating: III

This abstract is too brief for proper evaluation of the study.

These studies show that chronic pains of arthritis, backaches, and headaches, respond to healing.

The next study explored how healing might help tension headaches.

Elizabeth Keller and Virginia M. Bzdek

Effects of Therapeutic Touch on tension headache pain (*Nursing Research,* 1986; E. Keller, master's thesis, University of Missouri, 1983)

Keller tested the following hypotheses (1986):

1. Therapeutic Touch (TT) will reduce tension headache pain, and the initial reduction will last four hours.

2. TT will bring about greater tension headache pain reduction than a placebo simulation of TT.

3. TT will bring about greater tension headache pain reduction than a placebo simulation of TT in the four hours following the intervention.

The patients were 60 volunteers between the ages of 18 and 59 (mean 30), either students (70 percent) and staff at the university hospital or from the general public. To be included, they had to have tension headache, "defined as dull, persistent head pain, usually bilateral, with feelings of heaviness, pressure, or tightness, which did not involve a prodrome, neurologic deficit, infectious process, or recent head trauma" and had to be free of headache medication during the four hours preceding the study. Patients were randomly assigned to TT or placebo touch groups and were blind regarding their treatments. Subjective experience of headache pain was evaluated on three scales of the McGill-Melzack Pain Questionnaire (MMPQ). The MMPQ was completed just prior to and five minutes after the treatments.

For the TT group, the researcher centered herself and passed her hands six to 12 inches away from the subjects without touching them, "to assess the energy field which extends beyond the skin and to redirect areas of accumulated tension out of the field. She then let her hands rest around, but not on, the head or solar plexus in areas of energy imbalance or deficit and directed life energy to the subject." For the placebo, group the researcher simulated the above procedure, omitting the therapeutic components, focusing her mind on subtraction of sevens from 100, while holding no intent to help in her consciousness. Subjects in both groups sat quietly and were asked to breathe slowly during the five minute procedures.

The initial severity of headaches was comparable between the two groups, which showed a difference of no more than a half-point on the three scales of the MMPQ. Hypothesis 1 was supported by the 28 (90 percent) of patients who had reduced headache pain on post-test compared to pre-test scores on all three MMPQ tests, both five minutes and four hours after TT treatments (p < .0001).[124] Hypothesis 2 was also supported on all three MMPQ tests (p < .005 on PRI scale; p < .002 on NWC; and p < .0001 on PPI test).[125] Hypothesis 3 was not supported on the initial data analysis. However, researchers found that the placebo group had 15 subjects (50 percent) who "used treatments [unspecified] to relieve their headache during the four hour interval between post-test and delayed post-test, but only five subjects (16 percent) in the TT group reported an intervening treatment." Removing data of all who used other treatments from the analysis, significant differences between the groups became apparent (p < .005-.01) depending on the particular MMPQ test.

Correlations of patients' responses were sought with age, sex, practice of meditation, religion, and level of initial skepticism toward TT. With one exception on one test, no correlations were found.[126]

Subjects in the TT group reported sensations of tingling, warmth, and relaxation, though they had not been told what to expect and had no prior experience with TT. Subjects in the placebo group reported a lesser reduction of pain and more often used other treatments. "Thus it appears that although the placebo intervention did reduce headache pain, the effect did not occur as often, was not as great and did not last as long as the effect of TT."

Discussion

A. It seems reasonable to conclude from this study that healing is effective for headache pain.

B. This was a well-designed study. However, several factors were not reported which might have influenced the study. How long had the tension headaches been present? Had subjects used doses of medication that differed between the two groups? Either of these factors could have biased the results if present to a greater extent in one group than in the other.

In personal communication, Bzdek added the following:

> The intensity, duration and frequency of the tension headaches experienced in this sample varied widely. . . . Fifty percent of the headaches began less than four hours before the subject's entry into the study, while 20 percent had been present for at least 24 hours.
>
> Nearly half (26) of the subjects reported they had previously attempted to relieve their headache with some kind of medication with unsatisfactory results, at least four hours prior to entering the study; 27 had tried an aspirin or acetaminophen preparation; the other nine had

tried Fiorinal, Motrin, or antihistamines. Other attempts to relieve that particular headache included sleep, heat applications, massage, and diverting activities, all of which proved to be minimally or only temporarily effective. We do not have information concerning the dosages of these medications that the subjects used. No subjects indicated that they had taken medication with action expected to last longer than four hours.

We are left with a possibility that differences between groups may have been due to chronicity of headache or to the doses of medication. Rating: IV

Millions of work days are lost annually due to backaches. While most clear up in a few days or weeks, a significant number persist for months or even years. Many treatments are available, including medications for pain, muscle spasm and stress; massage to relieve muscle spasms and help to relax tensions; spinal manipulation; and even surgery. Many of these treatments have side effects, such as habituation or addiction to pain medicines. Some carry serious risks of worsening the problems, as with surgery.

For pains of this sort many healers and grateful healees report that healing has much to offer. It is good to see a growing body of research evidence confirming that healing helps to bring about pain relief and relaxation and produces no dangerous side effects.

David Dressler

Light Touch Manipulative Technique (*International Journal of Alternative and Complementary Medicine*, England, 1990)

Dressler developed a technique for spinal manipulation which he claims relieves "muscular hypertonicity and vertebral joint motion dysfunction due to muscular and fascial restriction." Light-Touch Manipulative Technique (LTMT) claims to move displaced vertebrae back into position and its conceptualizations and terminology seem to derive from chiropractic or osteopathy. In practice it is clearly a form of healing, as the author notes that treatment may be given with the practitioner holding his finger near the body (up to several feet away). Dressler speculates that this may be explained by interactions of the energy fields of the participants.

LTMT provided marked relief for lumbosacral pain, including pains radiating to distant muscles. It is especially useful when patients are in too much pain to be moved. In addition, race horses with spinal dysfunctions were dramatically improved with LTMT.

> . . . LTMT is a form of joint mobilization or manipulation and of soft-tissue manipulation, employing sustained pressure ranging from just sufficient to begin to dent the skin of the target tissue to pressure slightly greater, depending on the case. This whole procedure is

conducted with a quality of high-absorbed attention to the sensations occurring in the tip of the finger at the point of contact. . . .

LTMT has less to do with the activity of the practitioner than with the tissue response of the subject. The practitioner follows more than directs and therapeutic contact is more like palpation than pushing or thrusting.

The mental attitude of the practitioner is crucial. The challenge in LTMT is that, although it is a direct technique, the practitioner must act, and think, almost as though it were not.

Because the bone is moved in the direction of the barrier, the temptation is to push and thrust, when what is really necessary is to let the sensing fingertip lightly touch the edge of the bone as though it were a delicate leaf floating in a still pool, following its motion wherever it drifts, influencing its direction as little as possible.

To let this happen, the practitioner's attention is absorbed in the sensations of the fingertip, silently aware, with as little thought and will as possible.

Dressler mentions that he used to visualize energy emanating from his finger and the bones moving into position, but that he no longer does so. During treatment, warmth or tingling may be felt by the practitioner, while the patient may feel localized heat, tingling, pulsing, or "needlelike pain" in the joint, while relaxing deeply and even falling asleep. The bone being manipulated may spontaneously wiggle slightly, and the practitioner may feel as though it is floating in warm oil. The bone moves thus until it is gradually and gently returned to its correct position. Dressler feels that LTMT activates the patient's own healing abilities.

Dressler solicited subjects for a clinical study of his technique through a newspaper ad for "neck pain/back pain wanted." He offered free professional assessment in return for their participation in the study. All 27 subjects had chronic neck and back pain which had been either untreated or had been unresponsive to (unspecified) treatments.

A physiotherapist and chiropractor assessed "each cervical restriction of flexion or extension found between C2 and C7 in every subject before and after the author examined the subject." The assessors did not know which subjects were treated by Dressler and which were in the control group. Assessments for the study were based on motion testing and palpation of the cervical spine. Criteria for improvement are not mentioned. Treatment was given during Dressler's palpation, without subjects' knowledge.

Of the 16 treated, 14 were improved. Of the 11 controls, only 4 showed improvement (p < .01).[127]

Discussion
A. Here is a study of healing under a different name and discipline. LTMT appears to be a form of healing that can help with back and neck pain. Dressler's clinical observations parallel those of John Upledger, a craniosacral osteopath.[128]

B. Patients with both back and neck pain were included, but the numbers of each allocated to treatment and control groups are not mentioned, nor is there mention of checks to see that both groups were comparable in severity of initial symptoms. Criteria for assessment of symptoms and of improvement are not described. It is therefore unclear precisely what benefits were produced by LTMT and how valid the study might be. Rating: III

It is fascinating to have numerous anecdotal reports such as Dressler's from complementary therapists[129] who report heat, tingling, and other sensations during their hands-on treatments. These sensations are identical to those reported by healers.[130] Few of these other therapists are aware of this similarity, and fewer yet will acknowledge it lest they be branded as healers rather than recognized as offering a manipulative therapy. Healing has been considered by many to be a fringe therapy, despite the fact that there are more controlled studies on healing than on most of the other hands-on complementary therapies.[131]

The next study examines the effects of healing on people with chronic back pains. I was particularly pleased to find this study because it is relevant to my personal practice of psychotherapy combined with healing. I find these to be an especially effective combination of interventions.

Jerri Castronova and Terri Oleson

A comparison of supportive psychotherapy and laying-on-of-hands healing for chronic back pain patients (*Alternative Medicine*, 1991)

Anecdotal reports, supported by a modest body of research, indicate that back pain responds to a variety of complementary therapy approaches, including healing. This study explored whether healing by the laying-on of hands would produce significant reductions in pain, somatization, anxiety, and depression compared to supportive psychotherapy or control conditions.

An advertisement in a local newspaper produced 37 volunteers, aged 20 to 60, "whose back pain was not due to spinal abnormalities or congenital spinal defects, and who were not currently in psychotherapy, healing, or seeing a chiropractor." They were randomized into healing (12 subjects), therapy (13) and control (12) groups.

The self-reporting Symptom Check List (SCL-90-R) measures symptomatic psychological distress, particularly somatization, anxiety and depression. A Visual Analogue Scale (VAS) was used to assess pain, as well as providing measures along the polarities of tense to relaxed, anxious to calm, irritable to peaceful, and unhappy to happy. The SCL and VAS scales were administered to all groups at the start and after the end of the eight-week period of the study. People in the healing and psychotherapy groups completed these tests at the time of their weekly treatment sessions.

Healing included scanning with the healers' hands through the healees' energy fields to identify where there might be physical or emotional distresses, energy blocks, or pains. Several healing methods were used:

> Chelation is a process in which the healer's hands are placed on specific points of distress or malfunction in the body in order to channel energy from one area of the body to another, thus facilitating release of the physical and emotional distress, blockage or pain. Chakra balancing is a technique in which the healer places one hand on one chakra, or energy center of the body. The other hand is placed on another chakra, and he channels energy between them until a sense of balance is restored, and the chakras are fully functioning relative to the inflow and outflow of energy.

Supportive psychotherapy included discussions of pains which were present and behavioral methods for reducing pain, with

> 1. establishment of goals for the relief of back pain; 2. relaxation exercises to facilitate anxiety reduction and an awareness of the relationship of certain stimuli with the physiological reaction which leads to the response of pain; and 3. emphasis on supportive approaches of self-statements to replace negative self-statements which lead to the tenseness and thus aggravates the back pain.

The healing group also received psychotherapy—not fully described, but apparently very similar to or identical with the treatment of the psychotherapy group. Whether the same or different therapists were involved in giving psychotherapy to the two groups is not stated.

The control group was on a waiting list and had only the pre- and post-tests.

There were no significant differences between the three groups prior to treatment on the pain VAS. With treatment, the healing group showed a greater decrease in pain than either psychotherapy or control groups but not to a statistically significant degree.[132]

Healing and psychotherapy groups both showed non-significant decreases in somatization, anxiety, and depression relative to the control group. Various tests showed somewhat greater differences in therapy and healing groups, but none were significant. Subjects in the healing group reported after weeks one, three and six that their pain was either all gone or nearly gone and

> . . . that they were now coming to terms with the causes of the pain and its symbolization in the body.
>
> However, their depression, anxiety and somatization levels were reduced only slightly, as measured by the SCL-90-R, which appears to support the fact that an increase in energy can bring about awareness of the source of those emotions, their locus of storage in the body at the cellular level, and their concomitant effect on the personality, but not necessarily a decrease in the emotions themselves.

The authors note that healing could sometimes bring about long-term decreases in chronic back pains, with or without psychotherapy. Pain reductions occurred even though patients gained no insights about the underlying causes of their problems, and this could occur without receiving reconstructive psychotherapy. They note that ". . .seven participants in the healing group reported they had 'learned to talk to their body' and 'listen to their body' in order to find out what was causing the pain."

Discussion

A. Though the basic idea of this study is good, it is difficult to draw any conclusions from it other than that the authors' speculations generously exceed the data. The numbers of subjects in this study are so small as to be unlikely to reflect all but the most robust effects of healing. Modest or small effects of healing would be unlikely to be noticed. The study is nevertheless included in this section in the hope that it may stimulate others to replicate it with better design, execution, and reporting of relevant details.

The authors do not provide sufficient details to allow one to assess whether:

- Differences between healing and psychotherapy groups could have been due to different therapists, different content of psychotherapy, medications, or other therapies used by some subjects.
- There is no statement of precisely when the pre- and post-tests were given, nor when during the treatment sessions they were given.
- It is unclear what is meant by "Subjects in the healing group reported after weeks one, three and six that their pain was either all gone or nearly gone." Presumably this refers to individual subjects within the group.[133]

The anecdotal observations that healing appeared to add dimensions to the benefits derived from psychotherapy is consistent with my own clinical observations.

B. Significant effects of healing are not demonstrated. Rating: III

The small numbers of patients in this study may have made it impossible to demonstrate significant effects of healing combined with psychotherapy for back pain.

The following study comes from Finland, where the medical profession has been so skeptical of healing and other complementary therapies that they tend to discount reports of scientists in other countries, accepting only studies done by scientists they know personally. The healer, Marja-Leena Aho, is widely acclaimed in Finland for helping people who have serious illnesses. Some of her healees spontaneously move their bodies into postures which appear to contribute to self-healing.[134]

This study examines how healing can be effective for chronic pain, one of the most common symptoms treated by healers, with anecdotal reports indicating great successes in pain relief from almost any cause.

D. Markus Sundblom, Sari Haikonen, et al.

The effect of spiritual healing on chronic idiopathic pain—A medical and biological study (*Clinical Journal of Pain*, 1994)

Idiopathic pain syndrome (IPS) describes people who suffer from chronic pain with no known somatic problem or whose pain is not adequately explained by a lesion (when no major psychological disturbance is also present). Some believe that IPS is an expression of an underlying depression. Patients included in this study

> (a) were preoccupied with severe pain of at least six-months' duration, (b) lacked any organic pathology or pathophysiological mechanism accounting for the pain, (c) complained of pain inconsistent with the anatomical distribution of the peripheral nervous system, (d) if any organic pathology was present, complaints appeared grossly exaggerated compared to physical findings, and (e) pain not related to any somatizational disorder or major depression.
>
> . . . All patients had been extensively investigated at the HUCH Multidisciplinary Pain Clinic within one year before the study began, with numerous unsuccessful treatment attempts. Previous therapy modalities included medication, local anesthetic blocks, physical therapy, transcutaneous nerve stimulation and psychotherapy. Many of the patients had also tried acupuncture, manipulation, laser therapy and spiritual healers.

The 24 patients, out of 39 selected, were randomly divided into treatment and control groups. Patients ranged from 29 to 75 years of age (mean 51), with pain from 3 to 25 years (mean 12.7). The pains were mostly in the head, pelvis, back, neck, and face. The two groups were comparable on variables of age, initial VAS scores, duration of pain, sleep disturbance, and medication use.

The healing group was given three to eight 40-minute healing treatments by Ms. Marja-Leena Aho, one of the best known healers in Finland. Healees lay on a bed while the healer held her hands about 20 cm. above them. She believes the healing power, or "energy" which is supposed to originate from the Holy Ghost, finds its way to the sick points in the patient. Aho gave only three to four treatments if she felt the healee was unresponsive.

Healer and healees recorded their impressions of the healings. Extensive physical assessments were made prior to healing, two weeks after healing, and a year after healing, including:

* A modified form of the Pain Data Base Outline of the International Association for the Study of Pain.
* A Visual Analogue Scale (VAS) for pain.
* The HUCH Pain Clinic Medical Formula for medical history and physical condition.

- Use of scales from 0 (never) to 10 (very often) to assess degrees of social, recreational and sexual activities.
- Notation of severity of pain, analgesic drugs used, and sleep disturbance. Psychological tests included:
- The Hopkins Symptom Check List, SCL 90, which has 90 self-administered symptoms clustered into dimensions of somatization, obsessive-compulsion, interpersonal sensitivity, depression, anxiety, hostility, phobic anxiety, paranoid ideation, and psychosis (Derogatis).
- The Middlesex Hospital Questionnaire (MHQ) with 48 items in subscales of free-floating anxiety, phobic anxiety, obsessive-compulsion, somatic symptoms, depression, and hysteria (Crisp/Jones/Slater).
- The Beck Depression Inventory (DBI) with 21 items addressing somatic, cognitive, and overt motor symptoms of depression (Beck/Steer/Carlson).
- A modified Coping Strategy Questionnaire with 24 questions divided into subscales for increasing "pain behaviors" (covert behaviors to reduce pain), increasing activity level, increasing complaints about pain, ignoring pain, diverting attention, withdrawing, rationalizing, catastrophizing, hoping, denying, irritation, and despair (Rosenstiel/Keefe).
- An earlier version of the Finnish Health Locus of Control (HLC) scale of 60 items with subscales covering faith in the future; punishment and guilt; confidence versus mistrust in health care authorities; contentment with information concerning the health problem; limitations of daily functioning caused by illness; acceptance of psychological factors influencing the pain problem; locus of control—powerful others; locus of control—internal; locus of control—chance; and depression.

Results: Data from medical and psychological interviews and the IDBO questionnaire indicated that two patients believed healing had been successful, four reported some relief, and six had no benefit. Aho felt that the response of four was satisfactory, four had some improvement, and four were not helped. Sensations during healing were reported by ten patients, most commonly warmth and relaxation. All patients found healing to be a pleasant experience.

Medical Assessments: VAS scores before treatment and two weeks after showed no significant differences between treatment and control groups.[135] Moderate decreases in pain were noted more in the treated than in the controls both at two weeks and one year. Use of analgesics was somewhat higher in the controls at two weeks but not at one year. Improvements in responders were noted in increased recreational and sexual activities at two weeks but sexual activity returned to previous levels at one year.

Psychological Assessments: There were significant decreases in scores for hopelessness and increases in acceptance of psychological factors influencing the pain problem (p < .05). All changes, except for recreational activity, returned to baseline levels by one year, although there remained a tendency for decreased social isolation and increased denial of symptoms.

No one found the treatment unpleasant, and no adverse reactions were noted.

The authors note that placebo effects are often associated with increased anxiety, stress, and trust in the therapist (Shapiro/Morris). Responders' scores for anxiety and trust in authorities were somewhat higher but not significantly so. No similarities in medical or psychological characteristics could be identified as common to responders in contrast to non-responders.

The authors note that this study is weak in having small numbers of patients and not including blinds for those who assessed the patients. Placebo controls were not used but it would have been difficult to identify a placebo treatment which these chronic patients had not already used.

The authors consider explanations for healing, primarily in the spectrum of placebo effects. They note that placebo reactions are often inconsistent in the same patient over time, which was not the case with responders in this study, who felt improvement with each healing treatment. The authors puzzle over the fact that with increased hope one would expect decreased anxiety and depression, while responders had decreased hopelessness without reductions in psychological distress. The authors fall back on an earlier Finnish study (Miettinen) which concluded that healing should be viewed in the spectrum of religious rather than medical contexts.

Discussion

A. This is a most thorough investigation of medical and psychological variables that might be related to healing effects. Despite the low numbers of patients, significant findings were found of increased hope and acceptance of underlying psychological factors associated with pain. As the authors note, though no blinds were included, these patients had experienced so many forms of treatments that if they were susceptible to suggestion one would have expected them to demonstrate improvements under previous therapies.

B. It is sad to see so much effort invested in a study of such few subjects, when it is unlikely that statistically significant effects could be anticipated. The lack of blinds and placebo controls leaves one to question whether factors of expectation and suggestion could have been causal rather than any healing effects. Rating: IV

Again, limited numbers of subjects may have limited the possibility of demonstrating healing effects.

It seems a lot to expect that a brief healing intervention alone would bring about significant changes in so complex a problem as that of severe chronic pain. Problems of self-image and secondary gains are deep-rooted and unlikely to change with brief interventions. This makes these findings all the more remarkable.

A better design might have been to have the healer continue treatments with larger numbers of patients over the course of the year, adding psycho-therapy with some of the patients.

Linda J. Dressen and Sangeeta Singg

Effects of Reiki on pain and selected affective and personality variables of chronically ill patients, *Subtle Energies* **1998**

Singg and Dressen randomly assigned 120 chronically ill patients (mean age 41 years) in West Texas to one of four groups: Reiki, Progressive Muscle Relaxation, Control, and false-Reiki. Following baseline measurements, each of the three treatment groups received ten 30-minute treatments biweekly. Another assessment was done three months following the last treatment.

The authors predicted that Reiki would prove superior to the other three treatments on all measured variables immediately following treatment and equally at a three months follow-up, and that there would be differences in responses between men and women on these variables.

Measurements: General Information Questionnaire, Social Readjustment Rating Scale, McGill Pain Questionnaire (MPQ), Beck Depression Inventory-II, State-Trait Anxiety Inventory (STAI), Rosenberg Self-Esteem Scale, Rotter I-E Scale, and Belief in Personal Control Scale-Revised.

There were no significant differences between groups in age or on any of the measures prior to treatments.

Results: Reiki proved significantly superior (p < .0001-.04) [136] to the other treatments on all variables except the total pain rating index and the affective quality of pain, and these changes remained consistent after three months. At the three month follow-up, there were further, highly significant reductions in Total Pain Rating Index (p < .006) and in Sensory (p < .003) and Affective (p < .02) Qualities of Pain. Women showed greater enhancement than men of their faith "that God is a powerful agent whose help can be enlisted."

Discussion:
A. Significant effects of Reiki healing on anxiety, pain, and depression are demonstrated in this study.
B. While significant effects are demonstrated, it is difficult to know what to make of a study where there was no examination of concurrent treatments, particularly medications, that might have influenced the results. Rating IV

These studies have shown that healing can help significantly in reducing acute and chronic pains. In clinical practice, most healing treatments last for 20 to 60 minutes, with the duration determined by the intuitive assessment of the healer. Much of the early research on healing for anxiety and pain has studied the effects of a standard five-minute healing intervention. Though significant effects have been noted with these brief interventions, it is reasonable to anticipate even better results with longer treatments, as in Redner's study. [137]

Menstrual and premenstrual symptoms, particularly pain, cause much suffering to uncounted numbers of women. Medications for pain and other symptoms often provide only partial relief and add problems through their side effects.

Margaret M. Misra

The Effects of Therapeutic Touch on Menstruation (master's thesis, Long Beach: California State University, 1994)[92]

Margaret Misra studied the effects of TT on women's experiences of menstruation during the first days of their cycle. The 31 women (age 18-41) were either given TT or rest. Pain prior to and following interventions was measured with the short form McGill Pain Questionnaire (MPQ). Significant effects[138] of TT were noted.

Discussion
A. Significant effects of healing are demonstrated on menstrual pains.
B. This abstract is too brief to lend any serious credence to the reported results.
Rating: III

The largest series of studies of healing for human clinical problems focuses on anxiety, as treated by Therapeutic Touch (TT).[139]
Patricia Heidt is a pioneer in TT healing research, among the first to study the effects of healing in humans. Her research focused on touch healing.

Patricia Heidt

Effect of Therapeutic Touch on anxiety level of hospitalized patients (*Nursing Research* 1981; doctoral dissertation, New York University, 1979)

The effects of Therapeutic Touch were explored with 90 people (ages 21 to 65; mean 50.9) who were hospitalized on a cardiovascular ward in New York City. State anxiety was measured (Spielberger et al.) prior to and following the interventions given to each of three matched subgroups: 1. Five minute healings, which were given with the hands touching the body; 2. five minutes of mimic healings ("casual touch"); or 3. no intervention.

> Subjects who received intervention by therapeutic touch experienced a highly significant ($p < .001$)[140] reduction in state anxiety, according to a comparison of pre-test to post-test means on A-state anxiety. . . . Subjects who received intervention by therapeutic touch had a significantly ($p < .01$) greater reduction in post-test anxiety scores than subjects who received intervention by casual touch or no touch.[141]

Discussion

A. We have here clear evidence for a significant reduction of anxiety with healing. Random assignment of subjects to E and C groups would hopefully even out extraneous differences between the groups.

B. Although significant results were obtained, it is hard to judge whether they were attributable entirely to TT or whether suggestion may have played some part in this study, since no blinds were employed in the evaluation phase. The person administering the anxiety tests was fully aware of who had TT and who did not. However, we should also consider that the test instrument is self-administered by the subject and tester influence may presumably be minimal.

Subjects matched for pre-test scores were assigned to each of the three groups, but no randomization procedures are mentioned.

More serious yet is the possible confounding of medications patients were given, which may well have included tranquilizers and beta-blockers. If these were given closer to the time of the TT intervention in the C group than in the E group, the observed results may have little to do with TT. Rating: IV

Quinn's study closely replicates Heidt's—with the difference that the healer's hands were held near the patients' bodies but not touching them.

Janet Quinn

An investigation of the effect of Therapeutic Touch without physical contact on state anxiety of hospitalized cardiovascular patients (*Advances in Nursing Science* **1984; doctoral dissertation, New York University, 1982**) [142]

Janet Quinn summarizes her study:

> [T]his research was designed to test the theorem that Therapeutic Touch without physical contact would have the same effect as Therapeutic Touch with physical contact. This theorem was derived from the broader conceptual system developed by Rogers (1970), which suggests that the effects of Therapeutic Touch are outcomes of an energy exchange between two human energy fields. Since the effects of Therapeutic Touch with physical contact on state anxiety is known, state anxiety was utilized as a measure of the efficacy of Therapeutic Touch without physical contact.
>
> A sample of 60 male and female subjects, between the ages of 36 and 81 [mean 59.4], hospitalized on a cardiovascular unit of a metropolitan medical center, were randomly assigned to the Experimental group, receiving Non-contact Therapeutic Touch, or the Control group receiving Non-contact. Each subject completed the A-State Self Evaluation Questionnaire[143] before and after the assigned intervention. It was hypothesized that subjects receiving Non-contact Therapeutic Touch would have a greater decrease in post-test state anxiety scores than subjects receiving the control intervention of Non-contact. This hypothesis was supported at the .0005 level of significance.[144]

In addition to the main hypothesis, two ancillary research questions were explored. Analysis of the data relative to the first question indicated that there was no difference among the effects of subjects' state anxiety obtained by four different nurses administering Non-contact Therapeutic Touch. Analysis of the data relative to the second question indicated that there was no relationship among the subjects' sex, ethnicity, religion, medical diagnosis, number of days in the hospital, number of previous hospitalizations, presence or absence of surgery, number of days after surgery, position during treatment and subjects' response to treatment by Non-contact Therapeutic Touch. There was a low correlation between subjects' age and response to Non-contact Therapeutic Touch.

Quinn defined TT in her study in the following way:
In treating subjects with Non-contact Therapeutic Touch the nurse:

1. Centers herself in an act of self-relatedness and becomes aware of herself as an open system of energies in constant flux.
2. Makes the intention mentally to therapeutically assist the subject.
3. Moves her hands over the body of the subject from head to feet, attuning to the condition of the subject by becoming aware of changes in sensory cues in her hands.
4. Redirects areas of accumulated tension in the subject's body by movement of the hands.
5. Concentrates her attention on the specific direction of these energies, using her hands as focal points.
6. Directs energy to the subject by placing her hands four to six inches from the subject's body in the area of the solar plexus (just below the waist) and leaves them in this area for approximately 120 seconds.

Total time for this intervention is five minutes. This intervention is the same as that used by Heidt (1979), with the exception of step six, which has been changed from contact mode of treatment to non-contact mode, with length of treatment increased from 90 seconds to 120 seconds.

The C group was treated identically in all outward appearances. However, in the C treatments the nurse did mental arithmetic while going through the outward motions of a TT treatment. Nurses who administered the C treatment had no experience in TT. Checks were made with observers naive to TT and they could not distinguish whether E or C treatments were being given.

In addition to a discussion of the findings of this study, implications for nursing practice and future research were explored. The findings of this study indicate that physical contact during Therapeutic Touch is not an important variable in terms of the effect of Therapeutic Touch. While this finding has been interpreted as supportive of the theory that an energy exchange is the means by which Therapeutic Touch has effects, it is recognized to be only a beginning step towards the construction and validation of a comprehensive theory which can describe, explain and predict about the phenomenon of Therapeutic Touch.

Quinn notes that in her study the nurses administered TT between 8 and 9 p.m., while in Heidt's study treatment was given between 11 a.m. and 12 noon.

Discussion

A. This study, paired with the previous one, demonstrates the close similarity in results from contact and non-contact laying-on-of-hands treatments for state anxiety. As Quinn notes, this may be a benefit to patients who need quick relief from anxiety and are unable to take drugs.

B. One must be cautious in interpreting the results of this study. Here, as in Heidt's, a possible confounding variable is medications patients were given. Rating: IV

Heidt's study suggests that TT can help with anxiety when the healer's hands are touching the healee. Quinn's study suggests that TT can help when the hand are held in the energy field, near the body. Both studies are flawed, however, in not controlling for the medications that healees were taking— making it impossible to know for certain that it was the healing that brought about the changes in anxiety.

Replications of studies are important, both to confirm that the original studies were not due to chance and to explore the treatment in different settings for different healees. It is of interest to see whether repeated studies of the same healer can yield consistent findings, and whether or not different healers can achieve equivalent results. The following studies do just that.

Janet F. Quinn

Therapeutic Touch as energy exchange: replication and extension (*Nursing Science Quarterly*, 1989)

Quinn again tested the effects of Therapeutic Touch in reducing postoperative anxiety after open heart surgery, *with the elimination of eye and facial contact*, to see whether these were necessary to the reduction of anxiety. She gave real and mock TT (MTT) treatments for five minutes from beside patients so that no eye contact was made. Independent observers, naive to TT, could not distinguish between the two treatments. A third group was included which received no treatment (NT). Subjects were randomly assigned to groups, and no significant demographic differences were found between the groups.

Anxiety was assessed by self-evaluation, pulse rate, and systolic blood pressure in 153 patients. No significant differences were found between the groups, though the greatest differences were noted in the TT group and the next greatest differences in the MTT group.[145]

A *post hoc* finding was that diastolic blood pressure was significantly lower in the TT group than in the NT group.

Another *post hoc* finding was that 114 patients (76 percent) were receiving cardiovascular medication, with 108 (72 percent) receiving calcium channel blockers or beta-adrenergic blocking agents, or both. These were given to stabilize pulse and blood pressure and would have limited the response ranges of both. Beta-blockers may also decrease anxiety.

Quinn notes that it was difficult for her to ensure that she would not be healing during the MTT treatments, as the healing rituals are so habitually associated with giving healing that this might automatically have occurred to some degree despite her intentions and efforts to preclude it. She found the limitation of five minutes for TT restrictive and felt this often did not leave a feeling that a full treatment had been given. Though the study was designed to explore whether elimination of eye and facial contact would influence the healee, the lack of feedback to the healer was also found to be a discomforting factor.

Discussion

A. Though no significant effects of healing were found, there was a positive trend in favor of the healing group. Larger numbers of subjects might have produced significant effects.

Limiting healing in research to *standard time doses* does not appear consonant with clinical experience, though in several TT studies thus limited there were still positive results (e.g. Heidt; Keller; Quinn 1984).

It is unfortunate that in setting up the study with blinds to avoid Type I errors, Quinn was also blinded to the fact of the patients being on medications, which may have seriously limited the responses on the study measures. Similarly, the provision of MTT by the healer seems a poor procedure. However, the question remains as to why positive results were found by Quinn with a similar design in her previous study.

The finding of lower diastolic blood pressure is of interest and bears replication, as discussed earlier.

B. Again Quinn presents a well-done and meticulously reported study. No effects of healing are demonstrated. The confound of possible medication differences would have left questions even if positive results had been obtained. Rating: IV

Elizabeth Habig Hale

A study of the relationship between Therapeutic Touch and the anxiety levels of hospitalized adults (doctoral dissertation, College of Nursing, Texas Woman's University, 1986)

Hale studied the effects of Therapeutic Touch (TT) on adults hospitalized on three private medical-surgical acute care units. Inclusion criteria were as follows medical diagnosis (excluding cardiac, hypertension, or anxiety disorders), age 21-plus, not pregnant, able to complete the State-Trait Anxiety Inventory,[146] (STAI) in English. This was a convenience sample of those admitted over a two-month period. Patients were assigned to either eight minutes of TT (excluding centering), eight minutes of placebo/mock TT, or control/untreated groups. A staff nurse drew one of three numbers from a box to determine the assignment of patients to the first group, and patients were assigned sequentially thereafter in regular order to each group until there were 16 in each group. The 48 subjects ranged from 21 to 75 years old (mean 43.9), 22 men and 26 women. The sexes were closely matched in the TT and MTT group, but the control group had five men and 11 women. Diagnoses included 16 musculoskeletal (33.4 percent) and 12 gastrointestinal problems, and the rest with peripheral vascular, respiratory, genitourinary or neurological disorders.

TT was given by Hale and mock TT was given by nurses who had no TT training but were instructed in making similar hand movements. Systolic and diastolic blood pressure (BP) and pulse (P) rate were recorded along with the STAI as indicators of stress. All variables were measured twice before and after the interventions, and the placebo group had measurements at corresponding times.

Subjects were approached to enter the study on day one or two after admission. The first BP and P measurements were made immediately after consent to participate was obtained and the second measure one and a half to two hours later. The pre-intervention STAI was given in the late morning, after routine hospital care had been administered. The completed STAI was marked with a coded number and sealed in an envelope labeled with the designated code. TT and placebo interventions were given 15 to 30 minutes later, and the third BP and P measurements 30 to 45 minutes later. The fourth measurement of BP, P, and the post-intervention STAI were done in the mid-afternoon, about two hours after the intervention..

Results showed no significant differences between the groups in their starting state on any variable.[147] The control group had significantly lower post intervention measures of STAI (p < .05),[148] and the second systolic BP measurement was higher than the third (p = .03).[149]

Hale's Discussion: The STAI in this study was administered two hours after interventions, compared to five minutes in most other studies. This may indicate that TT has an immediate effect which is not sustained.

The Y-1 form used by Hale is different from the earlier version, X-1, used by Heidt and Quinn.

Although the mean scores on the STAI are comparable between this study and those of Heidt and Quinn, when the factor of age is considered this may have to be adjusted. Anxiety in hospitalized patients is generally greater in younger populations. This mean age of patients in this study was younger (43.9) than those in Heidt's (1979: 50.9) and Quinn's (1982: 59.4). Thus the comparable STAI scores between the studies may mean that the patients in this study had lower scores than the average expected for medical/surgical patients of comparable age.

Numbers of previous hospitalizations may have been a factor. The mean for the 27 patients who responded to this question was 4.4. Other patients could not recall the number, suggesting they may have had several. Quinn reported averages of 1.93 and 1.56, respectively, in her experimental and control groups.

Racial distribution was different between the groups (unspecified).

Discussion

A. It would appear that the TT and MTT interventions may have prevented the patients from relaxing, if one is to take the control group's greater reduction in anxiety as an indication of the normal course of events for this population. This would imply that the TT healer might not have been very effective. I could find no reference to Hale's expertise in TT in the dissertation.

B. This study shows that the effects of TT, if any, may not last for two hours after treatment. Rating: I

The negative effects of TT and mock TT on anxiety are difficult to explain. The most ready explanation seems to me that the particular people providing the TT and MTT could have caused the differences. This is one of the few studies in which healing produced poorer results than the controls.

Many health caregivers are learning to develop their healing gifts through TT and other methods. Anecdotal reports indicate that with practice you can enhance healing ability.[150] The next study examines the effects of healers with various levels of experience in TT.

Cecilia Kinsel Ferguson

Subjective Experience of Therapeutic Touch Survey (SETTS): Psychometric Examination of an Instrument (doctoral dissertation, University of Texas, 1986)

Cecilia Ferguson assessed the internal consistency, reliability and validity of content, construct, and prediction of the Subjective Experience of TT Survey (SETTS). This is a questionnaire for differentiating between experienced and inexperienced practitioners of TT. It was developed by Dolores Krieger with the help of Judith Wilcox, a meditation expert, from her meditative experience and from interviews with TT practitioners. It contains 68 items tabulating the frequency with which a healer feels the following:

- Physical sensations that suggest flows of energy in the body of healer and/ or healee, such as heat, cold, and electrical sensations.
- Emotional changes, such as enhanced connectedness or empathy with healees.
- Alterations in mental activities, such as when one's focus of attention is inwardly directed.
- Altered states of consciousness, as in a distorted sense of time, or enhanced intuition.

Ferguson administered the SETTS to 100 nurses who practice TT (50 experienced and 50 inexperienced) and to 100 nurses who were unfamiliar with TT. With the latter she arranged for 50 to "read a brief description of the actions the practitioner of therapeutic touch performed. They were then asked to complete the SETTS and the Adjective Check List (ACL) while imagining that they were practitioners of therapeutic touch." Nurses in the last group of 50 answered questions modified from the SETTS to relate to their experiences in their ordinary treatment of patients. Examination of these groups revealed that the two TT level nurses did not differ in demographic variables but that the non-TT nurses were younger, less experienced, and less educated to a significant degree (all at (p < .0001) than the TT nurses.[151]

Ferguson also administered the ACL to the nurses. This is used to evaluate people's descriptions of themselves. It includes 37 scales grouped into five sections: modus operandi (numbers of favorable and unfavorable items checked); need (achievement, dominance, nurturance); topical (counseling readiness, self-control, leadership, masculinity/femininity); transactional analysis factors (ego states of parent, adult, and child); and origence-intellectence (creativity and intelligence). Special attention was focused on subscales relating to communality, change, nurturance, and creative personality because these seemed relevant to Krieger's assessment of characteristics related to success in TT.

TT nurses were asked to administer (to any patient of their choosing) the

Self-Evaluation Questionnaire for state anxiety before and after a healing and an Effectiveness of Therapeutic Touch Scale (ETTS) after a healing. The ETTS asks healees to choose a number between 0, representing not at all helpful, and 100, representing extremely helpful, to characterize their response to the TT treatment.

Ferguson found high internal consistency and reliability with the SETTS, and on content analysis, she discovered that more than one factor contributed to the results. The SETTS significantly differentiated the experienced practitioners from the other three groups combined and inexperienced from non-practitioners of TT (both at ($p < .01$). Experienced TT nurses scored higher than the other three groups combined on the nurturance and creative personality subscales of the ACL. Healees showed significantly decreased anxiety scores (experienced nurses ($p < .0001$; inexperienced nurses ($p < .001$). The differences between the scores of the two groups were also significant for the anxiety and the ETTS measures ($p < .001$ each).[152]

Discussion

A. The decrease in anxiety with TT is again impressive.

The significant difference in reduction of anxiety between healees treated by experienced and inexperienced nurses supports the contention that healing treatment can be learned. The positive self-evaluations of the patients suggest that the degree of experience with TT makes a difference in the response to the treatment. It is unfortunate that no mention is made of types of problems treated or qualitative patient criteria for improvement.

B. Well-designed and well-run study, demonstrating a healing effect on anxiety. Because there were highly significant demographic differences between the practitioners and non-practitioners of TT, it is impossible to draw conclusions regarding the SETTS or ACL test results with any certainty. The observed differences between nurses may relate to the greater age, experience and education of the TT nurses than to their practice of TT. A further possibility is that experienced nurses may be better at selecting patients who will relax with TT.[153] Rating: I

Because cancer is one of the illnesses for which people frequently seek healing and there are so few studies in this area, I include here two very briefly abstracted studies.

M. S. Guerrero

The Effects of Therapeutic Touch on State-Trait Anxiety Level of Oncology Patients, (Masters Abstracts International, 1985)

The very brief summary[154] reports that state anxiety was reduced in oncology patients receiving chemotherapy ($p < .05$).

Discussion

This abstract is far too brief to allow any assessment of its value. Rating: III

Louise Marie Kemp

The Effects of Therapeutic Touch on the Anxiety Level of Patients with Cancer Receiving Palliative Care (master's thesis, Dalhousie University, 1994) [92]

Louise Kemp randomly assigned eight people with terminal cancers who were receiving palliative care to receive five or seven minutes of either TT or mock TT (MTT). She measured their anxiety on the State-Trait Anxiety Inventory (STAI)[155], finding that all five TT subjects had reductions in their anxiety. The sample was too small to provide meaningful statistical analyses.

There is a growing awareness of post-traumatic stress disorders (PTSD) in people of all ages following physical and emotional traumas. Clinical reports that healing can help with PTSD[156] are now supported by the evidence from the following study.

Melodie Olson and Nancee Sneed et al.

Therapeutic Touch and post-Hurricane Hugo stress (*Journal of Holistic Nursing*, 1992)

In the post-traumatic 6 to 12 months following natural disasters, people are more prone to exhibit stress-related problems (Madakasira/O'Brien). The health care community experienced such stress during Hurricane Hugo. Stresses included power failures for more than a month in some places. Though the emergency generators at hospitals were able to maintain life support systems, they were inadequate to provide heating for water or food, nor could they power the elevators. General destruction was also disorienting. Houses were so damaged that people often had difficulty recognizing familiar streets, basically because numerous street signs were blown away. Personal losses ranged from spoiled food to totally destroyed property. As with most post-traumatic stress, memories and unresolved feelings about earlier losses and stresses were re-activated.

This study explored the benefits which Therapeutic Touch (TT) had to offer in the treatment of post-traumatic stress following the hurricane. Correlations were studied between subjective reports and physiological measures of stress, though the literature generally has shown poor correlations (Fagin). Correlations were also studied in healees' and touchers' physical sensations as the TT treatments were given over various parts of the body. The hypotheses stated:

1. The amount of perceived stress reported will decrease after TT treatment.
2. Decreases in self-reports of perceived stress will be greater when TT is given than when subjects sit quietly.
3. Relaxation with TT will be reflected in measurements of lower pulse, blood pressure and respiration, and increased skin temperature.

4. Magnitude of decrease in perceived stress will correlate with length of TT treatment.

TT was given with the hands near to but not touching the body, following the usual procedures of centering the mind and focusing upon the intent to help. Healers redirected "areas of accumulated tension in the subject's body by movement of the toucher's hands," while "concentrating attention on the specific direction of excess energies using hands as focal points." Touchers were allowed to continue treatment until they felt maximum benefits had been achieved.

Volunteers were obtained from the university, including faculty, staff, and students. They had either "worked during the hurricane itself or had suffered loss in the form of injury, property damage, or power outages for extended periods . . . .The subjects' perception of increased personal stress was confirmed by a short questionnaire that addressed the effects of the hurricane on their lives." Included were 22 women and 9 men, aged 18 to 60 years. Of these, 18 returned for a second (identical procedure) session, and 8 for a third (control) session, the remainder having had difficulties matching schedules with the research staff, some apparently due to disruptions related to the aftermaths of the hurricane. In the third session subjects had all of the same tests but sat quietly in a room for 20 minutes with one of the touchers without treatment. The authors feel that this is preferable as a control to mock TT.

Two experienced touchers participated. The same toucher provided treatments to those who came for second sessions. The two sessions were identical, separated by three to seven days. At the initial session, a demographic questionnaire and a Visual Analogue Scale (VAS) for State and Trait anxiety were given. The State anxiety VAS is a recognized and well validated psychological test (Gift). The Trait anxiety VAS was developed by the authors. Subjects placed a mark along a 10 cm. line to indicate how much stress they experienced generally, most days of their lives. At the end of the session, just the State test was given, as it would reflect whether any change had occurred as a result of treatment. Electrodes to measure heart rate and respiration were attached to each subject's chest and right shoulder, with a blood pressure cuff on the left arm. A flat skin thermometer was attached to the third finger of the right hand. All monitoring was done with automated equipment. This included inflation of the blood pressure cuff every five minutes. Five minutes were allowed for acclimation to the equipment, following which baseline data were recorded. TT was then given, with physiological data again taken at the end of treatment and five minutes later. Measuring devices were at this point disconnected, and subjects completed a second State anxiety VAS, plus impression as to where on their bodies subjects had perceived sensations during treatment. Touchers independently noted their own perceptions of any sensations during treatment. Subjects and touchers indicated their perceptions on back and front drawings of a human form.

Following treatment, mean anxiety scores were significantly reduced relative to pretreatment scores ($p < .05$), as well as when the scores after treatment were compared with the control sessions (p < .05). Anxiety scores in the treatment group were reduced by about half, while those in the control group were unchanged or slightly higher.[157]

Physiological changes in treatment group compared with control group were lower for heart rate (in all but one subject), blood pressure and respiration's and higher in skin temperature, but not to a statistically significant degree.

Sessions lasted 6.8 to 20 minutes, with one toucher consistently treating a longer time. The means for the two touchers were 7.8 and 11.8 minutes. State anxiety decreases correlated significantly with length of treatment in session 1 (p < .02) and session 2 (p < .03).[158]

To study to what degree certain factors may have contributed to the results, statistical analyses were applied to the data focusing upon the following variables: age, general stress (trait anxiety), and session length. None of these were significant at the .05 level.[159]

Correlations of sensations in particular areas of healees' bodies, using a system which divides the body into nine areas (as is used in assessing area of the body with burns). Looking at areas where sensations were experienced by both touchers and healees there was 13 percent agreement; at areas where no sensations were experienced there was 68 percent agreement. Within the areas of agreement there was often a similarity in experiences. For example: toucher—"lots of warmth"/subject—"increase in warmth"; toucher—"tingle"/subject—"tingle"; toucher—"contracted field"/subject—"nothing felt."

The authors note that there were inherent limitations in their study, including small numbers of subjects, lack of randomization, and distractions to the subjects from the blood pressure cuff inflating every five minutes. Mitigating these difficulties was the fact that subjects served as their own controls.

Temperature measurements were limited by the sensitivity of the instrument, which was only to a variability of two degrees. A thermometer with sensitivity of 0.1 degree would have added to this measurement. It was also difficult at times to control the temperature in the room where subjects were tested due to electrical problems resulting from storm damage.

The authors conclude that hypotheses 1, 2, and 4 were supported by this study. They feel that physiological measurements, particularly temperature, may be a variable worth studying further, with better equipment and more stable environment.

Discussion

A. It is good to see TT taken into a natural environment where its effects on stress can be observed. The authors are to be commended for having done a study which demonstrates, despite conditions which were obviously less than optimal, that TT is effective in reducing stress, and that length of treatment appears to contribute to positive response. Their use of self controls would appear to have provided a measure of safeguard against the influence of extraneous factors upon the results.

Although the physiological measurements did not show statistically significant correlations with subjective measurements, this might have been due to small sample size.

The authors seem disappointed that congruence for perceived sensations during healing was not very high (other than when no sensations were felt). This is actually a helpful observation and consistent with the large series reported by Turner, reviewed in the following chapter.

"Hear the other side." St. Augustine of Hippo

B. It is unclear whether the control subjects were taken as a group to compare with the treatment group or whether only those eight in the control group were studied for comparison of TT versus self-controls. It would appear fairly certain from the wording of the study that the former is the case. If this is so, then the study is weakened, as no demographic data are given to compare those in the control group with those in the total group, leaving the possibility that extraneous differences might have contributed to the differences in VAS results.

Several confounding variables weaken this study. The fact that subjects were uncomfortable with the physiological measuring equipment, and that the second measure of state anxiety was made immediately *after* disconnection from this equipment, may mean that the results reflect this factor rather than reduction in post-traumatic stress. Though the significantly greater reductions in stress between experimental and control sessions would seem to rule this out, one cannot be certain that there was not a stress factor in sitting quietly in a room with another person for 20 minutes—especially when it is noted that the stress levels of some subjects increased under this condition. A possible way to assess whether these hypotheses are valid would be to examine the serial physiological measurements, to see whether a consistent trend in the direction of relaxation was observed as the sessions progressed, with special focus on the times just before and after release from the measuring device.[160]   Rating: III

It is good to have the study of healing taken from the hospital into the outside world. If healing can help with severe stresses such as hurricanes, it is likely it can help with lesser stresses of everyday life.

Once it seems possible that healing is effective for anxiety, we want to have some assessment of how healing might compare with other complementary therapies in treating this problem. The next study makes a good start in this direction.

Deborah Gagne and Richard C. Toye

The effects of Therapeutic Touch and relaxation therapy in reducing anxiety (*Archives of Psychiatric Nursing,* 1994)

Psychiatric inpatients at a Veterans' Administration hospital were randomly assigned to either Therapeutic Touch (TT), Relaxation Therapy (RT), or mock TT (MTT) on two consecutive days. Out of 44 patients referred, 31 completed the study, ages 29 to 69 (mean 43). There were 9 MTT, 10 TT, and 12 RT subjects.

TT was administered for 15 minutes by a nurse or a nursing assistant; MTT for the same length of time by a different nurse; and RT by a chaplain who normally provided RT for patients at the hospital. TT was a novel intervention for the participants.

Anxiety was measured on the State-Trait Anxiety Inventory (STAI)[161] for State Anxiety, and with a behavioral assessment. The latter was a count of the "frequency of physical movement over a 30-second period" which was done while patients were resting before and after interventions. Ward staff were specially trained in this assessment, achieving 90 percent agreement between raters. No blinds are mentioned for staff performing the behavioral assessments. Participants' confidence or belief in the treatments they received was assessed with a 10-item questionnaire. Results were analyzed by a psychology intern who had no contact with the patients.

Results showed that TT appears to have an anxiety reducing effect equivalent to that of RT when subjective anxiety is the measure. Behavioral measurement favors RT as an agent for reducing anxiety ($p < .001$), perhaps because the RT is directed at relaxing muscles. As TT can be administered when patients are unable or unmotivated to practice relaxation techniques, it may be a treatment of preference in some cases.

The authors anticipated that patients would favor RT because they had been exposed to this form of therapy previously. Analysis of the data showed that expectation of outcome was not significantly different between groups. A significant correlation was found at various points during the study between expectation and STAI scores. The authors suggest this was related to subjects' increasing comfort with the procedures as the study progressed.[162]

Discussion

A. It is of interest to note that TT healing appears to provide a subjective reduction in anxiety in psychiatric patients which is equivalent to relaxation therapy. It is good to have a start at demonstrating that TT healing may produce more than transient reductions in anxiety. Certainly further study is warranted.

B. It is difficult to assess the results of this study because:

- The MTT group started out with lower anxiety. No assessment of whether this was significantly different from anxiety in the treatment groups is given. Starting with lower anxiety, the MTT group would have less room to demonstrate that familiarity with the research procedures was not the principal causal factor in the reduced anxiety rather than TT or RT.
- There is no indication that those assessing the behavioral measurements were blind to the treatments. If not, this could result in bias.
- Raw data are not given for individual days.
- This comparison of TT and RT may relate more to the clinical efficacy of the two therapists than to the therapies. Replications of this study are in order to clarify these questions. Rating: IV

The next study explores the benefits of Reiki healing for test anxiety, a very common experience amongst students of all ages.

Lucia Marie Thornton

Effects of Energetic Healing on Female Nursing Students (master's thesis, California State University, Fresno, 1991) [92]

Lucia Thornton studied the effects of Reiki healing on the stress of examinations in 22 women nursing students, while 20 students received mock-Reiki treatments from a research assistant. Prior to and following the. interventions, each student was tested for State-Trait Anxiety Inventory (STAI) and personal power (Barren Power as Knowing Participation in Change Tool), and each answered questions about her well-being.

Results: The STAI showed significantly lower anxiety for both E and C groups, with no significant differences between them. No other significant changes were noted.

Discussion
A. This abstract is too brief to assess properly.
B. No effects of Reiki healing on anxiety are demonstrated. Rating: III

Healers claim that distant healing works as well as contact healing. The next study examines distant prayer healing for anxiety, depression, and self esteem.

Seán O'Laoire

An experimental study of the effects of distant, intercessory prayer on self-esteem, anxiety, and depression (*Alternative Therapies*, 1997)

Fr. Seán O'Laoire is a Catholic priest and clinical transpersonal psychologist in the San Francisco Bay area. He advertised for local volunteers to pray for the health of others or to be prayed for. He trained 90 volunteers as *agents* in directed and non-directed prayer. Directed prayer specifies a desired outcome, such as for improvement which will be demonstrated on their assessments at the end of the study. Non-directed prayer seeks "alignment with divine will" (e.g. "Dear God, you know these nine people much better than I, you love them much more than I. Please may your will be done and may this show in their psychological health."). He also instructed the agents in theories of intercessory prayer, relaxations, and imagery which could facilitate healing and "confident but effortless intentionality."

The 406 volunteers who were prayed for were divided randomly into three groups, for directed prayer, no prayer, and non-directed prayer. These subjects were 68 percent Catholic, 76 percent women, 91 percent European ethnicity, with 71 percent attending religious services on a regular basis.

Agents had no particular gifts or experience in healing and subjects had no particular problems or pathology.

Prayers were offered over 12 weeks, 15 minutes per day. Each agent prayed for 9 subjects and each subject had 3 agents praying for her or him. Agents had a photograph of each of their subjects and their names.

Assessments of agents and subjects included:

- State-Trait Anxiety Inventory (STAI)
- Coopersmith Self-Esteem Inventory (CSEI)
- Profile of Mood States (POMS)
- Self-Report Profile (SRP)

In addition, a Confidential Demographic Information form was filled out by agents and subjects and a prayer log was kept by the agents.

Statistical analyses[163] produced the following findings:

On demographic variables: agents attended services more frequently than subjects, had a lower divorce rate, higher incomes, and greater belief in the effective power of prayer. On the pre-test, agents showed greater self-esteem, less state-anxiety, less trait-anxiety, less depression, and lower total mood disturbance (all $p < .0001$). Agents experienced significant improvements in spiritual health, relationships, and creative expression compared to the subjects ($p < .0001 - .05$).

All of the 406 subjects showed significant improvement ($p < .0001 - .01$) in every objective and subjective score. There were no differences between the directed and non-directed prayer groups, nor between the prayer and control groups.

All of the 90 agents showed significant improvements on 10 measures ($p < .0001 - .05$). Neither method of prayer produced significantly better results.

The question, "Does God act inside or outside you?" Five answers were possible: "inside," "outside," "both," "neither," and "not sure." Small numbers of responses in some categories led to a collapsing of categories into "inside", "both", and "other." Numbers of agents who chose "other' were still too small for analyses. Among subjects, those who selected "other" scored consistently more poorly in state- and trait-anxiety and in depression ($p < .01 - .05$).

The question, "Do you believe in the power of prayer for others?", did not differentiate agents on any of the measured variables. Subjects, however, showed significant differences, with the "no" group significantly poorer ($p < .01 - .05$) on pre- vs. post-test scores for self-esteem, trait-anxiety, depression, and mood.

Subjects were asked whether they believed they had been prayed for. Though they did not demonstrate significantly correct guessing, those who believed they had been prayed for scored significantly higher ($p < .001$) on all 11 assessments.

Agents who prayed more showed significantly greater improvement (p < .0001 - .0004) on five objective measures, but subjects showed no differences related to amount of prayer sent.

O'Laoire speculates that several research design factors may have mitigated against significant results for directed vs. non-directed prayer:

- There is an inherent expectation of improvement in participating in a study on the efficacy of prayer which may make it impossible for agents to be non-directed in their focus.
- The study measures of self-esteem, anxiety, and depression could be expected to show improvements under God's will as well as under directed prayer.
- Participation in a study on prayer may be a strong encouragement for agents and subjects to improve.

Other explanations for the results may include:
- Prayer is ineffective.
- Because the control group was prayed for during a 12-week period after the end of the study, it is possible that the effects of these prayers might have been displaced backwards in time.[164]
- Agents might not have maintained their focus on the assigned type of prayer.
- There might be no differences between the two types of prayer.
- There could have been prayers sent by agents extraneous to the study.

The greater improvement in those who believed they were prayed for may not represent a causal effect of belief. It may simply be that greater belief is engendered by the greater degree of improvement.

The greater improvement in agents who prayed more appears to be a legitimate finding.

Discussion

A. Excellent study, well designed and well reported.

Though effects of prayer are not demonstrated on healees, significant correlations are demonstrated between the amount of prayer and improvements in agents, and between belief in the power of prayer and improvements in subjects. The findings are impressive in view of the fact that neither agents nor subjects identified any focused needs for prayers.

B. The primary focus of the study, directed vs. non-directed prayer, did not demonstrate significant differences. The most likely explanation for improvement in all subjects are suggestion/placebo effects in subjects with particular beliefs. Rating: I

The design of the study may have mitigated against demonstration of differences in efficacy of directed versus non-directed prayer healing, as noted by O'Laoire. A specific need for healing, plus clearer instructions and

more training of agents in non-directed prayer, might contribute to more positive findings. Including any mention of outcome in the non-directed prayer would seem to shift it towards being directed prayer.

The fact that agents who prayed more improved more may be due to self-reinforcement. That is, as agents noted improvements in themselves, they were encouraged unconsciously to pray more. Conversely, agents who noted little improvements in themselves might have been discouraged from praying. Although improvements in agents were not a stated focus of the study, the fact that agents were given symptom assessments at the start of the study would have suggested this expectation to them.

Healers debate whether focused, directed prayer, in which healers specify the desired outcome, is more or less effective than non-directed prayer, in which healers just wish for the best to happen to the healees. This is not just a philosophical question but a very practical one, if one wants to maximize the effects of healing. This is a question still waiting to be resolved.

Alfred Lord Tennyson wrote in 1869, "More things are wrought by prayer than this world dreams of."

Most of the studies of healing for anxiety focus on adults, though healers and parents give ample anecdotal reports of children's sensitivity and more rapid responses to healing. The following studies explore this promising area of therapeutic intervention.

Rosalie Berner Fedoruk

Transfer of the Relaxation Response: Therapeutic Touch as a Method for Reduction of Stress in Premature Neonates (doctoral dissertation, University of Maryland, 1984)

Fedoruk studied the effects of non-contact Therapeutic Touch.

Seventeen premature infants in intermediate and intensive care were studied. Such babies are easily agitated by routine handling because of the immaturity of their nervous systems. The effects of TT in alleviating the stress of having their vital signs (e.g. blood pressure, temperature) taken during routine nursing care was studied. Stress was measured in two ways: behaviorally by the Assessment of Premature Infant Behavior (APIB) scale; and physiologically by the recording of transcutaneous oxygen pressure ($tcPO_2$), which is thought to reflect stress. If an infant breathes irregularly or if the circulatory system is disturbed when agitated, it should have less oxygen in its blood. An increase in tcPO2 was believed likely, since TT has been shown to decrease stress and since Krieger demonstrated an increase in hemoglobin with TT.

Two types of controls were used: 1. Mock TT (MTT), in which a nurse untrained in TT mimicked the motions of TT while calculating simple arithmetic backwards out loud; and 2. No TT (NTT). Duration of TT averaged 25 minutes; for MTT and NTT, 23 minutes. Infants served as their own controls, undergoing observations before, during, and in the 10 minutes following routine vital sign measurements. Two observations were taken in each condition. It is unclear from the report whether blinds were used in the APIB measurements, although blinds were used in $tcPO_2$ measurements. (Fedoruk clarified in personal communication: "Blinds were not used in APIB measurements because I did the observations and I can tell even when a TT practitioner is working and when she isn't, and everyone in the NICU knew who did TT and who didn't.")

Results indicated a significant decrease in stress per measurement on the APIB compared with baseline (p < .05).[165] A suggestive *increase* in stress on the APIB was noted for the MTT condition, possibly related to the stimulus of the nurse counting out loud, to her distress in doing this exercise, or to other, unknown factors. No significant differences were noted on any of the $tcPO_2$ measures.

Discussion
A. It is gratifying to see healing effective for anxiety in premature infants, for whom tranquilizing medication would not be prescribed.
B. This work appears to have been carefully done, with the exception that blinds were not used for APIB measurements. This leaves the possibility that the person making these clinical assessments might have biased the results in the anticipated direction. Fedoruk adds in personal communication:

> One factor that mitigates this criticism is that the MTT was expected to duplicate NTT and. . .that MTT stressed the infants was only discovered during the statistical analysis of the data. The likelihood of getting the results that MTT stressed infants as much as TT relaxed them while NTT is exactly in the middle is very slight.

This still leaves the criticism that the APIB observer might have unconsciously biased the results in the expected direction of TT-improvement. Rating: IV

It is gratifying to see evidence that healing can help premature babies to relax. These infants often find themselves in the harsh world of a hospital environment, with glaring lights, all sorts of hustle and bustle and noise, plus various intrusive and often painful medical and nursing interventions. While all of these are clearly necessary to save their lives, they are still emotionally disruptive and potentially traumatic. A healing intervention, carrying no risk of side effects and promising some measure of relief, would be most welcome to these vulnerable motes of life.[166]

Hospitalized children have many painful experiences, including physical pains from their illnesses and injuries, restraints, needles and surgery, as well as psychological pains due to stressful separations from family; unknown and

fearful surroundings, people, and procedures; being left alone; seeing the
suffering of others; and being wakened from sleep. Younger children may
suffer more because they have fewer intellectual and emotional resources to
help them cope with such stresses. Healing has much to offer children in
under stress and in distress.

Nancy Ann Kramer

Comparison of Therapeutic Touch and casual touch in stress reduction of hospitalized children (*Pediatric Nursing,* 1990*)*

Nancy Kramer's study examined the benefits of six minutes of Therapeutic
Touch (TT) healing on children aged two weeks to two years, hospitalized for
surgery, injuries, or acute illnesses. Thirty children were selected from routine
admissions to a pediatric unit over a five-month period. They were included in
the study without regard to cognitive or psychosocial development. Children
were excluded if they had cancer or other chronic illnesses or had received
medications to lower fevers within the previous four hours or sedatives within
eight hours. To provide a comparison with TT, casual touch was given to
children while they remained lying in their cribs. "The subject was comforted
by the researcher by being stroked or patted on head, upper torso or arms for six
minutes." The author provided both treatment interventions.

Physiological measures that are correlated with stress were monitored,
including pulse, galvanic skin response (GSR), and peripheral skin temperature
(PST). These were assessed through an electronic biofeedback system, the
GSR-II. These combined measures comprised a Physiological Measure of
Relaxation in Response to Touch (PMRRT). Kramer does not state the specific
scoring values assigned to the components of the PMRRT.

Data were gathered between six a.m. and two p.m., the period during which
the greatest number of stresses from investigative procedures are performed,
and when parents are least often present. Baseline PMRRT measures were taken
at times when the children were noted to be under stress, and were repeated
three and six minutes following initiation of touch intervention.

TT brought about greater stress reduction than casual touch at both the
three minute and six minute intervals (p < .05 for each).[167]

Discussion
A. It appears that TT healing can reduce stress reactions in hospitalized
children. This is impressive despite the limited healing time allotted.
B. This study is seriously flawed. No randomization is mentioned in assigning
children to TT or casual touch intervention, nor is any mention made of checks
to see whether children assigned to each of the intervention groups were
comparable in severity of presenting problems or in severity of stresses which
challenged them. There is the possibility that children with more serious stresses
or less capabilities to deal with them were assigned to the casual touch than to

the TT group, or vice versa.

As the experimenter was presumably biased towards finding an effect of TT, she might have behaved toward the children in the casual touch group in subtle manners which were not as soothing.[168]   Rating: IV

At first glance it might seem a waste of time to publish and review studies on anxiety, such as the next few in this series, which show no significant benefits of healing. For several reasons it is actually important that we do not ignore them.

Skeptics are suspicious that the positive studies might represent a few chance successes out of hundreds of failures.[169] However, as funds for studies of healing are extremely limited, this is not the case. Of the few studies in the literature, many have been done for professional degrees and are available as academic references to any who wish to see them.

One can learn much from studies with no significant results. Thomas Edison was once asked, after he had spent many weeks without success in examining various materials as potential filaments for a light bulb, "Aren't you discouraged with so many failures?" "No," he replied. "Now I know 100 things which don't work!"

J. W. Collins

The effect of non-contact Therapeutic Touch on the relaxation response (master's thesis, Vanderbilt University, 1983)[92]

Collins explored how Therapeutic Touch (TT) affects the physiology of normal adults, measuring skin temperature, pulse, respiration, galvanic skin response, electromyograms, and using a relaxation assessment scale developed for this study. Each of the 24 subjects had both TT and mock-TT (MTT), in a randomized, double-blind design.

TT was given for seven minutes. During the MTT, the "healer" silently subtracted sevens from 500 and affirmed silently that the subject would not be influenced. The healer's hands were positioned with a particular hand position: the first finger of the hand touching the second and third fingers, and the fourth and fifth fingers touching the palm. It was thought that this might decrease the electrodynamic effect during the MTT.

The TT group demonstrated mild relaxation on EMG, temperature, pulse and GSR but not reaching statistical significance. The MTT group also demonstrated mild relaxation and the differences between the groups was not significant on any of the measured variables.

Collins suggests that suggestion in the MTT group might account for the lack of significance in the results. TT seemed to work best when subjects were anxious and/or tired, while MTT seemed to work best if subjects were alert.

Discussion
A. I have not seen the original of this dissertation. It seems that TT in normal, healthy people cannot be expected to produce a greater effect than placebo.
B. It may be that in cases of mild anxiety, any attention can be calming.
Rating: III

Melodie Olson and Nancee Sneed

Anxiety and Therapeutic Touch (*Issues in Mental Health Nursing,* 1995)

Normal, healthy professional students in nursing or health-related graduate programs were studied prior to and following the stress of an exam, a paper, or a presentation which represented at least 30 percent of their course grade. In Session 1, 20 high-anxiety and 20 low-anxiety students were selected by scores on the Spielberger State-Trait Anxiety Inventory (SSTAI). Subjects were not on anti-anxiety medication. The high- and low-anxiety groups were randomly divided into experimental (E) and control (C) subgroups.

In Session 2, three to four days before the stressful event, the SSTAI was repeated, along with the Profile of Mood States (POMS) and Visual Analogue Scale (VAS) for anxiety. Demographic data were recorded.

In Session 3, the day prior to the event, the E group received TT, the C group sat quietly for a comparable period of 15 minutes, and all tests were repeated for both groups.

In Session 4, the day after the event, all tests were repeated.

Demographic variables did not differentiate significantly between groups, although the type of stressor "was identified as a possibly influencing variable."

Both E and C groups of the high anxiety students showed decreases of anxiety in Session 3, prior to the exam. Interestingly, the E group showed no change in anxiety scores in Session 4, following the exam, whereas the C group showed a further decrease anxiety at that time. These differences were not statistically significant.

Results: No significant differences were noted between E and C groups with either high anxiety or low anxiety. "Power analysis (Cohen) using the variability of SSTAI in the high-anxiety group showed that a sample of 76 individuals in each of the two high-anxiety groups. . .would be needed to document statistical significance."

Scores on the VAS correlated significantly with scores on the SSTAI and on all six subtests of the POM ($p < .001$).[170]

Discussion
A. The study provides two bits of useful information. 1. Groups of 76 subjects in each of the E and C groups may be necessary in some situations in order to demonstrate significant effects of healing on anxiety. 2. The VAS, which is very brief and easy to administer, appears to be as valid in measuring stress as the SSTAI and POM scales, which require considerably more effort to administer.

B. It is difficult to know how to evaluate this study when the authors indicate, without further data, that the type of stressor may have been a confounding variable. Any differences between groups may have been due to the type of stressor rather than to the healing treatments. Rating: IV

Gretchen Lay Randolph

The Differences in Physiological Response of Female College Students Exposed to Stressful Stimulus, when Simultaneously Treated By Either Therapeutic Touch Or Casual Touch (*Nursing Research,* 1984; doctoral dissertation, New York University, 1974)

In this randomized, double-blind study, Randolph examined physiological responses of women students in college to stressful stimuli as they were treated with Therapeutic Touch (TT). She observed that TT, as a "healing meditation," produces relaxation and that people having a relaxation response should also react less to stressful stimuli. She hypothesized that "when subjected to stressful stimuli, the physiological response of persons treated with Casual Touch (CT) will exceed the physiological response of persons treated with Therapeutic Touch."

Randolph used a film, *Subincision*, validated as a stressful stimulus. Sixty students were divided into two groups of 30 for E and C conditions. Both groups saw the film while skin conductance, skin temperature, and muscle tension were monitored. E group received TT with the healer's hands on their backs and lower abdomens for 13 minutes. The CT group had the same outward touch without the intent to heal, from a nurse who imitated TT but had no knowledge or training in TT.

Results: No significant differences were noted between the two groups on any of the measurements.

Randolph speculates that the lack of results might have been due to

* TT given without an assessment/attunement prior to healing, a substantial deviation from the usual administration of Therapeutic Touch.
* Subjects who were healthy students, and who may not have had a real need for healing.

Discussion
A. The above summary speaks for itself. Most healers believe that healing works primarily on those who are truly in need of it. This seems the most important limiting factor in the study. Another possibility is that the healer might not have been as potent as healers in studies that demonstrated significant findings.

B. In mild anxiety it may be that healing is no more effective than suggestion. Rating: I

Brenda Sue Parkes

Therapeutic Touch as an Intervention to Reduce Anxiety in Elderly Hospitalized Patients (doctoral dissertation, University of Texas at Austin, 1985) [92]

Brenda Parkes studied the effects of TT on the anxiety of 60 hospitalized patients aged 65-93. Parkes assumed that elderly patients would be anxious since they were hospitalized. Patients were randomly assigned to three groups. There were no differences between groups in mean age, sex, religion, numbers of previous admissions, medical/surgical diagnosis and practice of meditation. Patients with 43 different diagnoses were included. Group 1 received five minutes of TT; Group 2 had mock TT; and Group 3 had a nurse hold her closed hands over the shoulder of the subject "with no intent to transfer energy."

The measure of state anxiety was a pencil and paper questionnaire, the Y-2 form of Spielberger. There were no differences between groups in the pre- to post-treatment anxiety test scores. In fact, all three groups evidenced a slight increase in anxiety.

Parkes notes, "The mean pre-test scores were very close to the mean scores of what Spielberger termed the normal means for this questionnaire." She speculates that elderly patients may actually experience reduction of anxiety because they are hospitalized.

Discussion

This study would seem to be an embarrassment. It appears useless to study the effects of healing on anxiety when no significant anxiety is present. Rating: V

The next study proves the point of learning from studies which fail to show significant effects. Following up on Parke's study, above, Simington designed a study with sharper focus in a similar population of elderly people.

Jane A. Simington and Gail P. Laing

Effects of Therapeutic Touch on anxiety in the institutionalized elderly (*Clinical Nursing Research*, 1993)

The institutionalized elderly suffer from state anxiety (Blazer) and other symptoms of psychological distress; institutionalization can also increase anxiety (Kermis). Excellent results were reported anecdotally when Therapeutic Touch (TT) was given along with back rubs to promote sleep (Braun/Layton/Braun) and to reduce wandering at night (Simington 1993). TT given in the morning reduced anxious behaviors during the day (Simington 1992), and others report that when given at night TT can reduce agitated behaviors the next day.

The study of Parkes (reviewed prior to this study) did not demonstrate reductions of anxiety measured by the Spielberger State-Trait Anxiety Inventory (STAI) in hospitalized elderly people. Simington and Laing note that part of the difficulty Parkes encountered was that her subjects "were cautious and afraid to perform poorly, and for this reason many had attempted to match their post-test scores to their pre-test scores, thus biasing the results. . . .[T]he pre-test appeared to bias the post-test."

A pilot exploration for the present study found similar effects. Therefore only post-treatment assessments were made. The authors observe that this has been considered acceptable as long as subjects are randomly assigned to groups (Campbell/Stanley).

Three hypotheses were posed:

1. TT will be more effective in reducing state anxiety than a back rub given by a nurse unfamiliar with TT (Control Group 2).
2. TT will be more effective than mock TT in reducing state anxiety (Control Group 1).
3. Significant differences in state anxiety between Control Groups 1 and 2 will not be found following the interventions.

A modified version of the STAI for the elderly was used, including large type size and response alternatives placed beside each item instead of at the top of the form (Spielberger et al. 1983).

Subjects were drawn from two large urban and two small rural long-term care facilities. Clearance was obtained from the ethics committees of the involved facilities. Subjects were included if they were cognitively capable of participating according to a team of senior nursing personnel at each institution. A sample of 105 was used, after seven refused and three left the study for various reasons.

Research Assistant 1 (RA1) helped the subjects complete the STAI after their treatment, remaining blind to the assignment to treatments. RA2 was a registered nurse who randomly assigned subjects by drawing numbers 1, 2, or 3 from a hat. She also gave treatments to Control Group 2. The Primary Investigator (PI), a registered nurse experienced in TT, gave the TT treatments. The PI also gave the intervention for Control Group 1, mimicking TT treatment while counting backwards in her head from 100 by threes to help her refrain from entering a healing mode of awareness. TT was given as a back rub" . . . [T]he investigator quietly placed the hands on the subject's back for a few seconds in order to center. The back rub was performed as previously described, except that the hands were frequently removed from the skin in order to balance the energy flow and to direct energy." Interventions were in the privacy of subjects' rooms. Data were collected over two weeks, between 1 to 4 p.m. and 7 to 10 p.m.

Subjects were blind to the treatment modality they received, which in each case lasted three minutes.

Results: The treatment groups did not differ significantly on demographic variables, except for the length of stay in the institution. Further statistical analyses established that length of stay did not appear to correlate with STAI scores and therefore was presumed not to present a confounding influence upon the results of the study.

The TT group had significantly lower STAI scores than Control Group 2 (p < .05). No significant differences were noted between the STAI scores of the TT group and Control Group 1 or between Control Group 1 and Control Group 2.[171]

Simington and Laing conclude that TT significantly enhances relaxation which is produced by a back rub. They hypothesize that the efforts of the PI at blocking TT in Control Group 1 were only partially successful.

Discussion
A. A well-designed and adequately reported study. A significant effect of healing for anxiety is demonstrated, despite the fact that the same person gave the TT and back rub treatments.
B. Randomization by drawing numbers from a hat is a poor procedure. It leaves open the possibility that either subtle sensory cues or psi cues (clairsentience or precognition) could have guided the person randomizing the subjects, so that subjects with less severe symptoms or greater chances of improvement would be selected into the various groups. This is called *intuitive data sorting* in parapsychology. More seriously, no checks were made on medications taken by patients which might have influenced anxiety. Rating: IV

It is good to see research evidence suggesting that healing is more potent than another therapeutic modality—in this case, a back rub. While it is important for research to establish the efficacy of individual therapeutic components, in the real world therapists apply many combinations of treatments to help people get better. I have spoken with numbers of hands-on therapists who note that their hands get warm and tingly when they are treating clients, with no awareness on their part that healing might be involved.

The period of palliative care is a very sensitive time at the end of the lives of people with cancer and other serious illnesses. Anecdotal reports indicate that healing can bring marked relief to people suffering from pain, stress, and other problems in palliative care. [172] *The next study explored this possibility in a focused manner.*

Marie Giasson and Louise Bouchard

Effect of Therapeutic Touch on the well-being of persons with terminal cancer (*Journal of Holistic Nursing*, 1998)

Marie Giasson and Louise Bouchard studied the ways in which non-contact Therapeutic Touch (TT) could alleviate the suffering of people with cancer hospitalized on a palliative care unit. People were selected who did not have confusion and could fill out a visual analogue scale (VAS) assessment of nine specific items plus an over-all assessment of "general well-being."

Well-being is the subjective feeling of physical and emotional comfort with the following characteristics: absence of pain, nausea, depression, anxiety, and shortness of breath, as well as the presence of activity, appetite, relaxation, and inner peace. The Well-Being Scale developed by Giasson (1994) was used to measure well-being.

The 20 subjects (38-68 years old) were randomized into groups of 10 E (7 women, 3 men) and 10 C (6 women, 4 men). Duration of hospitalization was under 14 days for 75 percent of the subjects. The most common cancer primary site was the lung. "Analgesics were used by most participants, anxiolytics by three quarters of them, and antiemetics by 66 percent of the participants; half of the sample received an anti-inflammatory medication.

E group had TT for 15 to 20 minutes and C group had a rest period of equivalent duration, always scheduled one hour following a regularly prescribed analgesic. Interventions were given on three consecutive days after day 1, on which informed consent for participation in the study was obtained. The Well-Being Scale was administered on day 1 and immediately after the E or C intervention on days 2 and 4 unless the subject fell asleep, in which case it was administered immediately upon awakening. Procedures were standardized for E and C groups to minimize incidental biasing influences.

Giasson was the healer and the investigator for the study. Giasson has 150 hours of supervised learning in TT and 3 years of using it. Relaxation rather than mock TT (MTT) was used because TT was given for 15 to 20 minutes and it was felt by the investigators to be unethical to give MTT for longer than 5 minutes.

The authors predicted significantly higher well-being scores of the E group than of the C group,[173] as well as significant increases in the E group.[174]

Results: The internal consistency of this questionnaire was checked in this population and was found to be low.[175] The item on the questionnaire addressing shortness of breath was found to be the one which contributed to the low consistency, so this was removed from the scale for data analysis.

E and C groups were equivalent in "age, gender, education, religion, occupation, number of days hospitalized, practice of relaxation or meditation, taking medications such as analgesics, coanalgesics—anti-inflammatories, steroids and nonsteroids, anticonvulsants, antidepressants—antiemetics, anxiolytics, or bronchodilators; and mean daily dose in equivalence of analgesics and anxiolytics at times 1, 2 and 4." No correlation was found between subjects' sense of well-being and their mean daily doses of anxiolytics or analgesics.

While C group scored higher on day 1 on the Well-Being Scale, this initial differences between groups was factored into the analysis. There was a significantly greater increase in scores in the E vs. C groups ($p < .0015$).[176] The E group demonstrated significant increases in Well-Being scores ($p < .001$),[177] while the C group did not show significant increases.

Discussion

A. A significant effect of healing is demonstrated on the well-being of people who are in terminal care. Significant effects were found in the treatment group from before to after treatment, as well as when comparing E and C group results.

B. Because no blinds were used and the healer was also the investigator, there is a clear possibility of suggestive effects and no firm conclusions can be drawn from this study. Rating: IV

This study suggests that healing can enhance well-being in patients in palliative care, where there is much suffering from pain, anxiety, depression, loss of appetite, nausea and other symptoms.

Enhancing the quality of life for people in terminal care is an important contribution of healing. Not only is there suffering from the cancers and other illnesses, but also from the side effects of many of the medical treatments that are given. Healers have reported anecdotally that they can enhance quality of life in palliative care, at a time when people's remaining days are very precious to them. It is helpful to have this exploratory study which begins to confirm these reports.

Major depressive disorders are found in 3 to 5 percent of the American population (Cancro). According to statistics from the NIMH, more than 19 million adults suffer from a depressive illness each year. Although major depression is a leading cause of disability in the U.S. and worldwide, less than half of those suffering from depression receive treatment.

This is not a new problem. William Shakespeare wrote (Macbeth):

> Can't thou not minister to a mind diseased;
> Pluck from the memory a rooted sorrow,
> Raze out the written troubles of the brain,
> And with some sweet oblivious antidote,
> Cleanse the bosom of that perilous stuff
> Which weighs upon the heart?

It is popularly perceived that antidepressants have solved many of the problems presented by depression. This is far from always true. Antidepressants often produce unpleasant side effects, diminishing quality of life. Of those started on antidepressant medication, 10 to 15 percent stop their medications, and 30 to 40 percent of the remainder fail to respond (American Psychiatric Association 1993).

There is clearly a place for exploring the benefits of healing for depression, the subject of the next studies.

The first of these studies explores the effects of six sessions of Healing Touch (HT) on depression. HT is an extension of TT, including longer sessions and a focus on the chakras. This study breaks new ground by including several types of energy field assessments as measures of the efficacy of healing treatments.[178] A subjective grading was made of the severity of disturbance in the energy fields palpated by a healer's hands around the bodies of the subjects. In addition, a healer used a pendulum to assess the degree of openness, which is taken to be a measure of health, of the seven major chakras (energy centers on the midline of the body).[179] The pendulum is used like the dial on a meter. It amplifies minute, unconscious movements of the healer's hand, thereby externalizing the healer's intuitive impressions, making them clearer.[180]

Catherine S. Leb

The effects of Healing Touch on depression **(master's thesis, University of North Carolina, 1996)**[92]

Catherine Leb explored whether Healing Touch could be of help to 15 out of 30 volunteers with depression referred to the study from psychotherapy practices. Subjects ranged in age from 25 to 57 years (means: E = 41; C = 43). Durations of the depressions ranged from two months to 36 years, though most were between one and eleven years (mean E = 90 months; C = 79). The C group had more social support (p < .10). Losses experienced by subjects did not differ between groups. Mean length of time in therapy was 6 to 9 months for the E group, 9 to 12 for the C group. There were three men and 12 women in each group. Therapies other than psychotherapy and antidepressants had been used by 27 of the 30 participants. Only two of the men were on an antidepressant. Of the women, nine were on one medication; five on two; and two on three medications. The most common antidepressants used were Prozac and Wellbutrin.

Blood pressure, pulse and respiration were measured.

None of the above variables showed significant differences between the groups prior to treatment.

Treatments: Two 30- to 45-minute HT sessions per week were given for three weeks, totaling six sessions.

Assessments: The Beck Depression Inventory (BDI) was given to all subjects before and after treatment, and to the E group again one month after treatment. Higher scores on the BDI indicate greater depression. There were significant differences between the groups prior to treatment (E = 33.27; C = 25.93; p < .03).[181]

The energy fields of subjects were assessed with two types of hand scans by the healer who gave the HT treatments:

Part A: A higher score indicates a less healthy energy field. Pre-treatment measures showed E = 5.87; C = 7.93.

Part B: A higher score indicates a healthier energy field. Pre-treatment measures were E = 71.13; C = 79.40.

A pendulum assessment of each of the seven major chakras was made, with higher scores representing greater health.

Results: BDI: "To adjust for the higher pre-treatment level of depression in the treatment group, mean change scores were calculated for comparison with the control group. The change scores for the two groups (E = -19.00; C = -3.13) reflected a statistically significant decrease in depression for the treatment group (p < .001)."[182]

These decreases in the E group were sustained at one month after treatment.

Hand scans: Part A: Post-treatment mean measures at the end of the series were E = 0.27; C = 8.00 (p < .001).[183] The greatest improvements were found after sessions 3 and 4. The lowest measurement was the initial scan in session 6.

Part B: Post-treatment mean series measures were E = 179.60; C = 63.60 (p < .001).[184] Steady improvement was noted from session to session.

Chakra pendulum assessments: Scores for change in all seven chakras were significantly higher for E than for C subjects (p < .001).[185] The chakras in the C group were initially closed and remained closed during the study.

Systolic blood pressures in the E group were significantly lower after HT in sessions 2, 3, and 6. Both pulse and respiration were significantly lower in sessions 2 to 6.

Subjective reports suggest variables that may influence depression scores. The two subjects who admitted they drank excessively had the lowest depression score changes at the end of treatment, though one of them showed improvement at the one month follow-up. One subject had a decrease at the end of treatment but with severe stresses (related to a hurricane). Her score increased at the one month follow-up. In contrast, the subject with the highest initial score (50) achieved the lowest post-treatment score (7) and an even lower score (1) at the follow-up, despite major stresses in her life.

> The most common comments expressed by those receiving treatment pertained to, "not knowing what was different," but "coping with day to day life and unpleasant things more easily," and they "felt less depressed." They expressed feeling "calm" and "peaceful" and "more open" in general. After receiving four of the six complementary treatments, one of the participants in the control group stated he felt "so good he wanted to pay for further treatments."

Discussion

A. A significant effect of healing is demonstrated in depression, both via the BDI questionnaire and by energy field assessments.

B. No conclusions can be drawn from this study because the E group started out with higher depression scores. This leaves greater room for improvement. Further, one simply cannot rely upon subjective assessments of energy fields by the same person who is giving the treatment because of expectancy effects. To rely upon the swings of a pendulum to verify intuitive impressions in no way makes these observations more objective or reliable. Rating: IV

This is an important study because it introduces measurements that rely upon the intuitive perceptions of a healer. The human instrument is currently the most sensitive one available for assessment of the biological energy field. If a person (other than the healer) who was blind to the assignments of subjects to E and C groups made these assessments they would be more objective and therefore of far greater value.

The next study of healing for depression is of special interest because of the method of healing used.

Crystals and gemstones of various sorts have been reported by many healers to enhance the efficacy of their healing.[186] Many have viewed this practice as a magical belief, reminiscent of the nostrums and amulets of superstitious gypsy rituals or even of witchcraft. It is easy to see that if an authority figure such as a healer attributes healing powers to an object, the suggestion alone may bring a person to expect to feel better when holding or wearing the object. This is another example of a placebo effect.

It is good to have a scientific study, the first of its kind, examining whether crystals might enhance healing. C. Norman Shealy is a pioneering neurosurgeon who has been exploring and using a wide range of complementary therapies for pain and other physical and emotional problems over several decades.

C. Norman Shealy, Roger K. Cady, Diane Culver Veehoff, et al.

Non-pharmaceutical treatment of depression using a multimodal approach (*Subtle Energies*, 1993)

This study explored Cranial Electrical Stimulation (CES),[187] autogenic training,[188] photostimulation, brain wave synchronization (BWS),[189] and music in the treatment[190] of 141 patients (85 female, 56 male, ages 19 to 76) with chronic depression who had not responded to antidepressant drug therapy. Education and treatment with the above therapies was provided in groups of 8 to 12 patients in 44 hours over two weeks.

In addition, patients were blindly assigned to carry with them either glass or quartz crystals which were "mentally programmed to assist a positive mental attitude." Assignment to crystal or glass was arranged by having a person who was not involved with the study draw slips of paper from a box, without informing the research staff of the assignments. Patients could not distinguish the glass from the quartz, and 85 percent believed they received quartz.

> [P]atients were guided to pass their "crystal" through a candle flame while willing the "crystal" to be cleared of all stored energy. They then were asked to breathe out onto the "crystal" three times while thinking their agreed upon positive healing phrase. Each patient chose a phrase meaningful to them, similar to "I am happy and joyous."
>
> They then placed their "crystal" in a white satin pouch to be worn on a cord around the neck, with the pouch over the anterior midsternum every day. They were instructed to avoid allowing anyone else to touch their "crystal" and to reprogram it positively every morning for one week and once a week thereafter.

Clinical assessments and Zung tests for depression were administered prior to the start of the study. Blood was drawn from the first 103 patients for norepinephrine, serotonin, cholinesterase, betaendorphin and melatonin.

After the two week instruction/therapy period, patients were given a musical tape with 20 minutes of their preferred classical and relaxation music and a guided imagery tape. They were instructed to play one of their tapes twice daily over three months during relaxation practice. Their crystal pouch was to be worn during all waking hours (with the exception of bathing).

After the three-month period, patients returned for a repeat of the Zung test and repeat blood tests (for the same 103 patients).

> Prior to treatment 90 percent of the patients had one to seven [blood test] abnormalities (levels above or below the laboratory normal ranges), with a total of 337 abnormalities (out of 927 possible) in 103 patients.
>
> Three months after the treatment program, 29 of the patients had one to four abnormalities, with a total of 46 recorded abnormalities (out of 927 possible) in 103 patients. Of even greater interest, only four of those who had residual abnormalities after therapy were classified as being out of depression. In other words, 25 of the 29 were still depressed.
>
> At the end of two weeks 119 of the 141 patients had Zung scores 10 points or more lower than their initial scores or below 50, which is the minimal level for diagnosis of clinical depression. Seventy-five of the 88 who received quartz were improved. Forty-three of the 53 who received glass were improved initially. Thus 84 percent of all patients improved initially.

Statistical analysis of the Zung scores from before to after three months of therapy showed a significant improvement for the entire group. The differences—61 of the 88 patients (70 percent) who received quartz versus 17 of the 53 (31.5 percent) who received glass—were significantly in favor of the quartz crystals (p < .001).[191] Zung scores between patients with glass versus quartz prior to therapy revealed no significant differences.

Shealy et al. observe that no drug has been known to produce 84 percent improvement in depression over two weeks. The quartz crystal group improved almost twice what could have been anticipated with most antidepressants, and there were no side effects.

The cost effectiveness of this program is about 35 percent of usual rehabilitation programs for depression.

Discussion
A. Excellent study, well designed and well described. Significant effects of crystal healing on depression are demonstrated.
B. While it might appear that differences in medications could account for the

observed results, in personal communication Shealy clarified that the subjects in this study had not responded to previous treatments and were on no antidepressant medications. Randomization procedures could be automated, to minimize possible intuitive sorting of subjects. Replications would be reassuring. Rating: I

There is a vast anecdotal lore on healing with crystals and gemstones. It is a help to have research suggesting that crystals can augment healing, particularly for a problem like depression. Hopefully this study of Shealy and colleagues, confirming that crystals can reduce depression, will encourage explorations of the benefits of such treatments.

The use of distant healing for depression is explored in the next study. Bruce Greyson is a psychiatrist who has been studying Near Death Experiences. He was recruited by Joyce Goodrich for this study of LeShan healing.

Bruce Greyson

Distance healing of patients with major depression (*Journal of Scientific Exploration*, 1996)

LeShan distant healing was evaluated as a complement to conventional treatments of antidepressant medication and psychotherapy in a double-blind study. Pairs of patients who were admitted consecutively to a psychiatric hospital in Connecticut for depression were assigned randomly to either distant healing or a control group. The 40 patients, aged 19 to 81 years (mean 39.3, 29 women and 11 men) showed no differences in severity of symptoms between treatment and control groups at the outset.

Healing was sent by two to four healers who never met the healees or knew their names but were given brief narrative descriptions of their problems. Multiple healers were assigned by Joyce Goodrich to ensure that healing would be sent daily over six weeks.

Clinical assessments were made by Greyson weekly in the first six weeks and every other week over the following six weeks. Greyson remained blind to the assignments of the patients for healing throughout the 14-month course of the study. A structured interview provided information for the completion of the following tests:

- The Hamilton Rating Scale for Depression (HRSD) provides a quantitative assessment of intensity and frequency of depressive symptoms. This is the most popular measure for severity of depression (Hamilton).
- The Brief Psychiatric Rating Scale (BPRS) provides a quantitative assessment of psychopathological symptom severity and is in wide use to measure changes in clinical status (Overall/Gorham).
- The Global Assessment of Functioning (GAF) structures a quantitative clinical judgment of psychological, social, and occupational functions, widely used as a measure of need for treatment (American Psychiatric Association 1994).

- A Visual Analog Scale (VAS) asked patients to assess how they felt on a scale of 0 (the worst I've ever felt) to 10 (the best I've ever felt).
- In addition, healers scored their degree of satisfaction with each healing: 3—"exceptionally strong;" 2—"moderate;" and 1—"one of my least strong."

Results: There were no significant differences in length of hospitalizations or in readmissions between E and C groups. Scores on the BPRS, HRSD, and VAS were lower for the E group but not significantly so.

The greater the total number of healing sessions received by subjects, the lower were their scores on the HRSD (p < .05),[192] on the BPRS (p < .0001),[193] and on the VAS (p < .02).[194] The numbers of healings showed no significant correlation with the GAF scores. Similarly, the higher the cumulative healer ratings of their sessions, the lower were scores on the HRSD (p < .04),[195] on the BPRS (p < .0001),[196] and on the VAS (p < .03).[197] In other words, the more healing sessions healees received and the higher the healers rated the quality of the healing achieved, the lower were the ratings on depression, general psychopathology, and general distress.

Greyson suggests the following possible reasons for lack of measurable healing effects between E and C groups:

1. The LeShan method may not be effective for depression.
2. The particular healers working in the study were not effective.
3. Depression may be subject to too many variables in its course to be a reasonable subject for study with healing. In addition, many of the patients had other psychiatric disorders in addition to depression. The other problems may have been unresponsive to healing, thereby reducing the overall healing effects.
4. The limited contact the healers were allowed with the healees may have inhibited the healing effects.
5. The study methodology might have made it difficult for healing to demonstrate its efficacy. The medication effects may have been of such a magnitude that the more subtle healing effects could not show efficacy by comparison.

Discussion
A. Although depression scores did not show straightforward significant decreases, a healing effect was demonstrated by the correlation between the numbers of healing sessions and the lower scores, and between the healers' assessments of the quality of the healing treatment and lower scores.

Goodrich is to be commended for her explorations of healers' qualitative awareness of the efficacy of their healing sessions. Considering the possible confounds discussed by Greyson, a study with larger numbers of subjects appears warranted.
B. This study would have to be repeated to be convincing as to healing effects on depression. Rating: I

To recapitulate: Many people think that antidepressant medications can deal effectively with depressive disorders. This is far from the truth. Numbers of people cannot find an effective antidepressant. Others suffer from unpleasant, sometimes severe side effects. They are faced with the horrible choice of living with a markedly diminished quality of life because of such problems as dizziness, drowsiness, blurred vision, diminished sexual drive, inability to achieve orgasm, and constipation—or discontinuing medication and suffering from the depression. Healers have reported anecdotally that they can help people deal with depressions. It is good to have studies that make a start at confirming this possibility.

Death is a problem that every one of us will face. Approximately 16-20 million new mourners face bereavement every year. Healing could help mourners, as it is effective in treating depression and anxiety. Grief may be a problem not only in and of itself. People who are bereaved are at greater risk for getting serious illnesses.[198]

Loretta Sue Robinson

The Effects of Therapeutic Touch on the Grief Experience, **(doctoral dissertation, University of Alabama, Birmingham, 1996)[92]**

Loretta Robinson studied a convenience group of 22 adults who had recently been bereaved. She assigned them randomly to receive either three Therapeutic Touch (TT) or three mock TT (MTT) treatments.

Demographic data and assessments with the Grief Experience Inventory (GEI) were gathered from each subject prior to their first and after their third treatment. GEI responses were obtained again at one and nine weeks after the last treatment. At the last assessment, subjects were invited to report any effects of the treatment on their grief.

Results: Statistical analyses[199] confirmed that TT was beneficial in helping people deal with grief.

Discussion
A. While this study is abstracted too briefly to permit proper analysis, it would appear that a positive effect of healing on grief is demonstrated.
B. On the basis of this very limited report, it is impossible to assume that any findings in this study are valid. Rating: III

Alzheimer's disease affects over 3 million people in the United States today, and it is estimated that this figure will rise to 10-15 million in the next two decades. Alzheimer's and other dementias can include a range of disturbed behaviors. Care givers are left with the difficult choice between having to give these people tranquilizing and sedating medicines, which diminish their mental alertness and can increase their confusion, or allowing them to suffer with the disruptive behaviors. Healing offers a treatment intervention that does not cloud consciousness.

D. L. Woods, R. Craven, and J. Whitney

The effect of Therapeutic Touch on disruptive behaviors of individuals with dementia of the Alzheimer type (*Alternative Therapies in Health and Medicine*, 1996)

This double-blind study explored the responses to Therapeutic Touch (TT) of people with Alzheimer's disease who exhibited disruptive behaviors. Fifty-seven patients were randomly assigned to TT, mock TT and control groups in each of three special care units in Canada. Ages ranged between 67 and 93 years (mean 81). TT was given once in the morning and again in the afternoon for five to seven minutes over three days.

Behavioral assessments were made by observers blind to group assignments. The Agitated Behavior Rating Scale (Bliwise et al.) was used, focusing on manual manipulation, escaping restraints, searching and wandering, tapping and banging, and vocalization. It was modified to include observations of pacing and walking. Observations were recorded during 10 hours each day, with recordings of frequency and intensity every 20 minutes in the three days prior to and the three days following interventions.

Results: E group showed a marked decrease in vocalizations compared to the C group (p = .04).[200] The mock TT group showed a decrease approaching significance (p = .074)[201] compared to the C group.

Discussion
A. An apparent benefit of TT in disruptive behaviors of Alzheimer's disease is demonstrated.
B. This study was reported too briefly to allow proper assessment of the results. Randomization procedures, blinds, raw data, and statistical procedures are not described. It is difficult to assess the validity of the findings without these. Rating: III

The use of healing for agitation in people with disruptive behaviors of dementia appears promising, particularly where healing—with no side effects—might improve quality of life.

My personal impression from my practice of psychotherapy combined with healing is that the two together are more potent than either alone. It is good to see research that helps to validate this, as in the following study.

Barbara Schutze

Group counseling, with and without the addition of Intercessory prayer, as a factor in self-esteem (*Proceedings of the 4th International Conference on Psychotronic Research, Sao Paulo, Brazil,* **1979***)*

Barbara Schutze addressed the question: "Does group counseling with the addition of intercessory prayer for psychological (inner) healing change self-esteem more than counseling without the intercessory prayer condition?"

The subjects were 37 young adults in a suburban youth organization. They were given a Self-Esteem Inventory pre-test followed by five consecutive weeks of counseling in small groups. Each group had two facilitators. The Self-Esteem Inventory was used as the post-treatment measure of change.

Ten subjects were randomly selected for the E group out of participants in small-group counseling sessions. They were assigned randomly, one each to a facilitator, to receive intercessory prayer for inner, psychological healing. The E condition was not revealed to the subjects until the study was completed. E and C subjects (numbers not specified) received identical treatment. The experimenter was the only person who knew who was in the E group until after the final assessment tests were given. Facilitators were instructed to tell no one who was assigned to them for healing. None of those who participated in the E group participated in the group counseling session which would be facilitated by a person who was assigned to pray for them.

Statistical analysis demonstrated significantly greater improvement in the subjects who had intercessory prayer ($p < .05$).[202]

Discussion

A. Intercessory prayer (a form of distant healing) was apparently helpful in enhancing self esteem.

B. This report is too brief to permit proper assessment of procedures such as methods of randomization and firmness of blinds. Data are not presented to support the reported results. Rating: III

Use of alcohol and other addicting drugs is often associated with stress, anxiety, depression, and low self-esteem. Considering the positive effects of healing demonstrated with these problems in earlier studies, it would appear likely that healing can help with addictions, as explored in the next study.

Scott Walker, et al.

Intercessory prayer: a pilot investigation funded by the Office of Alternative Medicine (*Alternative Therapies,* **1997***)*

This was a prospective, double-blind, "urn randomized"[203] study of intercessory prayer for people who entered a standard treatment program for alcohol problems. All of those who entered treatment at a university addictions center in Albuquerque, New Mexico, were invited to participate in the study. Over six months the 42 who were recruited were told that "they may or may not have prayers offered for their problems with alcohol by outside volunteers."

Methods: Assessments at the start, at three and at six months included: The Form-90, "a validated hybrid time line follow-back instrument," Addiction Severity index, urine screens for drugs, Alcoholics Anonymous involvement, "stages of change (per DiClemente's model)," expectations and experiences of treatment, religious involvement and beliefs, and collateral verification of alcohol use.

Volunteers with experience in intercessory prayer were recruited from the local community to pray daily for six months. These were people from the Albuquerque Faith Initiative (involved in education about substance abuse) and other volunteers who believed their prayers had been effective at some time. They agreed to record the content and duration of their prayers, as well as "transcendent" experiences during their prayers. It was recommended that the attitude of "Thy will be done" should prevail, and volunteers agreed to refrain from prayers for religious conversion of their subjects, as well as to maintain confidentiality. Formats for prayer were not specified. Volunteers who completed the six-month period of research had Protestant, Catholic, and Jewish affiliations. Subjects were assigned to volunteers of diverse affiliations.

Three subjects were assigned to each volunteer, identified only by their first name and a research number. Subjects had three to six volunteers praying for them.

Outcome variable distributions were screened to assure that no extremes (as with a few individuals who might have very high alcohol use) skewed the groups unduly. Data were analyzed for individual subjects on a month-by-month basis as well as between E (n=22) and C (20) groups.[204]

Results: No significant differences in alcohol consumption was found between groups. However, the C group subjects demonstrated a greater loss to follow-up by a factor of five ($p < .05$), despite efforts to track them through whatever contacts were provided. Of all the subject variables studied, none differentiated between E and C groups. Regardless of group assignments, those who said that there were people already praying for them prior to the start of the study were drinking significantly more at the six month assessment than those who had no outside intercession ($p < .04$).

Walker observes that the common expectation that prayer by people who are involved with a person will be beneficial may bear re-examination.

Discussion
A. A suggestive benefit of healing is found in the increased attendance in the treatment program of those receiving healing.
B. No firm conclusions regarding healing can be drawn from this study without further replication. Rating: I

Though no effect of healing on drinking behavior was demonstrated, healing prayer by intercessors who were not personally involved with the subjects appeared to significantly increase attendance in the treatment program. As addiction is a long-term problem, this effect of healing is likely to contribute to beneficial responses over a period of time.

Those who reported that people were already praying for them at the start of the study had poorer results. I would hypothesize an even stronger negative effect of intercessory prayer by family members of people who are addicted than does Walker. Addictions tend to appear as a part of codependent relationships. Prayer from family members of addicts are likely to be colored by their codependency wishes, which could lead the addicts to avoid a treatment which threatens the codependent relationship.

Lawrence LeShan was impressed that healers have such widely differing practices that it could be very confusing to investigators attempting to find out whether healing works and if so, how. He developed a method of healing that he hopes will provide a pool of healers who will presumably be reasonably equivalent in how they work.

The next two studies focus on LeShan healers.

Joyce Goodrich has devoted her career to teaching the LeShan methods of healing and to healing research. Her doctoral dissertation examines sensations experienced by healees during LeShan distant healing.

Joyce Goodrich

Psychic Healing: a Pilot Study (doctoral dissertation, Union Graduate School, Yellow Springs, Ohio, 1974)
This study considers the following:

- What do patients feel upon receiving distant healing treatments?
- Can independent judges identify from healees' subjective reports when a distant healing treatment has occurred?

Goodrich's dissertation reviews the literature and extracts the following common healer behaviors:[205]

1. Total focus of attention during the healing process.
2. Through meditations, establishing a unitive state of consciousness which fully encompasses one's being and experience of reality, for at least a few moments.
3. Including the healee or healees in the healer's consciousness while in the unitive state for at least a few moments with love and care for his or her being. (Deep compassion is a natural component of this particular state of consciousness.)[206]

Goodrich distinguishes between Types 1 and 2 forms of healing.

> In *Type 1* healing, the healer establishes an altered state of consciousness in which reality is experienced as a unitive state and anything or anyone held within the healer's focus of attention, within his or her consciousness, becomes a part of that experience of oneness with all. There is no attempt to "do anything" to the healee (in Harry Edwards' words, "All sense of "performance" should be abandoned"), but simply to include him or her in the experience of oneness with depth, purity, and intense caring. . . .
>
> Type 1 healing is organismic. Its results can be psychological, somatic or a mixture of both. Sometimes the effects appear to be transpersonal or spiritual. Neither the healer nor healee can or should try to direct it to do a certain thing during the experience. Such behavior would abort the experience. When the Type I experience is clear, strong, and deep, the healee's organism appears to know how and where it should be used in response to its own needs and deep wisdom.
>
> *Type 2:* The laying on of hands. It does not require the unitive, clairvoyant reality state of consciousness, although it can be done while in the state required for Type 1. It may involve the use of an energy.

Goodrich carried out an experiment involving 12 people with physical problems who were unsophisticated in theories about healing. Change in the physical condition was not a focus of the study. "The only indications of change in their conditions came from subjective evaluations." Six healers trained by LeShan were used.

A series of Type 1 healings was scheduled for each of the 12 subjects. The first and the fifth healing for each person were "present" (healer and healee in the same room) and the remaining eight were distant (healer and healee separated by unspecified distances, all presumably in their own homes). A few healings were conducted over greater distances. Healers and healees were told that healings would be done at specific times of day scheduled by Goodrich. Unknown to them, half of the distant healings for each healee were scheduled at least an hour after the participants expected them (non-synchronously).

Sensations reported by healees included relaxation, drowsiness, heaviness, decreased anxiety, increased energy, and peacefulness. Sensations reported by healers included a more intense awareness of self and feelings of peacefulness.

Three judges who were given healers' and healees' self-rating forms on their subjective experiences successfully identified whether the healings were synchronous or non-synchronous ($p < .005$).[207] Goodrich, disclaiming recall for coding of data, also rated the forms and achieved significant results.

An interesting finding was that accuracy in judging whether distant healings were synchronous or non-synchronous methodically and consistently increased with the length of time between distant healings and the very first healings for each healee in which both healer and healee were present (See Table 4-3).

Table 4-3. *Judges' assessments in Goodrich healing experiment*

Healings in chronological sequence	Three judges' evaluations in percentages	
	Right	Wrong
1. present – synchronous	98 %	2%
2. distant – synchronous	45	55
3. distant – synchronous	55	45
4. distant – non-synchronous	70	30
5. distant - non- synchronous	87	13
6. present – synchronous	96	4
7. distant - non- synchronous	29	71
8. distant - non- synchronous	59	41
9. distant – synchronous	78	22
10. distant - synchronous	75	25

Goodrich suggests that the most obvious explanation for this result is that meetings between healers and healees provided a stimulus for more distortive experience, although the verbal interaction between healers and healees was limited and between Goodrich and healees only slightly less limited.

Discussion

A. This study shows that healees can identify subjective healing sensations during distant healings with a high degree of accuracy.

One must keep in mind that physical changes were not the subject of this study. Though healees experienced subjective sensations during distant healings, this is not meant to be proof that healing is effective.

It is puzzling that identifications of healing sensations were progressively more accurate the further away in time the healer/healee pairs were from their first session in which they had been in each others' presence. Perhaps this points to separate, mutually interfering modalities of perception during sensory and healing experiences. Attention to sensory cues (or the memories of such) may interfere with awareness of healing-experience sensations. Another possibility could be that attending to healing cues may require training in focusing on internal physical, mental, and emotional states which are not common experiences in the conscious lives of the healees. This may be similar to learning about the internal changes that occur during biofeedback. The poor performance initially may derive from attention to the wrong cues, based on everyday sensory experience.

The reader may be interested to know the results of the healings, even though this was not the object of the study. Only a few examples are mentioned, as it is impossible to assess the significance of reported changes in single cases. For example, was the disappearance of a patch of psoriasis or an improvement in a particular instance of pain a result of healing? Suggestion?

Chance variations in the underlying physical and/or emotional problems? The sensations seemed clearest in those subjects with tension/anxiety; much less clear for those with physical changes.[208]

B. This is an excellent study. Goodrich provides abundant raw data to permit readers to make their own evaluations of her study and conclusions, as well as to appreciate qualitative aspects of the healer-healee interactions.

The inclusion of Goodrich's judging data in the grouped statistical analysis seems questionable. She had some awareness of the assignments of codes to data and was therefore not completely "blind" in making evaluations. Significant results were obtained independent of her input, however. Rating: I

Beginning students of healing and healees both often question whether they are feeling something related to healing if they sense heat between the hands of a healer and the body of the healee—or whether they merely feel the natural heat of a warm hand. This doubting of one's own experience is even more marked with absent healings. It is most helpful to have the confirmation of Goodrich's thesis that such sensations are frequent enough and distinct enough to be reliably identified by healees and by independent judges who reviewed reports of the healees' perceptions.

Goodrich's research suggested that, contrary to common expectations, the less close (socially) the healer and healee were, the greater was the likelihood of sensations being experienced during healing.

Shirley Winston followed up on the observations of Goodrich in the next study.

Shirley Winston

Research in Psychic Healing: a Multivariate Experiment (unpublished doctoral dissertation, Union Graduate School, Yellow Springs, Ohio, 1975)

This study examined the question: "Is psychic healing based on a personal relationship between healer and healee or is the healing relationship of a non-personal or transpersonal nature?"

Five hypotheses were examined:

1. Psychic healing is most effective when there is a high level of personal contact and communication between healer and healee.
2. Psychic healing is most effective when there is a very low level of personal contact and communication between healer and healee.
3. Psychic healing is most effective when there is a moderate level of personal contact and communication.
4. Personal contact and communication have no effect on psychic healing.
5. Some healers do their best healing when there is a high level of personal contact and communication, and others do better with low or moderate levels.

Four LeShan healers treated 16 healees. Healees recorded observations for one week prior to the start of the study. During the first week of the study, each healee was sent three healings from one of the four healers, within one of the four experimental conditions. For the second week no healing was sent although healees continued to record their observations. In the third week each healee was sent healing by a different one of the four healers within a different experimental condition. This procedure was continued until every healee was rotated through each condition, with weekly intervals after each healing condition during which no healing was sent.

The four conditions were as follows:

Condition A: Healer and healee meet, converse, get to know each other, then healing done in the presence of healee, with feedback afterwards. Next two healings at a distance.

Condition B: Healer and healee meet, healing is done in presence of healee, but there is no conversation or "getting to know each other." Next two healings at a distance.

Condition C: Healer receives a letter in healee's handwriting and a photo of healee. Three healings at a distance.

Condition D: Healer receives a lock of healee's hair. Three healings at a distance.

Results:

The results show a trend toward more effective psychic healing when interpersonal information and communication are lower, but miss statistical certainty. Other factors, such as the presence or distance of healer and healee, and the level of tension of the healer, seem to play a part, and may have reduced the statistical effect of the variables under investigation.

Discussion

A. It is impossible to say whether the null results are due to lack of actual differences between the study conditions or to other factors, such as lack of need for healing in the healees.

B. As no statistically significant results were obtained we cannot draw any conclusions from this study. The author presents many unsupported speculations which I have not included here. Rating: I

Winston's inconclusive results leave unanswered questions about the importance of interpersonal closeness in healing effects. The trend towards significance is suggestive but would require further study for confirmation.

The studies on anxiety, depression and self esteem are summarized in Table 4-4.

Table 4-4 *Healing effects on subjective experiences*

Subject Of Healing	Researchers	T/N/ D/V *	Time	Healers	Results	Significance Rating
Pain Post-Operative w/ anxiety in Neurosurgery	W.M. *Green*	D	Unlim -ited	10 prayers	57 neurosurgery patients *Pain (pre- vs post-treatment)* Prayer + enhanced expectation Enhanced expectation Prayer + normal expectation Normal expectation *State anxiety (pre- vs post-healing)* Prayer + normal expectation *Trait anxiety (pre- vs post-healing)* Prayer + enhanced expectation Enhanced vs normal expectation	I p < .001 NS NS p < .001 p < .0002 p < .023 p < .041
	Meehan 1985/ 1993	N	5 mins	3 TT	108 Major abdominal/ pelvic surgery Standard analgesics superior to TT TT superior to MTT for pain TT superior to MTT in increasing time till next analgesic	I Significant p < .06 p < .05
	Meehan et al 1990	T/N	?	TT	159 major abdominal/ pelvis surgery TT superior to MTT in increasing time till next analgesic	III p < .01
	Slater	T/N	?	Trained HT, &	23 Abdominal surgery subjects, self-controls HT & 'naive" HT vs C	I p < .0001
Arthritis, headache, low back pain	Redner et al	N	30 mins x 4	11	47 outpatients with arthritis, headaches, low back pain Pains in E less, in C more Anxiety in C less, in E more	I p < .05 p < .05***
Arthritis	Peck	T/N	?	TT	84 elders - TT better than progressive muscular relaxation: Mobility Hand functions	III p < .01 - .048 p < .05
	Gordon	T/N?	?	TT	27 osteoarthritis of knee (8TT, 11 MTT, 8 C) TT vs MTT pain enhanced activities TT vs C pain enhanced activities	IV p < .04-.0003 p < .01-.0002 p < .04-.002 p < .05-.0005
	Bucholtz	T		Reiki	6 arthritis, crossover	NS III

continued on following page

Table 4-4 continued

Tension Headaches	Keller & Bzdek	N	?	?	Tension headaches decreased Immediately following TT 4 hours following TT	IV p < .005 p < .01 - .005	
Neck / Back	Dressler	T / N	?	Dressler	14/16 E vs 4/11 C 'improved'	p < .01 III	
Back	Castronova & Oleson	T	50 mins	Energy chakra balancing	37 back pain volunteers, healing & psychotherapy vs psychotherapy vs control	III NS NS	
Intractable	Sundblom, Haikonen, et al	N	40 mins	Aho	24 intractable pain syndrome Increased hope Awareness of psychological aspects of pain	IV p < .05 p < .05	
Chronic	Dressen & Singg	T	30 x2/wk x5 wks	3 Reiki masters	120 with pain at least 1 year Reiki vs MReiki vs Progressive muscle relaxation vs C	IV p < .,04-.0001	
Menstrual discomforts	Misra	T / N ?	?	T T	31 women TT vs MTT	III Significant	
Anxiety (state)	Heidt 1979/1981	T	5 mins	T T	Cardiac ICU patients: 30 pre- vs post-TT 30 TT vs 30 casual touch 30 TT vs 30 no touch	IV p < .001 p < .01 p < .01	
	Quinn 1982/1984	N	5 mins	4 TT healers	Cardiac ICU patients: 30 TT vs 30 mock TT	IV p < .0005	
	Quinn 1989	N	5 mins	T T without eye contact	153 patients - cardiac ICU TT vs MTT TT vs no treatment	IV NS NS	
	Hale	N	8 mins	TT / Hale	48 hospitalized medical/ surgical patients C group less state anxiety TT and MTT state anxiety	I p < .05*** NS	
	Thornton	T -ited	Unlim	Reiki	22 E vs 20 C students Both E and C - significantly lower post - vs pre-treatment STAI scores	III NS	
	Ferguson	T	?	50 & 50 T T	Unspecified healees, pre- vs post- healing STAI: Experienced healers Inexperienced healers Experienced healers vs inexperienced healers	I p < .0001 p < .001 p < .001	

Table 4-4 *continued*

	Olson, Sneed, et al 1992	T / N N	? 8-20 mins	T T	23 post-traumatic subjects Anxiety VAS pre vs post-TT TT vs control heart rate, blood pressure, respiration, skin temperature duration of TT and VAS score	III p < .05 p < .05 NS p < .02 - .03
	Gagne & Toye	T/N	15 mins	T T	31 psychiatric in-patients (10 TT, 12 recreation therapy, 9 MTT) STAI TT Recreation Therapy Movement measure - RT	IV p < .001 p < .01 p < .001
	Collins	T	7 mins	T T	24 TT and MTT in normal people	NS III
	Olson, Sneed, 1995	N	15 mins	T T	40 normal students, exam stress high anxiety vs C low anxiety vs C	 NS NS
	Randolph	T	13 mins	T T	30 college students stressed with movie: GSR, muscle tension, skin temperature	I NS
	Parkes	N	5 mins	T T	20 hospitalized patients, age 65-93 43 illnesses: TT and MTT both *increased* anxiety	V NS
	Simington & Laing	T / N	?	T T	105 institutionalized elderly TT + back rub superior to back rub alone TT vs MTT (both + back rub) MTT + back rub vs back rub	IV p < .05 NS NS
Stress response in children	Fedoruk	N	25 mins	T T	17 premature infants, pre- vs post-stress + TT Physiological measure MTT (suggestive increase)	IV p < .05 NS NS
	Kramer	T/N	6 mins	T T	30 children (2 weeks-2 years old) Decreased stress response at 3 minutes 6 minutes	IV p < .05 p < .05
Anxiety and depression	Dixon	N	40 mins	Gillian White	GP practice spectrum 30 E vs 27 C at 3, 6 mos. anxiety: depression	 p < .01 p < .05
	O'Laoire	D	?	90 Directed & Non Directed Pray-ers	406 subjects, E vs C on anxiety, mood, general wellbeing Subjects - believing vs unbelieving in power of prayer Agents who prayed more vs agents who prayed less	I NS (p < .01-05) (p < .0001)

continued on following page

Table 4-4 continued

Depression	Leb	N	20-45 mins	HT	30 depressed outpatients E improved more that C on Beck Depression Inventory, hand scan, pendulum assessments All	IV $p < .001$
	Shealy, et al	T/V	Daily x 3 mos	Self-programmed quartz crystal	141 depressed patients unresponsive to conventional treatments - Zung depression scale	I $p < .001$
	Greyson	D	Daily X 6 wks	2 - 4 LeShan per subject	40 Hospitalized depressed patients Depression and general symptom rating scales Numbers of healing sessions vs rating scales Healers' satisfaction with healing vs rating scales	I NS $(p<.02-.0001)$ $(p<.03-.0001)$
Grief	Robinson	T / N ?	5 min	T T	22 recently bereaved TT vs MTT	III "significant"
Cancer Chemo-therapy anticapatory nausea	Sodergren	T / N ?	mean 10.7 mins	T T	80 subjects Positive affect, symptom severity decrease after chemotherapy TT & objective information Symptom distress & severity decrease prior to & after chemo. TT & progressive relaxation	III ? ?
Well-being in palliative care	Giasson & Bouchard	T / N	15-20 mins x 3 days	Giasson	10 E vs 10 C E before vs after C before vs after	IV $p < .0015$ $P < .001$ NS
Disruptive behavior in Alzheimer's dementia	Woods et al	N	5-7 mins x 2/day x 3	T T	57 people with Alzheimer's disease Vocalization, E vs C	III $p < .05$
Self esteem	Schutze	D	?	Prayer	10 healing vs 27 control	$p < .05$ IV
Alcohol problems	Walker	D	? daily	T T	42 alcoholics - Alcohol quantity, frequency Loss to follow-up C vs E	I NS $(p < .05)$
Healee Sensations	Goodrich	D	?	6 LeShan	Synchronous vs non-synchronous healings	I $p < .005$
Personal relationship	Winston	T & D	5 mins	4 LeShan	16 healees rotated through levels of familiarity with healers	I NS**

( ) = *post hoc* findings   *T/N/D/V: Touch/Near/Distant/Vehicle   **NS: Non-Significant

***Significant effects but in direction opposite to anticipations

Here are two more studies. Neither adequately describes the problems healing was intended to affect.

C. R. B. Joyce and R. M. C. Welldon

The objective efficacy of prayer: a double-blind clinical trial (*Journal of Chronic Diseases*, 1965)

Author's summary:

One of a [matched] pair of patients suffering from "chronic stationary or progressively deteriorating disease"—either psychiatric or joint disease such as rheumatoid arthritis, seen by a psychiatrist or a specialist in physical medicine, was allocated to a group "treated" by intercessory prayer, the other to "control." Neither the patient, the physician nor the participating prayer groups knew to which group each patient belonged. The patients were unaware that a trial was in progress and all the other individual medication and physical treatment prescribed by the consultant was re-evaluated by the same physician eight to eighteen months later. The first six valid and definite results available all showed an advantage to the treated group. Five of the next six showed an advantage to the control group. These results may be due solely to chance, but the possible involvement of other factors is discussed. The attitudes of possible participants in such studies are important, and some implications of this for future work are also discussed.

Clinical criteria used in evaluations are not specified. Patients are described as suffering from "chronic stationary or progressively deteriorating disease;" either "psychiatric or joint disease such as rheumatoid arthritis." Although the patients were allegedly matched, criteria for matching are not given. Neither specific psychiatric diseases, specific joint diseases, nor even numbers of patients in each of the two gross categories included in the study are mentioned.

Discussion
A. Combining patients with very different chronic illnesses in the same controlled study seems questionable, even when the experimenter matches them in some way.
B. This is a poor study despite a basically good underlying strategy of matching patients. The following problems invalidate this study from serious consideration:

- How were healees evaluated as improved? Clinical criteria used in evaluations are not specified.
- How can conclusions be drawn from such a small sample?
  What sorts of prayers were offered? When? How often?

Rating: V

Julio C. di Liscia

Psychic healing: an attempted investigation (*Psi Comunicacion,* 1977; *Parapsychology Abstracts International,* 1984)

Journal abstract:

An experimental test of psychic healing at a distance is reported. Jaime Press, a well-known healer in Argentina, was the subject. . . . A physician selected two patients with similar medical conditions and gave the experimenters a sheet of paper on which were written the names and ages of the patients only. One of the patients was selected later by the experimenters, without the doctor's knowledge, as the experimental target. The healer was informed of the name of the person to be healed. Meanwhile, the physician continued medical treatment of the patients with no knowledge of the previous selection. The names of the selected patients were mailed to a third person and were unopened until the research was finished. It was planned to include 100 patients in the study, but the healer could not continue the work due to legal problems concerning his healing activity. A total of 58 patients was available for statistical analyses. Chi-square analyses of control and experimental groups were made in relation to improvement, worsening, and no change categories, but there were no significant differences.

Discussion

A. Though my high school Spanish is somewhat rusty, my reading of the original report suggests the author is biased against healers, in that he labels their overstatements about their prowess as "megalomania."

B. Unfortunately, the original article does not describe the conditions treated or criteria for inclusion in the "improved," "unchanged" or "worse" categories. Evaluation of this report is therefore impossible. Rating: III

This concludes the review of studies on subjective experiences. There are four studies showing that healing is effective for pain in adults and suggestive studies for anxiety in adults and children. There is one study showing that healing with crystals is effective in depression.

Pain and anxiety are the symptoms most frequently reported anecdotally by healers and healees to respond to healing. It appears warranted to recommend healing for these problems as a treatment of choice in non-surgical pain, considering that healing has no known deleterious side effects. In surgical pain, healing may be recommended as a complementary intervention to ordinary postsurgical care.

An observation from anecdotal reports (which I have not found in the research literature) is worth repeating here. There may be temporary increases in chronic pain with the first few healing treatments, usually followed in further healing treatments by decreases in pain. The initial pain is actually a positive sign, interpreted by many healers to mean the healing is producing some sort of beneficial shift in biological energies.

INTUITIVE (CLAIRSENTIENT) ASSESSMENT

It is through science that we prove, but through intuition that we discover.

—H. Poincaré

Clairsentient assessment promises to become an important adjunct in medical evaluations. Unfortunately, little has been done as yet to evaluate this aspect of healing because too few physicians are willing to risk criticism by their colleagues for collaborating with psychics and healers.

Assessment of the energy field by healers is one basis for treatment. This is a particular focus in TT healing, where healers may give healing according to the intensity and other characteristics of the field. For example, they may project energy mentally to boost areas they sense are deficient, or draw off excesses of energy when they feel an area is overactive.

While many studies have focused on the clinical efficacy of healing in influencing various organisms with various problems, the next is a first attempt at validating the abilities of healers to sense the energy field.

Susan Marie Wright

Development and Construct Validity of the Energy Field Assessment Form (doctoral dissertation, Rush University College of Nursing, 1988)

Wright developed an energy field assessment (EFA) form to identify particular qualities during assessments of the field. This study was set up to develop the validity and reliability of the EFA in assessing the location and intensity of pains, as well as in identifying generalized fatigue and depression.

The 52 people studied (34 women, 18 men) suffered from chronic low back or cervical pain, fibrositis/fibromyalgia, osteoarthritis, or other musculoskeletal pains, excluding cancer and rheumatoid arthritis. They included 37 from a chiropractic office and 15 from a rheumatology practice. The duration of pain ranged from 2-480 months (mean 83.4 months).

The subjects filled out a demographic questionnaire, the Brief Pain Inventory (Daut et al.), and the Profile of Mood States (POMS) (McNair et al.). The pair of healers sensing the fields were blind to any information about the people whose fields they sensed and recorded. Questionnaires were filled out by the subjects while waiting for their turn to have their field sensed, and were completed after the sensing session, at which time they were turned in to a secretary. Of primary interest in the BPI is a drawing of a person, front and back, upon which subjects indicated the locations of their pains by shading in the relevant body parts.

Subjects were seated in an examining room and told not to ask the experimenter any questions. Wright, who had no prior acquaintance with the subjects and did not see the assessment forms they filled out prior to the examination, then entered the room. She asked them to close their eyes (to avoid non-verbal cues) and proceeded to scan their energy fields with her hands held two to four inches from the body of each seated subject. The scan took about two minutes to do. She noted sensations of heat, tingling, and cold, as well as any right-left differences in the energy field.

Wright marked a similar drawing to that on which the subjects noted the locations of their pains. She noted the locations of the pains with an "X" rather than shading in the areas in which she identified abnormalities. This was a technical error, as it sometimes left ambiguity as to the full area of pain indicated. In scoring matches, no credit was given for an "X" which was not squarely over the area of pain identified by the subjects.

Notations on the EHF included: 1. *Background*, or "overall strength of the energy field"; and 2. *Foreground*, "the intensity of the field disturbances that manifest themselves as separate or in addition to the background field." (p. 48-49). Background was predicted to correlate with subjective experiences of fatigue and depression, as measured on the POMS.

A second healer (Assistant I) repeated the procedure, making her own notations about any abnormalities in the energy field which she sensed. Half way through the study a reliability check was made on the two healers' assessments. They found that this had gone down from the initial high level of correlation they noted prior to the start of the study. Assistant I was studying another form of healing at this time and felt that this was interfering in her ability to standardize her sensing of the energy field. A third healer, Assistant II, replaced Assistant I to make assessments which paralleled those of the experimenter.

During the pilot study, the researchers noted that inter-rater reliability diminished when more than 5 patients were assessed consecutively or when less than a 10 minute interval was allowed between assessments. Therefore, during the study they allowed a 15 minute break between assessments and only 5 assessments in three hours.

The experimenter collected the subjects' completed forms from the secretary at the end of each day.

Results:

1. Significant correlations were found between the sensed field abnormality and pains in the neck, upper back, and lower back (p < .0008-.00001).[209]

There were not enough subjects with pains at other locations to reach the experimental criterion of p < .01 level of significance through the statistical analysis used. Of note is the additional finding that left shoulder pain assessment was significant at the level of p < .03. Wright notes that the numbers of subjects with pain in right and left shoulders were barely over the minimum required frequencies required to calculate statistical significance.

My own rough scan of the matchings and mismatchings of experimenter assessments with subjects' reports of pain locations shows a fairly close match. (See Table 4-6) "The investigator was more likely to miss energy field disturbance in the presence of pain than to attribute energy field disturbance to an area where there wasn't pain . . . ."(p. 84)

2. Significant positive correlations were found between the background field strength recorded and presence of fatigue (p <.002).[210]

3. No significant correlations were noted between the intensity of the energy field abnormalities the healers noted and the intensity of pains reported.

4. No correlations could be identified between background intensity of the fields and depression because the participants were not depressed.

5. Inter-rater reliability was high over the three tests, including a pilot phase and two tests during the study.[211]

Wright allows that the healers' awareness that subjects were being examined in a chiropractor's office would suggest pain in the spine. She counters this with the observation that identification of specific location of pain along the spine was successful.

Table 4-5. Subjects' and Experimenter's locations of pain

Site	Subjects	Experimenter
Head	4	4
Right shoulder	10	8
Left shoulder	7	7
Chest	4	2
Right elbow	1	0
Left elbow	2	1
Abdomen	1	2
Right hand	2	3
Left hand	3	5
Pelvis	2	0
Neck	25	28
Upper back	21	34
Right arm	3	4
Left arm	2	2
Low back	36	43
Right leg	9	5
Left leg	9	10
Right knee	6	7
Left knee	4	9
Right ankle	4	0
Left ankle	2	0

A *post hoc* finding was a significant correlation of foreground intensity with pain when background intensity was high (p < .002).[212] Wright speculates that a stronger overall field makes it easier for a healer to sense the aura.

Wright notes that subjective experiences of pain vary widely between people, despite the presence of apparently similar objective pathology. She suggests that in future studies it might be helpful to include assessments of *organic pathology*, as this might correlate more highly with energy field disturbances than subjective experiences of pain.

Further suggestions include replications with larger samples and inclusion of a control group without pain.

Discussion
A. It is very helpful to have a study confirming with high significance the validity and inter-rater reliability of the sensing of biological energy fields.
B. One would hope to see replications of such a study before drawing any serious conclusions from it.

A serious breach of the blinds in this study is possible. The fact that subjects filled out their assessment forms before and after the sensing of the energy fields by the healers, combined with the healers' asking subjects to close their eyes during the sensing, leaves open the possibility that healers might have looked at the subjects' assessment forms.

The replacement of Assistant I is also questionable.

As the author notes in her discussion, the awareness that subjects in a chiropractor's office are likely to have back and neck pain could suggest to the healer to *guess* correctly that pain is present there. If we look in the thesis at the patients' reports, we find that the 52 patients reported pain in the neck (25), upper back (21) and low back (36), while the healer assessed pain in the neck (28), upper back (34), and low back (43).

While the inter-rater reliability is meant to be a major focus of this study, the data for the assessments of Assistants I and II are not provided. Rating: IV

This study is most encouraging and should stimulate further research of aura sensing. It would be helpful to examine whether the sensing of symptoms other than pain and fatigue could be validated, and whether changes could be identified reliably in the energy field which correlate with changes in the conditions of subjects due to conventional and energy field treatments.

Another factor to study is the presence of strong heat, cold, or electrical sensations, which Gordon Turner found to correlate with subjective reports of cures.[213]

The next study explores in a different manner the abilities of people to identify the presence of someone else's hand near their own hand.

Gary E. Schwartz, Linda G. Russek, and Justin Beltran

Interpersonal hand-energy registration: evidence for implicit performance and perception (*Subtle Energies*, 1995)

Gary Schwartz and colleagues note that various measurable energies of two people may interact when they are close together. For instance, electrical cardiac energy (ECG) interactions occur and may vary with the degree of openness of the participants to interpersonal information (Russek/Schwartz). The ECG patterns of each of two people sitting near each other appear in each other's electroencephalogram (EEG) patterns.

Schwartz et al. note that the hands carry direct current (DC) skin potentials. The amount of sweat on the skin could modulate these DC potentials, and could also alter the heat radiated from the skin. Blood flow in the skin and muscles of the hands conduct cardiac electrical and sound patterns, as well as generating heat which is radiated as infrared pulses. The muscles in the limbs produce electromyographic (EMG) pulses. Movements of the limbs generate electrostatic fields. All of these energies combine to form a complex, dynamic energy pattern around the hands and other parts of the body.

Conversely, the hands contain nerve endings which detect pressure, temperature, and the stretch of tendons and ligaments. These receptors could, theoretically, also respond to other energies. Electrostatic fields might produce subtle stretches or pressures which these receptors might register. Minute breezes could register on temperature, pressure, and/or stretch receptors. Perceptions of electrical or magnetic signals have not been established as yet.[214]

Two experiments were performed to establish whether ordinary people who were blindfolded could identify the presence of the hand of an experimenter which was held several inches above one of their hands. [Subjects had no claims to any healing abilities.]

Experiment 1: 20 subjects participated, the majority of whom were not previously familiar with the one (male) experimenter.

In each trial, the blindfolded subjects used either their left or right hand to sense, while experimenters used either left or right hand to test subjects' abilities to sense the presence of a hand held near their hand. "A block of trials contained one of each of the 4 types of trials (subject's hand left or right by experimenter's hand left or right)" (p.187). Each subject had six blocks of trials, totaling 24 trials per subject. Each subject was tested in a different order of hand presentations.

Experimenters sat opposite the subjects, holding their palms together, placed in their lap. This was intended to maintain an equal temperature in both of their hands. During the trial, experimenters held either their left or right hand, palm down, 3 to 4 inches over the subject's right or left hand. When an experimenter had their hand in place, they said "ready." Subjects then said which hand they felt was covered by the experimenter's hand. Experimenters removed their extended hand after the subject's choice was stated. Subjects then rated their confidence in their guess on the scale of 0 to 10. Experimenters recorded the guesses and confidence estimates and returned their hands to their laps. Intervals between trials were about 30 seconds.

At the end of the series of 24 trials, subjects completed a questionnaire about the sensations they believed were correlated with correct guesses, and they made an estimate of their total percent of correct guesses.

Results: Mean guesses of subjects were above chance (58.5 percent, p < .02), while estimates of performance were 12 percent lower (not significant). Subjects' mean confidence ratings were higher for correct guesses than for incorrect ones (p < .004).[215] This suggests that they were partially aware of when their guesses were correct.

Experiment 2: Forty-one subjects participated, most of whom were familiar with the experimenter who tested them. 20 experimenters each tested 2 subjects, and 1 tested only 1 subject. There were 11 women and 10 men experimenters (20 to 46 years old, mean 25.9).

Procedures were followed as in Experiment 1, but the same order of hand presentation was used for each of the subjects in their 6 block series.

Results: Guesses were 69.8 percent correct, significantly above chance (p < .00001). Again, estimated performance was 12 percent lower than actual performance.

Combined results of both experiments: Results were highly significant (p < .00005).[216] There were no differences between men and women in percent of successful guessing. Both groups also had higher confidence ratings regarding correct guesses compared to incorrect ones (p < .007).[217]

The authors then divided the subjects into groups, according to their successes in guessing: There were

- 14 poor (less than 50 percent correct, mean 43.8 percent)
- 7 low (50-67 percent correct, mean 58.9 percent)
- 27 medium (68-78 percent correct, mean 70.2 percent)
- 13 high (over 78 percent correct, mean 85.6 percent)

The interaction of groups with measures was significant (p < .002).[218]

The poor and low performers were better able to estimate the success of their guesses than the medium and high performers (who underestimated their successes). The poor and low performers were able to give higher confidence ratings for their correct guesses than for incorrect ones (p < .002).[219]

Subjective sensations which were reported when subjects were more confident included temperature (usually warmth), tingling, and pressure. Of these sensations, temperature was mentioned more frequently. This did not significantly correlate with correct identification of which hand was covered by the experimenter's hand. However, estimates of overall accuracy were incorrect much more frequently in subjects who did not report temperature sensations (p < .004).[220]

Out of the 61 subjects, 47 were able to identify the correct side at better than chance levels, with the overall correct rate of 66 percent (p < .00001).

Authors' discussion: The authors point out that "evidence for performance in the relative absence of perception (termed implicit perception)" or "'awareness without awareness,' termed Level 1 Awareness, or 'pure awareness' may reflect the foundation of conscious experience and reflect intuitive awareness." (p.198)

Precautions were not taken to block auditory cues (such as headphones with white noise), so it is possible that very subtle auditory cues might have contributed to the results. Likewise, micro-breezes could have influenced the results. The authors suggest that the subjects' hands might be covered with glass to prevent this in future studies. Similarly, grounded wire mesh screens could be used to determine if electrostatic or electromagnetic effects contribute to subjects' perceptions. Other variables which should be examined include: the distance and rate of movement of the experimenter's hand (which could produce electrostatic effects); the intention of the experimenter; and the caringness of the relationship between experimenter and subject.[221]

Discussion

A. This study clearly demonstrates significant evidence that ordinary people can sense when another person's hand is near their own. This supports the claims of healers to be able to sense an energy field around the body.

B. As noted by the authors, heat, electrostatic effects, or electromagnetic effects could have produced the results in this study. No conclusions can be drawn as to anything relevant to healing, other than that healers might experience sensations in their hands and healees might experience sensations in their bodies due to effects of known physical energies. More significantly, blindfolds are notoriously poor for preventing visual cues. A solid barrier is much more effective.

Rating: IV

The studies of Schwartz and colleagues suggest that a majority of unselected subjects can identify when another person's hand is held near their own. These studies suggest that electrostatic and/or electromagnetic effects may contribute to these sensations.

The fact that temperature sensations correlated with subjects' overall estimates of correctness of their guesses need not point to temperature as the energetic component causing the sensations, and likewise for electrostatic and electromagnetic effects. Despite the frequent reports of sensations of heat, tingling, and electrical feelings in healers' hands or at the site of healing in healees during healings, measurements with sensitive thermometers usually do not demonstrate changes in skin temperature.[222] Healing sensations may be synesthesias, or crossed-sensory perceptions. Another such example is that people are able to identify colors through their hands (Duplessis).[223] It seems that we have far broader abilities to interact with our environment through the nerve endings in our skins and/or through the biological energy fields around our bodies than conventional science accepts. This is further supported by the study of Gordon Turner (1969a),[224] showing that during absent healings people also report sensations of heat, tingling, cold, electrical sensations, and the like. Such effects at a distance cannot be caused by electromagnetic, electrostatic, or temperature effects.

In the study of Healing Touch for depression (Leb, above), hand assessments of subjects/ biofields also showed significant differences in treatment responses between E and C groups. As no blinds were included in this study, these results can only be taken as suggestive support for validating bioenergy field assessments, even though they were supported by parallel changes in the Beck Depression Inventory scores.

The mystery of healing is truly starting to be addressed through such pioneering work as that of Wright and of Schwartz and colleagues. It is only through methodical confirmations and eliminations of various hypotheses that we will come to understand the true nature of healing.

In contrast with the last two studies, the next one is of interest primarily for its publication in a prestigious American medical journal, and for its demonstration of the readiness of conventional medical journals to present what they perceive to be negative results of healing studies.[225]

Linda Rosa, Emily Rosa, Larry Sarner, and Stephen Barrett

A Close Look at Therapeutic Touch (*Journal of the American Medical Association*, 1998)

For a fourth grade science fair project, Linda Rosa's nine-year-old daughter, Emily, did a study of Therapeutic Touch (TT) healers' abilities to sense biological energy fields. A casual search for local TT practitioners gathered 21 out of the 25 contacted who agreed to participate in this study. Experience with TT was between one year and 27 years. Fifteen TT healers were tested over several months in 1996 at their offices or homes. The study was published in 1998 in the *Journal of the American Medical Association* under the title "A Close Look at Therapeutic Touch."

In the study, healers laid their hands on a table, palms up, 25 to 30 cm apart. The experimenter sat opposite them, screened from sight by a tall barrier. Healers inserted their arms through holes at its base, with the further precaution of a towel placed over their arms so that they could not see the experimenter through the arm holes. Each healer was tested 10 times, being allowed to prepare themselves mentally for as long as they wanted before each set of trials. The experimenter held her right hand 8 to 10 cm above one of the healer's hands (chosen by coin toss) and alerted the healer, who then identified over which of her or his hands the experimenter's hand was located. Healers were given as much time as they wanted to make their selection (ranging between 7 to19 minutes per set).

An earlier pilot study with seven other subjects who were not TT healers demonstrated that tactile cues such as heat or air currents did not give away the presence of the experimenter's hand.

To reach a significance level of $p < .04$,[226] healers had to identify the targeted hand correctly 8 out of 10 times. In the first series only one healer scored 8, but on a retest scored only 6.

The healers gave a number of explanations for their failures, including the following:

1. In each series of trials, a tactile afterimage made it difficult for healers to distinguish the actual hand from the "memory" perception. However, the initial trials in each series did not score greater than chance.

2. Healers' left hands are usually more sensitive receivers of biological energies than their right hands, which are usually more potent projectors of such energies. Out of 72 trials with healers' right hands, 45 (62 percent) demonstrated incorrect responses. Out of 80 incorrect responses, 35 (44 percent) were with the left hand. These differences are not statistically significant.

3. Healers would do better if they were given feedback (in a practice trial prior to the experimental test series) as to which hand was being tested. Rosa et al. feel that this should not be necessary, but concede that such a procedure would eliminate this objection.

4. Healers felt that the experimenter should be more active, holding the intentionality of projecting her energy field. Rosa et al. feel that this should not be necessary, as such a demand is not placed upon patients whose energy fields are being sensed by TT healers.

5. Some healers reported that their hands felt so hot after several trials that they either had difficulty or were unable to sense the experimenter's field. Rosa et al. observe that this contradicts the statements of TT healers that they can deliberately manipulate patients' energy fields during the course of 20-30 minutes of a typical TT session. This objection is also not supported by the fact that only seven out of 15 first trials had correct responses.

A second series was completed in a single day in 1997 and recorded on videotape by a TV broadcasting crew. Healers were permitted to sense the experimenter field and each also selected which of her hands she would use for their test (seven chose her left hand; six chose her right). Healers identified which of their hands was being tested in 53 out of 131 trials (41 percent). The range of correct responses was 1 to 7.

Healers made the following additional objections at the end of the second study:

1. The towel over a healer's hands was distracting (1 healer).
2. A healer's hands were too dry (1 healer).
3. The televising of the proceedings interfered with concentration and increased stresses (voiced by "several" healers). [134] Rosa, et al. believe that the presence of a TV crew should not distract or stress healers more than the usual hospital settings in which many TT healers practice.

The 123 correct responses out of 280 trials (44 percent) in the two series obviously did not support claims of healers to be able to sense the energy field. Rosa et al. note that if healers had responded correctly in 2/3 of the trials their results would have been significant at $p < .05$; if in 3/4 of the trials, at $p<.0003$. "However, if TT theory is correct, practitioners should always be able to sense the energy field of their patients." Accuracy would also be expected to correlate with the length of practice of healers. No significant correlation was found in this study between healers' performance and their levels of experience.[227]

Rosa et al. conclude that TT healers have no ability to sense the biological energy field because the 21 TT healers they studied did not succeed in identifying which of their hands was being tested. "To our knowledge, no other objective, quantitative study involving more than a few TT practitioners has been published, and no well-designed study demonstrates any health benefit from TT."

They also point out that "In 1966 the James Randi Educational Foundation offered \$742,000 to anyone who could demonstrate an ability to detect an HEF[228] under conditions similar to those of our study. Although more than 40,000 American practitioners claim to have such an ability, only 1 person attempted the demonstration. She failed, and the offer, now more than \$1.1 million, has had no further volunteers despite extensive recruiting efforts."

George D. Lundlberg, M.D., then editor of the *Journal of the American Medical Association*, adds the following comment on this study in the issue in which it appears:

> The American public is fascinated by alternative (complementary, unconventional, integrative, traditional, Eastern) medicine. Some of these practices have a valid scientific basis; some of them are proven hogwash; many of them have never been adequately tested scientifically. "Therapeutic Touch" falls into the latter classification, but nonetheless is the basis for a booming international business as treatment for many medical conditions. This simple, statistically valid study tests the theoretical basis for "Therapeutic Touch": the "human energy field." This study found that such a field does not exist. I believe that practitioners should disclose these results to patients, third-party payers should question whether they should pay for this procedure, and patients should save their money and refuse to pay for this procedure until or unless additional honest experimentation demonstrates an actual effect.

I wrote to Lundberg, informing him that a doctoral dissertation examining the sensing of auras by healers showed positive effects. Phil B. Fontanarosa, M.D., the senior editor of *JAMA,* replied that my letter "did not receive a high enough priority rating for publication in *JAMA*" and no interest was indicated in this dissertation.

On Edison's announcement of a successful light bulb, Sir William Siemens (1880), observed: "Such startling announcements as these should be deprecated as being unworthy of science and mischievous to its true progress."

Discussion

A. It is surprising that a study done by a 9- to 10-year-old girl would be published in a prestigious medical journal such as this. The standards for accepting research reports in such journals usually require that they must have been performed by a medical practitioner.

The first, third, and fourth authors of this article are self-identified skeptics, the last two being members of an organization called Committee for the Study of the Paranormal. This organization is known as one which is dedicated to discounting any evidence for the existence of parapsychological phenomena. The methods it uses do not always appear to be of the highest scientific standards, and to many observers including Larry Dossey, M.D. (1998;1999), appear to be deliberately misleading. Several examples of such methods are evident in the study of Rosa, et al.

For instance, regarding healers' objection no. 2 that the right hand is not as good a sensor as the left: Rosa et al. state in their summation of results with healers' right hands, "only 27 (38 percent) had correct responses" instead of noting that *45 (62 percent) demonstrated incorrect responses.* This makes it more difficult to see that the findings of the study are in a direction which supports healers' claims. With larger numbers it may be possible to show that this is a significant finding.

Another example of misdirection is in the statements by Rosa et al. About published TT research: "Of the 74 quantitative studies, 23 were clearly unsupportive."[229] The authors make no mention of the remaining 51 studies which one would guess from their analysis must be supportive. I know of many, and Rosa et al. cite some of these in footnotes nos. 76-86 of their article, inclusive. *No discussion of the positive findings is presented, and I find no reference in the text to footnotes 76-86.*[230]

With these omissions, the article looks, at first reading, quite convincing in its damnation of published TT research. It would appear, however, that these omissions support of the authors' and editor's disbeliefs, and one must wonder whether the omissions were deliberate.

The clever use of language of these authors in stating, "To our knowledge, no other objective, quantitative study *involving more than a few TT practitioners* [italics mine] has been published . . ." is again misleading. Most studies of healing are done by only one or a few healers. This is in no way a criticism of the research, which in fact has in many cases produced significant results. The last part of their sentence, ". . . and no well-designed study demonstrates any health benefit from TT" is clearly untrue.

Rosa et al. and the journal editor assume there is no validity to claims of healers to sense an energy field or to be able to influence it. They therefore dismiss any suggestions of healers regarding factors in the test situation which might influence such a field.

Healers' objections that performing if front of TV cameras could be a negative influence appears to me a valid criticism of the second part of this study. While the ambiance of a hospital ward might be stressful (particularly to outsiders), it is composed of elements familiar to nurses and therefore not as distracting as the unfamiliar presence of a TV crew and the research situation. Furthermore, in the hospital the intent is to provide a caring intervention, not to prove one's abilities to sense an energy field.

There is evidence that one can influence one's energy field and the process of healing through one's mental state and intent. Several nurses were able to produce significant results with TT given with the intent to heal versus going through the motions of TT while doing arithmetic in their heads to avoid activating TT healing (Keller 1983; Quinn 1989). Skin resistance in the hands can be altered by changes in mental state.[231] This would produce a concomitant change in the electromagnetic field around the hand. Kirlian photography has demonstrated that when people have positive feelings for each other, their energy fields merge, and conversely, when they feel negatively towards each other, their energy fields retract from each other.[232]

I can add to the above some anecdotal evidence from workshops I give on developing one's healing gifts. It is possible for one person to project energy from a hand or foot and for another person to identify when the first one discontinues this projection of energy. I would personally support healers' suggestions that it is possible for experimenters to withdraw or to not project their energy fields, thus making it difficult for a healer to identify the energy field.

A further objection is that part of the experience of sensing energy fields is a dynamic one. When I sense someone's field, I move my hand towards and away from their body, as well as across their body. This provides far stronger sensations than simply holding my hand still near the body.

I would also suggest that the presence of a skeptical person in a parapsychological or healing study could dampen or inhibit the effects under study. While this must appear to skeptics to be an unfair proposal, this is the nature of parapsychological effects. They are very much influenced by the mental states of participants and observers. Skeptics are likely to obtain negative effects, believers positive ones. This has been amply supported by the studies of *sheep* and *goats* in psi research.[233]

The picture is not all that clear, however. In the testing of energy fields, two studies of sensitives' abilities to see auras produced negative results (Ellison; Gissurarson/Gissurarson). Ellison, despite his claims of being an impartial scientist, comes across in discussions as a sharp skeptic. I have no personal knowledge of the Gissurarsons.

The sweeping dismissal of TT as a valid therapeutic method by the authors and by the editor of the journal, based upon the evidence of this limited research by a 9- to 10-year-old girl is patently ridiculous. This study simply explored the ability of healers to sense the energy field of one experimenter under specific test conditions. In no way did it test healing abilities.[234]

B. The ability of healers to sense energy fields is seriously challenged by this study.[235] No rank is assigned to this study.

There will always be extreme skeptics who will not accept evidence, no matter how comprehensive or detailed. William James observed, "There is no source of deception in the investigation of nature which can compare with a fixed belief that certain kinds of phenomena are impossible."

Though the next study is not a controlled study (along with two later ones) and this one is translated, it is included here by way of introducing how intuitive assessments can contribute to integrative care.

Karel Mison

Statistical processing of diagnostics done by subject and by physician (*Proceedings of the 6th International Conference on Psychotronics Research,* **1968)**

Karel Mison, of Prague, presents a brief note on 2,005 diagnoses each made by a physician (P) and by a "biodiagnostician" (identified as "subject" or S). Six P and eight S participated. Data were gathered from six different centers on diseases. Distant diagnoses of 205 cases are not given individually, as they demonstrated an overall congruence of only 28.67 percent. Table 4-5 shows which P worked with which S and the following data:

1. Number of processed dyads (x)
2. Number of congruent diagnoses
3. Percentage of congruency

Table 4-6.
Mison's diagnosis experiment*

	S I	S II	S III	S IV	S V	S VI	S VII	S VIII	Totals mean %
PA a b c							125 56 44.80%		125 56 44.80%
PB** a b c		256 171 66.80%		45 25 55.56%	34 24 70.59%	117 61 65.53%		74 63 85.14%	586 399 68.09%
PC a b c	140 78 55.71%								140 78 55.71%
PD a b c							157 84 53.50%		157 84 53.50%
PE a b c		70 34 48.57%		189 97 51.32%	229 123 53.71%	52 35 48.08%		140 102 72.85%	680 381 56.3%
PF a b c			112 61 54.56%						112 61 54.6%
Totals a	140	326	112	234	263	229	282	214	1800
Totals b	78	205	61	122	147	141	140	165	1059

(a) Number of processed dyads
(b) Number of congruent diagnoses
(c) Percentage of congruency

*Data were also gathered for instances where either P or S made a diagnosis and the other did not, but these are not presented.

**Errors in the original of this table for PB are corrected from a second table which gave the inverse figures for incongruent diagnoses.

Data were also gathered for instances where either P or S made a diagnosis and the other did not but these are not presented.

Discussion

A. This translated study is a good beginning, indicating that in some instances clairsentient diagnosticians can achieve as high as 85 percent congruence with medical diagnosticians.

B. The report does not tell us whether the various diagnoses were validated by objective laboratory data. No controls or statistical analyses are presented. Rating: IV

This study suggests that in some cases a clairsentient assessors might work well with a physician. As this is a quick, safe, and inexpensive method for diagnosis it seems well worth further study. It would be interesting to know whether any particular characteristics differentiated the P and S as individuals or as pairs whose diagnoses were more often congruent or incongruent.

Medical diagnosis is far from a perfect science. This percentage of congruence in this study of healers and doctors' diagnoses is probably as good as several different medical diagnosticians might achieve.

Many workshops and courses in psychic development are advertised. The following studies examined whether one such course produced any positive results.

Robert Brier, Barry Savits, and Gertrude Schmeidler

Experimental tests of Silva Mind Control graduates (*Research in Parapsychology 1973*, 1974)

The researchers note:

> The Silva Mind Control organization advertises that it enables its graduates to develop E.S.P. Many graduates who seem intelligent and sincere claim that they can diagnose ailments clairvoyantly, given some minimum information about an individual.

Brier et al. performed two experiments in which a surgeon selected 25 cases and "identified each by first name and initial of last name, age and sex and divided them into five groups so that there was minimal overlap of symptoms among the five members of a given group." Five enthusiastic mind-control graduates each received one group of data and made their clairsentient diagnoses. No significant results were found.

A slight tendency was noted for more positive results in more recent graduates of the Mind Control Program. A second experiment was therefore run with subjects tested on the day after graduation from training. Although the overall results were not significant this was misleading. "Two of the subjects were children, aged 10 and 12, and their readings were meager and uninformative." One subject's results taken alone were significant (p < .05) and "If the scores of the three older subjects had been examined separately, they would have been significant." Another graduate of the same course volunteered to be tested and also achieved significant results (p < .05).

The researchers are unenthusiastic about their results. They note:

Our data still hold open the possibility that immediately after they have completed the Mind Control course, clairvoyant diagnostic ability may be strong in some individuals. If this possibility is confirmed, it might be considered a not unexpected outcome of a training method which combines meditative and hypnoidal techniques with strong positive suggestion and high group morale.

Discussion

A. The second experiment suggests that some positive results are obtained with this training.

B. It would appear reasonable to request more careful research be done on more subjects before reaching any firm conclusions, and to check whether subjects had clairsentient abilities prior to taking the course.

Gertrude Schmeidler, in personal communication, added that her impression was that the Silva graduates attended very closely to verbal and non-verbal cues which led them towards diagnoses that were known to the experimenters and that little if any psi was likely to have been involved. Rating: IV

Alan Vaughan

Investigation of Silva Mind Control claims (*Research in Parapsychology 1973,* 1974)

Vaughan reports:

[A] nurse . . . who had completed the Mind Control course and had received her diploma . . . asked me to arrange for an objective test of her and her fellow graduates' distant clairvoyant diagnosing ability. Accordingly, with cooperation from a physician, I sent her the first names, last initials, sex, age, and city of residence of five patients whose conditions were unknown to me. The nurse and 20 other Mind Control graduates attempted to make clairvoyant diagnoses for these and returned them to me.

To evaluate the readings quantitatively, I selected two patients of the same sex and comparable ages, put their 21 readings each (total of 42) on coded cards, randomized them by flipping a coin, and sent them to the physician for judging, asking him to guess which of the two patients was being described by the diagnosis. Chance would give 21 "hits." The physician's judgings gave 16 "hits." In addition, he indicated on the cards any apparently correct diagnostic statements that guided him in his choice. Only one card bore a correct diagnostic statement. . . . I then sent the physician the remaining 63 readings (for three patients by 21 students) and asked him to report to me any additionally correct statements. He found no other striking correspondence to his patients' conditions. These findings would seem to put in doubt the claims of Silva Mind Control.

Discussion

A. Before dismissing totally the claims of the Silva methods, one would want more substantial studies. No descriptions are provided for the reader's assessment of the closeness of matches in diagnoses.
B. The author's conclusions seem warranted. Rating: III

My personal impression is that the claims of Silva Mind Control are greatly inflated, based on my attendance at a course, personal contact with a number of graduates and experience with many healers. Few of the better healers and fewer of the average ones are good at distant diagnosis, so I would hardly expect the inexperienced, with just a few hours' lessons, to have more than very modest success.

There are people with highly refined gifts of clairsentience who are clearly in a different category from the average person who takes a course in psychic development. These people are usually untrained in medicine or in scientific research, so few studies have been made of their diagnostic abilities. When intuitives team up with physicians we begin to get a clearer picture of their abilities. In the next studies we again we have important contributions from Norman Shealy, who has been brave enough to publish the results of his work with Caroline Myss (a gifted clairsentient diagnostician) and of other sensitives, at a time when these subjects are not well accepted by his medical colleagues.

C. Norman Shealy

The role of psychics in medical diagnosis (*Frontiers of Science and Medicine***, 1975); — Clairvoyant diagnosis (In *Energy Medicine Around the World*, 1988).**[236]

Shealy, performed several studies of intuitive diagnosis.

In a pilot study, he selected 17 patients for eight psychics, including Henry Rucker, to diagnose.

> Each patient was brought into a room for about 10 minutes. The patient was then escorted out of the room and each of the sensitives was asked a variety of questions concerning the patient's personality and physical

condition. We then pooled the results: only when a clear majority of the sensitives agreed on a given diagnosis was it considered the proper answer. . .we found this group to be 98 percent accurate in making personality diagnoses and 80 percent accurate in diagnosing physical conditions. For instance, they clearly distinguished between three totally separate cases of paraplegia—paralysis from the waist down—one traumatic, one infectious, and one degenerative in nature.

In a more formal study, Shealy diagnosed a series of patients by his own physical examination and administration of the Minnesota Multiphasic Personality Inventory. A photograph was taken of each patient, and his or her name and birth date written on the back. Handwriting samples and palm prints were obtained. Six clairvoyants were given the photographs, names, and birth dates; a numerologist was given just the names and birth dates; a graphologist was given the handwriting sample; and the chirologist the palm prints. No other contact with patients was allowed. A professor of psychology, who made no claim to psychic ability, also guessed the answers on the basis of the photographs. Two major questions were asked: "Where is the difficulty or pain?" and "What is the major and primary cause of the patient's illness?" Each diagnostician filled out a questionnaire.

> We had complete data on some 78 patients and at least one or more clairvoyant diagnosis carried out on almost 200. Two of the clairvoyants were 75 percent accurate and a third was 70 percent accurate in locating the site of pain. (Numerology was 60 percent accurate, astrology 35 percent, and palmistry and graphology 24 percent—the same as chance.) In determining the cause of the pain, the clairvoyants ranged from 65 percent accuracy down to 30 percent. Here there was only a 10 percent probability of obtaining the correct diagnosis by chance.

The psychologist did not exceed chance levels with his guesses.

Robert Leichtman, an internist who is a gifted clairsentient diagnostician, was given photographs, names and birth dates of patients (numbers not specified). He was 96 percent accurate in descriptions of patients' personalities.

Shealy visited about 75 psychics or clairvoyants, finding six of them 70 to 75 percent accurate with physical diagnoses and 96 percent accurate with psychological diagnoses.

In informal testing, Shealy gave Caroline Myss, a gifted clairsentient diagnostician, only the names and birth dates of 50 patients. He found her to be 93 percent congruent with his own diagnoses. Shealy lists the pairs of clinical diagnoses.

Discussion

A. A significant intuitive diagnostic ability is demonstrated in this study.

B. Shealy does not give sufficient details to permit independent evaluation of his results, nor was statistical significance analyzed. In the second study it is not clear whether there were three more clairvoyants whose guesses were poorer and excluded from the report or whether some of the other intuitive diagnosticians were included in the six mentioned. Even the Myss test does not specify how patients were selected. There is the possibility that Shealy may have chosen better or clearer cases and that the results are biased by Shealy's intuitive selection of cases.

Shealy's results support a belief that clairsentient diagnosis may be a most useful adjunct to conventional diagnostic techniques, especially with the consensus of multiple psychic diagnosticians. Rating: IV

Further study might clarify whether successful intuitive diagnoses are achieved via clairsentience or via telepathy with the medical diagnostician. Doctors often achieve no better than 70 to 80 percent consensus in diagnosis with each other. The high rates of success of Myss with Shealy suggest that she might have been reading his mind in some of the cases.

Another gifted clairsentient diagnostician, Dora Kunz, worked closely with Shafica Karagulla, a physician. Kunz sat for two years with Karagulla, exploring the correlations of her aura perceptions with medical findings. Their descriptions of their collaborative explorations make fascinating reading. (Karagulla; Karagulla/Kunz).

Let us return to another, more formal study of clairsentient diagnosis.

Nils Jacobson and Nils Wiklund

Investigation of claims of diagnosing by means of ESP (*Research in Parapsychology 1975*, 1975)

The Swedish Mind Dynamic method claims that its practitioners learn to diagnose illness at a distance from patients' names and addresses. The researchers investigated the diagnostic abilities of a teacher of this method, Mr. B.A.

Experiment 1: One of the experimenters, N.W., gathered information on 10 sick male persons. Two lists were prepared, each randomized independently. "One contained the names and towns of residence (but not street addresses), and the other contained correct diagnoses. . . ." Both lists, each in a sealed envelope, were given to the other experimenter, N.J., who conducted the study thereafter. N. J. did not know which name corresponded with which diagnosis. Mr. B.A. gave verbal diagnoses for each of the named persons, and then also matched the diagnoses from the list with the named persons.

Experiment 2: The above was repeated with female patients. In addition, N.J. knew the correct matching of names and diagnoses. He did not reveal to Mr. B.A. that he knew them. N.J. made every possible effort not to give out any cues. In actuality, the names and diagnoses were invented by N.W. This subterfuge was unknown to N.J. at the time of the experiment.

A check was run on Mr. B.A. by asking him whether he knew personally any of the ten real people listed in Experiment 1, along with four people whom he presumably knew. He admitted only to knowing one of the latter four.

> As he had in Experiment 1, Mr. B.A. expressed some disappointment that he did not reach his usual level of contact with the target persons. He showed distress and on two occasions asked for a rest. After three hours only seven target persons had been worked through. The work was terminated at this point, as seven trials was a suitable number for the intended statistical procedure . . . seven descriptions were matched with 10 different diagnoses. . . .

In neither experiment was there a correct diagnosis, which could occur purely by chance.

Mr. B.A. was highly motivated during the experiment. He complained that he usually knew the address of the patient and that the patient or someone who knew the patient was usually present when he made his diagnosis.

Discussion

A. The imposition of restrictive and misleading laboratory conditions on a clairsentient diagnostician appears to be poor practice, muddying the experimental waters. It may be that he is able to make correct diagnoses under the conditions with which he is familiar and comfortable.

The distress of the subject in the second experiment suggests he was aware of irregularities in the procedures.

B. The first experimental design is simple but the number of trials is too small for assessment with great confidence of the issues addressed. Rating: V

There is only a modest body of research on intuitive diagnosis and the scientific evidence for its validity is limited. My personal impression is that this is a valid and vastly underrated, understudied, and underutilized aspect of healing.[237] *The studies of intuitive assessment are summarized in Table 4-7.*

Table 4-7 *Intuitive (Clairsentient) Assessments*

Researchers	Diagnostician	Results	Significance Rating
Wright	2 TT healers	52 subjects w/ neck/ back / musculoskeletal pain Sensed fields correlated w/ neck/ back pain Background field strength correlated w/ fatigue Intensity of field correlated w/ intensity of pain	IV $p < .0008$ $p < .002$ NS
Schwartz et al	Non-healer subjects	1. 20 subjects (most unfamiliar w/ experimenter) Sensing presence of experimenter's hand Confidence ratings for correct vs incorrect trials 2. 41 subjects (most familiar w/ experimenters) Sensing presence of experimenter's hand Confidence ratings for correct vs incorrect trials	IV $p < .02$ $p < .0004$ $p < .00001$ $p < .007$
Mison	8 Biodiagnosticians	45-85% congruence with physicians' diagnoses (mean 59%)	IV ?
Brier, et al	5 Silva Mind Control	1. 5 diagnoses each 2. One of the five diagnosticians	NS* IV $p < .05$
Vaughan	5 Silva Mind Control	5 patients each diagnosed by the 21 SMC graduates	III NS

Shealy	1. 8 psychics,	17 patients, pooled diagnoses:
		including Rucker
		  personality 98% accurate
		  physical problems 80% accurate
			IV
			?
			?

	2. 6 clairvoyants,
	  1 each
	  graphologist,
	  numerologist,
	  chirologist and
	  psychologist
		278 patients:
		Site of pain -
		  2 clairvoyants 75% accurate
		  1 clairvoyant 70% accurate
		  numerologist 60% accurate
		  astrologer 35% accurate
		  chirologist, graphologist 24% accurate
		Cause of pain -
		  clairvoyants 30-65% accurate
			?
			?
			?
			?
			Chance
			
			?

	3. Leichtman	Patients' personalities 96% accurate	?
	4. 6 of 75 psychics or clairvoyants	Physical diagnoses 70-75% accurate Psychological diagnoses 96% accurate	?
	5. Myss	50 patients, psychological and physical diagnoses 93% accurate	?
Jacobson & Wicklund	Mind Dynamic	10 names, 10 diagnoses	NS V

* Non-Significant   ** Not a controlled study

MISCELLANEOUS THESES AND DISSERTATIONS

A variety of other doctoral dissertations and master's theses mention healing briefly. Though of peripheral interest, they support the view that there is a broad, growing interest in spiritual healing. These are summarized from the CD-ROM Dissertation Abstracts International without comment.[238]

M. Joanne Green

Registered Nurses' Knowledge and Practice of Therapeutic Touch (master's thesis, Gonzaga University, 1997)

A mail survey of 176 nurses queried their knowledge about TT and whether they practiced TT. One tenth reported they use TT and two thirds were interested to learn about it. Common uses for TT included relaxation, anxiety, pain, and nausea.

Wendy Ellen Copeland Cooper

Meanings of Intuition in Nurses' Work (master's thesis, University of Victoria, Canada, 1994)

This study explored three nurse educators' use of intuition in making decisions. Authentic, trusting relationships facilitated the use of intuition. Storytelling was the language they found most helpful for this modality of communication.

Mary Margarita Bacon

The Effects of Therapeutic Touch on State Anxiety and Physiological Measurements in Preoperative Clients (master's thesis, San Jose State University, 1997)

A stratified random sample survey of 160 nurses using herbal and other alternative therapies showed the highest familiarity with TT and lowest for Reiki. Acupuncture was seen as having the greatest helpfulness, Reiki the least. There was little familiarity with herbal medicine.

Donna Elizabeth Schuller

Therapeutic Touch and Complementary Therapies: A Public Policy Paper (master's thesis, New York Medical College, 1997)

Cost and care changes with TT and complementary therapies.

Donna Blanche Zambetis

Attitudes of Women with Breast Cancer Toward Therapeutic Touch (master's thesis, Michigan State University, 1996)

Over three quarters of 73 women with breast cancer who answered a questionnaire describing TT said they would be willing to receive TT.

Julie Gwen Thomas-Beckett

Attitudes Toward Therapeutic Touch: A Pilot Study of Women with Breast Cancer (master's thesis, Michigan State University, 1991)

Women with breast cancer responded to a written description of TT. Three open-ended questions and a 30-item Leikert scale showed that people who were familiar with TT developed a more positive attitude to it, with 39 percent indicating readiness to receive TT.

Suselma D. Roth

Effect of Therapeutic Touch Concepts on the Anxiety Levels of Nursing Students in a Psychiatric Setting (master's thesis, Bellarmine College, 1995)

Nursing students on their psychiatry rotation received a course on TT theory and practice. There was no significant decrease in anxiety (normally present during psychiatric rotations) as a result of the course.

HEALING ACTION ON ELECTRODERMAL ACTIVITY AND MUSCLE STRENGTH

I'm not the one for putting off the proof.
Let it be overwhelming
                                        —Robert Frost 1928

This set of studies examines a more limited influence of one person upon another via mechanisms that do not involve physical, psychological, or social interactions, although healing to improve a problem condition was not the intent. The studies may also shed light on relaxation responses from healing, because electrodermal response parallels relaxation.

These reports presume familiarity with the following:

First, Feedback devices have been developed to provide information which people can use to alter their internal physiological states. These devices give people data on parts and functions of their bodies of which they normally have no awareness because such functions are controlled automatically by the autonomic (unconscious) nervous system. For example, there are feedback devices which monitor electrodermal activity (electrical resistance in the skin), which correlates with states of tension in the body. These devices transform the electrical resistance measurements into auditory tones or move the needle on a dial.

Second, Rex Stanford's conformance theory to explain psi (1974; 1978) postulates that the will of a subject can act upon random elements in a system to introduce greater order. This theory has been supported by research on the influence of people's minds upon random number generators (RNGs) which are activated by electronic microswitches or by radioactive emissions, as well as upon RNGs which rely on mechanical devices.[239]

In the following series William Braud introduced an innovation into the feedback model. He provides an observer (O) with information on the electrodermal activity of a subject (S), who is in another room. O is then told to influence S by PK in order to reduce or increase S's electrodermal activity.

Over a period lasting from 1978 to 1995, Braud and several colleagues explored these ideas in several projects that comprised more than 23 experiments.

The entire series is summarized in the last report of Braud, below, and in Table 4-8.

William Braud

Conformance behavior involving living systems (*Research in Parapsychology 1978*, 1979)

William Braud suggests:

> I would like to state the [conformance] theory in even more general terms than does Stanford, and suggest that under certain conditions, a system possessing a greater degree of disorder (randomness, lability, noise, entropy) changes its organization so as to more closely match that of another system possessing less disorder, less entropy, greater structure. The greater the number of possible alternative states of the random event generator (REG), and the greater the organization of the structured system, the greater should be the probability of conformance behavior.

Braud summarizes 14 experiments investigating this theory. He introduces animate random systems (the human electrochemical nervous system) and "firm intention of an observer [which] serves as the more structured system." Each experiment consisted of a randomly distributed series of 10 E and 10 C periods of 30 seconds each. The author, Matthew Manning (a gifted healer) and 10 unselected observers were used.

Experiments 1-4 allobiofeedback model: An observer continuously monitors electrodermal activity (EDA) of a subject in another room during the 20 minutes of an experiment. The observer tries to activate recording during the randomly selected 30-second periods. Polygraph records were scored blindly. Observers obtained highly significant results (p = .002).[240]

A later report adds details to the above (Braud/Schlitz 1989). Two types of electrodes are in general use for EDA measurement. Braud utilized each type in separate experiments. Silver/silver chloride electrodes with partially conductive gel on the subject's palm were used in Experiments 1 and 3; chrome-plated stainless steel finger electrodes without electrode paste were used in Experiments 2 and 4. Different electronic equipment was used with each type of electrode. EDA was assessed by blind scoring of print-outs of readings.

> In Experiments 1 and 3, the subject was exposed to visual and acoustic ganzfeld stimulation throughout the session . . . this was accomplished by having the subject view a uniform red light field through translucent, hemispherical acetate covers while listening to moderately loud white noise through headphones. In Experiments 2 and 4, ganzfeld stimulation was not employed; rather, the subject simply sat quietly in the dim room, with freedom to open or close the eyes as desired . . . .

The subject was instructed to make no deliberate effort to relax or to become more active, but rather to remain in as ordinary a condition as possible and to be open to and accepting of a possible influence from the distant influencer whom he or she had already met. The subject remained unaware of the number, timing or scheduling of the various influence attempts, and was instructed not to try to guess consciously when influence attempts might be made. The subject was asked to allow his or her thought processes to be as variable or random as possible and to simply observe the various thoughts, images, sensations and feelings that came to mind without attempting to control, force or cling to any of them.

The influencer sat in a comfortable chair in front of a polygraph in another closed room. The polygraph provided a graphic analog readout of the concurrent electrodermal activity of the distant subject. . . . The influencer had the option of attending to this polygraph feedback or ignoring it. In most cases, the influencer watched the polygraph tracing throughout a session. In some cases, the influencer closed his or her eyes and ignored the polygraph tracing during the actual 30 second imagery or non-imagery periods. . .but looked at the tracings following those periods in order to learn of the success or failure of the influence attempts.

Experimental sessions consisted of 20 randomly selected 30-second epochs. During some epochs the influencer was to influence (in some experiments to activate, in others to calm) the subject; in other epochs he was not to think about the subject or the experiment but to concentrate on other matters. Rest periods of a quarter of a minute to two minutes were allowed between the 30 second epochs.

Repeated sequences of control (C) and influence (I) were randomly chosen, either CIIC or ICCI for the 12 sampling epochs of each session in order to preclude cumulative extraneous effects of one or the other type of epoch.

Influencer strategies could involve imaging by the influencer of the subject in relaxing or activating conditions; the influencer activating or relaxing himself while imaging the appropriate condition in the subject; or imaging the desired results on the tracings of the recording device.

Table 4-8 summarizes Braud's studies and may be helpful to the reader at this point, as well as in summary of the entire series.

Experiments 5-12, involving movements of animals, are not reviewed.

Experiment 13, prerecorded electrodermal activity. ("Backwards-in-time" causation model of Schmidt 1974). Format was identical to the first four experiments except that the EDA was prerecorded and the observer was unaware of this. The observer attempted to influence the subject's EDA which was electronically displayed for him on an oscilloscope. Experiment 13 produced results close to chance.

Discussion

A. Highly significant effects of healing were found in this series.

Decrease in EDA correlates roughly with decrease in physical and emotional tensions. This would provide a general contribution to well-being in almost any condition of disease or dis-ease. It would be specifically helpful with stress-related illness.

Though this series is reported in sparing detail, Braud has published several other excellent studies with sufficient detail that there is every reason to believe this one was performed in the same manner.

Experiments by others on the backwards-in-time model, using random number generators, have produced positive results.

B. Though highly significant results were obtained in what appear to be well-designed and well-executed studies, the descriptive data is too meager. No information is provided on whether consideration was given to the possibility that observers might have been influencing the electronic monitors rather than the living systems. Belief systems of the experimenter and any observers are of interest, especially with respect to Experiment 13, as experimenter effects might be present here.[241] Rating: II

William Braud and Marilyn Schlitz

Psychokinetic influence on electrodermal activity (*Journal of Parapsychology*, 1983)

Experimenters' abstract:

We conducted a "bio-PK" experiment to determine whether target persons with a relatively strong need to be influenced (calmed) would evidence a greater psi effect than would persons without such a need. Serving as the influencers, we attempted to psychokinetically decrease the electrodermal activity of distant target persons during certain pre-specified periods as compared to an equal number of control epochs in which PK attempts were not made. Sixteen target persons had relatively high sympathetic nervous system activity and thus had a need to be calmed. Sixteen other target persons had moderate or low activity and no particular need to be calmed. A significant PK-calming effect occurred for the active (needy) persons, but not for the inactive persons. The PK-calming effect was significantly greater for active than for inactive persons. Various non-psychic and psychic explanations for these results are discussed.

For comparison, we conducted an experiment on self-control of autonomic activity in sixteen active subjects (a non psi experiment). It indicated that the magnitude of self-control did not greatly exceed the magnitude of psychic hetero-influence of autonomic activity.

Significance levels for the calming effects were: p < .035 for the 16 active versus 16 inactive subjects; p < .014 for the active subjects versus chance expectations; p non-significant for inactive subjects.[242]

Discussion

A. A response of EDA to healing is again demonstrated, significant where active subjects were used. This would seem to indicate that healing acts where needed, i.e. where a calming effect might be beneficial.

Activation of self-healing in the healee by the healer appears to be   another possible mechanism for healing.

B. Well-performed and well-reported study. The experimenters were not blind to the activity type of the subjects and thus an experimenter rather than a subject need effect may have been demonstrated. The authors consider this possibility but dismiss its significance with the observation that this would still demonstrate a need—of the experimenters. Rating: I

William Braud, Marilyn Schlitz, John Collins, and Helen Klitch

Further studies of the bio-PK effect: feedback, blocking, specificity and generality (*Research in Parapsychology 1984*, 1985)

Utilizing the same experimental arrangements for allobiofeedback as previously (Braud and Schlitz 1983), three experiments were run:

1. Braud, Schlitz, and Klitch studied whether 24 unselected volunteers could decrease the spontaneous EDA of 24 volunteer subjects. During half of each session, immediate feedback was provided to the influencers; during the other half, the influencers simply imagined the desired outcome. Subjects were blind to the sequence of influence and feedback conditions.

Feedback and non-feedback scores did not differ from each other significantly. The combined scores demonstrated a significant effect and the non-feedback alone produced a significant effect (each at (p < .04).[243]

2. Braud and Schlitz served as influencers, intending to *increase* the EDA of 32 distant subjects. Half of the subjects were told to cooperate and the other half "to attempt to shield themselves, psychologically and psychically, from this attempted psi influence upon their physiological activity." The influencers were blind to the subjects' intentions until the end of each session.

There were no significant differences between the results in the blocking and non-blocking conditions. The combined results of both groups did not reach a significant level. *Post hoc* analysis of the individual experimenters' results showed that Braud produced significant effects in the cooperation sessions (p < .04) but not in the blocking sessions.[244]

3. Braud, Schlitz, and Collins explored how specific their focus as influencers might be on selected physiological variables of subjects. They monitored pulse, peripheral skin temperature, frontalis muscle tension, and breath rate. In half the sessions their goal was to calm the distant subjects; in the other half to make their bio-PK influence the EDA alone and not the other measures. In all cases feedback was provided for EDA but not for the other measures.

The only measure showing significant differences was pulse rate, and this differed among the three influencers (p < .05). Schlitz alone of the three demonstrated significant differences between the general calming and specific EDA focus condition (p < .01). Braud alone produced a significant deviation in the percent of pulse rate deviation from the expected theoretical average rate.

The experimenters conclude:

- Feedback is not necessary for influence over subjects' EDA.
- No overall evidence supports the hypothesis that subjects can block a distant influence on their EDA, although there is a suggestion in the *post hoc* results that this may be possible.
- There is a limited indication that some specificity in distant bio-PK influence over various physiological parameters may be possible.

Discussion

A. The experimenters are rigorous in their application of statistical procedures, taking as significant only those findings which were predicted from the start of the experiment. Experiment 1 is similar to distant healing, with positive results. Experiment 3 suggests healing may have selective physiological effects.

B. One would need confirmation of the blocking and specificity effects before one could place much confidence in them. Rating: I

Blocking of healing by healees was not confirmed in this study. Nevertheless, many healers believe that blocking of healing occurs. They propose that people may need their illnesses to manipulate their relationships (for instance, to get more attention, or to avoid various obligations) or to have the lessons which suffering can bring. It would be of great interest to pursue this issue further, in light of the suggestive blocking noted in this study.

The researchers continued their explorations of allobiofeedback with a Reiki master.

Marilyn J. Schlitz and William G. Braud

Reiki plus natural healing: an ethnographic/experimental study (*Psi Research*, 1985; *Research in Parapsychology 1985*, 1986)

Schlitz and Braud studied Reverend David Jarrell, who uses and teaches a modification of the Reiki healing system.[245] He includes spirit guides, etheric bodies, chakras, and past lives in his healing. The object of the study was to determine whether distant healing of this sort could alter the skin resistance response (SRR) of a subject, while feedback, consisting of a measurement of SRR, was given to the healer. Healer and subject were in separate rooms, 20 meters apart. Each of three healers had five sessions with one target person for each. In each session, ten 30-second influence periods were compared with ten 30-second control periods.

> During the influence periods, the healer would attempt to calm the distant person's autonomic activity through various mental strategies. During the control periods, the healer either would do nothing or would attempt to activate the physiological activity of the distant person. The distant participant was blind as to the sampling periods as well as to the influence/control sequence. The magnitude of the distant calming effect was expressed as a percentage and was derived by dividing the SRR obtained during influence (calming) epochs by the total SRR of both epochs (the influence plus control epochs). Mean chance expectation (MCE) in the absence of any absentia healing effect was 50 percent.

Extensive interviews were conducted with the healers, using formal questionnaires as well as less structured discussions to identify beliefs, expectations, and experiences relating to the study. Volunteer subjects were screened for their beliefs in the existence of psi and healing. Only one of the subjects had ever consulted a healer.

During the experiment subjects were "asked to make no deliberate effort to relax, but rather to remain in as ordinary a condition as possible while listening to computer-generated random sounds through headphones and watching randomly changing patterns of colored squares on a 12-inch display screen about two meters away."

Data were recorded by computer. Ten epochs each for influence and control sessions were recorded. No significant distant healing effect was noted for the healers as a group.[246]

> However, consistent calming effects (46.32 percent and 45.48 percent, respectively) were obtained for two of the Reiki practitioners, and consistent *reversed* (i.e. activation) effects were obtained for the third practitioner. The ethnographic data indicated that the two practitioners with consistently successful bio-psychokinesis results used a fairly narrow range of influence strategies which were closely related to the desired autonomic outcomes. The practitioner with reversed results employed a wide variety of strategies, many of which were unrelated to the targeted physiological changes. Several volunteers reported profound subjective, and in some cases physical, reactions during their sessions; however, these effects were not reflected in the autonomic measures which we assessed.

Subjects reported they experienced a variety of sensations during the experiment, including "rushes," muscle tremors, tingling, chills, a need to take deep breaths, extreme fluctuations of emotions, relaxation, openness and visual impressions (including memories of childhood).

Discussion

A. This study is seriously flawed, in that the healers were required to function in a fashion inconsistent with their ordinary healing practices.

As the authors themselves note:

> The experiment required that each calming period last only 30 seconds, to be followed, in many cases, by a control period in which the healer either attempted to increase the autonomic activity of the distant subject or to simply allow the subject to regain his or her normal state of autonomic activity. Furthermore, the direct polygraph feedback increased the amount of ego involvement that entered into the healing process. . . While relaxation is considered to be a healing state, the Reiki practitioners were quick to point out that what was done in the laboratory was not healing. In fact, as one of the participants noted: "Healing is often an energizing effect." While the experiment did provide a set-up for the study of an absentia influence on physiological activity, the Reiki practitioners viewed the project more as a game than as a true test of their abilities.

Further, trying to calm people who were in many cases already calm may have been counterproductive to the healing influence. . . .

B. Methodologically, this experiment was carried out well and reported well. Rating: V

William Braud and Marilyn Schlitz

Possible role of Intuitive data sorting in electrodermal biological psychokinesis (*Research in Parapsychology 1987*, 1988)

This study explores the possibility that the observed effects of allobiofeedback may be

> . . . contributed totally or partially by an intuitive data sorting (IDS) process in which the influencer or experimenter psychically, yet unconsciously, scans the future electrodermal activity stream of the subject and begins an experimental session at a time that maximizes the degree of fit between the on-going electrodermal activity and the prescribed schedule of influence and control epochs. Stated somewhat differently, the experimenter might psychically and unconsciously sort the subject's electrodermal data into two bins so that significantly more of the activity in the prescribed direction falls in the influence bins than in the control bins. . . . According to this "informational" model, psi functioning is still in evidence but is of an informational rather than a causal (psychokinetic) sort.

The present study was designed to test a hypothesis suggested by the IDS model according to which the effectiveness of intuitive data sorting is proportional to the number of opportunities provided for such sorting. It was hypothesized that a single opportunity to psychically sort a future data stream may not be as effective as multiple opportunities for such sorting. On the other hand, according to a causal, psychokinetic interpretation of the bio-PK effect, the scheduling of the sampling epochs should not influence the results; i.e., the PK effect should be the same whether the influencer or experimenter has many or few degrees of freedom in deciding when to initiate sampling epochs.

Each of eight influencers worked with four subjects (total 32 subjects). The apparatus was modified to include a button the influencer used to initiate sampling epochs. Subjects were watching random light patterns and listening to random sounds (*white noise*).

The influencer was to press a button at what he or she intuitively felt to be the optimal time for beginning the next sampling epoch. The addition of the IDS option is, of course, accompanied by psychological factors such as beliefs and expectations that might obscure its true effectiveness. Therefore, a procedure was designed that would allow us to control for such psychological factors. This procedure required a contrast condition in which the influencer appeared to be initiating sampling epochs by means of button pressing but in reality was not.[247]

Both influencer and experimenter were kept blind by these procedures as to which condition was in effect. The mechanical delays ranged from 30 to 40 seconds. It was also impossible for the influencer to time his intervention by educated guess from the feedback he had of the subject's EDA.[248]

The difference between the ratios was not significant (p < .08),[249] nor was a psi effect found in the multiple-seed condition. A psi effect was found in the single-seed condition (p < .019).[250]

The authors conclude that this experiment does not support the hypothesis that intuitive data sorting explains their experiment, because the multiple-seed condition offered greater opportunity for IDS to occur but this condition did not demonstrate significant effects.

Discussion
A. The EDA effects observed in these experiments appear to be exerted intentionally by the influencer rather than selected by IDS to match the expectations.
B. The IDS hypothesis is not ruled out by this experiment. There is no way to rule out the possibility that IDS was occurring at the instigation of the

experimenters by the influence of super-psi. In line with their investment in producing this long series of experiments, one would anticipate that the experimenters could unconsciously orchestrate the results to agree with a preferred hypothesis. Rating: I

This series of studies on allobiofeedback illustrates how researchers hone the focus of their experiments. It may seem virtually impossible to get it totally right, but read on to learn how Braud and others continued these investigations.

William Braud and Marilyn Schlitz

A methodology for the objective study of transpersonal imagery (*Journal of Scientific Exploration,* **1989)**

Continuing their series on the allobiofeedback model, Braud and Schlitz mention very briefly two additional experiments of 30 and 16 sessions in a summarizing table incorporated in Table 4-8. In a footnote they add that the first of the additional studies focused on "whether increments or decrements in SRR activity might be easier to produce via distant mental influence." The second studied "whether the magnitude of a distant mental influence effect could be self-modulated by the influencer." They promise to expand upon this in a later publication. No significant results were obtained in this experiment.

This article summarizes the entire series of allobiofeedback studies, providing descriptions and data not previously published. There were 323 sessions with 4 experimenters, 62 influencers and 271 subjects. Of the 15 assessments, 6 (40 percent) produced significant results. Of the 323 sessions, 57 percent were successful (p < .000023).[251]

Qualitative information is also provided. Subjects frequently reported subjective responses correlating closely with influencers' images.

Discussion
A. The overall significance of the series is most impressive.
B. It is disappointing to have so little detail on an experiment which produced no significant results. Rating: III

It is important to have replications of studies by several laboratories in order to determine the credibility of a new observation. Dean Radin and colleagues at the Department of Parapsychology at the University of Edinburgh invited William Braud to their laboratory to help them set up a replication of his allobiofeedback model. Braud's participation assures us that the replication followed his model closely.

D. I. Radin, Robin K. Taylor, and William G. Braud

Remote mental influence of human electrodermal activity, (*European Journal of Parapsychology,* 1995)

Journal summary:

This experiment tested the hypothesis that mental intention can influence a remote person's autonomic nervous system, as measured by changes in electrodermal activity. . . . A total of 16 pre-planned sessions were conducted with seven persons acting as mental influencers and ten acting as the remote targets of influence. Target subjects focused on music and random shapes on a computer screen, opening themselves to connect with the influencers. Influencers were instructed to either calm or activate a remote person's electrodermal activity in randomly assigned 30-second epochs over a 32-minute session.

Silver/silver chloride electrodes were used in subject's left palm, with conductive electrode paste.

Overall there was less electrodermal activity in calm periods compared to activate periods. . . . A paired activate/calm analysis[252] showed a significant tendency for electrodermal activity to be higher during activate periods and lower during calm periods (p = .03). In a post-hoc test, evidence was found that remote attention alone, independent of the assigned direction to calm or activate, tended to raise autonomic activity over baseline levels (p = .001).

Comparison of geomagnetic three-hourly indices[253] versus the absolute magnitude of the results of individual sessions revealed a surprisingly strong correlation . . . (p = .001).

The timing of sessions, randomization of periods of activate, calm and no influence, and data analysis were all computerized. Braud participated in the first six of the 16 series.

The authors note, "Witnessing Braud's interactions with the experimental participants proved to be invaluable in imparting important tacit knowledge that is often difficult to convey in formal experimental reports." It is to their credit that they went to the expense and trouble of these clarifications.

Strategies which were suggested for influencers to use included:

- Producing the desired changes in themselves through physiological self-regulation.
- Imagining the target person in situations which could produce the desirable EDA shift.
- Picturing in their minds that the GSR feedback information on the TV monitor matched the desired effect.
- Using the GSR to guide them as they used other mental strategies.

Discussion

A. Excellent study, well designed and well reported. Effects of mental intent of one person to calm or activate the skin resistance of another person from a distance of 25 meters is demonstrated.

B. Well designed and reported study. *Post hoc* findings cannot be accepted without further replications. Rating: I

Correlations of findings in the study of Radin et al. with geomagnetic activity furthers our appreciation of the nature of subtle energies and their interaction with other natural fields and forces.[254] The experiments on electrodermal activity are summarized in Table 4-8.

With this very impressive series of successful replications of the allobio-feedback model, we can be more confident that this is a real effect of mental intent of one person upon another, and a confirmation of yet another healing effect.[255]

The implication is that healing can relax people, because skin resistance is correlated with states of tension and relaxation. This is why skin resistance is used as a basis for lie detector tests. People who are not habitual liars become tense when they tell a lie. It is unclear whether the observed healing effects are due to direct action on skin resistance or whether the skin resistance changes are secondary to changes in tension in the subjects.

Of related interest are the similar effects of mental intent on electrical potentials in plants.[256] The significance of these changes is unclear. Could this mean that plants have various levels of tension which correlate with their electrical potentials, as do humans? Or conversely, are these changes less related to emotions and more a manifestation of some as yet undefined physiological mechanisms?

Table 4-8   *Effects of healing on Electrodermal Activity*

RE-SEARCHERS	No. OF SES-SIONS [2]	INFLU-ENCER INTENT	SUBJECT FOCUS [3]	HEALERS	ELECT-RODES [4]	RESULTS	SIGNIFICANCE RATING
Braud 1979	10	C/A	G & WN	Braud	S–palm	1. Demonstration, 9/10 sessions significant	II .0065
	10	A	Quiet	Manning	C–fingers	2. Demonstration, 8/10 sessions significant	.035 .002 for
	10	C/A	G & WN	10 volunt	S–palm	3. Demonstration, 8/10 sessions significant	this .0077 series
	10	A	Quiet	10 volunt	C–fingers	4. Demonstration, 5/10 sessions significant	.736
	?	?	?	Manning	?	13. Pre-recorded EDA	NS [5]
Braud & Schlitz 1983	16	C	L, WN	Braud & Schlitz		1. 16 subjects, active GSR vs controls inactive 2. 16 subjects, active GSR vs chance 3. 16 subjects, inactive GSR vs chance	I $p < .015$ $p < .014$ NS
Braud et al 1985	24	C	L, WN	24 volunt	C – hand	1. 24 subjects, 1/2 feedback; 1/2 non-feedback: Feedback vs non-feedback Non-feedback, pre- vs post-intervention Combined pre- vs post-intervention	I NS $p < .04$ $p < .04$
	32	A	L, WN	2 'blind'	C – hand	2. 16 subjects cooperating; 16 blocking mental	NS
	30	C	L, WN	3	S – palm	3. 5 calm subjects each; intention: to decrease EDA without affecting pulse, temperature, respiration. One healer succeeded on pulse.	$p < .02$
Braud & Schlitz 1986	15	C	L, WN	3 Reiki healers	S – palm	5 sessions/healer	NS V
Braud & Schlitz 1988	40	C/A	L, WN	5 volunt	S – palm	Intuitive Data Sorting (IDS) pilot	I NS
	32	C/A	L, WN	8 volunt	S – palm	IDS single seed	.02
	32	C/A	L, WN	8 volunt	S – palm	IDS multiple seed	NS

Table 4-8 *continued*

Braud & Schlitz 1989	30	C/A	L, WN	Braud & Schlitz	S–palm	Increasing vs decreasing EDA	III NS
[6]	1 6	C	L, WN	Braud & Schlitz	S – palm	Influencer seeking to modulate magnitude of EDA	NS
Radin et al	16	C/A	M, RS	7	S–palm	10 subjects, EDA Calm—lower vs activate—higher Geomagnetic activity increased magnitude	I p < .03 p < .001
Rebman et al	?	C	Mental	Authors	?	**1.** EDA slight arousal Finger blood volume, heart rate increased **2.** Increased EDA, Finger blood volume Decreased heart rate	NS I Significant p < .0004 p < .002 p < .001

[1] All the studies were distant, with 20 or 30 second duration of epochs for influencing subjects; the order of studies in the table follows that of Braud and Schlitz (1989).

[2] Calming (C) of activating (A) of subjects EDA.

[3] Subjects focused either on a Ganzfeld (G) with or without 'white noise' (WN), on a display of colored lights (L) on a screen along with white noise, or had music and random computer shapes (M, RS).

[4] Electrodes were either (S) silver/silver chloride with partially conductive get or (C) chrome-plated stainless steel with electrode paste.

[5] Non-significant.

[6] Significance for entire series (Braud & Schlitz 1989): p < .00023

An interesting research observation is that there appears to be a decline in significant findings through the series of studies of Braud and colleagues. Similar declines are found in Quinn's series of two studies of anxiety and in Pleass and Dey's study of motility of algae.[257] Declines were noted in many series of individual trials in parapsychological studies (Nash 1986; Edge 1986). It is speculated that boredom with routines of research (such as guessing which cards are being focused upon telepathically by someone in another room) might contribute to the decline effect, but it seems premature to speculate further on the reasons for the declines.

Distant healing is so alien to our materialistic culture that very firm evidence is required to confirm that such nonlocal effects actually occur. Objective measures of distant healing effects on physiological variables could provide such evidence. In the following study, several experimenters explored whether they could influence each other's heart rate, electrodermal activity, and the dilation of blood vessels in their fingers.

Janine M. Rebman, Rens Wezelman, Dean I. Radin, Paul Stevens, Russell A. Hapke, and Kelly Z. Gaughan

Remote influence of human physiology by a ritual healing technique (*Subtle Energies*, 1995)

Janine Rebman and colleagues monitored the electrodermal activity (EDA), heart rate (HR), and finger blood volume (BVP) of people while an experimenter sought to calm them from a distance, with no ordinary means of communications between influencers and subjects. Reasoning that lessons might be learned from traditional cultures about distant mental influence on living subjects (DMILS), the authors included the use of ritual objects in this study. Traditional cultures claim that the focus of a magician on a person is enhanced when such ritual objects are used.

Experiment 1. The first, third, and fourth authors alternated being healer, patient, and experimenter. To enhance the psychic contact between them, patients gave the influencers a Play-doh model of themselves which they had made, plus various personal belongings, hair, or whatever other objects they perceived to be a "living part" of her/himself. A one-page autobiography suggested situations the patient found especially relaxing, as well as bodily areas (such as the shoulders) which the patient found "receptive to relaxing influences."

Healers were in a room which was acoustically and electromagnetically shielded. The room was darkened to create a quiet atmosphere. The ritual objects were placed on a table with a golden candle burning on it. Patients were requested to make a "silent wish" to be connected with the healers.

Instructions were given to the healer through a laptop computer which was pre-programmed to cue the healer to a randomly chosen sequence of one minute epochs for influencing and control (non-influencing) periods of time. Each session of trials lasted 12 minutes, with five minutes for healers' mental preparations. Three sessions were usually done in a row, during which the participants rotated through each of the three experimental roles.

It was anticipated that the mean measurements in the treatment epochs would reflect a more relaxed state than the means of the control epochs.

Results: BVP increased significantly and HR decreased significantly, both as predicted.[258] When we are relaxed, our heart rate slows and out peripheral blood vessels dilate. It took 25-30 seconds for these effects to register, and the relaxation effect lasted up to 20 seconds.

The EDA showed slight arousal rather than relaxation, not reaching statistically significant levels.

Experiment 2. Based on Experiment 1, increases in HR and EDA, and a decrease in BVP were predicted in this experiment, where Gaughan and Hapke replaced Wezelman and Stevens.

Results: Highly significant results were found as predicted, with EDA and BVP increased (respectively, p < .0004; p < .002),[259] and HR decreased (p < .001).[260]

In examining the unexpected EDA results, the authors found that all the healers rubbed the shoulders of the patients' dolls. It is known from research studies that when a horse is petted, its EDA increases. They speculate that this might also happen with distant influences.

Discussion

A. This study demonstrates significant effects of distant mental influence on electrodermal activity, heart rate, and peripheral blood volume.

B. A well-designed and well-reported study. The interpretation of the unexpected EDA results awaits further replications and evaluations. Rating: I

This study confirms yet again that healers can significantly influence a healee from a distance. It is good to have a study with the multiple measures of electrodermal activity, heart rate, and peripheral blood volume. While logic would seem to predict that EDA should decrease (consistent with measurements of EDA in a relaxed state), the EDA increased in this study. The authors suggest that the imagery and rituals of healers massaging a doll representing the healee may have caused this elevation in EDA. EDA in horses has been found to increase when they are stroked.

When objective instruments demonstrate effects of an experimenter upon a subject from a distance, it becomes clearer from the one side that there is evidence to support what healers have been claiming, and more difficult from the other side to reject the possibility of nonlocal influences.

The next two studies explore healing effects on muscle tension, which provides another measure of anxiety and stress. Such tension can be measured with an electromyogram, using electrodes on the skin above the muscles.

The first study of physiological effects of distant mental intent more closely approximates a healing situation.

Daniel P. Wirth and Jeffery R. Cram

Multi-site electromyographic analysis of non-contact Therapeutic Touch (*International Journal of Psychosomatics*, 1993)

The effects of non-contact Therapeutic Touch (NCTT) were studied with surface electromyogram (sEMG) measurements on the skin. The EMG provides a measure of neuromuscular activity, reflecting the tension in the muscles underlying the electrodes (Goldstein; Friedland/Cacioppio). Recording from several sites on the body is advisable, to overcome artifacts such as altered recordings due to chance movements (Cram/Freeman). In addition, hand and forehead temperatures, and heart rate and end tidal CO_2 levels (carbon dioxide levels at the end of exhalation) were recorded. All of these reflect general levels of autonomic nervous system (ANS) arousal and would therefore provide measures of relaxation effects of healing.

Twelve volunteers (six men and six women) between 21 and 52 years old (average 35.4) participated. All were associated with a Northern California yoga retreat center, 11 being daily mantra meditators. Of these, five were also trained in advanced Kriya yoga meditation and one was self taught in another meditation technique. The range of meditation experience was two to 12 years (average 5.1). Subjects were led to believe that the study was about meditation and were not told that it focused on healing, nor were they informed of the design of the study.

A double-blind protocol was followed, with a randomized ABAC design. That is, baseline (A) recording periods were alternated with experimental (B = NCTT) and control (C = mock TT [MTT]) conditions. Subjects were randomly assigned to receive either B or C first. Each period lasted five to seven minutes, with a total for any session of 20 to 28 minutes. During the session, a subject sat facing the wall with his back toward the experimenter. A five-minute period was allowed to let subjects get comfortable after the electrodes were placed, prior to the start of the recordings. Subjects were told to meditate with their eyes closed for 30 minutes. With this design the effects of TT can be compared with the effects of MTT.

NCTT and mock treatment were given from behind each subject by one of two TT practitioners, without the subject's knowledge (eight by an independent TT practitioner and four by the first author). NCTT was given with practitioners' hands about six inches away from the subjects' bodies. MTT was given with the same movements of the hands but without mental centering, assessing subjects' biological energy fields or focusing on the intent to help or heal.[261]

EMG recordings were placed at the forehead and along the back of the body at three paraspinal points: neck, mid-chest, and lumbosacral.[262]

All of the measures showed general gradual reductions in arousal levels over the course of the study.

Significant decreases in readings were shown in all measurements for both TT and MTT compared to the baseline. When the baseline value was subtracted from the MTT value and a comparison made with the TT value minus the baseline value, significant differences were demonstrated on the EMG at: C4 ($p < .01$), T6 ($p < .009$) and L3 ($p < .03$) during and following the NCTT treatments.[263]

As the authors note, it is difficult to know how much to attribute the relaxation to meditation and how much to TT.

Ten subjects showed consistent EMG reductions at the T6 level, which corresponds to the heart chakra. After the study, in response to questions about sensations or bodily comfort, five subjects made interesting comments. Two felt warmth or intense heat at this level. One observing that it was like a "soothing heat in the heart area" and "like she was dissolving into the universe" and the other noting a "warmth" and "opening up" at the heart chakra. Another felt "tingling" or "rhythmic vibration" in the chest. Two felt very strong love or compassion in their chests. One woman was almost brought to tears by the love and compassion she felt, another mentioned how she felt "an incredible love" and saw an image of her dog. Again it is difficult to differentiate between TT and meditative contributions to these effects. Two noted profound deepening of meditation, three reported very relaxing or pleasant experiences, and two felt slightly tense or uncomfortable afterwards. Ten reported they felt less stress and increased relaxation. All noted that they had experienced similar body comfort previously, during meditation.

One of the subjects had had migraine headaches for several years and had one during the study. His frontalis EMG activity was significantly reduced within 30 seconds of the start of healing treatment.[264] Her headache abated completely following the session.

Another subject, who had suffered for six months from low back pain, and who also had pain during the study, also felt a reduction in pain with relaxation in her back. Her EMG also demonstrated reduced lumbar tension within four minutes.[265]

Discussion
A. Excellent study, well designed and well reported. It is helpful to have an independent measure confirming the relaxation effect of healing almost universally reported by healers and healees.
B. It is unfortunate that subjects were regular practitioners of yoga and meditation. No mention is made by the authors of a check to see whether the experimental and control group differed in their experiences or practices of these techniques. The results may therefore represent differences between the groups in self-healing rather than in spiritual healing. Rating: IV

Daniel P. Wirth and Jeffrey R. Cram

The psychophysiology of non-traditional prayer (*International Journal of Psychosomatics*, 1994)

This randomized double-blind within subject crossover study examined the effect of non-traditional distant prayer on muscle tension.

Subjects were not taking medication, suffering from heart conditions, pregnant, or subject to other significant medical problems. Of 32 subjects selected, 25 met the criteria. Four withdrew after starting the study. The 21 left were between 21 and 55 years old (mean 34.2).

Again, EMG measurements[266] were used. Silver/silver chloride electrode pairs were placed 2.5 cm on each side of the midline in the following positions: frontal, cervical (C4), thoracic (T6) and lumbar (L3).

Each subject was randomly assigned to two sessions, one with treatment and the other with control conditions, one being in the morning and the other in the afternoon of the same day with a four- to five-hour gap in between. Subjects were not told that healing would be sent during one of the sessions. Treatment was by simultaneous Reiki and LeShan distant healing, with no contacts or communications between healers and subjects. Although healers used these approaches to access healing, they shifted into prayers at deeper healing states. Sessions were 30 minutes long, including 21 minutes of physiological monitoring. Subjects sat in a backless office chair facing a window with a pleasant view. They were told not to make any unnecessary movements, keeping their hands in their laps and their feet on the floor.

When subjects were ready in the study room, the healers were contacted by phone and given a coded number which corresponded to a number on a sealed envelope. Instructions in the envelopes dictated whether healers sent distant healing or not. If healing was to be sent, the envelope contained subjects' names and/or a photograph. The experimenters did not know which were the treatment or control sessions.[267]

The results showed significant reductions in sEMG activity for two of the four muscle regions studied: Lumbar area $p < .001$ and T6 paraspinal $p < .0002$.[268] Reductions in sEMG activity were noted primarily during treatments, and especially shortly following the start of the healing session. During control periods, there was usually an increase in overall muscle activity, presumably due to back muscle fatigue. Two subjects had marked decreases in sEMG activity (average of 2.0 RMS microvolts) during the second control condition, suggesting that there might have been a carryover effect from the earlier treatment session.

The frontal sEMG, blood volume pulse, and heart rate did not reflect a healing effect. Wirth and Cram suggest that these may not be sensitive indicators of healing effects.

As noted before, the T6 paraspinal region corresponds to the area of the heart *chakra*, an energy center identified in Eastern traditions with healing.

Discussion

A. This study confirms that EMG measures can validate subjective reports of relaxation with healing treatments. It is noteworthy that healers identified prayer states which they felt accessed deeper states of healing than LeShan or Reiki healing did.

B. A well-designed and well-reported study.[269]   Rating: I

Another study measured electromyography during Therapeutic Touch treatments.

Nancy Whelan Post
_____

The Effects of Therapeutic Touch on Muscle Tone (master's thesis, San Jose State University, 1990)[92]

Nancy Whelan Post studied effects of Therapeutic Touch (TT) on muscle tone in 38 students and faculty at her university (19 to 46 years old). Volunteers were randomly and blindly assigned to TT or placebo groups. Forehead muscle activity was monitored by an electromyographic device and automated recording equipment. All subjects demonstrated significant decreases in muscle tone and no significant differences were found between the groups before and after interventions.[270]

Discussion
A. Therapeutic Touch healing demonstrated no significant effects on muscle tension.
B. The *Masters Abstracts International* summary from which this report is taken was too brief for proper analysis of the study. No firm conclusions can be drawn from this report, but certainly no evidence is shown for a healing effect. Rating: III
    The effects of healing in reducing muscle tension, as measured in these studies by electromyography, are significant. They show that the tension of muscle fatigue can be reduced by healing. It is unclear whether the healing acts on the muscles or on the general state of emotional and/or physical tension of the subjects, as healing appears to act in a general way to reduce several physiological measures of tension states.
    It seems that where there is no apparent need for relaxation, as in the Post study, no relaxation is demonstrated.

With relaxation, the autonomic nervous system brings about dilation of blood vessels in the skin, which raises the temperature of the skin. Skin temperature can thus be used as a partial, very rough indicator of shifts in tension and relaxation.
    The next two studies explored effects of Therapeutic Touch healing on skin temperature.

Mary Miller Sies
_____

An Exploratory Study of Relaxation Response in Nurses Who Utilize Therapeutic Touch (master's thesis, University of Arizona, 1987)[92]

Mary Sies studied relaxation in eight experienced Therapeutic Touch healers who scored higher than 97 on the SETTS test[271] and who had at least one year's experience.

Measurements: Skin temperature was monitored during TT healings, presuming that elevations in temperature indicate relaxation.

Results: Half of the healers showed a significant relaxation response (p < .0007).[272] Durations of healing greater than 15 minutes were required to achieve relaxation responses.

Discussion

A. While this brief report requires caution in interpreting the study, highly significant elevations in skin temperature of healers were demonstrated with TT healing. This appears to confirm that TT produces a relaxation response in healers during healing.

B. With such a brief report and without controls, it is impossible to accept the conclusion of Sies that TT promotes relaxation. One would want information on factors that might have influenced the results, such as the temperature of the room, the emotional states of the healers, stress, and various relaxation factors which might have been present. Rating: III

The next study employed controls in studying TT healing effects on skin temperature.

Christine Ann Louise Tharnstrom

The effects of Non-contact Therapeutic Touch on Parasympathetic Nervous System as Evidenced by Superficial Skin Temperature and Perceived Stress (master's thesis, San Jose State University, 1993) [92]

Christine Tharnstrom explored changes in subjective reports of stress and superficial skin temperatures over a period of 15 minutes. A rating scale from 1-10 was used to assess subjective stress in 39 subjects divided into three groups: TT, mock-TT (MTT), and control.

Results: Significant reductions in skin temperature and stress levels were found in all groups, with no significant differences between the groups. [273]

Discussion

A. It would appear that changes in skin temperature can be produced by suggestion. An alternative explanation might be that the person giving MTT treatments had innate healing abilities.

B. No healing effects are demonstrated in this study, too briefly reported for proper analysis. Rating: III

These master's theses, focused on limited numbers of subjects, must be viewed as pilot studies. The use of skin temperature to assess stress appears promising but requires further study.

Another form of muscle testing widely used in wholistic practice is the testing of muscle strength as an indicator of physical and mental health and illness. It is based upon the assumption that the body functions as an energetic unity. When the awareness of people is focused upon their dis-ease or disease, their muscular strength is weakened. One may thus present a question to people about their psychological or physical states of being and while they focus upon that question one may test their muscle strength. If the answer to the question is positive, their strength is unchanged from their baseline strength or even stronger. If the answer is negative, their muscle strength is weaker. This is a very basic truth detector.*

This sort of test originates in the tradition of Applied Kinesiology (AK), a derivative of acupuncture theory and practice. AK uses this test to explore the integrity of the acupuncture meridians and organ systems.

One may use this method as well to explore allergies. One may put the suspected allergen in a person's left hand, while testing the strength of their right arm. If they are allergic to it, their ability to resist one's pushing down on their outstretched right arm will be noticeably decreased. Some therapists do this by simply having the person think about the suspected allergen.

One may also use this method to explore the unconscious mind. I will sometimes ask psychotherapy clients to focus on whether a relationship is good for them, or on whether there were problems in the past with a particular member of their family which may have left emotional scars. I once had a paranoid client who would not believe the evidence of his own bodymind, when his arm was markedly weaker upon focusing on the question of whether he had any resentments or hurts from his relationship with his father. He insisted that I must have pushed harder on his arm after asking that question. I had to have him hold a weight in his outstretched hand and support the weight with my hand, removing my support as the question was asked. In that way he could see that the identical weight produced a markedly different response as he focused on the sensitive question.[274] This method of muscle testing was used in the next study by researchers who studied the effects of healing on normal, healthy people.

---

* The reader might wish to explore this with the cooperation of another person. (Common sense cautions us not to strain weak or painful muscles in doing such exercises.) Hold your arm straight out to your side from your shoulder. Let your friend press down at the count of three on your wrist with two fingers of her or his hand to test your normal strength. Then think of some food which you have cravings for and let your friend test your strength again, noting any differences from your baseline strength. This is taken as an indication of whether that food is good for you or not. A weak response often suggests a "no."

Kenneth M. Sancier and Effie P. Y. Chow

Healing with Qugong and quantitative effects of Qigong (*Journal of the American College of Traditional Chinese Medicine*, 1989)

Author's summary:[275]

> An arm muscle test was used to indicate changes in a subject's muscle strength that was affected by changes in 1. external Qi emitted by a Qigong master or 2. Internal Qi resulting from negative or positive thoughts of a subject. Two measurements were recorded as a function of time: the downward force on the subject's outstretched arms and the arm height. The critical parameter was found to be the time, t, that a subject could resist the downward push before his oustretched arms would be moved downward significantly. Force was applied for a maximum of approximately four seconds.
>
> External Qi was emitted by the Qigong master in a given sequence of six non-verbal processes, which were known only to the Qigong master, with the intention to either weaken or strengthen each of eight subjects, both men and women. Such processes are analogous to those used in healing to balance the body energy.

Measurements of pressure applied and its duration were recorded and analyzed by a computer. The duration until the arm gave way proved the more sensitive measure. Blinds were employed.

> The . . . mean values of the resistance times were approximately two seconds for the weakened state and approximately four seconds for the strong state (p < 0.0001).
>
> Changes in internal Qi were produced by letting only the subject see a flash card marked "well" or "sick." A muscle test was performed after a subject looked at each of eight random cards. For 12 subjects, there was a significant difference in the value of the t (p in the range of 0.0001 to 0.049), and for three subjects there was no significant difference . . . . The best correlation (p < 0.0001) was attained by a subject who reported using strong visualization of what it meant to him to be sick or well.[276]

Sancier's Comments:

> In Chinese medicine, healing is achieved by balancing the body energy, i.e. by dispersing or tonifying the energy along certain meridians. Such balancing is often achieved by using external or internal Qigong. The present study indicates that the Qigong master's intent, which affects his external Qi, and subject's visualization, which affects his internal Qi, can be potent forces in affecting muscle strength and balance of body energy. The results affirm the often stated belief that visualization and positive thinking are an essential part of the healing process.

Discussion

A. A simple and rapid test of the influence of a healer appears to be demonstrated with muscle testing.

B. Though blinds were included with the external qi tests, the fact that a standard sequence was repeated by the healer in all subjects could have inflated the results. The experimenter doing the muscle testing would presumably note the effects and their order. He or she might then apply more or less pressure on the arms of the subjects, in line with his expectations. No data are provided on the amount of pressure applied.

One must therefore be cautious in accepting the validity of these results.[277]
Rating: IV

Table 4-9.
Effects of healing on muscle tension, skin temperature, and muscle strength

SUBJECT OF HEALING	RESEAR-CHERS	T/N/D/V	TIME	HEALERS	RESULTS	SIGNIFICANCE RATINGS
Electro-myogram (muscle tension)	Wirth & Cram 1993	N	5 - 7 mins	Wirth & TT healer	EMGs at C4 in 12 yoga meditators TT minus baseline vs MTT minus baseline Thoracic 6 EMG Lumbar 3 Frontalis	IV $p < .01$ $p < .009$ $p < .03$ NS**
	Wirth & Cram 1994	D	14 mins	Reiki & Le Shan + prayer	21 healthy volunteers sEMG activity decreased with healing Lumbar area Thoracic 6 paraspinal Frontalis & C4 sEMG, blood volume, pulse & heart rate	I $p < .001$ $p < .0002$ NS
	Post	T/N?	?	T T	38 volunteers E and C EMG decreases	III All Significant
Skin temperature (stress)	Sies	T/N?	over 15 mins	T T	8 experienced healers 4 had post- vs pre-treatment elevations in skin temperature	III $p < .0007$
	Tharnstrom	T/N?	15 mins	T T	13 each: TT vs MTT vs C all had significant elevations in skin temperature, reduced stress	III NS
Muscle strength	Sancier & Chow	N	4 secs +?	Qigong Master	8 normal subjects, arm weakened or strengthened	IV $p < .00001$

* T/N/D/V: Touch/Near/Distant/Vehicle   **NS: Non-Significant

One would think that the benefits of healing in treatment of infectious diseases could be studied rather easily. Oddly, I have found few reports on this topic. A Chinese study by Chu Chou, listed in the bibliography, showed that candida yeast infections in women could be improved with qigong healing. Infections in animals have responded to healing.

Other problems awaiting study: burns, heavy menstrual bleeding, intrauterine fetal growth retardation, improper fetal position during labor, infant colic, eczema, cancers, and psychotic decompensations.

Let us now turn to research on a more narrowly focused effect of healing. These and subsequent studies on other organisms may provide clues to some of the underlying mechanisms of healing.

HEALING ACTION ON ANIMALS

It has recently been discovered that research causes cancer in rats.

—Anonymous

Studies show healers can influence the health of animals, supporting the claims that healers can be helpful to humans with similar problems. Such studies are also important because they eliminate the placebo effect as a cause of results.

Among early studies of healing on animals, the work of Bernard Grad is classic. He was the first to study healing in a laboratory setting.

It was Oscar Estebany[278] who interested Grad in this work. He volunteered to have Grad study his abilities so that more people, including those in health regulating bodies, might come to accept healing as a legitimate aid in health care.

"I think you have the wrong address," said Grad. "I'm a Ph.D. doctor. I don't study people. I study mice."

"That's okay," said Estebany. "I can work with mice, too."

Grad had studied biological energies with Wilhelm Reich, and was thus open to such propositions. He designed and ran a number of studies of healing on his own time, with only occasional, minimal funding, and at great risk to his professional standing and continued employment at McGill University.

Bernard Grad

Some biological effects of the "laying-on of hands": a review of experiments with animals and plants (*Journal of the American Society for Psychical Research*, 1965a) [279]

In a pilot experiment, Grad anesthetized 48 mice and created similar sized wounds on their backs by the removal of a piece of skin approximately one-half by one-inch. Procedures are described in great detail. The mice were divided into three groups of 16: the first group received healing, the second was an untreated control, and the third was an untreated control whose cages were heated as much as the cages of the mice held by Estebany. (This was to control for the possibility that heat might induce faster wound healing.) The lab workers carrying out procedures were unaware of group assignments of the mice they were handling. There were no significant differences between the groups in the sizes of the wounds or the weights of the skin removed. The wounds were measured daily by tracing their shape on paper, cutting out the tracing, and weighing the cut-out. Estebany held cages of half of the mice for 15 minutes twice daily.

At 14 days, the wounds of the E group had healed significantly more rapidly than those of either of the C groups (p < .001), and the rate of wound healing of the two C groups did not differ from each other.[280]

Grad repeated this pilot experiment, with similar results. As no blinds were employed, no further details were provided.

Discussion

See discussion after the following report. Rating: I

Science requires replications to be certain that observed results were actually due to healing.

B. Grad, R.J. Cadoret, and G.I. Paul

The influence of an unorthodox method of treatment on wound healing in mice (*International Journal of Parapsychology*, 1961)

This study replicated Grad's first experiments, this time using 300 mice, careful controls, random assignments of mice to E and C groups, and blinds. The mice were divided into an E group treated by Estebany; a C group held by non-healers in a manner similar to the way Estebany held the treated cages of mice; and a "heated cage" C group. Half of the cages held by Estebany were placed in closed paper bags and the other half in open paper bags during the healing treatments in order to preclude (with the sealed bags) or minimize (with the open bags, into which Estebany could insert his hands) any physical interventions by the healer which might influence the mice to heal more quickly. C groups were also placed in bags, half of them sealed and half open, in identical manner to the E group. Mean areas of wounds in the three groups were not significantly different at the start.

Results were significant on days 15 and 16 of the study, with E group in the open bag healing more rapidly than the two C groups (p <.01).[281] On subsequent days, the differences in wound size were not significant because nearly all had healed completely. The trend of more rapid healing in the mice in the closed bags in the E group was similar to that of those in the open bags but did not reach significance.

Discussion

A. These first controlled experiments on mammals suggest that spiritual healing helps heal wounds.

In personal communication Grad reported that Estebany had to hold each cage twice daily for 15 minutes in order to obtain the noted effects. This was more intensive treatment than Estabany usually requires to obtain results.

B. Nicely designed, performed, and reported studies. Significant healing effects are demonstrated. Rating: I

Significant effects of spiritual healing on wound healing are demonstrated in these replicated studies. One of the most useful aspects of these experiments is that mice do not respond to suggestion. It is impossible to claim this is a placebo effect.

These studies are in the best tradition of scientific inquiry. Anecdotal reports that healing could help people with wounds led to pilot studies, which were followed up by increasingly precise controlled studies.[282]

Grad was pleased with the wound healing studies. He proposed to Estebany that they could study the influence of healing on hormones, potentially a more profound demonstration of a healing effect. Though Estebany had agreed to help, he found that the many hours demanded of him in the laboratory were limiting his ability to give healing to the many people who needed his help.

When Grad indicated he wanted to run the following study, Estebany proposed, "Why don't I just give healing to some cotton. You can put this into the cages and this will be every bit as good as if I hold the cages for all those hours." Grad was at first skeptical, but gave in when Estabany told him of the many people he had helped by mailing them bits of paper to which he had given healing. Estebany received testimonials from successful healings with babies and with people in coma who had had this type of healing, where suggestion could not have been an adequate explanation.[283]

Bernard Grad

The biological effects of the "laying-on of hands" on animals and plants (In: G. Schmeidler, Ed., *Parapsychology: Its Relation to Physics, Biology and Psychiatry*, 1976)

Goiters were produced in mice by withholding iodine from their diets and by giving them Thiouracil, a goitrogen. The rate of thyroid growth was measured by weighing the thyroids as the mice were serially sacrificed over 40 days. Seventy mice were divided into the following groups:

1. Baseline-control: no treatment.
2. Healer-treated: held in groups for 15 minutes twice daily in special boxes, five days per week, and once on Saturdays, for the first 20 days by Estebany and the second 20 days by another healer.
3. Heat-control: kept in cages for the same amount of time as group 2, with the temperature adjusted to the same heat attained in the treatment of that group due to handling of the cages.

Results: The thyroids of the healer-treated group of mice grew significantly more slowly than those of both controls (p <.001). The thyroids of group 3 did not grow significantly more slowly than those of group 1.[284]

In a second experiment, 37 mice on a goiterogenic diet were divided into C and E groups. This time Estebany held some wool and cotton cuttings in his hands for 15 minutes, once on the first day and twice on the next 24 days of the experiment. Ten grams of cutting (treated for E mice, untreated for C mice, with blinds) were placed in each cage, with four or five mice, for one hour, morning and evening, six days a week, over 42 days. Mice in contact with the healer-held vehicle for healing developed goiters significantly more slowly than the controls (p <.001).

Upon return to normal diet, the thyroids of goitrous mice receiving direct or indirect healing returned to normal more quickly than those of the C group. (No numbers or statistics are cited for this last portion of the study.)

Discussion
A. These studies once more demonstrate a significant healing effect in mammals. As with healer-treated water for plants,[285] we have in healer-treated cotton a vehicle which appears to convey healing. We should also note that the healing is this study may be preventive rather than curative healing.
B. This is an excellent study. Details are adequately reported. Rating: I

It is ironic and sad that mice and other animals are sacrificed in studies to demonstrate effects of healing. Grad, in personal communication, explained that neither he nor Estebany could find any doctor willing to study Estebany's abilities with human patients. Their choice was either to study animals or nothing.

Healers are very well accepted in the Netherlands, where Frans Snel, a parapsychologist, published a number of studies (with various colleagues) on animal healing, including the following one and several others, below.

Frans Snel and P. R. Hol

Psychokinesis experiments in case in induced amyloidosis of the hamster (*European Journal of Parapsychology*, 1983)

Amyloidosis is a disease in which *amyloid* (abnormal protein) deposits are formed around cells in various organs, eventually compromising their function. Amyloidosis usually occurs in late life with no known cause. It is also one of the possible causes of Alzheimer's disease, though dementia is not part of the usual course of illness when there are amyloid deposits in other parts of the body.

Several animal species may also develop amyloidosis, providing a basis for this experiment with hamsters.

Experiment 1. Forty-two hamsters were randomly divided into healing and control groups (from among 200 animals in groups of five per cage). Starting weights were 80 to 100 grams. The hamsters were injected with two ml. of casein 5 percent subcutaneously, five days per week. Every third day animals were sacrificed and weighed, with blood samples taken for analysis.[286] Experimenters were blind to which were E and C cages and blood samples.

Four natural healers received photographs of seven target cages with five hamsters in each.

> One healer tried to prevent the onset and severity of the disease during the entire experiment (30 days); three others worked for one week prior to the expected appearance of amyloid (day 16 till day 23). The animals were treated by the healers once a day, at a time that suited them best.

Experiment 2. Fifty hamsters, in groups of five per cage, received casein injections daily for 50 days (except for day 27, when no injection was given). Starting weights averaged 123 grams. Blood samples were taken every 10 days[287] and body weight was recorded when they were sacrificed.

Three professional healers and "two persons who acted as healers (acquaintances who when asked were enthusiastic and interested in the idea of trying to heal the hamsters in this way)" participated. Two photographs of five hamsters were given to each healer. Absent healing was given once daily.

> There were ten photographs of five hamsters, two for each healer. Cages were numbered 1 to 10. The photographs were randomized and distributed to the healers by an otherwise uninvolved person. Every sampling day, one hamster was taken from each cage. When the code was broken after the experiment was finished, it showed that on each sampling day eight hamsters were designated as experimental animals and two as controls. So the healers could only have known this through clairvoyance. All photographs were coded twice to prevent any possibility of a clue.
>
> . . . Subjects were to get feedback only if the results were in the predicted direction . . . .
>
> Three parameters from the first experiment were studied in this second one: hemoglobin, LDH and gamma-GT. We did not repeat the differentiation of the white blood cells because we considered the results too dependent on the varying daily interpretations of the analyst.

Predictions: Indicators of health would be:

- A higher weight, hemoglobin and red blood count.
- Lower white blood count (especially of band forms which indicate infection) and platelet counts, LDH, gamma-GT and Cathepsin-D levels.
- Total protein and electrophoreses as close as possible to normal values.

Results: With Experiment 1, significant effects in predicted directions were noted for differentiation of bandforms ($p < .017$), lactate dehydrogenase ($p < .036$), and suggestive effects for hemoglobin ($p < .057$) and gamma-GT ($p < .069$).

For Experiment 2, on day 4 the level of hemoglobin was significantly lower in the treated animals ($p < .05$). . . .[288]

Experimenters' discussion Snel and Hol note that some of the healers disapproved of the animal experimentation and that in the second experiment the randomization ("designating which were to be the experimental and control animals after the experiment was finished") and daily injections may have limited the lack of opportunity to get "through" to the animals. The healers deplored being unable to touch or see the animals in their surroundings.

They also state that "none of the experimenters thought it possible to influence induced disease, as distinct from a natural disease . . ."

Discussion

A. The significant positive effects in Experiment 1 support claims of healers that they can ameliorate the progression of chronic illnesses. The lower number of bandforms in the E group suggests that their disease was not as severe as that of the C group. The higher hemoglobin in the E group is consistent with the studies of Krieger showing elevations of hemoglobin in humans with Therapeutic Touch healing.

The significant reduction in hemoglobin on day 4 of Experiment 2 is worrisome but is not sustained and may have been due to chance factors.

The design of the second experiment seems to have placed hurdles in the way of the healers.

B. Significant healing effects are demonstrated.

In Experiment 1, the results could have been produced by intuitive selection of the mice by the experimenters rather than by healing. One would want to have further tests to see whether lowering of hemoglobin occurs in mice, as it does in some humans with healing (Wetzel), or whether the reduced hemoglobin was an effect of the amyloidosis. Rating: I

Though amyloidosis is not a common illness, it is somewhat similar to diseases such as rheumatoid arthritis, lupus, and other collagen diseases. If healing can produce positive effects on amyloidosis in mice, there is reason to believe it may be helpful in these other diseases.

The next study is most intriguing—an ignored classic in scientific research. In addition to showing how healing may influence infectious disease in animals, it reveals how experimenter effects may creep into research.

Experimenter effects are fairly well documented in research with humans. Gross or subtle verbal and non-verbal cues may lead subjects to behave in manners expected by the experimenters. For instance, when

teachers are led to believe that particular students in their classes are especially bright, the students perform better and their IQs even increase. If people are told they are being given a stimulant, they may report feeling that they are stimulated—even when they are actually given a sedative. Experimenter effects are also possible in animal studies. It is believed that animal handlers may unconsciously handle animals differently in experimental and control groups, biasing the results according to their expectations. The following study explores such possibilities, with the addition of possible psi and healing effects. [289]

Gerald F. Solfvin

Psi expectancy effects in psychic healing studies with malarial mice (*European Journal of Parapsychology,* 1982a)

Gerald Solfvin set up a highly unusual, complex study of several experimental variables. He hypothesized that animal handlers' expectancies could produce different rates of illness in mice in their care. In addition, he studied the effects of healing expectations in the animal handlers without actual use of healers and without knowledge on the part of anyone during the experiment as to which mice were designated to be healed.

> The manipulations in the experiment were of the expectations of the student assistants. All the mice were inoculated interperitoneally with 0.1 milliliter of 1:10 stabilate (*babesia rhodaini*), the rodent version of the malarial blood parasite. Each student was assigned 12 mice housed in a single cage and was told that half of them would be inoculated with babesia while the other half would receive a sterile injection. The students themselves randomized and marked their mice with either yellow (babesia) or black (non-babesia) markings to indicate which were which, thus this condition remained non-blind to them. In addition, the students were led to believe that half of each of these two groups would be receiving distant healing from a psychic healer, when in fact there was no such healer in the study. These expectations formed a balanced two-way analysis of variance that was fully randomized.
>
> The students were not aware of which mice were supposed to be healed and which not, these being randomly assigned to the healing and control conditions by the author.

This allowed evaluation of cross-correlations among the conditions according to the possibilities n Figure 4-1.

Figure 4-1
Solfvin's experimental conditions.
Illness and Healing Expectancies

	Babesia	Non-Babesia
Heal		
Non-Heal		

A picture was taken of each mouse. Randomization procedures were elaborate.

The first randomization was to assign the mice to specific colors and numbers within their cages. For each student a set of 12 address labels with sticky backs was prepared with one of the twelve possible combinations of the two colors (yellow, black) and six numbers written on each. These were sealed in 12 identical envelopes, shuffled well, clipped together and inserted into the notebook for the students to use during the randomizing procedure.

The second randomization was to assign the photos of the mice to the supposed *healing* and *non-healing* groups so that exactly half of the black and yellow marked mice from each cage would be assigned to each condition. When the photos of the mice were collected from the laboratory (day three of the experiment), E returned to his office and conducted the following procedure. For each student, the large envelope was opened and the photos, still in their separate envelopes, were placed in two piles according to the color marked on the outside of the envelopes. Each photo was inserted into a new envelope and sealed and each pile was shuffled ten or more times. Another person was brought into the room and, after E left, reshuffled the piles and dealt out two groups of three from each pile of 6. E returned to the room, placed the subpiles on the left side into a large envelope and labeled this H (healed) and the subpiles on the right side into an envelope labeled NH (non-healed). These envelopes were sealed and placed in a drawer in E's desk which remained locked until the results of the experiment were all in E's possession.

Experiment 1 included three handlers. Two were clearly *sheep* and one was clearly a *goat*.[290] The sheep produced random results. The goat produced significant results ($p < .021$) on the dimension of illness expectancy and a suggestive trend ($p < .092$) for healing expectancy, *both in the direction opposite to that predicted by experimental hypothesis.* That is, the results were strongly in the direction a goat would predict.[291]

Solfvin discusses how the illness dimension effects could be produced without psi.

> The only significant results in this experiment were contributed by the group handled by J. The significant illness expectancy effect suggests that the expectancy treatment had an effect on this student which resulted in differential babesia infestation in the mice which he handled. Although we cannot exclude the possibility that this occurred parapsychologically, it can be most parsimoniously explained as a social psychological (Rosenthal) effect mediated by the physical handling of the mice.
>
> This is further supported by the fact that handler J's mice showed generally higher babesia levels (significantly so) than those of the other two handlers and the unhandled control group.
>
> A number of studies have demonstrated the deleterious effects of stressful handling on laboratory strains of rats (e.g., Weininger, 1953; 1954). In the current experiment the illness model employed may be particularly susceptible to such stressful handling effects. The blood parasite babesia rhodaini is a very effective agent. It spreads rapidly through the bloodstreams of all the mice and, if left untreated, will inevitably result in their deaths. The natural mechanisms in the body of the mouse are stretched to their limits and still are wanting. Any additional stresses on the mouse, such as being handled by humans, can only tax the system further and will result in the more rapid spreading of the parasite. In the current experiment, for example, we see that the unhandled control group showed lower babesia levels than any of the handled groups. Apparently the best thing that one can do for the mice is to leave them alone.

Experiment 2, Solfvin had five handlers. "The babesia and non-babesia designations (used for inducing expectancies in handlers) were changed to high or low babesia." The results were uniform across the five groups.

> The results show a significant main effect for the healing expectancy factor (p < .05) and a marginal trend for the illness expectancy factor (p between .05 and .10). Both of these are in the direction of the induced expectancies.
>
> This healing expectancy effect is definitely a parapsychological one in the sense that it cannot be entirely explained in terms of known sensory processes, since the *target* animals were not known by anyone until the end of the study. We have therefore produced a paranormal healing effect, or something that resembles a healing effect, in a well controlled laboratory study which cannot be attributed to a specific psychic healer or healing treatment. It must therefore be attributable to something else and that something else may be operating in other psychic healing situations as well.

In experimental studies of psychic healing treatments the experimenters may have reason to expect positive results. The healer may have performed well in pilot or screening trials, may have brought an impressive anecdotal case history of successful healings, or may make a strong personal impression on one of the experimental staff members. The results of the current study, modeled after this situation, suggest that the expectation structure may be an important contributor to the results, regardless of what the healer does.

Discussion:

A. This is a key study for understanding possible errors of interpretation that might arise even in controlled studies. Mice in this study were all inoculated with the same dose of malarial parasites, yet some became sicker than others. On the surface this seems to indicate a healer effect. Though no *known* healer participated in the study, one must postulate that one (or more) of the experimenters was responsible for the significant healing effects. Solfvin points out that this need not be so. Differentials in the handling of mice in the various groups in line with handler expectations (perhaps augmented by clairsentient or precognitive perceptions of mouse group assignments) could have produced portions of the results.

Healing effects were clearly noted in addition to the presumed   handling results. This was so even without the intervention of anyone designated as healer and without anyone knowing by sensory means which animals were assigned to *healing* and *non-healing* groups. This study is reminiscent of Stanford's (1974b) report of a successful PK experiment in which a subject "just hoped everything would go well," without even comprehending what was requested.

B. The experiment was well-designed and reported adequately. The levels of significance are too modest for any far-reaching conclusions without further replications. Rating: I

The implications of this study are truly revolutionary. If reproduced, they would indicate that psychic healing influences can be produced selectively in an experimental group of mice despite apparent totally controlled, double-blind conditions. If substantiated by repetitions under a variety of circumstances, this will force science to re-evaluate one of its most valuable tools in research, the double-blind experiment. The expectations of experimenters should be clearly stated in future studies, as this may be one of the variables affecting the results.

Rupert Sheldrake (1994) has developed a theory of morphogenetic fields—similar to a collective consciousness which is specific for each species. He speculates that experimenter effects such as those in Solfvin's study may be present in the hard sciences as well as in the biological sciences.

Max Planck observed, "The man who cannot occasionally imagine events and conditions of existence that are contrary to the causal principle as he knows it will never enrich his science by the addition of a new idea."

In many parts of the world, collars, bracelets, anklets, and earrings are recommended for protection against illness. Their potency is usually attributed to the materials they are made from, such as gold, silver, copper, iron or plant materials. To most educated Westerners, this must seem to be an old fairy tale, another variation on the theme of placebo effects.

Would you believe there could be demonstrable effects of various collars on the progress of malaria in birds? See the following study for precisely such evidence.

P. Baranger and M.K. Filer

The protective action of collars in avian malaria (*Mind and Matter*, 1987)

Chicks were injected intravenously at the age of six days with *Plasmodium gallinaceum* in a strength of 40 million parasites, taken from a bird which had malaria. Chicks were also injected with a suspension of macerated *Aedes Aegypti* mosquitos, which are carriers of malarial sporozoites.

A count was made five days later of the parasites in the blood corpuscles. The average number of days the chicks survived after being infected was also recorded. Effects of the parasites was also observed elsewhere in their bodies. At days 16, 23, and 30, the numbers of birds free of parasites were counted, and at day 30 the number of birds still alive was noted.

The metal collars were 1 mm. in diameter, of either open, closed or spiral design, measuring about 20mm. across. Metals used included: aluminum, brass, copper, gold, iron, lead, magnesium, manganese, molybdenum, nickel, nickel alloy (nickel, iron, chromium and manganese), silver, German silver (copper, nickel and zinc), tin and zinc. Plant fiber collars, also about 20mm. across, were made from twisted threads of cotton, linen, nylon, rayon, silk, sisal and wool. In one experiment, copper and iron were twisted together; in another a rubber sheath completely encased a copper collar; in a third, a coat of varnish was applied to a copper collar. Chicks were acclimated to the collars for two days prior to the injection of parasites.

Table 4-10. *Effects of metal collars on parasites in chicks*
Experiment 1, The effect on the parasites in the system (other than in red blood corpuscles)

No. of Birds	Type of Collar O = open; C = closed; S = spiral	Percent of Birds parasite free on day 16	day 23	Percent of Birds alive on day 30	Average no. of days of survival
8	Gold (O)	40	—	—	20
5	Gold (O)	60	40	60	29.6
8	Silver (O)	—	—	—	18
4	Copper (S)	50	—	—	22.5
5	Copper (O)	40	—	—	26
5	Copper (O)	60	—	20	28.5
8	Copper (O) + rubber sheath	37	—	25	27.4
4	Copper (O) varnished	50	—	—	27.4
5	Copper (C)	33	—	16	28
6	Iron (O)	70	17	—	23
7	Iron (O)	50	—	20	22.7
6	Iron (C)	50	—	—	23
6	Iron (C)	70	—	—	23
8	Tin (O)	14	—	—	21
8	Zinc (O)	—	—	—	13.2
8	Aluminum (O)	—	—	—	12.2
8	German Silver (O)	—	—	—	14.2
8	Brass (O)	—	—	—	14.5
8	Nickel (O)	—	—	—	14.3
8	Nickel Chrome (O)	—	—	—	12
8	Lead (O)	—	—	—	15
8	Magnesium (C)	—	—	—	11.6
8	Lead (S)	—	—	—	11.5
8	Manganese (S)	—	—	—	11.6
6	Cotton (C)	—	—	—	11
6	Chloroquine	66	—	33	24
6	Quinine	83	33	50	30
13	Controls	—	—	—	11.6
196	**Total**				

Groups of six to eight birds were used in repeated trials, until more than 350 birds were included in the studies. Birds in control groups were either given nothing or had 12 doses of either 1 mg. of chloroquine or quinine.

Gold, iron, and copper appeared most effective. The average survival of the birds wearing these collars was 20 to 30 days compared with only 11.6 days for the controls. The appearance of the parasites in the blood of birds with collars of these metals was delayed dramatically relative to the controls. In the second experiment the results were comparable to or exceeded the results obtained with quinine or chloroquine. Tin and silver increased survival to 20 days, while other metals only slightly increased the average length of survival or had no effect. Results were not related to collar shape, nor were they altered by the sheathing with rubber or varnish. Cotton had no effect. Fiber collars produced only a slight lowering of the percentage of parasite count. (See Table 4-10).

All the metals decreased the percentage of cells infected with parasites— gold, silver, copper, and iron were particularly effective. (See Table 4-11)

Table 4-11. *Effects of metal collars on parasites in chicks: Experiment 2 – The effect on the parasites in the red blood corpuscles*

No. of Birds	Type of Collar O = open; C = closed; S = spiral	Percent of cells infected by the 5th day	Average number of days of survivial
6	Gold (O)	26	20
6	Silver	27	15
6	Copper (O)	27	17.6
6	Copper (S)	27	15.3
6	Copper (C)	30	16.6
10	Iron (O)	28	14
6	Iron (S) (claws)	44	15
4	Iron & Copper (O)	33	17
7	Nickel	46	13
8	Nickel Chrome (O)	45	15
8	Magnesium (O)	54	10
8	Zinc (O)	62	14
8	Aluminum (O)	50	11
8	Lead (O)	48	14
8	Molybdenum (O)	50	14
8	Brass (O)	48	12
6	Wool	68	14
6	Cotton (C)	73	13
6	Linen (C)	64	14
6	Sisal (C)	64	13.3
6	Nylon (C)	68	14
6	Silk (C)	68	14
6	Rayon (C)	61	13.6
4	Quinine (1mg 7 times)	9	16
12	Controls	80	13.5
171	**Total**		

In several instances birds lost their collars. Their infections increased markedly by the next day. In one case an iron spiral around the claws replaced an iron collar, resulting in a parasite infection of only 44 percent.

Discussion

A. The effects of metal collars on prolonging survival with malarial infection seem clear.

How to explain the findings is a problem. I have deliberately placed this study following Solfvin's study, as the experimenter effect seems a likely explanation. One might also postulate that the presence of the metal or fiber collar alters an energy field around or within the body so that the defense mechanisms of the organism function more efficiently. This seems a possible explanation since particular metals appear to have greater influence.

Again, however, the differential responses could be an experimenter effect, particularly as blinds are not mentioned in the study. Another possibility is that the various materials may be *vehicles* for healing.[292]

This study is to be differentiated from studies of bracelets with knobs worn in order to activate acupressure points.

B. Randomization is not described and no statistical analyses are presented. Blinds could be easily arranged with coated materials. One cannot put any reliance in these results. Rating: IV

The positive effects of wearing bracelets of various materials on malarial infections (and other conditions) appears to warrant further study. If this is not an experimenter effect, it would certainly provide one of the least expensive ways of improving health.

While this may appear strange within conventional science, these effects are consistent with other reports of vehicles useful in healing.

The following unusual study explores healing for malaria in rats. Its novel aspect is that it explored whether healing might be able to act backwards in time. That is, at the end of the study a healing effect is projected to the rats, several weeks after they have been injected with the malarial parasites.

This might sound like a very far-out, most improbable way of studying healing (or any other) effects. Several facts suggested that this might work. Healers sometimes receive thanks from healees for healings before the healers have sent absent healing. It would thus appear that healing might occur backwards in time. Another line of evidence comes from experiments in parapsychology demonstrating apparent backwards-in-time effects by psychics who can influence random number generators prior to the time the psychics focus upon them (Schmidt 1976).[293]

F. W. J. J. Snel, and P. C. van der Sijde

The effect of retroactive distance healing on *babesia rodhani* (rodent malaria) in rats, (*European Journal of Parapsychology*, 1990)

It has been shown in a few studies of psychokinesis (PK) that it is possible for a person to produce PK effects retroactively. That is, conditions are set up so that a person's influence upon a physical measuring device is recorded prior to the time when the person consciously makes the effort to exert an influence upon that machine.

In this study, a professional healer (with one year's experience) sent healing to rats who had been injected with malarial parasites. The healer's intent was to prevent the spread and multiplication of the parasites in the red blood cells of the rats. The healer was interested in animal research. He lived 20 miles from the laboratory and was given only photographs of the rats which were to receive healing.

The animal caretakers were the only persons to enter the animal laboratory area. They were blind to the nature of the experiment.

Measures included:

*   The mean absolute number of infected red blood cells, counted in blood smears under a microscope on days 0, 14, 28, and 42 (reported as percent of red blood cells infected).
*   The developmental differentiation of the white blood cells, which shows a severity of reaction which correlates with the severity of malarial infection.

The 20 rats were a specially bred variety (Nu/Nu—homozygous nude), 12 females and eight males. They are hairless and have no thymus gland and therefore no T-cells. Their impaired immune system was expected to make them more vulnerable to infection with malaria and therefore to provide a greater opportunity to demonstrate a healing effect.

The rats were injected with the malarial organisms 12 days prior to the start of the experiment. They were randomly assigned, using a random number table, to healing and control groups *after day 42 of the experiment*. Neither healer nor experimenters knew which animal would be assigned to the healing group prior to that time.

The rats were segregated by sex and randomly distributed in cages which included both experimental and control animals. "Every rat was individually marked and recognizable. A photograph was taken of all four cages and sent to the healer by mail. The healer was asked to prevent the spread and multiplication of blood parasites (malaria) in the red blood cells of the target rats." The healer sent healing for 10 to 15 minutes every evening over the six weeks of the experiment.

Results: On day 28 the numbers of infected red cells for rats in treated and control groups show a decrease. This continued until day 42 in the control group, while the treatment group showed a modest increase at day 42. In females both groups show a decrease in numbers of infected red blood cells on day 28. In males the experimental group showed a decrease on day 28, while the control group showed an expected increase. "[T]he infected red blood cells in the experimental groups are generally lower than those in the control groups, except on day 42. The differences on days 14 and 28 are significant ($p < .02$ and $p < .015$, respectively), suggesting a healing effect

Table 4-12.
Mean absolute numbers of infected red blood cells in NU/Nu rats

All animals	Experimental	Control
Day 0	0.0	0.0
day 14	15.7	60.3*
day 28	3.3	45.6**
day 42	16.1	9.0
Females		
day 0	0.0	0.0
day 14	20.3	84.2
day 28	1.5	8.8***
day 42	21.3	11.4**
Males		
day 0	0.0	0.0
day 14	8.8	55.5
day 28	6.0	91.5
day 42	8.0	5.0

*$p < .02$ **$p < .015$ ***$p < .04$

The lower percent of infected red blood cells in the control group compared to the treated group on day 42 might be explained by a loss of interest on the part of the healer over a period of six weeks.

Only one rat died (of a viral infection) during the experiment. "This is remarkable in itself: normally rats infected with Babesia rhodhani do not survive as long as the animals in our experiment."

The authors speculate that three explanations are possible for the decreased percents of infected cells in the control animals:

1. The progression of infection with malaria includes an increasing anemia which would produce a decrease in red blood cells.

2. The progress of malaria in rats with impaired immune systems may differ from the progress of this disease in rats with normal immune systems.

3. The healer may have influenced the control rats.

All white blood cell differentiation counts were within the normal range.

Significant differences were noted in the white blood cell differentiation between the treated and control groups from the first day of the experiment.

The authors suggest that these differences could be due to

1. Physiological differences between individual animals or

2. Effects of healing.

Particular white cell types showed differences between experimental and control groups during the experiment, such as segmented cells on day 28 (female controls 51.2 vs. treated 35.8, $p > .02$).[294] Segmented cells are known to reflect seriousness of infections. On day 42 significant differences were also noted in favor of the treated animals in particular types of white blood cells (eosinophils and lymphocytes).

Discussion

A. A significant healing effect is demonstrated, with less severe evidence of malarial infection in red blood cells in rats which were assigned at the end of the study to be given healing.

The authors call this a *probable retroactive healing effect* because the rats which were to be given healing were not assigned to this treatment until after the study was completed. Another possible explanation is that the healer precognitively recognized which rats would be selected at a later time for healing and sent absent healing during the study.

The fact that all but one of the mice survived much longer than expected suggests that all the mice may have benefited from the healing. This might be due to E and C mice being held in the same cages, with the healer receiving a photo of all the mice. Even though they were clearly marked as "E" and "C," the healer may not have been able to send healing only to experimental mice.

B. As apparently it is not known what the normal course of illness is for Nu/Nu rats infected with malaria, it is difficult to assess the results of this study. There appear to be sex differences and there may be other contributing factors causing the differences attributed to healing. No blinds are mentioned for the person reading the microscope blood slides, which leaves open the possibility of experimenter bias.[295] Rating: IV

Effects of healing which transcend the usual limits of time, as demonstrated in this study, stretch our credulity and our understanding of nature. Effects which appear to be caused by future events are reported in quantum physics, however. It appears that healing and quantum physics may demonstrate ways of interacting which are outside of our ordinary, Newtonian ways of conceptualizing the world. Rather than reject the evidence which contradicts our ordinary laws of science we need to re-examine our understanding of these laws. Strange and difficult as this may be, it may lead to important progress in health care.

Though no rigorous studies of healing for cancers are available in humans, several have been done on animals.

Frans W. J. J. Snel and Peter C. van der Sijde

The effect of paranormal healing on tumor growth (*Journal of Scientific Exploration*, 1995)

Frans Snel and Peter van der Sijde explored the effects of a variety of healing methods on cancers in rats. Prior to randomizing animals into groups, they were matched in sex, age, and weight. An animal handler who was not a participant in the study cleaned the cages and fed the animals, handling them briefly in the process. Room temperatures in the laboratory and the healers' homes were recorded during the study and did not differ or vary significantly. Healing was given in the healers' homes at times of day which were convenient to the healers.

Experiment 1 studied direct healing effects on tumor growth (weight) vs. the control group, predicting no differences between these groups. The healer: one professional male healer interested in studying the effects of his treatment of animals. Rat liver tumor cells[296] were injected under the skin on the left side of nine rats in C group which remained in the laboratory and six in E group which were placed on a table in the healer's home; in another placebo C group, six were injected with a salt solution. Those in the healer's home were placed in two cages, three rats per cage. The healer gave healing directly for about 10 minutes per day during days 3 to 31 after the rats were injected.

All of the rats were sacrificed on the 36th day, and the tumor was removed and weighed. Tissue samples were taken from the kidneys, liver, lungs, spleen, and from the tumor for microscopic examination.

Experiment 2 studied direct healing together with gentling (stroking, cuddling) on female rats. The healer: one professional female healer, interested in working with animals. Cells of an ascites tumor[297] were injected in the abdomens of 6 E rats who were given healing and gentled and 6 C rats who were given no treatment, handling or gentling beyond the minimal handling required for cleaning the cages. Healing was given for at least 10 minutes per rat once daily. Rats which died overnight were recorded as dying at 7:00 a.m..

Experiment 3 studied distant healing on survival time, predicting rats in this experiment would survive longer than those in Experiment 2. The healers: four professional male healers who live 25 to 70 kilometers away from the laboratory, all eager to explore their healing abilities with animals. Ascites tumors were used as in Experiment 2. Ascites tumor cells were injected at 7:00 a.m., then randomly divided by a lab tech into 10 groups. Each group was randomly assigned to E (distant healing) or C condition by a lab tech, with the experimenters remaining blind to group assignments. Individual group photographs were made and those of the E groups were sent to the healers as a focus for absent healing, while rats remained in the lab. Healing was sent for as long as healers felt intuitively it was needed. One healer treated two groups: the first with healing beginning immediately following randomization, prior to their injections with tumor cells, and a second group starting on day 1 after their injections. Rats which died overnight were recorded as dying at 7:00 a.m.

Experiment 4 studied direct healing combined with gentling and distant healing vs. a control group. The healer was the same one as in Experiment 1. Ascites tumors were used as in Experiment 2.

Rats were randomly divided into three groups of six. Their mean weight on day 0 was 388 ± 16.2 grams, with no significant weight differences between the groups.[298] Rats in group 1 were treated with direct healing and gentling; in group 2 by distant healing; group 3 with no treatment. All of the rats were kept in the healer's home in one room, their cages separated by several meters. Healing was given once daily for around 10 minutes. Rats which died overnight were recorded as dying at 7:00 a.m. The experiment was terminated after 35 days, with rats who were still alive counted as dying on the last day at 7:00 a.m.

Results: No spread of tumor was found in any animal beyond the local sites of injection.[299]

Experiment 1: Mean tumor weight in E group was 5.08 grams (S.D. 2.50) vs. 6.11 grams (S.D. 4.84) in the C group and the difference is not significant. E group tumors had less infiltration of the tumor capsule, though again this was not significant. Placebo C rats developed no tumors.

The healer had been convinced that he was successful in preventing tumor growth. Though a trend in this direction is indicated, this was not supported by the results. The range of variability (standard deviation, S.D.) of tumor weights is quite large, which suggests that this may not be the most reliable model for testing healing abilities.

Experiment 2: The differences in mean weights of animals between E group (218.3 ± 10.3 grams) and C group (219.2 ± 14.3 grams) did not differ significantly. However, one E rat did not develop a tumor or die. The mean of the remaining 5 E group survival times was 27.4 ± 4.6 days; for the C group 25.5 ± 5.1 days, again not significant.

Again, though the results are in the anticipated direction, they do not achieve significance.

Experiment 3: Out of 118 rats, 76 died during the experiment. No significant differences amongst the survivors in survival time were noted in E (distant healing) versus C groups, or in survival according to sex. Half of the rats treated by healer 1 survived the entire period, while only 17 percent of the animals of healers 2 and 4 combined survived, a significant difference (p < .01).[300]

Of note was the survival of the female rats of healer 1 longer than any other female rats, while his male rats survived the shortest time.

Experiment 4: The differences between E (distant healing) and C groups was significant (p < .05),[301] as was the difference between mean survival time between the combined treated groups and the C group (p < .05).[302] No other significant differences were noted between conditions.

Discussion
A. Significant effects of healing on tumor growth in rats are demonstrated. This is the more impressive in experiment 4, which had small numbers of animals.

B. While significant effects of healing on the growth of cancers are found, the fact that the animals were left in the healers' homes leaves open a question of what else might have been done to produce these effects. Something as simple as a supplement in the feeding of the animals in the healers' homes might have influenced the results in their favor. Rating: IV

This modest, exploratory study produced several helpful findings. It confirms that healing can be helpful in slowing the growth of cancers, and in one instance appeared to prevent the growth of cancer completely. It also confirms commonly held clinical impressions that some healers are more successful with particular problems than other healers.

Franz Snel and Peter van der Sijde are to be commended for doing a study of healing in healers' own homes, which would allow for the most comfortable application of healing as far as healers are concerned. While skeptics might question whether this model opens questions as to the treatment of the animals because they were not under the constant observation of the experimenters, the benefits appear to me to outweigh the risks. It is regretful that formalities of design protocol lead to a low rating for this study.

There is every reason to hope, both from the logical extension of this study and from numerous anecdotal reports from healers and grateful healees, that healing can produce significant effects on cancers in humans.

While people suffering from cancer naturally are hoping for a cure when they come for healing, it is rare in my informal surveys of healers to hear of such complete healings. Far more common, but not less appreciated, are the dramatic alleviations of pain and physiological dysfunctions caused by cancers. Relief of many of the side effects of chemotherapy, radiotherapy, and surgery are also commonly reported. Healing is not recommended as an alternative but rather as a complement to conventional therapy.

At present it is very difficult to find doctors willing to participate in healing research, and studies on cancers in humans await such opportunities.[303] While such studies on animals are deplorable, they have provided information which gives hope to people who suffer from cancers and from the diminished quality of life which accompanies many of the current treatments for cancer.

The next study explored the use of cancers in mice to screen healers for their healing abilities.

Gary Null

Healers or hustlers (*Self-Help Update,* 1966)

Gary Null sought to understand healing when his brother had a stroke at the age of 35. In this, the fourth of a series of articles, Null details his explorations of healers, the healing process, and subjective aspects of the healing experience.

In a test of healing abilities, 50 healers were screened for demonstrable ability to prolong the lives of mice injected with cancer cells. Healers were assigned one mouse for touch healing and one for distant healing, with another two as controls.

Each mouse was inoculated with a highly lethal strain of cancer. Healers were allowed to employ whatever methods they felt would prolong the lives of their mice.

Only one of the 50 healers was consistently successful. Rabbi Abraham Weisman produced total tumor regression in one of his mice and the other survived longer than average.

Rabbi Weisman then participated in further studies.

> The second and third experiments began on July 14, 1977. In each experiment 20 mice were inoculated with cancer; 10 of them were to be treated with healing energies and 10 were to serve as controls. A double-blind procedure was used throughout the experiment. The scientist who evaluated the results of the evolution of the tumors and survival times was not aware of make-up of the control group and treated group or who selected and marked the animals.
>
> . . . Weisman was able to extend the average life of the treated mice to 12.8 days, compared to 8.9 days for the control group. The increase amounted to 43.8%.
>
> In the second experiment the mice were inoculated with half the cancer cells of the first experiment. Weisman was able to extend the average life of the treated mice to 14.9 days, compared to 12.9 days for the controls. The increase amounted to 15.5%.

Rabbi Weisman commented:

> As I became adept at working with the energies I began to realize that, although I believe I am channeling from God, you might believe you are channeling from Buddha, the wind or the sun and it would still be the same energy source.
>
> I also found that you cannot impose a healing on anybody. People create their illnesses for their own reasons, and there is a lesson for them in it. Each person is as powerful as any other, thus each person must choose health over sickness. Only then will the healing take effect.

Discussion
A. Significant effects of healing are demonstrated in slowing the growth of cancers. The use of only two mice each seems likely to lead to Type II errors in all but the very best healers.

B. Randomization is not mentioned, raw data are not provided, and no statistical analyses are reported. It is therefore difficult to accept these results as evidence for healing effects. Rating: IV

This is the first published broad screening of healers to determine healing ability. While the intent seems good, the method may have problems. Some healers may be squeamish about mice, unprepared for working with animals

in general, or uncomfortable in a laboratory. Using animals in this way is also an ethical problem.

The problem of healer assessment, other than by demonstrated clinical effects, remains a challenge.

These studies show that healing can be of benefit in treatment of cancer. Several lessons may be drawn from the studies. Various healers may differ in the efficacy of their treatments. A person with cancer who is seeking treatment would be wise to find a healer who has had success with cancer. Furthermore, if there is no benefit from the treatments of one healer, there is reason to believe that another healer may still be helpful.

The effects of healing on animals are summarized in Table 4-13.

Table 4-13. *Effects of healing on animals*

SUBJECT OF HEALING	RESEARCHERS	T/N/ D/V*	TIME	HEALERS	RESULTS	SIGNIFICANCE RATINGS	
Mice Skin wounds	Grad 1965	N	15mins x 2/day	Estebany	1. 48 mice, more rapid wound healing: Day 14	p < .001	I
	Grad, et al, 1961	N	x 14 days	Estebany	2. 150 mice, double-blinds: Days 15, 15	p < .01	I
Retardation of goiter growth	Grad 1965/1976	1.N	15 mins x2/day x5 days / week x 8 weeks	Estebany	1. 23 mice, slower thyroid growth, with baseline and heat controls	p < .001	I
		V	1 hr x2/day x 6 d/week	Estebany	2. 37 mice, slower thyroid growth, with baseline and heat controls	p < .001	
Malaria	Solfvin	D	?	3 + (?)	1. 2 believers, 12 mice each 1 non-believer, opposite direction from the expected malaria healing	NS** p < 02*** p < 09***	I
				5 + (?)	2. 12 mice each: malaria healing	P < .05 - .10 p < .05	
Hamsters Amyloidosis	Snel & Hol	D	30 days	Healers No. 1	1. 42 hamsters injected w/ casein: blood chemistries, blood counts	p < .02-.04	I
		D	days 16-23	Nos. 2-4 + 'others'	2. 50 hamsters day 4 hemoglobin lower	p < .05***	

Table 4-13 *continued*

Chicks Malaria	Baranger & Filer	Collars	Constant	Metal, plant materials	368 chicks wore collars of various metals or plant fibers. Gold, iron, and copper were most effective against malaria	IV Significant ?

Rats
Malaria
	Snel &
	van der Sijde
	1990
		D
		20
		miles
			10-15
			mins
			daily
			x 6 weeks
				Animal
				healer
					10 Nu/Nu immune
					deficient rats w/infected
					red blood cells
					  E less than C on day 14
					                     day 28
					                     day 42
					No. of segmented white
					cells in females
					  E more than C on day 28
						IV
						
						p < .02
						p < .015
						NS
						
						p < .02

Tumors	Snel &
	van der Sijde
	1995
		D
		25-70
		miles
			10 mins
			daily
			day 3-31
				Animal	**1.** Hepatoma cancer cells
					   injected in rats 6 E;
					   9 C/tumor; 6 C –
					2. tumor weight
						IV
						
						NS

		T		Animal
				healer
					2. Ascites tumor cells
					   injected 6 E
					     healing - gentling;
					   6 C rats survival time
						NS

		D		4 healers	**3.** Ascites tumor cells
					   injected 5 E,
					   5 C groups, 12 rats/ea.
					
					Group survival time
					Healer 1 vs
					   healers 2 + 4 (time)
					Healer 1 vs healer 3
					(% survival)
						NS
						
						NS
						
						p < .01

		D			**4.** Ascites tumor cells injected
					   6 E vs 3 C rats
					   survival time
						p < .05

Mice Tumors	Null	T & D	?	50 healers	**1.** 1 mouse each for E and C: 12.8 days (E) vs 8.9 days (C) = 44% longer	IV ?

* T/N/D/V: Touch/Near/Distant/Vehicle   **NS: Non-Significant   ***significant opposite direction to prediction

It is easier to run tightly controlled studies with animals than with humans.

The following studies examined the growth of mice who were given healing. The possibility that healing can enhance normal animal growth seems feasible, in the light of studies (reviewed later in this chapter) which show healing increasing the growth of plants, bacteria, and yeasts. These are translated studies

Lida Feng, Shuying Chen, Lina Zhu, Xiuzhen Zhao, and Siqi Cui; Chinese Immunology Research Center, Beijing

Effect of emitted qi on the growth of mice (*2nd World Conference for Academic Exchange of Medical Qigong, Beijing, 1993*—from Qigong Database of Sancier)

> In this experiment we have observed the effect of the emitted qi on the growth of mice. As a comprehensive factor of physical, chemical and biological function, the emitted qi can both cure diseases and strengthen health, but can it promote the growth of creatures? In order to find out the answer to the question, we are among the first people who do research on this subject.
>
> We have observed the growth of over 60 mice and got satisfactory results. The body length of the test mice is on the average 10.26 cm, while that of the control mice is 9.86. The difference is 0.4 cm. The length of the test mice's hind legs is 3.33 cm, while that of the control mice is 3.23 cm. The two results are statistically significant ($p < .05$).
>
> Meanwhile, we have determined the amount of growth hormone in mice's serum with the isotope method. In the four experiments, the amounts of the test mice were all higher than those of the control 1s by 0.81, 2.3, 1.55 and 1.43 ng/ml, respectively. The difference between these two groups was very distinct ($p < .01$).
>
> The result shows that the emitted qi can promote the growth of mice's bodies and hind legs and help increase the amount of growth hormone in mice's serum, which implies that the emitted qi can promote and help the growth of creatures. That offers biological proof to the actual existence of the emitted qi and provides important information and methods for application and research.

This is a translated study.

If healing can truly increase the rate of growth of animals, it might prove helpful to babies who are small in utero (fetal growth retardation) and to premature infants. This would be a great boon to these children, who often suffer neurological damage if they survive.[304]

Sergei V. Speransky

"Distant influence" on the eating behavior of white mice (May/ Vilenskaya, *Subtle Energies*, 1992)

A Russian electronic engineer, Leonid M. Porvin, "developed a 'technology' for achieving altered states of consciousness conducive to 'distant influence.' " Porvin focused on one out of a pair of successive groups of mice from a distance of 1,700 miles, with the intent of either increasing or decreasing their weight gain. Groups were chosen randomly, in a double-blind design and their weights recorded as the criterion of change. In 70 trials, the results were highly significant ($p < 2 \times 10^{-10}$).[305]

May and Vilenskaya, summarizing this work, present confusing figures. They state that there were five groups of 13 mice each in target and control groups, with a total of 260 mice. Not only do these figures not add up correctly, but it is unclear how the numbers divided into 70 trials.

This is a translated study.

An effect of healing on weight gain in mice appears to be demonstrated. However, without more details, such as the actual figures for weight change, it is difficult to assess the significance of this report. It is also difficult to know what to make of a report which not only lacks significant details, but also includes obvious errors in numbers.

Next, we have several studies in which animals were injured or injected with tumors and then given healing. Again we decry the use of animals for healing studies, but must appreciate that the intention is to help people with cancer and other illnesses, when human research has not been possible.

Lin Jia and Jinding Jia; National Research Institute of Sports Science, Beijing

Effects of the emitted qi on healing of experimental fracture (*1st World Conference for Academic Exchange of Medical Qigong, Beijing, 1988* – from Qigong Database of Sancier)

Emitted qi has been found to have a good curative effect on soft tissue injuries, such as muscle soreness, scleroma in muscles, acute muscle sprain, muscle contusion and pains. Fracture is also a common injury in sports medicine. We have cured some cases of fracture with emitted qi.

The purpose of this experiment was to investigate the biological effect of the emitted qi on healing of fracture. Sixteen healthy male rabbits, weighing between 1.9 and 2.5 kg, were divided into two groups—the control group and the emitted qi group. Under aseptic condition and with intravenous injection of thiopental sodium of 30 to 40 mg/kg, the fracture with a gap of 3 mm was made at the junction of the middle and lower thirds of the left radius distal to the insertion of the round pronator muscle. The rabbits in the emitted qi group were given the emitted qi treatment for three minutes per day after fracture. X-ray films were taken every week. On the second, third, fourth and fifth week after fracture, two animals of each group were killed and specimens . . . [were studied micro-scopically].[306]

The morphological observations are as follows:

Based on some radiographic indexes, such as reaction of fracture section, periosteal reaction and amount of callus formation and callus density, we found that the amount and density of callus formation were better in the emitted qi group than in the control group. The difference was significant in the second week (n=16, $p < .01$) and third week (n=12, $p < .05$).

The ultrastructural examination revealed that overstrain caused pathological changes, such as muscle fibers edema, shortening or lengthening of sarcolemmas, disorganization, breaking and disappearance of myofibrils as well as Z lines, accompanied by edema and damage of mitochondria. These changes could be seen less frequently in the emitted qi group than in the control group. . . .[307] The difference of density between the two groups was significant ($p < .01$).

We conclude that the emitted qi has a better preventive and therapeutic effects on ultratrauma in overstrained muscles. At present, although the precise mechanism of the emitted qi is not clear, it has been found by electronic detectors that it may involve some kind of electromagnetic fields, such as low-frequency modulation waves of infrared, low-frequency electromagnetic wave, microwave, etc. Scientists discovered that weaker pulse magnetic field or low-frequency electromagnetic field has a higher bioactivity in treatment of bone and muscle injuries. Therefore, we think that some kind of electromagnetic contents in the emitted qi may influence the electromagnetic field of an organism and produce such preventive and therapeutic effects.

This is a translated study.

It is helpful to have this research confirmation of healers' anecdotal reports that healing can accelerate the healing of bone fractures.

The next studies explore the effects of healing on a variety of animal cancers. Even though they include many technical details, I feel they are important because they provide a wealth of evidence to reassure those who might need the help of a healer to deal with cancer.

It is extremely difficult to find medical setting in which to do research on spiritual healing effects (or of any other treatment) for cancers in humans.

Most people choose to have chemotherapy and/or radiotherapy. It is rare to have access to groups of people with similar cancers who are receiving a standard treatment. This makes it very difficult to set up equivalent E and C groups for a proper study of healing.[308]

Too often, healing is sought as a treatment of last resort for cancer. This again makes it difficult for healing to demonstrate its full potential. The studies of healing for cancers in animals are therefore extremely valuable in helping us to have confidence that healing can help with this difficult disease.

Brenio Onetto and Gita H. Elguin

Psychokinesis in experimental tumorogenesis (*Journal of Parapsychology*, 1966)[309]

In a thesis for a professional degree in psychology, University of Chile, 1964, Onetto and Elguin state:

> That PK ability may be effective in inhibiting tumoral growth in living organisms is suggested by a preliminary study in which the area, weight and volume of such growth in one group of 30 tumorogenic mice showed significantly less growth (p less than .01) than that of 30 untreated control mice after 20 sessions of treatment with "negative PK."
>
> A second group of 30 mice were treated for an equal period of time with "positive PK" in an attempt to increase the tumoral growth, but these mice did not differ from the untreated control animals. All mice initially had been inoculated subcutaneously with a tumoral suspension and then had been assigned randomly to the three groups.

Anthony Campbell (1968) adds, regarding those treated with positive PK by Elguin, that the average tumor area was significantly smaller at 16 days and 22 days (p < .001 in both cases), and when the animals were killed (at 23 days) this difference was confirmed by direct measurement and weighing of the tumors (p < .01). The animals . . . lost significantly less body weight than did the controls (p < 0.05).

The experimenter suggests that her failure to influence tumor growth. . . may have been owing to her partly unconscious dislike of this part of the study.

This is a translated study.

This appears to be a sound, significant study. However, insufficient raw data are provided in the brief abstract for evaluation of procedures or independent confirmation of statistical analyses.[310]

It is interesting that attempts to increase the rate of tumor growth failed in the study of Onetto and Elguin. Many healers claim that a "native intelligence" in the healing process guides healing to act only in directions that are beneficial to the healee, in line with the intentions of the healer.

In the treatment of cancer we have a complex situation. The healer may be slowing the growth of the cancer cells or decreasing the activity of their enzymes (as shown to be possible in experiments reviewed below). In addition, the healer may be influencing the host animal's own defense mechanisms to act on the cancer cells. Host antibodies against cancer might be increased; blood supply to tumors might be shut down; or other, unidentified processes may be involved.

Clinical reports indicate that healing not only helps with the primary illness, but also reduces side effects of chemotherapy and radiotherapy, and improves emotional states. While it may be difficult to mount studies of healing for cancer in humans, hopefully research can be initiated soon. See Steven Fahrion's preliminary study showing success with basal cell carcinomas in the next chapter.

The study of Onetto and Elguin and the Chinese qigong studies strongly suggest that healing can slow the progress of many types of cancer.

There is an enormous body of research on healing from China.[311] As the translated reports available are fragmentary and leave many questions about these studies, only a few samples have been included in this volume.

In China many people practice internal qigong as a way of maintaining and promoting health. These self-healing practices are credited with curing many illnesses, including cancers. It is unclear whether internal and external qigong involve the same or different processes. Internal qigong is now following yoga into health promotion practices in the West.

The Chinese usually recommend meditation and qigong exercises either before or along with the Master's healing. One study (T. Liu et al., 1988) confirms that self-healing by internal qigong may enhance healer-healing (external qigong). In the West, exercises in relaxation, meditation, and imagery (collectively labeled psych1uroimmunology or PNI),[312] have been shown to slow and sometimes halt or reverse the progress of cancers. I know of no studies focusing on the possible additive effects of PNI and spiritual healing, but this could well be a potent combination.

While we are eager to learn whether healing can help people with cancer, scientists hope also to discover how healing brings about these positive effects. Several qigong studies, reviewed in later sections, begin to explore this question. For instance, studies have demonstrated that healing can influence the growth of cancer cells in animals and in laboratory cultures.

Western studies have not yet included microscopic analyses of cancer cells treated by healers. Chinese qigong reports suggest that healing may disrupt the chromosomes of cancer cells and cause other nuclear damage which could destroy them. The nucleus is the brain of the cell, directing its metabolic and reproductive functions. Disrupting or destroying the chromosomes in the nucleus would make it impossible for the cells to survive or multiply.[313]

Healers report healing can reduce the side effects of radiotherapy given for cancer. The following study makes a start at exploring whether this might be so.

Dmitri G. Mizra and V. I. Kartsev

Mental influence on grey mice exposed to lethal doses of Ionizing radiation (May/Vilenskaya, *Subtle Energies,* **1992)**

Mice in three experiments were exposed to lethal doses of ionizing radiation from cesium. Exposures were 850, 900, and 915 rads. E and C groups of 10 mice each were irradiated together with 30 rads/minute. Survival time of the mice was recorded as the measure of healing effect.

Series 1: Healing was given 15 minutes following irradiation.

Series 2: Healing was given 15 to 20 minutes prior to irradiation to four E and four C groups. All of the mice in the C groups died by the 19th day after irradiation. In the E groups, the mortality was 90 percent, 50 percent, 40 percent, and 22 percent respectively. Eighteen months later, 15 mice from the E groups were still alive. Most of the healers gave healing from a distance of meters away from the mice. The most successful healer was about 800 miles away.

Series 3: Healing was given both before and after irradiation. "[N]ine out of 10 animals in one test subgroup and all 10 in another subgroup survived, as compared to three mice in the control group."

This is a translated study.

This study demonstrates an impressive effect of healing in counteracting the lethal effects of radiation. It is unclear why there were such wide variations in survival of animals, though the mention of varying doses of radiation suggests this could have been the cause.

If this study can be replicated, and healing can be confirmed to reduce mortality after exposure to radiation, then healing may also reduce the illness which occurs as a side effect of radiation therapy.

This concludes the review of foreign studies of healing on animals.

The following is an exemplary series of American studies in which the objective of the healing is to hasten the recovery of mice from anesthesia. Many healers report that they can appreciably reduce the morbidity of surgery by adding healing to the routine medical care of the surgical patient. Healing is often given prior to, during, and after hospitalization.

Reducing the amount of time patients spend under anesthesia could reduce all sorts of complications which accrue the longer the anesthesia is applied. These may include irritation of the airways in the lungs and pneumonia—

which can lead to death even though the operation was a "success." [314]

This series also demonstrates how experimenters sharpen their methods to focus with increasing clarity on possible mechanisms of healing.

Graham K. Watkins and Anita M. Watkins

Possible PK influence on the resuscitation of anesthetized mice (*Journal of Parapsychology*, 1971)

Journal abstract:

Twelve subjects (nine of them professed psychics or known to be exceptional performers on PK or ESP tests) were tested for their ability to cause mice to arouse more quickly from ether anesthesia than normally would be expected. Pairs of mice[315] were simultaneously rendered unconscious in identical etherizers charged with 10 ml. USP ether. The pairs were of the same sex, comparable size, and were litter mates. After both mice were unconscious, they were removed to plastic pans and taken to the area in which the subject was seated. The lids of the pans were then removed and the subject was told to attempt to awaken his or her mouse. The other mouse was used as a control.

For all experiments, 24 pairs of mice were serially anesthetized in each *run* [group of single trials]. Care was taken to randomize mice which were more easily anesthetized between the experimental and the control conditions.

Experiment 1: Of 10 runs, eight were by talented subjects. Subjects and experimental mice were in one room, control mice in another.

The mean sleep time for the controls was 32.63 seconds, that of the experimentals, 28.72 seconds . . . ($p < 0.036$). There were 157 hits in the 240 trials . . . . [316] [317]

Experiment 2: Of seven runs, six were by talented subjects. Subjects and both mice were in the same room. Mice were on a table, separated by a wooden screen. Subjects could see only the experimental mouse, while experimenters could see both. Separate experimenters timed experimental and control mice.

Overall, the mean control time for all subjects was 27.90 seconds, as compared with the mean experimental time of 21.54 seconds . . . $p <.001$. There were 116 hits out of 168 trials . . . . [318] There were no negative runs in Experiment 2 . . . .

Experiment 3: All 15 runs were by talented subjects. Both mice were in the same room, with the subject in an adjacent room, viewing them through a one-way mirror.

[A]ll of the subjects who participated in this phase of the experiments expressed discomfort at being asked to shift sides more than once in the course of the run and even protested one side change unless a brief rest period could be provided between the two halves of the run. Such a period was provided in all four runs of the last part of Experiment 3. The subjects also noted that they felt more at ease with the experiment during those trials in which A.W. was timing the experimental animal and the target side was the left; and this is the situation which produced the most consistent scoring . . . .

a. In four runs the experimenters had full knowledge of the subjects' location.

b. In seven runs the experimenters were completely blind.

The mean control time to arousal was 24.79 seconds, and the mean experimental a little greater, 26.01 seconds. There were 88 hits from 168 trials. None of these values differs significantly from chance. Moreover, none of these seven individual runs is independently significant in either direction . . . .

c. In four runs, five variables were randomized through a factorial design to control for E and C mice; left/right side of table viewed by subjects; experimenters timing mice; ease of mouse-anesthetization; and type of mouse (male, female or juvenile). The experimenters were partially blind,. . . the subject being randomly assigned the right or left side at the start, without the experimenters' knowing which side had been chosen, and remaining there for 12 trials. After a 15 minute break, the subject would concentrate on the mouse on the opposite side for the remaining 12 trials. . . all four of these runs were independently significant.

For *Experiment 3*, overall, the mean time to arousal for the controls was 30.14 seconds. . . for the experimentals. . . 24.91 seconds. . . p < .001. There were 237 hits in 360 trials. . . p < .001.

A possible experimenter effect is suggested by the negative results under blind conditions. Watkins and Watkins propose:

> In general, there are three ways in which the experimenters could have biased the study: 1. through unequal treatment of the experimentals and controls in the process of etherization; 2. through direct effects on the time to arousal of the mouse in some direct physical way; 3. through timing or recording errors.

Watkins and Watkins argue that all of these are unlikely.

Discussion

A. Significant accelerations of recovery from anesthesia are demonstrated.

B. This is an excellent study, meticulously reported, with significant results. Rating: I

There were a few instances in which the C mice woke more quickly than the E mice, although these effects were not statistically significant. Such negative results bear clarification. Healers report that they never obtain negative effects from healings. This study suggests that healers' reports might be in error, and that careful scrutiny might yet turn up some negative effects.[319]

Roger Wells and Judith Klein

A replication of a psychic healing paradigm (*Journal of Parapsychology,* 1972)

Journal abstract:

An attempt was made to replicate the findings of a previously reported experiment by G.K. and A.M. Watkins. In the present experiment, four subjects previously determined to be *gifted* were tested for their ability to cause mice to arouse more quickly from ether anesthesia than normally would be expected. One mouse of each pair tested was an experimental mouse; the other, a control. The subject's task was to try to awaken the experimental mouse more quickly than the other. Eight experiments, each consisting of 24 trials, were conducted. Seven of the eight were in the expected direction, one being independently significant at the level of $p = .01$. There was an average difference of 5.52 seconds between the time the experimental mouse awoke and the time the control mouse awoke ($p < .05$). Of the total 192 trials, 110 were hits ($p < .05$).[320]

Discussion
A. These are highly significant results in non-suggestible subjects. A true healing effect seems to be demonstrated.
B. This is another excellent study with significant results. Questions remain, however, as randomization was done by casual distribution of mice between groups. Rating: IV

Although significant healing effects are found in this study, as in the previous example, the experimenters could have caused the observed effects because mice were not randomized thoroughly. Perhaps the experimenters clairsentiently or precognitively selected mice with short waking times to be targets, relative to slow wakers, who were similarly selected. Perhaps the person timing the waking biased the results.

G. K. Watkins, A. M. Watkins, and R. A. Wells

Further studies on the resuscitation of anesthetized mice (*Research in Parapsychology 1972*, 1973)

The previous experiment was replicated seven times with more careful controls and with attempts to rule out possible factors, other than PK, that might influence results. Mice were assigned randomly to E and C groups. Subjects sat behind a one-way mirror. Experimenters monitored the waking of anesthetized mice in "blind" fashion. "Sixteen (or 24) such trials constitute a run; the target for the first eight (or 12) is the mouse on one side of the table, and for the second eight (or 12) the mouse on the other side. A 15 to 30 minute break separates the first and second halves of the run."

The results of the various series were as follows:

Experiment 1. Simple replication, using two new talented subjects, (p < .026).

Experiment 2. Mice pairs preselected for similar wakening times, anesthetized in same container, (p < .002).

Experiment 3. Non-talented subjects (p < non-significant in previous tests): subjects' belief in ESP was positively related to scoring (p < .05). "Those who did not think they would do well in fact did better than those who had a more confident attitude (p < .01)."

Experiments 4, 5. Subjects were monitored for EEG, EKG, respiration, finger plethysmograph, and galvanic skin response (GSR).[321]

> The GSR showed no significant changes during the test session, and was therefore dropped from the second series. In both series, the subjects showed significantly increased heart rate, decreased pulse amplitude, increased respiration rate, increased irregularity of respiration, alpha block in the occipital EEG, and muscle tension in the skeletal muscles. The T-wave in the EKG was significantly higher at the end of the session than at the beginning for females; for males, it was significantly lower. Both series yielded significant PK scoring (p < .004 and p < .00003).

Experiments 6, 7.

> Finally, two series were done to find out why there had been chance results in previous work when the target side was randomly changed from trial to trial, rather than remaining the same for each half of the run. The subjects had complained that they could not shift their focus of concentration fast enough, which led us to hypothesize that a *lag effect* might exist in which the PK effect exerted on the previous trial would continue to have an influence on the mouse's performance in the current trial. To test for such an effect, we had the subjects in these two series do half of a normal run, concentrating exclusively on one side or the other. The subjects then left the room and occupied themselves with other activities while the experimenters, who were of course unaware of which side had been the target, continued the procedure to the end of the run. In the first of these series, the same experimenters performed both halves of the run; in the second, as an added precaution against experimenter effects, two different experimenters conducted the second half.
>
> Linear regression analyses showed the two halves of the run to be similar in overall scoring. This was true in both series (p = .02 in each). In addition, both halves of the run showed independently significant high scoring levels in each series. In the first series the first half was significant at p = .003 and the second half at p = .002. In the second series the significance levels were p = .04 for the first half and p = .05 for the second half.

In one of the series timing was also done manually with a stopwatch. No significant difference was found between the two methods, attesting to the reliability of each.

Discussion

A. Again significant effects of healing are demonstrated.

B. This is an excellent study, but too briefly reported to allow serious consideration. Rating: III

This series of experiments on waking mice from anesthesia is a demonstration of work carefully done to tease out alternative explanations. Series 2 rules out the possibility that the results were due to biased selection of mice because E and C mice were selected for similar lengths of waking times and anesthetized in the same container.

Studies 6 and 7 explore an apparent lag or linger effect of a healing, in which a healing effects linger at the site where healing was given. Healers felt uncomfortable when the experimenters wanted them to shift their healing randomly from the mouse on one side to the mouse on the other. The healers intuitively felt that the effects of their healing lingered for about 20 minutes at the spot where they directed the healing. The researchers' observations suggested that this claim of the healers might be correct. Healing directed to a given side of the table seemed to linger after a given trial so that subsequent mice on that side benefited from the healing sent to the previous mice at that spot. [322]

Further possibilities remain, however, that might explain the apparent linger effect.

It is still possible that the experimenters caused the observed effects. one would have to clarify: Did the experimenters who monitored the wakening of mice know that mice on one side of the table would always be E (or C) for a number of consecutive trials? How many subjects participated? What were raw scores and physiological measures? Thorstein Veblen (1908) observed, "The outcome of any serious research can only be to make two questions grow where one question grew before."

If healers knew the purpose of the experiment, they could continue to send healing energy from a distance.

If animal handlers knew the nature of the study they might sense via psi which side of the table had been the target side and might then cause the observed waking effects themselves. This would, in itself, be a healing effect, but it would not be evidence of the supposed healers' abilities.

Anaïs Nin (1969) noted, "There are very few human beings who receive the truth, complete and staggering, by instant illumination. Most of them acquire it fragment by fragment, on a small scale, by successive developments, cellularly, like a laborious mosaic."

Roger Wells and Graham K. Watkins

Linger effects in several PK experiments (*Research in Parapsychology 1974*, 1975)

Wells and Watkins report on further clarifications of their earlier studies:

> In the first series of experiments with this "healing" effect, we noted that the subjects failed to produce a significant effect when the assigned target side (right or left) was randomly varied from trial to trial. They did well, however, when one side was used as target throughout half of a given run. It is unlikely that this was due to bias in the experimental system. It could be explained, however, if the effect which was causing the accelerated waking of the target mice did not immediately dissipate when the subject ceased to concentrate, but rather lingered on for a certain period of time. This idea was reinforced by the finding that a rest period of approximately 30 minutes was required between halves of the run to insure a successful second half, when the target side was changed from first to second half.

Two experiments were then performed:

1. In eight runs of 24 trials each the target side for each run was randomly chosen. The subjects left the building (from behind the one-way mirror) after the first half of each run. The second half of the run was begun immediately, as though the subjects were still present.

> The first halves showed significantly faster awakening for the mice on the target side . . . $p < .001$,[323] and in the second halves the mice on that side continued to awaken first . . . ($p < .001$).[324]

2. The basic design was the same as that of the first experiment. In eight runs of 16 trials each, one pair of experimenters ran the first half and another pair ran the second half of each run. The second pair was "blind" with respect to the target side and the outcome of the first half.

> Both halves of this series were significant in the expected direction . . . ($p < .024$ for first halves; $p = .015$ for second halves),[325] but only the second halves were significant . . . $p = .05$ [with another statistical method].[326]

The researchers reached the following conclusions:

> This second series of experiments seemed to indicate that the linger effect is not only a reality but may be a more reliable finding than the

main effect. Certainly it explains the failure of the subjects in our earlier research to achieve significant results in those runs in which a random side sequence was used rather than one side continuously.

Wells and Watkins then discuss anecdotal reports which may also be relevant. Felicia Parise, a gifted psychic and healer, psychokinetically deflected a compass needle which then remained offset even after she left the area. The needle appeared stuck and was not affected by a magnet or a steel knife.

> When, however, the compass was moved to a distance of approximately one meter away, it returned to North and became normally sensitive to the magnet and blade. When it was moved back, it again moved off North and appeared to lose its normal sensitivity to metal. It is of considerable interest that this effect also took about 30 minutes to decay, over which time the needle gradually moved back to North and gradually regained its sensitivity.

Other possible PK effects of a lingering nature on electronic equipment are also described.[327]

Discussion

A. We continue to see significant healing effects. Though these studies are reported very briefly, the meticulous report of Watkins and Watkins (reviewed above) suggests it is highly likely the other studies in this series were equally meticulously designed and run.

B. Again, scanty reporting mars otherwise apparently excellent studies.

Rating: III

The fact that the experimenters handling the mice appear to have known the purpose and design of the experiments introduces a possibility that experimenter effects might be demonstrated rather than a linger effect. It is also unclear whether subjects knew the experiment was being continued after their departure. Distant healing might still explain the so-called linger effect.

Further experiments could be conducted to ensure experimenters and subjects are blind concerning the existence of the second part of the experiment. Assuming the linger effect to be possible, experiments could be done to measure the area within which it appears to function.

Marilyn Schlitz

PK on living systems: further studies with anesthetized mice (Weiner, Debra H., *Journal of Parapsychology*, 1982; Schlitz, *Parapsychology Review*, 1982)

Debra Weiner reviews M. Schlitz's paper from the 1982 SERPA Conference:

An automated system was used. Pairs of mice were anesthetized and placed on a wooden platform. Under each mouse was a pair of photocells. Above each pair of photocells was a television camera interfaced to a PDP 11/20 computer and to television monitors, with one monitor located in the experimental room and the second situated 30 feet away in the subject's room. For each of the 60 trials, a random-number generator determined the experimental/control assignment for the animals. Subjects viewed the experimental mouse on the video monitor.

Subjects were instructed to use any strategy they wished in trying to make the experimental mouse awaken faster than the control. Arousal time was determined by the mouse moving sufficiently to expose both photocells and was recorded automatically by computer. Subjects received feedback for hits or misses (experimental mouse awakening first or second) at the end of each trial.

Hits and misses and time differences between arousal of experimental and control animals were examined statistically.[328] Each subject was treated as a separate series. There were a total of 168 usable trials (unusable trials having been excluded prior to analysis). . . .

Subject 1 obtained non-significant results on hits and misses, but significant differences in arousal times (p < .05).[329] The results of subject 2 approached but did not quite reach significance *in the opposite direction to that intended* (p < .08).[330] Subject 3 obtained non-significant results.

Discussion

A. Modestly significant positive healing results are evident.

B. It is reassuring to see persistent research in pursuit of ever refined methods and paradigms. Although these marginally significant results are encouraging, it would be useful to have further replications with this design.

A full report with raw data is still needed for independent analysis of the results. Rating: III

Methodological problems for assessing the waking times for pairs of anesthetized mice appear to have been solved by this last study, which yet again showed significant effects of healing in waking anesthetized mice.

This is one of the most impressive series of studies in the healing research literature. The meticulous attention to detail narrowed the possible explanations for the results to the point that it would be difficult to maintain a doubt that healing effects are demonstrated. One can state with confidence that healing can accelerate the wakening of mice from anesthesia.[331]

The experiments on anesthetized mice are summarized in Table 4-14. (See following page).

Table 4-14. *Healing effects on anesthetized mice*

RESEARCHERS	T/N/ D/V*	HEALERS	RESULTS	SIGNIFICANCE RATINGS
Watkins & Watkins	D	12 subjects (9 psychic)	1. Experimental mice & healers in one room; control mice in another room: sleep time hits*** 157/240	I p < .036 p < .01 - .001
			2. All in same room: sleep time hits 116/168	p < .001 p < .01

			3. Healers in one room, both mice in another room,
			    behind one-way mirror: sleep time
			    behind one-way mirror: hits 237/360
			    Overall results for experiments 1-3
				p < .001
				p < .001
				p < .00001

Wells & Klien	D	4 gifted	Per (3) above; 1 experimenter selecting mice,
			    other experimenters testing: sleep time
			                                     hits 110/192
				IV
				p < .02 - .05
				p < .05

Watkins, Watkins & Wells	D	2 gifted psychics	1. One way mirror, experimenters blind: half-series alternating sides of table, 15-30 minute breaks between halves	III p < .026
			2. Mice paired by similar waking times	p < .002
		Non-gifted	3. Believers in ESP vs non-believers. Confident vs non-confident	p < .05 p < .01

			4. Healer physiological parameters: GSR
			Increases in pulse; respiration; skeletal muscle
			    tension; female EKG T wave at end
			Decreases in pulse amplitude; male EKG T
			    wave at end
			Waking of paired mice
				NS**
				)
				)
				)
				) all significant
				p < .004

			5. Automatic timing of arousal	p < .00003
			6. Lag effect with random sides for 1/2-runs	p < .002 - .003
			7. Different experimenters for second 1/2-runs, automatic timing of arousal	p < .04 - .005

Wells & Watkins	N
	D
	(?)
			1. Sides randomly chosen, constant in runs:
			    First 1/2 - healers present
			    Second 1/2 - healers left building
				III
				p < .002
				p < .001

			2. Separate experimenters for each 1/2,
			second one blind to first - 1/2 side:
			    First 1/2 - healers present
			    Second 1/2 - healers left building
				III
				
				p < .024
				p < .015 - .05

Schlitz	D	3	TV monitors; random number generator for target choice; healer in remote room; arousal time by photo cells: Only 1 healer hit vs miss	III p < .05

*   T/N/D/V: Touch/Near/Distant/Vehicle   **NS: Non-Significant   ***hits   =   successful   trials

The studies of healing on animals demonstrate a spectrum of healing effects that could be helpful to humans. Hopefully it will be possible to do more studies to confirm in humans the benefits demonstrated in the studies on animals.

Grad and Cadoret showed that skin wounds in mice healed more quickly when the mice were given healing.

Grad's study of healing to slow down goiter growth suggests that healing may have beneficial effects upon hormonal processes. It also confirms that cotton may serve as a *vehicle* for healing.

Solfvin's study of healing effects in malarial mice is among the most interesting of all the healing studies. Because no one in the study had direct knowledge of which mice were designated for healing while healing effects were demonstrated, it would appear that super-psi may bring about confirmations of experimenters' expectancies.

The study of Baranger and Filer of materials that appear to retard the progression of malaria in chicks suggests that various materials may have inherent healing properties that apparently act through being near the animal in need of healing. It appears possible that an energy field around the given material may interact with the energy field of the animal. The alternative of an experimenter effect cannot be ruled out, particularly because no blinds were included in this study. The studies of healing for tumors in mice strongly suggest that healing may have a place in the treatment of cancers in humans.[332]

The series on healing for waking mice from anesthesia is one of the clearest in demonstrating significant healing effects. Consistent with these results are anecdotal reports of healers treating people prior to and during surgery, which indicate that less anesthesia (and other medications) may be needed.[333]

Hopefully it will be possible to do more studies to confirm in humans the benefits demonstrated in the studies on animals.

The reports on healing for anesthesia published in *Research in Parapsychology* (*RIP*) are brief and therefore leave them with a rating of "III." RIP is a conference summary from the annual meeting of the Parapsychological Association. Abstracts and papers reflect the discussions at the conference and editorial reviews, but do not undergo formal peer reviews. I am impressed by the thoroughness of the initial report of Watkins and Watkins and believe their subsequent work was equally meticulous.

HEALING ACTION ON PLANTS

Science is always wrong. It never solves a problem without creating ten more.
—George Bernard Shaw (1856–1950)

The effects of healing upon the growth of plants may be somewhat similar to the effects of healing upon humans, because plants are complex organisms. Plants are convenient, inexpensive, and easy to study because one can be reasonably certain of controlling the conditions to assure that healing is the only influencing variable. The rapid growth rates of plants also make it possible to conduct studies over brief periods of time.

Many excellent studies of healing on plants have been published. Some, which were not studied or reported with the same rigor as those in this chapter, are reviewed in the next.

Bernard Grad

Some biological effects of the "laying on of hands": a review of experiments with animals and plants (*Journal of the American Society for Psychical Research*, 1965)[334]

Barley seeds damaged by watering with one percent saline solution were divided into E and C groups. Saline was used to damage the plants so there would be a greater chance a healing effect would be evident. The healer could significantly lessen the subsequent retardant effect of the saline on plant growth by holding the beaker of saline with which the plants were initially watered ($p < .001$).[335][336]

The experiment was repeated three times, with results in the same direction: ($p < .05$) and ($p < .02$). The E group of plants were a darker green, suggesting higher chlorophyll content.

Discussion
A. Significant effects of healing on plants are demonstrated.

How the saline mediated the effects is a challenge for further research.

B. Grad's studies are carefully done and well controlled, with procedures and data reported in satisfactory detail. Significant results are demonstrated.

Rating: I

In addressing our second question, "How does healing work?" we gain important clues from studies which show that vehicles such as water can convey healing. How to interpret the clues is a challenge. What hypotheses can you suggest?

These significant experiments suggest to me that the healer transmitted healing by one of the following:

- *Influencing the chemical properties of the saline solution in a manner that mitigated its damaging effect on seeds.*
- *Affecting the saline in such a way that it had a positive effect which may have transferred as healing energy in the water.*
- *Making a link between himself and the seeds via the water and then acting by distant healing on the plants.*

It is unclear whether this is an example of a healing effect or a prevention of injury.[337]

Grad's speculation that healing increased the chlorophyll in plants led Dolores Krieger to hypothesize that healing might increase hemoglobin in humans. Her pioneering study of TT effects on hemoglobin was the first of a series on healing for humans.

Some healers are recognized for their unusually strong healing abilities. Early studies often focused on these healers because researchers had no other way to know who was a healer worthy of investigation and who might be a weak healer or even a charlatan.

The next report examines the healing abilities of three well-known, strong healers: Rev. John Scudder (J.S.), Dean Kraft (D.K.), and Olga Worrall (O.W.).

R.G. MacDonald, H.S. Dakin, and J.L. Hickman

Preliminary physical measurements of psychophysical effects associated with three alleged psychic healers (*Research in Parapsychology 1976*, 1977)

Under double-blind conditions, sterile saline in sealed bottles was treated by the healers, and was then used to water 16 identical sterile peat pots, each containing five rye grass seeds. An identical number of pots and seeds was watered with untreated saline. All pots were randomly distributed close together to ensure equivalent conditions of ambient air and sunlight. Following the initial watering with treated or untreated saline, each pot was daily watered with 15 ml. untreated distilled water.

The results of the experiment were as follows:

> With D.K., only data from days 9, 10 and 11 were analyzed. On the previous days the plant growth was too scarce for comparison, and on the following days the plants had grown so tall that the shoots began to break. Data from the plants treated by O.W. were analyzed only on days 15, 16, 17 and 18 for the same reasons. On some of the days analyzed, the total and mean heights of the plants treated by D.K. were significantly less than those of the control group: total height on day nine ($p < .05$); mean height day nine ($p < .02$); mean height day 10 ($p < .001$). The total and mean heights of the treated group were on the

average 15% and 17% less than the heights of the control group, respectively. There was no difference between the number of sprouted seeds in each pot on the three days analyzed.

The total and mean heights of O.W.'s experimental plants were sometimes significantly greater than those of the control group: total height day 15 (p < .05); total height day 16 (p < .05); mean height day 17 (p < .05); total height day 18 (p < .05). The total and mean heights of the treated group were on the average 27% and 18% greater than the heights of the control group, respectively. She had little influence on the number of sprouted seeds in each pot . . .

No significant differences were noted with plants of J.S.[338]

Discussion

A. The language and content of the report suggest the authors are skeptical regarding healing. Despite this, significant effects were found.

Kraft's negative results with plants warrant questioning of Kraft as to his attitudes towards plants.

B. The data are too scanty to permit independent judgment of these results, so any conclusions must be tentative. Rating: III

An occasional healer may develop rare and unusual abilities. Geoff Boltwood, an English healer, found that plant seeds would sprout in his hand if he gave them healing for just a couple of minutes. This following study examines Geoff Boltwood's ability to enhance the sprouting and growth of plants over a period of days.

Tony Scofield and David Hodges

Demonstration of a healing effect in the laboratory using a simple plant model (*Journal of the Society for Psychical Research,* 1991)

Scofield and Hodges, lecturers in animal physiology at Wye College, London University, studied the effects of healings by Geoff Boltwood on cress seeds. The seeds were stressed by soaking overnight in half saturated saline solution, which ordinarily lengthens the time required for germination. Six experiments were performed. In each, a number of seeds were placed in Boltwood's right hand after he washed and dried his hands. He held them either with or without the intent to heal, covering them with his other hand, for two minutes. Seeds were washed before and after his intervention. The seeds held by Boltwood were studied as the E group. C group seeds, identical in all other ways, were not held by Boltwood.

In each experiment, 120 seeds from each of the E and C treatments were selected and placed on damp filter paper, 15 seeds to each of eight covered plastic dishes. A regular pattern of placement permitted ready assessment of growth over

The normal appearance of a fully-hydrated seed, after soaking in either saline or distilled water. . . appears to be plump and smooth-surfaced and is surrounded by a well-developed mucilaginous coat. Details of the root, shoot and cotyledons are clearly visible through the seed coat. . . . After healing many of the seeds were dried up, closely resembling dry seeds from a freshly-opened packet; others retained a developed mucilaginous coat, whilst the remainder seemed to be partly, patchily dried. . .

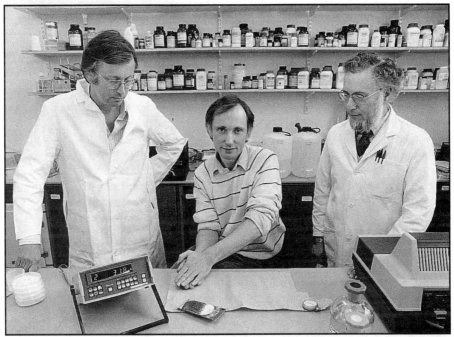

Figure 1-1.
Tony Scofield, Geoff Boltwood and David Hodges study the sprouting of cress seed, which may commence within minutes of a healing treatment.

Photographs by Barry Marsden

five to six days, until leaves were pressing against the dish covers. The 16 dishes were kept under controlled conditions. Assessments were made daily, using a nine-point rating scale, including half-point scorings. (See Table 4-15.)

Table 4-15. *Rating scale for seed planting*

0.	Dry seeds prior to soaking / stressing. Color dark brown.
1.	Seeds swollen to about three times original diameter, seed coat colored pale brown. Well- developed, transparent mucilaginous coat. Overall dimensions about 5 x 6 mm.
2.	Root swollen to the point where it splits the seed coat along its length and extends 0.5 - 1 mm beyond the end of the seed.
3.	Root about 2 - 3 mm long, turning downwards and splitting out of a surrounding sheath.
4.	Root about 4 - 6 mm long, or even longer. Root hairs developing.
5.	Pale green cotyledon leaves breaking out from the seed coat.*
6.	Shoot plus leaves fully released from the seed coat and beginning to grow upwards. Leaves tightly folded together and bent over in the form of a 'crook'.
7.	The stem has straightened out; the leaves are deep green but are still partly folder together.
8.	The seedling growing with the leaves well open.**
9.	Seedling leaves fully opened and growing in size.

*After Stage 5 the assessment concentrates upon shoot and leaf growth. However, the root continues to grow, often to a length of 3 - 4 cm.

**At about Stage 8 the upward growth of the seedlings was often impeded by the Petri dish lid. Because of this, assessments were not continued beyond Stage 9.

The average of ratings for the 15 seeds in each plate were used in calculations.

Careful blinds were instituted. The healing was supervised by Scofield, who took care to observe Boltwood constantly to prevent substitution of seeds. This would have been difficult in any case, as the wet seeds formed a sticky clump. Assessments were made by Hodges. A third experimenter randomized seeds and coded the plates.

In addition to the stressed, treated control, other control sets of seeds soaked in distilled water and others soaked in saline were run in parallel with the E sets. In some experiments Boltwood held the E seeds first, in others the C seeds first.

In a seventh experiment, water which was used to soak the seeds was held for two minutes, rather than treating the seeds directly. In a final experiment the entire procedure was filmed.

In the healing group, the seeds generally germinated quickly and then grew and developed steadily in a balanced way, such that an initial rapid root growth was followed by an even development of both root and shoot. By Day 5 the majority of seedlings in the healing group possessed cotyledons at Stage 8-9 and roots 3-4 cms long or even longer. . . the non-healing group was much more irregular both between separate seeds within a dish and between subsequent assessment days with individual seeds.

[A]bnormalities that manifested regularly in the stressed, non-healing group seeds, other than simply a slower rate of germination and development, were as follows:

1. Short stumpy roots. . . .
2. A difficulty in releasing cotyledons from the seed coats in some later-germinating seeds resulting in leaves. . . and sometimes roots. . . being trapped and even distorted.
3. Deep green cotyledons, blue- to purple-green rather than a true leaf-green, supported by a shortened shoot.

[D]ifficulties of assessment in the non-healing group resulted in a positive bias in favor of these seedlings.

[I]n the non-healing group in all the experiments there was a higher rate of infection.

The normal appearance of a fully-hydrated seed, after soaking in either saline or distilled water. . . appears to be plump and smooth-surfaced and is surrounded by a well-developed mucilaginous coat. Details of the root, shoot and cotyledons are clearly visible through the seed coat. . . After healing many of the seeds were dried up, closely resembling dry seeds from a freshly-opened packet; others retained a developed mucilaginous coat, while the remainder seemed to be partly, patchily dried . . . .

The rate of germination of treated seeds was often nearly double that of the control seeds. In Experiment 1 this reached statistical significance at $p < .05$; in the experiments 2-6, $p < .0001$ or less.

Unstressed seeds grew more rapidly and more robustly than stressed, healed seeds. Unstressed seeds which were given treatment germinated significantly more rapidly on the first day than unstressed, untreated seeds. Thereafter the differences were not significant.

Temperatures in Boltwood's hand were measured during two non-healing and two healing sessions. Variations were in the range of 2 degrees Celsius.

No significant results were noted in the filmed session.

In non-controlled demonstrations, Boltwood was able to markedly accelerate the germination of unstressed cress seeds by holding them in his hand for two to five minutes. Roots up to two centimeters and sometimes shoots with leaves appeared by the time he opened his hand. These would normally require 24 to 48 hours or longer.

Discussion
A. This study was rigorously run and the results significant. The finding that significant results were not obtained during videotaping has been reported in other psi studies and could be due to self-consciousness in the healer. The drying out of some of the seeds may be similar to the dessicating effects with fruit, fish, and meat reported by Cassoli and by Grad.[339]

B. This study was rigorously performed with the exception that seeds were not marked to preclude substitution by Boltwood with sleight-of-hand techniques. While significant results were found, the fact that no significant results were obtained when videotaping was introduced suggests caution in accepting the results. Rating: I

I have myself observed Boltwood sprouting cress seeds in his hand. I took care to watch that his hand was always in view from the time he opened it, empty, to grasp the seeds until he opened his hand again to show the sprouted seeds, and am convinced this is a genuine phenomenon.

In countries with unbroken traditions of healing, where industrialization and Western scientific views have not discouraged people from believing in healing, healers are accepted by the general populace as an important part of the health care system. It is helpful to have controlled studies of such healers in India to confirm that they can produce demonstrable healing effects, as in the following two reports.

Alok Saklani

Psi-ability in shamans of Garhwal Himalaya: preliminary tests (*Journal of the Society for Psychical Research,* 1988)

Saklani performed the following experiments:

Experiment 1: Saklani asked an Indian shaman to treat randomly selected wheat seeds by holding them in her hands for 45 seconds. Another experimenter planted E and C seeds in separate pots (coded A and B), and a third experimenter, blind to which were E and C, watered them for seven days with equal amounts of water. From the eighth day water treated by the healer for 20 seconds was used for the E plants by the experimenter who knew which were A and B plants but was blind to which were E or C and to which was the treated water. Growth was determined by measuring plant height to the longest leaf. ". . . the mean length of the treated group as compared to the control group was significantly greater ($p < .01$) on days 15 to 18, and of borderline significance ($p < .05$) on days 14 and 19."

Experiment 2: Saklani arranged for the same shaman to treat a group of randomly selected wheat seeds and a bottle of saline which was subsequently used to injure the seeds, per Grad's design. Untreated control seeds and saline were used for comparison. A second experimenter planted the seeds in pots labeled A and B and a third experimenter, blind to which were E and C seeds, watered them with the saline from bottles marked A and B. "The total number of seeds germinated per pot was. . . significantly greater in the treated group as compared to the control group ($p < .01$). Also, the number of plants per pot was significantly greater on day 12 ($p < .01$) and of borderline significance on days 7, nine and 11 ($p < .05$). . . ."[340]

Discussion

A. The results of these experiments suggest that, through influence either directly upon the seeds and/or on the water, the healer was able to enhance plant growth.

In personal communication, Saklani adds:

Two experiments. . . have shown that mere treatment of seeds does not influence growth of plants in E group significantly. Also, a third experiment showed that treatment of water alone (seeds not treated) influences growth of E group significantly. . . .

The latter findings contradict those in Scofield and Hodges.

B. Well-run and well-reported experiments. A healing effect is demonstrated. Rating: I

Alok Saklani

Psychokinetic effects on plant growth: further studies (*Research in Parapsychology 1989*, 1990)

In this series of experiments, Saklani studied wheat seeds which were undamaged by saline. Four experiments explored whether random variations in growth of two groups of plants might produce significant differences that could account for differences observed when healers treat plants. Saklani selected the seeds, divided them into packs of 50 each, coded them, and handed them to an assistant, who assigned them (by drawing lots) to pots filled with earth from the same source. All were given identical water and ambient light and temperature conditions in the laboratory. ("Light intensity measured at rim level on each pot was uniform.") Only plants germinating on the same initial day were considered. Plant height above earth was the only measure of growth. The first reading in each experiment was taken when plants reached a height of 5 to 6 cm. (Variations between experiments in *days elapsed till readings were taken* probably reflected seasonal differences in temperature.) A final reading was taken when plants began to bend and develop cracks.

Results:

Experiment 1: 200 seeds, Days 9, 19—Differences non-significant

Experiment 2: 200 seeds, Days 11, 17—Differences non-significant

Experiment 3: 1,200 seeds, Day 10—$p < .001$; Day 18—$p < .05$

Experiment 4: 1,200 seeds, Days 10, 15—Differences non-significant

In a fifth experiment, two shamans treated one pack of 300 seeds each by holding the sealed packs in their hands for 90 and 150 seconds, respectively, with the intent to influence them to grow better. These packs, along with three packs of untreated seeds (totaling 900 seeds), were coded as A and B and given to an experimenter. These were randomly assigned to 30 pots and treated as above.

On Day 7, both A and B had more growth than the controls (p < .001). [341] On Day 13, A showed more significant growth (p < .001) than B (p < .05) when each was compared with the controls. When the three controls were compared with each other, sample 1 showed significantly more growth than sample 3 (p < .05) on Day 7. All other comparisons of controls versus controls showed no significant differences.

Discussion

A. Experiment 3 produced significant results. Under the conditions of Experiment 5, the effects of the healers were more highly significant than the those found between two of the controls.

B. Experiment 3 and the control finding in Experiment 5 caution us against hasty conclusions in healing research. Some of the results obtained might be due to chance variations in the results rather than to the healer's influence. Although in one control-only experiment a significant difference (p < .001) was obtained, in Experiment 5 the control versus control difference was not as significant. One cannot compare with any confidence results obtained from separate experiments because there is a possibility that different conditions extraneous to healing produced the results.

As Saklani selected the seeds and sorted them by hand, it is possible that he produced the results by intuitive sorting of seeds into groups with better or worse growth potentials.

Studies by other researchers have included further measures, such as the numbers of plants germinating in each pot, days until initial germination, and root length. Inclusion of these data might have shed further light on what occurred in this experiment. Rating: I

It is quickly apparent that many variations on the theme of healing are practiced.[342] Some feel that a single thought may be enough to bring about healing. Others believe that special states of meditation or prayer are needed or that the qualities of one's awareness influence the healing.

In contrast with Grad's studies, in which healing appeared to lessen the damaging effects of saline, other experimenters use ordinary water treated by a healer as a vehicle for healing for E groups and water not given healing for C groups. Both methods can show healing effects.

Gerald F. Solfvin

Studies of the effects of mental healing and expectations on the growth of corn seedlings, (*European Journal of Parapsychology*, 1982b)

Solfvin performed six experiments of healing on the growth of corn seedlings using a healer and botany students who did not claim healing abilities. As with his study of malaria in mice (Solfvin 1982a), he included in the design false expectations. In this plant experiment he led the laboratory workers to believe that some of the seeds were damaged by immersion in saline and that some were normal, although in actuality all were damaged.

He made every effort to select seeds randomly and to see that conditions for each seed were as equal as possible. Seeds were hand-picked by the experimenter without looking at them and assigned in alternating fashion to damaged and (alleged) undamaged groups. A planter was used with individual cups which isolated each seed, while watering them by capillary action from a common pool of water below the cups. Experimental and control seeds were placed in randomized checkerboard fashion to minimize any possible positional bias for factors of which the experimenter might not have been aware. Seeds were carefully planted, ". . . assuring that they are the same depth (0.3 cm.) and orientation (pointed end down, longest cross-sectional axis parallel to the long dimension of the planter). The sand is leveled over the seeds, adding extra sand as needed. . . ."

No consistent significant effects were found, although occasional suggestive effects were noted.

Solfvin concludes that this model is so riddled with problems he does not recommend it for further studies. He suggests that mature plants might prove less problematic, and makes several further observations about variables which might need more careful controls.

Discussion

A. There may be a problem in the checkerboard fashion of distribution of E and C groups of seeds. This might make it difficult for a healer to focus attention on seeds to be healed as opposed to those to be ignored. Healing might mistakenly be directed toward the wrong seeds or leakage or scattering of healing energy might occur. In other studies healers objected to this design.

B. No effects of healing are demonstrated. Rating: I

Though not producing significant effects, this report is a model for the careful observations and reports required in plant experiments. Such reporting allows a reader to appreciate the details attended to by the experimenter and identify possible extraneous factors which might have influenced the results.

Solfvin himself noted that despite his best efforts to provide the same environment for each seed, some cups were drier than others, possibly because of variation in the tightness of the packing of the sand around the seeds.

Solfvin's randomization procedures may have been faulty. His methods could permit the experimenter to select seeds in non-random fashion via subtle sensory cues, clairsentience, or precognition. Such intuitive selection of seeds, rather than healer or expectancy effects, might account for some of the suggestive results he obtained. Solfvin noted that the weights of a particular group of seeds were heavier than those of the comparison group, supporting a possibility that some such selection bias could have occurred.

I disagree with Solfvin about the usefulness of the seed model for future study. I would recommend that:

1. Randomization be instituted with procedures less open to experimenter bias.
2. Larger numbers of seeds be used.
3. Seeds be planted in separate rows, at least, and perhaps better in separate trays, with proper alternation of their placement in the lab to ensure the randomization of extraneous factors.
4. Watering be done from above, with measured amounts of water for each tray.

Joseph Michael Wallack

Testing for a psychokinetic effect on plants: effect of a "laying-on" of hands on germinating corn seeds (*Psychological Reports*, 1984)

Journal abstract:

A possible psychokinetic effect on plants from the "laying-on" of hands of a self-claimed "psychic healer" was studied in three procedures. The healer treated a sealed petri dish containing germinating root growth-retarded corn seeds. In Procedure 1 randomly drawn corn seeds were pre-soaked for 12 hours in a 2 percent NaCl [salt] solution. Seeds were then randomly assigned to three prepared petri dishes: healing, control, and a control for the temperature of the healer's hands. Root growth was measured after 96 hours. Procedure 2 tested for a possible transitory "healing effect" following the same procedures as Procedure 1 but measuring the roots after 48 hours. In Procedure 3 the pre-soaking period of the corn seeds was reduced to 8 hours to test the possibility that the 12-hour pre-soaking period was too severe to allow a healing effect to be manifest . . . [statistical analyses[343]] yielded non-significant effects in all three experiments. Additional studies are needed to avoid a Type II error, i.e., to rule out possibility of a psychokinetic effect on plants by the "laying on" of hands.

Discussion

A. The author probably correctly speculates that further testing (especially observation) might provide different results and notes that root growth may not be the best measure for healing effects. Also, the soaking time and concentration of salt may be variables contributing to negative results.

Other plant experiments that measured growth for longer periods have shown better results, examining root, stem, and shoot length as well as dry and wet weights. The use of a limited number of plants (15/group) may also restrict the information garnered.

Wallack soaked his seeds in 2 percent saline, while Grad used 1 percent saline. The 2 percent saline may be a damaging threshold value beyond which no healing effects are obtainable.

Further descriptions of the healer would be welcome.

In particular, the experimenter's attitude to healing would be of interest, although by his quotation marks around key words one may assume him to be skeptical.

B. Though the experiment appears well designed, run, and reported, it is unduly brief to provide much evidence against healing. Rating: III

Anita M. Bush and Charles R. Geist

Geophysical variables and behavior: LXX. Testing electromagnetic explanations for a possible psychokinetic effect of therapeutic touch on germinating corn seed (*Psychological Reports*, 1992)

Bush and Geist explored whether an electromagnetic field (EMF) pulsating around the hands of a healer could account for healing influences on the growth of plants.

They note that: Plants ordinarily demonstrate "an inward flowing current in the growth region. . . ."[344] and minor shifts "in the transmembrane potential" may bring about significant changes in development or growth (Robertson et al.). Dose-response relationships have been found between applied EMF and development and growth.

Considering the healing model used by Grad and by Wallack,[345] in which seeds were damaged by soaking in saline solutions and then incubating them on pads watered with distilled water, Bush and Geist suggest that a flow of ions would be created across seed membranes. This would, in effect, establish a living "battery." Replicating Wallack's experimental design in a pilot study, Bush and Geist found that corn seeds injured with saline developed a current bias with a positive measurement at their rounded ends and a negative one at their pointed tips.

Enhanced plant growth in studies of psychic healing might be produced by magnetic field pulses. They cite research which showed that plant growth occurs "in the direction of decreasing magnetic field intensity" of externally applied fields (Andus 1960). They call this "magnetropism" and suggest that in a laying-on of hands an inhomogenous magnetic field might be the stimulus for plant growth.

They note that Wallack controlled for thermal effects from the healer's hands. They suggest that heat might not be the stimulus for plant growth because DC fields in the body parallel the temperature of the skin (Becker/ Selden) and could stimulate plant growth. As further support for this hypothesis they cite electrophysiological research showing that trained yogis who meditated for 24 minutes demonstrated increased skin resistance of 95 percent, from 130,000 ohms ten minutes prior to starting meditation to 254,000 ohms (Bagchi/Wenger). They suggest that any healing effect by Wallack's healer could have been effected through altered skin resistance, which would produce an inhomogenous magnetic field over the 24 minutes the healer held the seed samples.

Bush and Geist hypothesized that corn seeds injured by saline would not recover and grow better than control samples when treated by a healer.

Methods: Commercial seeds (Early Glow F1 Hybrid Sweetcorn from Nichols Garden Nursery, Albany, Oregon) were prepared following Wallack's methods. Seeds were randomly assigned to six culture dishes, each of which had 25 seeds placed on sterile gauze pads wet with distilled water. A linear placement of seeds was used to preclude counter-currents from the seeds which might neutralize any EMF effects. Seed dishes were assigned randomly to:

1. *Heat pulse* – Wallack's methods were replicated.

2. *Electric pulse* – Wires from a 1.5 volt battery were placed in contact with the gauze pad so that the EMF produced would be complementary to the biasing current naturally produced by the seeds themselves.

3. *Magnetic pulse* – The tips of a horseshoe magnet (nine ounces, six-inches) were put in contact with the gauze pad, again in a line complementing the seeds' natural current.

4. *Therapeutic Touch* – A registered nurse/massage therapist who had training and experience with TT gave healing to the closed dish of seeds for 30 minutes. The skin resistance in her palms was measured two minutes before starting treatment, demonstrating: conductivity 11.6 Siemens; resistance 0.086 ohms. Her left hand was negative, her right one positive.[346] After treating the plants her palmar skin conductivity was 18.5 Siemens; resistance 0.054 ohms. The voltage of the dipole characteristic of her two hands was unchanged.

5. *Naïve Touch* – A registered nurse with no training or experience in TT mimicked the TT healer's hand positions in holding the dish of seeds. Her hand skin measurements were: conductivity 15.4 Siemens; resistance 0.065 ohms; no dipole characteristic. After 30 minutes her palms showed: conductivity 17.3 Siemens; resistance 0.058 ohms; no dipole.

6. *No treatment.*

All conditions were applied simultaneously, and seeds were incubated replicating Wallack's methods. Dishes were not handled at 42 and 66 hours during assessments of germination and measurements of root length through the clear plastic cover.

No significant differences were noted at 42 hours. At 66 hours the heat-pulsed seeds (92 percent) showed significantly more sprouting than the TT group (76 percent; $p < .05$).[347] The TT group showed no increase in sprouting between 42 and 66 hours. The naïve touch group was the only one to show significant increase in sprouting between 42 and 66 hours ($p < .05$).[348]

Root length at 66 hours showed no significant differences between groups or individual pairs of groups.

The authors note that if EMFs provide the mechanism for healing effects, their experimental design might have inhibited influence of the very small fields involved in this study because the dishes remained covered during treatment. They suggest that different effects might be obtained if the healer is allowed to touch the seeds.

Discussion

A. The authors note that Wallack used a 2 percent saline solution to damage the seeds and obtained no healing effects, while Grad used a 1 percent solution and obtained significant effects. It is not clear why the authors chose to follow Wallack's methods if they were hoping to demonstrate a healing effect. It is also possible that the healer in this study was not particularly gifted or effective in healing.

While no effects of healing are demonstrated under the conditions of this experiment, the negative effects in this study cannot be taken as a general evidence of a lack of healing efficacy.

B. This carefully designed and well reported study shows no effects of healing. Rating: I

The electromagnetic hypothesis to explain effects of laying-on of hands healing appears worthy of further study.

Sandra Lenington

Effect of holy water on the growth of radish plants (*Psychological Reports*, 1979)

Journal summary:
> Mean growth of 12 radish seeds in peat pots watered with holy water were not significantly different from that of 12 watered with tap water.
>
> Plants were measured at three weeks' growth. Differences between groups of plants were not statistically significant, although the mean of those watered with holy water was slightly longer.

Discussion

This is too small a sample on which to base reasonable conclusions.[349] Rating IV

Alberto Barros et al.

Methodology for research on psychokinetic influence over the growth of plants (*Psi Comunicacion*, 1984)

Journal Abstract:
> A series of PK studies with plants as targets were conducted to show that this type of PK effect has a physical basis and is not a non-physical process. The following factors were controlled: 1. distance of target from subjects, assistants, and experimenters and 2. different persons planted the seeds of each target to avoid PK effects of specific planters. Some trials were done at a distance and with the Ss having no contact with the target, while in other trials Ss planted and influenced their own seeds. In general, more significant results were obtained with the group

without such contact. This is not presented as proof of the energetic nature of PK, but it is considered consistent with the concept.

Discussion

This translated summary is too brief for reasonable evaluation.

Without special comment, here are some more brief reviews of healing studies on plants.

Chris Nicholas

The effects of loving attention on plant growth (*New England Journal of Parapsychology*, 1977)

This study focused on influencing plants through thought. The experimenter sent loving, caring vibrations to one of two groups of 19 radish plants. Otherwise, both groups received similar physical treatment. Healing intent was applied for 15 to 20 minutes daily over 30 days. At the end of the study the weight and height of each plant were measured. The love group was significantly heavier than the ignored group (p < .02) but there was no significant difference in height between the groups.[350]

Discussion

A. Despite the small numbers of plants, an effect of healing seems evident.

B. This appears at first glance to be a carefully run experiment. Procedures are adequately described regarding weight measurements, though whether height was measured to include the roots or only the sprouts is not specified. However, no blinds are mentioned nor is randomization described either for selection of plants or in distribution between E and C groups. This leaves open a possibility of unconscious experimenter bias in distributing or measuring the plants.

Rating: IV

Mary Rose Barrington

Bean growth promotion pilot experiment (*Proceedings of the Society for Psychical Research*, 1982)

Matthew Manning, the noted British healer, was challenged to treat half of a group of mung beans to make them grow faster. "[F]our beans were placed in each compartment of ice cube containers, the compartment having been lined with two layers of white blotting paper." Manning was to have treated beans in randomly selected compartments, but he objected to this design. He was therefore given three entire trays to treat and three were kept as controls. Because of further problems only 48 beans were ultimately treated, with another 48 as controls. Appearance versus non-appearance of radicles and plumials within seven days was taken as the measure of success or failure.

Significantly more radicles and plumials were found in the promoted than in the control trays, (p <.02).[351] (See Table 4-16.)

Table 4-16. *Bean growth results*

	Succeeded	Failed	Total
Radicles promoted	42	6	48
Control	32	16	48
Plumial promoted	34	14	48
Control	21	27	48

In another experiment Manning was given a sample of beans in a sealed container and asked to retard their growth. "The retarded beans did slightly worse than the promoted, but better than the controls, in neither case to any significant degree."

Discussion
A. This experiment demonstrates healing effect on plants.

It would be interesting to know whether Manning has reservations about using healing to retard plant growth.
B. Procedures are too meagerly described to be certain these experiments were properly run. For instance, experimental and control samples were given to a third party for nurture and observation, presumably to ensure blinds, but Barrington does not specifically mention whether or not he was blind as to which tray was experimental and which control. Rating: III

The above studies of healing on plants relied on healers treating the plants directly or on using vehicles for healing such as water or saline solutions.

The plant experiments are summarized in Table 4-17. *(See following page).*

Table 4-17 *Healing effects on plants*

Subject of Healing	Researchers	T/N/ D/V*	Time	Healers	Results	Significance Ratings
Barley seeds	Grad 1965	T/V	15 mins	Estebany	Barley seeds, damaged by 1% saline solution; decreased damage with healing to the solution	I $p < .001$
					Repeated x 3 with careful blinds, sealed jars of water	$.05 < p < .02$
Rye grass	Macdonald, Hickman & Dakin	T/V	20 mins	Kraft	Seeds damaged by healer-treated saline Day 9: total height less than control 9: mean height less than control 10: mean height less than control	III $p < .05$ $p < .02$ $p < .001$
				Worral	Day 15: total height greater than control 16: total height greater than control 17: mean height greater than control 18: total height greater than control	$p < .05$ $p < .05$ $p < .05$ $p < .05$
Cress seeds	Scofield & Hodges	T	2 mins	Boltwood	1. 120 seeds saline-damaged vs undamaged seeds	I $p < .05$
					2-6. Repeat as in (1)	$p < .0001$
Wheat seeds	Saklani 1988	T	43 secs	Shaman	Treated seeds - mean length greater than control: Days 15 - 18 14, 19	I $p < .01$ $p < .05$
		T + T/V	30 secs		Total number germinating/ pot greater than control Mean length greater that control: Days 12 7, 9, 11	$p < .01$ $p < .01$ $p < .05$
	Saklani 1990	T secs	90, 150	2 shamans	Treated seeds of both shamans Mean length greater than controls: Day 7 Treated seeds of one shaman vs controls: Day 13 Control seeds, group 1 vs group 3: Day 7	I $p < .001$ $p < .001$ $p < .05$
Corn seeds	Solfvin	D	?	Healer	Checkerboard distribution	NS I
Corn seeds	Bush/Geist	N	30 min	T T	Heat pulsed vs TT at 66 hours MTT growth from 42-66 hours	$p < .05***$ I $p < .05$
Corn seeds	Wallach	N	30 min.	Healer	Saline 2% soaked seeds E vs C at 48, 96 hrs.	III NS
Radish seeds	Lenington	V	?	Holy-water	12 seeds	NS IV

Table 4-17 continued

Radish seeds	Nicholas	N	15 - 20 mins x 30 days	Nicholas	Weight treated greater than controls Height treated greater than controls	p < .02 NS**	IV
Mung beans	Barrington	T/N	?	Manning	More radicals and plumials vs controls by 7 days	p < .02	III

* T/N/D/V: Touch/Near/Distant/Vehicle   **NS: Non-Significant   ***Results opposite to healing expectation

The next study explores whether the psychological state of a person might influence plant growth.

Bernard Grad

The laying-on of hands: implications for psychotherapy, gentling and the placebo effect (*Journal of the American Society for Psychical Research*, 1967)

Grad examined the possibility that depression might produce a negative healing effect on the growth of plants. He postulated that if depressed people hold water which is then used to water plants, the plants might grow more slowly.

> A study was set up to test the effect on plant growth of the laying on of hands conducted by three individuals (not including O.E.) as compared with an untreated control. The three subjects included J.B., who had previously been used in the goiter experiment and who had a "green thumb"; a woman with a depressive neurotic reaction (R.H.); and a man with a psychotic depression (H.R.). The latter two subjects were patients in a psychiatric hospital.
>
> The hypothesis was that there is a direct relationship between the mood of the persons doing the treatment and the subsequent growth of plants watered by these untreated solutions. Thus, it was hypothesized that a solution held for 30 minutes in the hands of an individual in a confident mood would permit plants watered by this solution to grow at a faster rate than plants watered by identical solutions, but held for the same length of time by persons with a depressive illness or not held by anyone (the control group). The experiment also tested whether solutions held by depressed persons would inhibit plant growth relative to the control group.
>
> In essence the procedure consisted of having each person hold a sealed bottle of normal saline between his hands for 30 minutes. The solution was then poured on barley seeds embedded in soil which was then dried in an oven for 48 hours. Following this, the pots containing the seeds were removed from the oven and watered at suitable

intervals with tap water not treated by anyone. When the seedlings appeared above the soil their number was counted and their height measured. The determinations were continued until seedling growth reached a plateau, which occurred seven to nine days after they first appeared above the soil surface. The results obtained with the hand-treated and untreated saline solutions were then compared. The watering with saline, the subsequent drying, and the restricted watering with tap water were used as forms of experimental stress to the plants. This experiment was carried out under multi-blind conditions, the information necessary to identify the treatment of each potted plant being divided among five individuals.

Mean heights and yields of plants were measured.

The results showed that the seeds watered by the saline held by J.B. (who was in a confident mood at the time of hand-treatment on the saline) grew significantly [p < .02-.05] faster than those in the remaining three groups.[352] Thus, this part of the hypothesis was supported by the experimental data. However, the plants treated by R.H., who had a neurotic depression, had a slightly higher growth rate than that of the controls, and this was contrary to expectations.

This difference in the growth of the plants treated by the two depressed persons relative to the control group might be explicable as follows: The growth rate of R.H.'s plants was slower than that of the controls because he was agitated and depressed at the time he was holding the saline solution in his hands; in so doing, something associated with his depression might have been transferred to the solution, which then inhibited the growth of the barley seeds. He never inquired as to why he was given a bottle to hold, and therefore he was not told.

On the other hand, when H.R. was given a bottle of saline to hold for 30 minutes, she inquired as to the reason for the procedure, and when told, she responded with an expression of interest and a decided brightening of mood. Also, it was observed that she cradled the bottle in her lap as a mother would hold her child. Thus, the important fact for the purpose of the experiment was not what her psychiatric diagnosis was, but what her mood was at the time she was holding the bottle, and she did not appear to be depressed at that time. Therefore, the growth of the plants was not inhibited when watered with the solution she held at that time. In short, it would appear that a positive mood [in the person] holding the bottles favors a change in the solution which leads to a stimulation of cell growth compared with other solutions not held by anybody, or . . . by persons in a depressed state. Also, it would seem that [a person in] a negative mood such as depression, while holding the solution, results in an inhibition of cell growth when such cells are watered by these solutions. Further studies are indicated here.

Discussion

A. This study suggests that emotions may influence healings.

B. Data and statistics are presented adequately. However, in view of *green thumb* and *brown thumb*[353] people identified and demonstrated by Loehr,[354] Grad's research on single cases of depression are only hints, at best, of a possible connection between emotions and healing on plants. Grad may have had one green-thumb and one brown-thumb subject. Further clarification is needed. In either case, a healing effect is demonstrated. Rating: IV[355]

The next two studies focus on radionics. Radionics deals with the assessment and treatment of illness with the help of various devices with dials and calibrations (affectionately called "black boxes") designed to help the user tune into vibrational frequencies of the target. It is similar to dowsing in that the operator of the device is a part of the diagnostic/treating system. The device is probably a feedback mechanism that aids the user in applying her or his psi intuitive and healing abilities, though many radionics specialists insist the devices themselves have psi and healing powers.[356]

Radionics is a recognized and accepted relative of dowsing and healing in Britain. In America, the Food and Drug Administration takes strong exception to the use of these devices and has actively prosecuted radionics practitioners.

Edward W. Russell

Report on Radionics: Science of the Future, the Science Which Can Cure Where Orthodox Medicine Fails, 1973

Edward W. Russell presents a concise history of the development of radionics, along with descriptions of numerous experiments that demonstrate its efficacy. Summaries of two experiments (out of many which are sketchily described) follow:

Enhancement of plant growth with radionic treatments. Significantly increased yields were noted for potatoes. See Table 4-18.

Table 4-18. *Increases in potato yield with radionic treatment*

	Rate yield per acre	% Increase over check	% Increase over conventional spray
Check (no treatment)	340.3 bu.		
Conventional spray treatment*	394.7 bu.	15.9	
Radionic treatment	446.5 bu.	32.2	13.1

* Seven sprays during 1949 (1949—camp potato – Potter Co., Penna.)

Pest control in fields with various crops. The radionics device is tuned first to a particular field, usually by a photographic negative of that field. It is then tuned to vibrations noxious to pests infesting crops in that field. Counts are made of damaged plants in sample rows in the E field and in adjacent C plots. For example, an E plot of seed corn was radionically treated for a corn borer infestation. The C plot included 50 rows at the northern end of the field.

Six hundred individual plants were divided into E and C groupings and checked for incidence of European corn borers above the ear spike in each stalk
(See Table 4-19).

Table 4-19.
Pest control with radionic treatment (1950—Host plants: field and sweet corn. Insects: European corn borer, sweet corn borer—second brood)

Check plot			Radionically treated plot		
No. stalks	Direction	No. stalks infested	No. stalks	Direction	No. stalks infested
100	L.W.	19	100	L.W.	8
100	C.W.	21	100	C.W.	10
100	L.W.	21	100	L.W.	13
100	C.W.	25	100	C.W.	15
100	L.W.	24	100	L.W.	11
100	C.W.	22	100	C.W.	12
100	Totals	132	600	Totals	59

In 1950 four out of six trials were significantly positive in one year. In 1952 when the targets were Japanese beetles and European corn borers, 78,360 corn stalks were inspected on 81 farms, covering 1,420 acres. Significant results were obtained in 92 percent of the cases for Japanese beetles and 58 percent for European corn borers. In 1953, 13 out of 14 tests against European corn borers produced significant results.

Discussion
A. Significant effects of radionics healing are demonstrated.

If healers can protect seeds from chemical damage, enhance their growth and control plant pests, they may be able to help humans in similar fashion.
B. No blinds or randomization are mentioned in these experiments. However, the fields were planted by various farmers, so randomization may have occurred. This still leaves the possibility of experimenter bias in counting infested stalks. Statistical analyses are also lacking. Rating: IV

Healing to protect crops from insect pests could be a major contribution, not only to enhancing food production, but also to lessening the need for pesticides. If these experiments could be repeated and verified, radionics might provide methods for enhancing crop growth and for controlling pests without contaminating the environment. Both applications would be far less expensive than existing methods.

Robert Miller

The relationship between the energy state of water and its physical properties (research paper, undated, Ernest Holmes Research Center)

Robert Miller reports:

> Tests were conducted to determine the effect of energized water on the growth rate of rye grass. Exactly 25 rye grass seeds were placed in each of six plastic cups filled with potting soil. Holes were punched in the bottom of the cups and each cup was placed on a saucer. The seeds were watered by placing the water in the saucers. This permitted the water to reach the seeds at a uniform rate by capillary action.
>
> Two of the cups were watered every day with measured amounts (50 ml.) of Atlanta tap water, two with tap water which had been energized by an individual who could produce large changes in surface tension by the standard test, and two cups . . . with tap water . . . exposed for 16 hours to a horseshoe magnet having a field strength of 1500 gauss. At the end of four days eight percent of the seeds in the control cups had sprouted, 36 percent of the seeds in the cups watered with the subject-energized water had sprouted, and 68 percent sprouting occurred in the cups watered with the magnet-energized water.
>
> After eight days the length of each blade of grass was carefully measured. The average height of the control blades was 2.8 inches, the blades watered with the subject-energized water averaged 2.9 inches, and the grass blades watered with the magnet-energized water had an average length of 3.6 inches – 28.6 percent more than the control blades.

Discussion
A. An effect of healing on plants is demonstrated.
B. It seems that magnets impart to water the equivalent of a healing influence

in some instances stronger than the effects of a healer. This study adds to those of Smith and Edge with enzymes and magnets.[356]

Miller does name the healer. Perhaps the healer was not particularly potent or had an off day or was not gifted with a green thumb. We have no basis on which to assume all healers will be equally successful with plants, animals, and people.

No blinds were used, statistical analyses were not done, and data are not presented to permit independent assessment of the results. Rating: IV [357]

Chinese healers have studied effects of emitted qi on plants, as have healers in the West. A few reports are summarized here.

Fan Yiji, Hu Gang (Laboratory of Photocatalysis, Shanghai Teacher's University, Shanghai 200234), Qiu Yuzhen, Chai Jianyu (Shanghai Qigong Institute, Shanghai 200030)

A study of emitted Qi on the germination rate of rice seeds (from Sancier, 1991; *American Journal of Acupuncture*, 1991, Reprinted with permission)

The effects of Qi on the germination rates of rice seeds (*Japanese indica*) were determined by having a Qigong master hold a batch of dry rice seeds (100 seeds/batch) in the palm of his hand and emit Qi from his Laogong point [PC-8]. Two Qigong masters separately emitted Qi for 30 minutes to different batches of seeds for each of five periods during the day. . . .[358] Each procedure was repeated with three different batches of seeds. The treated seeds were germinated on a wet paper surface in the dark. After 36, 40 and 44 hours, the germination rates were determined by counting the number of sprouts. For controls, the germination rates were determined for 1. batches of seeds that were treated by individuals without Qigong experience who mimicked the Qigong master's actions and 2. seeds that did not receive Qi.

The results of germination rates for three batches of seeds treated by a given Qigong master in a given 30-minute period of time were averaged. For example, the percentages of seeds that germinated after 40 hours for the above five time periods were 56, 43, 43, 41 and 52, respectively, compared with the control value of 30. Similar results were obtained by the other Qigong master. An average reproducibility of 4 percent was obtained from the germination rate of seeds in the two types of controls. The results show that the percentages of seeds that germinated were generally greater for the Qi-treated seeds than for those of the controls, and. . . significantly greater germination rates occurred when the seeds had been Qi-treated in the time periods of 08:00 to 08:30 and 16:00 to 16:30.

Sancier's Comments:

The researchers conclude that greater propagation rates of rice seeds at certain periods of the day. . . indicate that a bio-clock plays a role in the quality of the Qi emitted by a Qigong master and/or the receptivity of the seeds. Another possible explanation for the bio-clock effect is that the universal energy is time dependent.

We refer to two other reports at the Shanghai symposium concerned with the effects of Qi on plants. In one, He Qingnian et al., reported that Qi sent to seedlings of *Amaranthus candatus L.* in the dark resulted in the synthesis of amaranthin, which gave a red color to 27 percent of the leaves of the seedlings. Without Qi and in the dark, the leaves of the seedlings did not develop red leaves; without Qi and in the light, 50 percent of the leaves developed a red color. Therefore in the dark, Qi appears to simulate the effects of light. In another study, Inosuke reported that emitted Qi increased the rate of seedlings growth by a factor of three compared to that of the controls without Qi.

These studies provide evidence that emitted Qi can affect plant growth. We believe that an understanding of the mechanism by which Qi stimulates seed germination and plant growth may lead to information on the mechanism by which Qigong and emitted Qi affects humans.

This is a translated study.

Gang Hu, I. Ji Fan, Yuzhen Qiu, Jianyu Chia; Laboratory of Catalysis, Shanghai Teacher's University, Shanghai, China; Qigong Institute, Shanghai, China

Biological effect of emitted qi with the biochronometer (3rd Nat Academic Conference on Qigong Science, Guangzhou, China, 1990; from Qigong Database of Sancier.)

The influences of qigong waiqi on germinating capacity of rice . . .[359] are different when the rice is exposed to qigong waiqi in different times from 8:00 to 16:00 o'clock. The germinating capacity tested is increased greatly at 8:00 and 16:00 o'clock but unchanged in the midday. We think that effects of qigong waiqi are controlled by biochronometer.

This is a translated study.

The greater effects of healing on plants at particular times of day is a fairly well-accepted phenomenon in several healing traditions, including those of China[360] and Russia.[361] Applied kinesiology and acupuncture are felt by some practitioners to be more effective in the treatment of disorders associated with particular meridians at particular times of day (Thie). One must wonder whether healings of humans and other organisms would also be more potent at particular times of day and whether this is due to factors in the healers or in the treated organisms.

The alteration of plant color in the dark in the Chinese study is echoed by an anecdotal report of Luther Burbank that a cactus grew surprisingly well when left in the dark in his nursery. Burbank was a famous American nurseryman who developed over 800 new varieties of plants at the turn of the century and appears to have had healing abilities (Benor 1988).

Most Western research on healing has focused on effects upon the whole organism or upon cells within the organism. In China there has been considerable exploration of effects of healing on elements within cells.

The next study examines positive and negative healing effects on chromosomes in pollen.

Sun Silu and Chun Tao; Weifang Medical College, Shandong Province, China

Biological effect of emitted qi with tradescantic paludosa micronuclear technique (*1st World Conference for Academic Exchange of Medical Qigong, Beijing, 1988;* from Qigong Database of Sancier)

> Scientific experiments have confirmed that emitted qi can be used to produce different effects on external objects, such as plants, human beings, etc. The emitted qi also has a special function in medical treatments. What is especially noteworthy is that it can be used to treat difficult cases and cancer.
>
> The . . .[362] technique established by Professor Ma Dehsiu of Western Illinois State University in the United States was used to determine that the qi emitted with the intention of protecting flowers will decrease the rate of appearance of micronuclei in the tetrads formed after meiosis of the pollen mother cells; and qi emitted with the intention of injuring the flowers will increase the rate of appearance of micronuclei in the tetrads.
>
> According to statistics there is a significant difference between the experimental group and the control group. The experiments show that the qi emitted under control of the mind has a bi-directional effect on the chromosomes of hereditary material. It may protect and also destroy.
>
> The protective effect provides theoretical evidence for using the emitted qi to prevent and treat cancer, and counteract the hereditary toxicity imposed on the body by radiotherapy and chemotherapy. It also

proves that the emitted qi has a marked protective effect on the hereditary material before and during the chromosome damage caused by chemotherapy. Therefore, when the emitted qi is used for medical treatment, the emphasis should be on prevention and early treatment. This paper also suggests that the appearance rate of micronuclei may serve as a measurement of intensity of the active factor, so it is possible to use the skill of tradescantic paludosa to determine the force of the emitted qi. The experiments show that the effect of the emitted qi is related to the mental activity of the qigong master. It can be said that the emitted qi has the properties of a mental message. This furthers the study of the nature of the emitted qi.

This is a translated study.

If plant chromosomes can be influenced by healing, it is possible that animal and human chromosomes could also respond. This could be a mechanism for healing of cancers, where the chromosomes develop in abnormal ways.

Though the foreign studies may lack rigor in design or details in reporting, they suggest a wide range of experiments that could further our understanding of how healing works.

A number of preliminary reports suggest that plants may have greater sentience than normally assumed in Western society. [363]

Effects of healing on plants are clearly demonstrated in this research. The use of water to convey healing effects challenges us even further in exploring the many ways in which healing works. Conventional scientific paradigms cannot explain these healing effects and therefore scientists tend to reject the evidence— rather than reexamine their paradigms.

What theories can you suggest?

My guess is that healing involves subtle biological energies that are palpable but that have not yet been fully understood. In addition, consciousness of healers and healees interact to influence healings.

HEALING ACTION ON
SINGLE-CELLED ORGANISMS

"Organic life, we are told, has developed gradually from the protozoon to the philosopher, and this development, we are assured, is indubitably an advance. Unfortunately it is the philosopher, not the protozoon, who gives us this assurance."

—Bertrand Russell (1872-1970)

This series of reports studies *movements* of living, single-celled organisms. Since they seem to represent telepathic instructions to the organisms to move in a particular direction, some may argue they don't belong here. However, they might represent psychokinetic influence over the organisms, actually moving them through the agency of mental powers.[364] Theoretically, they could be of assistance in immobilizing infesting parasites so that the body could more easily attack and eliminate them.

Nigel Richmond

Two series of PK tests on paramecia (*Journal of the Society for Psychical Research*, 1952)

Nigel Richmond reports:

The following experiments were designed to test whether an ability of PK exists which would influence the behavior of protozoa. Paramecia were chosen as suitable subjects for these tests because they are very common, are easily recognized, and usually swim about in random fashion . . . .The purpose of the experiments was to influence, by thought alone, the direction in which a chosen animalcule would swim during a selected period.

The method of assessing the success of each attempt, which was made under a low-power microscope (magnification x 75), was to divide the field of view of the microscope into four by cross wires in the eyepiece of the instrument. The attempt was timed by a stop-watch for a given period, and the quadrant containing the paramecium at the end of this time was noted. The quadrant into which the paramecium was to be willed was selected by turning up cards from an ordinary pack of playing cards, each suit indicating one of the 4 divisions.

A series of 794 experimental trials was run. A control series of 799 trials was conducted in which "no conscious effort was made to influence the paramecia and the card was not turned up until the end of the 15-second period."

Richmond adds:

> Although the field of view of the microscope is divided into four, the chance expectation is taken to be one-half. This is because I suspected that influence applied in one direction would sometimes have its effect in the diametrically opposite direction, according to the kind of mental work employed. The experimenter may either influence the paramecium according to his conscious will, or alternatively he may set up an unconscious resistance which will strengthen its direct opposite, in this case the equivalent of scoring in the diametrically opposite quadrant.
>
> As it was not possible to ensure that the thought process was controlled correctly, both the chosen quadrant and that diametrically opposite were, for assessment purposes, counted as targets, although during the experiment only the selected quadrant was treated as such. It should be remembered, however, that the experimenter was aware of a success in the opposite quadrant even though he would will towards the selected one.

A second series of 701 E and C trials was run, employing minor improvements in techniques. There were 444 successes in E trials (253 in the desired direction; 191 opposite). Richmond states his results are highly significant.[365]

Discussion

A. In the second experiment, where successful chosen-direction trials are tabulated, there was a significantly positive result of healing for that category alone.

B. The inclusion of "opposite-direction" movement with "chosen-direction" movement seems questionable. "Opposite" can be defined in any way convenient, and could actually include all non-chosen quadrants. Richmond does not provide comprehensive data to permit full evaluation of his results. No firm conclusions about healing can be drawn from this study. Rating: V

J. L. Randall

An attempt to detect psi effects with protozoa (*Journal of the Society for Psychical Research*, 1970)

J. L. Randall repeated Richmond's experiment, using *Stylonychia mytilus*, a protozoan similar to the paramecium.

> These creatures are in the habit of making sudden darting movements about the slide, and it was thought that they might be amenable to psi influences. The targets were [randomly] chosen . . . For convenience, the experiments were performed in runs of 20 trials, the mean chance expectation (M.C.E.) being five hits per run. Each run was followed by

a control run in which the cards were not turned up until the conclusion of the run.

. . . 560 trials were completed, of which half were controls. The direct hits amounted to a total of 72 on the "attempt" runs and 75 on the "controls" (M.C.E.=70). Richmond included hits in the opposite quadrant in his scoring, since he felt that PK could sometimes operate in the reverse direction to that intended. If this is done with the present data we have 146 for the "attempt" runs and 145 for the "controls" . . . There is thus no evidence for psi, either of the direct or reverse variety. The writer did not embark on these experiments in an attitude of disbelief; on the contrary, he fully expected to obtain positive confirmation of the Richmond effect, and was somewhat disappointed when he failed to do so. The fact that no such effect was detected does not necessarily prove that Richmond's results were faulty, since we know that psi effects are extraordinarily elusive; however, the work of any experimenter cannot be regarded as more than suggestive until it has been confirmed by others.

Discussion

A. Numerous questions remain: Does *Stylonychia Mytilus* respond differently from paramecia? Was Richmond more gifted with psi than Randall? Did other factors account for the disparity in results between the two studies?

Knowles also reports an attempted replication of Richmond's experiment with no positive results, though he does not provide details (1954).

It is a pleasure to find a researcher who mentions his attitudes and intentions, variables that may influence the results in a variety of ways.
B. Details of this study are adequately reported. No healing effects are demonstrated. Rating: I

Charles M. Pleass and N. Dean Dey

Using the doppler effect to study behavioral responses of motile algae to psi stimulus (*Parapsychological Association Papers*, 1985)

Pleass and Dey developed a highly sophisticated, mechanized, and computerized model for observing the motility of marine algae *Dunaliella tertiolecta* in laboratory test-tube culture. They used a light scattering spectrometer, which measured the velocity and vector (direction) of algae motion. They were able to calculate the speed of movement of algae with approximately one percent accuracy, taking up to 75 measurements per second. Data samples represent averages of 200 individual records of swimming speed. Fifty such measurements can be accumulated in 4 to 5 minute trials. The vertical axis was monitored because of the tendency of the microbes to move vertically in daily rhythms.

Participants were told "to be with the algae" during E periods compared with C periods. This was chosen rather than instructions to influence algae movement in specific directions because ". . . natural changes in the vectors of the microbes due to endogenous rhythms were sufficiently pronounced to make the result of a command such as 'go high' or 'swim faster' ambiguous." Calmness and relaxation of the participants, without ego involvement in the outcome, seemed to be very important in their success.

Great care was taken to insure that temperature, pH (acidity) of culture solutions, extraneous light, time in algal life cycle and laboratory sound and humidity levels were equal in E and C measurement periods.

In 251 trials with 18 subjects, the results were highly significant (p < .000000005).[366]

A second series was run, taking into account radio frequency shielding, more careful controls for ambient temperature, physical isolation of the vessel holding the microbes, and "control data taken from uninterrupted time series data acquired on a different occasion." Under these conditions, 118 trials with 14 participants did not reach significant levels (p < .059).

Pleass and Dey also ran experiments with the marine alga *Tetraselmis suecica*, where they measured the response of algae to the killing of a portion of the culture which had been removed from the main batch. Pilot trials produced significant results, while results of formal trials did not differ from chance.

The authors propose that the initial enthusiasm of participants who observe the ongoing experiment is an important element in producing significant effects in psi research.

Discussion

A. The very highly significant results in the first series suggests that microorganisms may be influenced to move in particular directions through intent. The non-significant effects in the second series might be explained by the decline effect, which has been noted in numerous psi studies. The authors' hypothesis appears reasonable. There could, in addition, be differences in susceptibility to psychic influence between various types of algae. Different environmental factors might also have played a part, as the experiments were run several months apart.[367]
B. While significant effects of healing are demonstrated, one must be cautious in accepting evidence that cannot be replicated. There is always the possibility that unrecognized, chance factors might have produced the positive results, though this seems improbable with such a high level of significance. Rating: I

The next study examines the ability of a healer to influence the movement of moth larva. Strictly speaking, it does not belong in this section on single-celled organisms. I placed it here because it could conceivably be relevant to healing used to treat parasitic infestations.

Louis Metta

Psychokinesis on Lepidopterous larvae (*Journal of Parapsychology,* 1972)

Journal abstract:

> The subjects in this exploratory experiment tried by PK to influence Lepidoptera larvae to crawl into specified sectors of an experimental box. The box was a petri dish provided with a hole in the cover through which the larva was dropped. The dish was placed on a background marked into 12 sectors. Half of the sectors were designated "good" and half, "wrong." The subject tried to influence the larva to go to the "good" sectors. There were two experimental subjects. Subject 1 obtained a significant negative deviation in his overall scoring (p < .012).[368] The negative effect was weakened by inconsistency in the individual run scores; of the four runs, run 2 was comparable in size but opposite in direction from the other three runs. Analysis which considers only size of deviation yielded p < .0006.[369] It appeared that this subject demonstrated a strong psi influence but could not control its direction. Subject 2 gave insignificant results.

Discussion

A. The importance of this significant study is that a subject could influence the larvae to move in a given direction.

B. Technically, the study is sound and produced significant results. Lack of raw data precludes proper assessment of the results. The fact that the movement was in a direction opposite to that intended is a problem if this mechanism is suggested as a manner in which healing could be effective with parasitic infestations. Rating: III

These studies demonstrate that healers can influence single-celled organisms (and possibly also moth larvae) to move in selected directions. A healer might inhibit the mobility of infection-bearing organisms, thereby assisting people's natural defenses against them.

Similar studies have been run on telepathic control of animal movement (with cats and rats).[370] I do not see such experiments as being directly relevant to healing except in demonstrating telepathy or PK with animals, which lends some credence to healers' reports that they are effective in diagnosing and healing animals.[371]

Experiments on the control of movement of organisms are summarized in Table 4-20.

Table 4-20 *Healing effects on movement of micro-organisms*

Subject of Healing	Researchers	T/N/ D/V*	Time	Healers	Results	Significance Ratings	
Paramecia	Richmond	N	15 secs	Richmond	1. 794 Experimental E vs 799 C: Motility measured in predicted and opposite directions 2. 701 E vs 701 C	All "Highly significant	V
Stylonychia Mytilus	Randall	N	?	Randall	280 E vs 280 C	NS**	I
Algae	Pleass & Dey	N mins	4-5	? 2.	1. Motility, speed influenced Second series	p < .0000 NS	I
Lepidoptera (moth) larvae	Metta	?	?	1 subject 1 subject	4 series: 3 significantly positive, 1 negative: Mean Negative series	p < .012 p < .0006 NS	III

* T/N/D/V: Touch/Near/Distant/Vehicle **NS: Non-Significant

HEALING ACTION ON BACTERIA

This affair must all be unraveled from within.
—Agatha Christie (1920)

Bacteria grow happily and harmlessly on the skin, mucous membranes and in the gut. The body seems able to get along with, ignore, or contain these potentially damaging parasites except when 1. particularly virulent bacteria gain entry to the body through wounds, breathing, or eating; 2. the body is weakened by malnutrition, toxins (for example smoking, pollutants, or drinking), or other diseases (for example influenza or AIDS); or 3. when chemotherapy or radiotherapy weaken the immune system. It has also been shown in recent years that the presence of a wide variety of bacteria, including some with potentials for producing illness, may be normal and even necessary for health.

A growing series of studies shows that growth of bacteria in the laboratory can be slowed by healing.

Carroll B. Nash

Psychokinetic control of bacterial growth (*Journal of the Society for Psychical Research*, 1982)

Journal abstract:

The experiment was conducted to determine whether the growth of the bacterium *Escherichia coli* can be psychokinetically accelerated and decelerated during a 24-hour period with subjects not known to be psychically gifted. Each of 60 subjects was tested in a single run consisting of a set of three tubes of bacterial culture to be growth-promoted, a set of three to be growth-inhibited, and a set of three to serve as controls. The growth was greater in the promoted tubes than in either the controls or the inhibited tubes . . . $p < .05$. Post hoc correlations between the three treatments for the 60 subjects yielded the following results . . . between promoted and inhibited tubes . . . $p < .001$ . . . between inhibited and control tubes . . . $p < .02$. Post hoc analyses showed that the inter subject variance in growth was 1. greater between the three treatments than within them . . . $p < .05$, and 2. greater in both the promoted and the inhibited tubes than in the controls, with $p < .01$ in each case.[372] The results are interpreted to indicate that bacterial growth was psychokinetically accelerated in some of the tubes intended for growth promotion and psychokinetically retarded in some of the tubes intended for growth inhibition.

Discussion

A. This study shows that healers can decrease and increase the growth of bacteria in the laboratory.

B. An excellent study, rigorously performed and adequately reported, confirming significant healing effects on bacterial growth. Rating: I

This study suggests yet another mechanism in answer to the question, "How does healing work?" Infectious diseases may be cured if healers can inhibit the growth of infectious agents. The mechanism itself is still a mystery. Perhaps it works via inhibition of bacterial enzyme activity, a hypothesis supported in the studies of healing on enzymes, later in this chapter. Other possibilities include alteration of cell membrane permeability and interference with cell nutrients.

It seems likely that if healers can decrease bacterial growth in the lab, they can also do it within living organisms. Likewise, if healers can increase bacterial growth in the lab, it appears likely they could increase the growth of helpful or harmless bacteria in the body. Whether they could do both simultaneously is explored in a later study by Carroll Nash.

It is particularly interesting that these non-healer college student subjects in Nash's study produced highly significant healing results.

My experience in teaching people to develop intuition and healing ability leads me to believe these potentials exist in most caring people. This echoes the experience of uncounted numbers of teachers and students of healing.

The next study evaluates the healing abilities of high school students.

William C. Leikam

A pilot study on the psychic influence of *E. Coli* bacteria (unpublished report), 1981

William Leikam trained 23 high school students "to enter light trance through a standard relaxation response." Using double-blind procedures, he studied their abilities to psychically influence the growth of *E. coli* bacteria.

Three sets of twelve test tubes containing bacteria were set up. One set served as a control, the second as a visual treatment set, and the third as a remote treatment set. Subjects were directed to look at the visual set. They did not know where the remote set was located, other than that it was somewhere in the science lab, about 50 meters away.

Each tube set was numbered from 1 to 36. Each tube was assigned to one subject, except where two were assigned to one subject. The control set was not assigned to anyone. Five students composed the visual group.

The period of healing was over four days. Every day, at the same time, a lab worker measured the growth in all 36 tubes with a Spectrometer 20 and recorded the results. "Taking into account the standard deviation of each set the calculations showed that in the remote set there was an increased growth over the control set of 3.2 percent, and in the visual set an increased growth of 7.5 percent over the control."

Leikam claims that the results were statistically significant, though he does not provide data to back this claim.

Discussion
A. The results appear to indicate healing can be taught.
B. It is unfortunate the report is so brief, precluding a clear assessment of results. It is also perplexing to read there were five students in the visual group but 12 tubes and that each tube was influenced by one student. No conclusions can be drawn from this study. Rating: III

The next study focuses again on the powerful healing abilities of the late Olga Worrall.[373] She was asked to help bacterial cultures to survive when they were poisoned with two types of antibiotics or with phenol.

Elizabeth B. Rauscher and Beverly B. Rubik

Human volitional effects on model bacterial system (*Psi Research*, 1983)

Elizabeth Rauscher and Beverly Rubik studied the effects of the laying-on of hands by the well-known healer Olga Worrall on the growth and motility of *Salmonella typhimurium* bacteria. Worrall held her hands near the bacteria for two minutes but did not touch them. The bacteria had been treated with chemicals to retard either their growth or their motility. Motility was measured under a microscope and growth of cultures with a spectrophotometer.

Results:
1. Motility was totally inhibited by phenol in the C sample after one to two minutes, while seven percent of the healer-treated samples remained motile after 12 minutes.
2. Healing treatments of bacteria growing in normal (untreated) cultures showed enhanced growth if the treatment was given in the bacterial life phase of active growth (mid-logarithmic growth phase). There was no difference between treated and control samples if healing was carried out in an earlier growth phase (lag phase). Rauscher and Rubik speculate that this could be explained in the following way:

> [I]n lag phase, conditions are optimal for growth, i.e., no bacterial wastes have accumulated; in logarithmic phase, the culture medium may be less than optimum, since bacterial wastes have accumulated. Thus, the difference in the results obtained between these two different experiments may be significant, indicating the possibility of an optimum state of health for bacteria beyond which healer intervention has little or no effect.

3. In bacteria inhibited with antibiotics a consistent dose-response effect was found. Healing produced a greater differential in the growth rate between E and C samples when the dose of antibiotics was lower. The aim of the healer was to protect the bacteria from the antibiotics.

4. To rule out warming of the cultures by the healer's hands as a factor in the results, a non-healer held test tubes of bacteria. No difference was noted between C and E samples.

5. An analysis of the results with different antibiotics may provide clues regarding mechanisms for healing.

> [T]he validity curve characteristics differ for the two different antibiotics. For tetracycline, at all times the healer-treated cultures have more bacterial survivors than controls, but for chloramphenicol, at small generation times the control cultures have apparently more bacterial survivors. Then, at large generation times in chloramphenicol, the healer-treated cultures have more bacterial survivors than controls. The chloramphenicol viability curves exhibit a "cross-over" effect that is not observed for the tetracycline viability curves. The specificity of these results assures that the phenomena are real and may lead to the elucidation of a mechanism of healer action on the bacteria in the presence of the antibiotics. Since both chloramphenicol and tetracycline inhibit protein synthesis (by somewhat different mechanisms, however), the cross-over effect is especially significant.

6. The researchers further explored possible mechanisms for healing.

> Several experiments conducted using bacteria in the presence of .05 M sodium nitrate, a chemical mutagen which attacks DNA and leads to mutant bacteria, were performed. Olga Worrall's treatment of cultures with mutagen led to a decrease in viability over control cultures. Healer treatment of cultures with mutagen and antibiotic present led to an enhancement of culture growth over controls, both for chloramphenicol and tetracycline treated samples.
>
> These results may be reconciled by the fact that mutagens have mostly a neutral or negative effect upon bacteria unless they are under stress to survive, as for example in the presence of antibiotic. Then, a mutagen may provide a possibility for generating resistance to the drug, by accelerated production of resistant mutants.
>
> From this limited data, it appears that Worrall's treatment accelerates the mutation rate of the bacteria in the presence of nitrite. However, a study was conducted to observe whether Worrall's treatment upon a methionine auxotroph [bacterial mutant unable to synthesize the amino acid methionine, necessary for growth] would lead to mutations enabling the strain to survive in the absence of methionine. No significant growth of this mutant was observed for the treated samples over controls. Thus, the simple explanation that the healer treatment accelerates the mutation rate seems insufficient. Further work is needed to clarify the role of mutability in the healer intervention process.

Discussion

A. These experiments begin to tease out possible mechanisms for aspects of the healing process.

B. Unfortunately, the published report lacks details of data, procedures, and statistical analyses to allow readers to evaluate the results independently. Neither blinds nor randomization are mentioned. Drawing more than very tentative conclusions from these experiments prior to their replication is premature. The variability of healer effects or other factors may have contributed significantly to the results in addition to (or rather than) the proposed differences in bacteria or antibiotics.[374]   Rating: IV

Phenol and the two types of antibiotics used to poison the bacteria act upon different aspects of bacterial metabolism. This may explain some of the different healing effects on the bacterial cultures which were poisoned with each of these chemicals. By expanding upon this sort of research, it may be possible to tease out biochemical processes that are sensitive to healing. This, in turn, might provide clues as to the nature of the biological energies that appear to be involved in healing.[375]

Worrall related in personal communication that she had been asked to kill bacteria as part of the previous experiment. She refused to do so, feeling that a negative use of healing on her part could have unknown consequences, possibly extending to negative effects on healees receiving distant healing from her.

The next study explores alteration of genetic processes as another possible mechanism for healing. Carroll Nash explored the possibility that healing might shift the rates of bacterial mutation. This is a logical possibility according to Stanford's conformance theory, which postulates that PK may work better on systems with elements in a state of random flux.[376] When cells are replicating, the genes in their chromosomes rearrange themselves in random fashion between the chromosome pairs.

Carroll B. Nash

Test of psychokinetic control of bacterial mutation (*Journal of the American Society for Psychical Research*, **1984**)

Journal abstract:

Three experimenters each tested 20 subjects not known to be psychically gifted. Because of procedural errors, results were obtained for only 52 subjects. Each subject was tested in a single run with a separate set of nine tubes of a mixed culture of lac-negative and lac-positive strains of *Escherichia coli* (bacteria). Mutation of lac-negative to lac-positive was mentally promoted in three of the tubes, mentally inhibited in three, and three of the tubes served as controls. The mutant ratio of lac-positive to total bacteria was greater in the promoted than in the inhibited tubes, with . . . $p < .005$; less in the inhibited tubes than in the controls, with . . . $p < .02$; and greater in the promoted tubes than in the controls, although not significantly so.[377] The results are interpreted to suggest that the rate of bacterial mutation was psychokinetically affected.

Careful blinds were instituted to preclude sensory awareness of lab workers to which tubes were selected for which conditions. One experimenter told the subjects to open the envelope instructing them on which tubes were particular target tubes after they left the laboratory, while the other two experimenters asked the subjects to open their envelopes in the laboratory. The latter subjects had greater success in promoting the mutant ratio, while the former performed better at inhibiting the mutant ratio in the appropriate tubes.

Nash points out that another explanation for the overall observed effects could be a differential in the growth rates of the two strains rather than in the mutation rates. The results are therefore only suggestive of a PK effect on bacterial mutation.

Discussion
A. A significant effect of healing is demonstrated on bacterial mutation or on selective growth and inhibition of bacteria in a mixed laboratory culture.

B. This is a carefully designed, executed, and reported experiment.[378] Rating: I

This study suggests how healing could help the body to fight off infection of pathogenic organisms and simultaneously to promote growth of benign organisms that normally grow in the body. Healing can selectively promote or inhibit bacterial mutation or growth.

If the effect of healing upon bacterial mutation is a real one, we begin to have evidence for a more profoundly potent healing mechanism. Healing might be able to alter the processes involved in DNA synthesis. This possibility is in fact supported by studies reviewed in the section on enzymes and DNA later in this chapter.

The experiments on bacteria are summarized in Table 4-21.

Healing was shown to slow the course of infections in animals. The studies in this section suggest that healing may act by slowing the growth of infecting organisms.

Table 4-21 *Healing effects on bacteria*

Subject of Healing	Researchers	T/N/ D/V*	Time	Healers	Results	Significance Ratings

Bacterial Growth *E. coli*	Nash 1982	D	?	60 subjects	9 test tubes each
					    3 to increase vs controls
					    vs decrease
					    3 to decrease vs controls
						I
						$p < .05$
						$p < .001$
						$p < .02$

	Leikam	N	?	23 students	Near: Increased 7.5% vs control Distant:Increased 3.2% vs control	? ? III

Salmonella typh- imurium	Rauscher & Rubik	T/N	2 mins	Olga Worrall	**1.** Phenol inhibition of motility
					    Healed: 93% inhibited in 12 mins
					    Control:100% inhibited in 2 mins
						IV
						?
						?

					2. Increased growth during active
					    (mid-log) growth phase
					No change in of growth during
					    inactive(lag) phase
						?
						
						?

					3. Protecting bacteria from
					    antibiotics (by dose)
					    Tetracycline 1 mcg:+121%
					                10 mcg:+28%
					    Chloramphenicol 10 mcg:+70%
					                100 mcg:+22%
						?
						?
						?
						?

					4. Non-healer hand-warmed controls: + 0	?

					5. Tetracycline
					    More survivors at all times
					
					Chloramphenicol: at small
					    generation times, C grow better;
					    at large generation times, E grow
					    better
						?
						
						?

					6. Sodium nitrate .05 M.
					    (mutagen attacking DNA)
					    decreases viability - 50%
					
					Sodium nitrate + antibiotic
					    increases growth:
					Tetracycline: + 50%
					Chloramphenicol: + 75%
						?
						
						?
						?

Bacteril mutation (growth?) *E. coli*	Nash 1984	D	?	52 ungifted volunteers	Promotion of mutation from lac negative to lac positive; inhibition of same; Controls: 3 test tubes each Promoted vs inhibited Inhibited vs controls Promoted vs controls	I $p < .005$ $p < .02$ NS**

* T/N/D/V: Touch/Near/Distant/Vehicle **NS: Non-Significant

Just as healing may have varying effects on different mammals, Chinese qigong studies show it may have varying effects on different bacteria (Z. Liu et al., 1993a).

HEALING ACTION ON YEASTS

Our ideas are only intellectual instruments which we use to cut into phenomena; we must change them when they have served their purpose, as we change a blunt lancet that we have used long enough.

—Claude Bernard (1865)

Yeasts, like bacteria, grow normally and harmlessly on the skin as well as in the gut and on mucous membranes. Yeasts may also infect the body and cause illness. When the natural balance of microorganisms in the body is altered by antibiotics that kill off normal bacteria in the gut or mucous membranes, a field is left open for the pathological growth of yeasts. Once yeast infections occur, anti-fungal medications and special diets may be required to eliminate them.

Reports of effects of healing upon yeasts closely parallel effects of healing upon bacteria.

Jean Barry

General and comparative study of the psychokinetic effect on a fungus culture (*Journal of Parapsychology*, 1968)

Journal abstract:
>The objective of this research was to discover the effect of thought on the growth of a fungus. The fungus was cultured in petri dishes in a laboratory incubator, each subject being assigned five experimental and five control dishes. At each session, the dishes were placed 1.5 meters from the subject, who tried for 15 minutes to inhibit the growth in the experimental dishes while disregarding the controls. The results were measured by outlining the boundaries of the colonies on thin paper, cutting them out, and weighing them. If the total of the experimental dishes was less than that of the controls, the trial was a hit.
>
>There were 10 subjects. Three to six subjects worked during a session, and there were nine sessions. Out of 39 trials, 33 were successes ($p < .001$). This success was consistent to an extra-chance degree: out of 11 subjects or combinations of subjects, 10 scored above chance ($p < .01$); and out of 194 experimental dishes, 151 were hits ($p < .001$).[379]

Discussion
A. A highly significant effect of healing on yeast growth from a distance of 1.5 meters is demonstrated. Barry gives us no clues as to the nature of healing employed.

B. This study appears sound. Significant effects of healing on yeast growth are demonstrated. Rating: I

In our pursuit of answers to the question, "Does healing work?" we must confirm beyond reasonable doubt the assertions of healers that they can heal at great distances. The next study adds evidence to support these claims.

William H. Tedder and Melissa L. Monty

Exploration of long distance PK: a conceptual replication of the influence on a biological system (*Research in Parapsychology 1980*, 1981)

Tedder and Monty studied effects of distant PK on the inhibition of growth of fungal cultures. One author handled the cultures and had no knowledge regarding the subjects or choice of experimental and control targets. The other organized the PK subjects. Two groups of subjects participated. The first consisted of people familiar to Tedder; the second were volunteers who at best infrequently interacted with him. All were shown pictures of the target location. All were told to concentrate on the cultures in any way they wanted for at least 15 minutes daily, from a distance of up to 15 miles.

> In examining overall results, group 1 had 16 hits and no misses, producing a highly significant p = .00003. . . [380] Collectively, the seven subjects produced a mean growth differential of -9.81 mm. per trial, or almost -2 mm. per dish over a total of 80 dishes. . . .[381] This was. . . highly significant. . . (p = .00006). . . Group 2 finished with four hits, eleven misses, and three ties over the two series (p = .08)[382]. . . while the mean growth was non-significant.

The authors note that subjects concentrated consciously for 15 minutes daily. Assuming that growth inhibition occurred only during those periods and knowing the normal fungal growth rate to be .65 mm per hour, this would not account for the observed growth inhibition of -1.96 mm per trial. This suggests that either inhibition continued unconsciously between periods of conscious effort or that the fungus was appreciably "affected" during the periods of conscious concentration by an unknown psi-induced mechanism and required a latency period before resuming a normal growth rate. Alteration of growth rate might have occurred by: extreme temperature change, enzyme degradation, chitin (cell wall) breakdown, and so forth.

The authors note that the second experimenter could conceivably have acted as the true agent in the PK effect. They express skepticism on this point because, if she were the agent, she would have had to use super-psi to identify the target cultures and then would have had to use her own PK to produce the observed results. The greater effectiveness of the first group may have been owing to greater rapport within the group or to an experimenter effect.

Discussion

A. This study demonstrates that distant healing can produce significant effects on yeast growth.

Aspects of the study require clarification. First, no mention is made of preclusion of approach by experimental subjects or by the second experimenter to the target area during the three days of fungal culture incubation. As the authors themselves note, unconscious PK may have been working during intervals between periods of conscious concentration. This places in question the magnitude of the distance effect under study, as one or more subjects may have at some time approached quite close to the target area.

Second, the authors assume that the first experimenter (in charge of culture handling) would have had to perform a difficult psi task, probably of impossible complexity, in order to act as agent for the observed effects. Solfvin (1982) demonstrated that PK of the complexity required for the second experimenter to be the PK agent is possible.[383] Alternatively, the agents may have used the first experimenter as an auxiliary (*proxy*) agent to themselves. That is, the distant agents may have telepathically directed the energies of the first experimenter to act locally on the cultures near her. Healers occasionally report they will do this, using friends, family, or chance observers as "proxies" or "surrogates" to relay or augment their own healing powers.[384]

B. Excellent study design, but again too scantily reported to permit independent analysis of the results. Rating: III

Erlendur Haraldsson and Thorstein Thorsteinsson

Psychokinetic effects on yeast: an exploration experiment (*Research in Parapsychology 1965*, 1966)

> Seven subjects were asked to increase the growth of yeast in a group of ten test tubes, without touching them. They were stored in the same place for 24 hours along with 10 control tubes. An experimenter who was "blind" regarding the experimental and control tubes measured yeast growth in a colorimeter. In 12 sessions, 240 test tubes were run, half E and half C. For purposes of analysis, each experimental tube was paired with a control tube used in the same session, and the yeast growth in the two tubes was compared.
>
> *Results* were significantly in favor of the experimental tubes ($p < .02$).[385]
>
> Three of the subjects were engaged in healing, two as mental healers and one as a physician. The bulk of the positive scoring was done by these subjects ($p = .00014$)[386] whereas the non-healers gave chance results.

Discussion

A. A significant effect of healing is demonstrated on yeast growth.

B. This report is too brief to permit proper evaluation.[387] It poses many questions: Were precautions taken to ensure similar temperature for control and experimental tubes? Were tubes paired randomly? What accuracy of measurement was achieved? What range of error in measurements existed? Rating: III

The finding that believers in psi effects (sheep) achieve better results than non-believers (goats) is common.[388] It is not unexpected that such effects should be found with healing,, as other studies of psi show similar results. For instance, believers in telepathy, clairvoyance, or precognition will produce significantly better results than chance, while disbelievers will produce significantly poorer results than chance.

This is why reports on the attitudes of the experimenters towards healing are important in interpreting experimental results, and why I have highlighted every reference to skepticism in these reports. If experimenters have positive or skeptical beliefs they could influence the results in line with their expectations.

In the next study, Grad explored the possibility that healers might be able to influence physiological processes in yeasts just as they are able to do in other organisms.

Bernard Grad

PK effects on fermentation of yeast (*Proceedings of the Parapsychological Association Meeting,* **1965**)

Grad reports:

> Eighteen bottles with sterile, vacuum-sealed five percent dextrose and normal saline solutions were arranged in six sets of three bottles per set. Five sets consisted of one bottle "treated" by a man, another by a woman, and the third was untreated. The sixth set, the control, consisted of three untreated bottles. Treatment involved holding the bottles between the hands for 30 minutes. Each set was investigated as a separate experiment on a different day. A multiple-blind system was devised for scoring the results. This not only kept the experimenters ignorant of which bottles were treatment and which were controls, but in five out of six sets, which were treated sets and which, controls. In each experiment, 20 milliliters (ml) from each bottle were placed in each of 16 randomly selected fermentation tubes to which five ml of 20 percent yeast in solutions of five percent dextrose and 20 ml saline were added, and the rate of carbon dioxide production was measured

eight times over the next five and a half to six hours. Statistically significant differences were observed in four out of five sets, three of these being significant to the level of $p < .0005$. In two cases, the differences were produced by female-treated solutions, and the third, by male. In the latter, 12 days elapsed between the time of treatment of the solution and its testing; in the other two cases, 5 and 23 days. The smallest difference in carbon dioxide production between the three bottles of any one set was observed in the control set.

Discussion

A. A highly significant effect was obtained, perhaps from a healing energy. The direction of the healing effect was not noted, but in personal communication, Grad clarified that it was an *increase* in carbon dioxide.

Again, information regarding subjects' objectives in conducting the experiment and also the experimenter's expectations would be worthwhile.
B. Insufficient data are presented in this brief report. Specific numbers and statistical methods are not provided for the summarized measurements.

Rating: III

Results of healing on human illness are difficult to study because of factors difficult or impossible to control, such as dietary, psychological, relational and environmental influences. Researchers have sought to develop simpler models of illness on which to base healing research. In the following study yeast cultures were poisoned and the healer was challenged to help the yeasts resist the toxic effects.

Harold B. Cahn and Noel Muscle

Toward standardization of "laying-on" of hands investigation (*Psychoenergetic Systems*, 1976)

The researchers describe a technique in which a culture of baker's yeast, *Saccharomyces cervesiae*, is poisoned with cyanide. This inhibits oxygen consumption and thus provides a system which a healer can influence. Measuring the volume of oxygen uptake with a manometer can provide feedback on healing effects within seconds.

Cahn and Muscle prescribe precise procedures for setting up this apparatus. In a pilot study with a female "psychic healer":

> The overall effect is clear: both the slope and cumulative ten-minute readings for the "hands on" interval is greater than for either the pre-run or post-run controls. Statistically, only the difference in cumulative uptake between the pre-run and "hands on" run is significant . . . ($p < .02$).[389]

Examination of the graph will reveal an interesting anomaly. The first four minutes of the post-run series is nearly identical with those of the "hands-on" series. Could this be due to a residual effect of "laying-on" of hands? . . .

Discussion
A. This report presents a method wherein immediate feedback of in-vivo effects of healing can be demonstrated. This could prove valuable in showing the effectiveness of healing; exploring further some of the biochemical mechanisms involved in healing; providing feedback to student healers; and testing whether someone has healing abilities.

For more on *residual* or *linger* effects of healing see studies on anesthetized mice, reviewed above.

B. Well-done study, but raw data again are not provided in sufficient detail.[390]
Rating: III

The experiments on yeasts and fungi are summarized in Table 4-22

Table 4-22. *Healing effects on fungus (yeasts)*

SUBJECT OF HEALING	RESEARCHERS	T/N/ D/V*	TIME	HEALERS	RESULTS	SIGNIFICANCE RATINGS
Fungus	Barry	N	15 mins	10 healers	5 dishes each - to decrease growth Decreased in 33 out of 39 trials Decreased by 10/11 subjects (some combined efforts) Decreased in 151/194 dishes	I $p < .001$ $p < .01$ $p < .001$
	Tedder & Monty	D	Mini-mum 5 - 15 mins/day	7 healers	2 sessions/week, 3 x/sessions, 5 cultures/trial Grp. 1 Familiar with researcher - 16/16 with 80 dishes, decreased almost 2 mm/dish Grp. 2 Unknown to or infrequent interactions with researchers - 4 hits; 11 misses; 3 ties	III $p < .00006$ $p < .08$
	Haraldsson & Thorsteinson	N	?	3 healers, 4 'others'	10 test tubes each, 12 sessions: Combined results Healers Non-healers	III $p < .02$ $p < .0004$ NS**
	Grad 1965	T/N/V	30 mins	2 healers	CO_2 production in 16 test tubes; 3/5 sets	III $p < .0005$
	Cahn & Muscle	T/N	10 mins	Healer	Oxygen production after cyanide poisoning of yeast culture: Rate increased with healing	III $p < .02$

*T/N/D/V: Touch/Near/Distant/Vehicle   **NS: Non-Significant

The next study examines whether psychotic people might have a negative effect on yeast via vehicles of water they have held.

Carrol B. Nash and Catherine S. Nash

Effect of paranormally conditioned solution on yeast fermentation (*Journal of Parapsychology*, 1967)

> Each of 19 psychotics held a separate sealed glass bottle containing an aqueous solution of dextrose and sodium chloride for 30 minutes. Six ml. of the solution in the bottle held by the psychotic was placed in each of 12 fermentation tubes, and six ml. of a similar solution in a control bottle (held by no one) was placed in each of 12 other fermentation tubes. To each of the 24 tubes, four ml. of a yeast suspension was added. The total amount of carbon dioxide produced in the 12 experimental tubes during an interval of approximately two hours was compared with the amount produced in the 12 control tubes.
>
> The bottles were divided into groups on the basis of how long after they were held by the psychotics they were tested, i.e., within two weeks and from two to six weeks. While the results are only marginally significant and have not been corrected for selection, they suggest the inhibition of yeast fermentation by a solution when held by psychotics, the deterrent effect of the solution lasting for approximately two weeks after being held.

Discussion

A. This brief report suggests many interesting possibilities. Assuming some legitimacy to the trend noted, one must look for answers to such questions as:

Can emotional states of humans affect life system processes in organisms outside themselves?

Can an aqueous solution of dextrose and sodium chloride be a vehicle for negative energy to bring about (1) above?

Are there agent-factors other than the participants' emotional state that could account for the results?[391]

B. This study presents insufficient detail. One would want to know exact numbers or units of measurements observed; specific statistics used and what the authors consider marginally significant; diagnoses of the psychotic people (schizophrenics vary widely in their symptomatology, and paranoids are quite different from schizoaffectives); information on the degree and nature of understanding and co-operation of the participants in the study; and attitudes and expectations of subjects and experimenters. Rating: III

People may have healing abilities without realizing it, as evidenced in the next report.

Savely Zhukoborsky (Savva)

An experimental approach to the study of psychic healing (*Parapsychology in the USSR, Part III*, 1981)

Savely Zhukoborsky, a Soviet engineer now living in the United States reports several experiments on healers performed in Leningrad in 1975-1977. Nina Kulagina, one of the healers studied, was highly gifted with a variety of PK abilities.

   Dr. Tonu Rikhovich Soidla at Leningrad State University discovered that some yeast cultures appeared to be sensitive to the influence of the hands of laboratory personnel who worked with petri dishes in which the yeasts were cultured.

> During the tests, the quantity of spores in the field of vision of the microscope was calculated. (As is known, yeasts propagate themselves in two ways—sporulation and mitosis.) The increase in quantity of spores due to the influence varied from 20 percent to 80 percent depending on the kind of culture and on the person who held the dishes in his hands. . . . I proposed to Dr. Soidla to conduct experiments with Kulagina using this culture to find out the kinetics of the influence. Twelve petri dishes were prepared. Three were used as controls, one was treated by Alexander Sh. (20 seconds), one by the author (20 seconds), and seven were treated by Kulagina during various periods of time—from 15 seconds to 1.5 minutes. A subject held a petri dish with the culture between his palms trying to exert some energy influence. Afterwards samples from all 12 dishes were analyzed by the usual method—calculating the average quantity of spores in the field of vision.
>
> Three control dishes showed 11 ± 3. The dish which was influenced by Alexander Sh. showed 18, and treated by the author—20.
>
> Kulagina's graphed results show a peak of 26 in 20 seconds, returning to baseline at 40 seconds, and slightly below baseline thereafter. The following conclusions were made:
>
> **a.** For the given yeast culture, which is notable for its high mutability, the effect of the bioenergy influence does exist.
>
> **b.** The optimal time of influence for Kulagina is 20 to 30 seconds.
>
> It was an impression that Kulagina's influence intensified both mechanisms of reproduction, although first sporulation increased more actively then mitosis. However, our methodology did not permit us to verify this assumption.

With another culture which had less mutability, in which verification of re-establishing the lysine synthesis function was attempted, the effect was not found.

Dr. Vladimir Yakovlevich Alexandrov of the Botanical Institute of the Academy of Sciences of the U.S.S.R. studied the recovery of bacterial and cell cultures after trauma of heat stress.

Before these tests, the laboratory studied the influence of a temperature shock (five-minute influence of temperature from 34 to 43 degrees C) on biological organisms *Chlamidomonas engamebas* and epidermal cells of *Tradiscentia flaminensis* leaves. As a result of the study, the time duration for re-establishing the moving activity of the organism after the temperature shock within the previously stated temperature limits was well known. The duration varied from 10 to 20 minutes when the samples had been subjected to a temperature of 34 degrees C, to 48 hours when the shock was produced by a temperature of 43 degrees C. When the higher temperature was applied, the moving activity was not re-established, and the organisms died.

The tests were conducted as follows: Samples of the organisms in water, subjected previously to a temperature shock under various temperatures, were divided into test and control samples. There were 20 test samples which were subjected to biofield influence by six individuals who possessed healing abilities.[392] The influence (with mental concentration or laying on of hands on a flask with the organisms) varied from 3 to 20 minutes. Afterwards the time of recuperation of test samples was recorded and compared to that of control samples.

Significant differences in time of recuperation between test and control samples were not found. The only surprising fact for physiologists was that both treated and control samples appeared to be resistant to a temperature of 46 degrees C, i.e., three degrees higher than was ever observed.

A few comments should be mentioned in relation to this negative result:

a. One cannot exclude that the temperature influence which causes direct denaturation of protein molecules, is not a typical (natural) case of disruption of physiological functions, and therefore, the human biofield appeared to be non-specific for intensifying the recuperative function.

b. The samples of organisms were located in a large amount of water which could prevent direct influence of the human biofield.

c. It is quite possible that the biofields of human beings and unicellular organisms do not interact with each other due to large homologous differences.

This is a translated study.

The use of yeast budding as a measure of healing effects is unique. Yeast budding has been extensively studied in connection with mitogenetic radiation.[393] It is unclear as yet just what this effect represents. The growth curve of Kulagina's effects on yeast buds can be interpreted in many ways. Excessive healing might conceivably create a negative effect, although this has not been reported clinically. Alternatively, the yeast culture may simply be exhausted from exceeding its capacity to reproduce without overextending certain metabolic processes or using up nutrients in the culture medium needed for growth and reproduction.

Again in these experiments it would be useful to know the intention of the healers in their activities. If Kulagina's purpose was primarily to increase budding, the implications could be different from those where she intended to heal or help the yeast, or where she was merely "turning on the healing energy."

Procedures in the second experiment are insufficiently described to evaluate the results. The survival of cell cultures in higher than usual temperatures during the experiment suggests that there may have been a general healing effect on all samples. (See the Snel experiment, this chapter, for comparison.)

Unfortunately, specific numbers are not provided in the summaries of these experiments for independent evaluation of the significance of the effects.

If the growth of yeasts in vitro can be slowed by healing, it is reasonable to believe that this could be true of the growth of yeasts causing infections in the body.

The fact that yeast growth may be increased in the laboratory may seem a cause for concern, lest the giving of healing might worsen a yeast infection. Two observations mitigate against this concern. First, the growth of yeasts in vitro was promoted by the healers' intent that they grow better. Second, healing given to humans with positive intent has not produced deleterious effects. Furthermore, healing might selectively promote the growth of benign yeasts which normally populate the body. These yeasts appear to prevent invasion by pathological yeasts.

It appears that healing may selectively influence the human target towards greater health while influencing the infecting organisms towards being eliminated.

HEALING ACTION ON CELLS
IN THE LABORATORY (*IN VITRO*)

*It is not a simple life to be a single cell, although I have
no right to say so, having been a single cell so long ago
myself that I have no memory at all of that stage of my
life.*

—Lewis Thomas

Cells can be studied as living units removed from the body. They also can be
grown in laboratory cultures, either suspended in liquid or on flat dishes of
chemical nutrients.

Several studies show that healing can influence cells in the laboratory. By
exploring how healing influences cells *in vitro*, it is possible to learn some of
the ways in which healing may influence cells in the body.

*Many healers are gifted with other psychic abilities. Matthew Manning is a
well-known English healer who had wildly uncontrollable psychic abilities
during his teenage years. For instance, fires would break out spontaneously
around him without his conscious intent (Manning 1974).*

*The fifth experiment with Manning in the series of Braud, Davis, and
Wood, is reviewed here in detail because of its focus on healing effects with
cells.*[394]

*Red blood cells (erythrocytes) can be stored for long periods of time if
kept in fluids of similar concentration to normal body fluids. If placed in
more dilute (hypotonic) solutions, water seeps into the cells in an attempt to
balance the pressures inside and outside. The cells then tend to swell and
rupture (hemolyze), spilling hemoglobin into the surrounding solution. The
hemoglobin then colors the solution and its concentration outside the cells
can be measured with a spectrophotometer. Matthew Manning was asked to
protect the cells from bursting.*

William Braud, Gary Davis, and Robert Wood

Experiments with Matthew Manning (*Journal of the Society for Psychical Research*, 1979)

Journal abstract:

> Five experiments are described in which Matthew Manning attempted
> to influence living target systems mentally and at a distance, i.e.,
> psychokinetically. Experiment 1 involved attempts to influence the
> locomotor activity of a gerbil in an activity wheel. Experiment 2
> involved attempts to influence the spatial orientation of an electric fish.

In Experiment 3, the physiological activity (GSR reactions) of another person served as the PK target. GSR activity was also the target in Experiment 4, but in this case, the activity had been pre-recorded; thus, the experiment involved "time-displaced" PK.[395]

In Experiment 5, Matthew Manning attempted to decrease the rate of haemolysis[396] of human erythrocytes [red blood cells] which were being stressed osmotically [by being placed in dilute saline].

The experiment consisted of 10 runs, scheduled on 10 successive days... Each run involved rate of haemolysis measures on 10 blood samples. Five of these were control samples and five were samples which M.M. attempted to influence so that haemolysis would be retarded . . . .[397]

During the five-minute period between measurements, the tube remained in the holder of the Spec 20. For control trials, M.M. rested and attempted not to think of the tube. For influence trials, M.M. placed his hands above but not touching the closed holder of the Spec 20 and attempted to decrease the rate of haemolysis of the tube's contents. The experimenter (W.B.) sat next to M.M., observed him constantly, and made the two readings for each tube. M.M. attempted to accomplish his goal by imagining the erythrocytes as intact and resistant to the hypotonic saline. Sometimes he mentally projected a "white light" around the cells. The sequence of the five control and five influence tubes was randomly determined by the order of 10 cards shuffled 20 times (as in the above experiments). This was the procedure for nine of the 10 runs. For these runs, since M.M. preferred to sit with his hands above the apparatus, the experimenter was aware of the nature of a trial and the measurement could not be performed blind. However, for Run 2, a different protocol was used. M.M. sat in a distant room and attempted to influence the tubes at a distance. The experimenter signaled the beginning and end of each influence and control period by ringing a bell. When M.M. heard one ring, he turned up a card from the deck of 10 cards that he had shuffled 20 times. If the card was blank, M.M. rested and tried not to think of the blood sample. If the card contained the word *Influence*, M.M. attempted to decrease the rate of haemolysis of the sample. When M.M. heard two rings of the bell (five minutes later) he stopped and rested until the next trial began. Under these conditions, the experimenter was able to make his measurements in a blind fashion, unaware of whether M.M. was attempting to influence the tube or not. At the end of the run, M.M. came into the experimenter's room with a copy of the trial (card) sequence which he had prepared before seeing the Spec 20 measurements.

The results were highly significant ($p < .00096$).[398] The test run with the most significant results was the one in which Manning sat apart from the experimenter.

The authors also briefly report on a study on Manning (which they observed first-hand) by Dr. John Kmetz of the Science Unlimited Research Foundation in San Antonio, Texas:

> Cervical cancer cells are cultured in specially prepared plastic flasks. "Healthy" cancer cells adhere to the plastic surface of the flask by means of an electrostatic force. Changes in metabolism, the injury, or the death of the cells disturbs their normal positive charge, causing them to lose their attraction to the negatively charged flask wall and to slough off into the surrounding fluid medium. Microscopic counts of the number of cells in the medium provide measures of the "state of health" of the cultures. M.M. was able to exert quite dramatic influences upon these cancer cell cultures, ranging in magnitude from 200 to 1,200 percent changes, compared with appropriate controls. Most of these effects followed M.M. "laying on of hands" on the experimental flask for a 20 min period…. However, strong effects also occurred when M.M. never touched the flasks, but attempted to influence the cultures at a distance, while confined in an electrically shielded room.

In one experiment with 38.02 percent deviation from chance statistical significance reached ($p < .00002$).

Discussion
A. The hemoglobin study suggests that cell membranes of the red blood cell may be strengthened through healing.
B. The studies by Braud et al. were well-run, adequately described, and highly significant. A healing effect is demonstrated. The study by Kmetz is tantalizingly interesting, but lacks sufficient detail for proper consideration.[399]
Rating: I

Matthew Manning was able to slow the rate of hemolysis (bursting) of the red blood cells.

Eventually, Manning abandoned his collaboration with researchers. He became bored and frustrated when the positive results he produced in various laboratories did not seem to convince the scientists that healing actually is a potent intervention. "They kept asking me to produce the same effects over and over again. We didn't seem to be getting anywhere."

It is important to establish whether healing is an ability possessed by only a gifted few or whether many—including people who make no claims to possess healing abilities—are able to produce the same effects. The next study, a replication of the previous one, adds evidence that the latter is likely.

William Braud

Distant mental influence on rate of haemolysis of human red blood cells
(*Research in Parapsychology 1988*, 1989)

Braud's abstract:
A formal investigation was conducted in order to determine whether a relatively large number of unselected subjects would be able to exert a distant mental influence upon the rate of haemolysis of human red blood cells. For each of 32 subjects, red blood cells in 20 tubes were submitted to osmotic stress (hypotonic saline). The subjects attempted to protect the cells in 10 of these tubes, using visualization and intention strategies; the remaining 10 tubes served as non-influence controls. For each tube, rate of haemolysis was measured photometrically over a one minute trial period. Subjects and experimenter were "blind" regarding critical aspects of the procedure, and subjects and tubes were located in separate rooms in order to eliminate conventional influences. Results indicated that a significantly greater number of subjects than would be expected on the basis of chance alone showed independently significant differences between their "protect" and "control" tubes ($p < 1.91 \times 10^{-5}$).[92] Overall, blood source (i.e., whether the influenced cells were the subject's own cells or those of another person) did not significantly influence the outcome, although there was a trend toward stronger hitting in the "own blood" condition. Additional analyses of the results were performed by SRI International researchers to determine whether the data were better described by remote action (causal) or by intuitive data sorting (informational) predictions; the results of those mathematical analyses were inconclusive. This research is presented in the context of methodologies for investigating a possible role of psi in self-healing.

Discussion
A. Again we have very highly significant confirmation of abilities of subjects claiming no healing gifts to influence a biological system. The inconclusive aspect of the study related to how the healing effect came about. Braud hoped to tease out whether there was a true healing effect or an experimenter effect by manipulation of the procedures.
B. This was a most carefully performed and meticulously described study. Significant healing effects are shown. Rating: I

Braud suggests that we must be cautious in interpreting such results. Control of hemolysis in the lab may differ from influence over hemolysis within the body, as body chemistry is far more complex.

Braud's studies of red blood cells show that the membranes which make up the walls (the "skins") of cells can be strengthened to withstand the physio-chemical stress of being placed in water that is more dilute than body fluids. Just how the cell membranes were able to do this was not clarified.

Cell membranes are extremely complex gateways and pumps for fluids and chemicals which enter and leave the cells. They carefully regulate the internal environments of cells, and actively promote or block the passage of nutrients moving in and wastes moving out so that a healthy environment is maintained inside the cell. If healing can enhance the activities of cell membranes, this would be an important way in which healing could facilitate states of health and illness within the body.

Red blood cells can be grown in laboratory cultures. Though this study summary is rather brief and somewhat technical, it appears tantalizingly interesting.

Jo A. Eckstein Straneva

Therapeutic Touch and In Vitro Erythropoiesis (doctoral dissertation, Indiana University School of Nursing, 1993)[92]

This study evaluated the effects of Therapeutic Touch (TT) on *erythropoiesis* (the formation of blood cells) in the laboratory. It was anticipated that with TT treatments there would be more rapid differentiation of cells as they grew, shown by enhanced formation of hemoglobin, more rapid maturation, and greater numbers of red blood cell colonies growing in the laboratory cultures.

Three TT healers and one mock healer gave treatments to the samples twice each day. Controls included simulated TT and no treatment.

Assessments were made on "eight burst forming units-erythroid (BFU-E) and eight colony forming units-erythroid (CFU-E) culture systems." Hemoglobin from the BFU-E cells was assessed by optical density instruments. The types and numbers of cells in the BFU-E cultures were counted under a microscope. The CFU-E colonies were counted using normal laboratory criteria. Normal subjects donated blood samples and each subject's samples were analyzed as an individual study.

Results: Out of 8 cultures treated with TT, 3 showed reduced hemoglobin, an effect opposite to that which was anticipated. In 8 studies, 5 revealed significant differences between the TT and the MTT and C groups, but "only half occurred in the direction hypothesized." The growth of more CFU-E colonies "was replicated no more than three times at any concentration of erythropoietin." The results are unexplained and require further study.

Discussion
A. Significant effects of TT on red blood cell growth are demonstrated in this study. The variability in direction of effects parallels the variability in hemoglobin levels noted by Wetzel when people received Reiki healing.
B. It is difficult to accept these findings as significant or valid when they occur in some instances in one direction and in other instances in the opposite direction. This brief summary is inadequate for full evaluation. Rating: III

It is puzzling to find healing sometimes enhancing blood cell growth and at other times decreasing growth. While skeptics will say that this invalidates the research, I believe the truth is just the opposite. Here are effects of healing which beg for further study and clarification.

One possibility is that there are factors such as sunspot activity which might have influenced this study if samples were run on different days. Sunspots have been found to influence protein reactions in the laboratory. Many other factors may influence healings. By studying these and other unexplained effects we will learn more about the nature and processes of healing effects.

Cancer cells lend themselves to scientific study because their aggressive ability to grow in the body also allows them to grow readily in the laboratory. The following study explores a gifted healer's abilities to slow the growth of cancer cells in the laboratory.

Frans Snel

PK influence on malignant cell growth (*Research Letter No. 10, Parapsychology Laboratory, University of Utrecht*, **1980**)

Frans Snel describes his methods:

> [A] psychic healer attempted to inhibit the growth of mouse leukemia cells in tissue culture, as compared to controls. One gifted subject was available and the experiment was designed around him. Three experiments were conducted using closely similar procedures.

Experiment 1. The gifted subject was asked to inhibit the growth of cancer cells, which were being incubated in an oven. The healer was never allowed closer than two meters from the samples but was given photographs of the bottles containing the cell cultures. He performed the healings (method and duration unspecified) from a distance of 15 kilometers.

Experiment 2. The same subject cooperated in this experiment. He did not come to the laboratory again. Instead he only received a photograph.

Experiment 3. "On this occasion we used all the available people in the laboratory as subjects (analysts, researchers, students). Generally they did not think it possible to influence the mitosis in this way, but they cooperated."

Experiment 4. "This was a replica of experiment 3. The subject was the natural healer again. He was to try to repeat the results of experiment 2."

An independent staff person measured cell concentrations in blind fashion. The results are shown in Table 4-23.

Table 4-23.
Snel experiments, numbers 2 - 4

Experiment	Percent difference target vs control	Mean difference cells/ml	Probability
2	+ 38.93	1946.3	p < .002
3	+ 27.51	780.3	p < .02 - .002
4	- 18.50	641.8	p < .02 - .002

All the bottles in the first experiment contained only dead cells, the targets as well as the controls. There was therefore nothing to count.

The results showed statistically significant differences between cultures remotely treated by a healer and C samples. However, in two of the three viable experiments (2 and 3), results were contrary to the intended direction.

Snel notes that methodological artifact is possible. Since the healer insisted on separation of E and C samples, each set was put on a different shelf in the incubator. In checks to determine whether this was significant, no differences were noted in temperature or humidity between upper and lower shelves. However, separate, "dummy" control runs in which bottles of cells were incubated on upper and lower shelves without healing interventions produced differences of 2.4 percent to 11.9 percent. Though these differences are clearly smaller than in E and C groups, a problem remains. All bottles showing greater values in experiments two to four were in higher compartments than the comparison bottles. This leaves room to question whether the observed differences were due to healer effects or to unknown factors associated with the oven that was used.

Discussion
A. The fact that much larger differences were obtained in experiments in which healing was involved suggests that some of the observed differences were a result of healing, rather than results of oven problems.

More subjective information on the healer might help us understand why he did not retard cancer cell growth in the second and third experiments and why he was successful in the fourth.
B. This is a meticulously performed and reported study with significant results. Despite these positive results, Snel indicated in personal communication (1992) he is now skeptical about the reality of healing because of repeatability problems. Rating: IV

If healing can inhibit the growth of cancer cells in the laboratory, there is reason to believe it could also do so within the body, adding a further possible answer to our original question, "How does healing work?"[400]

The next study explores healing effects on isolated nerve cells. Pacemaker cells in the giant marine snail, Aplysia californica, are similar to human nerve cells. At regular intervals they emit electrical action potentials at a steady rate.

S. Baumann, J. Lagle, and W. Roll

Preliminary results from the use of two novel detectors for psychokinesis (*Research in Parapsychology 1985*, 1986)

Piezoelectric crystals connected to charge amplifiers have been used to test PK abilities of subjects in psi experiments (Hasted 1982; Isaacs 1982). Two crystals were used, one as the ostensible target for PK and the other as a control (hidden from view). A third, shielded capacitor (also hidden) was employed to detect random "noise" from electric fields.

> Both detectors were mounted side by side on a laboratory-grade vibration-damping table to decrease mechanical artifact. Subjects were asked to perturb the firing rate of the pacemaker neurons so there would be a statistically significant difference between interval lengths during target and control periods, or to perturb the piezoelectric target crystal so detectable signals would appear on the stripchart record.
> Experiments were performed with seven individual subjects and two groups of subjects who attempted to influence the detectors, but preliminary analysis of the results has been completed on work done with only four subjects . . . .
> Experimental sessions with the pacemaker neurons were divided into target or control periods following an ABBA format in which either A or B was randomly selected as the target period.

Two different statistical methods were used for technical reasons to analyze the results.[401] Where results were similar, only one "p" value is mentioned.

Subject 1 (a parapsychologist): One out of three series with the pacemaker detector was significant ($p < .002$),[402] with an increase in firing rate of the neuron despite the subject's aim to decrease it.

Subject 2 (a trance medium who claims she can "channel energy through her hands"): One of two experiments with pacemaker cells was significant ($p < .01$).

Subject 3 (a woman claiming to channel energy through her hands): Her one experiment was significant ($p < .01$); ($p < .00006$). "The experiments on the piezoelectric detector were negative, although the same individual had apparently produced persistent, large-amplitude oscillations recorded on a prototype detector during pilot sessions two years earlier."

Subject 4 (". . . a teenage girl who had been the focus of ostensible RSPK activity for several months.") Four out of four experiments were significant:

Experiment 1:	$p < .01$;	$p < .000006$;
Experiment 2:	$p < .002$;	$p < .011$;
Experiment 3:	$p < .002$;	$p < .0000006$;
Experiment 4:	$p < .01$;	$p < .009$.

. . . The most striking instance of cell slowing occurred during a target period toward the end of the first experiment when the cell actually stopped firing for 23 seconds and then recovered, to continue emitting APs at its normal rate of about 1 Hz for another five minutes before it stopped firing altogether.

Subject 4 also attempted four experimental sessions with the piezoelectric detector. She sat on a stool about two to six feet in front of the detector, often with both hands resting quietly on her legs. Although none of the sessions produced any clear-cut effects isolated to the target channel, large-amplitude oscillations on both channels occurred when the subject attempted to affect the detector. No such oscillations ever occurred naturally, but we could replicate these effects by tapping in a certain orientation directly on the vibration-damping table. However, we have no evidence to indicate that the subject committed fraud during any of her time spent in our laboratory.

Subject 4 was also the source of over 30 incidents of putative RSPK[403] in the laboratory, most of which occurred between experimental sessions while the subject was attempting to stay "charged up" for the next experiment.

Discussion
A. Highly significant effects of healing on isolated nerve cells are demonstrated.
B. This study was well done and well reported. Significant healing effects are demonstrated. Rating: I

This simple research model is most productive. If healers can significantly influence the conduction rate of single cells in the laboratory they may be able to influence nerve cells in intact organisms. This would provide access to a human subject's nervous system whereby far-reaching alterations in psychophysiological processes could be produced. For instance, altering the rate of activity of parts of the brain could be a way to calm down a stressed person. The nervous system regulates many of the activities and functions of the body, including the muscles and all of the internal organs. Some of the nervous system influence is indirect, through its control of hormones. Hormones, in turn, regulate many aspects of body functions. Immune functions may also be influenced by neurohormonal processes.

It would be most interesting to extend this study to see whether the same effects could be obtained with distant healing. If not, then the influence on nerves might be through local energy field effects.[404]

The experiments on cells are summarized in Table 4-24.

Table 4-24 *Healing effects on cells in the laboratory*

Subject of Healing	Researchers	T/N/ D/V*	Time	Healers	Results	Significance Ratings
Red blood cells	Braud, Davis & Wood	9N; 1D	5 mins	Manning	Decreased rate of hemolysis 10 runs, 5 samples each	I p < .001
	Braud 1989	D	1 min	Unselected	32 volunteers each visualized protection to 10 tubes vs 10 controls	I p < .00002
Mouse leukemia	Snel 1980	N	?	Manning	**1.** Inhibiting growth: E and C – all	IV
		D	?		**2.** +39% E vs C	p < .002
		N	?	Many People	**3.** +27.5% E vs C	p < .02 - .002
		D		Manning	**4.** -18.5% E vs C	p < .02 - .002
Red blood cell growth	Straneva	N	?	3 TT 1 MTT	TT vs MTT vs no treatment 5/8 cultures TT vs MTT (enhanced & retarded growth)	III significant
Sanil pacemaker cells	Baumann, Lagle & Roll	N	?	Parapsy-chologist	**1.** 1/3 series: increased firing rate, despite intent to decrease it	I p < .002
				Healer	**2.** 1/2 series: decreased rate	p < .01
				Healer	**3.** 1 series: decreased rate	p < .01
				RSPK agent	**4.** 4/4 series: decreased rate	p < .01 - .002

*T/N/D/V: Touch/Near/Distant

Many Western healers will not deliberately focus healing energies to "negative" purposes. If they are treating a person, they are mentally focused on improving that person's health, not on killing the cancer within the person.

It appears that Chinese qigong healers do not hesitate to use what they term *negative qi energies*. We have much to learn from healers in other cultures. Here are a few brief samples from Chinese qigong healing studies on cells.

A study of effects of healing on protein synthesis (C. Chinhsiang et al. 1991) reports:

The results show that Peaceful Mind Qi increased the growth and respiration of cultured cells, whereas the protein synthesis rate was affected minimally. By contrast, Destroying Mind Qi decreased all of these biochemical reactions. The researchers suggest that Peaceful Mind Qi is accepted by the cells as a signal to stimulate the above cell functions. Destroying Mind Qi decreases the cell function rates by generating a large energy that results in changes of the cytoplasm fluidity, the nuclear matrix or the cell membrane.

We believe that this in-vitro study provides strong support for the reality of emitted qi and its potential for changing the metabolism of living cells. The dependence of the outcome on the intent of the qigong master has profound implications for medical qigong in clinical applications . . . . (Sancier, *American Journal of Acupuncture,* 1991, reprinted by permission)

In another study healers reported anecdotally that their treatments seem to enhance the effects of radiotherapy. One qigong study appears to offer early support for such claims (Q. Cao et al. 1993).

Several studies examine the microscopic effects of healing on cellular components within cancer cells (L. Feng et al. 1988; C. Yuantegn 1991). I know of no Western studies that explore this dimension of healing effects.

Nerve cells conduct electricity by transferring ions (atoms with positive and negative charges) across their cell membranes. One qigong study showed healing effects on sodium transport in nerve cells (A. Liu et al. 1993).

Healing produces significant effects on cells in the laboratory. This adds evidence that healing is effective and suggests that within the body healing may directly influence cells individually and collectively to improve health.

HEALING ACTION ON THE IMMUNE SYSTEM

It is a good morning exercise for a research scientist to discard a pet hypothesis every day before breakfast.
—Konrad Lorenz

Healers have hypothesized that a logical way in which healing ought to work is to strengthen the immune system. Several studies in humans explore this possibility.[405] The next series explores this hypothesis through laboratory studies of immune system cell cultures. These studies are highly technical and suffer as well from being translated research. All but the medically trained readers will probably prefer to skim between this point and the conclusion of this section.

The immune system includes several components. A variety of lymphocytes (white blood cells/WBCs) produce antibodies that chemically disable foreign materials in the body. WBCs engulf and dismantle foreign matter such as debris from normal physiological functions or injuries, or viral or bacterial invaders. Among these cellular defenders, the natural killer (NK) cells are particularly potent in attacking invading cells. T-cells are WBCs from the thymus gland (under the breast bone) which direct other WBCs in their defensive activities.

Antibodies are chemicals designed to neutralize specific invading organisms, toxins, or allergens. Numerous antibodies are produced by the immune system, including interleukin. These components of the immune system are examined in the next studies.

Ye Ming, Shen Jiaqi, Zhang Min, Wang Yao, Ahang Ruihua, and Wu Kiaohong; Shanghai Academy of Traditional Chinese Medicine and Materia Medica, Shanghai Qigong Institute, China

An in vitro study of the influences of emitted Qi on human peripheral blood lymphocytes (PBLs) and natural killer cells (NK cells) (from Sancier 1991; *American Journal of Acupuncture*, 1991; reprinted with permission)

Blood samples (1 ml) from human subjects were treated in three . . . ways:

    1. Stimulated by external Qi from a Qigong master who emitted Qi to 2 to 8 blood samples in test tubes at a distance of 30 cm for 30 minutes. The Qigong master emitted Qi from his Laogong point [PC-8] or Yintang point (at the forehead) [Ex-HN3].[406]

2. Placebo treatment by non-Qigong exercisers who imitated the observable actions of the Qigong master.

3. Control samples to which Qi was not emitted. Up to six Qigong masters participated in different aspects of the experiments. The following cell functions were measured: lymphocyte proliferation, Intrleukin2 (IL-2) production, Concanavalin-A (Con-A) induced T-suppressor function, and NK cell activity.

Blood analyses showed that emitted Qi had caused changes in the PBLs and NK cell functions. For example . . . Qi emitted by four different Qigong masters increased the proliferation of T-lymphocytes induced by hemagglutinin D (HLA-D) and phytohemaglutinin (PHA) by approximately 30 percent as compared to the results of the control group ($p < .05$). Emitted Qi also:

1. Increased IL-2 production by 51 percent ($p < .05$);

2. Increased NK cells function, as measured by release of 3H-TdR from K562 cells, by 20 percent ($p < .05$).

3. Decreased T-lymphocytes induced by Con-A by 20 percent ($p < .05$). The differences between the placebo and control groups were not significant.

Sancier's Comments:

The results show that Qi emitted by Qigong masters can increase the cellular immunity in cultured blood cells. While the mechanism is yet to be elucidated, the researchers suggest that external Qi influences the amount, distribution, sequence array and function of the enzymes or receptors on the cell membrane of T-Iymphocytes and NK cells. In turn, these changes affect the activity of the cells, the ability to recognize antigens, and DNA synthesis.

We observe that the emitted Qi affected all the functions of cell-mediated immune systems that were measured, not just one part of the system. Thus, the study offers a mechanism by which Qigong helps cure disease and promote health in a wholistic way. This study provides scientific support for the popular assertion that emitted Qi can significantly change the biochemistry associated with the immune system of humans and animals.

This is a translated study.

This study shows that healing may enhance the activities of various types of white blood cells and antibodies.

Lida Feng, Juqing Qian, and Shugine Chen, General Navy Hospital, Beijing

Research on reinforcing NK-cells to kill stomach carcinoma cells with waiqi (emitted qi) (3rd National Academy Conference on Qigong Science, Guangzhou, China, 1990; from Qigong Database of Sancier)

> NK cells, play. . . an immunosurveillance role in production, transplantation and virus infection of cancer. . .
>
> We have recently reported that qigong waiqi effects on killing cancer cells. To further reinforce the effect of qigong waiqi killing cancer cells, we isolated NK cell from the health's blood and immediately combined with qigong waiqi to kill adenocarcinoma cells of stomach cultivated out of the body using the density gradiential method.
>
> The result shows: that the killing rate of qigong waiqi effect on adenocarcinoma cells of stomach is 36.60%, the killing rate of NK cell's effect is 39.78%, the killing rate of combining effect of both qigong waiqi and NK cell is 81.61%. The difference is statistically remarkably significant ($p < .01$) between test group and control group.

This is a translated study.

This study shows that healing may enhance the ability of natural killer white blood cells to kill cancer cells.

These studies provide early support for the hypothesis that healing can enhance immune system activity.[407]

HEALING ACTION ON ENZYMES AND CHEMICALS

It is the theory which decides what we can believe.
—Albert Einstein (1971, p.63)

Enzymes are substances in the body which facilitate various metabolic processes. They are chemical ushers and matchmakers which help other chemicals to find each other, to interact and combine much more rapidly and smoothly than they would on their own.

Several studies show that healing can improve the rates at which enzymes work.

Justa M. Smith

Paranormal effects on enzyme activity (*Human Dimensions*, 1972)

Smith studied the effects of the laying-on of hands by a healer, Oscar Estebany,[408] on the enzymatic activity of trypsin under carefully controlled conditions.

> Solutions of trypsin (500 mg per ml in .001 N HCl, pH3) were divided into four aliquots; one was retained in the native state and will be referred to as the control; the second was treated by Mr. Estebany in the same fashion as he treats patients, this is, by the laying-on-of-hands (simply putting his hands around the stoppered glass flask containing the enzyme solution for a maximum of 75 minutes from which 3 ml portions were pipetted out after 15, 30, 45, and 60 minutes); the third was exposed to ultraviolet light at 2537 A, the most damaging wavelength for protein, for sufficient time to reduce the activity to 68 to 80%, and then treated by Mr. Estebany as above; the fourth was exposed to a high magnetic field (3,000-3,000 gauss) for hourly increments to three hours. Three to five activity measurements were made on each of the above samples for each time interval. The mean and standard deviation of the mean for each were calculated daily. Finally, a mean of the means and standard deviation over all the days were calculated for each sample and compared.

Enzyme activity was increased 10 percent over 75 minutes when Estebany carried out his laying-on of hands treatment.

Estebany's effect on the native enzyme and on the partially ultraviolet denatured enzyme is practically the same.

It is interesting to note that the qualitative effect of a high magnetic field and a paranormal "healer" are the same, and quantitatively similar up to one hour exposure.

Smith speculates on possible chemical mechanisms whereby the enzymatic activity is enhanced. She concludes:

Perhaps it is unrealistic to attempt to parallel too closely the magnetic field effects with the apparently similar effects of treatment by a paranormal "healer." While it has not been possible to explain the enhanced enzymic activity due to a magnetic field to everyone's satisfaction, this explanation must be sought in physical-chemical mechanisms. However, the result of treatment by a "healer" is not of the same nature. The healing activity might be more comparable to a "life force," or to a "psi field."

Smith repeated the experiment with three people who did not claim to have any healing power, and three who did. None had a positive effect on enzymes.

Mr. Estebany returned in the late fall of 1967 for a two-week period at Rosary Hill College campus in order to repeat the experiments. It should be noted that during his summer visit there was little college activity and a very tranquil atmosphere, with Mr. Estebany completely composed. However, in the fall it was not possible for him to live in a residential hall, and because of circumstances personal in nature, he was not at ease. As a result, in the same type of tests, he had no influence upon the enzymes. Therefore, it may be deduced that the ability of a healer depends upon his personal state of mind.

These results, together with those obtained with Mr. Estebany, would indicate that a person blessed with healing power can affect the enzyme trypsin by increasing its activity. Metabolically this increase in activity reflects a more rapid digestion of protein. It is possible that this effect could contribute to overall good health and to general therapy, since it helps provide the blood with amino acids necessary for growth and repair. But the question can now be asked whether a true healer can increase the activity of all enzymes and would this be desirable or useful in therapy?

It was in searching for an answer to this question that it was decided to introduce other enzyme systems into this research. Accordingly, enzymes with totally different types of reactions were chosen. NAD (nicotinamide-adenine dinucleotide) is necessary for the electron transport system to function in its internal anaerobic reaction to assist the metabolic production of ATP (adenosine tri phosphate), an energy releasing compound. However, the body tissues also contain NAD-ase, the enzyme which frees nicotinamide, adenosine phosphate, and protein, i.e., breaks up the necessary NAD into its components.

When the three psychics were asked to "treat" this enzyme, the results were a decrease in activity. This would appear to play a positive part in the art of healing, for it leaves more of the NAD intact to performin ATP formation.

The third enzyme used in this study was amylase-amylose, which involves carbohydrate metabolism. Amylose is a polysaccharide released from starch in plants when the protein coat is removed by heat. This polysaccharide is made up of glucose units which can be entirely broken down by the enzyme amylase. If the activity of this enzyme were increased by a healer, it would mean that the amylose was being broken down into glucose more rapidly than normal, which would trigger an increase in insulin secretion. This is the route to diabetes.

The source of the amylose was the psychics' own blood serum. It was thought that this source might be more "alive" than the other highly purified and processed enzymes used in this study.

The results of the psychics' ability to change the activity rate of this amylase was that none of them was able to affect anyone's amylose level, including his own. There is the possibility that the crude, unrefined amylase from the blood serum contained too many other factors that could have been affected and which were not being measured. There is the other possibility that the amylase-amylose system is balanced and a change in this balance in either direction is not involved nor conducive to healing.

Discussion

A. Smith demonstrated a healing effect on enzymes in the laboratory.

B. Though these studies were well run, Smith does not present statistical analyses. The trends as graphed in the report appear to be significant in the directions indicated, but a clearer statement of outcome significance is needed. Lacking this, it is impossible to assess the significance of these results.

Though this report does not mention temperature controls, Smith reassured me in personal correspondence that these were strictly maintained.

Smith assumes that Estebany's state of mind in the second study negatively influenced the results. This is clearly an educated guess rather than a demonstrated fact.

A number of replications would be necessary before one could begin to accept the validity of her report and conclusions. Her results may represent effects due to very different causes such as chance variations, differences between healers, expectations of healers concerning the "proper" direction for results, similar expectations on the part of the experimenter, and other causes. Rating: III

Enzymes are catalysts for enormous numbers of chemical reactions in the body. Without enzymes the chemical reactions required for life processes would proceed so slowly that life as we know it would be impossible. If healers can influence the action of enzymes in the lab, there is reason to believe they may enhance enzyme activity in the body of a living organism.

This could bring about healing by either hastening enzyme activity (as in wound healing, blood clotting, fighting invading infective agents), or slowing detrimental processes (as in growth of cancers, hormonal imbalances).

To accept Smith's speculations on reasons for her different results with various enzymes would be premature. Healers feel that a natural intelligence is inherent in the spiritual healing process, so that the healer does not have to know such disciplines as biochemistry or anatomy in order to bring about physiological changes. Smith's results are in line with this assumption.

Repeating experiments may seem a tedious and uninspiring task. It actually helps us gain confidence in healing effects, as in the next study on an enzyme.

Hoyt Edge

The effect of laying-on of hands on an enzyme: an attempted replication (*Research in Parapsychology 1979*, 1980)

Edge replicated Smith's study with the help of Anne Graham, a well-known Florida medium and healer. In five experiments using undamaged trypsin, only one produced significant results ($p < .05$). If data from the series are combined, significance reaches ($p < .01$).[409] In experiments with trypsin damaged by ultraviolet light, no significant results were found.

Trypsin held in magnetic fields of 1,300 gauss for 75 minutes was likewise not affected to a significant level.

Discussion
A. This study begins to confirm that healing may influence enzymes.

Edge mentions that conditions seemed unfavorable for the healer although details are not provided. Smith obtained positive results when more powerful magnetic fields were applied for twice the length of time used in this study.

B. Although this study supports Smith's findings of a healing effect on trypsin, it is too scantily reported, omitting details which would allow the reader to make an independent evaluation of the results. Rating: III

The similarity between effects of a healer and of very strong magnetic fields suggests that there may be overlaps in the mechanisms involved in these effects. However, electromagnetic measurements of healers during healing have not revealed electromagnetic field alterations except with the most sensitive magnetometers.[410]

Nerve cells communicate with each other by exchanging complex chemical messages in addition to their electrochemical messages. Glenn Rein studied healing effects on some of these neurotransmitters.

Glenn Rein

An exosomatic effect on neurotransmitter metabolism in mice: a pilot study (Presentation at 2nd International Conference of the Society for Psychical Research, Cambridge, England 1978)

Glen Rein studied the effects of non-contact (hands near mice) healing on the neurotransmitters dopamine (DA) and noradrenaline (NA) in the peripheral nervous systems of mice. Two healers "were asked to alter the impulse flow of the peripheral nerve which innervates the adrenal gland." Ten pairs of inbred mice were studied under double-blind conditions.

NA increased up to 130 percent in half of the animals (p <.05).

> In the remaining animals, NA levels either remained the same or were slightly decreased (approximately 10 percent) relative to the controls . . . DA levels also increased in the same five animals showing increased NA, reaching a similar maximum of 130 percent relative to controls. In the remaining animals the decreased DA levels observed (approximately 25 percent) paralleled the smaller decrease in NA (p < .04).
>
> For the combined effects there is a (p < .01).[411]

Rein suggests that individual animal variability in response to healing (of unspecified type) may account for the differences noted between responders and non-responders. Such individual variability in response to many types of treatments is common in animals and even in yeasts. Healer performance variability may also be a factor. For instance, one of the healers was menstruating during a particular study in which three-quarters of the animals demonstrated decreased neurotransmitter levels, an observation that has also been reported in some other psi studies (Schmitt/Stanford; Keane/Wells).

Discussion
A. Here we see that healing can influence enzymes in a living organism. It is surprising that others have not studied hormone responsiveness to healing. This would appear to be a fertile area for further work.
B. This is a well-controlled study with clearly significant results of healing. Rating: I

Glen Rein

A psychokinetic effect of neurotransmitter metabolism: alterations in the degradative enzyme monoamine oxidase (*Research in Parapsychology 1985*, 1986)

Rein's summary:
> Blood platelets isolated from healthy human volunteers were treated by Matthew Manning (a well-known British healer). These blood cells contain monoamine oxidase (MAO), an enzyme involved with metabolising certain functionally critical chemicals in the brain called neurotransmitters. Enzyme activity was measured before and after PK exposure in intact cells and in those which had been disrupted. For both preparations, activity of the enzyme either increased [9 trials], decreased [in 7 trials], or did not change [in 2 trials] relative to untreated blood cells—p < .001.[412] These results are the first to successfully demonstrate a PK effect on an enzyme in its natural environment using a physiological substrate at both the cellular and sub-cellular level. The results are discussed in reference to their physiological significance in regulating the amount of neurotransmitters in the nervous system, also known to respond to PK.
>
> Only five minutes' treatment was required.

Enzyme measurements were done on a blinded basis.

Discussion
A. This is an important pioneering study, well performed. MAO is an enzyme associated with neural transmission. Its function in the brain is to aid the degrading of certain chemicals which are active in the junctions between nerve cells. Activity of this enzyme has also been roughly correlated with depressive mood states.

B. Why PK should sometimes increase and at other times decrease MAO activity in the laboratory is unclear. Further research is needed to clarify whether this is a consistent finding. The possibility of laboratory error (highly unlikely to be of this magnitude) or extraneous factors influencing the system would have to be ruled out in replications of this study. Rating: I

Rein's studies suggest yet other mechanisms whereby a healing might occur in humans. If healing can influence the chemicals which nerve cells use to communicate with each other and with organs in the body, then healing may enhance the activity of the entire nervous system. Healing might also override the routine activities of the nervous system. This would allow healers to introduce new patterns of awareness and behavior, moving healees towards wellness.

Some antidepressant medications act by altering MAO activity in the brain. An alteration in MAO activity through healing could produce changes in nerve function or mood which are conducive to recovery from depression.

Healing might act by improving mood alone. This might explain why some healees report they feel better even when no objective improvements are noted by medical examiners.

The next study explores biochemical reactions with proteins found in muscles. It also explores whether healing influences can penetrate metal barriers. While it is highly technical, it gives the reader a sense of the complexities involved in research with enzymes.

David J. Muehsam, M. S. Markov, Patricia A. Muehsam, Arthur A. Pilla, Ronger Shen, and Yi Wu

Effects of qigong on cell-free myosin phosphorylation: preliminary experiments (*Subtle Energies*, 1994)

This study explored the effects of healing on the phosphorylation of myosin light chains [chemical reactions in muscle cells], involved in regulating contraction of smooth muscles (found in the digestive tract, arteries, etc.). Myosin light chain kinase (MLCK) is an enzyme that catalyzes the phosphorylation. Calcium bound to the protein calmodulin is required for the chemical reaction to proceed. "Calcium binds to calmodulin, causing a conformational change in calmodulin; the calcium-calmodulin complex then interacts with the inactive catalytic sub-unit MLCK to form a catalytically active holoenzyme complex; the kinase then proceeds to phosphorylate myosin light chain" (Asano/Stull). The rate of this process may be influenced by weak environmental range electromagnetic fields (EMF), as clarified prior to the healing study.

> In order to assess the effect of ambient (geomagnetic and environmental) magnetic fields, a specially designed shielding box (mu-metal),[413] allowed shielding of the exposure system and samples from any natural and extraneous time-varying and static magnetic fields . . .[414] Very small alterations in ambient DC magnetic fields can affect myosin phosphorylation.

In the study of healing effects on this enzyme system, the procedures were exactly the same as those for testing EMF effects. The healing samples were studied at precisely the same place in the laboratory as the EMF exposure samples. Ambient baseline fields were monitored, and no significant changes were observed during any group of healing treatments. Controls were measured immediately prior to or following qigong treatments. Healers were absent from the lab during control studies. For each treatment at least five repetitions of measurements were recorded in the scintillation counter and reports include mean deviations from controls.

The healers were two Soaring Crane Qigong masters, Ronger Shen and Yi Wu. They were asked to treat enzyme samples just as they would treat patients. No illness was specified as reference for their treatment and healers were free to direct healing as they felt appropriate. The reactions were started at a signal from the healers after the healers had prepared themselves for healing. They stood two to five feet from the samples during healings. The reaction was stopped after six minutes of healing.

Results: All qigong treatments produced significant reductions in myosin phosphorylation, with a mean reduction of 14.9 ± 0.8 percent ($p < .05$).[415] This compares with reductions produced by a 15 mT[416] change in ambient static magnetic fields. Healer Shen contributed three treatments, each producing significant myosin phosphorylation reductions, ranging from -10.1 ± 0.5 to -14.8 ± 0.7, with a mean of -12.0 ± 0.6 percent ($p < .05$). Healer Wu contributed six independent treatments, each with significant reductions, ranging from -8.5 ± 0.4 to -23.0 ± 1.2 with a mean of -16.3 ± 0.8 percent ($p < .05$).

> In one trial an increase in phosphorylation of 8.6 ± 0.4 percent ($p < .05$) was noted. Practitioner Shen indicated that she willfully caused this increase in response to the experimenter's previous observation that the practitioners had thus far always caused a reduction in phosphorylation. The trial that produced this increase was performed immediately after the experimenters had asked the qigong practitioners if they felt that the decreases observed thus far might be intrinsic to the practice.

In four trials with myosin samples inside the mu-metal box, one trial of each healer produced statistically significant phosphorylation reductions ($p < .05$), with an average of 10.5 ± 0.5 percent.

The authors observe that an electromagnetic component may be present in qigong treatments because the healing effects in the mu-metal shielding box were lower than they were without the shielding. "The mu-metal box provides shielding by 50 dB (to 0.1T from DC to 1MHz)." There is also the possibility that these reductions were due to suggestion.

Therapeutic applications involving EMF utilize EMF fields of comparable magnitude to those found to be effective in altering phosphorylation in this study. In addition to the strength of the EMF, the waveform at the tissue site may determine its potency (Pilla et al.). "These results suggest that for EMF therapy, and perhaps also for qigong, it may be the informational content of an interaction, rather than simply the magnitude of effects, that is decisive in the promotion of healing."

Discussion

A. Excellent study, well designed and well reported, with modestly significant healing effects on an enzyme.

B. Well designed and reported study, with significant effects of healing. However, any speculations on subtle energies must be supported by objective evidence, i.e., that such energies can be registered on an instrument. Rating: I

If any of the controls were run immediately after the healing trials, there is a likelihood that some of the healing effects lingered at the location of the measurements, thereby lowering the control trials as well—in line with the observations of Wells and Watkins (1974), reviewed in the section on healing effects on animals. These linger effects of healing and PK reportedly last about half an hour. If trials were done consecutively, with little time between trials, then the control measurements before the healing trials may also have been influenced by previous healing trials. The observed differences, measured as control figure minus healing figure, may thus have been smaller than actually produced by the healers.

The possibility of an electromagnetic component to healing might be clarified with mu-metal shielding and distant healing, where healers are not informed of this variable.

The enhancement of enzyme activity in muscles may explain one of the ways in which healing can help. Healers report that healing can relieve tired, painful, and injured muscles.[417]

The observation regarding the informational content in EMF emissions may be particularly helpful in sorting out how healing on and near the body can be effected by healers. There may be EMF or subtle energy emissions from healers, or interactions between the biological energy fields of healers and healees that convey healing information, analogous to the information carried in modulated radio waves. The ability of one of the healers to intentionally alter the direction of the effects of healing upon the enzyme system supports this possibility.

However, if healing can penetrate to influence enzymes shielded by mu-metal then it is unlikely that healing is conveyed by electromagnetic radiations. This would appear to support the contentions of healers that a subtle biological energy is involved in healing which differs from electromagnetic energy. Although no mechanical instrument has been found to record these apparent energies which can penetrate mu-metal, their effects are clearly evident upon biological systems. Healers and healees report they can be sensed during clinical healings.[418]

We await replications of this excellent study.

The experiments on enzymes are summarized in Table 4-25.

Table 4-25. *Healing effects on enzymes*

SUBJECT OF HEALING	RESEARCHERS	T/N/ D/V*	TIME	HEALERS	RESULTS	SIGNIFICANCE RATINGS
Trypsin	J. Smith	T/N	Up to 2 mins	Estebany	Activity increased 10% over 75 mins	III Significant (?)
Nicotinamide adenine dinucleotide		T / N			Activity decreased	
Amylase-		T / N			No effect	
Amylose			to 3 hrs	m a g n e t	3,000 - 13,000 gauss	Significant
Trypsin	Edge	T/N	?	Graham	1. Undamaged trypsin activity increased in one of five studies Combining results of 5 runs	III p < .05 p < .01
					2. Trypsin damaged by UV light	NS**
				magnet	3. Trypsin + magnetic field 1,300 gauss	3/6 runs Significant
Dopamine	Rein 1978	N	15 mins	2 healers	Increased up to 130% in 5 mice, Decreased down to 25% in 5 mice	I p < .01
Noradrenaline					Increased up to 130% in 5/10 mice	p < .05
Human platelet monoamine oxidase	Rein 1985 Rein 1985	T/N T/N	4-5 mins 4-5 mins	Manning Manning	Increased in 9 trials; Increased in 9 trials;	I p < .001
Free myosin phosphory- lation	Muehsam et al.	N	6 mins	2 qigong masters	Phosphorylation decreased Mean decreased 14.9	I p < .05

*T/N/D/V: Touch/Near/Distant/Vehicle   **NS: Non-Significant

Eastern European and Chinese healing research has published many studies on aspects of biochemistry which have yet to be addressed in the West. Only a few examples of these are reviewed here. [419]

Photons (minute units of energy) are emitted during biological processes. The following study measured photon emissions from human blood serum and how they were influenced by healers.

Andrzej F. Frydrychowski, Bozens Przyjemska, and Tadeusz Orlowski

An attempt to apply photon emission measurement in the selection of the most effective healer (Psychotronika, 1985)

The authors describe their experiments:

> Photon emission range of the sera of 10 endogenous depression patients varied from 100 to 300 puls/min. (Normal rate is 8-10,000 puls/min.)[420] Sera were later treated by two healers whose large biopoles were previously confirmed by laboratory investigations and clinical effects.
>
> Results of the treatment: Healer A—in four out of five cases photon emission increases reaching in one case 8,600 puls/min; Healer B—in three out of five cases photon emission increases reaching in two cases 7,600 and 8,100 puls/min. When healers A and B acted jointly on sera of two patients: in the case of one patient the puls/min. score was higher than that obtained by healers A and B acting separately and in the second patient considerably lower than that obtained by healers A and B acting separately.
>
> After these in vitro tests, healers A and B treated the patients themselves. Improvement of the clinical condition was achieved in these cases in which an increase in photon emission in vitro was observed. The health of 3 out of 10 patients was improved considerably and they were released from the hospital. For reasons of medical ethics it was decided not to check whether health deterioration would occur with those patients whose sera photon emission scores were reduced in in vitro tests.

This is a translated study.

Photon emission from serum is not sufficiently understood to say what it represents. It may be related to the serum's biochemical properties and possibly to states of health or illness. On an empirical basis alone, these methods seem to warrant further exploration. Whether they will be a help in assessing healing abilities in healers remains to be seen.

The implications of this study are far-reaching, should they be confirmed. It would appear that pairs of healers working together may strengthen or weaken healing effects. Most healers assume that the more healers working together the better the results will be.

Much time might be saved if laboratory procedures could be used as screening tests to predict who might benefit from healing.

Some enzymes facilitate carbon dioxide metabolism. The amount of carbon dioxide that is absorbed can be measured with a manometer (a long, calibrated glass tube). This provides a means for assessing the rate of yeast metabolism, as explored in the following study.

Herman K. Kief

A method for measuring PK ability with enzymes (*Research in Parapsychology 1972*, 1973)

Herman Kief very briefly describes a manometric method for measuring healing effects on an enzyme, carbondioxydeanhydratase.

> I chose this enzyme for two reasons: it can be obtained in a highly purified state and it gives a very standardized reaction velocity . . . .
>
> If we record a curve of the carbon dioxide absorption by the enzyme over time (which is very easily and very exactly measured by reading the manometers every five or ten minutes), we get an S-shaped curve which starts out flat, then rises sharply, and finally flattens out again. In the first part of the curve the enzyme is adapting and taking up molecules of its substrates. At the point where the curve begins to rise the reaction is started efficiently and the carbon dioxide is rapidly absorbed. At the point where the curve flattens out all the carbon dioxide in the closed system has been used and the reaction ends due to lack of substrate. The inclining portion of the curve is usually a straight line and makes a sharp angle with the time axis. This angle can be measured very exactly and is a good parameter of the reaction velocity.
>
> I did a PK experiment using this apparatus, in which a number of flask-manometer systems were randomly divided into two equal groups. All the flasks got exactly the same quantities of enzyme, substrate, activator, buffer, etc. Then one group was "treated" by a subject, while the other group was not. The "treatment" consisted of making "magnetic passes" over the flasks for about two minutes. In this pilot study there was no significant difference between the reaction velocities of treated and untreated enzymes.

This is a translated study.

Studying carbon dioxide metabolism is an interesting way to explore healing effects. This experimental design seems sound, but Kief does not provide sufficient details to permit independent assessment of his results.

The body has many enzymes to smooth and facilitate its biochemical processes. Healing seems to enhance the activity of some enzymes. If it can enhance the activity of all enzymes, this may be a mechanisms whereby it can improve health and facilitate recovery from injury and illness.

HEALING ACTION ON DNA

*We do not understand much of anything, from . . . the
"big bang," all the way down to the particles in the
atoms of a bacterial cell. We have a wilderness of
mystery to make our way through in the centuries ahead.*

— Lewis Thomas

Deoxyribonucleic acid (DNA) is a protein found in the chromosomes of cell
nucleii. DNA transmits hereditary information in all living organisms, both for
the individual's development, for maintaining organismic stability, and for
genetic continuity from one generation to another.[421]

The structure of this protein includes a pair of chains of nucleic acids
(nucleotides) which are wound around each other in a double helix. The chains
are held together by hydrogen bonds.

By studying DNA with ultraviolet (UV) spectroscopy, scientists can
identify its molecular composition. It is thus possible to observe changes in
DNA when it is treated with healing.

*The Institute of HeartMath has developed a method of mental focus which
brings about electrical coherence in heartbeats. The subjective awareness of
people in this state is a deep feeling of love. People who achieve this loving
awareness are able to project healing energies. The following study
demonstrated alterations of conformance (winding) of DNA in the laboratory
through their mental focus.[422]*

Glen Rein and Rollin McCraty

**Structural changes in water and DNA associated with new physiologically
measurable states (*Journal of Scientific Exploration*, 1995)**

. . . The present study reports on psychokinetic effects associated with. . .
Intentionality states. ECG monitoring was used to demonstrate when . . .
individuals were in the entrained state. At this point a sample of distilled
water in a sealed test tube was presented to the subjects. Five individuals
were used in this study. Subject LC was used in six repeat trials. The
remaining individuals were tested on either one or two occasions. A total
of 10 trials (different days) were conducted. While holding a beaker
containing the samples, subjects were asked to focus on the samples and
intentionally alter their molecular structure for five minutes. In an
adjacent room, control samples were . . . [measured] from the original
stock solution into identical test tubes.

Water samples were analyzed by two different methods immediately after treatment. The first technique involved measuring structural changes in the water using a computerized UV spectrophotometer with a kinetic program which allows sequential automated measurements (10 seconds apart) . . . . The spectrophotometer was programmed to measure the difference in absorbence values between 200 and 204nm sequentially for a 15-minute time period. The average absorbence value for the 15-minute period was calculated. Negative absorbence values indicate a higher number at 204nm compared with the value at 200nm.

The second technique involved studying the ability of the treated water to influence . . . conformational changes in human DNA . . . . DNA conformation was measured using a UV spectrophotometer from 210 to 310nm. Increased absorbence at 260nm is known to be due to denaturation (unwinding) of the two DNA strands. Absorbence measurements were taken before and after adding 20 ml of treated or control water to a 1.0ml aqueous solution of human placental DNA (20 mg/ml). Three treated samples and three control samples were tested to date. The results are expressed as a percent change in absorbency values at 260 nm.

Results from spectrographic analysis of water samples revealed an overall mean absorbence value of -.00160 ± .0009 for the controls and a mean of +.0039 ± .0044 for the treated samples . . . . [S]tatistical analysis . . . revealed a significant difference (. . . $p < .01$).[423] The results indicate that treated water shows higher absorbence values at 200nm compared with controls which have higher values at 204nm . . . .

Preliminary results from the DNA experiments indicated that control water caused a mean decrease in absorbence by 0.46 percent ± 0.36 in contrast to treated water which caused a 1.35 percent ± 0.61 decrease. The effect was marginally significant ($p < .05$ . . .) despite the small n. These results suggest that the water structured in the above experiments facilitates the spontaneous tendency of DNA to rewind (decrease absorbence) . . . .

Discussion

A. The effects of healing on water and of the healed water[424] in affecting DNA are significant findings. It appears that healing can influence the winding and unwinding of DNA chains.

B. The lack of clarity regarding the numbers of subjects in the trials and the lack of raw data leave the reader without the means to validate the report. Rating: III

Glen Rein and Rollin McCraty

DNA as a detector of subtle energies (*Proceedings of the 4th Annual Conference of the International Society for the Study of Subtle Energy and Energy Medicine, Boulder, Colorado,* **1994)**

1. Subtle energy/information (SEI) generated by human subjects
. . . The first category of experiments involved measuring the ability of healers and individuals generating coherent heart frequencies to influence DNA at a distance of either one mile or one foot . . . .In some experiments ECG measurements were taken during the experiment to correlate ECG coherence with changes in the DNA. Individuals capable of generating coherent heart frequencies focused their attention on the DNA samples which were either placed in a beaker in front of them (local experiments) or placed on a designated laboratory bench top (long distance experiments). Subjects were asked to focus on winding or unwinding the two DNA strands which make up its double helix conformation. All DNA samples were obtained from the same stock solution (distilled water) and . . . [measured] in equal volumes into glass test tubes which were sealed during the experiment. Control experiments were conducted using the same procedure except no intentionality was directed to the DNA samples. The experiments were done blind in that the experimenter was unaware in a given experimental run whether SEI was being intentionally directed at the DNA or the nature of the specific intention. Conformational changes in the DNA were measured before and after exposure to SEI using a UV spectrophotometer. Measurements were taken immediately after and two hours after the exposure. Results were calculated as a percent change in absorbence at 260 mm relative to the before value.

The results for both the local and long-distance effects were statistically significant. The mean two-hour value for the 18 control experiments was 109 percent $\pm$ 0.79. The 10 local experiments gave a mean of 10.27 percent $\pm$ 11.6 and the five long distance experiments gave a mean of 2.76 $\pm$ 1.27. In some experiments there was a 250 percent change in DNA indicating a very robust effect 25 times greater than controls. Both effects were highly significant at the $p < .01$ level. In general, there was a correlation between the intended winding/ unwinding direction and the increase or decrease in absorption values. Decreased absorption is known to reflect increased winding. In general larger effects were seen with the winding intention since control DNA samples tend to wind spontaneously. In most cases, the effects were larger after two hours, although the time course of the effect varied with different subjects. Experiments with multiple samples indicated that individual DNA samples responded differently and intentionality could be directed to specific samples. This effect was independent of distance.

2. Subtle energy/information generated by Inanimate objects

[Our earlier] experiments tested the hypothesis that SEI stored in water could be *read* by the DNA (Rein/McCraty 1994). The same methodology was used as described above except the treatment consisted of adding control and charged water (10 percent by volume) to the DNA. Water charged with SEI produced an 8 percent increase in the absorption of DNA, whereas control water produced changes from zero to 3 percent.

The . . . experiments involved SEI encoded in inanimate geometric and photographic patterns. In these experiments conformational winding and unwinding of DNA was measured as the ratio of absorption readings at 260 to 232nm. The first series of experiments involved placing a test tube of DNA on top of a specially designed snowflake-like pattern . . .[425] for 30 minutes. Absorption ratios for control DNA samples were 1.13 ± 0.7 whereas absorption ratios for DNA near the geometric pattern ranged from five to nine times larger depending on the experiment.

In the second series of experiments with inanimate objects, a test tube containing DNA was placed over a color photograph of a Russian healer and an individual highly skilled in generating coherent heart frequencies. DNA samples were continuously exposed to the SEI from the photographs for up to three hours and measurements were taken at 30 minute intervals. In these experiments the percent change in absorption of DNA at 260nm was measured as a function of time. Both photographs caused a decrease in absorption which gradually increased with time, indicating the DNA was gradually winding up. The different photographs, however, showed a different time course. The photograph of Doc Lew Childre produced larger increases (10 percent) in DNA absorption compared to the photograph of the healer which produced a maximal 3.8 percent change in DNA absorption. Control DNA absorption values varied between 0.5 to 1 percent.

Authors' discussion:

[U]nlike the situation with humans which required consciously directing SEI toward the DNA sample, pattern information could produce effects at any moment in time. Thus the effects from the patterns appear to be independent of time, whereas the effects with human subjects appear to be independent of distance. . . . However, it is not clear whether the SEI is stored in the physical structure or whether the patterns are acting as a conduit for SEI generated by some higher dimensional archetypal form . . . . [T]here may be crystalline-like substances in the human heart which act as transducers for higher dimension SEI to enter the body (Paddison). This influx of SEI results in ECG coherence and can simultaneously communicate with the DNA if so directed.

Discussion

A. The first experiments show a significant influence of healers on DNA in near and distant healing.

The second series demonstrates that a geometric pattern and photographs of healers may convey healing. This is consistent with other studies in which vehicles such as water and cotton wool were used to convey healing. Absorption ratios of about five to nine times larger than control samples are impressive. (It is difficult to know exactly what to make of the snowflake pattern, with the limited information provided.)

B. Again no raw data are provided to allow independent assessment of the effects of healing on DNA. Although means of results of several studies are provided, numbers of subjects and numbers of trials are not mentioned, nor is there a specification of the statistical tests which were applied. It is difficult to accept these findings without such information. Rating: III

The studies of vehicles to convey healing also lack raw data and statistics to assess the significance of the findings.[426]

The mention of the electromagnetic field influence on DNA is of interest, suggesting that electromagnetic fields in the laboratory where these studies were conducted might have produced the observed effects rather than the healers or vehicles.

Effects of healing on DNA are suggested by these studies. See further studies on DNA without controls on pp. 406-410.

Chinese qigong studies also explored whether distant healing could produce effects on DNA (M. Sun et al. 1988; F. Zhang et al. 1993)

The implications of the studies on DNA are profound and the potential for healing oneself and others by influencing DNA synthesis appears to be immense. In normal maintenance of the body, atoms and molecules are replaced periodically. It is estimated that the entire substance of the body is completely replaced every seven years. When bodies grow, whenever repairs are made to injured tissues, and when white cells and antibodies are produced for defense against infections, DNA in our chromosomes programs the cell divisions and protein syntheses. Healing could readily enhance our defense mechanisms by influencing DNA.

How healers influence the DNA is an obvious question. Some speculate that electromagnetic (EM) radiation might mediate such influences, but EM radiations have not been detected consistently in investigations of healing.[427]

Healing effects on DNA are summarized in Table 4-26

Table 4-26. *Healing effects on DNA*

Subject of Healing	Researchers	T/N/ D/V*	Time	Healers	Results	Significance Ratings
DNA	Rein & McCraty 1995	V	?	Heart-Math Childre & others	Healed water increased rewinding of DNA	III $p < .05$
	Rein & McCraty 1994	N D	?	Heart-Math	Winding, unwinding DNA Winding, unwinding DNA	$p < .01$ $p < .01$

This concludes the review of the studies of healing.[428]

FUTURE RESEARCH

Research is to see what everybody else has seen, and to think what nobody else has thought.
—Albert Szent-Gyoergi

There are many areas where healing may prove effective which have just begun to be explored or have not been studied as yet. Here are some problems which I feel might be respond well to healing and also lend themselves well to research.

Surgical procedures—Abdominal hysterectomy, prostatectomy, cardiac bypass, heart valve replacements, joint replacements. Factors which may show measurable healing effects: anxiety, blood loss, post-surgical pain, rate of wound healing, attitudes towards physical and emotional challenges.

Anesthesia—The series of studies on waking mice from anesthesia produced the most consistent significant results. Waking people more quickly after surgical anesthesia would decrease the grogginess which lasts for days and keeps people in the hospital longer. This may not be needed as much—following the development of newer anesthetic agents which allow much more rapid post-op recuperation.

Infections are likely to respond to healing, since healers can slow the growth of bacteria and yeasts in the laboratory, and slow the progress of malaria in mice.

Burns—Factors which may show measurable healing effects: as in surgery, plus body fluid loss, fluid and blood replacements, infections, responses to antibiotics, need for and success of skin grafts; scarring. Healing may be given through vehicles of medications and dressings applied to the burn wounds, as well as through touch/near/distant healing.

Cancers may show measurable healing effects: best when healing is given immediately upon diagnosis—degree of tumor abnormalities at surgery, presence of metastases in nodes, rates of growth of tumors which cannot be removed, fears of illness and death, all of the factors above under surgery, long term survival and quality of life.

Transplants of any organs may show measurable healing effects, as in surgery plus immune rejection rate, intercurrent infections, complications of surgery.

Intrauterine fetal growth retardation (IUGR)—Babies who are identified on routine sonograms as much smaller than normal. IUGR has about 20 known contributing factors (such as maternal smoking or small stature of parents) none of which can be counteracted when the IUGR is identified. These babies are often born premature and very small and often end up with serious, permanent neurological impairments. Factors that may show measurable healing effects if healing is given during pregnancy: duration of pregnancy, duration and ease of labor and delivery, APGAR scores (of neonatal health immediately following birth), birth weight, length of stay in neonatal ICU, time before discharge from hospital, weight gain after birth, and presence/severity of neurological impairments.

Labor and delivery—The miracle of birth can be a blessed event, but it can also be a time of anxiety, fears and pain, as well as an experience of physical and emotional trauma. Healing can help mothers deal with anxiety and pain, and can ease the process of bringing life into the world. Healing can also help with babies who have not turned head-down in readiness for delivery. This works especially well when the mother is encouraged to talk mentally with her baby, explaining what it needs to do. A study that examines the effects of suggestion alone, as well as effects of suggestion *plus* healing would be most interesting.

Insulin-Dependent Diabetes Mellitus—In severe, unstable diabetics (not stable diabetics) with severe illness: instability of blood sugars, doses of insulin required, attitudes and moods, and stress tolerance.

Long-term effects of healing—Almost all of the studies of healing have been for short-term benefits. It would be most helpful to have long-term assessments of people receiving healing for a variety of problems.

I am available to consult on the design, planning, and reporting of healing research projects. Many serious errors in design and reporting could be easily avoided with prior consultation.

SUMMARY

You have to study a great deal to know a little.
—Charles de Secondat, Baron de Montesquieu (1899)

Let us return to our first question, "Does healing work? Does research confirm that healing is an effective therapy?" There are more non-human than human studies with significant effects. Clearly, it is much more difficult to design and run experiments with humans, due to possible confounds relating to suggestion. Conversely, it is much easier to maintain tight controls with non-human subjects.

I present the balance of this discussion, as with discussions of individual studies, from the perspectives of risking an error on the side of accepting the evidence as valid vs. risking an error of rejecting the evidence as invalid.

Discussion

A. An impressive number of studies with excellent design and execution answer this question with a "Yes."

If we take a broad view, out of 191 controlled experiments of healing, 83 (43.4 percent) demonstrate effects at statistically significant levels that could occur by chance only one time in a hundred or less ($p < .01$); and another 41 (21.5 percent) at levels that could occur between two and five times out of a hundred ($p < .02 - .05$). In other words, just under two thirds (64.9 percent) of all the experiments demonstrate significant effects.

At the start of this chapter I proposed the following rating system for studies:[429]

I   *Excellent study*
II   *Study lacking in some details*
III *Reporting of details is seriously deficient*
IV   *Critical elements are missing*
V   *Poorly designed study*

If we scrutinize the studies for standards of experimental design and reporting, using this rating system, the following totals emerge for each rating:

I – 50 studies; II – 2 studies; III – 41 studies; IV – 39 studies; V – 6 studies.

Of the 52 studies in combined categories I and II, 39 (75 percent) demonstrate significant effects. Of these, 26 (50 percent) have a significance level of $p < .01$ or greater, and 13 (25 percent) have a significance level of $p < .02 - .05$. Studies that probably belong in categories I and II have been rated as III when I only reviewed them as brief Dissertation and Master's abstracts.[430]

See Table 4-27 for a summary of all the categories. Interestingly, the distribution of modestly significant, highly significant, and questionable and/or non-significant studies is fairly similar across the three main categories (I, III, and IV). The discrepancy between the total of 138 studies in the table and the 189 of total experiments is due to my tabulation of the ranking summary by research reports rather than by individual experiments. That is, some of the 138 reports covered more than one experiment, which is reflected in the grand total of 189 experiments.

Table 4-27. *Numbers of rated healing reports* *

Rank	p < .01–00	p < .02 – .05	Unclear	Non-significant	Total
I	25 (50%)	12 (24%)	1 (2%)	12 (24%)	50 (100%)
II	1	1			2 (100%)
III	11 (27%)	11 (27%)	9 (22%)	10 (24%)	41 (100%)
IV	16 (41%)	10 (26%)	7 (18%)	6 (15%)	39 (100%)
V	1 (17%)		1 (17%)	4 (67%)	6 (100%)
Totals	54	34	18	32	138

*Some reports include several experiments.

Research to establish that healing works must be repeatable on a range of subjects, in different settings, under the investigation of different scientists to assure its validity. The following are reports that in my opinion are of high quality, with adequate design, execution and reporting, which demonstrate statistically significant effects (ranks I and II): Barry 1968; Bauman et al. 1986; Braud 1979; 1989/1990a; Braud/Schlitz 1983; 1988; Braud et al. 1979; 1985; Brier et al. 1974; Byrd 1988; Ferguson 1986; Goodrich 1974; Grad 1963; 1964a; 1964b; 1965a/1976; Grad et al. 1961; W. M. Green 1993; Hale 1986; Harris et al 1999; Muehsam et al. 1994; Nash 1982; 1984; Pleass/Dey 1990; Radin et al. 1995; Rebman et al. 1996; Redner, et al. 1991; Rein 1978; 1986; Saklani 1988; 1990; Samarel 1998; Scofield/Hodges 1991; Shealy 1993 et al; **Sicher et al. 1998; Slater 1996; Snel/Hol 1983; Solfvin 1982; Watkins/ Watkins 1971; Wirth/Cram 1994. Also see the *Most Significant Studies Chart* in Appendix C.

This is ample generic replication of healing research as a treatment.

The next series of studies, reporting significant findings, were either available to me only as abstracts of masters theses and doctoral dissertations or were poorly reported (rank III): Barrington 1982; Bentwich et al. 1993; Cahn/Muscle 1976; *Cooper 1997; Dressler 1990; Edge 1980; Grad 1965b; 1967/1976; Haraldsson/Thorsteinsson 1973; MacDonald et al. 1977; Meehan et al 1990; Mersman 1993; Metta 1972; Olson/Sneed 1992; Peck 1996; Rein/McCraty 1994; 1995; Schlitz 1982; Schutze 1979; Tedder/Monty 1981; Watkins/ Watkins/Wells 1979; Wells/Watkins 1975; Woods 1996.[431]

The following studies with significant results are suggestive but include serious questions that leave their results uncertain (rank IV): Dixon 1998; Dressen/Singg 1998; Fedoruk 1984; Gagne/Toye; Garrard 1996; Giasson/ Bochard 1998; Gordon et al. 1998; Heidt 1979/1981; Keller/Bzdek 1986; Kramer 1990; Krieger 1974/1976; Leb 1996; Nicholas 1977; Olson, Sneed et al. 1997; Peck 1996; Quinn 1982/1984; Sancier/Chow 1989; Schwartz et al. 1995; Silva 1996; Simington/ Laing 1993; Snel 1980; Snel/van der Sijde 1995; Snel/ van der Sijde 1990; Sundblom 1994; *Tedder/Monty 1981; Wells/Klein 1972; Wetzel 1989; Wirth/Cram 1993; Wright 1988.

While we cannot be certain of the results of any single study in the last two groups, hopefully replications will some day clarify which are valid. Though we must hold our judgments until such validations are in, the fact that some of these produced highly significant results is probably indicative (in the light of the significant studies ranked I and II) that healing was a causative factor in at least some of these instances.

In statistical analyses, the anticipated effect size in studies is calculated mathematically. It would appear that statisticians will have to reassess the anticipated effect sizes for studies of spiritual healing, in view of the fact that many studies with very modest numbers of subjects have demonstrated significant effects.

The following studies *for specific targets* demonstrate effects of healing. They are designated with "**" indicating high quality studies (Ratings I and II); "*" for possibly high quality studies with a good research design (Rating III),[432] and no stars for studies with more serious deficiencies in design or reporting.[433]

Influencing human subjects' electrodermal activity—**Braud 1979; **Braud/Schlitz 1983; **Braud et al. 1985; **Radin, et al. 1995; **Rebman et al. 1995; *Schlitz 1982; Schlitz /Braud 1982;

Improving hospital course on a cardiac intensive care unit—**Byrd 1988; **Harris et al 2000.

Treating AIDS—Garrard 1996; **Sicher et al 1988;

Enhancing human immune functions[434]—Garrard 1996; Olson/Sneed et al. 1997; **Sicher et al 1988;

Reducing muscle strain—Wirth/Cram 1993; **1994;

Lowering human hypertension—Quinn 1989; Miller 1982;

Altering human hemoglobin levels—Krieger 1976; Wetzel 1989 (See also Straneva 1993);

Reducing anxiety—Dixon 1997; Fedoruk 1984; **Ferguson 1986; Gagne/ Toye; Guerrero; Heidt 1981; Kemp 1994; Kramer; *Olson, Sneed, et al. 1992; Quinn 1982; Simington/Laing;

Reducing pain—Bucholtz 1996; Dixon 1997; Dressler 1990; Gordon et al. 1998; Keller/Bzdek 1986; **Meehan 1985/1993; *Meehan et al. 1990; *Peck 1996; **Redner et al.; Slater 1996; Sundblom et al. 1994;

Improving depression—Leb 1996; Robinson 1996; **Shealy et al.;

Enhancing wound healing in mice—**Grad 1965; **Grad et al. 1961;

Slowing progress of malaria in animals—Baranger/Filer; Snel/van der Sijde 1990; **Solfvin 1982;

Slowing cancer growth in animals—Null 1966; Onetto/Elguin 1966; Snel/ Van der Sijde 1995;

Waking mice selectively from anesthesia—Schlitz 1982; **Watkins/Watkins 1971; *Watkins et al. 1973; Wells/Klein 1972; *Wells/Watkins 1975;

Enhancing plant growth—**Grad 1965; MacDonald et al. 1977; Nicholas 1977; **Saklani 1988; **1990; **Scofield/Hodges 1993;

Influencing bacterial growth—Leikam 1981; **Nash 1982; **1984; Nash/ Nash 1957; Rauscher/Rubik 1983;

Influencing yeast growth—Barrington 1982; **Barry 1968; Cahn/Muscle 1976; Haraldsson/Thorsteinsson 1973; *Tedder/Monty 1981;

Altering enzyme action—Edge 1980; **Muehsam et al. 1994; Smith 1972; **Rein 1978; **1986;

Influencing motility of single-celled organisms—**Pleass/Dey 1985; Richmond 1952;

Strengthening red blood cells against hemolysis—**Braud et al. 1979; **Braud 1989;

Influencing DNA—Rein/McCraty 1994; 1995.

This is ample research in healing for specific problems, showing there are repeatable effects across varieties of subjects in different laboratories. While there will always be room for improvement in design, and greater assurance regarding conclusions about research evidence when more and improved studies are published, the evidence as it stands is impressive.

One may question whether the results from the studies ranked III and IV should be considered as evidential, considering that there may have been extraneous factors other than healing that produced the results. I believe so.

Distant healing effects have been demonstrated in Bentwich et al.; *Braud 1979; **Braud 1988; **Braud/Schlitz 1983; **Braud et al. 1985; **Byrd 1988; **Goodrich 1973; **W. M. Green 1993; Miller 1982; **Nash 1982; **Nash 1984; **O'Laoire; **Radin, et al. 1995; Schutze 1979; Sicher et al 1998; **Snel/Hol 1983; *Snel/van der Sijde 1990; Snel/van der Sijde 1995; **Solfvin 1982; *Tedder/Monty 1981; Walker 1997; **Wirth/Cram 1993;

This is ample confirmation of healers' claims that healing works from a distance. It is particularly impressive that more than half of these studies are of higher quality, ranked I and II.[435]

A meta-analysis of distant healing studies was published just prior to the publication of *Healing Research*, Volume I. The June 6 issue of the *Annals of Internal Medicine* assesses the significance of the effects of distant healing in a series of studies (Astin et al). Three types of studies were analyzed in their review: prayer, Non-Contact Therapeutic Touch, and other types of distant healing. Literature reviews of available databases through 1999 brought to light 100 studies of distant healing. Of the 23 studies that met their inclusion criteria (including 2774 participants), 13 studies (57 percent) demonstrated positive treatment effects, 9 (39 percent) showed no effect, and 1 (4 percent) had a negative effect.

Inclusion criteria required random assignment of study participants; placebo, sham, or otherwise "patient-blindable" or adequate control interventions; publication in peer-reviewed journals; clinical rather than experimental studies; and that the study be of humans subjects with any medical condition. The authors conclude that on the basis of the evidence, further studies are warranted.

This meta-analysis is of great significance for several reasons. The reviewers were very careful in their selection of studies and in their application of methods of mets-analysis. One of the authors, Edzard Ernst, is known to be very conservative in assessing studies of CAM reports. The conclusions that further studies of healing are warranted is a vote of confidence in the distant healing research they reviewed. Though this may sound less than a full endorsement that the evidence suggests that healing is beneficial, this is as far as skeptical scientists are willing to go at this time in their assessments of CAM therapies. The publication of the analysis in *Annals of Internal Medicine*, a mainstream US medical journal, is further acknowledgement of the impressive evidence accumulating to support a belief in the efficacy of healing.

The authors make excellent suggestions for factors that should be included in healing research design and reports. There were 6 other published studies that in my opinion could have been included in this meta-analysis, and several doctoral dissertations. It is not clear whether the authors were unaware of these or rejected them for lack of elements in their inclusion criteria for their review, as they do not include a list of rejected studies in their bibliography. Assuming my assessment of the excluded studies to be accurate, I believe these would have significantly enhanced the positive findings of the meta-analysis. This meta-analysis also lends credence to the reports of a large number of people availing themselves of healing treatments and praying for healing. It suggests that they are engaging in a beneficial therapy, not just wishful thinking, religious ritual (as rote) practice, or placebo therapy.

The finding of 57 percent with positive responses to healing in Astin, et al, compared with the 75 percent for the overall findings in *Healing Research* may be explained by differing percents when studies of touch healing are included, as well as more stringent criteria for inclusion in the review of Astin et al.

Distant healing, probably more than any other aspect of spiritual healing, challenges our credulity within Western scientific paradigms. Volumes III and IV of *Healing Research* present further evidence and discussion on this and related questions.

If healing were a drug I believe it would be accepted as effective on the basis of the existing evidence. Healing is certainly more than a placebo, unless DNA, enzymes, yeasts, bacteria, plants, mice, and rats are subject to suggestion, and unless the dozens of researchers of human subjects in the better quality studies were unable to maintain proper research blinds. This is highly unlikely.

Unlike most medicines, which are specific for very limited problems, healing appears to act as a general tonic, improving the health of the entire organism. Healers claim that there seems to be no limit to the ability of healing to help any and every problem, though not everyone with any given problem will respond to the same degree. The extent to which this is true remains to be validated by further research.

Healing appears to be a therapy with vast potential for enhancing health care. In Britain and the Netherlands healing is being integrated into conventional medical settings. Elsewhere, progress is slower, with individual practitioners introducing it in their clinical work and people with dis-ease and disease seeking it on their own.

What is most impressive is that healing is a very safe modality that that can provide benefits on its own and can complement other therapies.

Even if studies with major and minor question marks regarding details of methodology and reporting are excluded, an impressive array of decent evidence remains in 39 studies—covering a broad spectrum of human and non-human subjects.

Skepticism on the basis of lack of high quality studies or lack of repeatability is contradicted by the existing evidence.

Skepticism on the basis that we have no theories within conventional science to explain this mass of evidence is not logical or reasonable. Conventional medicine has used many treatments, particularly medications, without explanations for their mechanisms of action. We still do not understand precisely how aspirin, tranquilizers, or antidepressants work, but we do not hesitate to prescribe and use them in vast quantities.

If we question the validity of studies of healers on the basis of super-psi effects,[436] suggesting that the experimenters may have brought about the results, this may simply imply that the experimenters were the healers.

This evidence appears sufficient to respond with a firm "Yes" in answer to the first question, "Does healing work?"

B. We must be cautious in accepting evidence that is in many instances flawed by errors in design and reporting. If we look only at the studies with rigorous design, there are only 37 in category I that do not have flaws.

Considering just the rigorous studies, the only replicated effects of healing are those on enhancing plant growth, waking mice from anesthesia, electrodermal activity, anxiety, pain, enhancing bacterial growth, protecting red blood cells from hemolysis, and enhancing the course of treatment on a cardiac intensive care unit.

A logical question is, *Are there any other possible explanations for the evidence presented in this book?*[437]

We can dismiss the evidence from all but the 37 studies that are without serious flaws. If studies are flawed, they cannot be presented in evidence for healing effects.

Despite our best efforts to control experimental conditions, in any study there will always remain the possibility that some factor other than healing produced the observed differences. We must ask whether there could have been random factors influencing the results of the 37 studies that aren't obviously flawed.

Suggestion, or placebo effects would appear to be the most likely alternative explanation for spiritual healing effects in humans. If this is the case, we would expect that suggestion should equally influence the mimic control group. I have not analyzed the data to see whether studies with mock healing controls showed fewer significant effects than those with untreated controls. If this is true, it might provide support for the alternative hypothesis that the presence of a caring person is the true factor that brings about results rather than any spiritual healing effects.

The studies of non-human subjects are more challenging to explain. If we accept that super-psi powers can produce changes in controlled studies, it could be possible that the researchers are using super-ESP to screen subjects selectively into the treatment and control groups. If this is the case, then the results may reflect a psi effect on sorting of subjects rather than a healing effect. Though one study (Braud/ Schlitz 1988) found no such effect, this might still be a factor in other studies.[438]

In summary, if we interpret the research data conservatively, it is too early to say more than that healing is a promising modality that warrants further study.

How healing works is far more difficult to answer. Further evidence is presented in Chapter 5, as well as in the next three volumes of *Healing Research,*to address this challenging question.

As our circle of knowledge increases, so does the circumference of our ignorance.

—Colin Dexter

CHAPTER 5

FURTHER CLUES TO THE MYSTERY OF HEALING

The reticence of medical orthodoxy to accept every healing claim which surfaces or which attracts the public eye has been and should continue to be a public protection. On the other hand, the role of public protector all too easily can be an armor for the protection of limited self interest and a professional insulation inimical to the public good. Although the contributions of medical science well may be considered—with gratitude—one of the blessings of mankind, there also may be useful contributions outside the medical mainstream.

At what point should the individual be permitted freedom of choice in the regulation of his/her own health and healing practices? At what point does the medical profession's "right" to arbitrate these matters cease? These are weighty questions calling to be answered.

It seems clear that these matters cannot usefully be reconciled without recourse to an informed public and a healing profession educated beyond the confines of its own orthodoxy.

—Jeanne Pontius Rindge

This chapter is a varied feast of clues to continue to answer our second question, "How does healing work?" It also adds evidence to the first question, "Does healing work?"

We start with several historical items that give a bit of the flavor of how research in healing evolved. We then consider clinical studies of the effects of specific healers, demonstrating that healing is not a standard medical procedure but more an art shaped by each individual practitioner. Next we look at studies that attempt to tease out possible mechanisms for how healing works, and other studies which seek common denominators in the beliefs and practices of healers. Finally, we conclude with a few words about cultures in which healing has an unbroken tradition over many centuries. Although Western society is just waking to the serious potentials of spiritual healing, there are deep wells of wisdom in other cultures. From these cultures we are just beginning to draw a few droplets—as they are just beginning to trust us enough to share.

It is difficult to know in some cases which findings may be legitimate effects of healing and which are chance occurrences, placebo effects, or spontaneous waxings and wanings of chronic illness. The reader will have to judge which cases might lean towards a Type I research error and which a Type II.[1]

I selected the contents of this chapter because they are rich in descriptive clues enhancing our understanding of healing. Selection was made on the basis of unique observations, particular healee populations, special methods of healing, and originality of opinions. Articles based on clinical observations, especially those with more objective perspectives, were given preference over articles advocating more narrow belief systems.[2]

HISTORICAL NOTES ON
HEALING RESEARCH

The outcome of any serious research can only be to make two questions grow where one question grew before.

—Thorstein Veblen (1908)

Franz Anton Mesmer

Mesmerism[3]

Franz Anton Mesmer (1734-1815) was one of the earliest scientists to study healing, although he did not recognize or label it as such. He developed a method he called animal magnetism, in which he made passes (hand movements) around the bodies of his patients, inducing hypnotic trances and relieving a wide spectrum of symptoms. In deep trance, mesmerized patients were able to diagnose their own problems with apparent accuracy (Dingwall). Mesmerists were also able to hypnotize subjects telepathically from a distance (Eisenbud 1983).[4]

Far ahead of his contemporaries, Mesmer explored realms which they found too dissonant with materialistic theories. In his time, there were neither sufficient understandings of psychological mechanisms nor theories which could coherently account for these phenomena. It is not surprising his methods were questioned, criticized, and even condemned in some quarters.

Mesmer believed that his approaches would eventually explain these challenging questions (G.J. Bloch):

- How is a sleeping man able to consider and foresee his own illnesses, as well as the illnesses of others?
- Without any instruction whatsoever, how is he able to prescribe the most accurate means of cure?
- How can he see the most distant objects and have presentiments of events?
- How is a man able to receive an impression from a will other than his own?
- Why is a man not always endowed with these faculties?

Discussion

With today's understanding of the unconscious mind, we can appreciate Mesmer's keen powers of observation and his willingness to explore the frontiers of therapeutic science of his time. Were he alive today, he would be among the foremost researchers in healing. Though many of his cures were probably due to relief of conversion (hysterical) symptoms,[5] his work appears to have included a spectrum of healing phenomena. He did not know to differentiate between hypnosis and psi phenomena. This is not to say that making clinical and scientific distinctions on the basis of modern knowledge is necessarily the correct approach. We can only observe that there are definite similarities between Mesmer's approaches and modern studies of healing.

Modern hypnosis uses brief inductions, usually without passes of the hypnotist's hands around the body. In Mesmer's day, passes would be made for many hours, achieving profoundly deep (*plenary*) states (Dingwall) in which psi effects were demonstrated. The extensive hand passes around the body practiced by the Mesmerists strongly resemble laying-on of hands healings, and the telepathic influences of hypnotists over their subjects appear to overlap with distant healing. The latter may indicate that healers (and probably other health caregivers) can introduce suggestions telepathically to their healees.

F. Galton

Statistical Studies into the Efficacy of Prayer (*Fortnightly Review*, 1872)

Galton reasoned that if prayer were efficacious then clergymen who pray frequently or monarchs for whom people pray frequently should live longer. "There is a memoir by Dr. Guy[6]. . . in which he compares the mean age of sovereigns with that of other classes of persons." Dr. Guy's results are presented in Table 5-1.

Table 5-1. *Mean age of various classes of males living beyond 30, 1758 - 1843 (Deaths by accident or violence are excluded)*

	Number	Average age	Eminent men
Members of Royal houses	97	64.040	
Clergy	945	69.409	66.42
Lawyers	294	68.104	66.51
Medical Profession	244	67.301	67.07
English aristocracy	1179	67.310	
Gentry	1632	70.220	
Trade and commerce	513	68.740	
Officers in the Royal Navy	366	68.400	
English literature and science	395	67.505	65.22
Officers of the Army	569	67.070	64.74
Fine Arts	239	65.960	

Discussion

As Galton himself notes, no clear conclusions can be drawn from this line of approach. Although the entire group of clergymen lived one to two years longer than lawyers or members of the medical profession, when *eminent* members of these other professions are compared the results are reversed. Other factors, such as residence of the majority of clergy in rural settings versus most other professionals in urban settings, might introduce variables which render such comparisons questionable. One would also think the longevity of royalty must be influenced by more critical variables than prayer.

Galton's discussion highlights the limitations of this report. Nevertheless, as the first recorded effort to establish the effects of healing scientifically, it is a historical gem.

Rapid healing responses occur rarely, but frequently enough to attract the attention of the media. It is unfortunate that the trumpeting of healing miracles leads people to have unrealistic expectations. They are often disappointed when they do not experience immediate, dramatic results for their own problems and abandon healing after only a few treatments, when they might have benefited from the more common, gradual response which most people experience with healing, with repeated treatments over several weeks or months.

It is often difficult to know what to make of Biblical and other reports of unusual healings through the ages. Rex Gardner presents evidence to suggest there may be more to such reports than is commonly thought.

Rex Gardner

Miracles of healing in Anglo-Celtic Northumbria as recorded by the Venerable Bede and his contemporaries: a reappraisal in the light of twentieth-century experience (*British Medical Journal,* 1983)

Rex Gardner, a British physician, describes healings recorded by Saint Bede the Venerable, a respected historian of the seventh to eighth centuries. Gardner points out that there is a tendency in modern times to dismiss first-hand observations and records of healings from earlier centuries as exaggerations or distortions. Gardner makes a strong argument for giving them greater attention. He describes a number of remarkable modern healings for which he tracked down first-hand observations from reliable reporters.

Case 1: An 11-month-old boy was admitted to Royal Victory Infirmary, Newcastle-upon-Tyne in August 1977, ". . . a wasted, miserable little scrap. He had difficulty breathing without exertion, with pronounced retraction of his chest wall, indicating severe airway obstruction." He had had measles at age eight months and never fully recovered. Chest X-rays revealed chronic infection and air escaping from the lung into the chest cavity. ". . . a definitive diagnosis of advanced fibrosing alveolitis was established by biopsy of the lung. . .The prognosis for fibrosing alveolitis starting in the first year of life is almost uniformly fatal." He was treated with antibiotics, to which he did not respond. He was then given steroids for 12 weeks together with azathioprine (which suppresses the body's immune responses) during the latter six of the 12 weeks but he did not show any improvement.

The doctors told his mother the prognosis was hopeless since his disease appeared to be progressive and unresponsive to treatment. He was discharged.

The child's practitioner suggested the family might take him to a Pentecostal healing service. Five days following the healing treatment, he appeared to be happier and more ready to play. Two weeks later he was clearly stronger, even able to stand up by himself for the first time in four months. He continued to improve steadily. By the age of five years and two months, he had fully recovered.

Case 2: In 1975 a general practitioner trainee contracted meningococcal septicemia (blood infection) with meningitis and was admitted in moribund condition to hospital with an illness diagnosed as Waterhouse-Friderichsen syndrome. No such case had ever survived in that hospital. Four healing groups simultaneously but separately prayed for her and

> believed that their request that she might be healed with no residual disability had been granted. At the same time, 8:30 p.m., there was a sudden improvement in her condition, though it was four days before she regained consciousness. Physicians were unable to explain how her chest x-ray film, which had showed extensive left sided pneumonia with collapse of the middle lobe, could, 48 hours later, show a normal clear chest. The ophthalmologist saw and photographed a central scotoma [scar] in the left eye caused by intraocular hemorrhage affecting the macula [optic nerve], and assured the patient that there was permanent blindness in that eye. Her faith that God had promised her that she would be made completely whole was quite reasonably met with his, "You have got to face the medical facts." When she did in fact develop perfect vision in that eye, and no residual intraocular disease could be found, he was understandably left unable to offer any explanation, and could only say, "Do you realize you are unique?"[7]

Case 3: A 35-year-old woman came to a physician (known personally to Gardner) in Pakistan in about the eighth month of pregnancy with the report of intermittent bleeding and abdominal pains for five months, in this, her seventh pregnancy. A low-segment cesarean section was performed under local anesthesia.

> A low transverse incision in the lower uterine segment went right through the placenta which was found to be extremely adherent to the lower uterine flap and was raggedly removed. Copious dark blood was released on entering the uterus. . .Heavy blood loss at time of operation and profuse loss post-operatively—not clotting. Deep pools of unclotted blood between the patient's thighs and pad—heavy and

prolonged trickling. Oxytocin was added to the dextrose saline drip, and then we prayed with the patient after explaining to her about Jesus in whose name we had prayed for her before the operation, and who was a great healer. I also told her that we were not going to worry. I had seen Jesus heal this condition before and was sure He was going to heal her. We then managed to get two pints blood for her—brisk bleeding continued. First clot was seen 48 hours after operation. Heavy loss had continued till then, but her general condition gave no cause for concern after the initial postoperative examination at two hours. We prayed again with her on the night of the operation and then to thank Jesus for her healing when she went home with her baby on the 10th day.

Gardner muses on the fact that his initial impression upon hearing a second-hand report of this case had been skeptical but that he had full confidence in the reliability of the medical report presented above.

Gardner then proceeds to present paired cases of similar medical problems from Bede records and from his own experience. (Only one pair is summarized below.)

Bede records a story. . . . A woman, because of possession by an evil spirit, had contracted hideous ulcers [of the skin]. As long as she remained silent nothing could be done for her; but when she had told all that had happened she was cured by prayers and by application of holy salt, together with the doctor's medical aid. Only one stubborn ulcer remained, against which no remedies prevailed. At last, by her own suggestion, based on previous experience, oil blessed for the sick was applied, whereupon the remaining ulcer immediately responded to treatment by priest and doctor.

From Gardner's own experience:

About 1970 the captain of the Girls' Brigade at. . . had a deterioration in a large varicose ulcer of the leg which had been troubling her for many years. Each morning her bandage was soaked with pus. Her doctor told her to give up her activities. She asked for prayer at the monthly charismatic prayer meeting. A general practitioner present examined the leg and judged that even were the ulcer to heal, it would require skin grafting. The pastor requested one of the women present to join him in praying for the patient. By next morning almost the whole ulcer had dried up with healthy skin covering; but one spot continued to exude pus. One week later one of the Girls' Brigade lieutenants called on the pastor and with embarrassment stated that she felt she should have joined in the prayer for the patient. They immediately visited the patient and the lieutenant laid hands on the area and prayed. Healing became immediately complete.

This story is so bizarre that it would not have been included were I not one of the doctors who examined the patient's leg at the next monthly prayer meeting, and were not all the people who had been present available for interrogation. Against the background of such cases one can no longer shrug off the miracles of the sixth and seventh centuries.

Discussion

Healing appears to promise to help diseases for which medical treatment in the West is still inadequate. The cases observed by Gardner seem to me most convincing; those for which he vouches somewhat less so; those of Bede far less so. Gardner's point is well made. First-hand testimony of a physician can clearly be given greater credence. However, reports of unknown persons—even though they be educated, competent, and of good reputation—are still somewhat suspect. Reports filtered through second-hand observers, especially from many years past, are easily subject to exaggeration or inaccurate diagnoses. Yet as Gardner points out, with careful clarification one may confirm that a reported healing of dubious certainty may actually prove as impressive as it is claimed to be.

What Gardner does not point out is that the converse is also true. Seemingly clear cut cases may prove to be hysterical reactions,[8] misperceptions, misdiagnoses, or exaggerations.

HEALINGS AT SHRINES

Take nothing on its looks; take everything on evidence.
—Charles Dickens

Sometimes *the place* appears to be the healer and attracts pilgrims from around the world, hoping for cures. Out of the millions who visit such shrines, only a few are cured. One of the most famous is Lourdes in France.

The *story of Lourdes:* In 1858 a peasant girl named Bernadette Soubirous was gathering wood by the River Gave, at the base of a cliff known as Massabieille. A vision of the Virgin Mary appeared to her, standing at a split in the rock. Miraculous cures were alleged to have occurred at this spot within a few weeks of the first appearance of the Virgin. This became a healing grotto where millions of people with all varieties of illnesses have come to ask the Virgin for a cure. Thousands bathe daily in the waters of the grotto.

Because a few have experienced miraculously rapid cures of intractable, serious illnesses, much interest has been stirred in religious and medical circles. A local medical board has reviewed cases of cures since 1885, staffed by volunteers and supported by donations from private, nonclerical sources. An independent body, the International Medical Commission (IMC), sits in Paris so they cannot be biased by the emotional atmosphere of Lourdes. There are 25 members of the IMC, all practicing Catholics, 13 from France and the rest from other European countries. Their specialties include surgery, orthopedics, general medicine, psychiatry, and radiology, among others.

Here is how the Lourdes cases are evaluated. When an unusual recovery is noted, the patient is examined by members of the local medical bureau. Medical documents accompanying the patient are reviewed, along with the testimonies of the patient, those accompanying him or her and those witnessing the cure. One of the physicians of the medical bureau is designated as the case reporter to gather information for presentation to the full bureau. Visiting physicians are also invited to participate. If there is agreement that the case is sufficiently unusual, a physician near the patient's home is enlisted to seek further testimony and to follow the case during the next year. At the end of that time, the patient is examined by the Board again. The physicians deliberate on whether the cure still appears inexplicable. If this is their decision they forward the dossier to the IMC, founded in 1954, which likewise assigns a coordinator to review the case and to report to the entire Commission.

The IMC scrutinizes medical records of patients from before and after their cures to decide whether each exceeds the normal expectation for recovery from that particular illness. Critical analyses are applied under 18 headings, including diagnosis (by physical examination, supported by laboratory and X-ray findings), determination that the problem was organic rather than psychological, that the improvements could not have occurred through a natural waning of symptoms, that treatments given could not account for the cure, that both objective and subjective signs of illness disappeared and laboratory results were negative, and that sufficient time elapsed to assure results were permanent. A majority vote of the IMC determines whether the case is declared "a phenomenon which is contrary to the observations and expectations of medical knowledge and scientifically inexplicable."

If the Commission considers the case inexplicable by ordinary laws of nature, the dossier is submitted to the Archbishop of the diocese of the healed person. He designates a Canonical Commission to review the case afresh. They take separate testimony from the witnesses and express their opinions on whether the case can be considered miraculous by the Church's standards. It is only on the favorable recommendation of the Canonical Commission that the Archbishop may pronounce the cure attributable to the miraculous intervention of the Virgin Mary.

John Dowling notes that now over four million pilgrims come to Lourdes yearly. Around 65,000 are registered with documentations of their illnesses. Specially built local hospitals can accommodate more than 1500, and many more stay at local hotels. The Medical Bureau reports that over two million sick people visited Lourdes from 1858 to 1984. Of these, around 6,000 claims of cures were examined by doctors. Only 64 were accepted as miraculous cures by the Catholic Church.

Since the inception of the IMC in 1954, 38 files were forwarded through its hands to the Medical Bureau, which felt that full study was justified in 28 cases. Of these, 3 lapsed without formal decisions being rendered, 6 were rejected, and 19 were felt to be cures which were inexplicable. Of these, 13 were accepted by the Church as miraculous. In 1983, 11 were still alive and well. One of the two non-survivors was killed in an accident and the other died of "late complications of her original illness nine years after the IMC had passed her as a cure." Retrospective review of the last case produced the opinion that the IMC had been "insufficiently aware of the natural history of Budd-Chiari syndrome and the possibility of natural remission" (Dowling).

D. J. West

Eleven Lourdes Miracles, 1957

D. J. West, an English physician, critically reviews a number of cases that had been declared "miracles" by the church after extensive medical and ecclesiastical reviews. He presents a thorough analysis of 11 cases[9] and a sketchy overview of another 87. He is clearly a disbeliever in miracles. He states:

> The present study is concerned solely with the evidence relating to remarkable or unexplained cures, the aim being to keep as far as possible to factual matters and to limit discussion to consideration of

the plausibility or otherwise of various natural interpretations. The fact that these particular cures are believed to have religious significance is irrelevant to the purpose of the study. A critical survey of the factual evidence would be equally valid whether the cures were brought about by a new drug or by the intervention of the Virgin Mary.

West points out that in most of the 11 cases there were possible diagnoses which were not seriously entertained by the Board or the Commission (including malingering) and in some cases diagnoses such as tuberculosis were not supported beyond reasonable doubt by the available laboratory data. The declarations of miraculous cures relied heavily on clinical impressions and a variety of testimonies which could conceivably have been erroneous.

He concludes:

> The rarity of the cures, and the incompleteness of the medical information on most of the cases put forward as miracles, makes any kind of appraisal exceedingly difficult. As far as it goes, and taking the dossiers at their face value, the evidence for anything "miraculous" in the popular sense of the expression is extremely meager. Self-evidently impossible cures, involving something like the regeneration of a lost eye or limb, are not in question because they are never claimed. The great majority of the cures concern potentially recoverable conditions and are remarkable only in the speed and manner in which they are said to have taken place. In no case is a sudden structural change confirmed by the objective evidence of X-rays taken just before and just after the event.

In his survey of other cases, West grudgingly notes that there are chronic suppurating wounds that had not responded to conventional treatments, and that closed rapidly and completely at Lourdes.

Discussion

West is the most stringent of the reviewers of Lourdes healings. His cautious tone underscores a careful scrutiny of the reported cures. This is an excellent review, with details of methods of inquiry and criteria for inclusion or exclusion of cases as miraculous cures. The review is weak in that it is a retrospective survey of work performed by other physicians and other evaluators. It is also clearly biased against the possibility of the truly miraculous that might occur among these cures.

It is impressive that positive findings remain after the many siftings of the evidence. Although X-ray evidence of instantaneous physical cures is not observed among the Lourdes cases considered in this review, there are witnessed reports from apparently reliable sources testifying to instantaneous total healings of chronic fleshy suppurating wounds. These are impossible to account for in any conventional way. They appear to constitute recoveries from infections of chronic nature and enormous acceleration of the rate of wound healing, particularly impressive when these had resisted all conventional treatments. We are left yet again to postulate new ways of understanding what is possible in the healing of the human body.

St. John Dowling

Lourdes cures and their medical assessment *(Journal of the Royal Society of Medicine,* **1984)**

St. John Dowling discusses the history of Lourdes and provides a detailed description of the process of assessments. He then reviews a recent cure which was agreed by the IMC to be medically inexplicable.

> Delizia Cirolli was 12 years old in 1976 when she complained of a painful, swollen right knee. She was examined by Professor Millica at the Orthopedic Clinic of the University of Catania in Sicily. X-rays and a biopsy produced the diagnosis of a metastatic neuroblastoma. The family refused the amputation which the surgeon advised. Though they agreed initially to radiotherapy, the family took her home before she had any treatment because she was very unhappy in the hospital. She had another consultation at the University of Turin but again had no treatment. In August 1976 she spent four days at Lourdes with her mother, participating in ceremonies, prayers in the Grotto, and baths in the water. She showed no improvement clinically and X-rays showed advancement of the growth in September. Her condition deteriorated and her mother even started preparations for her funeral. Her neighbors in the village kept up their prayers to Our Lady of Lourdes for a cure and she received Lourdes water to drink regularly from her mother. Just before Christmas she unexpectedly asked to go out and did so without pain. She was unable to go far because of weakness, weighing only 22 Kg (48 lbs) at that time. Her general condition improved and the swelling in her knee disappeared, though a deformity remained in the knee *(genu valgum).* She came back to the Medical Bureau at Lourdes yearly from 1977 to 1980. No signs of the typical calcifications of neuroblastoma were found on X-rays of her chest or abdomen.

Though she was cured beyond doubt, the precise diagnosis was questioned. Professor Cordaro of Catania was of the opinion that the histological evidence suggested a metastasis from a neuroblastoma. The Medical Bureau submitted the same slides to eminent French bone specialists. Professor Payan of Marseilles, Dr. Mazabraud and colleagues at the Curie Institute, and Professor Nezel of Paris concurred that this was a Ewing's tumor, although they allowed that a metastasis from a neuroblastoma was also a possibility. Spontaneous remissions of neuroblastomas occur in rare instances but never after the age of five years, while spontaneous remissions of Ewing's tumors have never been reported.

The IMC reviewed the case three times between 1980 and 1982, finally deciding that it was a Ewing's tumor and that its cure was inexplicable. It was not considered relevant that the moment of cure was not at Lourdes. It was left to the church to decide whether this was to be declared miraculous.

Dowling briefly notes how difficult it is for many people to accept that miraculous cures can occur. They tend to doubt the diagnoses of the Medical Board, or to seek other explanations for these unusual improvements in conditions which are normally intractable. Dowling also notes that only two of the 11 cases considered by West were studied by the IMC.[10]

Discussion

Though opinions vary as to the validity of findings in some cases of Lourdes healings, a core of convincing evidence remains.

Detectives working on a mystery examine samples of evidence in the laboratory. Using research methodology reviewed in Chapter 2, Douglas Dean (1989) reports that analysis of water from Lourdes and from several other holy springs and places regarded as geological *power points* demonstrates altered infrared spectrometry readings that are characteristic of water treated by healers. This was true of some but not all samples from Lourdes. Dean clarified that this was dependent on whether the samples were taken from the grotto spring itself or from other locations.[11]

Healings of physical illnesses at shrines appear to be rarer occurrences than the media might have us believe. Nevertheless, those which are accepted by the medical and church authorities are among the best documented complete healings available. How similar these are to healings brought about with the direct help of healers remains to be clarified.

The Virgin Mary is believed to be a healer by those who visit Lourdes. Cures at Lourdes may be considered cases of distant healing, transcending space and time.[12]

The spiritual uplift experienced by pilgrims appears to be much more frequent than cures. This, in fact, is the aspect of healing that many spiritual healers value the most.

CLINICAL AND LABORATORY OBSERVATIONS ON HEALING

It is the glorious privilege of academics to know that they are on the track of knowing everything. It is the humble gloom of the practitioner to know that nearly everything remains uncertain and paradoxical.
—Edward Whitmont, p. 37

Healing is a gift most varied in its expressions. One healer may be able to help with a particular spectrum of problems, while others may have no success at all treating the same problems. Not uncommonly I hear a healer state, "Healing has little to offer in diabetes, depression, or neurological problems." Different healers will tell me, "Oh, yes, healing can reduce the amount of insulin needed by diabetics; can bring people out of depression more quickly than medication or talking therapies alone; can bring people out of coma or can halt or reverse the course of multiple sclerosis."

Similarly, healees report they may experience no change in their condition with one healer and receive great results with another. Even with the same healer over a period of time they may find that their responses differ with successive healing treatments.

It is a challenge to identify patterns from these reports which clarify the nature and mechanisms of healing, as described by healers and by healees. Without control groups, it is often difficult to assess the validity of these reports. They do, however, provide many suggestions for further explorations.

Our first study comes from Germany. This is a highly unusual report, as German medical authorities have not only been uninterested in integrating healing with medical care, but have prosecuted healers for practicing medicine without a license.

Inge Strauch

Medical aspects of mental healing. (*International Journal of Parapsychology*, 1963)[13]

Strauch describes patients in a rural setting, who were examined before and after treatments by Kurt Trampler, a "mental healer." Characteristics of the patients are described in some detail. Categories of illnesses treated are mentioned, but not specific diagnoses or numbers of patients in each category.

It proved possible to evaluate the extent of objective changes in 247 patients. Where changes in condition corresponded to the expected course of a patient's disease, the doctors (H. Enke and J. Marx) listed these as in the objectively no change group. (See Table 5-2.)

Table 5-2.
Objective changes, all patients

Objective changes	Percent	Absolute
Improvement	9%	22
Temporary improvement	2%	4
No change	75%	187
Deterioration	14%	34
Totals	**100%**	**247**

Within the major disease groups, most of the objective improvements (15%) occurred in diseases of the digestive tract. The next table shows the objective changes with the more organic or functional aspects of a disease:

Table 5-3.
Objective changes, organic compared to functional illness

Objective changes	Predominately organic	Predominately functional	
Improvement / temporary improvement	46%	54%	(=100%)
No change	62%	38%	(=100%)
Deterioration	84%	16%	(=100%)

Evidently the prospects for objective improvement are much greater in the predominantly functional diseases. Furthermore, improvement was closely related to the gravity of the disease; the graver the condition, the fewer improvements there were. . . .

The statements of the patients themselves in regard to their subjective feelings show great deviation from the results of the objective checks. All those who were objectively improved also stated that they felt better. But the group of those who showed no objective change by no means regarded their condition as unchanged: 61% of these patients thought that it had improved during the time of the investigation. And of those whose condition had objectively worsened, 50% nevertheless declared that they were considerably better, at least temporarily.

This obvious discrepancy between the changes determined by clinical methods and the patients own statements fits in with our general impression that Trampler's influence produced in the main subjective changes—which, however, can be of great importance to the patient. . . .In the course of the study at Freiburg the doctors came to the conclusion that Dr. Trampler had not, during the period of the investigation, exerted influence prejudicial to the health of any patient he treated.

Characteristics of responders vs. non-responders are listed, per profiles on Zulliger's Z-test and Pfister-Heiss Color pyramid test. Graphological analysis of handwriting was also obtained but is not summarized.

The positive group. . .had on the whole a lower level of Intelligence and a markedly low critical capacity. Although predominantly affectively impressionable, it was less so than the negative group, was also less imaginative, possessed of extremely feeble self-confidence, and less tense. . . .

Discussion

This is the earliest published clinical study with assessments before and after healing by the same group of researchers on a large number of patients. Descriptions of methods and general criteria for evaluations are reasonably presented. More detailed reports on the types of problems treated and those improved would have helped readers appreciate more precisely the nature of the problems addressed.

Of help are the observations on types of patients likely to benefit from healing. The larger number of objective improvements reported where a functional (psychosomatic) component was present implies that suggestion may still be a major component in the response to healing, or that the same illnesses which respond to suggestion may respond to healing. This is further supported by the better response in less intellectual and analytical personality types, whom one might expect to be more receptive to suggestion. Caryl Hirshberg and Marc Barasch (p.115) make a similar observation from their study of people who had remarkable recoveries from illnesses, many of them through apparent self-healings. "[T]hose most likely to experience supposedly miraculous healings do not interpose much critical thought between themselves and a higher power."

The functional illnesses may also be more susceptible to healing because they involve neuronal or hormonal influences; may be related to smooth muscle tension (in gut, bronchioles, blood vessels); or may involve the immune system—and are all therefore subject to mental control. Biofeedback and psychoneuroimmunology[14] confirm that such control is possible in these body systems. Self-healings may be enhanced via telepathic suggestion.

Strauch's report that people who are less tense respond better is hard to reconcile with the above alternatives. Many healers say a relaxed state in healees contributes to a positive response. If anything, it seems to me one would expect *more* response from suggestion in patients who were more anxious.

These would have more pressing needs for relief and more room for improvement on a parameter which is notoriously responsive to suggestion. This discrepancy hints at the possibility that something other than suggestion may be occurring.

Many healees reported subjective relief of symptoms even when no objective changes were measurable. Even if this is only due to suggestion, it appears to be a very worthwhile addition to the management of the dis-ease associated with disease. Surveys of healees, considered near the end of this chapter, strongly confirm this finding.

Because no control groups of untreated patients were used for comparison with those receiving healing, readers are left, at best, with a choice of accepting the opinions of researchers they do not know and cannot evaluate or with the alternatives of suspending judgment or of expressing severe doubts, at the worst.

Healing and other complementary therapies are in wide use in Eastern Europe because limited medical resources over many years have forced people to seek every available form of care. Though most doctors in these countries have little awareness of the efficacy of healing, a few are beginning to appreciate its worth and work with healers.

Zofia Mialkowska

Statistical Assessment of Dr. Jerzy Rejmer's Biotherapeutical Activity at an IZIS Clinic in Warsaw (*Proceedings of the Sixth International Conference on Psychotronic Research,* **1986)**

Zofia Mialkowska, a psychologist, reviews the "biotherapy" work of Dr. Jerzy Rejmer in a Polish clinic between 1982 and 1985. Rejmer saw 2,820 people (1,913 women and 907 men). Many had more than one problem, with 3,837 (2,699 women; 1,138 men) clinical complaints registered. Results of Dr. Rejmer's treatments are mentioned for only 1,684 of the 3,837 problems (43.89 percent) since many healees had only one treatment and no follow-up data are available. Many of the cases had been unresponsive to conventional therapies. In 293 instances (7.64 percent) hospital testimony to this effect was obtained.

Dr. Rejmer treated each person by giving healing to the local body region requiring help (3,090, or 85 percent of problems). Alternatively, "when the organism was remarkably weakened with a generalized character of complaint, he used a generally strengthening technique. . . ." Biotherapy was clearly used in a complementary (rather than alternative) manner, with attending physicians and specialists consulted in 917 cases (27.26 percent). In 83.25 percent of cases, patients reported improvement in well-being. In 52.67 percent, "the effects of Dr. Rejmer's procedures were confirmed by the appropriate analytical and medical examinations."

The greatest objective changes were in the urinary and nervous systems (especially epilepsy); the lowest in the digestive system. "The improvement. . . was most distinctly marked with reference to the endocrinal, the genital and circulatory systems, and least marked with reference to the respiratory system." (See Table 5-4.) Pain responded extremely well, especially for headaches and arthritis. Only 4.63 percent of all cases demonstrated no change. Some (especially with genital, urinary, or endocrinal problems) reported pain during or immediately following treatments, but after a short while felt marked and lasting improvement. In all cases where follow-ups are available—up to two years post-treatment—the results have been permanent.

Table 5-4. *Effectiveness of J. Rejmer's Biotherapeutic Actions**

System	Number of cases	Sense of well-being	Medical data	No change
Digestive	593	507 85.50%	252 42.50%	37 6.24%
Respiratory	276	204 73.91%	143 51.81%	14 5.07%
Nerves and sense organs	226	155 68.58%	151 66.81%	16 7.08%
Circulatory	196	184 93.88%	118 60.20%	4 2.04%
Genital	177	167 94.35%	89 50.28%	4 2.26%
Urinary	132	105 79.55%	84 63.64%	2 1.15%
Endocrinal	84	80 95.24%	50 59.52%	1 1.19%
Total	**1684**	**1402**	**887**	**78**
Average %		**83.25%**	**52.67%**	**4.63%**

*This table is slightly modified from the original source to improve its clarity.

Discussion

Again, we have a tantalizing report indicating that healing can be helpful in some ways with some illnesses. But again we lack details of diagnosis, criteria for improvement and control groups against which to judge the results.

The occasional occurrence of pain early in the course of healings has been echoed by numbers of healers and may be a clue to how healing works,. Anecdotal reports suggest that it generally bodes well when this happens.

The spectrum of illnesses responding to Rejmer's treatments is clearly at variance with those responding to Trampler's treatments. It is very common to find that particular healers have better responses to a specific assortment of symptoms and illnesses and that these assortments differ for different healers.

In England, I founded a Doctor-Healer Network which is a forum for doctors, nurses, and other conventional therapists to meet with healers and other complementary therapists and clergy engaged in healing and energy medicine. Dr. Michael Dixon, the next researcher, is among a growing number of physicians in British clinic and hospital practices who are inviting healers to work with them.

Michael Dixon

A healer in GP practice (*Doctor-Healer Network Newsletter,* 1994)

For. . .18 months healer and doctor have been working alongside each other in our Mid-Devon general practice. It has been a profitable experience for doctors, staff and patients alike.

The practice consists of seven doctors covering over 100 square miles. Since May 1992, Mrs. Gill White has been coming each Thursday morning as healer in the practice and seeing an average of five patients for 45 minutes each. It was originally agreed between Gill and the partners that the patients she was seeing should have chronic illnesses which had been present for at least six months and which had not been helped by other treatments, conventional or complementary. During the first year the healing clinic was run as a health promotion clinic under regulations which were terminated in July this year. Since then the Family Health Service Association (the local governing medical body under the National Health Service) has agreed to fund the clinic for a further year as a research project, and the Department of General Practice in Exeter has been helping us improve our research protocol.

In June this year we reviewed the success of the clinic so far. This review covered the first 25 patients that Gill had seen in the healing clinic. The most common presenting symptoms among this group were back pain (5), arthritis (3), depression (3), stress (3), abdominal pains (2), M.E. (chronic fatigue syndrome 2) and single cases of asthma, headache, repetitive stress injury, colitis, persistent urinary infection, psoriasis (a chronic skin condition), and muscle dysfunction (idiopathic dystonia).

The patients were asked to score their main symptoms both before and after healing on a nine-point scale (from "couldn't be worse" to "no symptoms any more," and also to assess any changes that they had perceived. As far as self rated symptom scores were concerned, 72%

showed some improvement, including 32% who reported substantial improvement in their symptom score. As far as perceived change was concerned, 16% felt slightly better, 20% felt much better and 32% felt very much better. Doctors' perceptions of change largely agreed with perceptions of their patients. All eight patients with stress, joint pains, and abdominal pains reported some improvement, while the improvement was less predictable in the patients with back pain (3 out of 5), depression (2 out of 3) and M.E. (1 out of 2). Patients with agoraphobia and headache were not helped.

For the purpose of assessment of change in this study, we focused in the questionnaires on the main presenting symptom. This appeared to miss some of the potential benefits of healing. Clearly healing is about change in a more wholistic sense, and the main presenting problem may be just a symptom. Many of the patients spontaneously reported improvement in aspects of themselves which were not the subject of the study. Indeed, all but one of the patients (96%) felt that healing had been a positive, pleasurable, and useful experience in some way. Almost everyone commented on the positive effects of relaxation and how this carried into their lives generally. Many commented how they had learned to used these techniques themselves. Many referred to how they felt much more master of their own disease and symptoms. Others referred to a changed perception in themselves generally. "I have altered my whole outlook on life." Some referred to a greater ability to accept themselves and things as they were. "I don't mind feeling upset and angry anymore." Patients were often surprised at the amount of active work that they had to put into healing, at the encouragement of the healer. They were also surprised that it was a slow, progressive process. Many had expected instant, magical experiences. Many mentioned a willingness to confide in the healer. "I opened up to her more than anyone else in my life." "It helps having someone who has that degree of interest in you." A large number commented very positively about the healer herself.

We studied the eight patients who had shown no improvement under our scoring system and only one of this group had ended up with no effect of healing. One patient felt that healing had altered his whole outlook on life. Another had had chronic pains in her arm which went away with healing. Another noted that his back pain got better (though this was not the presenting symptom and therefore was not included in the scoring for improvement). Another noted that "It was nice to be given the attention and to be listened to." One who had had no objective improvement was reported by the doctor as being much less draining.

In order to give some objectivity to the study, we looked at changes in consultation rates, before and after healing. Only 10 patients had completed healing more than six months prior to this review.

Comparing their average attendance rate at the surgery in the 12 months prior to healing with the rate six months after healing showed a decrease in consultation rates from an average of 12 to eight per patient per year. This appeared to be statistically significant ($p < .025$. . . Projecting from the reductions to date in these patients, we would probably have 100 fewer patient visits over the period of one year.

We also examined changes in prescriptions. Out of the 25 patients, eight either reduced or stopped their medication. The annual saving in prescription costs amounted to a little over £1000 a year, which more than paid for the annual cost of the clinic. The reductions in costs from fewer consultations has not been calculated but is clearly significant.

Over the next year we will be able to see if the reduction in consultation rates is confirmed with other patients. If it is, it not only has important implications as far as workload in the practice is concerned, and for the usefulness of healing for symptoms. We have the impression that patients have been made better able to look after themselves and now see themselves rather than the doctor as the vehicle for improving their health. These are only early results. A more extensive review in a year's time will be needed to confirm these early impressions. We will also need to look at more objective measures of improvement if we are to satisfy scientific criteria, however important it may be that the patients say and feel that they have improved. For instance, we may explore the effects of healing upon blood pressure. We will also have to look at ways of adjusting the medical research model to the full range of healing potential so as to pick up the vast range of improvements that occurred, which do not show up in the limited framework of the present study.

The project has been an eye opener to the doctors in the practice, even to the skeptics. Gill's reputation is such that she is now getting referrals from almost all the doctors in the practice, where initially only two participated. The staff in the practice have been happy and indeed proud to have a healer in their midst, and enjoyed the challenge of accommodating a healer in the conventional medical setting.

As far as the patients are concerned, the research speaks for itself. Remember that these were patients with chronic illnesses who had not been helped by either conventional or other complementary therapies. Gill's 70% success rate seems particularly significant in these circumstances. If, as doctors, our conventional theories may not explain this success, we should not reject the evidence. After all, a relatively cheap treatment, with no negative side effects, which benefits most of our patients is what we have been looking for all along!

Discussion

Dixon's pilot study demonstrates that healing is an effective complement to conventional outpatient care. This study is the first to demonstrate that healing can be *cost effective*, with reduced medication use and fewer patient visits. Dixon almost regretted using those two words because for several months after he published his study he was besieged by the media who were eager to publicize his results. Never mind that his patients improved—it was the fact that the government could be saved a bunch of money which was news.

The healer was Gillian White, who heals within a firm personal Christian belief system (which she does not impose upon healees). White is sensitive to counseling issues and does a fair bit of talking in addition to the healing.

The cost-effectiveness of healing appears self-evident to those involved in spiritual healing. It is good to have medical confirmation of this clinical impression.

Craig Brown is another General Practitioner member of the Doctor-Healer Network who has two healers working in his offices. He is President of the National Federation of Spiritual Healers, the largest healing organization in England.

Craig K. Brown

Spiritual healing in a general practice: using a quality-of-life questionnaire to measure outcome (*Complementary Therapies in Medicine*, 1995)

Craig Brown works in a practice serving 12,000 patients in South England. He and his five partners referred patients for healing when they had chronic problems of at least six months' duration and had not responded to conventional treatments, including drugs, specialist referrals, and counseling. Healing was given as a complement to ongoing treatments.

Healers (Del Ralph or Brenda Watters) saw patients for 20 minutes weekly over eight weeks, to include a minimum of 15 minutes of healing holding their hands near the body at each visit. The rest of the time was given to discussing the patients' conditions. Patients could choose which of the healers they preferred, and saw the same healer each time.

Over 14 months, 47 patients were referred and 35 agreed to participate in the study (25 to 74 years old; 6 men and 27 women). Presenting symptoms included anxiety/stress (11); depression (6); arthritis (2); backache (3); two each—poor general condition, headaches, and tiredness; one each—epilepsy, heart symptoms, breast cancer, loss of smell, and poor balance. Mean duration of symptoms ranged from two to 15 years, with most over four years. There were two dropouts after two sessions: one because of work commitments, and the other because he felt he was not improving. The mean number of sessions attended was six.

Patients were interviewed prior to the start of healing to record their main complaint and its duration. The Medical Outcome Study (MOS) questionnaire[15] was administered prior to the first healing and after eight weeks. The questionnaire was also posted to patients six months after the first healing treatment. A higher score indicates better health. The questionnaires were scored by a person outside the clinic. The results were presented as mean scores comparing the questionnaire scores in the selected group with the [norms for the] general population. Scores of E and C groups were compared at the baseline and eight week intervals, and with the scores of those who responded at 26 weeks.[16] Twenty-three patients remained in the study for 26 weeks, and 19 of these completed the MOS questionnaire the third time. At 26 weeks 14 of the 19 were continuing with healing, the other respondents having stopped after eight weeks.

Results: The study group had lower mean scores than the general population norms on all subscales. The changes in scores from week zero to week eight are indicated in Table 5-5. Where items were missing a scale was not scored.

Table 5-5.
The mean scores of the SF-36 questionnaire of the study group at zero and eight weeks

Scale	Mean score			
	No.	**0 weeks**	**8 weeks**	**Significance**
Physical function	32	70.2	73.4	NS
Physical role limitation	31	21.8	47.8	$p < .01$
Emotional role limitation	32	32.3	54.2	$p < .05$
Social function	33	52.1	66.4	$p < .01$
Bodily pain	32	44.6	56.8	$p < .01$
Mental pain	32	49.6	63.5	$p < .001$
Vitality	32	32.5	52.7	$p < .001$
General health	30	48.7	55.4	$p < .05$

The subgroup completing the questionnaire at 26 weeks had fewer significant improvements from week 0 to week 8 and no significant improvements from week 8 to week 26.

Brown observes that the lack of controls leave the study open to questions of whether improvements might have been due to natural wanings of the severity of problems. Countering this criticism, he notes that all had had their problems for long periods of time and their doctors had given them many treatments, without success. An improvement in the design would be to have patients take the MOS four weeks prior to starting healing, using this period as a self-control comparison with the period of treatment.

> The mean results obscure some marked improvements in some of the long-standing complaints of individual patients. For example, the patient attending with epilepsy noticed a reduction from one to two convulsions per day, to one attack a week while he was receiving healing. Perhaps larger studies in the future could identify patients, or their particular illness, that respond best to healing. It may be that particular healers have an aptitude for helping specific diseases . . . .
>
> Measuring outcomes of any complementary therapy is a challenge, as the therapist may have different expectations of outcome from the scientific researcher. Spiritual healers claim they work at a subtle non-physical level. They may assess a successful outcome as an attitudinal change, and see any physical change as secondary. Healing, although working immediately at the non-physical level, may take months before any physical change may occur; and these may be different from the presenting symptoms. For example, a woman who stated that her reason for attendance at the healing session was for depression, found that her regular migraine headaches ceased after two healings. It was only after six months she felt her depression had improved, and only then acknowledged that the change had begun with healing.

Brown points out that more precise studies might be mounted in a hospital setting, where more uniform patient populations can be studied in E and C groups.

Discussion
Another reasonable control group could be set up with mock healing treatments.

Dixon and Brown are to be commended for taking the trouble to study the efficacy of healing in the midst of very busy and demanding medical practices. Their reports confirm healers' impressions that healing can be of benefit to patients with many problems. This suggests that researchers might do well to look for a spectrum of symptomatic improvements with healing, and not just to focus on single presenting symptoms.

The efficacy of healing for anxiety has been suggested in several controlled studies, as well as in the everyday experience of most healers. The next study begins to examine factors which may contribute to reductions of anxiety when treated with Therapeutic Touch.

Ellen Shuzman

The Effect of Trait Anxiety and Patient Expectation of Therapeutic Touch on the Reduction in State Anxiety in Preoperative Patients Who Receive Therapeutic Touch (doctoral dissertation, New York University, 1993)[17]

Ellen Schuzman made a clinical observation that Therapeutic Touch (TT) reduced anxiety in preoperative patients. She set up a study to explore whether patients' expectations or their trait anxiety (natural, characterological tendency to be anxious) might be associated with this effect.

TT was given by three experienced nurses. Their expertise was confirmed by their scores on the Subjective Experience of Therapeutic Touch Scale (SETTS).[18] The State-Trait Anxiety Inventory (STAI) and a Credibility Scale for expectations of TT were assessed with 81 women who were scheduled for either gynecological surgery or breast biopsy in an outpatient surgical unit. The STAI was repeated after a five-minute TT healing.

Results: Significant reductions in state anxiety were found in comparing pre-surgical with post-surgical, post-TT anxiety scores ($p < .000$).[19] Further analyses showed that the higher the *trait* anxiety, the lower the *state* anxiety.[20]

The expectations of subjects did not correlate significantly with the reduced state anxiety, nor was trait anxiety correlated with expectations of TT.

Discussion

It appears from this study that TT healing can reduce pre-surgical state anxiety. It is unusual to find a study which includes explorations of trait anxiety. Most researchers assume that characterological anxiety will not be influenced as a result of treatment, and so they ignore it. These observations suggest further studies of effects of healing on people with high trait anxiety.

Healing Touch expands upon Therapeutic Touch to include longer treatments (up to an hour), Native American methods, healing directed to the chakras, and other innovations. The following study explores Healing Touch for chronic pain.

Madelyn M. Darbonne, Tamera L. Fontenot, and Wanda Thompson

The Effects of Healing Touch Modalities with Chronic Pain (Journal article in preparation)

The authors studied the effects of Healing Touch (HT) for chronic pain in rural outpatients as measured on a visual analogue scale (VAS) and Chronic Pain Experience Instrument[21] before and after four HT treatments.

> No attempt was made to control for confounding variables such as: (a) additional treatments in concurrent progress, (b) natural healing processes unrelated to the treatment, (c) the placebo effect, (d) the experimenter effect, or (e) changes in life style and reduction of stress factors. . . .

The 19 subjects in the study were over 18 years old, had pain for at least six months, including "chronic neck and/or spinal pain, chronic arthritic-type pain, or those with fibromyalgia syndrome (FMS)." Treatment was given by six expert HT practitioners, who also gathered the data.

Results: Significant reductions in pain were registered on both the VAS ($p < .005$) and CPEI ($p < .01$).[22]

Subjects also reported greater relaxation and felt a "better overall perspective toward everyday life."

Discussion

This is a good exploratory study of Healing Touch for chronic pain. Giving healing for up to an hour is much more common in clinical healing practice than the usual "standard doses" of five minutes of healing that have been used in much of the initial research on healing treatments for pain.

Carolyn Estelle Dollar

Effects of Therapeutic Touch on Perception of Pain and Physiological Measurements from Tension Headache in Adults: A Pilot Study (master's thesis, University of Mississippi Medical Center, 1993)[17]

Dollar studied the pain of tension headaches in seven adults who were treated with Therapeutic Touch (TT). Intensity of pain was assessed with a Visual Analog Scale (VAS), audiotaped interview, pulse, blood pressure, and respiratory rate prior to, immediately after, and one hour after healing was given.

Results: Significant reductions were noted in pain ($p < .0006$) and respiratory rate ($p < .017$),[23] over the interval from the pre-test measures to both of the post-test measures. There were no significant differences between the two post-TT measures. Interview data added the factor of greater relaxation with TT.

The available abstract is too brief to permit detailed comment.

Ronda Evelyn Cooper

The Effect of Therapeutic Touch on Irritable Bowel Syndrome (master's thesis, Clarkson College, 1997) [17]

Cooper studied the responses to Therapeutic Touch (TT) of 29 women with irritable bowel syndrome (IBS). Each woman recorded her symptoms daily in a diary for two weeks before TT was given and during the two weeks when TT was given.

Results: Seven IBS symptoms were reduced by TT, with the reductions in pain being statistically significant (p < .05). Flatulence was *increased* by TT.

Discussion

The abstract is too brief to permit detailed comment. Healees often have rumblings in their stomachs within a few minutes of commencement of healing treatments. This is probably the second most observed response with healing, after relaxation.

Healers around the world are gathering clinical reports to demonstrate the efficacy of healing. The following notes come from China. Qigong is practiced primarily as self-healing exercises but may include *external qi* healings given by qigong masters.

While cancer is one of the illnesses for which people frequently seek healing, there are so few studies in this area that I include here a study barely worth mentioning in terms of its technical merits.

Chen Guoguang

The curative effect observation of 24 cases under my outward qigong treatment (*Proceedings of the 2nd International Conference on Qigong, Xian, China, September 1989*—from qigong database of Sancier)

Chen Guogang summarizes his treatment of 15 women and nine men, ages 18 to 75, all of whom had cancer diagnosed by physicians. Duration of treatment ranged from eight months to 12 years. He states,

> In an ancient Chinese medical book we read, "where there is a pain, there must be some part in the body blocked up.... The pain removes when such a part becomes dredged." Applying this theory, a qigong doctor makes use of his "waiqi" (outside breathing) to put in order the patient's blocked breathing, blood, sputum and undigested food. The doctor concentrates his effort to stimulating the circulating of the blood through the "jing" (channel) the patient falls ill with. Stimulation may at the same time be applied to other channels.

Cancers were present in 14 different parts of the body (cell types of cancer not mentioned). "Cures" occurred in seven healees (29 percent), with decreased pain, lessened swelling, improved appetite and sleep, and reductions in frequency of stools and blood in stools. Notable effects were seen in 13 healees, with greatly decreased pain,

> hard swelling softened and lessened. The patient can get up; free bowel movement; the blood in the stool stopped; the tumor prevented from proliferation; metrorrhagia (excessive menstrual bleeding) ceased. . . .
>
> In my treatment of the patient, he felt a special air current in his main and collateral channels. This, too, helps prove true the theory of "jing" (main and collateral channels) of traditional Chinese medical science, the existence in life of the current of qigong, and the effectiveness of the treatment from far away.
>
> My outward qigong curing is characterized by the following: each cure time needs only one to three minutes; the patient needn't take off his or her dresses and feels no pain; and the curative effect comes very soon (the patient under treatment usually feels better). It is worth noting that, when the qigong doctor sends out his special breathing, he must not stab the "Ashi Point" in order not to stimulate the cancer cells and thus cause their proliferation and metastasis.

Discussion

This conference summary is very brief. It is difficult to know whether the flows of energy described in the energy channels along the spine are a particular product of qigong healing or present in healees receiving other types of healing. If the latter, these may not be sensed by healers who are not educated in the acupuncture energy channel systems. It would appear that Guoguang's definition of cure may be considerably short of Western definitions of cure.

What is of particular note is the warning against stimulating (again difficult to know what type of stimulation is indicated) a particular point lest the growth of malignancies be accelerated. I know of no other healer who gives such a warning.

Meiguang Huang

General Hospital of P, Beijing—Effect of the emitted qi combined with self practice of qigong in treating paralysis (*Proceedings of the 1st World Conference for Academic Exchange of Medical Qigong, Beijing, 1988* - from qigong database of Sancier)

Forty-three cases of paralysis, 19 cases of hemiplegia, and 24 of paraplegia were treated by the emitted qi combined with self-practice of qigong.

Methods:

1. Qigong masters emitted their qi from ogong (P 8) and shixuan (Extra 10) towards the running course of the meridians of the patient two to three times a day.

2. Qigong master used his emitted qi to massage points of the patient once every other day.

3. Under the instruction of a master and according to the condition of the myodynamia [flexibility of the musculoskeletal system] the patient did the qigong exercise one to two times a day to restore the function.

Results:

1. Relief of symptoms. The mental status, sleep, appetite, local perspiration (limbs), and speaking ability were all obviously improved.

2. Changes of myodynamia. The myodynamia of the paralytic limbs was improved in most cases (34/35) from 0-2 degrees to 3-5 degrees, which means the ability [to] perform active movement. Some of the cases were completely recovered.

3. Walking. Before treatment 37 of the 43 paralytic patients had needed support in walking. After treatment 23 could walk without any help. Only 20 were still dependent on crutches. Some patients who previously used wheelchairs now could walk with crutches, and those who originally walked with a pair of crutches now use only one crutch.

4. Managing of daily life. Before treatment 36 of the 43 cases could not manage their own daily life. After treatment 34 were capable of taking care of themselves.

In comparison with the indices before and after treatment, the difference was statistically significant. Judged by the indices of rehabilitation commonly used, the effect of treatment was excellent in 10 cases (23.25%), good in 20 cases (46.5%), fine in 10 cases(23.25%), bad in 3 cases (6.99%). The total effective rate was 93.01%. The markedly effective rate was 69.76%.

Discussion

It is helpful to have confirmation from China of anecdotal reports from the West of the efficacy of healing for paralysis. Without control groups, however, it is impossible to know whether these patients might have improved as much without the healing.

The next study comes as a brief note from Poland, where healing is increasingly being accepted as a useful therapy.

Jan Gulak

Lowering the anxiety levels in persons undergoing bioenergotherapy (*Psychotronika,* 1985)

Jan Gulak, a bioenergotherapist, studied the anxiety levels of his patients before and after his 15-minute treatments. His measure of anxiety was the questionnaire of Spielberger and Taylor, administered 14 days prior to and 21 days after his treatment of 76 people (56 females and 17 males). Various statistical analyses showed the results to be significant (p < .01 and (p < .001). Accompanying the decrease in anxiety were cessation of migraines and sleeplessness, improvement of circulatory insufficiency, and relief of digestive and reproductive organ pains.[24]

This is a translated study, again too brief for thorough analysis.

South American healers are renowned for helping people with difficult problems.[25] Until recently, only anecdotal reports were available. The following is the first systematic study by doctors and psychologists with assessments before and after healing.

M. Margarida de Carvalho

An eclectic approach to group healing in Sao Paulo, Brazil: A pilot study (*Journal of the Society for Psychical Research,* 1996).

Carmen Ballestero is a Brazilian trance medium and healer. She is leader of a Spiritualist Center where she and a group of about 200 healers donate their time without payment. Clients come for help with physical, psychological and spiritual problems. Carmen used to be an English teacher but now works full time at her center. She claims to channel Saint-Germain, an 18th-century aristocratic French mystic.[26] The other healers have other spirit helpers.

Treatments at the Center include spiritual healing, group discussions, and rituals for patients together with family and friends. Treatments are given every evening by 20 to 30 healers standing in a circle around the patients. With prayers, meditations and music they give healing by moving their hands near the patients but not touching them. The healers feel they are channeling divine energy. Patients come once a week and are treated by whichever healers are there.

Over a period of 10 months, out of more than 100 patients, 25 were included in the study who:

- Had physical (not psychological or spiritual problems).
- Had been diagnosed by an independent medical doctor, with appropriate medical tests.
- Were receiving no other medical treatments during the study.
- Were unlikely to have psychosomatic causes for their illnesses.

- Were evaluated by medical doctors at the end of the study, with repeated medical tests.

These patients had serious illnesses and the research doctors anticipated that all would deteriorate during the course of the study. Evaluations by the research doctors included complete blood counts, serum glucose and electrolytes, electrocardiograms, pulse, blood pressure, checks for ankle swelling, and medical examinations of heart, lungs, skin color, and moisture.

Four patients were eliminated when they failed to produce repeated medical tests at the end of the study, and one more who discontinued treatment at the center to have surgery, leaving 20 patients who met all the criteria.

Carvalho, together with another psychologist and two medical doctors, interviewed and examined the patients and reviewed medical reports from patients' doctors. Patients were interviewed at the start, middle, and end of the study. They sometimes came to the researchers spontaneously for additional interviews, as the researchers observed many healing sessions and participated in the healing circle.

Results: Improved—4; stabilized—11; unstable—2; worse—2; died—1 (See Table 5-6)

Table 5-6. *Results for 20 subjects attending weekly mental healing sessions over a 10-month time span*

Sex	Age	Diagnosis	Duration of illness	Results
F	33	Kidney insufficiency	1 year	stabilized
F	36	Endometriosis	4 years	stabilized
F	39	AIDS related diseases	10 months	stabilized
F	40	Arthrosis	6 years	improvement
F	42	Polycystic ovarium	2 years	stabilized
F	49	Lupus	7 years	unstable
F	68	Ophthalmic degeneration	9 years	deterioration
M	30	AIDS related diseases	5 months	stabilized
M	32	AIDS related diseases	4 years	stabilized
M	33	AIDS related diseases	1 year	death
M	34	AIDS related diseases	3 months	stabilized
M	34	AIDS related diseases	8 months	stabilized
M	37	Hepatitis	7 years	improvement
M	42	AIDS related diseases	8 years	stabilized
M	44	Hepatitis	6 years	improvement
M	46	AIDS related diseases	8 years	unstable
M	55	Hepatitis	2 years	stabilized
M	56	Epilepsy	35 years	deterioration
M	69	Kidney calculus	20 years	improvement
M	69	Ophthalmic degeneration	1 year	stabilized

Most of the patients attended other healing centers simultaneously.

The research doctors felt that the treatment at the healing center was beneficial. They observed that patients who were emotionally unstable tended to become physically unstable. Improvements appeared to correlate with patients' faith in the Center's healing treatments and with positive attitudes and optimism. Conversely, less improvement was seen in those who expressed little faith in the treatments, many of whom attended primarily because relatives or friends had pressured them to come.

The researchers felt that their own participation may have contributed to improvements, in the form of extra attention to these patients.

Discussion

Healers who come from unbroken cultural traditions of healing may have much to teach us about spiritual healing. It is so helpful to have confirmation from professional Western health caregivers that observable improvement occurs with healings in these contexts. Without such observations we would be left wondering about the validity of claims of people who are not aware of the distinctions between physical and psychosomatic illnesses.

While clinical studies help to answer the question "Does healing work?" and establish the range and limits of its efficacy, further studies are needed to clarify *how* healing works.

The following two studies examine the effects of healing on protein synthesis in cancer cells. Of particular interest are the states of mind identified by the healer and the apparent differences in effects with each state.

Glen Rein

Quantum Biology: Healing with Subtle Energy, 1992

Glen Rein explored the effects of a healer upon DNA synthesis of tumor cells in culture. He measured cell proliferation according to the uptake of radioactive thymidine. The rate of cell proliferation was determined relative to the total number of cells, counted in a hemocytometer. The healer was Dr. Leonard Laskow, an American gynecologist who is now giving and teaching healing.

> Leonard Laskow shifted into a specific state of consciousness and mentally and energetically focused on three petri dishes held in the palm of his hand. Another aliquot of cells from the same stock bottle was being held simultaneously by a non-healer in an adjacent room. The non-healer was reading a book to minimize the interaction of his consciousness with the cells. Both sets of petri dishes (n = 6) were brought back to the tissue culture hood where they were labeled

(blindly) and scrambled. The author then labeled the cells with radioactive thymidine and processed them after 24 hrs. growth to measure cell proliferation. The same exact protocol was also followed in another parallel set of experiments done with distilled water contained in a plastic lid-sealed test tube, instead of cells in a petri dish. This water, as well as control water, was then used to make standard [sic] tissue culture medium which was then added to the cells at the beginning of the 24 hr. growth period.

Two series of experiments were performed:

> **Experiment 1**. Laskow explored five different mental intentions. . . .
> He describes an overall loving state that was maintained throughout all the experiments, which allowed him to be in resonance with the tumor cells. The technique for attaining this non-ordinary state is a form of meditation which allows intentional focusing and cohering of energy. Laskow refers to these intentions as different contents of consciousness. He distinguishes the intentions as:
> **1.** Returning to the natural order and harmony of the cell's normal rate of growth.
> **2.** Circulating the microcosmic orbit [Taoist visualizations after the teaching of Mantak Chia].
> **3.** Letting God's will flow through these hands.
> **4.** Unconditional love.
> **5.** Dematerialization.

Laskow describes the psychoenergetic state of consciousness as follows:

> I shifted to a "transpersonal healing" state of consciousness by using a balancing breath which balanced and cohered both hemispheres of my brain followed by aligning, centering and energizing techniques. These processes produce, for me, a loving state which allowed my mind to come into resonance with the tumor cells as I focused on them. While in this transpersonal loving state I varied the content of my consciousness to specifically evaluate the differential influence of changes in mental content on tumor cell growth. We evaluated five different intentions while I was holding petri dishes containing tumor cells in my hands for each of the mental intentions.
>
> We were interested in varying what I was intending in my mind for these tumor cells. The first intent was the focused instruction that the tumor cells return to the natural order and harmony of their normal cell line. By normal I meant that the cells should grow at a normal rate, rather than their present accelerated tumor cell rate. Another intention was let God's will flow through my hands, so (in this case) there wasn't a specific direction given. Unconditional love was giving no direction

at all. When I do healing work, I shift into an unconditionally loving transpersonal state. While in that general loving state, superimposed unconditional loving intent without giving specific direction to the energy. . . .

I had two forms of dematerialization, one was dematerialized into the light and the other one was dematerialized into the void. I wanted to see whether there was a "reluctance" on the part of the cells to go into the unknown. Or is it better to give them a direction into the light. Obviously, this has import for people who are doing healing work in terms of giving direction to tumor cells and energy forms that you want to release. Is it easier to release them giving them a direction or releasing them into their potential, but without the light.

Experiment 2. We were then interested in determining to what extent intention, as a focused mental thought, might contribute to the healing response. This was achieved by Laskow intending and instructing the cells to "return to their normal order and rate of growth," while holding no visual image, thus separating intent from imagery. This experiment can be directly compared with the previous one, since the microcosmic orbit state of consciousness was maintained throughout and the previous experiment involved no consciously focused intent.

Rein then proceeded to study the efficacy of water as a vehicle for healing.

Experiment 3. Specifically, we wanted to determine whether there were differences in the energetic patterns associated with different states and contents of consciousness and whether these patterns could be transferred to water used to make tissue culture medium. If the energetic patterns could be detected in water using absorption spectroscopy, it might indicate that specific spectral patterns are associated with different states and contents of consciousness. The rationale for this hypothesis is based on the reported ability of healers to change the spectral patterns of water (S. Schwartz et al.). Preliminary experiments with Laskow indicated he could non-specifically alter the Raman spectra of water charged holoenergetically (W. Gough). In our approach to this question, we studied whether changing the content of consciousness, while in a non-ordinary state, could be used to alter tumor cell growth when culture medium was treated psychoenergetically.

Results:

Experiment 1. [T]he different contents of consciousness could be distinguished in terms of their biological responses. Of the different intention studies, only three showed a significant effect on inhibiting the growth of the tumor cells. The most effective intention we tried with tumor cell cultures was return to the natural order and harmony of the normal cell line (39% inhibition). "Allowing God's will to manifest" appeared to be only half as effective (21% inhibition). Under the same experimental conditions, unconditional love neither stimulated or inhibited cell growth. Its effect was neutral and seemingly accepting of the present condition. . .different biological effects could be observed by just changing the intent or the imagery associated with the healing process, but non-focused thought has no effect. Thus, while Laskow was in the microcosmic orbit state of consciousness, the mental image of visualizing only three cells remaining in the petri dish after the experiment caused an 18% inhibition of cell growth. On the other hand, switching the mental image to one where many more cells were visualized in the dish resulted in an increased growth of tumor cells (15%). The results are remarkable since not only could a different biological response be observed by changing the mental image, but an actual reversal of the biological process of cell growth was achieved.

Experiment 2. Focused intent for the cells to return to the natural order of their normal growth rate produced the same inhibitory biological response (20% inhibition) as did imagery alone. When we included the intention for the cells to return to the natural order of the normal cell line together with the imagery of reduced growth, the inhibitory effect was doubled to 40%. These results suggest that imagery and intent each contributed equally in inhibiting the growth of tumor cells in culture. . . .

These results have important implications for healers. The results suggest that certain healing states and contents of consciousness are more effective than others. As mentioned above, however, we do not know to what extent these effects are target specific. It is possible that other interventions would have been effective if other biological endpoints were chosen. For example, treating the tissue culture medium with microcosmic orbit (41% inhibition) was equally as effective as treating it with returning to the natural order, although the two focuses of consciousness were significantly different when treating the tumor cells directly. Alternatively, the content and states of consciousness that were effective in this experiment for Laskow, may not have been optimal for another healer treating the same tumor cells. Thus the results may be healer specific. These questions, however, are amenable to study using cultured cells in the protocol followed in this study. Future studies will in fact compare different states of consciousness with different biological targets, albeit with one healer, Leonard Laskow.

Experiment 3. The results indicated that water was in fact capable of storing and transferring the information associated with different contents of consciousness to the tumor cells. Thus water treated with the intention to return the cells to their natural order and harmony resulted in a 28% inhibition of cell growth, quite similar to that obtained when the cells were treated directly. Even more surprising, however, was the fact that two other focuses which were ineffective when the cells were treated directly, were effective when the water was treated. Thus unconditional love caused a 21% inhibition of growth and dematerialization caused a 27% inhibition. These results suggest that the efficacy of different focuses of consciousness depends on the target being healed. The data also suggest that water may be a more universal target. It is possible that pure water is more capable of picking up certain types of energy and information than cells. In other situations, with different environmental energy influences present, water may not store or release information. The practical application of this observation is that healers can give their clients water to drink which has been previously charged with their healing energy. This may also be the basis for blessing food and wine.

Rein demonstrated that non-Hertzian fields can have marked effects directly on biological systems (1988; 1989; 1991), on water (1990) and on biological systems via the water as a vehicle for the effect (1991).[27]   Rein also demonstrated that Laskow could generate a specific magnetic field pattern from his hands when he was in a particular state of consciousness.[28] Rein speculates that non-Hertzian energies may be a mechanism explaining some or all healing effects.[29]

Discussion

Rein did not include the data from Experiment 3 in his monograph. The results appear highly significant. Without the data to permit independent assessment of the significance of the results, one must suspend judgment upon Experiment 3.

It is fascinating to have a healer who can demonstrate different effects on biological systems with different states of consciousness and intent. The studies of Spindrift[30] appear to support this observation, which is often stressed by healers (e.g. LeShan 1974a).

Glen Rein and Leonard Laskow

Role of consciousness in holoenergetic healing: a new experimental approach, 1992(b)

The effects of various states of intent and mental focus during healing were studied further. In this experiment their influence was observed on the growth rates of human mastocytoma cancer cells in tissue culture. Thymidine is a nucleotide incorporated into DNA during cell growth. When radioactive thymidine is provided in the cell culture its uptake by the cells provides a measure of the rate of cell growth. This can then be monitored with a scintillation counter to assess changes in rate of growth which may be correlated with a healing intervention.

Leonard Laskow, the healer, held three petri dishes at a time containing cell cultures in his hand while focusing on one of several states of mind as he was giving healing to the cultures. Three control petri dishes with cells from the same culture were held by a nonhealer in an adjacent room. A third person labeled all the petri dishes and returned them to Rein, who was blind as to which had been given healing. Rein added radioactive thymidine and at the end of 24 hours measured the rates of cell growth. The same procedures were followed with Laskow treating sealed tubes of distilled water, which was then used in preparing tissue culture medium for the growth of cells.

Giving healing to the tumor cells produced the following effects with the various mental states:

- Allowing the cells to return to their natural order and harmony: 39% inhibition
- Circulating the microcosmic orbit: 41% inhibition
- Allowing God's will to manifest: 21% inhibition
- Unconditional love and other intents produced no effects.

Further variations of mental focus were explored:

[W]hile in the microcosmic orbit state of consciousness, with no specific thoughts, the mental image of visualizing many more cells in the petri dish at the end of the experimental period—15% increase in growth. . . .

- [V]isualizing less cells: 18% inhibition.
- [H]aving the cells return to their natural order and harmony—no effect.
- [C]hanging the intention from the less focused microcosmic orbit state to the focused intention to return the cells to their natural order and harmony—39% inhibition.

These results indicate that changing the visual image had a profound biological effect by actually reversing the growth process from an inhibition to a facilitation. Focused intention was equally as effective, whereas changing the mental thoughts did not contribute to the biological response.

Healing effects of water showed a different spectrum of effects with the various states of intent and mental focus:

- [N]atural order and harmony intention—28% inhibition.
- [U]nconditional love—21% inhibition.
- [D]ematerialization—28% inhibition.

This suggests that water can store qualitative information about the healing, in addition to storing a healing effect per se, when it acts as a vehicle for healing.[31] The tumor cells appear able to "read" the information in the water.

Discussion

This report raises many interesting questions. Though it would appear that the different intents and mental imagery produced the varying rates of inhibition or enhancement of growth, numbers of repetitions of the experiment would be required to rule out other factors. No blinds are mentioned for Rein as regards the mental focus and intent of Laskow, nor are the experimenters' beliefs and expectations detailed. The fact that different conditions were studied on different days, at least one or more weeks apart, leaves open the possibility that extraneous factors might have brought about the observed differences.[32] These could include the phase of moon, sunspots and geomagnetic activity—which have been shown to influence psi and healing effects[33]—or other, unidentified extraneous factors.

The spectrum of effects for healed water appears different from those of direct healing to cells, but again we would have to have repetitions of this study before we could rule out other confounding factors. While this may seem confusing, such is the nature of early stages of research.

Louis Rose was a doctor in England who took great interest in spiritual healers. He was a skeptic but was willing to see whether healers could prove to his satisfaction that they were able to help people.

Louis Rose

Faith Healing, 1971[34]

Louis Rose reviews healing anecdotally through ancient and modern history. He describes in detail his efforts to investigate various healers, with all the attendant problems of obtaining reliable examinations by physicians before and after the healings in cases where there was no conventional treatment to obscure the effects of healing. His major focus was on Harry Edwards, the renowned English healer.

Rose summarizes a survey of healees:

> . . . I analyzed 95 instances of purported faith cures and found that:
> **1.** In 58 cases it was not possible to obtain medical or other records so that the claims remained unconfirmed.
> **2.** In 22 cases, records were so much at variance with the claims that it was considered useless to continue the investigation further.
> **3.** In two cases the evidence in the medical records suggested that the healer may have contributed to amelioration of an organic condition.

4. In one case demonstrable organic disability was relieved or cured after intervention by the healer.

5. Three cases improved but relapsed.

6. Four cases showed a satisfactory degree of improvement in function although re-examination and comparison of medical records revealed no change in the organic state.

7. In four cases there was improvement when healing was received concurrently with orthodox medical treatment.

8. One case examined before and after treatment by the healer gained no benefit and continued to deteriorate.

Discussion

Rose presents an excellent clinical survey of carefully screened healing reports. Unfortunately, the screening was done retrospectively with multiple, independent evaluators, so we don't know what criteria were used. This book should be read in conjunction with any of the enthusiastic writings of Harry Edwards himself.[35]

Rose raises many interesting questions. How can one obtain reliable medical evaluations when doctors are reluctant to be involved with healing and healers? Do people go to healers without checking with their physicians? If so, for which types of illnesses? A number of doctoral dissertations in sociology and public health wait to be written in this field.

Rose's second finding points out how claims made by people unfamiliar with suggestion, placebo response, or ordinary changes in disease processes can diverge widely from an assessment by a physician, who will have a very different perspective.

Findings 3-7 reveal 14 cases in which some healing effect was verified by medical reports. This is a lower percentage than Strauch, Dixon, or Brown report. Several British healers have indicated to me in personal communication that they considered Rose extremely skeptical about healing, so he may have applied excessively stringent criteria in his survey. It is therefore even more impressive that he still finds healings which cannot be explained away by conventional medical models.

Observation 8 on negative results might also be a low estimate for reasons similar to those in 1 and 2.

Again it is good to have this critical review which confirms commonly heard claims that there are no detrimental effects from healing. Healing either helps or is ineffective. It does not harm.

It is to Rose's credit that he acknowledged Harry Edward's frustrations in being investigated by Rose. Edwards felt that there was simply no way he could provide proof which Rose would not dismiss in one way or another.

I am reminded of a Chinese proverb that states, "To be uncertain is to be uncomfortable, but to be certain is to be ridiculous." (Dossey 1998b).

Doctors' in-depth case reports on individual healings are unfortunately very rare. I am dismayed that patients may improve dramatically with spiritual healing—after years of chronic pains, physical disabilities, and various illnesses which did not respond to conventional medical care—and their doctors do not take the time to investigate what made the difference.[36] Many doctors tend to dismiss these as *spontaneous remissions* without questioning what caused the remission.[37] Others are concerned lest they face criticisms or censure from peers and professional associations for being involved with treatments that are not yet generally accepted.[38]

Here are the few case reports from doctors that I have been able to find.

Richard A. Kirkpatrick

Witchcraft and Lupus Erythematosus (*Journal of the American Medical Association,* 1981)

Richard Kirkpatrick is a physician in the state of Washington. He contributes a case study of a 28-year-old Philippine-American woman who had systemic lupus erythematosus (SLE) in 1977.

This is a disease of unknown cause, suspected to involve malfunction of the immune system. It can manifest as any combination of anemia, arthritis, vasculitis (inflammation of the blood vessels), enlargement of lymph nodes, nephritis (kidney inflammation), hepatitis (liver inflammation), rashes, and other symptoms. It may improve with aspirin, other anti-inflammatory agents, anti-cancer drugs, steroids, and other medications—most of which have toxic side effects.

The diagnosis of this woman was confirmed by laboratory tests indicating kidney damage,[39] nonspecific inflammatory changes on biopsy of lymph nodes and liver, and positive antinuclear antibody and SLE clot tests. Substantial doses of prednisone (60 mg./day) reduced both her liver enlargement and the albumin in her urine; her enlarged lymph nodes returned to normal; and she felt well. The steroid medication was lowered. A month later hypothyroidism was diagnosed and levothyroxine (thyroid hormone replacement) was started.

Her disease smoldered on, however, necessitating repeated increases in prednisone. She started to have edema (water retention) and swelling and steroid-related obesity (cushingoid), with periodic irrationality. Because this was presumably due to the prednisone, azathioprine (a toxic anticancer medication) was prescribed so that the steroid dose could be reduced. Her serum creatinine levels then rose, indicating kidney damage, confirmed on kidney biopsy. This showed changes typical of SLE. High doses of prednisone and cyclophosphamide, (another toxic drug) were recommended.

The patient refused, choosing instead to return to her remote Philippine village.

Much to the surprise of distraught family members and skeptical physicians, the patient came back three weeks later. She was neither cushingoid nor weak. In fact, she was "normal." She declined medications and refused further testing of blood or urine, as directed by the village witch doctor, who had removed the curse placed on her by a previous suitor. Twenty-three months later she gave birth to a healthy girl. During the pregnancy she had intermittent minimal albuminuria [proteins in the urine, a sign of kidney malfunction] and mild anemia. Even now she insists that her lupus was cured by removal of the "evil spirit" that had caused her original symptoms. No signs or symptoms of adrenal insufficiency or myxedema [hypothyroidism] have developed.

Kirkpatrick points out that it is unlikely the patient's SLE burned out. When she discontinued medication, her SLE was quite active, with protein and both white and red blood cell casts in her urine, low serum complement levels, and high erythrocyte sedimentation rates. Kirkpatrick asks:

> [B]y what mechanisms did the machinations of an Asian medicine man cure active lupus nephritis, change myxedema into euthyroidism, and allow precipitous withdrawal from corticosteroid treatment without symptoms of adrenal insufficiency?

Discussion

Although the symptoms of SLE are known to fluctuate, someone requiring the high doses of medications that this patient received is extremely unlikely to improve so abruptly, dramatically, and completely—and to maintain that level of recovery over several years. Furthermore, abruptly discontinuing steroids is stressful (sometimes even fatal) and usually leads to a return of SLE symptoms. The same is true of discontinuation of thyroid replacement therapy, though to a lesser degree.

One may empathize with a doctor who is unfamiliar with the benefits of healing, who may feel that such improvements are so strange and unlikely that they could only be due to witchcraft.

This case of dramatic improvement in a chronic, severe disease is well documented. I have spoken with numerous physicians who mention cases of healings but who have not taken the trouble to gather the findings or have hesitated to publish them. The sharing of such reports can make important contributions to our understanding of the range of effectiveness of healing.

Skeptics commonly suggest that spontaneous remissions of illness probably account for a major portion of the reports of spiritual healings. I believe the reverse is more likely.

Brendan O'Regan and Caryle Hirshberg of the Institute of Noetic Sciences collected 3,000 cases of *spontaneous remissions* from serious illnesses.[40] Some of these may be found to involve healing if the doctors will only ask whether patients received healing.

Some healers hold healing meetings for large numbers of people. These are usually healers with particular religious beliefs who include prayer as a major portion of the healing service. Much of this seems designed to heighten the emotional pitch of the audience, which may even reach what appear to be emotional frenzies. This vastly enhances the suggestibility of participants and may well help them be more open to changes initiated both by healers' suggestions and by their spiritual healing powers.

I review the work of Kathryn Kuhlman, of this healing tradition, having found several detailed reports on her work. The first is, in fact, the best medical documentation of a series of individual healings that I have ever seen.

H. Richard Casdorph

The Miracles, 1976

Casdorph, a physician, describes in detail ten cases in which patients were cured with healing, most of them by the late Kathryn Kuhlman. These are detailed case presentations, including confirmation of organic disease by examining physicians, with laboratory and X-ray reports (reproduced in the book) prior to and following healing treatments, and personal reports by the healed and their families.

Casdorph includes cured cases of:

- Reticulum cell sarcoma (cancer) of right pelvic bone
- Chronic rheumatoid arthritis with severe disability
- Malignant brain tumor[41] of the left temporal lobe
- Multiple sclerosis
- Arteriosclerotic heart disease
- Carcinoma of the kidney[42] with diffuse bony metastases
- Mixed rheumatoid arthritis and osteoarthritis
- Probable brain tumor vs. Infarction (blood clot) of the brain
- Massive gastrointestinal hemorrhage with shock
- Osteoporosis of the entire spine with intractable pain requiring bilateral cordotomies

Casdorph holds that a belief in Jesus and the Holy Spirit played an important part in these healings. In his opinion, the full healing syndrome generally includes the following:

- Often, but not invariably, someone among the family or friends of the healee feels a burden for their healing.
- Physical deformities due to the illness are corrected.
- There are changes in the healee's personality and spirit.
- After miraculous healings the healees begin to speak and teach about Jesus.
- Spontaneous healings occur in members of audiences who hear the testimonials of those who were miraculously healed, "and souls are saved for the Lord Jesus Christ."

Casdorph discusses the possibility that healing abilities reside in every person, and provides examples of untrained people who appeared to act as agents for healing.

> The inescapable conclusion is that God uses us to help others. There are times when He gives us a specific burden for another individual and, if we do not obey that call, the task may possibly never be done.

Discussion

Although Casdorph's cases were collected retrospectively, they are carefully supported with reports from physicians who examined the healees before and after healings, and include supporting X-rays and other laboratory data. The medical documentation of individual cures presented here is the most precise and convincing collection of all the clinical healing reports reviewed in this book.[43]

Casdorph's investigation of Kuhlman provides an interesting contrast with those of W. A. Nolen and Allen Spraggett, reported below.

One would think that these impressive medical case reports of cures of chronic and fatal diseases would have excited the medical profession to study the phenomena of healing. It is a testimonial to the capacity of humans to ignore the unusual and unexplainable that these observations have been relegated to the obscurity of library shelves and almost totally ignored.

Allen Spraggett, a journalist, also describes the healing services of the late Kathryn Kuhlman.

Allen Spraggett

Kathryn Kuhlman: The Woman Who Believes in Miracles, **1970**

Spraggett discusses many healings, presenting medical evaluations to support the claims of unusual physiological changes. He outlines in a sketchy way a few possible explanations for these occurrences.

Criteria for judging the validity of healings are included in a detailed section of this book:

The disease should be a medically diagnosed organic or structural disorder.

The healing should be rapid, preferably quasi-instantaneous, and involve changes of a type not normally considered attributable to suggestion.

The healing should be permanent.

Diagnoses included:

- Post-traumatic corneal (eye) scarring with severely reduced vision—vision restored.
- Corneal laceration with prolapse of iris—unaccountable rapid healing.
- A single case of slow-healing (10 months) clavicular (collarbone) fracture, sinusitis, unilateral deafness (cause and type not described)—all cured.
- Heart condition with (mitral stenosis with murmur, left atrial enlargement and right ventricur enlargement)—cured.
- Massive occlusion of basilar artery (to brain)—cured.
- Club foot—cured.

Spraggett also reports on several less detailed and documented healings.

How do these miracles occur? Kuhlman believed it was the power of God acting through her which produced the healings.

Discussion

Although pleasant and easy to read, Spraggett's book is technically much weaker than Casdorph's, lacking medical details that would support the diagnoses and changes brought about by healing. It is obvious the author is not trained in medicine or research and did not have adequate medical consultation in writing his review.

Skeptics who doubt that healing is more than suggestion or charlatanism abound. Few of them take the trouble to consider the research evidence, and fewer yet are qualified medically to judge the evidence. We have the next report on Kuhlman from a skeptical medical doctor.

W. A. Nolen

Healing: A Doctor in Search of a Miracle, 1974

Nolen, an American surgeon, presents discursive, and extremely detailed descriptions of his investigation into the work of Katherine Kuhlman, Norbu Chen, and many of the better known Philippine psychic surgeons.[44] Via direct observation and follow-up of treated cases, Nolen reaches the conclusion that no physical effects of healing could be demonstrated in any of the cases and that all of the positive results could be explained by mechanisms of suggestion or normal fluctuations in disease processes.

Nolen makes a good case for the gullibility of a wide variety of average people. He suggests reasons for seeking psychic healers:

1. Being impressed by enthusiastic claims of cures attributed to healing.
2. Hoping to avoid unpleasant medical treatments which may carry serious risks.
3. Neurotic anxieties concerning conventional allopathic treatments.
4. Doctors who do not adequately explain their diagnoses or proposed procedures, which may lead to or worsen items (2) or (3).

Nolen points out the dangers of delaying or denying conventional treatment. He speculates that healers may stimulate patients' self-healing and discusses possible forms that suggestion could take within a person, which could have unusual effects. He also considers the unpredictability of cancer and its treatment.

Discussion

Nolen's discussion contrasts markedly with reports by Spraggett, Casdorph, Krippner, and Villoldo, Meek, Stelter and others who studied some of the same healers and reached very different, often opposite conclusions to Nolen's.

Stelter directly contradicts Nolen on specific information concerning Philippine healers. He suggests that Nolen is selecting and distorting evidence to support his contention that psychic surgery is fakery.

I am impressed that the balance of evidence seems to support the genuineness of Kuhlman's healing cures.

Proceeding from surveys and case reports to studies on specific effects of healing, we have one study exploring healing on slow-growing skin cancers, a second on the immune system, and a third for cigarette addiction.

Steven Fahrion

Application of energetic therapy to basal cell carcinoma (pilot study, Life Sciences Institute of Mind-Body Health, Topeka, Kansas, supported by the Office of Alternative Medicine, 1995)

Basal cell carcinoma (BCC) is a skin cancer which rarely metastasizes. It is fairly common, with 480,000 estimated new cases in America annually. Standard treatment is surgical removal. BCC does not remit spontaneously.

This study explored the benefits of healing on BCC, following anecdotal reports that healing could shrink BCC or even eliminate it. Patients were referred by local dermatologists, supplemented by recruitment through newspaper ads when referral rates were low. Though 20 patients were wanted, only 10 were found for the study.

Mietek Wirkus and Ethel Lombardi, well-known healers who had participated previously in research, gave healing for 30 minutes every other day for five days. Healing was given with the hands one to two inches away from the body. A week was allowed for assessments, followed by a second five-day period of treatment.

Assessments of the tumors were made in the laboratory and by the patients' own physicians. Tumor size was recorded photographically through a clear grid with millimeter ruling. Patients were also assessed for psychological responses to healing.

Results: Four patients showed tumor reduction or elimination during the three-week treatment period, confirmed by photographs. One patient had had hundreds of these growth removed. Healing stopped his recurrences. Patients' doctors made assessments at variable times after the study. In some cases early improvements did not hold.

Patients' age, gender, and expectations of outcomes did not correlate with improvements.

The Beck Depression Inventory showed moderate and severe depression in the two patients who had no benefits from healing, and no depression in the three with greatest response. The Profile of Mood States scores showed that those with greater response were more elated, composed, and energized than those with lesser responses.

The healers assessed the strength and balance of patients' biological energy fields. The three patients given the highest ratings by the healers had the best outcomes. The healers also made predictions as to how effective healing was likely to be. The three patients with best outcomes were among the five with highest expectations of improvement, while the patient with the lowest rating was among the two with the lowest healer expectation.

Static electrical potentials were measured on the healers' bodies with respect to ground. Surges of up to 28 to 54 volts were recorded during healing. These did not appear to correlate with treatment outcome, but the sample is too small to state this with confidence.

All the patients' subjective reports of their quality of life were positive.

Patient 2: "[The healer] helped me so much, helped my rheumatoid arthritis. I was feeling so much better, and it lasted quite a while. I could get around so much more and my energy was better."

Patient 3: "I feel pretty positive about what happened. I got a medium good result from the healing. . .the swelling went down and never came back. . . . I'm busy. I'm in good health."

Patient 8: "No recurrences for almost a year now. . . . They all stopped; before that I was at the doctor's office every two or three months to remove bunches. He remove thirty or forty from me. And now, no recurrences. I believe it was the healer because it was the only thing I did that was different."

One patient reported a frontal headache during healing on the last four of the six treatments. She thought this could have been related to "nerves," as she was experiencing stress because of the murder of her son and deaths of two other relatives.

Healing appeared to be cost effective. The healers would normally charge $40 per session, which would total $240 for six treatments. For the 10 patients this would have come to $2,400. Dividing this by 15, the numbers of tumors treated, gives a cost of $160 per tumor. This is comparable to conventional surgical excision of the tumor, which would cost about $195 per tumor. Advantages of healing included absence of pain, other side effects and scarring, and improvements in co-existing conditions. The savings in patient 8 were considerably higher, assuming he would have continued to require surgery for multiple recurrences.

Fahrion recommends that photographic measurements be made in color, to provide a more sensitive indication of improvement, and that the distance of the camera from the tumor should be standardized.

Discussion

This pilot study of healing for skin cancers is most encouraging. Considering that cancer is usually a chronic condition, the benefits which were obtained in six treatments over three weeks are impressive.

While only four out of ten people with skin cancers showed physical improvements, for one the improvement was dramatic.

It is a common finding that healing does not always bring about improvements in problems that are targeted for treatment, but may produce beneficial effects in other physical, emotional, or spiritual aspects of the treated healees.

While many healers "turn the healing over to a higher power," some will intuitively sense that particular treatments will bring improvement. Such predictive abilities of healers regarding their anticipated successes have been reported anecdotally by several healers. It is good to see some objective confirmation of this ability.

It has been postulated by healers that healing must enhance immune system functions because they see healees improving from infections of many sorts.

Janet F. Quinn and Anthony J. Strelkauskas

Psychoimmunologic effects of Therapeutic Touch on practitioners and recently bereaved recipients: a pilot study (*Advances in Nursing Science,* 1993)

David McClelland has shown that compassionate feelings and unconditional love may enhance the potency of experiencers' immune systems (Borysenko 1985). Therapeutic Touch (TT) appears to enhance health and it seems reasonable to assume that one of its mechanisms might be strengthening the immune system. This hypothesis was studied in four recently bereaved people, because it has been shown that they often experience temporary suppression of their immune systems.[45] This pilot study explored whether there were changes in immunological and psychological profiles before and after TT treatments and whether there were similarities between these patterns in the two TT practitioners and the recipients of their treatments.

The TT healers followed the standard TT procedures initially but were then free to give treatment as they felt appropriate. This approach was favored over a standard time (often set arbitrarily at five minutes) because it allows practitioners to follow their normal treatment procedures.

The State-Trait Anxiety Inventory (STAI) of recipients showed a mean decrease of 29 percent in state anxiety in recipients over the four days of the treatment. This is a more marked reduction than in most previous studies, attributed by the authors to the freedom of practitioners to give treatments as they felt appropriate. The state anxiety of practitioners was so low to start with that no meaningful measures of change were possible.

The Affect Balance Scale showed a marked increase in nearly all the separate measures of positive affect (joy, vigor, contentment, and affection) and in their totals, and a marked decrease in negative affect (anxiety, guilt, hostility, and depression) and in their totals. The pattern in TT healers was similar to the recipients'. Healees of one of the two healers showed more marked changes than healees of the other.

A Visual Analog Scale (VAS) was used as an assessment of Effectiveness of Therapeutic Touch Scale (ETTS). Healees of the same healer again rated the effectiveness of treatment much higher than healees of the second one, and there was also greater congruence between the self ratings of the first healer and her healees.

Healers and healees often report that their sense of time is distorted during healings. Both estimated the time elapsed during healings, while a research assistant recorded the actual time. Healees of the first healer in this study experienced distortions of time about three times as great as those of the other.

Sophisticated immunological profiles were studied.[46] Only one lymphocyte immune cell assay showed consistent changes in response to TT healing. There were marked decreases in OKT8/suppressor T cells in all healees and healers. While it is too early to say what such a change might mean, the authors speculate, "One potential hypothesis deriving from this finding is that TT enhances immunologic functioning by the suppression of suppression, which, immunologically, is the equivalent of increasing helping." Other immunological assays showed marked changes among the various people studied, but these were inconsistent as to increases and decreases.

Discussion

This pioneering study is an early start in exploring the hypothesis that healing improves immune system activity. It would be helpful to know what the intervals for treatments and measurements were, in order to have a clearer picture on how the immunological changes progress as well as to give other researchers the opportunity to replicate the study.

Healing has demonstrated its efficacy in treating anxiety and depression. These are major components of addictions. It is good to see the next investigation of how healing might help with cigarette addiction.

M. Gmur and A. Tschopp

Factors determining the success of nicotine withdrawal: 12-year follow-up of 532 smokers after suggestion therapy by a faith healer (*International Journal of the Addictions,* 1987).

Gmur and Tschopp studied 532 heavy smokers at the University Psychiatric Clinic in Zurich. The healer, Hermano, treated by placing his hands on the healee's head with a vibrating movement. He claimed to "put out of action. . . [the] cerebral nicotine addiction center, from which the smoker's repeated reaching for a cigarette was triggered."

Of the total, 40 percent stopped for four months; 32.5 percent for one year; 20 percent for five years; and 15.9 percent for 12 years. At the final check, 37.5 percent were not smoking.

The investigators compared 75 discontinued smokers with 23 who resumed smoking within four months. Of 21 variables, only the item, "smoked in bed" significantly differentiated the two groups. Other items tending to point toward poor results were concomitant drinking, rare church attendance, and the attitude that the treatment will help "if you believe it."

Discussion

Sadly, without a control group it is impossible to guess whether the healer helped by healing, suggestion, or indeed if he helped at all beyond strengthening the will of the smokers to cease.

Healers report that pain is one of the symptoms which responds most readily to their treatments.

Frederick Knowles examined healing effects on several types of pain. Knowles (1954) learned methods of healing used in India and then studied medicine to better understand what he was doing. Though initially instructed in secret rituals for healing, he found with experience that these were not essential for beneficial results. He also demonstrated that suggestion alone was insufficient and that a period of concentration on his part was necessary in addition to suggestions in order to effect healings. Neither alone was nearly as effective as both together.

Frederick W. Knowles

Some investigations into psychic healing *(Journal of the American Society for Physical Research,* **1954)**

Frederick W. Knowles

Psychic healing in organic disease *(Journal of the American Society for Psychical Research,* **1956)**

Kenneth Richmond

Experiments in the relief of pain *(Journal of the Society for Psychical Research,* **1946)**

Knowles reports from his personal experience as a healer (1954):

> [A]n important factor in psychic healing is the healer's mental concentration upon the process of recovery which he desires to promote. Whether he touches the patient and the diseased region of the body, or passes his hands over it, or breathes on it, or carries out any formality, is irrelevant. In one process I use, the healer preferably looks at, but at least visualizes the patient or the region of the body affected, and imagines the intended recovery process by a series of thoughts or meditations. In the case of a painful joint, for instance, I visualize the disappearance of any effusion, swelling, or inflammation, and form images of easy painless movements. To keep up undistracted mental effort I change the images frequently, e.g., I visualize improved blood circulation and lymphatic drainage of the region, or again I imagine that I possess an invisible analgesic substance which I mentally throw at the region, seeming to see it penetrate the painful tissues with soothing results. Such concentrated thought effort is maintained for three to 20 minutes, and repeated, if need be, a few times at intervals of a few days.

Speculating on whether suggestion rather than healing is involved, he adds:

> It might be asked whether my experience with pain and relief in organic disease are not fully accounted for by the effects of suggestion, as understood today. It is probably true to say that the effects of suggestion, e.g., in osteoarthritis have not been adequately explored, but that, on the whole, clinicians are not impressed by them. More important, I have found my results to depend very largely on the amount of concentrated effort of thought that I put into the process of psychic treatment. But unless this concentration acts through a parapsychological process, it should not be suggestive to, or affect the patient. In a few whom I treated many times, and where this treatment produced complete but only temporary relief from severe pain (e.g., in

carcinomatous involvement of sensory nerves), I had the opportunity to omit this mental concentration upon occasion, behaving otherwise outwardly exactly in my usual manner during the "treatment." On these occasions relief did not occur. This seems the more remarkable in that these patients had been accustomed by several previous genuine treatments to obtain complete relief, and were thus conditioned to expect relief again. After such a failed "treatment," I then applied the concentration process and relief occurred as rapidly as usual.

Knowles (1956) concludes:
> Concerning the nature of the effort of mind or will that is required on the part of the physician. . .whatever concentration, meditation, or effort of will is used, it probably depends essentially on establishing in the physician's mind a vivid expectation of benefit to the patient. Any method that establishes such an expectation in the physician's mind may be adequate. . . .Possibly that expectation telepathically enhances the patient's own expectation to a level sufficient to secure benefit.

Richmond chronicled Knowles' treatment of 43 cases of painful conditions such as chronic osteoarthritis, rheumatism, and sciatica, selected for chronicity and absence of concomitant medical treatments. Knowles was observed concentrating for about two minutes per patient visit, with between three and five visits per patient. He checked patients' responses between periods of concentration, asking questions regarding decreases in pain and increases in range of motion of joints. He allowed up to three weekly visits in cases of no response before withdrawing from a case. Where partially successful he would continue for up to 12 weekly sessions. He preferred skeptical patients.

I summarize the results of Knowles' report in Table 5-7.

Table 5-7. *Results in patients treated by Knowles*

Effects	No of Patients	Comments
Decreased pain	35	13 Established freedom from pain; 12 pain decreased more than two days but not promising permanent relief
No relief	2	
Indeterminate	6	5 Pain transiently decreased a few hours to two days
Totals	**43**	13 unaccounted for in report)

The best results were in conditions such as osteoarthritis, in which definite physical lesions were observable (e.g. three complete-relief cases each were found for osteoarthritis and rheumatism). Poorer results were generally found in cases of sciatica. These authors also report pain relief in the following illnesses: neuritis, cancer, persistent postoperative pain several years after mastectomy, toothache, inoperable kidney stones, headaches, sprained ankles, tenosynovitis (inflammation of a tendon sheath), and dysmenorrhea. Pains in monarticular arthritis (affecting only one joint), with one or a few treatments, could be eased for several years.

Knowles (1956) and Richmond report on experiments performed by Knowles to tease out mechanisms of healing action. Experimental pain was inflicted on volunteers by prolonged blockage of circulation with a pressure cuff applied to the arm. Healing was not effective in such cases. Knowles did have some success where only the brachial artery (in the arm) was experimentally occluded. The authors conclude that if "any inference can be drawn from these experiments, it may be that Mr. Knowles' effect operates upon the vasomotor system and relieves the local congestion concerned in a painful condition." Richmond proposes alternatively that healing may decrease muscle spasm.

Discussion

Though not using formal controls, Knowles and Richmond separated out some of the relevant and important from the superstitious and useless by serial additions or deletions in procedures. The length of follow-up time is unfortunately not specified in the Richmond series. Though hypothesizing that expectations are important on the part of healer and healee, Knowles does not speculate further on how these expectations may bring about the physical changes of healing.

Experiments with pain from experimental obstruction of circulation is unique in healing literature. Drawing conclusions from these experiments is difficult because of limited descriptive detail, inadequate controls, and lack of true need for healing.

Again it is fascinating to note the spectrum of healing efficacy of Knowles, in contrast with that of the German healer, Trampler. Knowles seemed more effective with people who had observable, organic problems.

The potential benefits of suggestion in addition to healing are not generally appreciated. It is not that either one or the other is effective, but that both are, and each may enhance the other. This has certainly been my own experience in my practice of psychotherapy combined with healing.

When doctors are comfortable with healing and use it in their clinical practice, it is immediately evident that there are many ways in which it can be helpful. I hope we will see more reports like the following one.

Hans G. Engel

Energy Healing (**research report, Ernest Holmes Research Foundation, 1978**)

Hans Engel is a physician who discovered he had healing abilities when his wife reported relief of a severe headache after he placed his hand on her forehead to soothe her.

Engel also had several experiences with self-healing. His glaucoma (elevated pressure in the eyeballs), for which he had taken eyedrops for several years, improved "along with other positive changes in my life."

Following the accidental death of one of his children and a painful divorce, he noticed enlargement of his lymph nodes. He suspected he had cancer and, in his depression, actually hoped for death. Eventually he went for a biopsy, then for removal of some of the nodes and a bone marrow biopsy. A malignant lymphoma was found, with several prestigious pathologists concurring on the diagnosis. He expected to live only a few months. For several weeks he took anticancer drugs but then stopped, explaining, "If I was fated to die I did not intend to interfere." He even published an article on his attitude towards his patients when he thought he had only a few months left to live. Then "somehow my outlook on life changed and I again considered the possibility of a personal future." Several months later his lymph nodes began to shrink and he has enjoyed excellent health ever since.[47]

Engel developed his healing abilities, including intuitive diagnosis. He routinely experienced sensations of cold as he passed his hands over diseased portions of his patients' bodies but occasionally felt tingling or something like a " 'bulge' in the air above the skin surface overlying the painful site." His patients confirmed 80 to 90 percent of his impressions. Sensations were far more distinct in his left hand than in his right (perhaps because he was left-handed) and any slight distraction eliminated or detracted from the sensations. In the first few months of intensive involvement with healing, he was quite drowsy after giving a half-dozen treatments, but this cleared up and did not recur.

> Once the site to be treated has been identified, a voluntary effort must be made to "send energy" into the area. This technique cannot really be taught by the author: the reader must attempt this by trial and error. The writer concentrates in an effort to produce a state in which he feels a sensation going down his arm, into his hand and out to his fingertips. Occasionally a steady flow of energy is noted, but more commonly it occurs in waves.

Engel's hands tired easily during energy healing and he stopped every two or three minutes to clench and unclench his fists or to shake his hands vigorously. He gave treatments for as long as sensations remained, usually two to 10 minutes. Acute disorders responded more rapidly than chronic ones. With severe illnesses he stopped after a while, even though the sensations continued, but pursued treatment in subsequent visits.

Engel shares observations on healing in 52 people with a variety of disorders, especially pain. Treatments in this series involved up to 50 or more weekly visits. Those unresponsive within four visits were dismissed from the program.

1. Engel noted several treatment oddities. Patients commonly felt he had touched them when he had only made passes near the body. When he gave healing to the face there was significant flushing, usually only on the side of the face treated. Many became drowsy during or after treatments. On rare occasions pain worsened during treatments before subsiding with subsequent healings. Thermistors (sensitive electronic thermometers) attached to his hands and to healees revealed no consistent changes in temperature before, during or after healings.[48] Significant changes were also not found in measurements of skin resistance.

2. Using a Mind Mirror to record EEGs, Engel was found to have strong surges of delta rhythm during healing. Pairs of Mind Mirrors were attached to healers (Engel, Brugh Joy, and Rose Gladden) and healees during healings. Each of the healers showed similar strong delta-wave bursts. Previous tests in England showed that Gladden produced EEG patterns in her healees that were similar to her own but none of the healers generated such effects here.

3. Healee responses to healing appeared random and unpredictable. Primary disorders might respond, while minor, secondary ones did not, and conversely. Retrospective questionnaires were sent to all subjects who had been studied, seeking demographic, social, or psychiatric factors or belief systems which might correlate with the results of healing. Responses were obtained for 34 out of 52, with representative sampling of good, poor, and nonresponders to treatment. Only one question produced a suggestive statistical correlation ($p < .05$): "I have had some kind of experience with psi (psychic) phenomena." Persons claiming to have had psi experiences actually tended to respond less to healing than those reporting no such experiences.

4. Pain (including *tic doloreux*, an excruciating facial neuritis) tended to respond well, although not universally. In addition, musculoskeletal disorders such as arthritis tended to clear up. Fifty-two healees were graded by Engel and his associates on their subjective improvement on a scale of 0-4: seven showed no response; eight had minimal response; 11 moderate; 13 marked improvement; and four total pain relief.

5. During healings, some reported muscle twitches. For instance, a woman treated for osteoarthritis of the hip had tingling and twitches in her large toe. This was a patient who had focalized referred pain from her hip to her buttock, thigh, back, or groin which was relieved by healing. "Two patients with tic doloreux . . . exhibited jerking of their bodies or violent twitching during treatments."

6. Engel cautions that healing should not be substituted for conventional therapy and should not be applied prior to obtaining a definitive medical diagnosis.

Discussion

Engel appears a well-qualified, careful, physician observer and reporter. He is perhaps even too cautious and conservative in his report. For instance, in grading improvement he gives a zero to a person with a progressive neuromuscular paralysis called amyotrophic lateral sclerosis (also called Motor Neuron Disease, or Lou Gehrig's Disease) who claimed that he felt stronger and had greater muscular control after some treatments but showed no other significant response to his primary disorder. Had his research included greater numbers of patients and prospective rather than retrospective questionnaires, Engel might have gleaned even more information from his studies.

The finding that people who report psi experiences are less likely to have a positive response to healing is surprising and deserves further scrutiny.

Engel's observation that healees may report they felt the hand of the healer touching them—while the healer definitely did not bring his or her hands closer than several inches to the body—has been noted by other healers. This belongs on the list of healing sensations along with heat, tingling, and vibration.[49]

Here are further reports on healing benefits for fractures, paralysis and scleroderma.

John Hubacher, Jack Gray, Thelma Moss, and Frances Saba

A laboratory study of unorthodox healing (*Proceedings of the Second International Congress on Psychotronic Research*, 1975)

This report describes in detail three cases of healings using "magnetic passes." These were the most successful of a series of 11 patients, of whom six showed sustained improvements; two had initial dramatic improvements but then returned to the original symptoms; and three did not respond.

Case 1: A 21-year-old man with severe multiple leg fractures was told by his physicians that repair was impossible and incessant pain inevitable unless the leg were amputated. Jack Gray, the healer, noted an exquisite sensitivity of the patient to his (the healer's) hands. When they were at a distance of one foot from the patient's body he complained of severe pain.

Repeated, prolonged healing treatments with slow improvement were given over eight months, at which time X-rays demonstrated healing in the bones. After two years, the patient could walk, unaided by crutch or brace.[50]

Case 2: A 42-year-old man had total paralysis of his right arm and hand following a bullet wound in his neck, which cut through a major artery and irreparably severed several nerves. A neurologist informed him that the arm would never move again. With three months' treatments ("primarily consisting of magnetic passes"), he regained the use of his arm and hand. Use of his thumb did not return until five months later. The neurologist could not explain this recovery. In fact, on his last medical visit, the patient was told there would be no charge because the neurologist had seen something he had not believed possible: movement not apparently prompted by neuronal connections.

Case 3: A 21-year-old woman suffered from advanced scleroderma (hardening of the skin) – barely able to walk and so limited in hand movements she could not even take care of her own toileting. Sporadic improvement was noted over ten months' treatment, with increased ability to care for herself, and decreased pain.

Patients experienced a deep altered state of consciousness during the "magnetic passes." Healer and patients reported intense sensations of heat and cold during treatments. Kirlian photography consistently demonstrated an increase in coronal flares and emanations from healees' fingers after treatments.[51]

Discussion

Such impressive results are found in only a small percent of healings. Unfortunately, descriptive details in this clinical summary are limited, and it is difficult to evaluate these reports. It would be helpful to know more about the "magnetic passes," the specifics of diagnoses, and the criteria for improvement.

The report of muscle function in an arm where nerves were apparently severed by a bullet, *if verified by assessments of nerve conduction*, would be a major finding, suggesting responses to healing that may confirm energy field activity.

Here is a summary of explorations with LeShan healers.

Francis Geddes

Healing Training in the Church **(doctoral dissertation, San Francisco Theological Seminary, 1981)**

Francis Geddes provides a brief history of healing in the church from biblical to modern times, pointing out that Christ used a variety of healing techniques and taught them to his disciples.

For his doctoral work, Francis Geddes studied healers. In a five-day seminar, Geddes trained groups from four congregations in LeShan techniques of healing. The groups met weekly for present and distant healings of 206 persons. Case records were obtained for only 79 subjects. Of these, 13 reported dramatic acceleration in their rate of recovery from illness, ranging from minutes to two or three days; 31 reported some acceleration in the pace of recuperation within several days or weeks; and 35 reported no change in the recovery rate. Geddes speculates that the 127 who did not respond also experienced no change and were therefore unmotivated to report. Recovery ratings are based on patients' reports, since physicians treating them were uncooperative in providing records.

The following are excerpts from six case records in the group that demonstrated the most marked results.

1. Severe hepatitis—abnormal blood chemistries and strength returned quickly to normal, with an increased sense of "closeness with my creator."

2. Blindness (cause unstated)—vision had been reduced over several months to faint black and white perception, but after healing red and blue colors were perceived for two days.

3. Post-surgical pain—present for several years following spinal disc removal, was sufficiently relieved to permit sleep and walking without pain most of the day, with a much better outlook on life.

4. Arthritis of the spine—unable to rotate head laterally or up and down without pain, and requiring a support collar, relieved of pain throughout an 18 month follow-up.

5. Depression with alcoholism, reduced self-esteem, and insomnia—inner peace and stability were restored for a few weeks.

6. Diabetes—requiring 50 to 60 insulin units per day for a long time, by the fourth day required only 25 units.

Geddes notes that dramatic positive changes were experienced by the healers themselves as a result of their participation in the healing groups over the six months of the study. These included a greater sense of well-being, increased sensitivity to others, improved self-awareness, greater energy, closeness to God and/or universe, a more focused everyday life, ability to push through old barriers, sense of joy, clearer sense of direction, increased self-discipline, improved ability to cope, and instances of self-healing. In a few cases, the healers experienced breakthroughs of old emotions. Some healers did not perceive any change. The author was surprised to discover the variety and depth of personal transformation and spiritual growth in the 28 subjects.

Discussion

The improvements in hepatitis, pains, depression and diabetes probably represent impressive results of healing. The lack of medical inputs limit the value of such reports. Laypeople often misunderstand and therefore (unintentionally) misrepresent their illnesses, as may lay experimenters.

Geddes's focus on the transformative nature of healing for healers is a helpful contribution to our appreciation of the effects of healing.

I have had similar experiences in giving and receiving healing and have heard these echoed by other healers and healees. Spiritual awareness is one of the most profoundly helpful aspects of giving and receiving healing.[52]

The next report provides clinical observations on healing and adds an exploration with an electroencephalogram (EEG) of brainwaves during healing.

Dolores Krieger

The Therapeutic Touch: How to Use Your Hands to Help or Heal, **1979**

Dolores Krieger has been a healer and has taught healing for many years. In this book she interlaces descriptions of clinical experiences, practical instructions in developing Therapeutic Touch (TT) skills and comments from students and healers about their subjective sensations and inner experiences in developing as healer.

The book describes Krieger's experience in teaching more than 4,000 people over nine years. She feels that healers must want to heal, be motivated to help others and be willing to introspect.

> The importance of helping the unconscious to emerge cannot be overemphasized. Whether as a nurse, physician, therapist or friend, helping or healing carries with it considerable responsibility, and under certain circumstances this may become a heavy load. The person playing the role of healer has need of a wealth of understanding coupled with a stable sanity. . . . Not always, but frequently enough, the core of the problem revolves around the *bêtes noires,* the beasts of the night, whom we unwittingly feed with the repressed contents of the unconscious, and in the weakened state brought about by illness they may prey upon the already anxious mind of the healee. If the person playing the role of healer has worked through insights into his or her own individual myth and from this understanding has evolved a strong philosophy of life, that person—without need of either philosophizing or psychologizing—can be very helpful as a model. (p.79)

Krieger recommends TT for conditions including relaxation; alleviation or elimination of pain (e.g. traumatic, arthritic); accelerating natural healing processes; nausea; dyspnea (difficulty breathing); tachycardia (rapid heartbeats); pallor from peripheral vascular contraction; poor circulation in extremities; colicky pains of unexpelled flatus and constipation; physiological development of premature infants and soothing Irritable babies. She knows of no illness unresponsive to TT in some degree.

She notes that cotton can both store and facilitate healing energy.[53]

Krieger finds that belief in effectiveness of healing does not influence performance; skeptics can be helped. "However, two personality variables— denial of illness and hostility—do have a negative effect on Therapeutic Touch, perhaps because they both may translate themselves graphically to the healer and inhibit the healer's efforts."

She observes that people practicing TT develop intuition and psi abilities along with healing skills.

Researchers studied Krieger with EEG, electro-oculogram (EOG), and electrocardiogram (ECG) recordings during TT treatments on patients suffering from a variety of pains. Rapid synchronous beta activity was noted on the EEG when Krieger was in a sitting or standing position with eyes open or closed during TT treatments. EOG records showed slight divergence of her eyes with no movement during the treatments. Healees' EEG, EMG, GSR, temperature and heart rates were unchanged during treatment. Marked improvement was noted in the three people treated (severe neck and back pain following spinal injections of dye; migraine headaches; and disappearance of fibroid cysts in a woman's breasts).

Krieger recommends that psychologically stable family members can be taught to use TT to help someone in their family who is ill.

Discussion

Krieger's book presents excellent "how-to" exercises for learning healing and lovely descriptions, occasionally poetic, of the inner changes accompanying the development of healing skills. It has some of the best descriptions of how healers learn to heal.[54]

The EEG findings reported by Krieger during healing differ from those reported by other investigators.[55]

This concludes the review of Western literature on healing.[56]

Among the rich research literature from China are further studies of healing effects on EEGs of healers and healees.

The EEG measures brainwaves in the cortex, the surface of the brain which lies just inside the skull. It records summaries of electrical activity in millions of cells which lie near electrodes placed on the scalp. When a repetitive stimulus is given to the body, such as touching the skin or shining light of a given intensity repeatedly, it is possible to record the evoked responses of the brain.

Guolong Liu; Department of Physiology, Beijing College of Traditional Chinese Medicine, Beijing

Effect of qigong state and emitted qi on the human nervous system (*Proceedings of the 1st International Congress of Qigong, UC Berkeley, California,* 1990—from qigong database of Sancier)

Liu reports:

> The qigong state is a special functional condition of the human body refer[ing] to a mental and physical phenomena induced by suggestion from others or the self. The observed phenomena related to qigong are due to mechanisms originated in the central nervous system. On other hand, the emitted qi may contain a complex spectrum of biological and physical energies produced by the human body in the normal or qigong meditation. The effect of emitted qi may be more pronounced in the

qigong state than in the normal state.

The function of the central nervous system may be altered under the qigong meditation as well as under the emitted qi. Based on results from our experimental studies, the effects of qigong meditation [are] as follows: The alpha rhythm of the prefrontal association cortex was enhanced and the dominant areas of alpha wave moved from the occipital lobe to the frontal.

The large areas of the cerebral cortex were inhibited to variable degrees and it is obviously different from. . .sleep. The structures in the brainstem and hypothalamus were facilitated significantly. The spinal cord was found to exhibit inhibition or facilitation in different individuals.

The emitted qi also could alter functions of the nervous system, not only in human[s] but also in animal[s]. The activity of EEG was synchronized to the alpha rhythm and its power spectrum showed increases in certain frequencies. . . similar to the changes of EEG during the qigong   meditation. . . . The emitted qi caused changes in auditory brainstem evoked responses (ABER) in anesthetized cats. In most of the cats, the ABER amplitude increased, particularly those components generated at the level of mesencephalon [deeper parts of the brain]. But in some animals, the ABER amplitude decreased.

. . .The Infrasonic radiation was measurable in the emitted qi. The dominant peak frequency of the infrasonic radiation was between 8.0 Hz and 12.5 Hz, overlapping with the frequency of the alpha waves in EEG. For the person receiving the emitted qi, the frequency of alpha wave often became synchronized to the infrasonic radiation. It is suggested that the infrasonic radiation in the emitted qi may be [the] cause [of] the observed changes in EEG.

From our results. . . we cannot say with certainty that the qigong meditation is quite beneficial or not harmful for human health. Because any excessive inhibitory or excitatory activation may. . . actually induce . . . functional disorder of the nervous system. This may explain the frequently reported psychosis and other mental disorder[s] associated with those who may have practiced qigong meditation in an improper manner.[57]

Discussion

The infrasonic frequency emitted by healers, similar to that of alpha brainwaves, suggests that these may be closely related. This is also in the range of the frequency of a standing electromagnetic wave which circles the earth.

By mechanically replicating infrasonic sound waves emitted by healers, Chinese researchers have produced healing responses. The next study explores the effects of such mechanical stimulation along with the effects of emitted qi healing from a qigong master and of qigong meditation on the

EEG. These reports are rather technical, but so fascinating I have included them here.

Guolong Liu

A study by EEG and evoked potential on humans and animals of the effects of emitted qi, qigong meditation, and infrasound from a qigong simulator (Beijing College of Traditional Chinese Medicine, China—abstract from Sancier, *American Journal of Acupuncture*, 1991; reprinted with permission)

The effects of qigong meditation and emitted qi on the nervous system of humans and animals were measured by electroencephalography (EEG) and evoked potential (EP). Because of limitations of space, we outline only a few results of this multifaceted study:

> A study of the effects of qigong meditation was conducted on 14 subjects who had practiced qigong for one to three years. Compared with the control of 27 naive subjects who had never practiced qigong, qigong meditation led to a significant enhancement in the EEG frontal power spectrum, enhancement of EEG occipital power spectrum, and movement of the dominant alpha-wave frequencies from occipital to frontal lobes, i.e., reversal of frontal-occipital, enhancement of EEG power spectrum in all channels, and enhancement and synchronization of all alpha frequencies. The effects of emitted qi on the EEG and EP of four normal subjects produced much the same results as qigong meditation.
>
> A measurement was made of the intensity of the infrasonic energy emitted by 27 qigong "masters" who had practiced for 4 to 32 years. The intensity of this infrasonic energy ranged from 45db to 76db, with a background noise level of 40db. For six qigong masters, the infrasonic intensity was over 70db and the dominant peak frequencies were in the range of eight Hz to 12.5 Hz, which coincides with the frequencies of EEG alpha waves. In fact, the dominant alpha frequency in the EEG power spectrum of the subjects tended to synchronize with that of the emitted qi. Imitation of the observable actions of qigong masters by 28 naive subjects produced effects similar to that of the control experiment.
>
> In another experiment, an infrasonic generator that simulated emitted qi was found to produce effects on the EEG of 20 subjects similar to that of emitted qi. This result indicates that the effects of the infrasonic generator were not due to electromagnetic interferences from the generator.
>
> To eliminate psychological influences of emitted qi, experiments

were carried out on anesthetized cats by recording EP and on rabbits by recording EEG. Emitted qi from a qigong master changed both EP and EEG. For example in a study of 12 cats, emitted qi facilitated the Middle Latency Response (MLR) in six cases and inhibited it in six other cases. The MLR is the primary component of the auditory cortical evoked response and indicates activity of the cerebral cortex.

Sancier's (1991) *Comments*:

The researcher suggests that qigong meditation may bring about excitatory or inhibitory effects of the central nervous system, thereby unmasking or enhancing the functions that are not part of the normal repertoire of the nervous system. He also postulates that the infrasonic component in emitted qi may cause the neurons in the hypothalamus to resonate and thus alter EEG patterns, but there may be other active components in the qi.

This is a translated study.

Discussion

These reports suggest that the nervous system of healees may be influenced by infrasonic waves from healers. It is a tease that greater details are not provided.

Reports of infrasonic sound accompanying emitted qi healing are most interesting, particularly if synthetic infrasonic sound can duplicate healing effects on the EEG. Whether healing effects on physical conditions can be produced by infrasonic sound is the next step in research.[58]

Because the human brain and mind are so complex it is difficult to sort out what is happening during spiritual healing. Studies of animals' EEGs can be structured in a more controlled manner, allowing more precise clarifications of how the brain responds to healing.

Guolong Liu, Pei Wan, Xueyan Peng, and Xuelong Zhong; Beijing College of Traditional Chinese Medicine, Beijing, China

Influence of emitted qi on the auditory brainstem evoked responses (ABER) and auditory middle latency evoked responses (MLR) in cats (*Proceedings of the 1st World Conference for Academic Exchange of Medical Qigong, Beijing*, **1988 - from qigong database of Sancier**)

It is known that emitted qi alters the EEG and the cortical evoked potentials in man in our previous studies. In order to exclude the psychological influence when the emitted qi is applied to man, we carried out the experiment in . . .

anesthetized cats.[59] Distinct responses were noted in the brains of the cats in response to healing.

This is a translated study.

Discussion

While the technical details of this study (included in the last endnote) are daunting, its import is to suggest that healing can bring about measurable changes in the nervous system. This may be a mechanism whereby healing produces its effects, as the nervous system is a major regulator of the body.

Without more data and statistical analyses, however, it is impossible to know whether the observed effects were significant.

The next report from China details a sophisticated study of the effects of healing on the microscopic structures of muscles.

Lin Jia, Jinding Jia, and Danyun Lu; National Research Institute of Sports Science, Beijing

Effects of emitted qi on ultrastructural changes of the overstrained muscle of rabbits (*Proceedings of the 1st World Conference for Academic Exchange of Medical Qigong, Beijing,* 1988 - from qigong database of Sancier)

It is the task of sports medicine to prevent and cure sport-related injuries. With increase in training intensity, muscle injuries occur frequently, directly affecting athletic careers. Progress in prevention and treatment are therefore of increasing concern in many countries.

In recent years, the research and application of the emitted qi is being developed in China. The emitted qi has been found to have physical and biological effects. Clinically, we have treated muscle soreness, scleroma in muscles, acute muscle sprain, muscle contusion and release of pain in athletes with the emitted qi and the result was satisfactory.

The purpose of this experiment was to investigate the preventive and therapeutic effect of the emitted qi on ultrastructural changes in the injured muscle caused by overstrain. Twelve healthy male   rabbits. . .were divided into two groups, the control group and the emitted qi group. . . It was found that the qualities and quantities of both fibrous and bony callus [in healing fractures] in the emitted qi group were superior to those in controls.[60]

On the basis of the results we. . . consider. . . the emitted qi had a good therapeutic effect to promote healing of fractures.

This is a translated study.

Discussion

Healers universally report that healing can alleviate pains and hasten healing of soft tissue injuries. It is helpful to have objective confirmation of these effects.[61]

I may have come across as unduly critical of doctors and nurses for not investing more interest in research. The same is true of healers. Few have bothered to record their observations in a systematic way that would advance our understanding of the mystery of healing. In their defense, it must be pointed out that few healers are trained in medical diagnosis or in research methodologies. It is also regrettable that very little funding has been available for healing research.

There are innumerable books on the experiences of healers. I review a few by very gifted healers who explore with some objectivity how healing works.

Harry Edwards, one of England's great healers, was a keen observer and eager to experiment with various effects of healing, as in the next review.

Harry Edwards

Thirty Years a Spiritual Healer, **1986**

During a worldwide epidemic of Asian flu, the epidemiological progress of the disease was clear from country to country. It was calculated when the disease was likely to reach the UK and the public was warned.

Harry Edwards experimented on how to use healing as a preventive against contracting the virus.

> [W]e published. . . an invitation for our readers to join in this experiment. In addition, we enclosed in some twenty thousand letters sent out to the many who were at that time receiving absent healing a notice to the same effect.
>
> The notice said that we would be holding a mass absent healing intercession for all our patients and readers in order that they might be protected from the disease. We asked our patients and readers to inform us at once if they caught Asian flu, or had its symptoms.

Edwards estimated his experiment covered 40,000 people. The epidemic was severe in Britain, forcing many factories and schools to close and causing many deaths.

> The result of our experiment was surprising. The number of letters we received telling us that our readers, patients and their families had been infected was very few indeed—about a score. Considering the number of people involved in the experiment and that many of them lived in

badly infected areas, by all normal reckoning we should have received reports from 500 to a 1,000 infected cases.

One school head mistress wrote to ask if we would place her school children within the protective influencing of spiritual healing. . . The result was, that while every other school in the area had to close down, this particular school had no need to, for the number of children who became ill was surprisingly few, and even those were very mild cases.

None of Edwards' staff contracted flu either.

Discussion

Edward's experiment using healing as a preventive measure to protect against flu is an innovative application for healing. Unfortunately, because of the looseness of the experimental design, clear conclusions from this study cannot be drawn. For instance, patients may have neglected to advise the researchers that they had flu symptoms, consciously or unconsciously, out of loyalty to Harry Edwards. It may also be possible that some people did not respond because they died. A better arrangement would have been to take random samples of subjects and not to rely merely on the subjects' self-reporting.

If the results prove valid, it would be of interest to know whether the mass intercession involved single healers sending healing to large numbers of people simultaneously or whether a one-to-one distant healing was required in each case.[62]

Most healers find that although symptomatic relief may be obtained with healing for viral upper respiratory infections, it is rare to find cures of such illnesses with healing, once the symptoms have blossomed. Healers say they can eliminate viral infections when healing is given very early in the illness, but one is on shaky ground here without evidence from controlled studies.

Spiritual healing as a preventive to illness appears to have a vast, unexplored potential. This is probably the most neglected aspect of healing. It is a reflection on humanity's tendency to attend to problems only when they are troublesome rather than to anticipate them. Maimonides, a renowned doctor in the twelfth century, observed "The ability of a physician to prevent illness is a greater proof of his skill than his ability to cure someone who is already ill."[63]

While I have generally included examples of the best in healing literature, I share with you here one of the less helpful ones, despite its being authored by the renowned Harry Edwards.

Harry Edwards

The Evidence for Spiritual Healing, 1953

This is the sort of book which makes me want to cry. Edwards makes apologies for healers' not keeping records of healings, claiming it would take up too much time. He presents a book full of exceedingly brief excerpts of written testimonials from healees' reports of successful healings. He includes: cancer and other growths, surgery, tuberculosis, spinal diseases, disseminated sclerosis, paralysis, rheumatism, arthritis and limb diseases, infantile ailments, sight and hearing, heart and blood conditions, breathing, internal disorders, hernias, ulceration, skin diseases, mental diseases, epilepsy, and nervous disorders.

Though Edwards unquestionably was a powerful healer with a wealth of experience, he presented such brief excerpts in this book as to leave many possible alternative explanations for any of the cases he mentions. He claimed he engaged in spiritual healing, not faith healing. It is unfortunate that in this book he forces the reviewer to rely only on faith for interpretation of this data.

In his defense, one must point out that he took only a few minutes to give healings to any one person. Writing detailed records might have taken longer than giving the treatment. Nevertheless, he did have secretaries answering mail and keeping records of absent healings, so he could probably have done better with his reports.

This note is primarily to point out the benefits which might accrue with broader cooperation between healers and research oriented doctors.[64]

The next report includes interesting clinical observations. I have no information about its author.

Piero Cassoli

The healer: problems, methods and results (*European Journal of Parapsychology,* 1981)

Piero Cassoli discusses difficulties in defining who or what a healer is and enumerates pertinent problems for research. He recommends controlled clinical studies, pointing out that it is deplorable that the need for such studies has been recognized for many years but none had been done at the time of his writing. He suggests healing be renamed *pranotherapy*, which derives from the yogic practices of imaging that one is breathing in energy along with air. He does not describe who he studied, but mentions touch and distant healing. Cassoli appears to have wide clinical experience. He makes the following recommendations:

We have brilliant results on chronic incurable headaches in many women, on [severe] arthritic and arthrosic processes, on neuralgias, on pains from metastasis of malignant neoplasms, and on colics of every kind (biliary, menstrual, renal). . . .

Quite recently I have observed pain relief in [heart problems], but the scientific—or even clinical—demonstration of this last result is possible only with a large sample. . . .Further, it is possible to make a listing, based on my clinical experiences, of the diseases which seem to have received the most benefit from pranotherapy. First there are the Epilepsies. . . .

I would further suggest the use of pranotherapy in every case of sepsis with chronic course, typically found in urinary infections. Similarly, I recommend to persevere wherever there is a suspicion of tent microbiosis (sinusitis, adnexitis, chronic otitis and synusitis, chronic appendicitis). Verrucas or warts often find a definitive relief, as they do also by hypnosis, while medical treatments are disappointing and painful. I would point out that some [physically and mentally] handicapped children. . .have received considerable help from pranotherapy. On the contrary it seems to not be worth while to attempt pranotherapy in some neurological diseases like spastic cerebropathies, and in some degenerative illnesses of the nervous system like amiotrophic lateral sclerosis. I mention these because I have found many cases of these hopeless patients who were treated by pranotherapists. There were never any positive results, even temporary. I would always try pranotherapy if it is early enough, in the so-called and frequent muscular progressive dystrophies. Here I venture to say I have got some results in malignant neoplasms. Against the scepticism of many people, I think this illness must be treated from the beginning by selected pranotherapists as a support for orthodox treatments, especially after a destructive operation like mastectomy. Cases of this kind, where patients have been relieved of pain, are steadily increasing. . . .

Discussion

This is a rather sketchy clinical report, unsupported by case descriptions. It appears to have useful hints from someone who has been involved in this field for many years and has apparently practiced or had others assist him in practicing healing on a wide variety of medical problems in Italy.

It is impressive how various healers may have success with a different range of illnesses. I know of several who have seen permanent improvements with spastic children and multiple sclerosis, and of others who report temporary improvements with degenerative neurological illnesses.

Benson Herbert[65] was a parapsychologist in England with an interest in healing. He made some simple observations on a healer with unusual abilities.

Benson Herbert

Near and distant healing (*International Journal of Paraphysics*, 1973)

Benson Herbert described his personal experience with spiritual healing for severe pains caused by a muscle sprain on his shoulder blade and reviewed successful healings by Suzanne Padfield. The following points are noteworthy:

1. Padfield performed several successful distant healings without the healees' knowledge.

2. Healer visualizations in distant healing include:

- Seeing the patient in perfect health.
- Imagining oneself by the patient's bed, hearing her say she is getting well.
- Feeling as though one's self is being projected into the patient's mind.

3. In touch healing of headaches, with her hands pressing gently on the patient's temples, Padfield visualizes "a current or vortex flowing from my hands into the head. . .the pain receding as the vortex speeds up."

4. In other pains, Padfield relates:

> I relax and visualize exactly where in the body is the pain; I seem to see the body as a sort of transparent negative; in the area where the trouble is I see a cloudy disturbance, congealing in one spot. By this means I locate the focal point of the disease. I then proceed to visualize this particular area as becoming clear and healthy, and as in the case of headaches I mentally formulate a vortex which I can only describe as clearing the blockage in the currents flowing through the body until gradually the whole body appears perfectly clear and free from cloudiness, that is, if the treatment is successful.

5. There are some dangers to the healer in healing:

- If both of Padfield's hands touch the patient, this seemingly closes a circuit and illness may be transmitted to the healer. (Padfield once became violently sick after touching with both hands a person suffering from nervous hysteria.)
- With visualization, images of illness must be rapidly dismissed, to prevent the patient's symptoms passing to the healer. Padfield prefers not to become too sympathetic with the patient.

Herbert measured Padfield's skin resistance, finding this to be about one-quarter of the mean of six other people. Her skin potentials fluctuated widely but were at least twice as wide as others in the group under similar conditions. He postulated that her low skin resistance would make her more sensitive to electromagnetic potentials in her environment. Padfield confirmed that she is unusually sensitive to slight shocks from electrical appliances.

Herbert further theorized that patients undergoing a hysterical attack may evidence excessive potential fluctuations between skin contact points and that Padfield reacts to these. If a patient not wearing anti-static garments acquired an electrostatic charge, Padfield would feel a shock with only one hand touching the patient.

From his survey of European healers, Herbert generalizes:

> All subjects claiming PK ability also claim healing ability.
>
> On the contrary, many healers do not claim PK ability, and many discount its importance.
>
> Not all, but the majority of healers, claim absent-healing ability.

Discussion

Padfield's report of successful healings without healees' knowledge has been echoed by others. Herbert's cases are described in more detail and better documented than many other reports.

It is unclear whether Padfield's unusual bioelectrical activity is related specifically to her healing. A survey showed that 70 percent of people with unusual electrical experiences also had psi abilities (Shallis). Unusual electrical phenomena in healers have been detailed by others.[66]

It would be easy to determine if healers other than Padfield demonstrate unusually low skin resistance, as this is not difficult or expensive to measure. This appears well worth pursuing.

Looking at ever finer elements that might be affected by healing, there are reports from China of temperature changes with healing directed to the following:

- Saline, sugar, and chemical solutions (G. Meng et al. 1988a)
- DNA (G. Meng et al. 1988b)
- The protein tryptophan (G. Meng et al. 1988c)
- RNA (M. Sun et al.)
- Serum proteins (S. L. et al.)
- Enzymes (Y. Guo et al.)

In one study, the healing appeared to act through stainless steel (Y. Guo et al. 1988). These reports are too technical for inclusion here. In several of these studies distant healing was used.

These five studies from China suggest that RNA, proteins, and amino acids can be influenced in the laboratory from up to 2,000 miles away. It would appear likely that much of the human body, which consists of proteins, could also be *directly* influenced by healing. That is, the nervous system and conscious awareness of the person receiving healing may not have to be involved in order for healing of tissues and organs to occur.

Studies of healing need not be technical. A healer who systematically records and tabulates the results of treatments can contribute to our understanding of how healing works.

Gordon Turner was a rare healer who took the trouble to record and publish series of his observations and experiments. In the healing literature, the following reports are unique in their breadth and helpfulness in providing clues to some of the mysteries of this art.

Gordon Turner

What power is transmitted in treatment? (*Two Worlds*, July 1969a)

Gordon Turner was a remarkably gifted natural healer in Britain.[67] He returned to university studies as a mature student in order to better understand his healing abilities.

A survey involving 954 direct contact healing treatments on 353 people by 23 healers showed heat (mild to "burning"); leaving of a red weal for several minutes; tingling; prickling like electricity; and coldness. Less specific sensations were also recorded, such as "saw colors mentally" (46/73 saw blue; 11 red). Only a few had emotional responses. Many spoke spontaneously of a sense of peace, but this was not tabulated since it was not in the category of physical sensations being surveyed.

> The majority of those who felt nothing were suffering from mental illness. Of the 76 patients, 49 had various neuroses. Whilst it was apparent that a high percentage of those who responded immediately to healing had some intense sensation during the treatment; those who had no sensation were often equally responsive.

> There was some evidence for believing that reports of physical sensations during healings diminish with greater frequency of healing treatments.

Patients receiving healing consecutively from different healers tended to experience the same sensations, though with varying intensity. Individual healers often produced a wide range of sensations. Only three healers had the same sensations as their healees. (See Table 5-8.) Those sensations associated with cures were examined separately. (See Table 5-9.)

Light-shielded photographic plates placed between healers' hands and healees' bodies were found to be exposed when they were developed, which Turner suggests is evidence of healing energy transfer. Film exposures were produced only with sick plants and persons in need of treatment, not with healthy ones.

> In all we repeated this experiment 93 times, producing 57 marked plates. . . . The radiation patterns on the film were very similar to those produced if it was placed close to a hot iron for 10 to 12 minutes. In some instances the palm and fingerprints of the healer came out on the

Table 5-8. *Contact healing responses*

	Heat	Cold	Intense Cold	Intense Heat	Elec-trical	Miscel-laneous	Nothing	Totals
Patients	163	39	17	5	47	11	76	353
Treatments	432	77	36	9	71	21	208	954
Percent of treatments	45.3%	8.0%	**3.7%**	**0.9%**	**7.4%**	2.2%	32.3%	100%

Table 5-9. *Sensations associated with cures*

	Heat	Cold	Intense Cold	Intense Heat	Elec-trical	Miscel-laneous	Nothing	Totals
Patients	4	3	9	4	13	5	1	39
Treatments	7	6	10	8	20	6	1	58
Percent of treatments	12.0%	10.3%	**17.2%**	**13.7%**	**34.5%**	10.3%	1.7%	100%

developed plate. It should be stressed that we were at pains to ensure that healer's hands did not come into direct contact with the screened film. It may be significant that the best results were always achieved in the first 30 seconds. An indication of the extent of this radiation is that 30 seconds of healing produced a similar marking to 12 minutes exposure to a hot iron.

The best results were obtained with infrared film or X-ray plates.

Gordon Turner

I Treated plants, not patients (*Two Worlds,* August 1969b)

Turner describes why he used plants as experimental subjects.

> Experiments take time. It was becoming difficult to find patients willing to put up with tedious research procedures.
> Volunteers were all too easily come by, but they seldom lasted more than one or two sessions. It was ironic that we were treating several hundred people weekly, yet we were still short of patients! Another source of concern was my conviction that volunteer patients were not really representative. They wanted to be helpful. Therefore if we asked them what they felt, their subconscious mind would try to supply what it imagined we wanted to hear.

Turner used cut flowers.

A typical experiment by me, among several dozen along these lines, was followed by the *Daily Sketch*, where Neville Randall reported: "He began by taking two bunches of chrysanthemums cut from the same plant at the same time. He placed them in two identical vases filled with the same amount of water and stood them together in the same amount of light.

There was just one difference. One bunch he left untouched. On the other, he placed his hands for five minutes once a day exactly as with a sick patient. He gave these flowers healing. Two weeks later the untreated flowers had wilted badly. The flowers which had treatment were still in full bloom and only just beginning to wilt.

When he passed his hands over the flowers to give them treatment, their heads seemed to sway slightly following the movements he made."

This flower movement was a most revealing side effect. For the first week or ten days it would be imperceptible. But after 14 or 16 days the flowers would move, just as if they were hungry for the healing. During such treatments it was possible to hold my hand about an inch from the flowers and sway their heads back and forth.

Controlled experiments were run to see whether the life of cut flowers could be prolonged with healing treatments.

Usually the flowers which received healing would stay fresh for about a third as long again as those that did not. The most outstanding result we achieved was with a sample of chrysanthemums which only started to fall 32 days after the corresponding untreated sample had completely withered. In all they stayed fresh for no less than 55 days.

Germination of seeds was the subject of eight controlled experiments. Measured quantities of grass seed were planted in identical boxes, provided with identical water and placed beside each other in a conservatory. Ten minutes of healing twice daily was given to the experimental box. The treated seeds sprouted earlier than the untreated ones by at least three days and were a deeper green.

Two healers treated the potting mixture and seed (separately) for 30 minutes before planting. No further healing was given the plants but water was treated for 10 minutes before sprinkling. The treated seed gave shoots 10 days before the untreated seed.

Only the water was treated for 10 minutes and shoots were produced six days ahead of the control sample. Turner speculates:

It may be that such old-fashioned rituals as blessing crops have considerable substance in fact. Simple prayer might prove to be far more efficacious than fertilizers and a great many expensive and dangerous chemicals.

Healing was studied as a *preventive intervention*.

> A farmer who wrote to ask us to put his herd of thoroughbred Friesian cows on absent healing in the hope that they might avoid infection during an outbreak of foot-and-mouth disease, reported that not only had they remained disease free, but their milk yield had increased by as much as 8% over a period of 12 weeks!

For six months prior to confinement, 19 pregnant women received healing.

> In every instance they had a comparatively easy delivery—and this despite the fact that complications were expected in nine instances. . . [I]t could be of some significance that 13 of these mothers regularly kept in touch with us for a period of four years and not one of the babies contracted any infantile illness.

Gordon Turner

I experiment in absent treatment (*Two Worlds*, September 1969c)

Out of 458 patients queried regarding absent healing 197 responded, receiving collectively 1,379 treatments. Fewer and less intense sensations were felt than with contact healing. Eighty-three reported color sensations (59 blue or violet; seven red); 19 saw spirit forms. Almost all reported they were conscious of healing at quite different times to the evening intercession. Aspects of this experiment were puzzling. As Table 5-10 indicates,

> 106 people refer to sensations over 442 absent healing sessions. An additional 91 people felt nothing and 937 sessions produced no reaction. Thus even those who felt the healing did not do so on every occasion.

Table 5-10. *Absent healing responses*

	Heat	Cold	Electrical	Touch	Movement	Nothing	Total
Patients	41	16	9	27	13	91	197
Treatments	181	71	35	112	42	937	1379
Percentage of treatments	13.1%	5.1%	2.5%	8.1%	3.0%	67.9%	100%

The sensory phenomena could be expected to be fairly evenly distributed throughout the week. The experiment covered a week from Thursday to Wednesday and reactions each day varied considerably, as shown in Table 5-11.

Table 5-11. *Daily reactions to absent healing*

Thu	Fri	Sat	Sun	Mon	Tue	Wed	Totals
3 8	9 7	8 5	8 2	7	2 5	9 8	4 4 2

If these figures are of any significance, then it would appear that the conditions on some evenings were far more conducive to physical re-actions than on others. Ruling out any esoteric significance to particular days of the week, it might be reasonable to assume that our absent healing network was less effective on certain days.

What governed the variable factor? The possibilities are limitless. The attunement of the healers? The receptivity of the patients? Even the psychic link between the worlds may have influenced the results.

I attach considerable importance to the fact that there were thunderstorms around London on both Monday and Tuesday nights. Admittedly the patients were scattered over a far wider area. But in this instance our transmitting station might have been affected.

A study was conducted on absent healing by groups of healers—for healees who were showing no physical improvement.

We decided. . . to ask for the cooperation of a small number of patients who had been receiving absent healing for a considerable time without noticing any physical betterment.

The object of this experiment was to determine whether it was possible to improve results by telepathic aids to the link between patient and healer. Twelve of these stubborn patients were asked to furnish us with photographs, from which we had slides made, to be projected on to a screen at the time of healing.

Each patient was given an individual appointment time when we would be linking with them and supplied with a photograph of a simple country scene. In addition to this we decided to use a tuning signal. They were asked to read the first verse of the 23rd Psalm aloud.

At the stated time we projected the photograph of the country scene to our screen and read the first verse of the 23rd Psalm. Then we replaced the country scene with a picture of the patient. We continued the healing link for about ten minutes. Thus healers and patient were using similar aids to concentration at the same time. The number of healers involved varied from 6 to 20.

On the face of it the experiment was a success. One patient, a doctor's wife, who suffered from a depressive mental illness, was so improved that within a week she was able to discontinue all drugs. A child suffering from a spinal illness stood, for the first time for several years, during the actual experiment. Of the other patients nine felt a measure of alleviation of their symptoms and only one remained unchanged. What was more impressive was that eight of these patients continued to report benefit from their absent healing where they had previously noticed no difference.

What had been the governing factor, an improved link by the healer, or greater receptivity on the patient's part? A further experiment seemed to suggest that both had played some part. At that time we were conducting a weekly healing clinic at a North London hall.

We collected a further 12 pictures of absent healing patients. At the end of this session we gathered 16 healers and more than 100 patients into the main hall. We asked them to join in a communal absent healing concentration. Each picture was shown for three minutes with a brief description of the patient's illness.

The essential difference was that the patients were not aware of the time at which the link would be made, although they knew it would occur at some time during the week. Only 2 out of the 12 showed any marked improvement. Both felt the healing at the time of the intercession. There was no evidence to support the idea that any greater amount of power was generated by the large number of people involved in the intercession.

Turner states in the first part of this four-part series:

> (Absent and contact healing) seemed to achieve a similar percentage of success (possibly between 55 to 70%). Yet there seemed to be certain people who were more responsive to one type of treatment rather than the other.

Turner mentions, for instance, that in both contact and absent healings healees with arthritic problems may note a sensation of a joint being moved or realigned. This occurs even though no pressure is applied in touch healing, and certainly none can be in distant healing. He concludes:

> Despite the fact that many people have less faith in absent healing than in contact treatment, I am convinced that it achieves just as high a ratio of success. A careful analysis of absent healing and contact healing results show just as many physical disorders yield to one as the other.

Discussion

This is a fascinating series of studies with many helpful observations. Unfortunately, few details are provided regarding methods of healing or types of illnesses treated, and no rigorous controls were described.

Regarding specific experiments I find the following of particular interest:

- Intense heat, cold, or electrical sensations felt by healees during contact healing appear from this study to predict a good prognosis. At the same time, a lack of any sensations felt by healer or healee isn't necessarily an indication that no healing will take place.

- A healing energy is suggested by this experiment, as in two other similar reports: Graham Watkins (1979) demonstrated exposure of film placed under anesthetized mice who were the subjects for healing, and Thelma Moss (1979) showed patterns on photographic film produced by Olga Worrall by holding shielded film between her hands. It is difficult to differentiate whether this is an effect specifically of the healing or an exposure of film produced by direct action of thought.[68]
- Other healers have caused plants to move during healings.[69]
- With widespread pollution caused by pesticides and chemical fertilizers, the potential contributions of healing have much to offer, both in protecting crops and enhancing their growth.
- Harry Edwards also reports a preventive clinical use of healing, summarized earlier in this chapter. In a loose survey, he found that absent healing appeared to lessen the incidence of influenza during an epidemic. See also the Chinese reports of Lin Jia et al. on the preventive use of emitted qi on muscle strain in rabbits and Yuanfeng Chen on preventive treatment of cancer cells injected into mice—both earlier in this chapter.
- In support of Turner's reports of sensations during distant healing we have Goodrich's controlled experiment, reviewed in Chapter 4. The timing of healing to coincide with healees' being in a receptive state appeared to produce more intense sensations in both these studies.
- Perhaps the effectiveness of healing may also be influenced by healees' being in a receptive state during the sending of healing, but this requires further study. Some healers believe healings take place irrespective of their timing or of healee synchronization with the healer. The beliefs of healers and healees may influence this factor. It may also not be an either/or situation but rather that suggestion plus healing are more effective than either alone.[70]
- Groups of healers commonly send absent healing. Their rationale is that multiple healers add more cells to the battery and that ego involvement of individual healers is lessened because they don't feel individually responsible for the outcomes. I know of no other study which confirms healers' intuitive impressions that group healings are more potent than individual healings.
- The possible interference of thunderstorms with absent healing is again a unique report in the literature.

In asking our second question, "How does healing work?" we have many and varied clues from these studies. It is sometimes challenging to know how much to believe these clues and which ones might be the invitations for a future Madame Curie.

William James observed, "Round about the accredited and orderly facts of every science there ever floats a sort of dust-cloud of exceptional observations, or occurrences minute and irregular and seldom met with, which it always proves more easy to ignore than to attend to. . . Anyone will renovate his science who will steadily look after the irregular phenomena, and when science is renewed, its new formulas often have more of the voice of the exceptions in them than of what were supposed to be the rules."

The following study examines healing through a completely different mechanism, using muscle testing derived from Apllied Kinesiology. The Bidigital O-Ring Test (BDORT) tests the strength of grip between the thumb and first finger as an inner "truth meter" dial. A strong grip is taken to indicate positive states of health or of mental state, while a weak grip indicates negatives.[71]

Yoshiaki Omura

Simple method for evaluating the qigong state: transient changes in the qigong master and patient and the effects of qigong on blood circulation, bacteria, viruses, and the release of neurotransmitters and hormones at acupuncture points: A study using the Bidigital O-Ring Test imaging technique to evaluate the effects of qigong in the qigong master and the patient (Heart Disease Research Foundation, New York; from Sancier, *American Journal of Acupuncture,* 1991; reprinted with permission)

> The researcher used the Bidigital O-Ring Test [BDORT] to evaluate both the qigong master and subject being treated (Omura et al. 1989). During the qigong state, certain normal parts of the qigong master's body showed a minus response to the BDORT. The minus response corresponds to muscle strength weakening and usually appears only when an abnormality exists, with the exception of the thymus gland and strongly excited nerve fibres. Striking changes in the BDORT occurred at certain acupuncture points (CV-5, CV-6, CV-17, CV-22, Yintang [middle of forehead], GV-20), meridians (entire Pericardium and Triple Burner),[72] as well as the entire spinal cord, medulla oblongata, and various parts of the cerebral cortex. Similar changes occurred in the qigong master and patient while the qigong master was treating the patient.
>
> During the qigong treatment, the alpha wave in the EEG increased markedly in both the qigong master and patient. After discontinuing the

qigong treatment, these changes disappeared completely. The researcher was able to reproduce these findings experimentally.

When areas of the body that are positive to the BDORT for bacteria or virus were treated with external qi, the BDORT response to specific bacteria or viruses often disappeared immediately. Similar changes occurred in *in vitro* experiments with bacterial cultures. . .

The BDORT was also used to evaluate whether a qigong master is emitting positive or negative qi (Omura 1990a; Omura et al. 1989). This was accomplished by having the qigong master hold a paper, cloth or metal sheet between his two palms and then sending qi to his hands. If the qigong state was reached, the BDORT indicated that the paper developed two opposite polarities (positive or minus qi) which did not exist before and which lasted for an extended period of time (e.g. one year if it is not exposed to rapidly changing electric or magnetic fields) but disappeared rapidly when a rapidly changing electric or magnetic field was applied. Such positive qigongized paper has therapeutic value by giving relief or reduction of pain, reduction of spastic muscles, or improvement of circulatory disturbances by inducing a vasodilation effect by merely applying the qi-treated material to the area of circulatory disturbance for 20 to 30 seconds. However, negative qigongized material, which has the opposite effect of positive qigongized material, produces vasoconstriction.

Omura stored positive qi in various materials and drugs which were then used for improving circulation and inducing enhanced drug uptake in the abnormal area where the drug is to be delivered but cannot reach in sufficient therapeutic dosages. In his subsequent research (Omura 1990a; 1990b), he succeeded in creating pure positive or pure negative qigongized materials without any opposite polarity. By applying pure, positive qigongized materials he was able to treat some intractable pain and other intractable medical problems due to bacterial or viral infections, circulatory disturbances, and heavy metal deposits.

Sancier's (1991) *Comments*: The BDORT provides a rapid and sensitive technique for evaluating a qigong master and his effect on a patient. The BDORT also provides a way of monitoring the healing character of qi transferred to materials such as paper, cotton or liquids, for which qigong practitioners have claimed to have healing properties.

Discussion

This is an inadequately reported study from a researcher who appears to have a genius for exploring scientific frontiers. The use of inanimate materials as *vehicles* for healing is recommended by many healers.[73]

I have found muscle testing of the BDORT type described by Omura helpful in clinical practice. However, both in clinical practice and in an unpublished pilot study I did of the perception of biological energy fields, I have found it is subject to suggestion and very specific to the mental focus of the participants in its use. I would be most cautious in accepting any conclusions from a study without blinds for experimenter and subjects to eliminate expectancy effects.

Assuming that the observed effects are not due to suggestions or expectancies, this study suggests a quick and easy way for checking on the effects of healing. More on this in the study of Sancier and Chow (pp. 186-187).*

Larissa Vilenskaya has been a researcher in parapsychology and healing for 30 years. She started this work in Russia, then emigrated to America. She continues to be a link between East and West.

Larissa V. Vilenskaya[74]

A scientific approach to some aspects of psychic healing (*International Journal of Paraphysics*, 1976)
Larissa Vilenskaya reports on several of her experiments which clarify the effects and possible mechanisms of healing:

1. "Normal humans with no specific gifts" were taught to see auras generated by Vilenskaya "between two fingers of their hand."[75]
2. Aura diagnosis of physical problems by touch was likewise taught.
3. Vilenskaya had an opportunity of conducting

> research using a sensitive astatic magnetometer with sensitivity ranging about .01 gamma-units (1 gamma = .00005 Oersted units). The experiments proved that the magnetic field of the human hand varies with the physical and emotional state of the patient. . . .
>
> If the subject is prepared to perform healing, the intensity of the hand's magnetic field increases. At the same time, if a person just contracts the muscles of the arm, the intensity of the field decreases rapidly. . . .
>
> [D]uring an influence of a healer over a patient a decrease in the magnetic field of the latter was also detected. Thus, a person ill with radiculitis [peripheral nerve pain] had an initial intensity of magnetic field .096 gamma; after the healer's influence over a period of three minutes (the author was performing it) the intensity became .018

---

*The reader might wish to explore this with the cooperation of another person. (Common sense cautions us not to strain weak or painful muscles in doing such exercises.) Hold your arm straight out to your side from your shoulder. Let your friend press down at the count of three on your wrist with two fingers of her or his hand to test your normal strength. Then think of some food which you have cravings for and let your friend test your strength again, noting any differences from your baseline strength. This is taken as an indication of whether that food is good for you or not. A weak response often suggests a "no."

gamma. The patient was relieved of pain.

As both the healing and the electrical stimulation of the acupuncture points create a better condition for the patient's organism, a conclusion can be made that a normal stably-functioning human organism has no tendency towards radiation of energy; on the contrary, an ill person (or a healer) emits much more energy (whereas a healer does this in a controlled manner, but an ill person is unable to check it).

We can assume that the ability to diagnose through the energetic field can be caused by the ability of some persons to perceive very weak changes in the biomagnetic field, though it does not explain the paranormal diagnostics completely.

4. Vilenskaya investigated healing influence upon the seeds of plants:

Cucumber seeds were used for the experiment. The results of the first series of experiments have shown that the optimal duration of the plant's exposure to bioenergetic influence was 10 to 15 minutes; a longer duration of exposure resulted in a deterioration of growth and development of plants as compared with the results after the optimal exposure. . .the most remarkable feature of this is that whenever the author used psychic healing, the sessions never lasted longer than 15 minutes, though there was nowhere an indication to be found of any kind of optimal duration. The author considered it natural, that the only index when to stop was her own feeling of the state of the biological field radiated by the patient.

In the second experimental series it was found that the optimal duration of the healing influence was about five to 10 minutes. Compared to the first series it shows that the effect is very much dependent on the condition of the healer. Besides, it also turns out that in the first few days after the germination the effect of the influence is more pronounced than in the days to follow.

Discussion

Though interesting, the above results are reported with insufficient data for proper evaluation. In (1) and (2), no numbers are given; in (3) and (4), conclusions are based on studies of only four subjects.

If valid, these observations are of interest and concern for healing. Such experiments should be repeated, with duration of healing extended beyond 30 minutes. This would establish whether harm can come from prolonged healing, which is implied as a possibility by the reduced growth indicated in seeds treated between 15 and 30 minutes. If we extend the growth curve graph, at 45 minutes the experimental plants may weigh less than the controls. This would imply by extension that potential for harm may exist as a result of healing being carried out beyond an optimal period. This is an important point, especially for student healers who may not have developed the often-reported sense Vilenskaya mentions for when a healing is completed.

I should add that reports of negative effects of healing, when positive effects are desired, have been found only in laboratory experiments only with growth of bacteria and plants and with malaria in mice.[76]

The controlled studies of healers' diagnostic abilities in Chapter 4 did not focus on their methods for arriving at intuitive impressions. One method that healers commonly report is the observation of colors in the aura, an apparent biological energy field around the body. There have been few studies of visual aura sensing, so the two that follow are of great interest.

Shafika Karagulla and Dora van Gelder Kunz

The Chakras and the Human Energy Field, 1989

Dora Kunz, a gifted clairvoyant healer, sat over several years with Shafika Karagulla, a neuropsychiatrist, to observe the auras and chakras of patients with various illnesses. Karagulla and Kunz report that the auras Kunz saw provided information which was highly correlated with the physical diagnoses Karagulla made. Occasionally Kunz was able to diagnose problems which had been unknown to the patients and doctors. Detailed descriptions of the patterns and colors reported by Kunz are reported, along with the medical diagnoses.

Discussion

Aura sensing by a healer appears to offer a non-invasive and relatively inexpensive complement to conventional medical diagnostic tests.

No one had ever questioned whether various healers who see auras perceive the same thing or see things differently. While living in England, I set out to explore this question.

Daniel J. Benor

Intuitive diagnosis (*Subtle Energies,* 1992)

With the help of a general practitioner, Jean Galbraith,[77] we invited eight healers who see aura to simultaneously observed a series of patients with known diagnoses. In the first series we had eight healers. Each healer drew a picture of the colors they saw around each patient. They wrote down their interpretations of what they saw. Then we had each one read out their impressions. No one was more surprised than the healers to find that the divergences in aura observations and in their interpretations were far greater than the overlaps. It was like the blind men and the elephant. Each of the healers had previously believed they saw THE picture of what is going on inside their healees.

Next, we had each patient respond to their various aura readings. This was a second surprise. The patients resonated with most of the readings, different as they were. There was only one healer whose readings were consistently rejected by the patients.

It was apparent that each healer saw "A" picture rather than "THE" picture of the healee.

We repeated the procedure several months later with a more select group of four healers who had reputations amongst their colleagues for being very advanced in their aura perception abilities. These healers gave many more interpretations in the psycho-spiritual dimensions than the first group. We had the same results as before. The differences were far more prominent than the overlaps, and the patients resonated with aspects of each reading.

Discussion

It appears that intuitive sensitives resonate with partial aspects of the people they observe. Each appears to look into the subject's inner dwelling place through a different window.

We are must therefore be cautious, accepting any intuitive perceptions as only partly true. As I understand these findings, it appears that intuitive information is filtered through the deeper layers of the brain/mind in a manner very much similar to how dream materials bring information to the surface of our awareness from our unconscious mind. The various bits are clothed in garments cut out of our personal histories, fantasies, wishes, and anxieties. The end product is quite individual to each of us.

In this modest experiment is a world of information. I am reminded of the Japanese film, *Rashomon*, which tells the stories of four witnesses to a murder. Each is so different that it almost seems they have seen four different murders. We have assumed that this is simply the psychological makeup of people which distorts their perceptions and memories of "objective" truth. If there were a film of the actual event, it would be possible to see what *really* happened. In the realms of subtle energies, it may be more difficult. Not only are there no films of events, but the perceptions of the events *and possibly even the events themselves* may be shaped by the beliefs and psychological awareness of the perceivers.

This is but the tip of a very large intuitive iceberg, Many sleuths will be needed to sort out this part of the mystery of healing.[78] [79]

Plants are excellent for healing research because they are inexpensive and can demonstrate clearly measurable healing effects within a few days or weeks. They are far less complex than people to study. Here are further studies which explore healing effects on plants.

Franklin Loehr

The Power of Prayer on Plants, **1969**

Franklin Loehr describes an extensive series of controlled experiments, ranging from very loose to carefully supervised ones. The basic design used several groups of seeds (usually corn or wheat) planted in identical pans. Earth was thoroughly mixed prior to filling the pans. Equal watering, light, and other conditions were carefully provided for the various pans. The experimenters then prayed over one pan for more rapid germination and growth of the seeds while ignoring the second pan. In many cases a third pan of seeds was included, over which they prayed for retardation of growth. In some cases prayer or healing was directed to the earth or water used to water the plants.

Results were about three times out of four (though not consistently) in the desired directions. Seeds receiving positive prayer generally both germinated and grew more rapidly than control seeds. Negative prayer tended to retard germination and growth, frequently leaving seeds that did not sprout at all and sometimes plants that withered and died. The percent of spread between pans, in millimeters of growth, ranged from single digit to (frequently) 30 to 40 percent. Occasional spreads of 100-200 percent were obtained.

Similar results were obtained with ivy cuttings and silkworm eggs. The experimenters generally did not report blinds or statistical analyses.

Discussion

Though attempts were made to provide careful controls in some of the experiments, procedures are not sufficiently described to permit inclusion of these studies in the well-controlled category. More important, it is not clear if any of these experiments included proper blinds. Though it is impossible to accept the results at face value, this richly detailed and thoughtful book is most highly recommended.

It is a puzzle to everyone involved with healing why some subjects respond to some healers some of the time but not all of the time. The next study examines one aspect of that question.

Enrique Novillo Pauli

PK on living targets as related to sex, distance and time (*Research in Parapsychology 1973*, 1974)

Enrique Pauli, a Jesuit priest, reports on 20 experiments in which a variety of subjects, mostly school children, were requested to enhance the growth of Fescue Kentucky grass seeds planted in laboratory petri dishes. All were watered equally from the same source; light and temperature were uniform; position of the dishes was rotated daily; and the experimenter and his assistants were blind as to experimental and control plant assignments. Experiments lasted 10 to 14 days. Growth was measured from the seed pod to the tip of the blade.

The whole group was given the task of influencing the entire batch of plants. Positive results were noted when male and female subjects had separate group targets. When male and female subjects were focusing on the same targets, the results were not significant. In one experiment, significant results were obtained when subjects and plants were separated by eight miles; in another when they were continents apart. In some experiments, males outperformed females; in another the reverse was true. "[The] magnitude of the effect seemed to be independent of the number of subjects participating."

Discussion

It would appear that distant healing was demonstrated and that the gender of healers may have been an influence in the group healings. One can only guess at the biases of the researcher and wonder whether this isn't an experimenter effect. Healers commonly gather in mixed groups for distant healings, and I have found no other reference to negative effects with mixed sexes in healing.

These studies appear to have been performed with proper attention to rigorous procedures. Unfortunately, specific numbers and statistics are not given to support the claimed results.[80]

There are no studies as yet to indicate whether people who are good at encouraging plants to grow necessarily have healing abilities with animals and humans as well, but my personal impression is that they do. In Russia and a few other Eastern European countries prospective healers (e.g. Shubentsov) were screened through their abilities to enhance plant growth.

The mental states conducive to healing may vary from healer to healer and from one time to another in the same healer. Only a few researchers have sought to clarify this important variable.

Spindrift, Inc.

Prayer and Healing: Tests with Germinating Seeds, **1991**

Spindrift is a Christian Science group that invested fifteen years in studying healing in various ways. Bruce and John Klingbeil published summaries of their extensive work privately. Unfortunately, they were not fully familiar with rigorous research design and reporting. This makes it impossible to assess their work with any certainty. Several of their findings may lead to further productive investigation of healing effects on plants.

Spindrift's research was based on certain assumptions about healing.

Qualitative thought of a healer is described as not being goal directed and having the capacity to return biological systems from physiological deviations towards more normative patterns. It may be expressed by a healer in some variation on the theme of "Thy will be done," or simply as a wish for the general well-being of the healee. *Nonqualitative thought* of a healer is goal directed and "pushes" a biological system towards a preconceived direction of change determined by the healer. It is commonly practiced by healers as mentally imaging the healee changing in whatever way is felt to be conducive to better health.

A number of these Spindrift experiments have far-reaching implications. The experimenters set contingencies for choosing which of several series of plant batches were to receive healing. Healers and experimenters were blind to which were the chosen plants. Despite this, the chosen plants often germinated much faster than the controls. For instance,

> **1.** In our first experiment of this kind we used three cups of mung beans. We placed a penny in a closed box, thoroughly shook the box, and placed it aside until the experiment was over. The cups were labeled C (for control), H (for heads), and T (for tails). Treatment was given to the beans in the cup designated by the penny in the closed box. From . . .the results . . . it was concluded the penny was heads and when the box was opened this was the case.

In several repetitions of this design, the determining factor was varied to include a die in a closed box, decks of cards, and dollar bills of various currencies in sealed envelopes. Highly significant results were obtained, though statistical analyses are not reported as probabilities. The outcomes observed were in line with the contingencies (such as a coin being heads up) that were not consciously known to anyone until the end of the study.

> **2.** Faith, or strong belief, comes in many forms: experimenter effect, faith healing, placebo effect and so on. It is present along with qualitative thought (either as belief in one's healing ability or as disbelief in one's healing ability) in every prayer. It can, therefore, under proper measurement conditions, be measured in conjunction with qualitative thought.
>
> In the following. . . tests a belief system was in place for a limited time which permitted such measurements. . . .
>
> One of the theoretical conceptions of the healing method used in these experiments is that matter is a subjective and objective form of certain elements of consciousness, in other words a mode of consciousness or form of thought. It was reasoned that, as unconscious thought-forms, the physical mechanisms which trigger seed germination might respond to the thought force, structured will, or survival instincts of other living things.
>
> To test this our researcher used two different forms of living things, plants and yogurt. Rye grass seeds were sown and germinated. . . (in trays of vermiculite with a controlled water table) but a plant or a small jar with active yogurt in it was correlated with one-half of each tray of seeds. The correlation was mental, although the trays and jars and plants were marked accordingly.
>
> Each jar or plant was promised (this is the mental link, and by promised we mean that the intention was formed in thought) a reward if seed germination was greater in the designated tray areas than in the control areas. The plants were promised more light and the yogurt was promised fractional teaspoons of milk for each percentage increase in germination of the experimental area over the control area of the tray.

[W]e had no way of knowing whether or not we were viewing some hitherto unsuspected ability in the plants and yogurt or whether we were seeing the effect of our own unconscious thought.

3. The same design produced measurable differences when a dresser drawer was removed from a dresser and the mental intention was made to return the drawer only if a designated group of seeds germinated more rapidly than the controls.

4. In some experiments *additive* effects of healing appeared when healers separately treated two groups of seeds, where a portion of one seed group was presented to the healers in overlapping fashion with a portion of the second seed group.

Significant differences were noted when contingencies such as the above were included in the experiments but not when paired sets of seeds were all left as controls (that is, without contingence designations).

Discussion

This is a most tantalizing, yet frustrating, set of studies. It closely parallels Solfvin's study of malarial mice,[81] where it appears that *super-ESP* was evident. It seems possible that the participants in the Spindrift studies scanned the experimental elements with either telepathy, clairsentience, or precognition and then sent distant healing to the appropriate plants that would conform with the experimenters' wishes or expectations.

Because of this possibility, it is impossible to support the contentions of the Spindrift group that distinctly different types of healing, such as qualitative and nonqualitative thought were at play. The expectations of the experimenters may have not only set the stage for the experiment, but may also have directed the choreography of the results through psi powers. Their own results from the contingency experiments confirm this possibility.

The frustrating aspect of the Spindrift reports is that they do not separate speculations and beliefs from experimental hypotheses or presentations of the results. Individual experiments are not clearly delineated, so that it is impossible to know in many cases whether blinds were employed. Where blinds are mentioned, the methods for establishing and maintaining them are not described. These are some of the problems that make it extremely difficult to assess the results of these fascinating experiments.[82]

With much narrower focus, we have a study of healing on the growth of a single plant.

Robert N. Miller

The positive effect of prayer on plants (*Psychic,* 1972)

Robert Miller reports a unique experiment in which he measured and recorded the growth rate of ordinary grass with exquisitely sensitive electronic equipment. He states:

> Under the constant conditions of lighting, temperature and watering selected for the test, the growth rate was approximately .006 inch per hour. At no time did the growth exceed .010 inch per hour in any of the preliminary experiments.

He then arranged for Olga and Ambrose Worrall, who were 600 miles away at the time, to

> hold the seedlings in their thoughts at their usual 9:00 p.m. prayer time. One hour later they prayed for the plant by visualizing it as growing vigorously in a white light.
>
> All through the evening and until 9:00 p.m. the trace was a straight line with a slope which represented a growth rate of .00625 inch per hour. At exactly 9:00 p.m. the trace began to deviate upward and by 8:00 a.m. the next morning the grass was growing .0525 inch per hour, a growth rate increase of 840%. (Instead of growing the expected 1/16 of an inch in a ten hour period the grass had sprouted more than 1/2 inch.) The recorder trace was continued for another 48 hours. During that time the growth rate decreased but did not fall back to the original rate.
>
> During the experiment the door of the room had been locked, the temperature was constant at 70 to 72 degrees F, the fluorescent lights were on continuously, and there was no known physical variable which could have caused any large variation in the growth of the rye grass.

Discussion

This is one of the few impressive measured direct effects of distant healing. Unfortunately, no independent controls were used to rule out other factors that might have affected the plant growth. It would also be useful to have an independent, mechanical measurement with a separate instrument, or at least with the same instrument at different times, as a check on whether the healer might have been affecting the measuring instrument by PK rather than the plant. Worrall was not generally known for PK effects, but Miller himself noted that she could influence a cloud chamber.[83] Replication with other healers seems clearly warranted and should be relatively simple.

As mentioned in the previous chapter, DNA is a protein found in the chromosomes of cell nucleii which controls heredity and cellular life in nearly all living organisms. The structure of this protein includes a pair of chains of nucleic acids (nucleotides) which are wound around each other in a double helix. The nucleotide chains are held together by hydrogen bonds between hydrogen atoms which form parts of the chain.

The Institute of HeartMath in California has developed a method of mental focus which brings about electrical coherence in heartbeats. The subjective awareness of people in this state is a deep feeling of love. People who achieve this ability are able to project healing, as demonstrated in the next study, through the alteration of conformance (winding) of DNA in the laboratory with mental intent.[84] Here are several studies addressing these effects.

Glen Rein and Rolin McCraty

Modulation of DNA by coherent heart frequencies (*Proceedings of the 3rd Annual Conference of the International Society for the Study of Subtle Energies and Energy Medicine,* **1993a**)

Doc Lew Childre, founder of the Institute of HeartMath, Leonard Laskow, M.D., and others trained in the methods of cardiac self-management were subjects of this study, along with people who had no such training as controls. Electrocardiogram (ECG) recordings were made on all subjects to determine cardiac coherence. The coherence ratio was determined by the percent of coherent to noncoherent epochs during the entire two minutes of recording. About one minute after commencement of recordings, all subjects were given DNA samples to hold. They held these samples for two minutes while recordings continued.

> The DNA samples consisted of identical aliquots (labeled in a double-blind fashion) of human placental DNA suspended in deionized water. At the beginning of each experiment, all DNA samples were heat treated to partially denature (unwind) the DNA. All samples were stored at 4° C in a separate building before and after each experimental run. For each sample, the conformation [degree of winding] of DNA was measured before and after exposure to the subject's intention. . . . The experiments were repeated and confirmed in a second series of tests in another lab. . . .
>
> *Results and authors' discussion*: Individuals trained in generating focused feelings of deep love showed high coherence ratios in their ECG frequency spectra and all were able to intentionally cause a change in the conformation of the DNA. The DNA conformation was affected differently according to the specific intention. In some experiments, different intentions caused opposite effects on the DNA. Individuals who showed low coherence ratios, although in a calm state

of mind, were unable to change the conformation of the DNA.

The amount of winding and unwinding of the two strands of the DNA helix can be directly measured using UV spectroscopy. UV spectroscopy gives information about the chemical interactions between the strands and their environment (water). The conformational changes of DNA observed in this study were complex and suggest that all three sites of action were affected. The UV spectra. . .indicates a very large increase in absorption (increased denaturation) of a DNA sample after being exposed to an individual generating a particularly high ECG coherence ratio. The observed changes reflected his intention to further denature the DNA. These changes were three-fold larger than those produced by maximal thermal and/or mechanical perturbation, well known to denature DNA. The effects observed here go well beyond simply causing the DNA to completely denature (i.e. complete separation of the two strands). One possible explanation is that a physical/chemical alteration in the DNA bases which absorb UV light has occurred.

[I]t was of interest to see if a specific intention could be directed toward an individual DNA sample. Three identical aliquots of DNA were held at the same time with the intention of denaturing two samples to different degrees but not influencing the third sample. The results. . .indicate that the two DNA samples showed increased absorption to different degrees while the third sample showed no change in absorption as compared to an untreated control sample. The ability to focus and direct a specific intention to different DNA molecules indicates that the coherent energy field associated with the state of deep love has the ability to respond to very specific intentions and is not just an amorphous energy field.

Discussion

A change in DNA was produced by a healer which is three-fold greater than could be produced by thermal or mechanical influences. It is difficult to assess this report because raw data are not provided and no statistical assessments are given to indicate whether the observed differences could have occurred by chance.

Healers' ability to influence DNA may be a most important clue in building an answer to our question, "How does healing work?" Numerous aspects of health and illness are related to protein synthesis, which is guided by information encoded within DNA chains in the nucleii of cells. If healers can influence DNA they may be able to influence many of the metabolic, growth, and repair processes within the body.

Intention as a factor in healing has been the subject of study of Rein and Spindrift.[85] It appears that healers' mental focus may play an important role in determining particular effects of healing, as explored further here.

Glen Rein and Rollin McCraty

Local and nonlocal effects of coherent heart frequencies on conformational changes of DNA (*Proceedings of The Joint USPA/ IAPR Psychotronics Conference, Milwaukee, Wisconsin,* **1993b**)

Although the heart is known to emit an electromagnetic field, we believe that the energetic exchange of information between the heart and the rest of the body is mediated by a non-Herzian quantum field which we refer to as heart energy.

The theory also proposes that physiological benefits of coherent heart frequencies are mediated through DNA. The theory is supported by Popp's demonstration that DNA emits quantum coherent photons (Rattemeyer et al.) and that DNA spontaneously oscillates coherently (Garyaev et al.). . . .

Materials and Methods: A continuous state of deeply focused love was generated by Doc Lew Childre and by ten other members of the Institute of HeartMath capable of mental and emotional self-management. In addition several gifted healers and five university student volunteers were also asked to focus on feeling love. ECG measurements were taken and analyzed by fast Fourier transform (FFT) techniques. The coherence ratio was determined by the percent of coherent to non-coherent epics during the entire two minutes of recording. DNA samples were given to all individuals approximately one minute after physiological recordings had begun. The subjects held a beaker with a test tube containing DNA inside for the next two minutes during which time ECG recordings were continued. Long distance studies were conduced at 0.5 miles away from the test area. Controls consisted of periods where no energy was sent. In addition, active broadcasting periods (one minute) were unknown to the experimenter. For the remaining experiments control samples of DNA were left on the laboratory bench for varying amounts of time when no energy was being sent. In this case UV spectral curves were superimposable [i.e. identical].

The DNA samples consisted of identical aliquots (labeled in a double-blind fashion) of human placental DNA suspended in deionized water. At the beginning of certain experiments, DNA samples were heated. . . to partially denature (unwind) the DNA. All samples were stored at 4° C in a separate building before and after each experimental run. For each sample, the conformation of DNA was measured before and after exposure to the subject's intention using a Hewlett Packard UV absorption spectrophotometer.

Results and Discussion: Individuals trained in generating feelings of deep love and appreciation showed high coherence ratios in their ECG frequency specta. . . and all were able to intentionally cause a change in the conformation of the DNA. . . .[86]

The UV spectra. . . indicates a very large increase in absorption (denaturation) of DNA after being exposed to an individual generating a particularly high ECG coherence ratio which was sustained throughout the two minute exposure period. These changes were three-fold larger than those produced by maximal thermal and/or mechanical perturbation, well known to denature DNA. The effects observed here go well beyond simply causing the DNA to completely separate . . . .[87]

One individual studied did not want to participate in the experiment, was upset at having to be wired up for ECG measurements and was genuinely frustrated by the whole experience. This individual, who did not have control over his emotions, showed an unusually low ECG coherence ratio. However because of the strong intensity of his emotional experience, his energy caused a change in the conformation of DNA. . . . The results indicate an increased winding of the DNA and a shift in the absorption peak. This is an unusual effect which indicates that in addition to changing the conformation of DNA, an alteration in the physical/chemical structure of one or more of the bases in the DNA molecule has occurred. Although the incoherent [ECG] energy associated with frustration resulted in a change in DNA, this individual could not intentionally bring about this change. . . .

It was also of interest to determine whether coherent heart energy can influence DNA at a distance. . . . [I]n. . . one such experiment, where the individual generating coherent heart energy was approximately 0.5 miles from the DNA sample. . . [t]he intention was to increase DNA winding. . . . In contrast to the previous experiments in which the DNA conformation was measured immediately after being exposed to heart energy, these experiments examined the time course of the effects. The series of experiments indicate that different individuals and different intentions produce characteristic changes in the time course. Thus, in some experiments effects were seen immediately after sending energy, whereas in other experiments effects were seen only after a given period of time. This time period varied from 10 minutes to 60 minutes, depending on the energy being sent. Furthermore, once the effect was manifest, it either continued to increase or reached a plateau, depending on the experiment.

Conclusion: The conformational states of DNA are important in DNA replication and repair in addition to transcription, a process which results in generation of proteins and enzymes which regulate a wide variety of basic cell functions. The results of this study indicate that the heart's energy field can directly modulate these basic cell functions (via direct action on DNA). . . . The implications for such an energy transfer system within the body are as profound as those arising from psychoneuroimmunology[88] which only considers the link between the brain/mind and the immune system. Since heart energy can also communicate with the brain, it is likely that heart energy can also modulate and direct mind/body interactions. We have coined the term cardioneuroimmunology to describe such interactions. . . .

. . .We have also observed a correlation between coherent heart energy and the. . . immune system by measuring changes in salivary IgA [immune proteins] (Rein/McCraty in preparation). . . .

Discussion

It is again impressive to see effects of intention on DNA, with a magnitude three times as high as with denaturation from heat or mechanical influences. The production of similar effects by a person who was distressed suggests that emotional states may be correlated with alteration of DNA. Further study of this phenomenon seems warranted. The authors presume that the distress of a subject produced the observed effects but this is conjecture rather than fact until it can be replicated.

The lack of raw details regarding data and statistical procedures leaves the validity of this series of studies in question.

Setting aside our questions on mechanisms of healing, let us now focus on some of the ways in which healing can be introduced in clinical settings.

Healing and psychotherapy are an excellent combination. The following study explores the experiences of therapists in combining them.

William West

Counselors and psychotherapists who also heal (*Healing Review* 1995; *British Journal of Guidance and Counseling,* 1997)

William West surveyed psychotherapists who include spiritual healing in their therapy. He defined healing as a special atmosphere which seems to benefit clients, as well as spiritual healing that we are considering in *Healing Research.* His principal findings included:

- Respondents reported experiences of spirituality occurring more often when they participated in healing activities than in conventional religious practices. More than half of the respondents participated in such activities, including meditation and healing.
- Involvement in healing began most often through receiving healing or in mid-life crisis.
- Healing may be introduced deliberately by the therapist, or may occur spontaneously during particular moments during the therapy without the conscious initiation of the therapist.
- The most common healing experiences include awareness or activation of healing energies, awareness of being part of something which is greater

than the client or oneself, and the deliberate engagement with healing by the laying-on of hands.

- Spiritual awarenesses are often linked with energetic interconnectedness.
- Creating an awareness of *spiritual space* invites the spiritual dimensions to be present in some manner.

Space is where the spirit is. Space is where we get out of the way and allow whatever we may call it, God's spirit, whatever, to be. That's like a healing [because] we're not interfering, allowing whatever it is to happen.

Unless you keep some spiritual dimension in your mind as you're dealing with the client the client is not going to transcend his or her normal self.

- Labeling and describing the work of healing may be difficult for some therapists.
- It is difficult for many therapists to find supervision which allows for the inclusion of healing. To deal with this problem, West encouraged some of his respondents to come together in a support group, which they found to be highly satisfying and educational.

Discussion

Psychotherapists who integrate healing and spiritual awareness in their practices find it difficult to discuss the full scope of their work with most of their colleagues—who are entrenched in materialistic and reductionistic models of diagnosis and therapy. William West's work is a validation to those who use integrated care, confirming that there are others out there doing this, and that there is a growing body of understanding about how to bring these methods into a harmonious clinical marriage.

I resonate very strongly with West's observations. In England and America I have brought together groups of psychotherapists who are also engaged in bodymind therapies, subtle energy work, integrative care, spiritual awareness and healing. The groups meet periodically to share participants' views and experiences, learning from and with each other how to blend these modalities.

One would think that the psychological characteristics of healers would be a popular subject of research. Surprisingly, I have found only the following publication focusing on this subject.

Stephen A. Appelbaum

The laying on of health: personality patterns of psychic healers (*Bulletin of the Menninger Clinic*, 1993)

Stephen Applebaum regularly uses psychological tests in his private practice as a psychotherapist/psychoanalyst. He recruited 26 healers through recommendations of Norman Shealy[89] and others (15 men, 11 women, ages 24 to 70). He considers these a representative sample of psychic healers. His study was through informal interviews and psychological tests, including the Rorschach inkblot test (all 26 healers), Thematic Apperception Test (14), an inventory and inquiry of the subjects' early memories (18), and the Wechsler-Bellevue (1). Appelbaum himself received healings and also explored giving laying-on of hands treatments. Though no formal control group was included, Applebaum felt his extensive clinical experience with these tests provided a comparison with findings which could be expected in comparable nonhealers. His primary measure was his subjective interpretation.

Not surprisingly, the healers were concerned whether Applebaum wanted to examine their sanity. In these anxieties they were similar to other people whom Applebaum researched.

Serious psychiatric disturbances were in fact suggested by the responses of three healers. About half the rest demonstrated sound reality testing. The remainder were somewhere between the disturbed and the sound ones.

> Members of this middle group were inclined to reshape reality according to their wishes, sometimes more able and willing to check such wishes against facts, and sometimes less so. They were especially inclined to delude themselves when their ideas had an external rationale and were supported by other people. In that sense, they resembled many religious people and members of primitive cultures who believe in events that would be considered delusional by Western secular science. But their ideas escape psychiatric significance because they are shared by others....

Applebaum observes that disturbed thinking is not the only deviance which separated the healers from "normal" people. Healers demonstrated personality traits which seemed deviant, and some appeared to have a need to be different.

> For example, they would comment that a popularly given response [to a question on a psychological test] was too obvious; they were interested in the offbeat and the original. Some were blatantly oppositional. They attempted to turn black into white, figure into ground, or to say no when a yes would have been easier and more justifiable perceptually.
>
> [One] subject made a point of being uninterested in details of conventional reality; for her, impressions and feelings constituted reality and therefore were equivalent to thinking. So she associated more than she perceived, and comfortably delivered non sequiturs. Once she saw colors emanating from a black and white inkblot, and imperturbably said so, although she was perfectly aware that the blots were achromatic. She indulged this attitude even when stimuli were not likely to be threatening or were clearly defined. . . .
>
> The healers characteristically enlivened their responses with embellishments the same way creative, imaginative people do. But the

healers were more inclined to stray further from the originating stimuli. They share this characteristic of creativeness with artists. . .disinclined to accept the world as it is tendered to them, and for what it requires of them. Asking artists about their work often elicits a euphemistic or avoidant answer; they are wont to say that they only do the work, they will leave the explanation to others. Healers do the same. They will not be pinned down. They demonstrate a kind of claustrophobia of the mind. It is as if some enclosing, controlling dread lies in wait should they, for example, respond to a direct question with a direct answer, name or categorize, trace out logical connections, or attempt to specify cause and effect. Like mercury, when approached from one direction, they slither to another. Thus they are difficult people to interview.

About half the healers turned test cards (presumably Rorschach cards) sideways or upside down—far more often than the average person.

Because healers claim to do remarkable, seemingly miraculous things, it is understandable that their test results gave many indications of expansiveness, grandiosity, and a belief in limitless possibilities. For example, they saw in inkblots "someone walking on water," "regeneration of lost parts," "the unlimited possibilities of springtime overriding everything," "a super rabbit," "Phoenix birds arising from ashes," and "an oracle. . . ."

Expansiveness and grandiosity are often linked with being the center of attention. So it is not surprising that the subjects offered many evidences of an inclination toward display or exhibitionism. . . . They studded their test responses with references to such super performers as Isaac Stern, Zubin Mehta. . . and Albert Einstein. Yet healers nevertheless tended to characterize themselves as humble, often merely as vehicles for God's healing power. However, their belief that God chose them suggests anything but humility.

Applebaum speculates that confidence in their capacities might be at the core of healing and that many patients may seek reassurance from those who can inspire confidence.

Mother-child symbiosis was suggested in the responses of some healers.

On inkblot number 1, one healer saw peace and protection. In response to a TAT card, she responded that "the violin and the boy are one," and continued, "The violin will play with him, not for him." On another TAT card, a mother was seen grieving for her lost child, enduring a painful separation. In describing someone trying to escape on another card, the subject said, "I am feeling like pulling that person toward me." Elsewhere she talked of loving and protecting babies.

The merged condition of mother and child, as illustrated in such responses, occurs during the so-called oral stage, a time when the infant's—and therefore to a large extent the mother's—experience is dominated and saturated by things related to nurturance (i.e., food, digestion, the mouth), when the main mode of interaction is cradling and other kinds of soothing touch. . . . Healing can therefore be considered a sublimation of the oral stage of life, just as being a gourmet chef may be.

People who have maintained such oral commitments could be expected to show a variety of oral characteristics. They might, for example, tend to overeat and be overweight, and to talk a great deal. Many of the healers...were overtalkative and overweight. They often sidetracked my questions by substituting garrulous, tangential talk for a direct answer. Not only was talk, for them, a means of avoidance, but it also seemed to be a means of pleasure, a joyful exercise of the mouth, and the more the better. Just as children may avoid the later-life demands for order and precision by staying at the oral level as long as they can, so, too, did the healers attempt, through the exercise of oral faculties, to fend off my attempts to impose order and structure with my questions.

Applebaum noted no consistent differences in findings between the Shealy-recommended healers and those he selected through other sources.

He concludes:

[T]he typical healer basically tests reality accurately, but nonetheless is open to self-delusion through being less interested in checking ideas with reality than in having wishes supported by like-minded people. Made anxious by the hemming-in of rules and structure, healers are typically committed to finding their own path and rejecting that of others. Healers are aided in this pursuit by sublime self-confidence, however cloaked in humility, and are drawn, in fact or fantasy, to center stage. Healing stems from an infantile layer of the mind that includes such oral traits as eating and garrulousness and a merging givingness modeled on the relationship between mother and child.

Healing is frequently described as being an expression of love. . . .

A case can be made for healing as an expression of the kind of love that predominates early in life, based on the wish and expectation of mother and child that mother will make it right. Just as the mother-child relationship begins in symbiosis, so, too, does healing. LeShan (1974) described his experience in training people to become psychic healers as the healer becoming one with the healee. . . .

One may wonder how it is that, if healing draws on a nurturing mother-child interaction, the grandiose, exhibitionistic, oppositional, outsider people I studied could be good healers; such traits imply a lack of attunement that would seem antitherapeutic. One answer might lie in the healers' ability to use grandiosity and the implied strength in being independent of conventional reality as aids in healing. Such traits can encourage patients to yield to a charismatic or perceived powerful other, as in healing phenomena that occur under hypnosis, by way of suggestion, and in the placebo effect. One should also recognize that the primitive nurturant interaction may be a necessary but insufficient condition for healing. . . .

Applebaum observes that his interpretations are based on examination of those who publicly assert themselves to be healers. Other healers, who may not advertise themselves in this way, might or might not have similar characteristics. Perhaps those who respond best to such healing may have personalities which are similar to or complementary to those of the healers. Responders may be able to suspend beliefs or to respond submissively, might be ready to have their needs met by others and be confident that others can help them.

Healing may indeed be a temporary, symbiotic return to a time when love between mother and child conquered all, when mother often did, through the laying on of hands, make it all right.

Such a perspective is most likely distasteful to many people in Western culture who deify individual initiative and swaggering independence, and who insist that any external help should be in the form of the high technology of drugs and machines. In rejecting the healing properties inherent in human interactions, such people may undermine the very healing technology on which they depend. All healing comes about, ultimately, through the patient's willingness to take advantage of whatever healing measures are offered. Differences in receptiveness to the infantile core of the healing interaction may explain the notoriously variable responses of people to the same healing interventions. It may also explain why some healers are more successful than others, whether they be psychic healers or medical practitioners of the bedside manner.

Healing of all kinds may require nurturing early experiences of a kind that can be accessed as needed. This concept has implications for the selection and training of healers. . . .

Discussion

While Applebaum writes convincingly about aspects of healers' personalities, his observations are too narrow to capture major portions of healing interactions.

It would be helpful to have clearer descriptions of the healers, of their beliefs and methods of healing. When Applebaum quotes healers, it would add to our understanding if he indicated which part of the spectrum—between normal and disturbed—they represent.

Some of the characteristics which he identifies as outside the boundaries of normal may relate to reliance of healers on intuitive and feeling perceptions. When these are assessed with the yardsticks of linear reality they may well seem to be deviant.[90] His approach is clearly *etic*, assuming that his beliefs and frames of reference are superior to those of healers.

Though Applebaum cites single studies of healing on enzymes, plants, and mice, he makes no mention of the implications of these studies in suggesting far more complex mechanisms than he proposes for explaining healing.

Despite all these criticisms, I believe Applebaum has made a significant contribution to our appreciation of psychological factors relevant to healing. Some healers I have met appear to me to lack a grounding in everyday reality to a degree that leaves me uncomfortable, sometimes even concerned, about their abilities to counsel people with disease, dis-ease, and distress. I only hope that such studies can be replicated and extended so that we can learn to better appreciate the psychological strengths, weaknesses, and mechanisms of healers and healing interactions.

In Summary

These studies about healers and healing have been reviewed with every effort to be objective and to avoid Type I research errors of accepting as true something which is not. In being as objective as possible, however, we stand to miss what healers and healees feel and say about their own experiences of healing—perhaps the most essential aspects of what we wish to study.

Bill Beaty observed, "The banner of 'openmindedness' attracts charlatans and gullible fools, just as the banner of 'skepticism' attracts bigots and the narrow-minded. This is no reason for the skeptical scientist to see openmindedness as foolish gullibility, nor for the maverick scientist to assume that all skeptics are narrow-minded bigots."

The next series of studies explores *qualitative* aspects of the healing experience.

QUALITATIVE STUDIES OF HEALERS

In Western society, we so often view life as quantity and less often as quality. We see matter physically but neglect it philosophically. We opt for the linear blinders of objective science. The gaze grows straight and sharp and focused. . . and misses so much . . . .

—Katya Walter (p. 111)

Qualitative research explores the subjective experiences of healers and healees. Controlled studies of healing establish whether healing effects can be identified. Though controlled studies are done with rigorous methodology, the very tightness of the methodology also introduces a narrowness of focus. The more certain the experimenter wants to be, the narrower the questions he or she can pose. We end up knowing more and more about less and less.

Qualitative research focuses in a systematic way on broader issues, such as the nature of the experiences of healers and healees during and after healings. The next group of studies make a good start in this direction.

Bryan Van Dragt

Paranormal Healing: A Phenomenology of the Healer's Experience, Vols. I & II. (unpublished doctoral dissertation, Fuller Theological Seminary, School of Psychology, 1980)[91]

Van Dragt observes that explorations of healing have been marked by sensationalism, a lack of theory to explain the phenomenon and serious difficulties in methodologies, particularly in experimental controls. His review of the literature showed that extraordinary effects of healing appeared to be related to specific interventions of the healers in humans and other living things. This study treats healing as a thing in itself so that research questions could be truly relevant to the phenomena.

Van Dragt focused on subjective experiences of 10 healers during healing. He selected his subjects through recommendations of other reputable healers. After making initial clarifications by telephone, he conducted tape recorded interviews, using Rogerian-style (nondirective) approaches to explore the question, "What do you experience as you are engaged in healing?" Next, he analyzed the interview transcripts for major themes. Healers rated five out of the ten analyses for their completeness and accuracy.

Van Dragt then compiled a list of common denominators among the healers' experiences, producing a fundamental description, a unified account of the healer's experience. Analysis of the description produced a fundamental structure of healing.

Van Dragt concluded that healers perceive healing to take place in another reality, space and time; personal and physical boundaries, and boundaries between the individual and the transcendent are all permeable. Healers merged with their healees in the process of focusing on a caring intent to bring the healees into a state of wholeness and harmony. The vehicle for healing appeared to be the person and consciousness of the healer combined with a transcendent power.

Healing appeared to add depth to the Rogerian principles of unconditional positive acceptance, congruence of healer and healee, and empathy. Three aspects of healing contributed to this depth: the healers' absolute focus on the good of the healees, the healers' use of themselves as the conscious instruments for healing, and the healers' attaining a union with the healees in some transpersonal dimension.

Healers' interventions suggest that the boundaries of traditional psychotherapy can be transcended. These dimensions may be crucial to a full understanding of the process of psychotherapy and relevant to research outcomes in psychotherapy. The constructs of healers' realities suggest that it may be possible to bring to bear direct and effective participation of transcendent entities or forces in the therapeutic encounter and that spiritual elements may be vital to the healing process. The author points out that these beliefs have been promoted by the Christian church and suggests that psychotherapists would do well to consider the possible relevance of these dimensions in their practices.

Discussion

Van Dragt's formulation of the healing process closely parallels that of LeShan.[92]

James A. Tilley

A Phenomenology of the Christian Healer's Experience (Faith Healing) **(doctoral dissertation, Fuller Theological Seminary, School of Psychology, 1989)**[93]

Tilley extended the Van Dragt study on the basic qualities of healers' experiences. While Van Dragt studied healers from a variety of spiritual traditions, Tilley included only healers working within a Christian tradition. He chose 10 healers (with established reputations) for extensive interviews exploring their subjective experiences during healing. His aim was to determine a model of fundamental structure of Christian healing as it is experienced from the phenomenological (reported experience) standpoint of the healer. He extracted elements from the interviews which appeared to be common denominators, returning to validate these with the healers. Next, he compared the reports to ascertain modal qualities.

Tilley concluded that Christian healers attributed their healings primarily to God, not only as the facilitator of the healing, but also as the agent guiding them and using them as His instruments for healing. They viewed their own roles as being open, clear channels to allow the flow of the power of the Holy Spirit through themselves.

Tilley found that his healers were similar to those studied by Van Dragt in conceptualizing that they were channels for a transcendent power behind the healing. They differed in their views on the ultimate nature of the healing power. Van Dragt's healers more often viewed the transcendent healing power as being impersonal, and felt that healers and healees had to be congruent in order for healing to occur. Tilley's Christian healers usually perceived this to be a personal deity and felt that healers had to be congruent with God.

Discussion

I find that clients often feel that combining healing with psychotherapy is a substantial help in dealing with their problems. Though I do not practice within a framework of organized religion, my experiences are similar to those described by Van Dragt and Tilley. It feels like I am a channel for a spiritual source of energy and a catalyst for healees to open into greater spiritual awareness.[94]

Patricia Rose Heidt

Openness—a qualitative analysis of nurses' and patients' experiences of Therapeutic Touch (*Image: Journal of Nursing Scholarship,* 1990*)*

Heidt interviewed seven nurses who had 3 to 11 years' experience in doing Therapeutic Touch healing and one healee recommended by each of these nurses. The seven healees, six women and one man, were 34 to 60 years old, selected for their willingness to be interviewed rather than for having particular symptoms. Prior to the interviews, patients had received 10 to 100 treatments (median 30). The reasons for choosing to be treated were labor and delivery, plus tears in muscle fascia following childbirth; quadriplegia, trauma induced; pain, post-mastectomy; skin cancer and cystic breast tissue; arthritis and tenosynovitis; metastatic breast cancer and malignant bladder tumor; and severe asthma.

Confidentiality was assured for all participants. One healing session for each pair was observed and notes made of the various interactions during healing, following which participants were individually interviewed. Interviews were tape recorded and transcribed. Heidt then noted terms in the margin next to every line, summarizing what each expressed. The summarizing terms were then condensed into categories which summarized the entire experience. Here are the categories Heidt developed:

Opening Intent
> *Quieting:* tilling the mind, emotions and body to feel in harmony with the universal life energy
> *Affirming:* Recognizing the unity and wholeness of the universal life energy
> *Intending:* Desiring to get the universal life energy moving again

Opening Sensitivity
> *Attuning:* Listening to the quality of the flow of the universal life energy
> *Planning:* Using the internal and external cues about the flow of the universal life energy to make a plan of treatment

Opening Communication

Unblocking: Clearing out the impediments and balancing the flow of the universal life energy

Engaging: Directing and receiving the flow of the universal life energy

Enlivening: Pulling in and balancing the flow of the universal life energy

Three outside consultants reviewed the coding and made various suggestions, resulting in changes and further reviews. All participants made numerous comments about their perceptions of energy. Therapists observed it felt like: "a replenishing source, an organizing force, a universal power, a higher power, a greater mind, a healing force, trueness. They also described this energy as a variety of images: God, the sun, an ocean of energy permeating the earth, light, love." Healees suggested images such as: "sunlight, a higher source, power, God, the stuff we're all made of and that flows through everyone, the source of life, flowing water."

Heidt provides examples of statements made under each category, including observations made about other nuances of their experiences. A few of these are presented here:

Affirming:

"It's a gentle force and I allow this to work through me."

"That feeling of not isolating the parts, not isolating my lungs from the rest of my body."

Quieting:

"Therapeutic Touch gives me a handle to be in control."

"It's like taking a gray sky and putting some blue in. I can deal with more now."

Intending:

"I am asking that I can be an instrument for that healing power."

"As she worked on me, I felt open, just really open inside."

Attuning:

"I began to connect the tension of her shoulders with her life choices and her life-style right now."

Planning:

One nurse explained that she remembered the places in the energy field that were uneven, and she made a plan about what to do.

"I can isolate something that is bothering me. I am more aware of my body, the signs my body is sending me."

Unblocking:

"There is usually this loose congestion, thickness, pressure, heat in the field, like moving clouds. I try to sweep that away. I do that before anything else, to clear everything loose out of there."

"As the treatment was taking place, parts of my body were relaxing. My legs, which were drawn up, would straighten out. I literally felt that a physical thing was being drawn out of my body."

Engaging:

> Six nurses and patients laughed and talked together during or after the treatment, and there was a feeling of intimacy. . . .

Enlivening:

> "The sick area becomes alive and starts to draw on its own energy source."

> "I sometimes have a feeling inside me which I carry around for weeks. You reach back inside, that feeling comes back, like a well within yourself."

In her discussion, Heidt notes, "This 'transfer of energy' took place on both a physical and a psychological level in each of the phases of healing experiences between the nurses and patients."

It is strikingly apparent from the reports in this book that there is a very broad spectrum of healing theories and practices. There have been few studies which explore the different beliefs of healers. Allan Cooperstein, a transpersonal psychologist, pioneers in this line of investigation.

Allan Cooperstein

The Myths of Healing: A Descriptive Analysis of Transpersonal Healing (doctoral dissertation, Saybrook Institute, California, 1990)

Allan Cooperstein explored the experiences and underlying psychological processes of healers as they engage in what he labels *transpersonal* healing.

He employed a heuristic approach in five stages. Starting with the writings of prominent healers, he distilled features of healing experiences and categorized them as best he could. Next, he analyzed the writings of three healer-researchers: Lawrence LeShan, Rebecca Beard, and Dolores Krieger. He then reorganized the combined materials through the systems approach to consciousness described by Charles Tart (1975), including transpersonal experiences. He devised a scoring protocol for systematizing and quantifying his data. The protocol was then applied to the writings of 10 healers and to interviews with 10 more healers, the latter selected on the basis of demonstrated healing abilities in research settings. The interview group ranked 14 areas of healing experience in order of importance in their individual practices.

> [T]he three highest ranked areas of experience associated with transpersonal healing are, in order of importance, changes in the sense

of self, attention, and cognitive processing.

All areas indicate that a change occurs from that which the healer considers to be ordinary to a non-ordinary condition. Sense of self refers to changes in personal identity, self-awareness, personal versus impersonal will, and the healers' identification with non-ordinary energies, abilities and entities. Attention applies to alterations in the direction of attention, the ability to concentrate, the intensity of attention and the capacity to become involved in absorbed concentration. The changes in cognitive processing refer to such areas as the general state of consciousness, memory, rational and nonrational thought, verbal and non-verbal imagery and intentionality.

Cooperstein concludes that ordinary consciousness is destabilized and weakened so that transpersonal processes may occur. He distributed the 20 healers studied on graphs according to the types of consciousness they described during healing (from ordinary to altered states) and their beliefs about the healing (from realistic to metaphysical). (See Figure 5-1.) A spectrum of healers' beliefs and states of consciousness emerges.

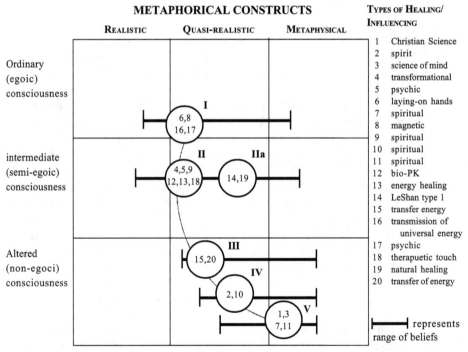

Figure 5-1 **Distribution and taxonomic classification of 20 transpersonal healers (based upon estimates of level of consciousness and the structure of metaphorical constructs derived from content analysis and interview materials).**

Cooperstein divides them into six classes:

1. (4 healers) Rely on logical process and maintain ordinary consciousness.
2. (6 healers) Combine realistic, quasi-realistic and metaphysical beliefs, rely less upon physical interventions (e.g. touch), and engage subconscious processes more often.
3. (2 healers) Implement abstract, non-physical, and non-spiritual beliefs, such as "merging" and "allowing."
4. (2 healers) Focus on transfers of energy, with which they completely identify themselves.
5. (2 healers) Include more extensive consciousness alterations, including spiritualistic and mediumistic behaviors.
6. (4 healers) Induce alterations in consciousness and combine quasi-realistic beliefs (such as "energy" and mythologized, historical beings) with metaphysical beliefs to produce the most unstructured and conceptually remote mental processes to be found among all groups.

Moving along the spectrum, "there is an increasing alteration of ordinary consciousness and adoption of (or absorption within) metaphorical beliefs that are increasingly remote from those applying to physical reality. . . ."

Cooperstein begins sorting through a broader spectrum of healers' beliefs and practices. Much further research will be required to tease out the relevant factors in healings in general and even more work to elucidate critical factors in individual healings.

The next study focuses again on healees.

Nelda Samarel

The experience of receiving Therapeutic Touch (*Journal of Advanced Nursing*, 1992)

In this qualitative study of healees' responses to Therapeutic Touch (TT), Samarel interviewed 8 male and 12 female volunteers who were attending conferences of TT practitioners and patients. Subjects ranged in age from 30 to 68, with diagnoses including depression, osteoarthritis, multiple sclerosis, cancer, and HIV illness. Their experiences of receiving TT ranged from two days to seven years.

Each was interviewed initially on the first or second conference day. The focus was on the question, "What is your experience of TT?" Follow-on questions clarified their responses. A second, clarifying interview was conducted two to four days later. Interviews lasted 15-45 minutes.

Following the methodology of Riemen, Samarel identified her own conceptualizations of TT so that she could then suspend them in order to approach the healees' responses with as neutral an attitude as possible. Her views are that TT involves nurturing, caring, compassion, letting go, and energy.

The interviews were transcribed. Samarel than summarized the participants' descriptions of their experiences in their own words. Emerging themes were extracted from the summarizing descriptive terms. Next, the themes were condensed into abstract terms. "All focal meanings, or elements, were explicitly or implicitly contained in a majority of the descriptions and were compatible with all. These focal meanings were then synthesized to specify the meaning or meanings of the experience of TT from the perspective of each participant."

Second interviews were conducted in which participants were invited to review and clarify their conceptualizations about their treatment responses.

This general structural description was arrived at:

Before treatment: Physiological needs, such as pain, stiffness, limitations of function, disease, energy imbalances;

Mental/emotional needs, such as fears, grief, lack of energy, depression, anxiety;

Spiritual needs, such as lack of faith, not at one with oneself, agnostic, people-focused rather than God-focused.

Table 5-12. *Experiences During treatment*[95]

SELF-AWARENESS		OTHER AWARENESS	
Physiological	**Mental/emotional**	**Roles**	**Relationships**
Shifts in pain, tension, energies, presence of tingling, pleasant physical contact.	Feeling peace, love, nurtured, able to let go, head in the right space.	Healer seen as a teacher, friend, as understanding, gentle, competent	More depth, trust, involvement, ability to talk about problems.

After treatment—changes and new fulfillment

Physiological, e.g., improvements in swallowing, muscle spasms, movement, energy, pains

Mental/emotional, e.g., seeing self more positively, having a new outlook, feeling whole, deepened self awareness, growing

Spiritual, e.g., increasing spiritual love for self, noticing beauty in others, feeling more benevolent, aware of God/universal life force

Descriptions of the process included:

In the past, I have had greater need for treatments. My thoughts of myself have become much more positive than in the past. Before TT, I had a great need for someone to care for me. I was very needy, frightened and felt alone. Now, I have a much deeper spiritual love for myself and others.

I had so little energy and so much pain. The treatments immediately increase my energy level. And the pain is less. . . . Emotionally and mentally [TT] has helped me to perceive my relationship with my husband—I was smothering him with help that he did not ask for and did not want. It was draining me and ruining our relationship.

TT promotes a dynamic process of growth and change in awareness, with increased fulfillment. It shifts focus from the physical to awareness of the mental and emotional and then to the spiritual aspects of being and becoming.

Samarel observes that her conceptualizations about TT were based upon the principles of Martha Rogers. These principles were evident in the lived experiences of her subjects, with progressions from prior to treatment, through treatment and then after treatment. The findings of this study differed from Rogers' observations. Subjects' descriptions were linear, falling short of the non-linear, transpersonal nature of the universe emphasized by Rogers.

Further qualitative analyses of healees' experiences of TT healing also provide helpful information on the commonalities between individuals who have pain, stress, and anxiety.

Rosze Barrington

A naturalistic inquiry of post-operative pain after Therapeutic Touch (In Delores A. Gaut and Anne Boykin, *Caring as Healing*, 1994)

Barrington lists the assumptions underlying her study:

1. People are irreducible unitary beings who are open vibrating energy fields extending beyond the skin and interacting totally and pandimensionally with environmental energy fields through energy patterning.
2. Health is a relative index of field patterning, evolving from a continuous mutual interaction of human energy fields with environmental fields.
3. Nurses engage in intentional therapeutic use of self to mobilize a client's intrinsic healing pattern.
4. Pain is a subjective, multifaceted unitary field phenomena which warrants a wholistic treatment approach.

Barrington studied six people (ages 39 to 77, five men, two women) who were stable and scheduled for coronary artery bypass surgery within 24 hours of the initial interview. Subjects were approached in the evening prior to their surgery and those who consented were interviewed in a semistructured format which was tape recorded. The concepts of energy patterns or transfers related to TT were not discussed with participants.

> The focus of the initial interview was to establish pattern identification of one's perception, expression, and experience of pain and the best feelings they had ever experienced.

Therapeutic Touch (TT) was given twice, for three to eight minutes, the first treatment 48-56 hours post-operatively and the second 24 hours later. Participants' pre-TT and post-TT experiences of pain were quantified with a Visual Analogue Scale (VAS). Following each TT treatment there was another interview to obtain descriptions of pain levels and experiences during TT, Barrington employed a.

> . . . Researcher Log. . . of personal experiences and reflections which occurred during the TT session and interview. The Log, used to expose and release preconceived meanings of the researcher, also aided in documenting a transformation of the lived experience of the researcher. . . .

Transcriptions of the taped interviews were analyzed using methodology developed by Beekman of the Utrecht School (Lynch-Sauer) and following the five steps of Reinharz to analyze phenomenological experience:

1. Experience is transformed into language which then
2. transforms what we see and hear into understanding, then
3. transforms understanding into clarifying concept categories, then
4. transforms concept categories into a written document, then
5. the audience transforms the document into an understanding of the human experience described.

All transcripts were reviewed by another nurse researcher to confirm theme forms which were selected as categories. Analysis of the findings followed Cowling's template for pattern-based practice. This helps to identify patterns of experience, perception and expression. Prior to surgery all participants had had significant pain experiences but none had noted sensations such as colors or visions during previous pains or therapies. Two-thirds of participants felt their best feeling prior to surgery grossly resembled their experience during TT. Experiences, perceptions, and expressions reported after TT are listed in the following table.

Table 5-13. *Patients' reports after TT for pain*

Experiences	Number	Percent
Comfort	6	100
Pain reduced or eliminated	5	83
Relaxation reported	3	50
Physical and visual		
No sensations	1	16
Did not respond to question	1	16
Soothing	2	33
Pain and discomfort being drawn away	4	66
Peace	1	16
Colors – vivid scenery	3	50
Perceptions		
Insights	4	66
Felt "energy"	4	66
Temperature changes	4	66
Aware of nurse-patient intuitive connection	3	50
Expressions		
Affect change	6	100
Febrile episodes (possibly immuunological response) with temp. over 38.4° C after first TT session	3	50

Some qualitative examples flesh out the material presented in the table.

Experiences

. . . One informant, who had his eyes closed during the session nearly described the four phases of TT per Krieger protocol: ". . .it feels like a part was drawing energy or soreness out or something. Part of it felt like warmth, like I was holding my granddaughter. . .part of it felt like, at night, when I go to sleep and my back is aching and I try and force myself to relax. . . warm. . . soothing."

A second informant. . . [began] seeing colors after the first session. Researcher Log reveals that the researcher had visualized the newly formed coronary artery bypass delivering flowing life-giving blood during the TT session. The informant's second session revealed that during the evening after TT, he had begun to experience visions each time he closed his eyes: "I see the color red. I see things all bright red. I have never seen red before. . . It is the brightest pinkest red. . . I am seeing swirls; I am seeing movement."

The second TT session began. The researcher reported looking outside the window to see a blue-gray cloud cover. After the TT the informant reported: "I started seeing red when I first closed my eyes.

And, then I never saw it again. It changed to a mild, light blue-gray, a comfortable gray. . . I have flowing feelings, that things were changing position in me. It's like a magnetism."

Perceptions (awareness beyond experience, insights—during TT treatments or in the evening after the first TT session) "I kind of got the idea that there are just more happier things to look forward to." Subjects also reported feeling intuitive connections with the TT healer.

Expressions—The experience of pain shifted after TT, including slower breathing, lowered pitch and intensity of voice, eyes dreamy and glazed and slowed answering to questions.

Half had oral body temperature readings above 38.4 degrees C lasting about four hours on the evening after their first TT session. No medical cause could be identified for this.

Barrington speculates that the transient febrile episodes in patients may represent an immune response stimulated by TT, but has no evidence to support this.

One participant withdrew from the study after the first TT treatment. He spontaneously raised the question of whether the researcher was implying energy transfers occurred between the TT practitioner and patient, saying that this was kooky.

She notes that the dual roles of researcher and TT healer may bias participants' reports, and that her own prior TT experiences could have biased her analyses of the reports.

Medications could have been a confounding variable. However, pain relief was reported within 3 to 8 minutes of the start of TT treatments, while medications had been administered 1 to 10 hours before the start of the TT treatments.

Discussion

The qualitative summary of healees' responses to healing for pain is consistent with anecdotal reports. The suggestion of immune responses appears unsupported in the study.

What is most impressive is the positive note TT introduces into a pain treatment situation. Conventional pain relief therapy ordinarily involves only the lessening of the unpleasant experience of pain, often with side effects of drowsiness and blunted consciousness. Reports of strongly positive experiences following major surgery are highly unusual.

Few studies have been done on benefits of healing for cancer. Kathy Moreland explored women's subjective experiences of Healing Touch when they were receiving chemotherapy for breast cancer.

Kathy Moreland

The Lived Experience of Receiving Healing Touch Therapy of Women with Breast Cancer Who are Receiving Chemotherapy: A Phenomenological Study, (*Healing Touch Newsletter* 1988)

Moreland explored the subjective experiences of 6 Canadian women with breast cancer to "the lived experience of receiving the chakra connection," a method of healing included in Healing Touch therapy. Treatments were given during the intravenous administration of chemotherapy. Two open ended interviews were conducted with the women at 3 and 7 days following their first and second courses of chemotherapy. Each subject was invited in a third session to assess the congruence of Moreland's summary to their personal experiences.[96]

Three themes emerged from this investigation:

The experience of receiving the chakra connection:
1. is caring expressed as a partnership, a nurturing act and self care;
2. creates altered consciousness of the passage of time, the surrounding environment, of thought and of the presence of the practitioner performing the care; and
3. is a wholistic experience, which involves physical, mental, emotional, and spiritual dimensions. (p.5)

The treatment gave these women a sense of being cared for, experiencing both physical and emotional warmth. An alteration of time perception was noted to be helpful in "getting through" the chemotherapy. The women suffered particularly from nausea and anxiety, the severity of which produced a variability in their responses to the healing treatments.

Moreland concludes that this treatment can help people to deal with the physical and emotional discomforts of cancer chemotherapy.

It is helpful to have this confirmation of the numerous clinical reports on healing as a complement to cancer chemotherapy. The next study may add further details, better appreciated in the full report.

Charlene Ann Christiano

The Lived Experience of Healing Touch with Cancer Patients, **(Miami: Florida International University 1997)**

Christiano explored the subjective responses of 3 women to Healing Touch. They reported a change in consciousness, experiencing a "oneness/ wholeness."

Children generally respond to healing much more rapidly than adults. They don't have barnacles on their problems, and are thus able to shift their perceptions, beliefs, and behavior patterns more readily.

Pamela Potter Hughes, Robin Meize-Grochowski, Catherine Neighbor, and Duncan Harris

Therapeutic Touch with adolescent psychiatric patients (*Journal of Holistic Nursing* 1996)

Therapeutic Touch was studied qualitatively on an adolescent inpatient psychiatric unit where TT and other relaxation methods were already in regular use. Three nurses trained in Healing Touch provided the treatments. Seven adolescents were chosen who were without overt psychoses, paranoia or delusional ideation. There were four boys, three girls, ages 12 to 16, including Caucasian, Hispanic, American Indian and African American ethnic groups. Duration of hospitalization was 16 to 65 days (average 35). "Six. . . were on standard psychiatric medications, most likely antidepressants, ritalin, and possibly a neuroleptic" (major tranquilizer).

TT was administered on a massage table in a room on the unit designated specifically for this purpose during the study. The adolescents were allowed to request appointments three times weekly over the two weeks of the study, each session lasting up to one hour. This included 15 minutes for verbal assessments, 10 to 30 minutes for TT, and 15 minutes for processing with the patient and documentation. Conflicts in the program limited the total numbers of treatments for all participants to 31 sessions, with individuals receiving 1 to 10 sessions. The staff felt conflicts with scheduled activities limited the participation so that saturation of treatment was not achieved.

> For each session, the nurse asked the adolescent how he or she was feeling and observed any vocalizations, affect and posture. For the Therapeutic Touch treatment the participant was asked to lie down on the massage table. Any bright lights were dimmed. The nurse encouraged the participant to remain quiet or to talk only minimally during the treatment.
>
> [T]he nurse centered and grounded herself, centered and grounded the patient by holding the feet, assessed the energy field, unruffled the energy field, directed and modulated energy toward specific identified areas of disruption, and balanced the energy field. . . The nurse participants generally worked with their hands over the body, touching only the feet and shoulders, although they had not been restricted to a noncontact procedure.

Within one day of participants' first and last sessions, Hughes (the primary investigator) interviewed each one with a partially structured but open-ended series of questions. The focus was upon patients' perceptions of their hospitalization and relationships with the TT nurse; physical sensations experienced during TT; how safe patients felt in the treatment sessions; lessons learned about their bodies, minds and emotions; and any benefits they noted from treatments. Three adolescents participated in a group discussion.

Transcriptions were hand coded and patterns of descriptions were grouped into the following categories:

> THERAPEUTIC RELATIONSHIP
>> Relationship with Nurse
>>> prior relationship
>>> trust
>>> receptivity to treatment
>>> safety
>>> communication
>> Therapeutic Valuation
>>> quantity of TT
>>> quality of TT
>>> global evaluation
>>> global recommendations

> BODY/MIND CONNECTION
>> Relaxation Response
>>> sleep/not asleep
>>> relaxed/calm
>>> thoughts
>> Body Awareness
>> TT process
>> physical sensations
>> physical discomfort
>> somatic concerns
> Affect/Behavior
>> uncertainty
>> mood
>> affect change
>> behavior change

Subjective statements included:

> ". . . I wasn't asleep but it felt good, like I was asleep but I wasn't asleep. It felt as good as sleeping."
> ". . . it feels like you're in this shield and it takes you to a faraway place."
> "I felt the heat. . ."
> ". . .like there was another layer on top of me. . .[that I] could feel that energy that they were talking about. . .It felt like it was getting

pulled away from my body."

"It. . . makes me feel safe and it makes me trust the nurses more and like I can communicate and deal with the nurses better. . ."

". . . I've just been feeling in the ups ever since I've been doing this. . .I haven't been that depressed like I was before."

". . . ever since. . .I started this program. . .when I'd come in here like if I was in a bad mood, it just changed my mood for the rest of the day."

Hughes summarizes:

[T]he adolescents reported being more calm, less hyper, happier, less agitated, relieved from tension, having more energy, a positive attitude, more courage, more control of feelings, and more ability to express feelings appropriately.

[B]ehavior change spanned minor adjustments, as in making their [behavior modification] points, a positive attitude, being quiet, improved thinking, and expressing feelings, to the more complex application of principles learned in the sessions. . ."I probably would have [done] more bugging [of] people, "cause like I noticed that ever since I started this, my bugging and provoking has gotten less."

Discussion

Many may find that the subjective reports of healees speak more to them of the worth of healing than all the research evidence from controlled studies. I find that each approach adds in its own way to my understanding of healing.

It is fascinating to see the sifting and sorting of healing experiences through analyses of various investigators, and particularly helpful when they survey similar territories. If one takes the studies of Van Dragt and Tilley, and those of Heidt, Samarel, Barrinton, and Hughes, et al, one must wonder how much of the differences in these studies are real and how much they might be shaped by the beliefs of the investigators. For example, Van Dragt's healers viewed the healing as impersonal, while Tilley's healers felt a personal deity was involved. The particular adjectives chosen by each researcher under which she or he categorized responses must shape the analyses of the data.

It is very helpful to have Samarel's brief description of her own perspectives, providing the reader with some basis for understanding the mind behind the eyes and ears which perceived and analyzed the data presented by the healees.

There is no such thing as an objective study. Every question we ask has to be based on certain assumptions. The best we can do is to gather as wide a spectrum of investigations as possible—as in this volume of *Healing Research*.

Therapeutic Touch practitioners may encourage healees and their families to develop their own healing gifts, to help themselves and each other.

Nancy E.M. France

The (child's perception of the human energy field) using Therapeutic Touch (*Journal of Holistic Nursing* 1993)

Nancy France explored with Therapeutic Touch (TT) children's experiences of perceiving the biological energy field. She videotaped four to six sessions of 20 to 40 minutes each with a convenience sample of 11 healthy children in Kentucky, aged 3 to 9 years. The sessions continued until a child could feel the energy field of another person, ending with a debriefing session to help the children integrate their experiences.

The guidelines for the exploration followed these questions:

1. What is the child's perception of the TT experience? What does the child say he or she feels when receiving TT?
2. What are the child's bodily expressions/movements during the TT experience?
3. What is the child's lived experience of feeling the energy field of another person? What is the child's lived experience of having his or her energy felt by another child?
4. After once receiving TT, when and why does the child try to do TT without the researcher?

Data included the children's drawings and parents' diaries. Parents were instructed to record "when and why the child tried to do TT without me [France] or if the child said anything about his or her experiences."

Sessions 1 to 3 started with the children drawing how they felt at that time and explaining it. France then said she would feel the energy around the child's body, proceeding with a session of TT (without labeling it as such). Next, the children drew pictures of this experience and described the pictures. No analysis of the artwork was offered. Drawings were done on a blank sheet of paper with 24 crayons available. All sessions were in a room of the child's choice in their own home.

Depending on their progress, France asked each child in session 3, 4 or 5 if s/he could do what France did. If the child was not tired, s/he then felt someone else's energy field. Children were free to choose their parent, sibling, pet or France. In the final session each child felt the field around another child from the study, followed by another drawing to illustrate and describe the experience. The child whose field was being felt drew a picture before and after the experience to describe how s/he felt.

The perceived experience of TT included such comments as "It felt weird . . . good. . . funny. . . like air. . . like I was static." "It felt like there was a force field around me and you couldn't touch me." Sensations of movement were common: "It felt like my energy was going outward. . .like something moving in my body." "It's like. . . taking out my energy. . .

When I feel hyper. . . I'm giving my energy away. So I'm not hyper."

Although the children did not say they saw the energy, when queried what it might look like some of them ventured it might be green or blue. Several children chose a white crayon to draw their experience of TT but abandoned it when they found it was not visible on the white paper.

> The preschool children also tried to touch something near my hands about one to two inches from my hands. They would stick their thumbs up as my hands passed through their field.

Bodily expressions/ movements during TT reflected relaxation, as in resting their head, slumping, lying down, sighing, or closing their eyes. These reactions occurred as well when one child was sensing the field of another child.

The lived experience of feeling the biological energy field was clear and distinct. When queried initially, all of the children said without hesitation they could do what France did. All felt the energies around people's bodies and identified differences over various parts of the body. Experiences of having their fields sensed by another child were described as similar to when France was doing TT.

Children spontaneously started to feel energy as they encountered people with a need for healing. Parents recorded instances of children feeling energy to relieve headache, stomachache and stress. ". . . these occurrences reveal children feeling energy with a purpose or with intention to help without being specifically told what to do or how to do it."

France identified several essential structures which characterized the sessions with all the children.

Being with is the term she used to include "eye contact, smiling, spontaneity, willingness to do what I ask, touching me, sitting close to me, feeling safe to tell me how he or she feels, asking for help, and anticipation of what comes next."

Taking in the world to know more included relaxation responses and acquiring the ability to do what France did.

> I am not saying that the child is doing TT in the same way TT would be done by a TT practitioner. What I am saying is that each child in the study enacted the innate potential to do TT when this innate potential was awakened in him or her and brought to his or her awareness through experience.

France adds,

> As I systematically dwell with the data, I moved beyond the essential structures to discover the synthesis of unity. The synthesis of unity is

"that look" and is captured within each child on videotape and affirmed by faculty judges for the study. That look is not simply eye contact, but it is experienced through the eyes like windows of the soul. That look gave rise to an insight that recognizes knowing self and knowing other as self but as separate from self. The essential structures and the synthesis of unity revealed a "knowing" and "being" reflected in the eyes of the child.

France recommends this as a health promotion technique.

Discussion
One can only wish that each child might have the in-depth experiences described by France.

Before accepting that children spontaneously intuit the therapeutic potentials of sensing energies, I would like to have reassurances that France checked that the children did not learn of these aspects of sensing fields from conversations of parents or others.

The Induction of healing abilities described by France is similar to more formal inductions conducted by Reiki Masters[97] in teaching healing and in *proxy*[98] *healings*, in which healing is directed by the healer to someone close to a healee whom the healer is unable to treat directly. A lesser similarity may be found with Philippine psychic healers, who have produced induction of their healing abilities but only when the student is in the teacher's presence. [99] [100]

Here are several more qualitative studies, briefly summarized from abstracts.

Pamela Joan Peters

The Lifestyle Changes of Selected Therapeutic Touch Practitioners: An Oral History (Alternative Medicine), (dissertation), Walden University 1995

Peters studied the effects of TT on the perspectives, health habits, lifestyles, interpersonal relationships, and spirituality of 12 TT practitioners. Healers had 4-15 years' practice. Open-ended, audiotaped interviews were used. All of the healers confirmed that they experienced lifestyle changes in all of the areas in question. Their personal lives and relationships also changed.

Lucila Levardo Cabico

A Phenomenological Study of the Experiences of Nurses Practicing Therapeutic Touch (master's thesis), Buffalo, NY: D'Youville College 1993

This study explored through semi-structured interviews the experiences of five TT nurses. They reported that TT was a positive influence in their perspectives on being professional caregivers, despite the fact that they generally had to disguise the nature of their healing interventions in their work settings. In their personal lives they felt enhanced interpersonal sensitivity, inner calmness, strength, self-esteem, and spirituality.

Gwen Karilyn Hamilton-Wyatt

Therapeutic Touch: Promoting and Assessing Conceptual Change Among Health Care Professionals (dissertation) East Lansing: Michigan State University 1988

This dissertation focused on the changes brought about in 11 nurses by a two-day advanced TT workshop. Surveys, audiotaped interviews, and case studies showed some conceptual changes one week after the workshop, with loss of these gains after two months. Gains were greater for TT concepts than for wholistic interventions. The concept of barriers to learning is explored.

Emily Joannides Markides

Complementary Energetic Practices: An Exploration Into the World of Maine Women Healers (Alternative Therapies, Healing), (dissertation) University of Maine 1996.

This study explored themes evolving in complementary medical practices. Two women practitioners of each of the following types were interviewed: "acupuncture, craniosacral therapy, emotional cleansing work, direct energy work, homeopathy, osteopathic medicine, polarity therapy, Qigong, Reiki, therapeutic touch, and vibrational medicine. . . and two traditional medical doctors. . ."

Markides explored the wholistic nature of these practices, which focus more on caring than curing. She concludes that counselor education programs would be improved if they were to incorporate such methods and approaches.

Melanie Sue MacNeil

Therapeutic Touch and Tension Headaches: A Rogerian Study (master's thesis), D'Youville College 1995.

The pain experiences of 10 people with tension headaches were studied. Half were assigned to receive TT and half to receive mock-TT. The "Unitary

Measurement Tool," a questionnaire developed by MacNeil, was given before and after interventions. A single TT treatment reduced the pain in all who received it.

Jane S. Kiernan

The Experience of Therapeutic Touch in the Lives of Five Postpartal Women (Birth) (dissertation), New York, NY: New York University 1997.

Kiernan explored the qualitative experiences of five women after receiving TT 2-3 times weekly in their homes in the two months after their babies were born. They developed an openness, and felt safe and cared for by the healer. The shared, mutual experiences of healer and healees became a major focus of the study. There was a great development of intimacy and trust, which promoted self-disclosure.

Maureen Louise Doucette

Discovering the Individual's View of Receiving Therapeutic Touch: An Exploratory Descriptive Study (master's thesis), Canada: University of Alberta 1997.

Doucette identified four phases in the subjective experience of receiving TT: preparation, engagement with subtle energies, being immersed in the moment, and "moving beyond." A greater harmony of body, mind and spirit was felt. Number of subjects is not stated in the abstract.

Ann M. Renard

The Experience of Healing from Deprivation of Bonding (Touch, Emotional Attachment), (dissertation) The Union Institute 1994.

Renard explored the influence of TT on 11 adult co-researchers who had experienced deprivation of bonding during childhood. Five aspects of the healing experience for this problem were identified: 1. unconscious bonding throughout life; 2. Life-threatening crises requiring termination of relationships and seeking help; 3. bonding with compassionate people through new ideas; 4. self-bonding, particularly through the body; and 5. bonding with the "Essence Source" and the integration of body, mind and spirit.

It is impossible to get the full essence or flavor of these qualitative studies from brief abstracts. Tracking down these studies individually and plowing through them is a daunting task. Hopefully someone will survey, summarize, and critique them so that we can have more, in-depth understandings of the experiences of giving and receiving healing.

SURVEYS OF HEALEES

*In the modern world the intelligence of public opinion is
the one indispensable condition of social progress.*

—Charles William Eliot (1869)

Surveys of healees have focused on subjective assessments of results and
satisfaction with treatment. I used to be concerned that these surveys could
reflect effects of suggestion more than of healing. Healees report subjective
relief from healing in almost every survey made. They have little appreciation
for placebo effects and might as easily praise any nostrum whose effects derive
from suggestion rather than from any value inherent in the treatment itself. In
short, they tend to Type I errors. My opinion has changed because I realized that
placebo reactions regularly produce improvements in about a third of subjects,
while healing is subjectively reported to be effective in a much greater percent
of cases. These surveys therefore indicate overwhelming healee satisfaction
with healing treatments.

Johannes Attevelt, as part of his doctoral dissertation at the State University of
Utrecht in the Netherlands, performed two studies of healees. Reports of 4,379
healees were gathered from treatment cards of 65 Dutch healers. The first study
surveyed healers' and healees' subjective assessments of effects of healings
immediately following the end of a period of treatment; the second obtained
healees' opinions on the efficacy of healings six months following the
termination of treatment.

The average age of healees was 47.5 years. The average duration of
illnesses for which they sought treatment was 7 years. Two-thirds were women.
The most frequent diseases for which healing was sought were: skeletal-
locomotor (24 to 25 percent); neurological (20 to 21 percent); heart and arterial
(9 percent); respiratory and pulmonary (7 to 8 percent); rheumatic (5 to 8
percent); and skin diseases (5 to 7 percent). A total of 4,656 complaints were
listed, demonstrating that healees sometimes came for more than one problem.
Pain was a factor in 51 percent. Psychological complaints totaled 1,397 cases,
of which 50 percent were nervousness.

Healer and healee assessments correlated closely (p < .001). Their opinions
were that 42 percent were much improved; 24 percent rather improved; 18
percent somewhat improved; 14 percent not improved; and under 1 percent
deteriorated. Combined "improved" groups total 84 percent. No correlation was
found between improvement and age, sex or duration of disease.

Repeated questioning of healees, at intervals of one and three months
following treatment, showed variability of responses ranging from slight to 50
percent changed. The presence of the healer during the interview led to 16
percent higher assessments of improvement by healees.

Attevelt also found that subjective healee assessments correlated well with
objective measures of improvement, as reported in the last chapter.

David Harvey (1983) presents another thorough discussion on this subject. He focuses on benefits derived from treatment, on circumstances under which these occurred and on healees' experiences during treatments. He states

> Up until now, medicine has tended to regard the condition, rather than the patient, as the focal point of interest; but we are currently seeing a pendulum swing away from this extreme. . . .
>
> Quality of life, freedom from pain and related considerations cannot be weighted and calibrated, but they are probably the most important factors from the patient's point of view. . . .

Of 175 questionnaires mailed by Harvey, 151 responses were obtained (86 percent). An impressive number reported they felt significant improvement: complete recovery 30 percent; partial recovery 25 percent; and improved ability to cope with symptoms 24 percent (combined improvement 89 percent). However, Harvey's selection was based on a request to nine healers to each choose 20 patients who had shown positive responses to healing. This does not leave us with a clear idea of the percent of people in general who might benefit from healing treatment. Harvey's survey is still recommended for its thorough, book-length discussion of numerous aspects of healees' subjective reports.

Louise Riscalla, for her doctoral dissertation, interviewed a series of people engaged in religious healing, "considered as healing of the whole person—body, mind, and spirit through the use of prayer, anointing with oil, and/or laying-on-of-hands." Her aim was to study "the motivations of individuals seeking religious healing and their perceptions of what happens as a result of the ministrations of a healer. . . ."

Riscalla selected churches at random near her home, attending services without revealing that she was conducting a study. They included Episcopal, Presbyterian, Roman Catholic and nondenominational churches. She conducted open-ended interviews, recording information on types of problems to be healed and feelings experienced when seeking healing and (if any) with the process of healing.

Twenty-three people were interviewed (ages 9 to 65; 17 female; 17 married; 2 divorced). A range of occupational levels was represented. They sought help for physical and emotional problems, separately or in combination. These included cancer, blindness, deafness, colds, colitis, headaches, ulcers, alcoholism, feelings of resentment and hurt and "difficulties coping." When seeking healing, 65 percent were under the care of a physician.

"It appears that the service itself creates an atmosphere conducive to receptivity for healing. . . ." Of 17 experiencing touch healing, 82 percent reported the sensation of warmth during treatment; 6 percent experienced vibrations; 12 percent felt nothing. Riscalla reports 57 percent noted variation in emotional improvement and 28 percent in physical recovery, "which suggests that religious healing seems to focus on emotional conditions and on emotional aspects of physical illness which may, in many instances, be a major component." Greater improvement was reported from those attending less structured services.

Those reporting physical improvement were more likely to be older, under a physician's care and of lower occupational level. Those reporting emotional improvement were younger and had more emotion-related problems. Changes in emotional condition were only slightly related to physical improvement. Those who experienced improvement sometimes felt their lives had changed. Some attributed their improvements to powers of Jesus or God. Failure to recover was occasionally interpreted as insufficient faith or as God's will that they bear their illness.

Thirteen healers were interviewed (ages 28 to 62; 7 male; 85 percent married). All prayed for healing during the services. Of 11 who used the laying-on of hands method two felt tingling, two experienced vibrations, two were aware of strength and power and two experienced the strength of God. Two reported they instantly knew when healing occurred, though they could not explain how they knew. Responsibility for healing was attributed to God. Everyone considered cooperation with physicians as important.

Katherine Boucher studied 11 healees for her doctoral dissertation. Nine (81 percent) showed varying degrees of benefit, with eight having marked physical improvement.

Patricia Westerbeke studied the belief systems and the healing process of people visiting Philippine healers (Westerbeke/Gover/Krippner). Of 85 approached, 62 completed a series of questionnaires before and during their visit to the healers. Only 11 returned one or both questionnaires mailed to them six and 12 months later.

> The data suggests that one's post-session confidence in psychic healing (as recorded on the second questionnaire) is positively correlated with several items on the first questionnaire-stated willingness to change one's way of life if it meant being healed. . .(p <.01), personal experience with psi phenomena. . . (p <.02), and one's pre-session confidence in psychic healing. . .(p < .01).
>
> The healee's post-session report on help obtained from the healer (on the second questionnaire) appears to be positively correlated with such items on the first questionnaire as pre-session confidence in psychic healing. . .(p < .01) and personal experience involving purported psi phenomena. . .(p < .02). In other words, a healee's confidence in psychic healing is, perhaps, preconditioned by experience with presumptively paranormal events.

Healees' long-term changes correlated significantly with these items in the questionnaires at the time of healing: confidence in healing before their treatments, beliefs they received help from the healer and perceived change in body energy (all p < .01) and with personal experience with purported psi phenomena (p < .02). This study begins to explore which factors may predict positive outcomes. Its greatest flaw seems to be in the self-selection of 11 out of 85 healee respondents.

Stanley Krippner (1990) used the same questionnaire for a similar survey of experiential reactions of 10 (out of 16) healees to a Brazilian healer, Irmao (Brother) Macedo.

> [T]he individuals on this study tour were not seriously ill but joined it for other personal or professional reasons.
> These responses were significantly and positively related to professed improvement in one's spiritual viewpoint. . . .
> The perceived change in energy and vitality six months after the healing session was significantly related to a shift (at 12 months) toward a positive spiritual viewpoint. . . .

Erlender Haraldsson and Orn Olafsson randomly surveyed 1,000 persons from the National Registry in Iceland by questionnaire and telephone follow-up. The 902 responses indicated that 34 percent felt healing was very helpful; 57 percent somewhat beneficial (combined improvement: 91 percent); and 9 percent that it was of no use. There was some correlation with religiosity and positive response. No attempts were made to verify objectivity versus subjectivity of any changes brought about by the healings.

John Cohen is a general practitioner in London. At the request of a group of healers he referred 44 patients for healing from his National Health Service general practice of medicine in London. Of these, 17 had musculoskeletal pains and 11 had psychological problems.

> Of the 44 people who attended during the 20 weeks of the study, 31 (70%) were women and 13 (30%) were men. Ages ranged from 18 to 75 years (mean 45.5 years). The number of visits varied between one and 22 (mean 3.8); 16 (37%) came only once and six (14%) came more than eight times. The total number of healing sessions received was 167. . .
> . . . 35 (80%) received counseling and support as well as healing when they attended while nine (20%) received healing alone; six (75%) of these attended for a booster session after previously successful healing. Improvement was rated by patients as great deal better 12%; good deal better 36%; a little better 20%; a bit better 12%; no different 20%.

The combined improvement was 80 percent.

Healers' expectations of improvement correlated closely with the observed healee reports.

Further analysis showed that:

- The greater the number of visits the greater the benefit.
- Those who did not feel they were going to respond visited only once.
- More women than men found the healing beneficial.

Dr. Cohen appears to believe that the benefits to his patients derived primarily from physical touch and compassionate attention.

In some instances, the point of view of healees may be radically different from that of investigators, as in the next survey. This is an *etic* exploration of healing—assuming the Western scientific view is more valid than that of another culture (contrasted with *emic* explorations which accept the validity of traditional values in cultures other than those of the researchers).[101]

E. Mansell Pattison et al. interviewed and also administered psychological tests to 43 fundamentalist Pentecostalists who received 71 faith healings. The researchers reported, "our psychological data demonstrate the extensive use of denial, externalization, and projection with. . .disregard of reality. . ." Pattison et al. suggest that the psychological beliefs and defense mechanisms of these subjects helped them adapt to their culture. The healings in this particular setting were not necessarily designed to decrease symptoms but seemed more oriented to reinforcing the religious community's belief systems. This points out the multiplicity of functions healing may serve.[102]

Richard Wharton and George Lewith summarize 145 responses to a questionnaire received from 200 general practitioners in Avon, England, on their involvement with spiritual healing in 1986. The survey found that 6 percent believed it is very useful; 4 percent useful; 31 percent no opinion; 16 percent not useful; and 10 percent harmful. The number of practitioners involved confirms that healing is becoming an adjunct to conventional medical practice in the UK.

The greatest weaknesses of these surveys are that criteria for improvement are usually unspecified and that medical assessments to allow for comparison with populations of patients in other settings are not included. Still, the overall picture is that the majority of people are satisfied with healing treatments they receive in such settings.

Table 5-14 summarizes the surveys of healees.

Table 5-14 *Surveys of healee satisfaction*

Researcher	Numbers of		Improvement				
	Healees	Healers	Much	Rather	Somewhat	Not	Worse
Attevelt	4,379	65	42%	24%	18%	14%	1%
			Total improvement **84%**				
Harvey	151/ 175	9	30%	25%	24%	18%	3%
			Total improvement **79%**				
Haraldsson and Olafsson	902/ 1,000	?	34%		57%	9%	
			Total improvement **91%**				
Cohen	44	?	12%	36%	20 + 12%	20%	
			Total improvement **80%**				

If healing were merely a placebo, we would expect that about 30 percent of subjects would report improvements. The reported improvement rates of 79 to 91 percent are substantially greater than those of placebo effects.

I am impressed that healees are an under-utilized and under-valued resource in exploring healing effects.

RISKS VS. BENEFITS OF HEALING

If a little knowledge is dangerous, where is the man
who has so much as to be out of danger?

—T. H. Huxley (1877)

We must be cautious with healing as with any other modality that is untested in conventional medical practice.

Though no permanent negative effects of healing have been reported, there is certainly a possibility that it could be used injudiciously. For instance, it could be substituted for conventional therapies without, or against, medical advice. D. Coakley and G. W. McKenna give the instance of a woman who discontinued taking her thyroid hormone after attending a faith healing ceremony at her church. She had a recurrence of delusions, hallucinations, and thought disorders which required psychiatric hospitalization. Return to hormone replacement produced a cure which had lasted six years.

In Britain, the Code of Conduct of the Confederation of Healing Organizations stipulates that healers must not diagnose and must not begin treatment without referring people first to their physician for evaluation of their problems.

A temporary negative effect has been noted. Mild to moderate worsening of symptoms, especially pains, have been reported occasionally. These are usually transient. Some healees have discontinued treatments when this happened, and healers have not studied this systematically, making it impossible to be certain about the natural course of this development. Most healers report that improvements usually follow within days or weeks when healing is continued despite the increases in symptoms. Thus the temporary worsening of symptoms is viewed by many healers as a positive development, similar to other sensations perceived during healing, such as heat, cold, and tingling. This may also be similar to exacerbations of symptoms (*provocations*) which sometimes occur with homeopathic remedies and flower essences,[103] and to somato-emotional releases with bodymind therapies[104] before beneficial effects are seen.

Apparently negative effects of healing were noted in some of the studies in Chapter 4.

In the study of Beutler and Attevelt on hypertension, a slight but significant increase in diastolic blood pressure was found in the laying-on of hands group.

In Wetzel's study of healing to increase hemoglobin, both increases and decreases were noted. It is of interest that Straneva's study of red cell cultures also showed positive and negative effects of healing, and in a study of healing for amyloidosis in hamsters, Snel and Hol found a decrease in hemoglobin on one day of the study. There appears to be a repeated effect here with red blood cells that invites further exploration. While it may appear at first that the decreases in hemoglobin represent a negative effect, the contrary might prove to be the case.

Hale's study of healing for anxiety showed a modestly significant reduction ($p < .05$) of anxiety in the C group but none in the E group. The brief abstract I have does not state whether the difference between E and C groups was significant. In the study of Redner et al on pain, there was a modestly significant ($p < .05$) increase in anxiety in the E group on a measurement scale for mood, while there was a decrease in anxiety on a different scale that assesses sensory experience of pain. The apparent negative effects of healing on anxiety, if real, is a mild one. It could be explained by a lack of effectiveness of the healers, by the mock healers actually having unanticipated stronger healing abilities than the designated healers, by the differences in personalities of the healer and mock healer, or by other, unknown factors. Both of these studies measured pain at longer intervals (respectively, 2 hours and two weeks) after the healings. This is in contrast with most of the other studies on anxiety showing positive effects five minutes after the healing.

Snel (1980) reported that the growth of some cancer cell cultures that were meant to be inhibited were, in fact, enhanced. While at first reading this might appear a negative effect, this need not be the case. It might be that the healer had difficulty exerting a deliberately negative effect, which is what many healers report. The logical next question is, "If a healer enhances rather than inhibits the growth of cancer cells in vitro, could they not have the same effect on cancer cells in animals or humans?" Logic contradicts this suggestion. Healers focus on healing the animals or people with cancers, not on killing the cancer cells. The healing may act by enhancing the organisms' immune system, or through any of several other mechanisms. Evidence from successful treatments of animals with cancers further supports this explanation and contradicts the suggestion that a healer might enhance *in-vivo* cancer growth.

The far greater numbers of studies in which no deleterious or side effects were demonstrated strongly suggest that healing is a safe therapy.

If we use conventional medicine as a measure of the risks and benefits of spiritual healing, there is simply no question that healing is one of the safest interventions available. It is estimated that medical treatment is the fourth most common cause of death in the US. Negative drug reactions (side effects of properly prescribed medications) produce permanent disabilities and deaths. Combined with negligent medical treatment, this results in over 100,000 deaths annually. This number exceeds the annual fatalities from highway accidents, breast cancer, and AIDS. Perhaps as sobering, you are 9,000 times more likely to die under medical care than from firearms (Mercola).[105]

A measure of the risks of having healing is in the insurance record of healers. In Britain, where healing has been available in National Health Service hospitals for decades, malpractice insurance for a healer that offers virtually the same coverage provided for a family physician costs under ten pounds Sterling, compared to a cost of between 1,200 and 2,500 pounds (depending on the insurance company) for a general practitioner's annual coverage.

Considering the known risks and benefits, one can reasonably say that healing is one of the safest therapies available.[106]

We assume that Western medicine is at the leading edge of knowledge and skill about how to help people deal with their physical and psychological problems. We forget that the vast majority of people on this planet have very different views of how to conceptualize and address their health problems. In many of these cultures they are far wiser about healing than we are. The next section explores some of these healing traditions.

SHAMANISM

The notion that modern Europeans or Americans are essentially more rational than the members of non-literate societies must be classified as one of Western man's irrational assumptions.

—Victor Barnuow

Shamanism is very well known and has been practiced for many centuries in cultures with unbroken traditions of healing. Shamans are healers, counselors, keepers of the social order, priests, and mediators between everyday life and the spirit worlds.

A rich literature is available on healing in traditional, nonindustrial cultures, usually under the hands of shamans.[107] Many of these articles and books, authored by Western academics, assume dismissive or even disparaging views of shamanic healings.

Kaja Finkler, for example, describes spiritualist healers in a Mexican temple. Many patients she queried reported that they experienced heat and tingling during spiritualistic treatments and that they considered these portions of the treatment to be the most important in the healing.

Finkler attributes little significance to this or to the one-third of the patients who responded positively to cleansing passes of the healers' hands around their bodies, and who identified these in particular with relief of symptoms. The healings seemed to increase tolerance for pain. She interprets these results as the products of suggestion, a response to cultural symbols employed by the temple healers. Her conclusions are that "the healing requisites of patients are rooted in cultural imperatives mediated symbolically by the curing act."

One must seriously question whether yardsticks for measuring medical and healing effectiveness in one culture are appropriate or sufficient for assessing it in another.

I learned a lesson on this theme in my clinical years in medical school. A man complained of a stomach ache with some weakness and generalized malaise. I was responsible as the examining student physician to ask the questions that would allow me to arrive at a correct diagnosis. Uneducated in medical syndromes, the patient did not know which of his bodily sensations or symptoms might be causing his illness and might not report vital information if I did not think to inquire about it. For example, if I hadn't asked about aches elsewhere I might have missed the fact that he had a lesser ache in his left jaw and that these symptoms all started when he was shoveling snow from his front walk. Without pointed questioning, based in a knowledge of medical syndromes, I could easily have construed his symptoms to be of gastric origin. Taking into consideration the information elicited by focused questions, the diagnosis of myocardial infarction (heart attack) was far more likely and indeed was confirmed by cardiogram. I had to think of this possible diagnosis in order to ask the questions which then confirmed it.

Similarly, a person unfamiliar with healing may see only the suggestion dimension of a healing interaction and may not know to ask about subtle energy interventions or spiritual awareness.

Abraham Maslow observed, "If all you have is a hammer, then everything looks like a nail."

Had Finkler known something of healing, she might have asked other questions—for example, clarifying the subjective experiences of energy exchanges during healing—and might also have reached different conclusions.

Sidney Greenfield (1994), an anthropologist who has studied the Brazilian psychic healers, gives us the academic labels for this transcultural problem. The *emic* explanation "recognizes that peoples from other cultures who behave in ways that are unusual to us, as outsiders, often have their own ways to explain their behavior." The *etic* explanation "refers to the Western conviction that science should be able to provide 'objective' explanations for all phenomena."[108]

A few academics are more aware of healing and other psi capabilities of shamans.[109] Some of them not only observed shamanic practices but actually trained in their methods. These investigators were able to verify through personal experience much of what shamans report of their subjective states of consciousness. They were also able to effect healings. Michael Harner now teaches these methods to interested Westerners; Alberto Villoldo has led groups of people to study under shamans; and Stanley Krippner has lectured and written voluminously on shamanism.

The most comprehensive discussion on shamanism and healing is by Krippner with Welch. They point out that although Western scientists have been eager to borrow herbal knowledge from shamans, they have ignored teachings in diagnosis and treatment for physical and psychological problems. Shamans are

> tribally assigned magico-religious professionals who deliberately alter their consciousness in order to obtain information from the spirit world. They use this knowledge and power to help and to heal members of their tribe, as well as the tribe as a whole. (p. 27)
>
> From a psychological perspective, shamans are socially designated practitioners who purport to self-regulate their attention so as to gain access to information not ordinarily available to the members of the tribal group whose illnesses they are called upon to treat. . . . (p. 28)

Shamans are found in hunting, fishing and gathering tribes. They also serve as priests, magicians and story-tellers.

Sedentary tribes and societies

> institutionalized and dogmatized religion, taking the power away from the shaman and placing it in the temple, rituals and creeds. The

shaman's duties were severely curtailed by priests and priestesses who assumed formal political status insofar as institutionalized religion was concerned. We use the term "shamanic healer" to describe practitioners who usually work part-time and whose political status is informal rather than formal. These shamanic healers still engage in disciplined alterations of consciousness that supposedly facilitate their access to the spirit world, especially to power animals. . . . (p. 39)

Many contemporary healers can be referred to as shamanistic rather than shamanic because their practices are only distantly related to shamanism. The practitioners falling into this category hold spiritual beliefs and engage in procedures that are based on assumptions about the human spirit. They frequently engage in rituals but rarely utilize deliberately-induced alterations in consciousness in their healing sessions. . . . (p. 81)

This presentation of Krippner and Welch is enormously helpful in adding to our appreciation of the spectrum of healing practices and beliefs around the world. I disagree with them, however, that only shamans alter consciousness. Though the altered states of Western healers may not be as dramatic as those of shamanic healers, they are nevertheless a distinct aspect of healing. They include at least a quieting of the mind or *centering*, and may extend to accessing various intuitive states of being, from clairsentience to precognition and channeling of spirits.

It is refreshing to see people trained in Western science accepting the wisdom of so-called primitives. These cultures may be less advanced than ours in technology but they are far more advanced in application of psi skills, especially intuitive awareness and healing. They are attuned to spiritual dimensions of awareness, which include the participation of all living things in the ecobiological system of our planet (commonly termed *Gaia*) and with the cosmos beyond. Their methods warrant careful scrutiny so that we may learn ways of healing to complement our modern medical methods.

They, in turn, may learn to distinguish between the essential parts of their teachings and superstitious beliefs which may have little therapeutic benefit. Thus we may all gain insight into how healing works.

Shamanic medicine can clearly be of help to Western medicine. In 1993, people on Navajo reservations who were 20–40 years old started dying of an unidentified illness. They started with complaints of vague aches and fever, sore throats and bellies, and then developed difficulty breathing. Within a day they succumbed to an overwhelming pneumonia of unknown cause.

The Indian Health Service, New Mexico Department of Health, Los Alamos National Laboratory, Sandia National Laboratory, and the national Communicable Disease Center (CDC) were unable to identify an infectious organism or toxin which might be causing these rapid deaths. Theories ranged from AIDS to anthrax and even that radiation poisoning from a nuclear weapons storage site might be causing the deaths.

Ben Muneta, a Navajo medical doctor working for the CDC, asked the advice of a medicine man, Andy Natonabah.

"Natonabah told him the illness was caused by an excess of rainfall, which had caused the piñon trees to bear too much fruit." He showed Muneta "an old photograph of a sand painting with a mouse painted into it. . . ." Natonabah told him that many years ago such a sickness had occurred and that the sand painting had been used to treat it (Alvord/van Pelt, p. 120, 125).

"Look to the mouse," Ben Muneta was told. He had taken this information back to the CDC. Further investigations confirmed that a hantavirus caused these deaths. It is contracted from urine and droppings of deer mice who are infected with this virus. That year, the population of deer mice had swelled enormously because of an unusually heavy crop of piñon nuts.

Let me give a very speculative example of a lesson related to healing water from my own observations of archaeological excavations near the temple mount in Jerusalem. There is a *mikve*, or Jewish ritual bath, with a small adjacent reservoir (about 2 x 4 feet in area, and about 2.5 feet deep). The mikve and reservoir are connected by a hole about three inches in diameter that reportedly had been plugged with a bung. According to traditional explanations the reservoir used to be filled with rainwater and then blessed by the temple priests. Whenever the mikve bath water was drained and refilled with fresh water the new bath water was consecrated by opening up the bung to the reservoir, allowing a little of the consecrated water to flow in. Fresh rainwater was added to the reservoir as needed to prevent it from drying out. As long as the reservoir

Figure 5-2. Maria Sabina, a Mexican shaman who uses hallucinogenic mushrooms, rituals and other methods of healing.

Photography by courtesy of Bonni Colodzin Moffet.

did not dry out, it was considered consecrated.

By conventional Western logic, the originally consecrated water in the reservoir would become diluted fairly quickly to the point that little of the original would remain. Any effects of the consecration would appear to have been purely symbolic, especially following many such serial dilutions over the period of a year between consecrations. Let us assume that the priests were aware of some healing effects of their blessings upon water. Recent research suggests that healing effects inherent in blessed water may be transmitted through vibrations or other energy phenomena that may not follow conventionally accepted Western laws of chemical dilutions.[110] A small quantity of water treated by healing might, therefore, confer full healing potency to a bottle or to an entire reservoir of untreated water. This speculation of course must be properly tested in the laboratory. Homeopathy may have further observations to contribute on these matters.

Much of the literature on shamanism and Eastern medicine (Kaptchuk, for example) elaborates world views in which human beings constitute a small part of the cosmos, linked with nature via a vast web of psi and spiritual interactions. Descriptions of these interconnections vary widely and may seem to Western eyes so alien as to constitute mere superstitious beliefs. People in each culture believe wholeheartedly in their cosmologies and respond to elements within them.[111] A shaman draws upon imagery and beliefs from her or his culture in order to facilitate spiritual healings. In fact, it may be impossible for a healer from one culture to heal a patient from another because of dissimilar frames of reference.[112]

We may take simple lessons from cross-cultural studies which are relevant to our own medical care. If we allow that in various cultures healing may appear entirely different from healing in Western society, we might then be in a better position to re-examine the attitudes of patients in our own culture toward their healings. Western investigators have tended to discount patients' beliefs as unimportant or certainly inessential to the actual processes of healing. If we agree that alternative views may apply to healings in other cultures, should we not consider the perspectives of those undergoing healing treatment in our own culture as being relevant to their responses to healing, even if they differ from those of our scientist subculture?[113]

> Traditional education consists of three parts: enlargement of one's ability to see, destabilization of the body's habit of being bound to one plane of being, and the ability to voyage transdimensionally and return. Enlarging one's vision and abilities has nothing supernatural about it, rather it is "natural" to be a part of nature and to participate in a wider understanding of reality.
>
> Overcoming the fixity of the body is the hardest part of initiation.
>
> —Patrice Malidoma Somè (p. 226)

Traditional cultures are universally more in tune with the environment than are the cultures of the industrialized world. A reverence for nature comes from many generations of experience in learning from and accommodating to nature—rather than dissecting, conquering, and subjugating it. Shamanic practices of healing (McFadden) and trance states (Eliade; Harner 1980) bring about an awareness of one's relationship to the earth and everything on it. At this time, when excesses of materialism despoil resources and wanton pollution plagues and even threatens our existence, we have an urgent need to learn from nonindustrial societies how to heal ourselves and our planet.

Chief Seattle, a Native American, said to the president of the United States in 1854:

> Every part of this earth is sacred to my people. Every shining pine needle, every sandy shore, every mist in the dark woods, every clearing, and every humming insect is holy in the memory and experience of my people. The sap which courses through the trees carries the memories of the red man.
>
> The white man's dead forget the country of their birth when they go to walk among the stars. Our dead never forget this beautiful earth, for it is the mother of the red man. We are part of the earth and it is part of us. The perfumed flowers are our sisters; the deer, the horse, the great eagle, these are our brothers. The rocky crests, the juices in the meadows, the body heat of the pony, and man—all belong to the same family.

CONCLUSION

Our science is a drop; our ignorance a sea.

—William James

We have answered *"Does healing work?"* firmly in the affirmative. The research evidence adequately demonstrates that healing is an effective treatment and offers a potent complement to conventional therapies. We must get on with making it available to those in need.

Further research will clarify which problems respond more and which less to healing. Meanwhile, as there are no known serious risks with healing, there is every reason for healing to be used as a complement to conventional care and to other complementary/ alternative therapies.

We have barely begun to study the second question, *"How does healing work?"* The mystery called life challenges us to explore further. People suffering from illness and pain will benefit from this sleuthing and our world view will be broadened, to return us to awareness of our intimate interrelationship with nature.

Perhaps, at this stage of our explorations, we should be prepared to come up with more questions than answers.

Healing contradicts currently popular and well-accepted scientific paradigms. It challenges the prevalent Western world view, pointing out that this is apparently a limited case explanation for the cosmos. This closely parallels and in many ways overlaps the relationship of classical physics and modern physics. The natural laws which apply to the material world perceived by our senses are accurate and helpful in understanding and manipulating that domain, but not appropriate for other dimensions of perception and interaction with non-material aspects of the world.

Healing strongly suggests that our bodies can be understood as energy in addition to understanding them as matter. Volume II of *Healing Research* explores this dimension.

Healing opens both healers and healees to spiritual awareness. Again this pushes the boundaries of materialistic beliefs. These dimensions are impossible to appreciate through words alone. When a traveler to a far land returns, she finds it difficult to describe the tastes of exotic fruit. We ourselves must taste of these dimensions in order to truly know them. However, as many Western people are quite new to learning about these dimensions, we may begin to study them through the research methodologies that guide the presentations in this series of *Healing Research*. Volume III of *Healing Research* delves into these dimensions, bringing together studies from fields such as out-of-body and near-death experiences, channeling, apparitions, reincarnation, and religious and mystical experiences. There are impressive bodies of evidence for survival of the spirit and for reincarnation, as well as for correlations between religious affiliation and practice with physical and mental health.

Healing is not yet explained by existing theories. There are many clues and speculations at to what it is and how it happens. Volume IV of *Healing Research* organizes the clues so that patterns begin to emerge.

Each of us stands before the door to an understanding of healing. We have only to examine the world in new ways to find the keys. If we learn some of the methods of healing and psi, we may not need material keys.

[T]he light the fire throws does not diminish the aboriginal mystery because of its power to illuminate some of the night. On the contrary, the mystery grows with the growth of consciousness.

—Laurens van der Post (1973)

Appendix A

Healing in the Bible

Jesus' Individual Healings	Healing Type	Matthew	Mark	Luke	John
Simon's mother-in-law, fever	Touch; rebuked	8:14-15	1:29-31	4:38-39	
Leper	Touch	8:1-4	1:40-45	5:12-16	
Paralytic, carried by four	Sins forgiven	9:1-8	2:1-12	5:17-26	
Centurion's servant	Distant, synchronous	8:5-13		7:1-10	
Demonics at Gadara	Demons transferred to pigs	8:28-34	5:1-20	8:26-36	
Woman, bleeding	Touch-garment; faith	9:20-22	5:25-34	8:43-48	
Jairus' daughter raised	Belief; command	9:18-26	5:21-43	8:40-56	
Two blind men	Touch; faith	9:27-31		20:30-34	
Dumb, possessed (devil)	Drive out	9:32-34			
Withered hand	Command	12:9-14	3:1-6	6:6-11	
Man blind, deaf, possessed	(Drive out demon?)	12:22-30		11:14-26	
Daughter of Canaanite possessed (demon)	Distant, synchronous	15:22-28	7:24-30		
Epileptic boy	Prayer; exhort	17:14-21	9:14-29	9:37-42	
Unclean spirit	Exhortation		1:21-28	4:31-37	
Deaf, speech impaired	Touch; spit; command		7:32-37		
Blind Bartemus	Faith		10:46-52	18:35-43	
Widow's son raised from dead	Touch of coffin; command			7:11-17	
Woman bent double by spirit	Touch			13:10-17	
Man with dropsy	Took hold			14:1-6	
Ten lepers	Suggestion; faith			17:11-19	
Nobleman's son	Distant, synchronous				4:46-54
Sick man at pool	Exhortation; caution: to stop sinning				5:2-18
Man blind from birth	Spit; mud; bath in Siloam pool				9:1-15
Raising of Lazarus	Call; faith; precognition				11:1-14

JESUS HEALS MANY PROBLEMS	DISEASES AND HEALING TYPES	MATTHEW	MARK	LUKE
Throughout Galilee	Every disease and sickness; demons; seizures; pain; paralytics	4:23-24		
At Simon's door	Touch; demons driven out 'with a word'	8:16	1:32-34	4:40-41
By Capernaum	Touch; people touching Jesus	12:15	3:7-12	6:17-19
Jesus tells of his healings	Blind see; lepers cured; lame walk; deaf hear; dead are raised; cures evil spirits, sicknesses	11:2-5		7:21-22
At Gennesaret	Touching him; edge of his cloak	14:35-36	6:55-56	
Before feeding 4,000	Lame, blind, mute, crippled healed	15:30-31		
In the temple	Blind and lame	21:14		
In home town, Nazareth	Touch; sick (miracles few, lacking faith)		6:5	

JESUS' HEALINGS OF CROWDS	DISEASES AND HEALING TYPES	MATTHEW	MARK	LUKE
Before feeding 5,000		14:14		9:11
Beyond the Jordan		19:2		
In towns and villages	Every disease and sickness	9:35		

JESUS 'GIVES AUTHORITY' TO OTHERS TO HEAL	DISEASES AND HEALING TYPES	MATTHEW	MARK	LUKE
Twelve Disciples	Heal sick; raise dead; cleanse leprosy; drive out demons	10:8		
Seventy-two believers	Heal sick; speak in tongues; pick up snakes; drink poison; touch-heal		16:17-18	10:1-9

HEALINGS BY APOSTLES	DISEASES AND HEALING TYPES	BOOK, CHAPTER, VERSES
Ananias	Paul regains sight bedridden eight years; exhorted	Acts 9:1-19; 22:6-13
Peter	Aeneas, paralytic	Acts 9:33-35
Peter	Dorcas raised by prayer; exhorted	Acts 9:36-41
Paul	Man lame from birth; faith; exhorted	Acts 14:8-10
Paul	Stops slave girl's precognition	Acts 16:16-19
Paul	Raises Eutychus who fell from third story	Acts 20:9-12
Paul	Resists poison snake	Acts 28:3-6

APOSTLES' HEALINGS OF CROWDS	DISEASES AND HEALING TYPES	BOOK, CHAPTER, VERSES
Philip	Paralytics, cripples; evil spirits came out in shrieks	Acts 8:6-7
Paul at Ephesus	Touch—handkerchiefs and aprons cured illnesses and evil spirits left	Acts 19:11-12
Paul at Melita	Sick	Acts 28:9
Seven sons of Sceva evoking Jesus name	Driving out spirits	Acts 19:13-16

OLD TESTAMENT HEALINGS	DISEASES AND HEALING TYPES	BOOK, CHAPTER, VERSES
Elisha and Shunamite's son	1. Staff on face (not done) 2. Touch-lying on boy	II Kings 4:18-27
Elisha and Naaman	Leprosy; washing seven times in Jordan	II Kings 5:1-19
Isaiah and King Hezekiah	Poultice of figs to boil when King was dying and prayed to God; (shadow goes back ten steps)	II Kings 20:1-11

Appendix B

Healing Organizations in the United States

Barbara Brennan School of Healing
Sciences
P.O. Box 2005
East Hampton, NY 11937
(516) 329-0951
Intensive, modular 4-year course

The International Center for Reiki Training
21421 Hilltop St., #28
Southfield, MI 48034
(800) 332-8112, (248)-948-8112
center@reiki.org
web site: www.reiki.org
Training, newsletter, website

Consciousness Research and Training
Institute
Joyce Goodrich, PhD
325 W. 68 Street, Box 9G
New York, NY 10021
*Training in LeShan (distant) healing,
research, periodic newsletter*

Healing Touch
198 Union Boulevard, Suite 210
Lakewood, Colorado 80228
(303) 989-0581
Training, certification, referrals, research

Healing Touch Research
Cynthia Hutchinson
Htresearch@aol.com
*Clearinghouse for research - completed
and in progress*

Nurse Healers-Professional Associates, Inc.
1211 Locust St.
Philadelphia, PA 19107
(215) 545-8079
*Training, referrals, promotes wholistic
approaches and complementary therapies,
including Therapeutic Touch*

Qigong Database
The Qigong Institute
East-West Academy of Healing Arts
450 Sutter Street, Suite 2104
San Francisco, CA 94108
Tel/Fax (415) 323 1221
http://www.healthy.net/qigonginstitute
*Outstanding collection of summaries of
Chinese research on qigong self-healing
and healer- healing (external qi/waiqi)*

American Polarity Therapy Association
P.O. Box 44-154
West Sommerville, MA 02144
(617) 776-6696
Referrals, training

International SHEN Therapy Association
3213 West Wheeler Street No. 202
Seattle, WA 98199 (206) 298-9468
FAX 283-1256

Tai Chi
Wayfarer Publications
P.O. Box 26156
Los Angeles, CA 90026
Tel. (800) 888-9119 (213) 665-7773
Fax 665-1627
Information on ancient Chinese exercises which promote health and healing

Upledger Institute
11211 Prosperity Farms Road
Palm Beach Gardens, FL 33410-3487
(407) 622-4706 (800) 233-5880
Craniosacral therapy as a form of healing. Cross-disciplinary courses for health professionals, referrals

Healing Organizations in England

All healers registered in these organizations abide by a unified Code of Conduct.

Association for Professional Healers
92 Station Road
Bamber Bridge
Preston PR5 6QP
++ 44 1772 316726
Promotes and supports healers practicing in professional healthcare settings, training, research

Association for Therapeutic Healers
Elizabeth St. John
Neal's Yard Therapy Rooms
2 Neal's Yard
London WC2
++ 44 717 240-0176
Focus on healing combined with self-healing approaches, seminars, workshops, newsletter, referrals (healers are also trained in other CAM approaches)

British Alliance of Healing Associations
Mr. K. Baker
7 Ashcombe Drive
Edenbridge
Kent TN8 6JY
++ 44 1732 866832
Umbrella for 30 healing associations, training, referrals

The College of Healing
Runnings Park
Croft Bank
West Malvern
Worcs. WR14 4BP
++ 44 1684 573868
Education and training

The College of Psychic Studies
16 Queensberry Place
London SW7 2EB
++ 44 171 589-3292
Promotes healing, courses, lectures

The Doctor-Healer Network
27 Montefiore Court
London N16
++ 44 181 800-3569
Ongoing seminars for health care professionals and healers on integrative care

Fellowship of Erasmus
Moat House
Banyards Green
Laxfield
Woodbridge
Suffolk IP13 3ER
++ 44 1986 798682
Treatment, channeled teachings, training in color spectrum healing

The Healing Foundation of the R T Trust
Rowland Thomas House
Royal Shrewsbury Hospital South
Myron Oak Road
Shrewsbury
Shropshire SY3 8XF
++ 44 1743 231337
Treatment, promotes wholistic integrative
care, referrals

Maitreya School of Healing
1 Hillside
Highgate Road
London NW3
++ 44 171 482-3293
Color healing treatment, training, referrals
National Federation of Spiritual Healers
Old Manor Farm Studio
Church Street
Sunbury-on-Thames
Middlesex TW16 5RG
++ 44 1932 783164
Referrals ++ 44 1891 616080
Treatment, training, magazine (largest UK
healing organization)

Radionic Association
Baerlein House
Goose Green
Deddington
Banbury
Oxon Ox16 0SZ
++ 44 1869 338852
Training, referrals

SHEN Therapy Centre
73 Claremont Park
Circular Road
Galway   091 25941
FAX 529807

SHEN Therapy Centre
26 Inverleith Row
Edinburgh EH3 5QH
Tel/FAX 0131 551 5091
Touch healing for emotional release of
tensions that may underlie physical
problems, including pain, musculoskeletal
problems, and many illnesses.

Sufi Healing Order of Great Britain
91 Ashfield Street
Whitechapel
London E1 2HA
++ 44 171 377-5873
Treatment

White Eagle Lodge
Brewells Lane
Rake
Liss
Hants GU33 7HY
++ 44 1730 093300
Absent healing groups

Healing - Worldwide

Dachverband Geistiges Heilen e.V.
Haupt Str. 20
D-69117 Heidelberg
Germany
Tel. ++ 49 6221 169606 Fax 6221 169607

Europaische Aktion fur Therapiefreiheit
Recht auf Gesundheit
Vereinigung E:A:T:R:S
John Hart
Postbus 1489
NL-6201 BS Maastricht
The Netherlands
Tel. ++ 31 45 212076 Fax 4454 62273

Zu Luxemburg
Aulikki & Seppo Plaami
1 rue Pierre Dupong
L-7314 Heisdorf
Luxemburg
++ 352 37 7461

Zu Polen
Dr. phil. Jerzy Rejmer
Jochlerweg 2
CH-6240 Barr-Zug
Switzerland

Groupment National pour L'Organisation
de   la Medecine Auxillaire (GNOMA)
Michel Barthes (General secretary)
3 bis, rue Bleue
75009 Paris France

Det Norske Haelerforbundet
Else Egeland
Fanahammeren 9
Postboks 122
N-5047 Fana-Bergen
Norway
Tel/ Fax ++ 47 5 591 6015

Wholistic Approaches

American Holistic Medical Association and
American Holistic Nurses Association
4101 Lake Boone Trail, Suite 201
Raleigh, NC 27607
(800) 878-3373 or (919) 787-5146
Referrals, conferences, journals

American Preventive Medical Association
P.O. Box 458
Great Falls, VA 22066
(800) 230-2762 Fax (703) 759-6711
*Lobbies in government for legal acceptance
of complementary/ alternative therapies*

Canadian Complementary Medical
Association (CCMA)
(403) 229-0040

Moss, Ralph
*Alternative Medicine Online: A Guide to
Natural Remedies on the Internet*
Brooklyn, NY: Equinox 1997
Healing Choices Report Service
(718) 636-4433

The Institute for Naturopathic Medicine
66 1/2 North State Street
Concord, NH 03301-4330
(603) 225-8844
Public awareness

National College of Naturopathic Medicine
11231 Southeast Market Street
Portland, Oregon 97216
(503) 255-4860
Referrals

American Association of Naturopathic
Physicians (AANP)
601 Valley Street, Suite 105
Seattle, WA 98109
(206) 328-8510 www.infinite.org/
Naturopathic.Physician
*Referrals, licensing information in a few
states*

Bastyr University
Natural Health Clinic
1307 North 45th Street, Suite 200
Seattle, WA 98103
(206) 632-0354
Postgraduate training in naturopathy

Canadian College of Naturopathic Medicine
60 Berl Avenue
Etobicoke, Ontario M8Y 3CY
Canada
(416) 251-5261
*Diploma program equivalent to a degree in
the United States.*

Southwest College of Naturopathic
Medicine
6535 E. Osborn Road
Scottsdale, AZ 85251
(602) 990-7424
Naturopathic degree program

New Age, Healing Resources - Information, Conferences

Esalen Institute
Big Sur, CA 93920
(408) 667-3000
New Age conference center.

The John E. Fetzer Institute
1292 West KL Avenue
Kalamazoo, MI 49009
(616) 375-2000
Organizes seminars and conferences,
publishes Advances (focus on
psychoneuroimmunology and healing)

The Institute of Noetic Sciences
475 Gate 5 Road, Suite 300
Sausalito, CA 94965
(415) 331-5650
Large membership organization with
quarterly magazine
(Noetic Sciences Review), international
directory of New Age members. Annual
conference in summer.

The Intuition Network
475 Gate 5 Road, Suite 300
Sausalito, CA 94965
(415) 331-5650

Nursing

American Holistic Nurses' Association
4101 Lake Boone Trail, Suite 201
Raleigh, NC 27607
(800) 278-2462   http://ahna.org
Promotes wholistic approaches and
complementary therapies, including
Healing Touch. Certificate course in
Holistic Nursing. Quarterly journal

Nurse Healers-Professional Associates, Inc.
(See under Healing Organizations)
Promotes wholistic approaches and
complementary therapies, including
Therapeutic Touch Certification.

Certificate Program in Holistic Nursing
24 South Prospect Street
Amherst, MA 01002
(413) 253-0443 Fax 259-1034
cphn@cyberc.com

Institute of Rogerian Scholars
437 Twin Bay Drive
Pensacola, FL 32534
(800) 474-9793
Promoting theoretical and practical
approaches of Martha Rogers on
Therapeutic Touch

Orgone Therapy

American College of Orgonomy
PO Box 490,
Princeton, N.J. 08542.
Reichian therapies, Journal of Orgonomy

Qigong - See Healing

Research

International Society for the Study of Subtle
Energies and Energy Medicine (ISSSEEM)
356 Goldco Circle
Golden, CO 80403-1347
303 425-4625 Fax 425-4685
74040.1273@compuserve.com web site:
vitalenergy.com/issseemf

National Center for Complementary and
Alternative Medicine (NCCAM)
P.O. Box 8218
Silver Spring, MD 20907-8218
(888) 644-6226 Fax (301) 499575-
http://nccam.nih.gov/nccam/
Studies and disseminates information on
alternative/complementary therapies, funds
research

Shamanism

Ruth Inge Heinze, PhD
Center for South and Southeast Asia Studies
2321 Russell St. #3A
Berkeley, CA 94705
Annual conference, proceedings

The Foundation for Shamanic Studies
P.O. Box 670, Belden Station
Norwalk, CT 06852
(203) 454-2827

Appendix C

Most Significant Studies Chart

In this book 191 scientific studies in the field of spiritual healing are described. Out of these about 2/3 show positive results. From this group, 39 followed rigorous scientific design and indicated significant positive results. This group of studies support the conclusion that spiritual healing works. Below is a chart of these studies allowing you to quickly find them. All these studies have rank level I except for two* with rank level II, as explained on page 19.

Subject of Study	Reference	Page
Coronary Care Patients and		
Intercessory Prayer	Byrd, 1988	21
Advanced AIDS and Distant Healing	Sicher et al. 1998*	25
Anxiety and Intercessory Prayer	W. M. Green 1993	67
Postoperative Pain and Healing Touch	Slater 1996	73
Pain and Johnston Healing	Redner, et al. 1991	75
Anxiety and Therapeutic Touch	Hale 1986	97
Measuring Experience in Therapeutic Touch	Ferguson 1986	99
Self-Esteem, Anxiety, Depression and		
Distant Intercessory Prayer	O'Laoire 1997	106
Depression and Healing with Crystals	Shealy et al.	122
Distant Healing Sensations and		
LeShan Healing	Goodrich 1974	130
Silva Mind Control	Brier et al. 1974	155
Electrodermal Activity and Healing	Braud 1979*	165
Electrodermal Activity and		
Psychokinetic Influence	Braud/Schlitz 1983	167
Psychokinesis: Further Studies	Braud et al. 1985	168
Electrodermal Activity: Replication	Radin et al. 1995	174
Human Physiology and a		
Ritual Healing Technique	Rebman et al.1996	178
Muscle Relaxation and Nontraditional Prayer	Wirth/Cram 1994	181
Wound Healing in Mice and		
Spiritual Healing: Replication	Grad et al. 1961	190
Goiters in Mice and Spiritual		
Healing Using Cotton	Grad 1976	191
Amyloidosis and Healing in Hamsters	Snel/Hol 1983	192
Malaria in Mice: Expectancy Effects and		
Psychic Healing	Solfvin 1982	195
Arousing Anesthetized Mice		
through Psychokines	Watkins/Wat. 1971	218

Subject of Study	Reference	Page
Biological Effects of the Laying-on of Hands: a Review	Grad 1965,1963,1964a,1964b	228
Rapid Sprouting of Cress Seeds	Scofield/Hodges 1991	230
Shamanic Healing and Wheat Seeds	Saklani 1988	234
Shamanic Healing and Wheat Seeds: Further Studies	Saklani 1990	235
Algae and Psychokinesis	Pleass/Dey 1990	256
Psychokinesis and Bacterial Growth	Nash 1982	260
Psychokinesis and Bacterial Mutation	Nash 1984	264
Psychokinesis and Fungus Culture	Barry 1968	267
Psychokinesis and Red Blood Cells	Braud et al. 1979	277
Red Blood Cells and Distant Healing	Braud 1989, 1990b	280
Detecting Psychokenesis in Healing	Bauman et al. 1986	284
Neurotransmitters and Noncontact Healing	Rein 1978	295
Neurotransmitters and Psychokinesis	Rein 1986	296
Qigong and Enzyme Reaction in Muscle Cells	Muehsam et al. 1994	297

Endnote References

Introduction

[1] In the popular edition there is a detailed discussion of the term *spiritual healing*, which has many other names as well. In this volume I often simply use the word *healing* unless there is a reason to distinguish spiritual healing from other healings, such as healing of the physical body.

[2] I have used *healee* in preference to *patient* because the latter is taken (in conventional Western medicine) to be a person who receives treatment from someone else for his ailments in a passive manner. The term healee indicates a person who shares in the responsibility for doing something about his condition, even though his participation may be unconscious, through various mind-body-spirit connections elucidated in this book. LeShan (1974a) was the first to use this term. Siegel (1990) suggests the term 'respant', meaning responsible participant.

[3] This table is reproduced from Volume I, Introduction.

[4] In this revised edition I have applied more stringent criteria for including reports in the section on controlled studies than in the first edition. In this process I removed several dozen reports from the controlled studies section. Thus the absolute number of 189 controlled studies in the second edition appears to add only 34 studies to the series, when it actually adds about 50 studies.

[5] See Volume II, Chapter I on **psychoneuroimmunology (PNI)**

[6] See reviews of Capra, Dossey, Koestler, Zukav, and Benor (Volume II, Chapter 6 and Chapter 8) for a taste of **paradigm shifts**.

[7] Bensen; Evans/ Richardson; Hutchings; Kolough; Pearson; Teitelbaum; Van Dyke; Wolfe; Wolfe/ Millett

[8] It took close to two years to find funds for a carefully designed controlled study of healing in surgical patients in 1982. Most foundations and other funding sources indicated that such research is outside their field of interest. I moved to live in England from 1987 to 1997 because I found the general practitioners (primary care physicians) there more open to collaborative research on healing and to integrating healing with conventional medicine.

[9] *The European Journal of Parapsychology; The Journal of the American Society for Psychical Research* (irregularly until 1957; regularly from 1970); *The Journal of Parapsychology; The Journal of the Society for Psychical Research; The Journal of Scientific Exploration;* and *Subtle Energies.*

Research in Parapsychology contains abstracts of presentations from the annual meeting of the Parapsychological Association without peer review, although papers are critiqued as they are presented and the authors have opportunity to revise the papers prior to publication.

[10] See detailed discussion of this study by Rosa, et al in Volume I, Chapter 4.

[11] For a finer analysis of studies see the summary at the end of Chapter 4.

[12] See summary of replicated studies at the end of Volume I, Chapter 4.

[13] See Volume II on **mechanisms for self healing** and on **energy medicine**; Volume IV, Chapter 2 for theories of **spiritual healing**.

[14] There is evidence that randomization may be impossible to achieve, due to super-psi (discussed in Volume I, Chapter 3; healing research of Solfvin 1882a; Spindrift; Utts 2000). I have, however, acknowledged conventional wisdom by indicating those studies where randomization was not mentioned and ranking them as deficient in design.

[15] See more on alternate ways of viewing the world in Volume I, Chapter 5 under **shamanism**; Volume II, Chapter 2 on **Chinese cosmology**; Volume IV, Chapter 2 on theories explaining **spiritual healing**; and Volume IV, Chapter 3 on **components of spiritual healing**.

[16] See the report of Michael Dixon in Volume I, Chapter 5. See also mention of cost-effectiveness studies of other complementary therapies in Volume II, Chapter 2.

[17] See Introduction, popular version for historical perspectives on healing.

Endnotes Chapter 4 Controled Studies

[1] The only complementary therapies with more research are hypnosis (which has been studied over 200 years), acupuncture, and psychoneuroimmunology, are discussed in Volume II, Chapter 1.

[2] Randomization in the light of psi powers is problematic, as mentioned above. Randomization by automated computer programs is considered the optimal approach in conventional science. Once we become aware of the psychokinetic (PK) effects on random number generators (RNGs), reviewed in Volume I, Chapter 3, it seems possible that experimenters could influence RNGs in line with their beliefs and through the agency of super-psi, to generate numbers which would assign subjects with appropriate characteristics to E or C groups in ways which could bias the results in the experimenters' preferred directions. In parapsychology this is called *intuitive data sorting*. (See discussion on super-psi and PK on RNGs in Volume I, Chapter 3.)

While it might seem far-fetched to suggest that psi powers could be used in such a complex way, research shows this is entirely possible. See for instance the study of Solfvin of malaria in mice in this chapter (p. 193).

If this is the case, then there is really no way in which randomization can be achieved which is free of experimenter influence.

[3] See discussion on suggestion, placebo and experimenter effects in Volume II, Chapter 1.

[4] Tables of such variables are presented in Volume IV, Chapter 3. See also Benor/Ditman on suggestions for research reports.

[5] Exceptions were made for a few human studies, such as of leukemia, which are of high clinical interest, and were therefore included in the tables.

[6] See further discussions on **Type I and Type II research errors** in Volume I, Intro. and Volume II, Chapter 2.

[7] E.g. the summary of a study may be brief, but other, similar studies by the same researchers give strong reason to believe the study was adequately performed. I feel this leeway in ranking is warranted because most of the healing researchers do this work on their own time, with no funding. When, for instance, Watkins and colleagues have written up one study of healing for anesthetized mice in great detail, a replicating study may not be summarized in as great detail as the original study. I do not feel the same would be true for a study of humans—as with Meehan's replication of her pain study—because it is very difficult to replicate hospital studies due to the multiple variables that can become confounds in a study.

As another example, Sicher et al. report no checks to see that there weren't differences in treatments between the several centers where the patients with AIDS were treated. As there are no effective treatments for AIDS, any differences in treatments given at the verious centers are unlikely to have influenced the experimental or control group significantly.

There are only these two studies in this category.

[8] For instance, where a healer is present for the healing and the C group has no mock healer, the *presence* of the healer as a caring person could be a stimulus to relax and change in other ways, making it impossible to say what effects, if any, the healing might have produced beyond those of suggestion.

[9] For instance, Astin, et al, using the Jadad system, gave a high mark to the study of Collipp, which I consider to be a study that is so flawed as to be uselsss.

[10] In tabulating the level of significance of results of studies, where more than one result is obtained and one result has a $p < .01$ or better, I have credited the study as demonstrating that level of significance—even though other findings in the study might not have reached that level of significance.

[11] See the conclusion sections at the end of Volume I, Chapters 4 and 5 in which the research is briefly summarized and the discussion on **theories explaining healing** in Volume IV, Chapter 2.

[12] ". . . Biomedical Data Processing (BMDP) statistical package. The data were analyzed with an unpaired t-test for interval data and a chi-square test (or Fisher's exact test when necessary) for categorical data. A stepwise logistic regression was used for the multivariant analysis. Interval data were expressed as the mean ± 1 standard deviation."

[13] Randomization was by odd and even numbers on the last digit of each subject's hospital record.

[14] Excluded were: Patients admitted for cardiac transplant, where hospital stays were expected to be much longer than the general average on the CCU, and patients admitted for less than 24 hours because it could take longer than that to inform the intercessors to commence praying for them.

[15] This is in compliance with guidelines of the US Department of Health and Human Services for the protection of human subjects. There was no known risk associated with the treatment, nor was there any known risk to the C group in not

receiving treatment. Furthermore, potential distress was avoided. Had patients been required to sign an informed consent, it could have presented patients with distressing choices of having to accept prayer when they were non-religious or having the anxiety that they might be missing out on the help prayer could offer if they were assigned to the C group.

[16] Starting within 1.2 ± .05 days, and all participating by within 1.6 ± .16 days after admission.

[17] The existing severity of illness scales (e.g. Acute Physiology and Chronic Health Evaluation and Charlson scale) are designed for prediction of major health outcomes in single patients.

[18] ". . .10 physicians (5 cardiologists and 5 cardiology fellows) blindly scored 11 randomly selected CCU patient charts. The raters were in agreement (mean ± SD) 96% ± 3% of the time."

[19] Byrd's study is reviewed above.

[20] "Baseline variables and specific medical outcomes were analyzed by x^2 analysis and the Fisher exact test for categorical data. Byrd scores were analyzed by the Cochran-Armitage test for trends; t tests were used to compare continuous variables (e.g. age, length of stay, and MAHI-CCU scores). A difference with a 2-tailed $p < .05$ was accepted as statistically significant, except for comorbid conditions upon admisssion. . . and individual events/ procedures occurring during the CCU stay. . . . For these 2 data sets, $p < .005$ was required for statistical significance because of the multiple comparisons evaluated. Data are presented as means ± Ses. All analyses were carried out blindly on an intention-to-treat basis using SAS, version 6.2 (SAS Institute, Cary, NC)."

[21] Although there were two E group patients who stayed twice as long as any other patient in either group, when their scores were not included in the calculations there were still no significant differences between groups.

[22] A protease inhibitor and two or more antiretroviral drugs.

[23] Category C-3, including CD4+ cell counts of less than 200 cells, a history of at least one AIDS-defining disease, and taking prophylactic treatment against Pneumococcus carinii.

[24] Improvements were noted on 4 out of 6 subscales, including depression, tension, confusion, and fatigue.

[25] "A 'paired t test' was used for all continuous or multilevel variables. Wilcoxon signed-rank test when the data appeared to be skewed or contained ouliers, and McNemar's test for 2x2 tables comparing paired binary variables. For study outcomes where $p < 0.05$, since many of the outcomes had skewed or clumped distributions (caused by tied values in outcome), a rondomization test was also used to obtain an "exact" P value for the observed outcome.

"In addition, because study outcomes may be correlated, Hotelling's T-square statistic was used to determine whether ther was a treatment effect on the array of 11 medical and psychological outcomes. Again, since this statistic assumes multivariate normality of the outcomes (which is not the case), statistical significance of the outcome aray was further assessed by conducting a randomization test on the t-square statistics . . . .

"We also examined the effects of differences in baseline factors (with two-sided $P < .02$) on outcome variables by stratifying on levels of baseline factor when they were discrete and by analysis of covariance when they were continuous."

[26] Elisabeth Targ mentioned in personal communication that another, multi-center, collaborative study will soon be published.

[27] Stage II HIV disease, when CD4 counts are less than 500/ cu mm (Center for Disease Control).

[28] Standardized treatment protocols are recommended by the Centers for Disease Control (see bibliography under Centers for Disease Control).

[29] ANOVA

[30] $F(1,18) = 6.25$

[31] $F(1,18) = 225.18$

[32] IgG, IgA, IgM

[33] Expressed as interleukin (IL-2) receptor response

[34] Serum immunoglobulins were measured by radial diffusion, with samples from each subject assayed together to minimize variability. IgG, IgA and IgM were measured, as well as IgG subclasses (1-4). Lymphocytes were analyzed by flow cytometry, using monoclonal antibodies (anti-CD3). CD-25 positive cells were enumerated, reflecting interleukin-2 (IL-2) receptor expression. Apoptosis (programmed cell death) was assessed on cells from mitogen-stimulated cultures and DNA content was measured.

[35] *t*-tests on the mean differences between E and C groups. IgG differences nearly reached significance as well ($p < .06$).

[36] The authors found in a previous study that 76 persons per group would be required to achieve significant differences using the STAI (Olson/Sneed 1995).

[37] This study follows Dixon's pilot exploration of healing reviewed in Volume I, Chapter 5. The findings on CD cells are important and therefore the study is inserted here. The statistically significant findings on anxiety and depression belong in a later section of this chapter, and are inserted in the table on healing for subjective experiences. In calculating the numbers of studies with significant results this study is counted only once.

[38] Dixon 1994; 1995, reviewed in Volume I, Chapter 5.

[39] At the half-way point in the study it was discovered that the chemicals for measuring CD16 was faulty. It took several months to sort this out, and therefore the healing for the C patients in the second half of the study was delayed to six months rather than three months, allowing comparison with E patients just after they finished their treatments, as well as three months later.

[40] Median symptom change scores - E group: 1.0 (IQR 0 to 3); C group: 0 (IQR - 1 to 1); 2.0 (CI 0, 3) T = 437.5

[41] Median score E group: 1, IQR 1.0 to 3.0; C group: 0, IZR -1.0 to 0, T = 570.5

[42] Treatment difference 2.0 (CI 1.0, 3.0)

[43] Median score E group: 4.0, IQR 1.0 to 5.0; C group 0, IQR -2.0 to 2.0, Treatment difference: 3.0, CI 2.0, 5.0; T = 523.5

[44] Median score E group 2.0 (IQR 0 to 4.0); C group 0 to 1.0), Difference 2.0 (CI 0 to 3.0), T = 445.0.

[45] Treatment difference 3.0 (CI 0 to 4.0), T = 226.5

[46] Treatment difference 2.0 (CI 0 to 4.0), T = 207.0

[47] E group baseline score 11.5 (SD 8.38); C group 11.7 (6.86); at 3 months E group 4.7 (4.97); C group 1.3 (3.70).

[48] 3.4 (CI 0.89, 5.90); $t = 2.74$

[49] Treatment difference 1.8 (CI -1.70, 5.30), $t = 1.04$.

[50] χ^2

[51] Grad's research with plants is described later in this chapter.

[52] See description of **TT healing** in Volume I, Chapter 1.

[53] t-test prior to healing did not differ, after Fisher's t-test to check that the differences in means between E and C group for hemoglobin and age, and chi-square test on values for males and females. (Krieger 1976).

[54] Personal communhications 1985.

[55] Wilson 1995 agrees that Krieger's work was methodologically weak and poorly reported.

[56] **Reiki healing** is discussed in Volume I, Chapter 1.

[57] t-test for differences of means.

[58] See review of Snel/Hol later in this chapter.

[59] With or without salpingo-oophorectomy and/or appendectomy.

[60] Names of all surgical patients on each day were written on slips of paper which were placed in a paper bag. A staff member drew names from the bag, assigning alternate names consecutively to one of the three groups. Every second name in the alternating assignment procedure was discarded.

[61] "Content validity of the Recovery Index was established by a panel of nurse experts in the field of postoperative gynecological care. Inter-rater reliability was established by correlating the observations of the investigator and another expert nurse performing consecutive assessments on 20 postoperative abdominal gynecology patients. A Spearman Rho correlation for the total score was .93, indicating the Recovery Index is reliable." However, inter-rater reliability varied in the sub-sections: pulmonary - .29; gastrointestinal - .81; urinary - 1.00; activity - .98.

[62] Kruskal-Wallis test = 20.22 after one treatment, p < .00005; KW = 17.75 after two treatments, p < .0001; KW = 27.80 after three treatments, p < .00005).

[63] Synchronistically, Zvi's father and my father were close friends in Israel for many years.

[64] Analysis of variance and covariance including repeated measures computer program.

[65] This study is reviewed in greater detail below, along with other studies of healing for anxiety.

[66] Least squares means test applied to the adjusted means.

[67] "Multivariate analysis of variance was applied on the successive reductions or weekly changes in blood pressures and heart rate over the 15 weeks in the 32 complete triplets. Because of the availability of 115 patients, the matching of patients on screening instead of pre-treatment values, and the absence of influence of triplets on blood pressure we felt justified in reanalysing the data, ignoring triplets, for all the 115 patients who followed the protocol. Differences in baseline characteristics among groups and in reductions in blood pressure at the end of the study as compared with pre-treatment values were analyzed by univariate analysis of variance. Analyses were carried out with and without covariates, such as the influence of age and use of anti-hypertensive treatment on reduction in blood pressure. For paired comparisons we used Bonferroni's technique to protect against having too many significant differences. Improvement in general wellbeing was analyzed by Kruskal-Wallis analysis of variance and paired comparisons by the Wilcoxon rank sum test. Correlation between a reduction in blood pressure and improved wellbeing was analyzed by Spearman rank order correlation."

[68] Watkins is reveiwed later in this chapter under healing effects on animals.

[69] Leb is reviewed later in this chapter under healing for subjective problems.

[70] **Need as a factor in healing** is discussed in Volume IV, Chapter 3.

[71] (1) Increased PEFR of 40 l/min. at the academic hospital ($p < .003$); (2) increased PEFR of 21 l/min. as measured by the patients themselves at home ($p < .009$); (3) increased minimum PEFR of 28 l/min. ($p < .006$) in the morning; (4) increased average PEFR of 22 l/min. ($p < .012$) in the morning; and (5) increased subjective improvement in 13 of the 32 patients, with only two reporting worsening of symptoms ($p < .006$). Other measures showed a positive trend but did not reach statistically significant levels. Duration and severity of attacks proved impossible to measure, as patients used medication at the start of attacks. Other measures showed non-significant change.

[72] (1) PEFR of 44 l/min. measured at the academic hospital ($p < .002$); (2) PEFR of 26 l/min. as measured by the patients themselves at home($p < .021$); (3) maximum PEFR of 29 l/min. in the morning ($p < .015$); (4) PEFR of 29 l/min. in the evening ($p < .027$). (5) Eighteen patients out of 33 showed a decrease in the number of attacks of dyspnea (shortness of breath) during the week, and only two had an increase ($p < .001$); and (6) 16 showed a decrease in the number of periods per day that they took medication, versus only five showing an increase ($p < .013$).

[73] Analysis of variance and covariance.

[74] See surveys of healees' assessments of healing at the end of Volume I, Chapter 5.

[75] This review is from a brief Dissertation Abstract.

[76] "MANOVA with 2 dependent measures of letdown"

[77] Creamocrit method

[78] My italics

[79] MANOVA was used for statistical analyses.

[80] "The number of patients in the two groups is at the lower limits for evaluation by the X^2 test. The difference in survival is at the 90% significance level if all patients are included; if the atypical child in the control group who has survived 11 years is deleted, the groups are different at the 95% significance level."

[81] Limited changes in sentence structure, without alteration in content, have been made to facilitate the flow of the presentations.

[82] No ratings are given on research design and reporting for translated studies.

[83] Fujitsu Infra-Eye 160

[84] More on **Kirlian photography** in Volume II, Chapter 2.

[85] "At Fp2, C3, C4, O1, and Pz, five points of beta 1 segment and in C3 and C4, two points of beta 2 segment."

[86] Referred to in reports reviewed later in this chapter.

[87] See furthur studies of external qi on EEGs; Z. Chen et al.; G. Liu et al.; and a study of infrasonic devices which simulate effects of external qi emissions: Z. Yuan, in the Qigong Database of Sancier.

[88] More on **neurohormonal and psychoneuroimmunological systems** in Volume II, Chapter 1.

[89] More on **fields and energies involved in healing** in Volume II, Chapters 2, 3; and 4; Volume III, Chapters 2 and 3.

[90] The **AMI** is a device developed by Hiroshi Motoyama, Ph.D., a Japanese biologist who is also a healer. It measures electrical activity at the end points of the meridians. See more on this in Volume II, Chapter 2.

[91] There are further Chinese studies which clarify how infrasonic sound and healing are related. See G. Lin et al.; X. Peng et al. in the Qigong Database of Sancier.

[92] More on **radionics devices** in Volume II, Chapter 4.

[93] Volume II, Chapter 1 addresses the issues of **placebo reactions and suggestion** in detail.

[94] Many healers use a name, others use a photograph or an object belonging to the healee to strengthen their focus or connection with the healee for distant healing. See description of Estebany in Volume I, Chapter 1. More on this in Volume IV, Chapter 3.

[95] F-ratio = 10.56

[96] F-ratio = 7.30

[97] t = 5.58; df = 11

[98] *t = 2.61; df = 12*

[99] $F(1,53) = 4.37$

[100] "a linear trend analysis and 2 X 2 factorial ANOVA"

[101] "The data were initially analyzed by hierarchical multiple regression analysis . . . and by the Tukey HSD post hoc comparison technique. . . . In the second step the three demographic variables explained further only 3% of the variance, and their individual effects were not significant. . . . Collectively, the two dummy codes significantly accounted for 18 percent of the variance. Two-way and three-way interactions between age, sex, ethno-cultural identity, and intervention were not significant.

Since the main effect of the intervention group, expressed in the two dummy codes, was significant, post hoc tests were conducted to make pair-wise comparisons among the means. The post-intervention mean pain scores, adjusted for pre-intervention differences, were: TT 52.74, MTT 61.72, SI 36.63. Post hoc comparisons of the intervention group adjusted mean scores were done using the Tukey HSD method. The difference between the TT and MTT means was 8.98 (p < .05-.06), indicating that TT is more effective than MTT but that statistical significance is just above the .05 level. The difference between the TT and SI means was 16.11 (p < .001) indicating that SI is much more effective than TT."

[102] 2 = 4.73.

[103] 2 = 4.69.

[104] This is the entire report summary as published in the journal.

[105] See also Dixon, reviewed in Volume I, Chapter 5 on **cost effectiveness of healing**, including **savings on medication costs**.

[106] Specific procedures are not described in the study.

[107] This review is from a brief abstract from Slater

[108] See endnote 156 in this chapter for comments on the Clark and Clark critique.

[109] There was one extra person with headaches in the C group.

[110] There is an unexplained contradiction in this matter, as another statement indicates that "Treaters could not be randomly assigned to a four week treatment series due to the constraints of availability." The rotation of specific treaters in the protocol should not interfere with randomization of subjects to E and C groups.

[111] $F(1,45) = 4.77$.

[112] $F(1,45) = 5.88$.

[113] $F(1,45) = 4.87$.

[114] Repeated measures ANOVA.

[115] ANOVA

[116] Paired t-tests

[117] TT decreased *pain*, [t(46) = 7.60] and *distress* [t(44) = 7.08, both at p <.001]. TT showed improvment on these AIMS2 subscales: *hand functional ability* [p <.007; t(45) = 2.81], *pain* [t(45) = 3.02; p <.004, *tension* [t(45) = 2.45; p < .007], *mood* [t(45) = 4.67; p <.008), and *satisfaction* [t(36) = 6.58; p < .005). PMR decreased *pain* [t(32) = 2.10; p < .005] and *distress* [t(36) = 6.90; p < .001]. AIMS2 subscales showed improvements in *walking and bending* [t(32) = 2.10; p < .044), *pain* [t(32) = 4.25; p < .001], *tension* [t(32) = 2.32; p < .027], *mood* [t(32) = 2.82; p < .008], and *satisfaction* [t(30) = 2.87; p < .007).

[118] Repeated measures ANOVA

[119] *mobility* following treatment one [F(1) = 4.07; p < .048] and three [F(1) = 6.81; p < .01]; and *hand functions* following treatment six [F(1) = 3.83; p < .05].

[120] F(1) = 4.95

[121] One-way ANOVA for continuous-level measures on MPI, HAQ and VAS. X2 for homogenity of proportions assessed categorical variables.

[122] MPI and HAQ analysed between groups over time with 2-factor repeated measures ANOVA. "Post hoc individual tests (such as comparing the treatment group at week 1 with itself at week 13) were performed using Fisher's least significant differences method.

[123] The VAS scores prior to and following each TT and MTT treatment were analyzed within groups by the paired t test. Differences between pre- and post-intervention scores were analyzed by ANOVA.

[123] Wilcoxon signed rank test for differences.

[125] Wilcoxon rank sum test.

[126] "The one exception was the post-test difference on the PPI scale in the placebo group, which was inversely correlated with years of education, r = -.53, p < .002."

[127] X^2 = 7.670.

[128] **Craniosacral osteopathy** is reviewed in Volume II, Chapter 2.

[129] On these and other **complementary therapies as energy medicine** see Volume II, Chapter 2.

[130] More on **Sensations during healing** in Volume IV, Chapter 3.

[131] More on **reasons healing has not been accepted** in Volume IV, Chapter 3.

[132] ANOVA.

[133] See also the study of Dressler on **back pain**, earlier in this chapter; and the two electromyographic studies of Wirth/Cram later in this chapter.

[134] See descriptions of other **dynamic healers** in Volume I, Chapter 1.

[135] *t* test.

[136] ANOVA

[137] Redner, earlier this chapter.

[138] Wilcoxon test

[139] Clark and Clark review some of the same **TT** material and conclude that there is insufficient evidence to support a belief in healing. I agree with Rogo 1986 that Clark and Clark take far too limited a look at the available evidence and, consequently, their conclusions are unwarranted.

[140] Correlated t ratio.

[141] ANCOVA F1,57 = 9.65; p < .01.

[142] Quotes are from the dissertation.

[143] Form X-1

[144] Comparison of within-group means using correlated t tests.

[145] Analyses of covariance.

[146] Form Y-1

[147] 2-way ANOVA for repeated measures.

[148] ANOVA between-groups difference p = .007, $\underline{F}$ = 8.08; $\underline{df}$ = 1. Tukey HSD post hoc test, $\underline{d}$ = 4.5; critical F = 3.9356.

[149] Tukey HSD post hoc test, $\underline{d}$ = 8.067; critical F = 8.028.

[150] **Methods of healing** are reviewed in Volume I, Chapter 1.

[151] X^2

[152] One-way ANOVA. "These data supported a significant difference . . . among the SETTS scores of the four study groups. However, the data did not reveal which of the group means was significantly different from the others. A follow-up analysis was done using Scheffe's test for multiple comparison . . . chosen because it is the most conservative of the multiple comparison tests and thus indicates that two means are significantly different only when the means are far apart . . .

These data supported a significant difference in the SETTS scores (p < .01) among group one and groups two, three and four. The data also supported a significant difference in the SETTS scores (p < .01) among group two and groups three and four. . . ." p.85-87.

[153] See also Scheel for another assessment tool for attitudes towards TT healing, tested on 14 unselected first year Advanced Practice Nursing Graduate Students; Philpy/ Hutchinson for a Healing Touch research tool.

[154] The few words of summary are taken from Slater, p. 133, where the reference is given as Masters Abstracts International 1985, 42: 24(3). The volume for this year is 23 and no abstract is listed in the index under that name for this year.

[155] Form Y-1

[156] ***SHEN healing therapists*** in particular have reported good results with healing of people traumatized by terrorist activities. See description of SHEN healing is described in Volume I, Chapter 1.

[157] ANCOVA.

[158] One-tailed.

[159] A four-factor, repeated measures analysis of covariance (ANCOVA) was used to test for differences in state anxiety. Two between-subjects factors were considered: (a) previous experience with relaxation methods and (b) which of the touchers did the treatment. The within-subjects (repeated measures) factors were session (first, second or third) and time (before or after the intervention). Three covariates were used to control for between-subject differences." (age, trait anxiety, session length)

[160] See also study of Ogawa et al. on the effects of qigong healing on skin temperature of healers and healees.

[161] Form Y-1

[162] ANOVA.

[163] 3 x 2 analyses of variance (ANOVAs) examined 3 between factors (T_1, T_2, T_3) and 2 within factors (pre- and post-test) in the subject groups and 2 x 2 ANOVAs in the agent groups (2 between factors - NA and DA, and 2 within factors - pre- and post-test). A Scheffé Post Hoc Test was used if the ANOVA demonstrated a significant *F* ratio.

[164] **Time-displaced effects** have been confirmed in psi research, both backwards and forwards in time, per research reviewed in Volume I, Chapter 3.

[165] Repeated MANCOVA

[166] Because babies in hospitals haven't complained a lot, their emotional needs have been sorely neglected. In deeper psychotherapy, people may often bring up memories of traumatic events around the experience of being in utero, undergoing the trauma of birth and difficult experiences of early infancy. These traumas occur before they are generally assumed by conventional psychologists to be able to absorb or recall them. Rebirthing, LSD psychotherapy, and other forms of depth psychology are particularly likely to unearth such memories. More on some aspects of early memories in Volume II, Chapter 1 and Volume III, Chapter 3.

[167] ANOVA.

[168] Healing can be given through many modalities for various problems. Terry Woodford has developed audiotapes for babies with colic (and for the elderly) which are claimed to put them to sleep within minutes (Audio Therapy Innovations, Inc., PO Box 550, Colorado Springs, CO 80901 719-473-0100). I have seen no research to confirm these claims.

[169] This is called the "file drawer effect," after the assumption that negative studies may be left, unpublished, in researchers' file drawers.

[170] This is a pilot study, not included in the consideration of the significance of the series of healing studies as a whole.

[171] One-way ANOVA.

[172] See discussion of R. Benor in Volume I, Chapter 1.

[173] Student *t* test was used because the ANOVA for repeated measures showed a significant interaction F = 11.89, p < .001.

[174] ANOVA for repeated measures over time

[175] Cronbach's alpha coefficient

[176] $t = -3.73$

[177] $F = 14.02$, $df\,2$, 18

[178] See also studies of Wright; Schwartz et al. on energy field assessment later in this chapter.

[179] See Volume II, Chapter 2 for a discussion of the **chakras**.

[180] See Volume II, Chapter 3 for more on **pendulums and dowsing** phenomena.

[181] $t = 2.22$.

[182] $t = -5.22$.

[183] $t = -4.06$.

[184] $t = 10.86$.

[185] E group showed changes in scores of 2.53-2.80, C group showed no changes; t = (ranged from 2.53-8.49).

[186] Hodges; Lombardi; Lorusso/Glick; Mella; Oldfield/Coghill; Vogel See also discussion on the **use of crystals in healing** in Volume IV, Chapter 3.

[187] "a safe, low amperage (1-4) milliamps) stimulator which has been effective in relieving depression in some patients using it daily for two weeks" Shealy 1979; 1989.

[188] See description of **autogenic training**, a method of profound self-relaxation, in Volume II, Chapter 2.

[189] "90% of patients report feelings of deep relaxation within 10 minutes of photostimulation at 3 to 12 Hz." Shealy 1990.

[190] Music included Beethoven's *Symphony 6*, Rachmaninoff's *Isle of the Dead*, Pachelbel's *Canon in D*, Mozart's *Requiem*, Halpern's *Spectrum Suite,* Bearns & Dexter's *Golden Voyage IV*, Kitaro's *My Best* and Acoliah's *Crystal Illumination*.

[191] t test 3.60, $df = 115.06$, two-tailed.

[192] t-tests and repeated measures analyses of variance: $r = 0.110$; $F = 4.20$; $df = 1,346$.

[193] $r = 0.244$; $F = 21.89$; $df = 1,346$.

[194] $r = 0.130$; $F = 5.95$; $df = 1.346$.

[195] $r = 0.113$; $F = 4.51$; $df = 1.346$.

[196] $r = 0.244$; $F = 21.92$; $df = 1.346$.

[197] $r = 0.118$; $F = 4.88$; $df = 1.346$.

[198] See discussions of **grief** as the highest-ranked item on the stress inventory and psychoneuroimmunology in Volume II, Chapters 1 and 2.

[199] "Descriptive statistics, repeated measures . . . ANOVA, and a summary of subject responses"

[200] $t = 2.38$.

[201] $t = 1.84$.

[202] Analysis of covariance (differences between post-test means adjusted for initial unequal pre-test means).

[203] In urn randomization a computer program assigns subjects to groups according to the variables present in those clients already assigned. This distributes specified variables more evenly between groups.

[204] A multivariate approach to repeated measures analysis (MANCOVA) was used, with control for the possibility that groups might vary initially in alcohol consumption.

[205] Amended by Goodrich in personal communication 1997.

[206] See **LeShan** 1974a, reviewed in Volume IV, Chapter 2; **healer explanatory systems** of LeShan and Goodrich in Volume I, Introduction.

[207] $X^2 = 10.07$.

[208] **Subjective sensations during healing** are also noted earlier in this chapter in the experiment with Reiki healers (Schlitz and Braud); also in Turner 1969c, reviewed in Volume I, Chapter 5.

[209] X^2

[210] Pearson r = .49

[211] Pearson r = .83-.86

[212] Pearson r = .61, two-tailed, n = 12

[213] See study of Turner in Volume I, Chapter 5.

[214] Dowsers (people who can identify water and other materials and information with the use of various devices) have been shown to respond to electromagnetic energy, as discussed in Volume II, Chapter 4.

[215] ANOVA F (1,58) = 9.04

[216] F (1,59) = 19.30

[217] F (1,58) = 12.71

[218] F (3,57) = 5.69

[219] F (1,56) = 10.66

[220] F (1,59) = 8.99

[221] See also Schwartz et al 1996 on detection of electrostatic effects by the body.

[222] See discussion of Engel's findings in Volume I, Chapter 5, and of temperature and other healing sensations in Volume IV, Chapter 3.

[223] See a discussion of **dermal** optics in Chapters II-1, II-3, and IV-3.

[224] Turner's work is reviewed in Chapter 1-5.

[225] See a detailed discussion of **reasons healing and psi have not been accepted** in Volume IV, Chapter 3; earlier versions in Benor 1990; Dossey 1993.

[226] One-tailed t-test

[227] r = 0.23

[228] HEF = human energy field

[229] p. 1007, column 1, para 3.

[230] I must say that I am grateful to Rosa et al. for identifying a group of TT dissertations which I had not been aware of. Even with these references in hand, I was unable to locate 3 of these in the hard copy of *Dissertation Abstracts International*. It was only on CD ROM disk that I located most of them as abstracts.

[231] See discussion of **electrodermal responses** in Volume II, Chapter 1; studies of **healing effects on electrodermal responses** earlier in this chapter; Bagchi/Wenger

[232] See discussion of **Kirlian photography** in Volume II, Chapter 3.

[233] See discussion on **sheep and goat effects** in Volume I, Chapter 3.

[234] See also criticisms of Rosa et al. in Dossey 1998b; Leskowitz.

[235] This is a rather lengthy response to a very limited study. I feel it is warranted in view of the serious weight given to it by the editor of the prestigious journal in which it appeared, and by the news media—which widely publicized the conclusions of the authors and journal editor about this study but not its serious limitations and deficiencies.

[236] Experiment 2 is sketchily described in this article.

[237] On intuitive assessment see also: Jobst; Tatum; Young/Aung.

[238] I have seen these only as brief Dissertation Abstracts. I have not had the resources to pursue these. I hope someone can critically review these studies as a group, or can help me find the resources to do this myself.

[239] See Volume I, Chapter 3 for more on **Stanford's conformance theory**. Braud (1993) points out that his own lability/inertia model (Braud 1981) and several quantum mechanical and noise-reorganization models of PK make similar predictions regarding the susceptibility of random systems to psi influence: Rush 1976; Oteri 1975; Puharich 1979.

[240] "For each session, the biological activity in the prescribed direction which was contributed by the 10 conformance epochs was expressed as a percentage of the total activity in that direction . . . A single mean t test was used to compare the 10 obtained percentages for each experiment with the expected population mean () of 0.50. This method of analysis was used so that the results of different experiments might be compared more readily. Additionally, since all four experiments of a set were conducted under identical conditions, it was decided a priori to pool the probabilities of these four experiments, according to the chi-square method recommended by Guilford . . . ."

[241] In another experiment based on the **Conformance hypothesis**, using rye seeds and a random number generator, no statistically significant results were found (Munson - reviewed later in this chapter).

[242] "For each session, a 'percent decrease' score (i.e., the percentage of total activity occurring *during* the decrease periods) was calculated by summing the mean EDA

scores for each of the 20 recording epochs and dividing this total activity score into the sum of the mean EDA scores for the 10 decrease (i.e. PK influence) epochs. A chi-square goodness of fit test indicated that the scores of these 32 sessions did not differ significantly from normality; therefore, parametric statistics were used in their evaluation. The scores were next divided into the active and inactive subgroups. Within each subgroup, statistical comparisons indicated that the scores of the two experimenters did not differ significantly from each other; therefore, the scores of the two experimenters were pooled. The primary prediction was that the scores for the 16 active subjects would be significantly lower than those for the 16 inactive subjects. An independent samples *t* test comparing these two sets of scores indicated a significant effect in the predicted direction (active X = 40.39%, inactive X = 50.33; *t[30]* = 1.86; p = .035, one-tailed). Single mean *t* tests comparing the percent decrease scores with MCE (MCE = 50%) were used to test the two secondary predictions. These tests indicated a significant departure from chance in the predicted direction for the active subjects (*t[15]* = 2.40; *p = 0.14, one-tailed*), but not for the inactive subjects (*t*[15] = -0.09; p = .54, one-tailed). Thus, the primary prediction and one of the two secondary predictions were confirmed . . . ."

[243] "A single-mean *t* test comparison of the 24 subjects' overall scores (X = 42.70%) with MCE (50.00%) indicated the presence of a significant effect (*t* = 1.85, p = .04, 1-tailed), but not in the feedback condition (*t* = 0.68, p = .25).

[244] WB 8 cooperation sesssions: (X = 56.06%, *t* = 2.01, p = .04, 1-tailed); blocking sessions (X = 56.55%, *t* = 0.99, p = n.s.).

[245] **Reiki healing** is described in Volume I, Chapter 1.

[246] X^2 = 48.85%, s.d. = 0.87, t = 0.62, 14 df, p = ns.

[247] "In the condition that we expected would optimize IDS, the influencer's button presses initiated sampling epochs after randomly determined variable delays. In this condition (the multiple-seeds condition), the precise times of occurrence of the button presses were crucial in determining the delay periods, since the button presses selected the clock values that served as the different seeds for the pseudorandom algorithm that generated the values of the delays. Thus, button presses actually could be efficacious in determining sampling scheduling. In the contrast condition (the single-seed condition), all random delay periods were determined by the first of the influencer's 12 button presses. The computer's clock value at the time of this first button press seeded the pseudorandom algorithm once and only once, and all other button presses 'fetched' their random delays from the already determined outcome of that first seeding."

[248] Each subject had both a single-seed and a multiple-seeds trial on a double-blind basis.

[249] "For each session, a total score was calculated for all 12 recording epochs (6 calm-aim and 6 activate-aim). This total score was divided into the sum of the mean electrodermal activity scores for the 6 calm-aim epochs; the process was repeated for the activate-aim epochs. In the absence of a psi effect, these two ratios [C/(A+C), A/(A+C)] should approximate 50%. A psi effect would be evidenced by a set of calm-aim percentage scores that were significantly lower than 50%.

"Since our prior research has indicated that the percentage scores in these bio-PK experiments do not depart significantly from a normal distribution, we tested the single-seed versus multiple seeds within-subjects contrast by means of a matched t-test. The difference between these two conditions was not significant (t = 1.75, 31 df, p < 0.08, two-tailed)."

[250] "The presence of a psi effect in the single-seed condition was assessed by means of a single-mean t-test in which the 32 calm-aim percentage scores were compared to MCE = 50%. There was a significant psi-hitting effect in this condition (X = 42.62%, s.d. = 19.20, t = 2.14, 31 df, p = 0.019, one-tailed)."

[251] "In each experiment, the primary method of analysis involved a comparison of the proportion of electrodermal activity which occurred during the imagery influence epochs of a session with the proportion expected on the basis of chance alone, i.e., 0.50. chi-square goodness of fit tests indicated that the distribution of obtained session scores did not differ significantly from a normal distribution; therefore, parametric statistical tests were used for their evaluation. Single-mean *t* tests were used to compare the obtained session scores with an expected mean of 0.50 . . .

"For experiments (such as 5 and 13) in which significant differences obtained between different subconditions and/or in cases in which a priori decision had been made to evaluate certain groups separately, scores are presented for each subcondition; otherwise, scores of subconditions are combined and presented for the experiment as a whole. The number of sessions contributing to each experiment varied from 10 to 40. The single-mean *t* tests produced independently significant evidence for the transpersonal imagery effect (i.e. an associated *p* of 0.05 or less) in six of the possible 15 cases, yielding an experimental success rate of 40 percent. The experimental success rate expected on the basis of chance alone is, of course, 5 percent.

"Results for the 13 experiments are presented in another form in Figure 3 [a bar graph of overall *z* scores and effect sizes]. For this presentation, we calculated *z* scores and effect size scores for the overall results of each experiment. The *z* scores were calculated according to the Stouffere method . . . (Rosenthal 1984) which involves converting the studies' obtained *p* values into *z* scores, summing these *z* scores, and dividing by the square root of the number of studies being combined; the result is itself a *z* score that can be evaluated by means of an associated *p* value. For Figure 3, this method was used to provide an overall or combined *z* score for each of the 13 experiments, for ease of graphical protrayal. The effect sizes shown in Figure 3 are 'Cohen d' measures which are recommended by those interested in meta-analyses of scientific experiments (Cohen 1969; Glass, McGaw, & Smith 1981; Rosenthal 1984); the effect sizes were calculated according to the formula $d = t \times$ *(square root of 1/n)*. These effect sizes varied from -0.24 to 0.97, with a mean $d = 0.29$, and compare favorably with effect sizes typically found in traditional behavioral research.

"A global analysis of the 13 experiments is presented in Table 2 [of the original article]. There were 15 assessments of the transpersonal imagery effect. Contributing to those assessments were 323 sessions conducted with 271 different subjects, 62 influencers, and 4 experimenters. Six of the 15 assessments (40 percent) were independently significant statistically ($p < .05$); this is to be compared with the 5 percent experimental success rate expected by chance. Fifty-seven percent of the *sessions* were successful (i.e. these were sessions in which the influence imagery epochs accounted for more than 50 percent of the subject's electrodermal activity during activation attempts and less than 50 percent of the total activity during calming attempts); this is to be compared with the 50 percent session success rate to be expected on the basis of chance. The overall mean magnitude of the TIE for all experiments differed from chance expectation by 3.73 percent; when only the six independently significant experiments are considered, the obtained mean TIE had a magnitude of 8.33 percent. The two most important entries of Table 2 are the combined *z* score (for the experimental series as a whole, calculated according to the Stouffer method) and the mean effect size (Cohen's d, for the entire series). The overall *z* is 4.08 and has an asociated $p = .000023$; the average effect size for all 13 experimenta is 0.29."

[252] A percentage score index, per Braud's methods described previously, was used, analyzed with a *t*-test, one-tailed; also with Wilcox on matched-pairs signed ranks test.

[253] per Menvielle/Berthelier.

[254] More on geo-biological effects in Volume II, Chapter 4.

[255] Braud (1993) points out that there are parallel studies in parapsychology where physiological measures were studied as indicators of psi responses: plethysmography— Dean 1962; EEG and GSR—Tart 1963; EEG—Lloyd 1973; Targ/Puthoff 1974. For reviews of these studies see Beloff 1974; Millar 1979; Morris 1977; Tart 1963.

[256] **Changes in electrical potentials in plants caused by mental influences** are mentiond in Volume I, Chapter 3.

[257] See Quinn earlier in this chapter; Pleass/ Dey later in this chapter.

[258] *Z scores greater than 3.14, which were calculated as the score required for a .05 confidence level.*

[259] *Z peak scores, respectively, 3.53; 2.887*

[260] *peak Z = -3.429*

[261] ". . . recording was done using the J & J I-330 system with the four EMG M-501 modules set in the 'wide filter' (25-1001 Hz) mode. In addition, two Thermal T-601 modules to measure head and hand temperature, one Plethysmograph P-401 module to monitor heart rate, and a Novometrix Capnometer (Model 1250) fed in through an Isolation Amplifier I-801) to measure end tidal CO_2. . . ."

[262] C4, T6, L3 three paraspinal points: neck, mid-chest and lumbosacral.

[263] ANOVA: TT vs baseline - hand temp. (F = 12.13; df = 1; p < .006), cervical EMG (F = 10.31; df = 1; p < .009), T6 EMG (F = 13.49; df = 1; p < .004), L3 EMG (F = 4.74; df = 1, p < .05).

MTT vs baseline - C4 EMG ($F = 6.20$; $df = 1$; $p < .03$); L3 EMG ($F = 5.62$; $df = 1$; $p < .04$). Significant sequence effects were noted on some variables.

MTT minus baseline vs TT minus baseline - Significant effects for C4 EMG ($F = 9.39$; $df = 1$; $p < .01$); T6 EMG ($F = 10.37$; $df = 1$; $p < .009$); L3EMG ($f = 6.02$; $df = 1$; $p < .03$).

[264] The EMG recording dropped from 7.5 to 3.6.

[265] The EMG recording dropped from 56.8 to 39.9.

[266] Measurements were made with a J&J Model I-330 EMG system and a P401 pulse plethysmograph.

[267] A Latin Square Crossover Design was used and the data analyzed (Stastica, V 3.0 Software) with a five way ANOVA. "The between measure entailed the SEQUENCE effect. The repeated measures were PRAYER CONDITION (2), PERIOD (3), TIME (5), MUSCLE GROUP (4), or ANS SYSTEM (4)." Muscle activity and ANS activity were analyzed separately.

[269] Stastica, V 3.0 Software, "five-way MANOVA with repeated measures and a fixed effects model" for the Latin Square Crossover Design.

"The first level of analysis considered the crossover design for the sEMG data. Significant MAIN EFFECTS were found for PERIOD ($F(3,38) = 4.45$, $p < .018$) and MUSCLE GROUP ($F(3,57) = 14.76$, $p < .0000$. . . ."

"The data also indicated a PERIOD X TIME interaction effect ($F(8,152) = 2.50$, $p < .01$). . . ." While the muscle activity was stable in the baseline periods, signficant decreases in sEMG activity followed in the second periods, remaining lower in the third period. "A significant PRAYER X PERIOD X MUSCLE SITE interaction ($F(6,114) = 3.70$, $p < .002$) reflected decreases in the T6 ($p < .0002$) and L3 ($p < .001$) sites."

Autonomic changes in the four measures varied in magnitude and directionality, making it difficult to interpret their significance.

[269] See S. Yang et al. for a Chinese study of external qi on electromyographic measurements of muscle tension.

[270] "Hierarchical regression analysis with post-hoc specific means comparisons . . . ."

[271] See Ferguson, above, on the **SETTS test.**

[272] "Chi-square analysis of relaxation response and time of TT intervention revealed residuals of + or - 2.5, Pearson's Chi-square at 7.3 and a small observed significance level . . . A one-way analysis of variance . . . showed a significant difference between groups ($F = 9$, $p = 0.240$)."

[273] ANOVA

*The reader might wish to explore this with the cooperation of another person. (Common sense cautions us not to strain weak or painful muscles in doing such exercises.) Hold your arm straight out to your side from your shoulder. Let your friend press down at the count of three on your wrist with two fingers of her or his hand to test your normal strength. Then think of some food which you have cravings for and let your friend test your strength again, noting any differences from your baseline strength. This is taken as an indication of whether that food is good for you or not. A weak response often suggests a "no."

[274] The arm held straight to the side is commonly used as the "dial" for the "truth meter." If you ask another person to hold their arm out, at the count of three you should then press down on their wrist to check their normal muscle strength. The aim is not to push so hard that one completely overcomes their strength, but just to have a sense of how strong their hold is. Then ask them to picture themselves eating white sugar, drinking alcohol, smoking, being sad, or anything else which may be a negative experience for them. When they indicate they have the image clear in their mind, again on the count of three press down on their arm. If the thing they image is a negative experience for them then their arm will usually be markedly weaker. Next, have them image to themselves that they are eating something which is healthy for them, engaged in an enjoyable experience, etc. Testing their arm this time should produce a stronger resistance.

More on **kinesiology** in Volume II, Chapter 2.

[275] Sancier 1991, *American Journal of Acupuncture,* 1991; reprinted with permission.

[276] Two-way ANOVA; confirmed by a Duncan's New Multiple Range Test.

[277] See more on **muscle testing for effects of qigong healing** in Omura cited in Sancier 1991, reviewed in Volume I, Chapter 5.

[278] **Estebany** is described in Volume I, Chapter 1.

[279] Summarizes Grad 1963; 1964; 1964b.

[280] ANOVA

[281] Two-way ANOVA plus Bartlett's test for homogeneity of variances.

[282] See also the effects of qigong healing on enhancing recovery from bone fractures and brain injuries in animals, listed at the end of this section.

[283] More on **vehicles for healing** in Volume IV, Chapter 3; See also Estebany in Volume I, Chapter 1.

[284] Statistical procedures not specified

[285] Effects of **healer-treated water on plants** are described below. **Vehicles for healing** are reviewed in Volume IV, Chapter 3.

[286] Hemoglobin, red and white blood count, the enzymes lactate dhydrogenase and gamma-glutamyltransferase, total protein, cathepsin-D, electrophoreses, and serum amyloid A.

[287] Hemoglobin, gamma-GT, and LDH

[288] ANOVA

[289] See Volume II, Chapter 1 for more on **experimenter effects**.

[290] **Sheep/goat effects** are discussed in Volume I, Chapter 3.

[291] One-way ANOVA; "The sheep-goat factor was not evaluated because of a heterogeneity of variances between the handled groups."

[292] See more on **vehicles for healing** in Volume IV, Chapter 3; Grad's study of healer-treated cotton for preventing goiter, and studies of water treated by healers that enhanced plant growth.

[293] **Time displacement of psi effects** is discussed in Volume I, Chapter 3.

[294] Mann-Whitney Test

[295] See also D. L. Zhang et al. for external qigong healing effects on immune system suppressed mice; R. Wu et al. for external qigong healing effects on subcellular elements in rats.

[296] Cell line Reuber H35, cultured in the experimental laboratory, 0.5 cc with concentration of 30 x 10^6 cells per ml. injected in each animal.

[297] Each animal received 0.5 ml. of a standard suspension, per procedures of Snel/van der Sijde 1988-1989.

[298] Kruskal-Wallis $H = 0.17$

[299] A few congenital anomalies, such as missing kidneys, were found in some animals.

[300] $X^2 = 8.87$

[301] MW-U = 7

[302] MW-U = 18

[303] It is unfortunate that the study of Collipp on healing for leukemia, reviewed earlier in this chapter, is such a poor one.

[304] See also light discussion of Knowles 1959 on possible healing influences on growth rates in rats.

[305] $t = 6.26$, $df = 69$

[306] "Specimens for light microscope study were fixed with 10% neutral formalin, decalicified with 75% EDTA, dehydrated with graded series alcohol, embedded with paraffin. Then the specimens were cut into slices of 8 mm thickness along vertical axis of radius, strained with E.E. and studied by a light microscope."

[307] "The result of quantitative analysis showed that the volume density of myofibrils of the injured muscle in the emitted qi group was 2.45%, and that in the control group was 20.41%."

[308] See the study of Collipp, earlier in this chapter, as an example of this problem.

[309] Translated abstract.

[310] Frans Snel, whose studies are reviewed earlier in this chapter, observes: " . . . the report does not suggest a careful handling of the material: her preparations suffered from infections which have an influence on the tumor growth, and she used an unreliable method for measuring tumors." He does not elaborate on these criticisms.

[311] See conference summaries of **qigong healing** in the Qigong Database of Sancier.

[312] **Psychoneuroimmunology (PNI) and other aspects of self-healing** are discussed in Volume II, Chapter 1.

[313] See also the studies of **action of healing on cells in the laboratory**, later in this chapter.

[314] See also the work of Julie Motz, on **healing given during surgery**, described in Volume I, Chapter 1. Healing given during surgery appears to open people to very deep awarenesses of old hurts which may be stored as memories in body tissues. See more on body-mind memories in Volume II, Chapters 1 and 2.

[315] Swiss-Webster

[316] $CR = 4.77$; $p < .001$; $X^2 = 43.90$; $df = 10$; $p < .01$.

[317] A "hit" is a sucessful wakening of the E mouse more quickly than the C mouse.

[318] $CR = 4.94$; $p < .01$; $X^2 = 30.63$; $df = 7$; $p < .01$.

[319] See full discussion on **negative effects of healing** in Volume IV, Chapter 3.

[320] t-test and CR

[321] Statistical tests are not described

[322] See also Cahn and Muscle's experiment on an enzyme, described in a later section of this chapter, in which a linger effect was suggested.

[323] $t = 3.74$, $df = 95$

[324] $t = 4.69$

[325] ANOVA

[326] $t = 1.84$, $DF = 63$

[327] Watkins 1979 also describes **effects of healing on photographic film** placed under mice during the healing experiments with anesthesia. See discussion on photographic effects of healing; in Volume I, Chapter 3; Volume II, Chapter 3; Volume IV, Chapter 3.

[328] *CR*s and *t* tests, respectively.

[329] 33 hits, 24 misses; $CR = 1.06$ (n.s.); $t(56) = 2.30$, $p < .05$, two-tailed

[330] 21 hits, 35 misses; $CR = -1.74$; $p < .08$, two-tailed

[331] Recently developed anesthetic agents allow people to waken very rapidly. This may lessen the need for healing to deal with side effects of anesthesia.

[332] See more **Chinese studies of healing for cancer in mice**: X. Chen et al.; L. Li et al.; Yang/Guan.

[333] Summarizes Grad 1963; 1964a; 1964b.

[334] Summarizes also Grad 1964a; b; 1963; 1961.

[335] Grad 1963 clarifies: " . . . *t* tests were conducted to assess the statistical significance of differences in the height and yield of plants between the treated and control groups. In the case of the number of plants per pot, *t* tests were conducted by converting the counts to percentages of the total number of seeds per pot, and converting the percentages to angles by using the formula: angle = arc sin x square root of percentage, as described by Snededor."

[336] For more on **vehicles for healing** see Volume I, Chapter 3 and Volume IV, Chapter 3. Preventive uses of healing are suggested by Edwards; Turner discussed in in Chapter 5.

[337] "The number of plants was a set of nonparametric values, so the Mann-Whitney U Test was applied. Two-tailed t-tests were used to analyze the total and mean heights."

[338] **Dessication produced by healing** is reviewed in Volume IV, Chapter 3

[339] Student's *t* test

[340] Presumably student's *t* test as in previous experiment

[341] See Volume I, Chapter 1 for representative examples of **healing practices**, and Volume I, Chapter 5 for a very modest discussion on **shamanic practices**.

[342] "Procedure 1: Kruskal-Wallis $H2 = 3.73$ (p > .05, Critical $H = 5.99$); Procedure 2: $H2 = .38$; Procedure 3: $H2 = .75$"

[343] ". . . on the order of tens of picoamps and current densities in the range of 0.01 to $1A/m^2$ (Singer/Nicholson 1972)."

[344] See studies of Grad and of Wallack in this section.

[345] Measured with a FLUKE Model 8020B Multimeter.

[346] $z = 2.24$

[347] $z = 2.04$

[348] This study is reviewed only because it has been cited by many other reviewers.

[349] $t = 2.39$, $df\ 36$

[350] Radicles: Allowing for Yate's correction, $X^2 = 6.26$; $df = 1$; p < .02
Plumials: $X^2 = 6.13$; $df = 1$; p < .02.

[351] Mean height, 2-way ANOVA on days 12 and 15 (.02 < p < .05)

[352] Sometimes also called "black thumb."

[353] See brief summary of Loehr's work and views in Chapter 5

[354] See discussion on **dowsing and radionics** in Volume II, Chapter 3. Dowsing is the use of instruments such as rods or pendulums to find answers to questions that are held in focus in the dowser's mind. Clasisically, dowsers have helped to locate the best place for digging wells for water and oil. The dowsing instrument appears to work as a dial or feedback device for the unconscious mind of the dowser.

Dowsers in Britain may help public utilities companies to locate buried pipes and wires for which the maps are unavailable. Dowsing has also been used in wartime to locate landmines.

[356] While the studies following the plant research table are given ranks for research rigor, they are so distictly different from the usual controlled study that they have not been included in the table.

[357] Studies of **healing action on enzymes** are described later in this chapter.

[358] 08:00-08.30, 10:00-10:30, 12:00-12:30, 14:00-14:30, and 16:00-16:30

[359] Japanese indica rice (*Oryza sativa L.* subsp. *indica*)

[360] K. Cohen; Thie

[361] Shubentsov, reviewed in Volume I, Chapter 1.

[362] Tradescantic paludosa micronuclear

[363] Luther Burbank—in *Yogananda*; Benor 1988; Dolin—in *May/Vilenskaya*; Edge 1976; Horowitz et al.; Kmetz; Ostrander/Schroeder; van Gelder (Kunz); L. Vogel 1974; Watson 1975.

[364] See discussion on **psychokinesis** in Volume I, Chapter 3.

[365] Richmond reports his statistical analyses in the form of Critical Ratios which appear to be in the range of high significance (over 7) but does not provide sufficient data to allow independent derivation of probability levels.

[366] Double-differencing

[367] **Factors that may influence healing** are summarized and discussed in Volume IV, Chapter 3.

[368] $X^2 = 6.05$

[369] sum of X^2 for each run $= 19.4$, $df = 4$

[370] Bechterev; Braud 1979; Duval; Etra; Gruber; Nash/Nash 1980; Osis 1952

[371] e.g. Turner Aug. 1969; 1970 (reviewed in Chapter 5); Shine

[372] "Tests of *td* for 60 dependent pairs were performed between the sum of the growth in the subject's three tubes for one treatment, i.e. promoted, control or inhibited, and the sum of the growth in the subject's three tubes for another treatment. The results with 59 *df* are as follows: *td* between promoted and controls $= 1.775$ with one-tailed $p < .05$; *td* between promoted and inhibited $= 1.784$ with one-tailed $p < .05$.

Post hoc correlations between the three treatments for the 60 subjects yielded the following results with 59 *df*: *r* between promoted and inhibited tubes $= -.73$ with two-tailed $p < .001$, *r* between promoted and control tubes $= -.41$ with two-tailed $p < .005$, *r* between inhibited and control tubes $= -.33$ with two-tailed $p < .02$.

Post hoc analysis of the intersubject variance (Table 1) [in original article] indicated a greater variance between the three treatments than within them: $F = 3.56$, $df = 2/177$, and two-tailed $p < .05$. Post hoc analysis of intersubject variance also yielded the following results: F between promoted and control tubes $= 1.89$, $df = 59/59$, and two-tailed $p < .02$; F between inhibited and control tubes $= 1.89$; $df = 59/59$, and two-tailed $p < .03$."

[373] Olga Worrall's healing is described in Volume I, Chapter 1.

[374] For more on bacterial mutation see also studies of Nash/ Nash, reviewed in this chapter; J. Gu et al.

[375] Microorganisms are used to manufacture antibiotics. Other studies showed effects of healing upon several such strains of bacteria: L. Feng 1983; Z. Liu et al. 1993b.

[376] Stanford's conformance theory states that PK is more likely to be effective when acting upon a randomly distributed system. Healing would appear to be PK acting upon living systems, which have many physiological functions that are enormously complex or random (distribution of chemicals through the body; firing of nerve impulses, distribution of genes between chromosomes during cell division; and more). More on Conformance theory in Volume I, Chapter 3. Conformance theory was also relevant to the studies of Braud and colleagues on allobiofeedmack, discussed earlier in this chapter.

[377] Two-tailed *t*- test for differences between dependent pairs.

[378] On bacterial growth see also Nash/Nash, earlier in this chapter; Liu et al., on bacterial mutation with qigong healing, reviewed later in this chapter; Gu/Wang/Wu et al. 1990; on fungal mutations Gu/Pan/Wu 199.

[379] "[B]y chance alone one would expect half of the 36 trials which showed a difference between experimental trials and control trials to be hits and half to be misses. The deviation is +15, which yields a CR of 5.00 with an associated p < .001 . . . 151 [dishes] showed less growth . . . a CR of 7.76 with p < .001."

[380] Two-tailed

[381] "This yielded a *t* = 639 and an N = 74 . . . Z = 4.03 . . . two-tailed."

[382] Two-tailed

[383] See review of Solfvin's study on malarial mice later this chapter.

[384] **Proxy agents for healing** are discussed in Volume IV, Chapter 3.

[385] Wilcoxon Signed-Ranks Test; z-scores for combined 12 sessions = 2.39, two-tailed

[386] z = 3.80, two-tailed

[387] See Snel review in this chapter for a much better report on a similar study.

[388] **Sheep/goat effects** are discussed in Volume I, Chapter 3.

[389] One-tailed test

[390] On **external qigong healing effects on fungal growth** see Gu/Pan/Wu; on mutations: Gu/Ding/Wu; Gu/Wang/Wu. For more on residual or linger effects of healing, see studies on anesthetized mice, reviewed above.

[391] See also Grad, 1967 on the effects on plant growth of saline held by depressed people, reviewed above.

[392] Yuri Linnik, Anatoly Shimansky, Alexander Sh., David Flaks, Savely Zhukoborsky, Lyubov Zhukoborskaya.

[393] See Volume II, Chapter 3 on Gurvich's work on **mitogenetic radiations**.

[394] The first two are also of interest in terms of telepathic controls over animal mobility though they are not directly relevant to healing.

[395] "In all experiments, with the exception of Experiment 4, the living target systems were successfully influenced."

[396] Haemolysis is the rupture of the cell membrane of a red blood cell. This spelling is British English, as the Journal of Parapsychology is published in the U.K.

[397] "Each of 10 spectroscope tubes was filled with 6.0 ml of a 0.34 percent saline solution at room temperature (20 degrees C) . . . all samples of both blood and saline came from the same "stock solutions" . . . A trial consisted of measurement of percent light transmittance at 540 m.microns . . . through a tube 0 min and five min following the addition to the tube of three drops (measured by a Pasteur pipette) of human blood . . ."

[398] "Mean chance expectation is 50 percent. M.M.'s mean influence sample score was 42.54 percent. A single mean t test comparing the 10 influence scores with mean chance expectation yields $t = 8.70$, df $= 9$, p $= 9.6 \times 10^{-4}$. A two-tail test was used for this experiment since it was the first experiment of its kind that we have conducted, and it was therefore not possible to make a directional prediction."

[399] See also a similar experiment by Kmetz with Kraft, described in Volume I, Chapter 5.

[400] For studies of external qigong on **nasopharyngeal cancer cells and DNA**: X. Chen et al., L. Li et al.; on **erythrocytes and leukemia cells** Yang/Guan.

[401] Student's t-test and nonparametric Mann-Whitney U test)

[402] t-test

[403] Spontaneous effects such as the movement of objects without physical intervention of any agent are called random spontaneous psychokinesis (RSPK). These are discussed in Volume I, Chapter 3.

[404] For studies of external qigong on electrokinetic measurements in Raji cells: Zhang, Mengdan, et al.; and on nerve cells Liu et al.

[405] M. Green in this chapter; Strelkauskas/Quinn in Chapter 5.

[406] These are acupuncture points that are said to project a qigong healer's healing energy.

[407] Other studies from China which explore parts of the immune system that may be influenced by healing; L. Feng 1988, 1990; L. Gu et al. 1988.

[408] See Estebany's healing experiences and views in Volume I, Chapter 1.

[409] "A student's t (paired samples) was derived for each daily run as well as for all of the experiments in each of the three conditions."

[410] Green et al; Rein; Russek et al. See Rein's **theoretical discussion on Non-Hertzian fields** as mediators for healing in Volume IV, Chapter 2.

[411] "Using a marginal sum of products table, an overall differential effect from trial to trial showed up at the 1 percent significance level, although the overall treatment effect is at the 5 percent level."

"Multivariant analysis of variance, which examines the relationship between two measurements, suggests that the interaction between these two neurotransmitter systems is of key importance."

[412] "[U]nivariate analysis of variance according to a split plot design. Individual variances thus isolated include trial to trial variations (T), changes from tube to tube within a given trial (TT), before/after differences (K) and the interaction effect for the treatment over the individual trials (TK). This ANOVA table uses

raw specific activity data for the entire 18 experimental trials. In addition, a one-way ANOVA table was constructed by determining the differences in enzyme activity before and after treatment for both tubes in a given trial. The overall variance calculated in this table for each platelet preparation and for the control series includes trial to trial variations . . . and tube to tube variations within a given trial . . . The ratio of these mean squares gives the F ratio . . . ."

[413] Ammuntel, Philadelphia, PA

[414] "of 50 dB (to 0.1 T), below approximately 1 MHZ. To test for static magnetic field effects, fields of magnitudes from 0.1 to 200 T were applied inside the shield. The spatial orientation of the field, either vertical or horizontal, had no influence on the reported magnetic field effects. Ambient magnetic fields were carefully monitored in all experiments. The daily static magnetic field variations at the experimental site were as follows: 37 1 T vertical and 24 1 T horizontal, resulting in a magnitude of 44 1.4 T, 57° from horizontal. [*Note: 44 T = 0.44 Gaus*]

"[V]ertical DC magnetic fields below ambient, the 0.1-45T range, decreased phosphorylation rate to about 80 percent of control values. In contrast, phosphorylation increased to more than 200 percent of the mean control value when the DC magnetic field was 200 T . . . [A] 10 T change in ambient magnetic field produces about a 10 percent change in phosphorylation vs. control values."

[415] This was comparable to the effects of a static magnetic field of 15 microT on the enzyme.

[416] A mT (micro-Tesla) is equal to a Gauss. Both are measurements of the strength of a magnetic field.

[417] As demonstrated by the studies of Wirth and Cram, reviewed earlier in this chapter.

[418] See Volume IV, Chapter 3 on **sensations during healing**.

[419] For example: H. Liu et al. 1988. Many more in the Qigong Database of Sancier.

[420] A photomultiplier was used during oxidation-reduction reaction (patient's serum = 1 percent solution of pyrogallol buffered with phosphate buffer to pH 7.2 = 1 percent hydrogen peroxide solution).

[421] Except for some viruses, composed of RNA.

[422] Further studies on these methods are included in Volume I, Chapter 5.

[423] Non-parametric tests (not specified by name or details)

[424] See other studies on **healing effects on water** in Volume I, Chapter 3.

[425] Crystal Glass from Planetary Publications, Boulder Creek, CA

[426] See summary of **vehicles for healing** in Volume IV, Chapter 3.

[427] See discussions on EM fields in Volume II, Chapter 3, Volume IV, Chapters 2 and 3.

[428] Solfvin 1984 mentions the following **unpublished manuscripts on healing research** which I have been unable to obtain: S. B. Harary; Heaton.

[429] Note that each study may contain more than one experiment.

[430] Due to limited resources.

[431] Some studies I have placed in the "questionably acceptable" category may belong in the firmly convincing category, the deficiency being that I have not been able to obtain information to satisfy me of this. There are numbers of master's theses and doctoral dissertations that may belong in either of the above categories. I have simply not had the resources to purchase and review these.

The ranking and categorizing in this section may unfairly classify studies with excellent overall designs into a III or IV category, when their problems involved a single confounding variable (such as the failure to account for medications given to subjects in E and C groups). In a similar manner, studies of poorer quality may appear in III due to lack of information about them.

[432] Technical data not reported adequately or some other deficiency which leaves a question in an otherwise well designed study. Even studies with non-significant effects are included here to round out the picture on replications.

[433] This summary includes the better designed and reported studies. It is conservative in that translated studies have not been included in this summary, with the exception of Onetto/Elguin, which is a study done for professional degree at a university. Only single entries have been made for each report, even where more than one experiment has been reported within a study (with a few exceptions in which different parameters were examined in a study, as with Quinn's study of anxiety in which she also reported blood pressure changes.). Where several experiments were covered by one report alone they are not included separately in this table. The less rigorous studies have been included where the replications they present strengthen the possibility that further research appears warranted. Greater details of studies can be found in the text and tables.

[434] Obviously overlapping with the previous item of AIDS.

[435] Distant healing lends itself well to double-blind research design, because it makes it easy for researchers to assure that subjects do not know who received healing, while not requiring a mock treatment for the C group.

[436] **Super-psi effects** are discussed in Volume I, Chapter 3. It has been demonstrated in controlled studies that people can scan the environment with extrasensory perception (ESP) for conditions that are favorable to them, and influence the environment for their advantage. The study of Solfvin on experimenter effects with malarial mice, earlier in this chapter, is an example of how this might work in controlled studies.

[437] Many further theories to explain healing are explored in Volume IV, Chapter II.

[438] Utts (2000), an acknowledged leading expert in the field of statistical analyses of psi research, concurs that super-psi could produce such apparent healing effects in controlled studies.

Endnotes Chapter 5 Further Clues

[1] This chapter is clearly open to **type I errors** (of accepting as true something which is false), but is meant to counterbalance Chapter 4, which is more prone to **type II errors** (of rejecting as false something which is true). See Tunnell for a discussion on the need for field research.

[2] For **anecdotal descriptions of healing** see Volume I, Chapter 1.

[3] Block: Dingwall; Playfair 1987.

[4] See also Vasiliev for a more recent report on telepathic hypnotic inductions.

[5] See Volume II, Chapter 1 on **Hypnosis**.

[6] *Journal of the Statistical Society*, Vol. xxii, p. 355.

[7] There are no Western controlled studies of healing for infections. See also C. Chou cited in the bibliography for a study of emitted qi on moniliasis (candida yeast infections)

[8] See discussion of hysterical (conversion) reactions in Volume II, Chapter 1.

[9] Not the same 11 as mentioned above by Dowling. Of West's cases, 9 were from years prior to the founding of the IMC.

[10] See reviews of **Lourdes and other shrine cases** also in Agnellet; Carrel; Fulda; Garner; F. Huxley; Lafitte; Lange; Larcher; Leuret/Bon; McClure; Myers/ Myers; Sheldon; Swan; West 1948. See Thornton for Catholic shrines in the USA and Canada. For a further discussion of Lourdes cases, see Volume III, Chapter 8; Leuret/Bon; Fulda for a detailed description of a single case. For related cases at other shrines see Lange; McClure. Various *geographic locations are said to possess particular powers*. See for instance Westwood for a review of these; also Geobiological effects in Volume II, Chapter 4.

[11] These measurements show changes similar to those brought about in water by healers. Research on healing with water as a vehicle is summarized in Volume I, Chapters 2; 4; 5.

[12] See discussions of psi effects transcending time and space in Volume I, Chapters 3, 4; Volume IV, Chapter 3, and healing effects in Volume IV, Chapter 3.

[13] A more detailed report on this project, by the same author, has appeared in German in two parts in the *Zeitschrift fur Parapsychologie und Grenzgebiete der Psychologie* ('Zur Frage der 'Geistigen Heilung,'' Vol. II, No. 1; Vol IV, No. 1).

[14] **Biofeedback** and **psychoneuroimmunology (PNI)** are discussed in Volume II, Chapter 1.

[15] Shortened form (SF-36)

[16] Paired T-test, two-tailed

[17] Taken from Dissertation Abstracts International

[18] See the study of Ferguson on the **SETTS test**, earlier in this chapter.

[19] t -test for paired samples. The lack of a figure after the ".000" indicates the

probability was less than one in a thousand.

[20] State anxiety in pre- and post- conditions were significantly correlated. Schuzman calculated the decreased state anxiety through "a partialled regressed score through a multiple regression technique. . . [which] showed that T-anxiety independently accounted for 7% of the reduction in S-anxiety."

[21] G. Davis - CPEI

[22] One-tailed *t*-test, repeated measures ANOVA. "The Tukey's HSD indicated a significant pairwise difference before and after all four HT sessions (p < .01)."

[23] ANOVA. The brief abstract does not specify whether the statistical analyses relate to the comparison of pre- vs. immediately post-TT or vs. one-hour post-TT measurements.

[24] See also the study of Dixon, earlier in this chapter, on anxiety and depression. Dixon's findings are included in the table for anxiety and depression at the end of this section.

[25] See more on **South American healers** in Volume III, Chapter 7 and 8.

[26] On **mediumistic channeling** see Volume III, Chapter 5.

[27] See summary of **vehicles for healing** in Volume IV, Chapter 3

[28] See report of this magnetic field observation in Volume I, Chapter 2.

[29] See Rein's **theoretical discussion on non-Hertzian fields** as mediators for healing in Volume IV, Chapter 2.

[30] **Spindrift**'s work with plants is summarized later in this chapter.

[31] See more on **vehicles for healing** in Volume IV, Chapter 3.

[32] See discussion of **extraneous factors which may influence healing and psi effects** in Volume IV, Chapter 3 and Tables IV-9 and IV-10.

[33] On **geobiological effects on healing and biological energy phenomena** see Volume II, Chapter 4; Volume IV, Chapter 3.

[34] Rose 1955 briefly outlines some of this same material.

[35] See examples of **Edward's** writing in this chapter and Volume I, Chapter 1.

[36] See discussion in Volume IV, Chapter 3 on **reasons healing has not been accepted**.

[37] See discussion on **spontaneous remissions** in Everson/Cole; O'Reagan/ Hirschberg, reviewed in Volume II, Chapter 1.

[38] The standards for medical doctors' practice are separately determined by each state. Most state laws require that doctors practice according to the current prevailing standards. This can restrict doctors from using innovative techniques or methods that are not in common use by the medical profession. Doctors have been severely censured and even prosecuted for using such methods.

[39] High sedimentation rates, mild anemia, albumin with red and white blood cell casts in the urine

[40] See also Everson and Cole in Volume II, Chapter 1 on spontaneous remissions.

[41] Glioma

[42] Hypernephroma

[43] Schmeidler/Hess review Casdorph's work and add support to its credibility.

[44] **Psychic surgery** is described in Volume II, Chapter 7.

[45] Bartrop et al., Cyton; Schleifer et al.

[46] **1.** lymphocyte subset composition as determined by cytofluorographic analysis; **2.** responsiveness toward foreign cells as shown by mixed lymphocyte reactivity (MLC) and cell-mediated toxicity (CML);

3. lymphocyte stimulation using phytohemagglutinin (PHA), concanavalin A (Con A), and pikeweed mitogen (PWM) [antibody reactions]; and **4.** natural killer cell (NK) assays.

[47] See discussion on **self healing** in Volume II, Chapter 1; Roud for a number of similar experiences: LeShan 1989.

[48] The absence of skin temperature change despite strong sensations of heat during healing has been a consistent finding with most researchers.

[49] More on **sensations during healing** in Volume IV, Chapter 3.

[50] This case is also reported in Moss 1979 in slightly greater detail.

[51] **Kirlian photography** is discussed in Volume II, Chapter 2.

[52] See much more on **spiritual awareness and spiritual healing** in Volume III.

[53] This observation is credited to the healer **Estebany**, who describes his work in Volume I, Chapter 1.

[54] For more on TT see also Boguswski; Borelli/Heidt; Krieger 1979b; 1981; 1987; 1997; Miller; Quinn 1988; 1989; Randolph 1984; Raucheisen; Rownds; Witt; Wright.

[55] e.g. Blundell; Cade/Coxhead, reviewed in Volume IV, Chapter 3.

[56] Other references which examine healing with some semblance of scientific approach include: Anonymous 1887; 1895; Davitashvili 1983; Dresser; Elliotson; Ferda; Goodrich 1976; Haynes 1977a; b; Herbert 1970 (too brief to be very helpful); 1979; Holzer 1974b; 1979; Ilieva-Even; Krippner 1973; MacRobert 1955; Rond; Vu. Some brief abstracts on healing: *Parapsychology Abstracts International* 1987, 5(2), nos. 2477-8; 2481-5 from the Polish *Psychotronika*

[57] See Kashiwasake; Kawan et al., listed in bibliography, for further studies of emitted qi on electroencephalograms.

[58] See more on infrasonic sound effects on EEGs in the report of Peng and Liu in Volume I, Chapter 4, and L. Guolong et al.

[59] "The ABER was significantly facilitated and the peak latency prolonged in 10 out of 12 cases when the emitted qi was applied to the cats. The component of ABER consisted of 5-7 waves which reflected the activities of the brainstem in different levels. Wave I originated from the acoustic nerve, Wave II from the cochlear nucleus of the medulla, Wave III from the superior olivary complex of the pons, Wave IV from the inferior colliculus of the mesencephalon, Wave V from the counterlateral inferior colliculus, and Waves VI and VII from the levels

above the mesencephalon, or mainly from the hypothalamus in cats. The emitted qi could facilitate the IVth to VIIth waves of the ABER and prolonged the peak latency. It proved that the activities of the brainstem, especially the part above the mesencephalon, were increased but the conductive velocity between the nuclii of the brainstem was decreased.

The amplitude of the ABER was significantly inhibited and the peak latency prolonged from Wave IV to Wave VI in 2 out of 12 cases when emitted qi was applied to the cats. It indicated that the effects of the emitted qi not only facilitated but also inhibited the activities of the brainstem above the mesencephalon. It explains the fact that the emitted qi may regulate the activities of the internal organs through changing the functional behavior of the brainstem.

The emitted qi facilitated the MLR in 6 cases and inhibited MLR in another 6 cases. The MLR is the primary component of the acoustic cortical evoked responses, indicating the active level of the primary acoustic cortex. The emitted qi is similar to ABER but not all the same."

[60] "Under the influence of the emitted qi the fibroblast could be transformed into osteocytes directly in the region of uniting callus and both of the chondrocytes and fibroblasts were capable of forming bone tissues. These phenomena were not seen in the control group. The emitted qi promoted differentiation of osteogenesis transformed into osteoblasts, which had an inseparable and multi-layer arrangement, while the osteoblast in the control had a sparse and monolayer arrangement. In the emitted qi group, the number of the osteoclasts appeared to increase relative in the process of both absorption of necrotic bone in the early stage of fracture and bony callus remodeling of the later stage. So the obsorption of necrotic bone and reconnection of marrow cavity were both quicker."

[61] See also studies of Wirth/Cram on human muscle fatigue in Volume I, Chapter 4.

[62] See also the review of Turner's report of **preventive healing**, later in this chapter.

[63] We often give more attention to the weeds in our gardens than to the flowers.

[64] In the Doctor-Healer Network in England there are regular meetings of healers, doctors, nurses, and other involved therapists, discussions focus on healees, methods and theoretical issues. For several years I published a newsletter summarizing some of the observations which came from these meetings on integrated care. Several groups of doctors involved with healing are starting to meet now in the US.

[65] Not to be confused with Herbert Benson at Harvard.

[66] Agpaoa (in Stelter; Motoyama); Hochenegg (in Playfair 1988); Kraft (also in MacDonald, et al.); Krivorotov (in Adamenko 1970). See discussions in Volume I, Chapters 3; Volume II, Chapter 3; Volume IV, Chapter 3.

[67] See review of Turner's views and experiences in Volume I, Chapter 1.

[68] Eisenbud 1967; Eisenbud/Stillings; Fukurai. Thoughtography is discussed in Volume I, Chapter 3; Volume IV, Chapter 3.

[69] e.g. Hochenegg, in Playfair 1988. Hochenegg's attraction of plant leaves visually suggests an electrostatic effect, as when an electrostatically charged rod attracts bits of paper. Hochenegg is known for strong electrical effects, such as lighting fluorescent bulbs with his hands. This appears to be different from the effect on flowers described by Turner.

[70] See further descriptions of the work and views of **Gordon Turner** in Volume I, Chapter 1; (also brief mention in III-5)

[71] See more on **muscle testing** as a measure of states of physical and mental health under **Applied Kinesiology** in Volume II, Chapter 2.

[72] **Acupuncture** is discussed in Volume II, Chapter 2.

[73] See Estebany, Krieger, Volume I, Chapter 1; Grad, Saklani, and detailed discussion in Volume IV, Chapter 3.

[74] American name: Laura V. Faith

[75] See also B. Brennan 1987; 1993; Pierrakos 1987 for similar methods of learning aura perception.

[76] See **risks vs benefits of healing** in the end of this chapter; **negative effects of healing** in Volume IV, Chapter 3; Dossey 1993.

[77] Then named Roberton.

[78] More on **aura diagnosis** in Volume II, Chapter 2; on **biological energy fields** in Volume II, Chapter 3; IV-3; and on **the nature of reality and how we shape it** in Volumes III and IV.

[79] Yin and yang may be far more accurate ways of acknowledging the space between the notes, wherein realities are created every moment by each of us.

[80] The reader might wish to do a simple experiment: Fill three pie tins or shallow bowls of equal size with equal amounts of potting soil from the same source. Number each one clearly with a label or marker. Sort out corn seeds of equal size from the same seed packet. Place an equal number of seeds in the soil of each container, being careful to position each seed with its pointy end down and flat end up, and to bury each to the same depth. Water each container with the same amount of water every one to three days, depending upon how fast they dry— being certain not to let the containers dry completely. See that each container gets an equal amount of light. Think positive, loving thoughts or project the wish to heal the first container. Ignore the second. Think angry or negative thoughts about the third. (Some prefer to omit the third.) If your healing ability with plants is strong, you should see a noticeable difference between the speed at which seeds germinate and the amount of growth at the end of two weeks.

Results may vary when you give healing at different times of day, and under different phases of the moon.

[81] Solfvin's study is reviewed in Volume I, Chapter 4.

[82] It is a sad footnote to the Spindrift studies (see website) that its two investigators, Bruce and John Klingbeil, both Christian Scientists, found they were ostracized from their church over differences in views over the conduct of research on spiritual matters. At the same time these healing researchers were

terribly frustrated by the lack of interest shown in their work by the scientific community. In despair, they both suicided.

[83] **Worrall's cloud chamber study** is briefly described in Volume I, Chapter 3; Volume IV, Chapter 3.

[84] Further studies on these methods are included in Volume I, Chapter 5.

[85] **The Spindrift studies on intentionality in healing** are summarized earlier in this chapter.

[86] "[I]intentions to unwind the DNA caused a characteristic increase in the amplitude of the absorbence peak at 260nm . . . ."

[87] "One possible explanation is that a physical/chemical alteration in the actual structure of the individual DNA bases (which make up a strand) occurred. Such changes could result in an increased absorption of UV by the DNA causing an additional increase in the absorption peak (260nm). . . . Individuals generating a relatively high ECG coherence ratio could also cause a decrease in the absorption peak (260 nm) of DNA. In this case, the subject's intention was to rewind the DNA back to its intact helical conformation. . ."

[88] **Psychoneuroimmunology (PNI)** is discussed in detail in Volume II, Chapter 1 and Volume II, Chapters 1 and 2

[89] C. Norman Shealy, M.D. is a pioneer in wholistic medical treatments, including intuitive diagnosis and healing. See his studies in Volume I, Chapter 4; Foreword to Volume II.

[90] See discussions on **alternate realities** in LeShan 1974; 1976, reviewed in detail in Volume IV, Chapter 2.

[91] Taken from abstract from University Microfilms International, printed in White, Rhea A.1991.

[92] Goodrich 1973; LeShan 1974a, reviewed in Volume I, Chapter 1; Volume IV, Chapters 2 and 3.

[93] Taken from abstract from University Microfilms International, printed in White, Rhea A.1991.

[94] See description and discussion of my work in Chapter 1.

[95] This is my abbreviated summary of Samarel's discussion.

[96] Moreland based her phenomenological approach on the methodologies originated by Edmund Husserl (1859-1938).

[97] See discussion of **Reiki healing** in *Vol*ume I, Chapter 1 and Volume IV, Chapter 1.

[98] Also called *surrogate* healings

[99] See descriptions of **Philippine psychic surgery** in Volume II, Chapter 7.

[100] Another qualitative study on TT may be of interest to readers (Nebauer). It is not summarized here because it explores the experiences of only one healer and one healee.

[101] More on this under **Shamanism** later in this chapter.

[102] Millar/Snel review several Dutch surveys. I don't include these, as they are second-hand reports and I am unable to read the originals in Dutch.

[103] See discussions of **homeopathy** and **flower essences** in Volume II, Chapter 2.

[104] See discussions of **bodymind therapies** and **somatoemotional releases** in Volume II, Chapters 1 and 2.

[105] On medical errors see also Bates, et al; T. Brennan 2000, Brennan TA, et al; Kohn LT, et al; Leape; Milamed/ Hedley-Whyte; Momas EJ, et al; Peterson/ Brennan; Weiler, et al; and internet citation of J. M. Eisenberg.

[106] For more on unintentional negative effects of healing see Volume IV, Chapter 3.

[107] Technically, a medicine man is defined as a native healer. **Shamans** are **medicine men**, but not all medicine men are shamans. Shamans serve in many other capacities within their culture in addition to their duties as healers, such as in mediating disputes, officiating at religious holidays and rites of passage, etc.

References in related disciplines which deal with **shamanic healing**, and **healing in the context of Western sub-cultures and other cultures**: Achterberg 1985; Arvigo; Atkinson; Ayishi; R. J. Beck; Bhandari et al.; F. Bloomfield; Boshier; Boyd; Calderon; Constantinides; Dieckhofer; Dirksen; Dobkin de Rios 1972; 1984a; b; Eliade (a classic); Fabrega; Raquel Garcia; Raymond Garcia; Garrison; Geisler 1984; 1985; Glick; Golomb; Halifax; Hammerschlag; Harner (a classic); Heinze 1984; 1985 (excellent surveys); Helman; Hiatt; Hill; Hood; Hultkrantz; Humphrey; Joralemon; Kakar; Kaptchuk/ Croucher; Kapur; Katz; Kerewsky-Halpern; S. King; Kleinman (essential to cross-cultural understanding of diagnosis and treatment); Kleinman/Sung; Koss; Krippner 1980b; Krippner/Villoldo; Kuang et al.; Landy; J. Long; M. Long 1976; 1978; Machover; McClain; McClenon; McGaa; McGuire; C. Miller; Morley/ Wallis; Myerhoff; J. Nash; Orsi; Osumi/Ritchie; Oubre; Packer; Peters/Price-Williams; R. Prince 1972; Rauscher 1985; St. Clair 1970; 1974; Sandner; Scharfetter; P. Singer; Singer et al.; Sneck; Sobel; Swan 1986; Takaguchi; Torrey; Peters; Ullrich; Villoldo/Krippner; Webster; Winkelman; M. Young 1976; Zimmels.

Mexican: M. E. Brown; Rubel; Rubel et al.; J. C. Young.

Native American: Farrer; Hand; McGaa; W. Morgan; Morse et al.; Naranjo/ Swentzell; Powers; Reichard 1939; 1950; Topper; Yellowtail; M. Young.

Achterberg and Heinze focus most clearly on spiritual healing. For excellent discussions on factors in the healers' cultures which help to explain their effectiveness see: Gevitz; Harwood; Hufford; Kakar; Kleinman; Lanty; Romanucci-Ross et al.; R. H. Schneider; Servadio (reviewed in Chapter 4); Terrell; Trotter; Unschuld.

[108] An example of etic explorations of healing is presented by Patterson et al., earlier in this chapter.

[109] Achterberg 1985;. Harner 1980; Heinze; Krippner/Villoldo; Villoldo/ Krippner are worthy of special mention.

[110] Dean 1985; Dean/Brame; Miller; Schwartz et al., See reviews in Volume I, Chapter 2. Dean 1985 observed, for instance, that the alterations in **UV spectrum produced by healers in water** was more pronounced when the water container had a greater air space in it. This may have been a fortuitous finding, but may possibly represent a further aspect of healing energy yet to be elucidated. See also Volume II, Chapter 2 on homeopathy; Volume IV, Chapter 3 for a review of healing via water and other *vehicles*.

[111] e.g. Chesi 1980; 1981; Finkler 1985

[112] Berman; Finkler 1985; Kiev 1964; 1968; Kleinman 1980; Phoenix; Servadio

[113] Berman is especially cogent in arguing these points.

GLOSSARY

±—When an average figure is given (e.g. for the systolic blood pressure of people in a study), a figure prefaced with a '±' may be added after the average to show the range that included about 2/3 of the population. This helps us to see how impressive the changes were that occurred as a result of treatment. For instance, if the average systolic blood pressure at the start of a study is 155±10 and after healing it is 147±9 then this is not a very impressive change, because the two averages overlap considerably. Despite this overlap, however, statistical analyses may show that the change is a significant one.

1 x 10^3 — The little '3' in superscript following the '10' indicates that the number 10 is multiplied by itself 3 times - 10 x 10 x 10 = 1000. In other words, this is 1 x 1,000. This abbreviation is helpful when speaking of large numbers, saving the writing by the author and counting by the reader of the numbers of zeros in large numbers. Thus, 1 x 10^9 is a 1 with 9 zeros after it, or one billion.

A—Ampere, a measure of electrical current; mA=milliampere, a thousandth of an ampere; A=micro-ampere,

Abreaction—Emotional release, often occurring in a psychotherapy setting as a part of the uncovering of hurts long-buried in the unconscious mind.

Affect—Emotions.

AK—See *applied kinesiology*.

Akasha—The cosmic light from which all consciousness is said (by Eastern mysticism) to derive. Some healers claim their diagnoses and prescriptions derive from "Akashic" records.

Aliquot—A portion of liquid taken from a sample for measure.

Allopathic— Conventional, Western medical practice.

Ambient—Present in the normal, everyday environment.

Apparition—Ghost; surviving aspect of a person that may be perceived by those still living.

Applied Kinesiology—See *kinesiolgy*.

ASC—Altered state of consciousness.

Ascitic fluid— Fluid that accumulates pathologically in the abdomen, often due to cancer.

ATP—Adenosine triphosphate, an important metabolic enzyme.

Auditory evoked response—EEG response to auditory stimuli.

Aura—Halo of color around objects, especially living things, perceived by psychics and correlated by them with physical, mental, emotional and spiritual states of the individual. It is possible that this perception does not occur through the ordinary visual processes, as some psychics report they can see auras with their eyes closed.

Bioplasma—Plasmas consist of subatomic particles, usually electrons with negative charges and nuclei with positive ones. If individual atoms are raised to very high temperatures they may become ionized. That is, their electrons may be forced away from their nuclei. Many plasmas exist only at high temperatures (e.g. a candle flame; ball lightning; the sun). Other plasmas exist at lower temperatures (e.g. the aurora borealis). *Bioplasma* is hypothesized as a fifth state of matter, consisting of a variety of particles such as free protons and electrons. These ions (charged particles) may coexist without assuming a particular molecular structure. Bioplasma may exist within and around living organisms. It is proposed that it does not require high temperatures as do many other plasmas because of the solid-state properties (e.g. semiconductance) of living organisms.

Blinds—experimental methods that leave the researchers and/or subjects being studied 'blind' to the conditions of the experiment so that they will not be biased in their expectations and thereby possibly influence the results. See Vol. I-Introduction and Vol. II Chapter 2 for full discussion on experimental methods.

BUN (Blood urea nitrogen)—A laboratory measure of kidney function.

Carcinoma—Cancer.

Cerebellum—Part of the brain at the base of the skull that smoothes and coordinates movements. (*Cerebellar* = in the cerebellum)

C group—Control, or comparison group in an experiment, contrasted with the E (experimental) group. (See also *controls.*)

Chakras—Energy centers identified originally by Eastern energy medicine practitioners, often helpful to healers in working on specific areas of healees' bodies. These centers influence the physical body organs adjacent to them.

Chromosomes—Units within genes that are inherited from generation to generation, controlling the growth, development, and ongoing life processes of each cell.

Chronic fatigue syndrome (CFS)—Chronic illness including fatigue, headaches, weakness, multiple allergies, foggy thinking, and other debilitating symptoms. The cause of CFS is unknown. Often associated with *fibromyalgia*.

Clairsentience—The knowing of information about an animate or inanimate object without sensory cues, perceived as visual, auditory, smell, taste, touch, or kinesthetic sensations. (See also *Psychometry.*)

Clairvoyance—The knowing of information about an animate or inanimate object without sensory cues, perceived as visual imagery. (See also *Clairsentience; Psychometry.*)

Colitis—inflammatory disease of the large bowel.

Colonoscopy—Examination of the colon through a long tube inserted in the rectum.

Confound—A factor (other than the factor or factors intended by the researchers to be the focus of a controlled study) that may have influenced the subjects of the study to produce the observed effects. For instance, researchers might be studying effects of a medication on anxiety, but *confounding* effects such as the attention given by the researcher might influence the subjects to relax—confusing or confounding the results.

Controls—In research: Comparison groups receiving either no treatment or a treatment of known effect that is used as a contrast with groups of patients receiving a new treatment of unknown effects, designated the "experimental" group. In mediumistic parlance: Spirit entities that speak through (control the mind of) the medium, usually in a trance state.

Cordotomy—Severing of pathways in the spinal cord, sometimes used to stop perception of chronic, severe pain.

Creatinine—Blood chemistry test reflecting kidney function.

Crohn's disease—ileitis; chronic inflammatory small bowel disease.

Cushing's disease—Obesity of the trunk of the body, hypertension, and other problems due to excessive activity of the adrenal gland.

Cushingoid—Having the appearance of Cushing's disease.

Cytofluorographic—Study of cells through special stains.

Cytoplasm—Contents of a cell around the nucleus.

Demography—Details that characterize a group of people, such as age, sex, etc.

Diastolic—The lower of the pair of numbers used to define blood pressure, reflecting arterial and coronary disease when permanently elevated.

Diastolic blood pressure—The lowest pressure measured for arterial blood.

Distal—Part of the body that is further away from the center of the body. (Opposite to *proximal*.)

DNA—Protein chains that encode genetic information in all living organisms.

Double Blind Study—Research in which neither the treating physician(s) nor the patients know who received active treatment and who received control (or placebo) treatment.

Dowsing—See Radiesthesia and Radionics.

Dysmenorrhea—Pains and other discomforts during menstrual periods.

Dyspenea—Shortness of breath.

E group—Experimental group, contrasted with the C (control) group in experiments.

ECG—Electrocardiogram; an electronic recording of voltages produced by contractions of the heart. (Also spelled EKG)

EDA—Electrodermal activity (see *GSR*).

EEG—See *electroencephalogram.*

Electroencephalogram (EEG)—an electronic recording of voltages between points on the scalp, reflecting in a very rough way some of the electrical activity of the brain, especially at the surface of the cortex. Various wave frequencies have been correlated with different states of consciousness.

EKG—See *ECG.*

EM—Electromagnetic.

Emetic—Drug that causes vomiting.

EMF—Electromagnetic field

EMG—Electromyogram, measuring muscle function, indicating whether certain muscular diseases are present.

Emic—Explanation that acknowledge that peoples from cultures other than our own, behaving in manners that are different from ours, usually have their own legitimate cultural explanations for their beliefs and behaviors. (Contrasted with *etic*)

Emitted qi—See external qi.

Enuresis—Lack of control of urination; at night this is *bedwetting.*

Enzyme—Biological chemical that facilitates and markedly accelerates biochemical reactions, enabling life processes as we know them to succeed.

EOG—Electro-oculogram, recording of eye movements.

Epithelialization—The filling in of a wound with normal tissues as the wound is repaired by the body.

Errors—see Research errors.

Erythema—Redness of skin, usually due to infection or injury.

Erythrocyte—Red blood cell (RBC).

ESPer—see *Sensitive.*

Etic—Explanations based on Western convictions that modern science can provide 'objective' explanations for every phenomena. (Contrasted with *emic)*

Experimenter effect (*Rosenthal effect*)—Subtle suggestion on the part of an experimenter (often unconsciously tendered) that leads the experimental subjects to demonstrate the behaviors the experimenter expects to find.

External qi—Qi (healing energy) emitted by a qigong master. (synonyms: *emitted qi*; *waiqi*)

Extra Sensory Perception (ESP)—The obtaining of information by telepathy, clairsentience, precognition and/or retrocognition, without cues from the "normal" senses (sight, sound, taste, smell, touch, or kinesthesia).

Faraday cage—Cage of wire mesh that excludes electromagnetic radiations.

Fascia—Connective tissues in the body.

Fibroblast—A cell that produces connective tissue for repairing wounds in the body.

Fibromyalgia—Painful muscles, cause unknown, that can be associated with chronic fatigue syndrome.

Frontalis muscle—Forehead muscle.

Ganzfeld—Standard bland visual and auditory stimuli that are commonly imposed on subjects in order to enhance the occurrence of psi phenomena.

Gastric—Stomach.

Gastroscopy—Examination of the stomach through a long tube that is swallowed and passed into the stomach.

Ghost—See *apparition.*

Goats—Non-believers in psi. (Contrasted with *sheep*).

General Practitioner (GP)—British equivalent of a primary care physician.

GSR—Galvanic skin response, an electric measure of resistance, correlating roughly with states of physical and emotional tension (See *EDA*).

Healing—Any systematic, purposeful intervention by a person purporting to help another living thing (person, animal, plant, or other living system or part thereof) to change via the sole process of focused intention or via hand contact or 'passes'. *Type 1 (distant, or absent healing)* is the projection of healing solely through efforts of the mind of the healer to the healee. *Type 2 (touch; near-the-body; or laying-on-of-hands healing)* is the projection of healing through the body of the healer to the healee. This may involve various movements of the hands of the healer around the body.

Hb—See *Hemoglobin*

Hemagglutinin—Antibody that causes clumping (agglutination) of blood cells.

Hematocrit—Numbers of red blood cells that are present in a person's blood stream.

Hemocytometer—instrument for counting cells, usually blood cells.

Hemoglobin—the oxygen-carrying protein in blood cells.

Hemolysis—Bursting of red blood cells, in some experiments induced by placing them in dilute saline solutions. This leads to water entering the cells to the point that they burst.

Hgb—See *hemoglobin*.

Histological/ Histopathologic—Studies of cells and tissues for abnormalities.

Hit—A successful attempt to produce psi effects. Term derived from visual *target* pictures for psi perception in the laboratory. Opposite to *miss*.

Homeostasis—The maintenance of normal, balanced functioning within a healthy range of processes, such as the body maintaining a balance of chemicals in the blood or of temperature that is conducive to normal functioning of the body.

Humerus—The arm bone between the shoulder and elbow.

Hypermetropia—Far-sightedness.

Hypotonic—More dilute than body fluids.

Iatrogenic—Caused by a medical intervention.

Idiopathic—Of unknown origins.

Infarction—Dying tissues due to blood clotting in the arteries that supply those tissues.

Infra-red (IR)—Shorter than red wavelengths, invisible to the naked eye but detectable by other animals and by instrumentation.

Infrasonic sound—Sound waves that are so low that they are inaudible to human ears.

Intraperitoneal—In the abdominal cavity.

Intuitive Data Sorting (IDS)—A person might use psi powers (clarsentience or precognition) in sorting subjects during the assignment of subjects to experimental and control groups, favoring one group with more robust or capable subjects and the other with more fragile, damaged, unskilled, or ill subjects. Thus a person wishing to see positive results who is sorting seeds into batches for healing and control conditions might pick seeds (consciously or unconsciously) that are less likely to germinate or to grow well for the control group and conversely for the healing group.

In vitro—In the laboratory.

In-vivo—In live organisms outside the laboratory.

Ion—Atom with a positive or negative electrical charge.

IR—See *infra-red*.

(Applied) Kinesiology (AK)—Testing of muscle strength to determine allergies and food/medicine sensitives, emotional states, etc.

Kirlian photography—Methods utilizing a small electrical charge (high voltage, low amperage) to produce photographs of objects with an aura of color around them. Used in Eastern European countries extensively for diagnosis of disease states in plants, animals, and humans.

KV—Kilovolt = 1,000 volts.

Laogong point—Acupuncture point on the palm of the hand.

Linger effect—Healing given to healees at a particular location appears sometimes to linger on, influencing beneficially others who are in the same location afterwards.

Lymphedema—Swelling in extremities due to impaired circulation, often following surgery such as radical mastectomy and radiotherapy for cancers.

Lymphocyte—White blood cell, part of the body's immune defense mechanism against disease.

Macrophages—White blood cells that engulf and destroy foreign materials (bacteria, destroyed cellular particles, etc.) in the body.

Manometer—Laboratory instrument for measuring the volume of gas.

Mantra—Words recited repetitively in meditation.

MAO—Monoamine oxidase, an enzyme in the nervous system that participates in communications between nerve cells and that appears to participate in shifts in moods.

Maxilla—The bone that houses the upper teeth.

Medium—Person who channels communications from spirits, often in trance. Some mediums can also produce PK effects and materialize physical likenesses of people who communicate through them.

Medulla oblongata—Deep portion of the brain.

Menière's disease—Attacks of dizziness, vertigo, nausea, and other symptoms of unknown origin, relating to disorders of the middle ear.

Meta-analysis—Statistical analysis of a series of studies in which statistical assessments were made on the results.

Metal bending—See *PKMB*.

Metastatic cancer—Cancer that has spread from its original site to one or more other sites in the body.

Middle Latency Response (MLR)—The primary component of the auditory cortical evoked response in the EEG, indicating activity of the cerebral cortex.

Mind Mirror—EEG with simultaneous displays of right and left cerebral hemisphere electrical activity.

Miss—A failed attempt to produce psi effects. Opposite to *hit*.

Mitochondria—Part of a cell where metabolic functions are regulated and processed.

Mitosis—Cell division. In cancers, mitosis is vastly increased and growth of the tumors is out of control of the body's regulatory mechanisms.

Mitral stenosis—Hardening of the mitral valve of the heart, with narrowing of the passage for blood through this valve.

mm Hg—Millimeters of mercury, units for measurements of blood pressure.

Morbidity—Illness or other negative effects upon health, as in the tiredness following anesthesia and surgery.

MV—Millivolt; thousandth of a volt.

NaCl—Chemical designation for table salt or saline, as in body fluids.

Naloxone—Chemical that neutralizes effects of opiates.

Natural Killer (NK) cells—White blood cells that attack invading organisms in the body.

Necrosis—Dying tissues, as in tumors that are being destroyed by healing or chemotherapy.

Neoplasm—Cancer.

Neurone—Nerve cell.

Neurotransmitter—Chemical that transmits a message between a nerve cell and other nerve cells or different cells.

nm—Nanometer, a billionth of a meter. A measure of the wavelength of light, used in spectrophotometers to identify the chemical composition of a substance.

Nocturia—Urination during sleep.

Noetic—Having properties that derive from inner experiences that are difficult to describe in the linear terms of everyday language.

Nucleus—Part of a cell that, like the brain in the body, regulates many of the functions of the cell.

OD value—Optical density value.

Obsession—Used interchangeably in mediumship with *possession*.

Oncology—The study and treatment of cancer.

Oscilloscope—Instrument displaying electromagnetic vibrational patterns on a screen.

Osmosis—The seepage or active transport of molecules across cell membranes.

Osmotic pressure—Fluid molecules press to enter a cell when there is a greater concentration of large molecules within the cell than in the surrounding fluid. The general tendency is for fluids to equalize their concentration on both sides of a permeable membrane like the cell wall. Fluid will thus pass from the less concentrated solution to the more concentrated one.

Osmotic stress—Cells placed in dilute saline solutions will swell as fluid enters the cell. (See *osmotic pressure*). If the saline solution is sufficiently weak, enough fluid will enter the cells to cause them to burst.

Osteoarthritis—Degenerative joint disease that includes pains, loss of cartilage, and limitations of range of motion.

Palliative care—Care provided for symptom relief, without intention or hope of cure.

Passes—Movements of the hands of a healer around the body of a healee, either following a prescribed or ritualistic pattern or dictated by the healer's psi or intuitive senses.

PBGM—Portable blood glucose meter.

Petri dishes—Flat, covered laboratory dishes used for cell cultures, sprouting seeds, etc.

Phantom limb—Sensations of a limb still being present after an amputation of that limb.

PK—See *psychokinesis*.

PKMB (*warm forming*)—Metal bending (or softening so that it can be bent) via psi effects.

Plumial—Leaflet emerging from seed.

Poltergeist effects—See *random spontaneous PK; RSPK*.

Possession—The alleged taking over of a person's behavior by a discarnate spirit.

Post hoc **finding**—Experimental finding that was not predicted prior to the study but was noted after the experiment was performed. Such findings are considered suspect, as they might have occurred by chance, amongst many possible variables that are studied.

Potentize—To create a homeopathic solution of a remedy through serial dilutions. (See also *succussion*.)

Precognition—Knowing about a future event prior to its occurrence.

Prolapse—Tissues that protrude through an opening in the body, as when the lens of the eye protrudes through the iris after severe trauma to the eye, or the bladder of a woman protrudes into the vagina following trauma in giving birth.

Proxy—A person who is given healing instead of the person with the problem, used in cases where the healer cannot give healing directly. Proxy healing appears to be a variant of distant healing. It reaches the people in need regardless of their distance from the healer and proxy. The proxy seems to be a living *witness* (see definition).

Psi—Abbreviation for *parapsychological*, connoting ESP (telepathy, clairsentience, precognition, and retrocognition), and psychokinesis. Taken from the Greek letter Ψ

Psychokinesis (PK)—Moving or transforming an object without use of physical means, commonly referred to as *mind over matter*. (See also PKMB, RSPK, healing, and PS, which seem to be more specific forms of PK.)

Psychic surgery (PS)—Surgery performed with the hands or with a knife, in which very rapid healing occurs, often even instantaneously, usually without pain or excessive bleeding and with no subsequent infection (despite the fact that sterile techniques are not used).
  PS I: Healer manipulates aura.
  PS II: Healer manipulates physical body.
  PS III: A combination of I and II (Classification of Motoyama).

Psychometry—Clairsentience focused on a specific object. Psychics report that when people handle an object, especially over prolonged periods, they leave an impression upon that object that sensitives can pick up.

Rad—Measure of exposure to ionizing radiation.

Radicle—Root.

Radiesthesia (*Dowsing*)—The use of a device (e.g. pendulum, forked tree branch, etc.) to obtain clairsentient information.

Radionics—The use of more complex devices (usually calibrated, often with dials) to obtain clairsentient information and to project effects psychokinetically (e.g. healing).

Random spontaneous psychokinesis (RSPK)—Apparently random, spontaneous PK, usually associated with the presence of one particular individual who is presumed to be the unconscious agent producing these events.

RBC—Red blood cell.

Renal colic—Severe kidney pains.

Research errors—*Type 1*: Accepting as true something that is not. *Type 2*: Rejecting as invalid an effect that actually has some substance.

Respant—Responsible participant, a term coined by Bernie Siegel (1990).

Retrocognition—perceptions of events occurring prior to the time of their perception by the sensitive.

Ribosome—The site in a cell where protein synthesis takes place.

RNA—*Ribonucleic acid*, a protein involved in cell reproduction.

Rorschach Test—Inkblots that leave the viewer free to associate to any aspect of their form and/or color, thereby revealing the characteristic perceptions and interpretations of the viewer.

Rosenthal effect—See *Experimenter effect*.

RSPK—See *random spontaneous psychokinesis*.

Run—A group of individual trials within a research study.

Salpingo-oophorectomy—Surgical removal of the tubes of the uterus and ovaries.

Sciatica—Pain in the sciatic nerve, running from the lower back down the leg, often due to narrowing of the opening of the spinal cord.

Sedimentation rate (also *erythrocyte sedimentation rate*)—Rate at which red blood cells settle when a sample of blood is left to stand for a measured period of time, a very rough indicator of the presence of some infections and immunological problems.

Self—With small *'s'* designating an individual's personal sense of beingness; with capitalized *'S'* designating a deeper or higher aspect of an individual that may include the unconscious mind, higher self, spirit, and/or soul.

Sensitive (*ESPer*)—Noun designating a person who has psi abilities.

Shadow—Unconscious, negative aspects of a person that often contribute to disease and disease.

Sheep—Believer(s) in psi. (Contrasted with *goats*).

Sheep-goat effect—Believers (*sheep*) perform significantly better than chance, while disbelievers (*goats*) score significantly poorer than chance expectancy on psi tasks.

Sleight-of-hand—*Magic tricks*, i.e. clever deceptions that mislead the perceiver to believe that something paranormal might have occurred, when in fact it did not.

Soul—That eternal aspect of awareness that permeates all levels of self and Self, surviving physical death, learning and growing in its journey back to unity with the Creator.

Spectrophotometer (alt. *spectrograph*)—Scientific instrument that measures the wavelengths of light emitted by or transmitted through a given substance. Particular wavelengths identify specific substances.

Spirit—1. Synonym for *apparition* or *ghost*, the surviving aspect of self after death that may be perceived by the living; 2. A transcendent aspect of Self that connects the self to the eternal All.

Standard Deviation (S.D.)—The range within which about 66% of individuals will cluster around the average (mean) number in a randomly distributed sample. This provides a measure of how unusual a particular measurement may be. If the S.D. is, for instance 15 units, and a given measurement is 45, we know that this is well beyond the expected distribution for whatever is being studied. Statistical analyses can tell us precisely how unusual this is.

State-Trait Anxiety Inventory (STAI)—40 questions, 2 subscales, giving a measure of current, situational state of anxiety and long-term tendency to anxiety that can be pathological (Spielberger et al). Self-administered over 10-20 minutes. One of the most popular tests for anxiety, translated into 30 languages.

Stereotaxic—Measuring device that facilitates the precise location of a given organ (e.g. for the placement of electrodes in the brain).

Stigmata—Wounds appearing spontaneously, without cause for injury, often in the places Christ was wounded.

Stylopodium—Newt (salamander) equivalent of the human humerus arm bone.

Subcutaneous—Under the skin, as with injections given at this site.

Subject—Person studied in an experiment.

Succussion—Shaking a homeopathic remedy to enhance its potency.

Super-ESP—Using psi powers to scan the environment for meaningful information that then leads to PK influence over the environment to the benefit of the individual.

Synchronicity—A coincidence that is meaningful to a perceiver or participant in the component events.

Synesthesia—A crossed-sensory perception, such as hearing color, or feeling color through touch or by holding the hand above an object without touching it.

Systolic—The higher of the pair of numbers used to designate blood pressure, often rising transiently with states of anxiety.

Tachycardia—Excessively rapid heart rate.

Teleological—Assumption that there is an ultimate purpose and/or design in natural phenomena.

Telepathy—The transfer of thoughts, images, or commands from one living thing to another, without use of sensory cues.

Thaumaturgy—See *sleight-of-hand*.

Thematic Apperception Test (TAT)—Psychological test based on people's responses to photographs of people in ambiguous situations that allow the viewer to interpret them in many different ways.

Thoughtography—Production of photographic images by PK.

Tic doloreux—Severe pain in the face, of neurological origin.

Trigeminal neuralgia—Severe pain in the facial nerve, often of unknown origin.

Types I and II research errors—See *research errors*.

Ultra-violet—Longer than violet wavelengths, invisible to the naked eye but measurable by instruments.

UV—See *ultra-violet*.

V—See *volt*.

Vacuoles—Bubbles in cells.

VAS—See *visual analog scale*.

Ventricle—Chamber of the heart.

Villi—Pleural of *villus*, a peninsular projection from a cell wall. Villi in stomach and intestinal cells, for instance, protrude into the gut. They form a large surface area over which food molecules can be absorbed.

Visual Analog Scale (VAS)—Usually a 10 cm long line marked with *none* at one end and *worst possible* at the other end, used for subjective ratings of symptoms such as pain. The assessment is repeated over a period of time and changes in severity of symptoms are noted.

Volt—Measure of differences in electrical charge between two points.

Wholistic—This spelling is used rather than holistic because, rather than seeking to treat the whole person, the use of holistic has often been used to mean any kind of non-conventional treatment, such as acupuncture for back pain or herbal preparations for high cholesterol etc.

A wholistic approach to healing is based on the understanding that a person is not made of isolated parts; all the parts of an individual are interconnected. This includes the body, the emotions, the mind, the spirit, as well as the family, the social, and the work environments. When one aspect is under stress, all aspects can be adversely affected. Because of this, the cause of an illness, or ailment, may not be where the symptom manifests. For example: a stomachache may be caused by worry about one's marriage, a sore right foot could be the result of the fear of moving forward in one's career, or depression might be due to heavy metal intoxication.

With this in mind, when diagnosing a person's condition, all aspects of the individual need to be taken into consideration. Often the original cause is hidden behind the symptom. If a condition has existed for a long time, sub-conditions tend to develop that are covered up by the dominant symptom. When the dominant symptom is healed, a deeper layer of the condition can surface requiring attention. This process can continue until all the sub-layers are healed, including the original cause.

Wholistic diagnosis and treatment can make use of both conventional and alternative therapies. A course of treatment could involve a number of therapies: psychological exercises, bodywork, physical exercise, nutrition, acupuncture, affirmations, as well as drugs and surgery to name a few. A multi-skilled therapist able to work in a wide spectrum of therapies might administer a true wholistic treatment, or it could come from the coordinated effort of many therapists trained in different modalities.

The goal of wholistic healing is to help the individual return to wholeness wherein all aspects are healed and in harmony. With a deeper understanding it becomes apparent that everything is connected both within and without. This includes all people, all plants and animals, as well as the physical planet and the stars.

The field of wholistic healing is in its infancy. Even the best wholistic therapists use only a small portion of the skills and modalities available. One key factor is that the quality of healing the wholistic therapist is able to offer is influenced, to a great extent, by the degree that the therapist has achieved her own wholistic health.

> *William Rand*, publisher of Healing Research, distilled from discussions with *Dan Benor*

Witness—Object used by psychics, dowsers, and users of radionics devices to connect psychically with someone or something from a distance. For instance, in tracing a missing person, clothing belonging to this person helps the psychic to locate them. A blood of sputum sample may likewise help a dowser connect with a healee for diagnosis and treatment.

Xenoglossy—Speaking a language that was not learned by any known normal means, often presumed to be a manifestation of reincarnation memories.

Bibliography

A

Abbot, Neil C. Healing as a therapy for human disease: a systematic review, *Journal of Alternative and Complementary Medicine* 2000, 6(2), 159-169.

Achterberg, Jeanne, *Imagery in Healing: Shamanism and Modern Medicine*. Boston/ London: New Science Library/Shambala 1985.

Agnellet, M. *Accept These Facts. The Lourdes Cures Examined*. London 1958.

Alcock, James E. *Parapsychology: Science or Magic?*, New York: Pergamon 1981.

Alvord, Lori Arviso/ van Pelt, Elizabeth Cohen, *The Scalpel and the Silver Bear*, New York: Bantam 1999.

American Psychiatric Association, *Diagnostic and Statistical Manual of Mental Disorders*, 4th ed. Washington: American Psychiatric Association 1994.

American Psychiatric Association, Practice guidelines for major depressive disorders in adults, *American J. of Psychiatry* 1993, 150(4) Suppl. 1-26.

Andrade, H. G. *A Corpuscular Theory of Spirit*, Sao Paulo: Privately published 1968.

Andus, L. G. Magnetropism: a new plant-growth response, *Nature* 1960, 185, 132.

Anonymous, A recent case of faith healing, *J. of the Society for Psychical Research* 1895 (Also In: *British Medical J.* Nov 16, 1895 From Corliss, W. R. *The Unfathomed Mind: A Handbook of Unusual Mental Phenomena*, Glen Arm, MD: The Sourebook Project 1982 (Case of follicular infection on beard responding to healing).

Appelbaum, Stephen A. The laying on of health: personality patterns of psychic healers (*Bulletin of the Menninger Clinic*) 1993, 57(1), 33-40.

Arieti, S. *The Intra-psychic Self*, New York: Basic 1967.

Armstrong, O. K. Beware the commercialized faith healers, *Readers' Digest 1971* (Jun), 179-186.

Arvigo, Rosita, Sastun: *My Apprenticeship with a Maya Healer,* HarperCollins 1995.

Asano, M./ Stull, J. T. In: Hidaka, H/ Hartshorne, D. J. (eds), *Myosin Phosphorylation in Calmodulin Antagonists and Cellular Physiology*, Orlando, FL: Academic 1985, 225-260.

Ashby Robert H. *A Guidebook to the Study of Psychical Research*, New York: Weiser 1973.

Astin, John A./ Harkness, Elaine/ Ernst, Edzard, The efficacy of distant healing: a systematic review of randomized trials, *Annals of Internal Medicine* 2000, 132, 903-910.

Attevelt, J. T. M. *A Statistical Survey of the Patients of Paranormal Healers*, Amsterdam: Nederlands Federation for Paranormal and Naturopathic Healers 1981.

Attevelt, J. T. M. *Research into Paranormal Healing*, doctoral dissertation, State University of Utrecht, The Netherlands, 1988

B

Backster, Cleve, Evidence of a primary perception in plant life, *International J. of Parapsychology* 1968, 10(6), 329-348.

Bacon, Mary Margarita, *The Effects of Therapeutic Touch on State Anxiety and Physiological Measurements in Preoperative Clients* (master's thesis, San Jose State University, 1997)

Bowers, D. P. *The Effects of Therapeutic Touch on State Anxiety and Physiological Measure-ments in Preoperative Clients* (master's thesis), San Jose, CA: San Jose State University 1997.

Baer, Randal N./ Baer, Vicki, *The Crystal Connection: A Guidebook for Personal and Planetary Ascension*, San Francisco, Harper and Row, 1986.

Bagchi, B. K./ Wenger, M. A. Electrophysio-logical correlates of some yogi exercises, In: Kimaya, J., et al, (eds), *Biofeedback and Self Control*, Chicago: Aldine-Atherton 1971, 591-607.

Baginski, B. *Reiki: Universal Life Energy*, CA: Life Rhythms 1988.

Bailey, Alice A. *Esoteric Healing, V. VI*, New York: Lucis 1972.

Baker, A. T. (ed), *The Mahatma Letters of A. P. Sinnett, 2nd Ed.* (p. 455 Letter No. CXXVII, 13 August 1882), London: Rider 1948 (orig. 1923).

Bakker, L. F. *Kwakzalverij en onbevoegd uitoefenen van de geneeskunst. [Quackery and unauthorized practising of medicine]*, Assen: Van Gorcum & Comp. 1969.

Balint, Michael, Notes on parapsychology and parapsychological healing, *International J. of Parapsychology* 1955, 36, 31-35.

Bandler, Richard/ Grinder, John, *Frogs into Princes: Neurolinguistic Programming*, Moab, Utah: Real People 1979.

Baranger, P./ Filer, M. K. Amulets: The protective action of collars in avian malaria, *Mind and Matter*, Oxford, England: Radionics Centre 1967(Mar) [Excerpt from *Acta Tropica* 1953, 10(1)].

Barnuow, Victor, Paranormal phenomena and culture, *J. of the American Society for Psychical Research*, 1945, 40, 2-21.

Barrington, Mary Rose, Bean growth promotion pilot experiment, *Proceedings of the Society for Psychical Research* 1982, 56, 302-304.

Barrington, Rosze, A naturalistic inquiry of post-operative pain after Therapeutic Touch (In: Gaut, Delores A./ Boykin, Anne, *Caring as Healing*, New York: National League for Nursing 1994).

Barros, Alberto, et al, Methodology for research on psychokinetic influence over the growth of plants, *Psi Communicacion* 1977, 3(5/ 6), 9-30. (Summary, translated from Spanish, in: *Parapsychology Abstracts International* 1984, 1(2), 80, Abstr. No. 662).

Barry, J. General and comparative study of the psychokinetic effect on a fungus culture, *J. of Parapsychology* 1968, 32, 237-243.

Bartlett, J. G. *Recommendations for the medical care of persons with HIV infections*, Baltimore: Critical Care Amreica 1992.

Bartrop, R., et al, Depressed lymphocyte function after bereavement, *Lancet* 1977, 1, 834-836.

Bates DW, et al, Incidence of adverse drug events and potential adverse drug events: implications for prevention, *Journal of the American Medical* 1995, 274:29-34.

Baumann, S./ Lagle, J./ Roll, W. Preliminary results from the use of two novel detectors for psychokinesis, In: Weiner, Debra H./ Radin, Dean I. (eds) *Research in Parapsychology 1985*, Metuchen and London: Scarecrow 1986, 59-62.

Beaty, Bill, (from website with quotes on psi: http://sung3. ifsi. rm. cnr. it/~dargaud/Humor/QuotesScience. html

Bechterev, W. Direct influence of a person upon the behavior of animals, *J. of Parapsychology*, 1948, 13, 166-176.

Beck, A. T./ Steer, R. A. *Beck Deression Inventory Manual*, The Psychological Corporation, San Antonio, TX: Harcourt Brace Jovanovich 1987.

Beck, A. T./ Steer, R. A./ Carlson, M. G. Psychometric properties of the Beck Depression Inventory: twenty-five years of evaluation, *Clinical Psychology Review* 1988, 30, 77-100.

Beck, Rene/ Peper, Eric, Healer-healee inter-actions and beliefs in therapeutic touch: Some observations and suggestions, In: Borelli, Marianne/ Heidt, Patricia, (eds) *Therapeutic Touch*, New York: Springer 1981, 129-137.

Becker, Robert O./ Selden, Gary, *The Body Electric: Electromagnetism and the Foundation of Life*, New York: William Morrow 1985.

Benor, Daniel J./ Ditman, Keith S. Clinical psychopharmacological research: Problems, questions and some suggestions in analyzing reports, *J. of Clinical Pharmacology* 1967, 7, 63-76.

Benor, Daniel J. Psychic healing: research evidence and potential for improving medical care, In: Salmon, J. Warren, (ed) *Alternative Medicines: Popular and Policy Perspectives*, London: Tavistock/ Methuen 1984(a).

Benor, Daniel J. Meta-awareness and meta-emotions as related to psychic healing, *Paper Presented at the Hopitality Suite Section of the American Psychological Association Meeting, Transpersonal Psychology Interest Group*, Toronto, 1984(b).

Benor, Daniel J. Believe it and you'll be it: Visualization in psychic healing, *Psi Research*, 1985, 4(1), 21-56.

Benor, Daniel J. Lamarckian genetics: Theories from psi research and evidence from the work of Luther Burbank, *Research in Parapsychology 1987*, Metuchen, NJ: Scarecrow 1988.

Benor, Daniel J. Research in psychic healing, In: Shapin, Betty/ Coly, Lisette, (eds) Current trends in psi research, *Proceedings of an International Conference, New Orleans, LA, (Aug) 1984*, New York: Parapsychology Foundation 1986a.

Benor, Daniel J. The overlap of psychic "readings" with psychotherapy, *Psi Research*, 1986b, 5(1,2), 56-78.

Benor, Daniel J. A psychiatrist examines fears of healing, *J. of the Society for Psychical Research* 1990, 56, 287-299.

Benor, Daniel J. Intuitive Diagnosis, *Subtle Energies* 1992, 3(2), 41-64.

Bensen, Vladimir B. One hundred cases of post-anesthetic suggestion in the recovery room, *Presentation at 13th Annual Scientific Meeting of the American Society of Clinical Hypnosis, Miami Beach, FL 1970*.

Berger, Ruth, *Medical Intuition: How to Combine Inner Resources with Modern Medicine*, York Beach, ME: Samuel Weiser 1995.

Berman, Morris, *The Reenchantment of the World*, NY: Bantam 1984.

Beutler, Jaap J:/ Attevelt, et al, Paranormal Healing and Hypertension, *British Medical J.* 1988, 296, 1491-1494.

Bishop, George, *Faith Healing: God or Fraud?*, Los Angeles: Sherbourne 1967.

Blazer, D. The epidemiology of mental illness in late life, In: Busse, E.W./ Blazer, D. (eds), *Handbook of Geriatric Psychiatry*, New York: Van Nostrand Reinhold 1980.

Bloomfield, Frena, Asking for rice: The way of the Chinese healer, *Shaman's Drum* 1985, 1, 33-36.

Boguslawski, M. The use of Therapeutic Touch in nursing, *J. of Continuing Education in Nursing* 1979, 10(4), 9-15.

Boguslawski, Marie, Therapeutic Touch: A facilitator of pain relief, *Topics in Clinical Nursing* 1980, 2, 27-37.

Bolton, Brett, *Edgar Cayce Speaks*, New York: Avon 1969.

Borelli, Marianne D./ Heidt, Patricia (eds), *Therapeutic Touch: A Book of Readings*, New York: Springer 1981.

Bose, Jaqadis C. Awareness in plants, In: Muses, Charles and Young, Arthur M. (eds), *Consciousness and Reality*, New York: Outerbridge and Lazard/ Dutton, 1972.

Boucher, Faith Katherine, *The Cadences of Healing: Perceived Benefits from Treatment Among the Clientele of Psychic Healers*, Doctoral dissertation, Univ. California, Davis 1980.

Bowers, Diane Patricia, *The Effects of Therapeutic Touch on State Anxiety and Physiological Measurements in Preoperative Clients* (master's thesis), San Jose, CA: San Jose State University 1992.

Boyd, Doug, *Rolling Thunder*, New York: Delta/ Dell 1974.

Bramly, Serge, *Macumba: The Teachings of Maria Jose, Mother of the Gods*, New York: Avon 1979.

Braud, William G. The psi conducive syndrome: Free response gesp performance following evocation of "left-hemispheric" vs. "right-hemispheric" functioning, In: *Research in Parapsychology, 1974*, Metuchen, NJ: Scarecrow Press 1975, 17-20.

Braud, William G. Allobiofeedback: Immediate feedback for a psychokinetic influence upon another person's physiology, In: Roll, W. G (ed), *Research in Parapsychology 1977*, Metuchen, NJ: Scarecrow Press 1978, 123-134.

Braud, William, Conformance behavior involving living systems, In: Roll, W. G., et al, (eds), *Research in Parapsychology 1978*, Metuchen, NJ: Scarecrow Press, 1979, 111-115.

Braud, William G. Lability and inertia in conformance behavior, *J. of the American Society for Psychical Research* 1980, 74, 297-318.

Braud, William G. Lability and inertia in psychic functioning, In: Shapin, B./ Coly, L (eds), *Concepts and theories of parapsychology*, New York: Parapsychology Foundation 1981, 1-28.

Braud, William G. Distant mental influence of rate of hemolysis of human red blood cells, In: Henkel, Linda A./ Berger, Rich E. (eds), *Research in Parapsychology 1988*, Metuchen, NJ/ London: Scarecrow 1989(a), 1-6.

Braud, William G. Using living targets in psi research, *Parapsychology Review* 1989(b), 20(6), 1-4.

Braud, William, On the use of living target systems in distant mental influence research, In: Shapin, Betty/ Coly, Lisette (eds), *Psi Research Methodology: A Reexamination*, New York: Parapsychology Foundation 1990(a).

Braud, William G. Distant mental influence of rate of hemolysis of human red blood cells, *J. of the American Society for Psychical Research* 1990(b), 84.

Braud, William On the use of living target systems in distant mental influence research, In: Coly, L./ McMahon, Joanne D. S. (eds), *Psi Research Methodology: a Re-examination*, New York: Parapsychology Foundation 1993, 149-181.

Braud, William G. The role of mind in the physical world: A psychologist's view, *European J. of Parapsychology*, 1994(a), 10, 66-77.

Braud, William G. Can our intentions interact directly with the physical world? *European J. of Parapsychology*, 1994(b), 10, 78-90.

Braud, William/ Davis, Gary/ Wood, Robert, Experiments with Matthew Manning, *J. of the Society for Psychical Research*, 1979, 50, 199-223.

Braud, William/ Schlitz, Marilyn, Psychokinetic influence on electrodermal activity, *J. of Parapsychology*, 1983, 47(2), 95-119.

Braud, William/ Schlitz, Marilyn, Possible role of intuitive data sorting in electrodermal biological psychokinesis (bio-Pk), *Research in Para-psychology 1987*, 1988, 5-9.

Braud, William/ Schlitz, Marilyn. A methodology for the objective study of transpersonal imagery, *Journal of Scientific Exploration* 1989, 3(1), 43-63.

Braud, William/ Schlitz, Marilyn: Consciousness interactions with remote biological systems: anomalous intentionality effects, *Subtle Energies* 1991, 2, 1-46.

Braud, William/ Schlitz, Marilyn/ Collins, John/ Klitch, Helen, Further studies of the bio-PK effects: Feedback, blocking, specificity/ generality, *Presentation at Parapsychological Association Meeting 1984.*

Braud, William, et al, Further studies of the bio-PK effect: Feedback, blocking, specificity/ generality, *Presentation at Parapsychological Meeting*, 1984.

Braun, C./ Layton, J./ Braun, J. Therapeutic Touch improves residents' sleep, *American Health Care Association Journal* 1990, 1, 48-50.

Brennan, Barbara, *Hands of Light,* New York: Bantam 1987.

Brennan, Barbara, *Light Ascending*, New York: Bantam 1993.

Brennan, Troyen A. The institute of medicine report on medical errors – could it do harm? *New England Journal of Medicine* 2000, 342(15).

Brennan, T. A., et al, Incidence of adverse events and negligence in hospitalized patients: results of the Harvard Medical Practice Study I. *New England Journal of Medicine* 1991, 324, 370-376.

Brier R. Savits, B./ Schmeidler, G. Tests of Silva mind control graduates, In: Roll, W. G. Morris, R. L./ Morris, J. D. (eds), *Research in Parapsychology 1973*, Metuchen, NJ: Scarecrow Press 1974, 13-15.

Brier, Robert, PK on a bio-electrical system, *J. of Parapsychology* 1969, 33, 187-205.

Brown, C. C., et al, The EEG in meditation and Therapeutic Touch healing, *J. of Altered States of Consciousness*, 1977, 3, 169-180.

Brown, Craig K. Spiritual healing in a general practice: using a quality-of-life questionnaire to measure outcome, *Complementary Therapies in Medicine* (UK) 1995, 3, 230-233.

Brown, Patricia Ricciuti, *The Effects of Therapeutic Touch on Chemotherapy-induced Nausea and Vomiting: A Pilot Study* (master's thesis), Reno: University of Nevada 1981.

Bucholtz, Randi Anderson, *The use of Reiki therapy in the treatment of pain in rheumatoid arthritis*, M. S. in Nursing-Family Nurse Practitioner, University of Wisconsin-Oshkosh, 1996.

Burbank, Luther, Quote from Tompkins, Peter/ Bird, Christopher, *The Secret Life of Plants*, New York: Harper/ Row 1972, 134.

Burg, Bob, The puzzle of the psychic patient, *Human Behavior* Sep 1975, 25-30.

Bush, Anita M./ Geist, Charles R. Geophysical variables and behavior: LXX. Testing electromagnetic explanations for a possible psychokinetic effect of therapeutic touch on germinating corn seed, *Psychological Reports* 1992, 70, 891-896.

Byrd, Randolph C. Positive therapeutic effects of intercessory prayer in a coronary care population, *Southern Medical J.* 1988, 81(7), 826-829

C

Cabico, Lucila Levardo, *A Phenomenological Study of the Experiences of Nurses Practicing Therapeutic Touch* (master's thesis), Buffalo, NY: D'Youville College 1993.

Cade, C. Maxwell/ Coxhead, N. *The Awakened Mind: Biofeedback and the Development of Higher States of Awareness*, New York: Delacorte Press/ Eleanor Friede 1978.

Cadoret, Remi J. The reliable application of ESP, *J. of Parapsychology* 1955, 19, 203-227.

Cahn, H./ Muscle, N. Towards standardization of "laying-on" of hands investigation, *Psycho-energetic Systems* 1976, 1, 115-118.

Cai, Fuchou/ Cai, Shangda/ Chen, Jion/ Zheng, Shusen/ Zhang, Jinmei/ Chen, Yienfen/ He, Jinhong – Sun Yat-Sen University of Medical Sciences, Guangzhou/ Qigong Society of Guangdong Province, Guangzhou, China – Influence of emitted qi on bioeffect of human fetal fibroblast with quantitative ultrastructure analysis, *3rd National Academic Conference on Qigong Science, Guangzhou, China. 1990* – from Qigong Database of Sancier.

Cai, Shangda/ Zeng, Guangyuan/ Lou, Shenhong/ Zhang, Jinmei/ Chen, Yienfeng/ He, Jinhong – Dept Biology, Sun Yat-Sen University of Medical Sciences, Guangzhou/ Dept Chemistry, South China Technical University, Guangzhou/ Dept Physiology, Sun Yat-Sen University of Medical Sciences, Guangzhou/ Qigong Society of Guangdong Province, China – Electron spin resonance (ESR) measurements of the effect of waiqi (emitted qi) on the free radical concentration in rat tissue, *3rd National Academic Conference on Qigong Science, Guangzhou, China. 1990* – from Qigong Database of Sancier.

Campbell, Anthony, 'Treatment' of Tumours by PK, *J. of the Society for Psychical Research* 1968, 44, 428. (Summary of Elguin, Gita H./ Onetto, Brenio, *Acta Psiquiat. Psicol. Amer. Lat.* 1968, 14, 47)

Campbell, D.T./ Stanley, J.C., *Experimental and Quasiexperimental Design for Research*, Chicago: Rand McNally 1963.

Cancro, R. Overview of affective disorders, In: Kaplan, H./ Sadock, B. J. (eds), *Comprehensive Textbook of Apsychiatry, 4ᵗʰ Ed.*, Baltimore, MD: Williams and Wilkins 1985, 760-763.

Cao, Qiyuan/ Li, Yongqion/ Cheng, Chenqing/ Liang, Jianxiong, Cancer Institute, Sun Yat-Sen University of Medical Sciences, Guangzhou 510060, China, Dept Radiotherapy, Tumor Hospital, Guangzhou 510060, China, Inhibition of human nasopharyngeal carcinoma cells in vitro by emitted qi and gamma ray, *2nd World Conference for Academic Exchange of Medical Qigong, Beijing 1993* – from Qigong Database of Sancier.

Cao, Xuetao/ Ye, Tainxing/ Gao, Yetao, Second Military Medical College, Shanghai, Effect of emitted qi in enhancing the induction in vitro of lymphokines in relation to antitumor mechanisms, *1st World Conference for Academic Exchange of Medical Qigong, Beijing 1988* – from Qigong Database of Sancier.

Cao, Xuetao/ Ye, Tainxing/ Gao, Yetao. Dept Microbiology & Immunology, Shanghai Hospital & Second Military Medical College, Shanghai, Antitumor metastases activity of emitted qi in tumor bearing mice, *1st World Conference for Academic Exchange of Medical Qigong, Beijing, 1988.*

Capra, Fritjof, *The Tao of Physics*, Boulder, CO: Shambala 1975.

Carlson, Rick J. (ed), *The Frontiers of Science and Medicine*, Chicago, IL: Henry Regnery 1975.

Carlson, Richard/ Shield, Benjamin, *Healers on Healing*, London: Rider 1988.

Carr, Joseph, *The Twisted Cross*, Shreveport, LA: Huntington House 1985.

Carrel, A. *Voyage to Lourdes*, New York 1950.

Casdorph, H. Richard, *The Miracles*, Plainfield, NJ. Logos International 1976.

Cassoli, Piero, *Il Guaritore* (Italian), Milan, Italy: Armenia 1979.

Cassoli, Piero, The healer: Problems, methods and results, *European J. of Parapsychology* 1981, 4(1), 71-80.

Castronova, Jerri/ Oleson, Terri, A comparison of supportive psychotherapy and laying-on of hands healing for chronic back pain patients, *Alternative Medicine* 1991, 3(4), 217-226.

Cavallini, Giuliana, *Saint Martin de Porres*, Rockford, IL: Tan 1979.

Centers for Disease Control, 1993 Revised classification system for HIV infection and expanded surveillance case definition for AIDS among adolescents and adults, *MMWR* 1992a Dec: 1 (RR-17): 1-19.

Chen, Guoguang: The curative effect observation of 24 cases under my "outward qigong" treatment *Proceedings of the 2nd International Conference on Qigong, Xian, China, September 1989* – from Qigong Database of Sancier.

Chen, Guoguang – Cadre Training College, Zhaotong Area, Yunnan Province – Material effect of mind and qi – research with the help of laser Raman spectrum analyzer, 2nd *World Conference for Academic Exchange of Medical Qigong. Beijing 1993* – from Qigong Database of Sancier.

Chen, Xiaojun/ Gao, Qiynan/ Jao, Xianrong/ Zhang, Jinmei/ Huang, Canxin/ Fan, Xiuque – Cancer Institute, Sun Yat-Sen University of Medical Sciences, Guangzhou/ Dept Physiology, Sun Yat-Sen University of Medical Sciences, Guangzhou/ Qigong Association of Guangzhou, China – Effects of emitted qi on inhibition of human NPC cell line and DNA synthesis, *3rd* National Academic Conference on Qigong Science, Guangzhou, China. 1990 – from Qigong Database of Sancier.

Chen, Xiaojun/ Yi, Qing/ Liu, Kela, Zhang, Jinmei/ Chen, Yusheng, Cancer Center, Sun Yat-sen University of Medical Sciences, Guangzhou 510060/ Dept Physiology, Sun Yat-sen University of Medical Sciences, Guangzhou 510060/ Qigong Association of Guangdong, China, Double-blind test of emitted qi on tumor formation of a nasopharyngeal carcinoma cell line in nude mice, *2nd World Conference for Academic Exchange of Medical Qigong, Beijing 1993* – from Qigong Database of Sancier.

Chen, Yuanfeng, Shanghai Institute of Traditional Chinese Medical Science, Shanghai 200030, China, Analysis of effect of emitted qi on human hepatocarcinoma cell (BEL-7402) by using flow cytometry, *2nd World Conference for Academic Exchange of Medical Qigong. Beijing 1993* – from Qigong Database of Sancier.

Chen, Yuanfeng, Shanghai Institute of Traditional Chinese Medical Science, Shanghai 200030, Effect of emitted qi on agglutinating reaction of human pulmonary adenocarcinoma cell (SPC-A1) mediated by ConA, *2nd World Conference for Academic Exchange of Medical Qigong, Beijing 1993* – from Qigong Database of Sancier.

Chen, Zhaoxi [and others] – Dept Physiology, First Medical College of PLA, Guangzhou, China – Normal adult EEG can be changed by qigong waiqi (emitted qi), *3rd National Academic Conference on Qigong Science, Guangzhou, China. 1990* – from Qigong Database of Sancier.

Chinese Academy of Sciences, Exceptional human body radiation, Trans. from Chinese: Paasche, J. H. *Psi Research* 1982, 1(2), 16-21.

Chopra, Deepak, *Quantum Healing: Exploring the Frontiers of Mind/ Body Medicine*, London/ New York: Bantam 1989.

Chou, Chu – Rehabilitation Hospital, Canada – Moniliasis treated by emitted qi and acupuncture therapy, 2nd *World Conference for Academic Exchange of Medical Qigong, Beijing 1993* – from Qigong Database of Sancier.

Christie, Agatha, *The Mysterious Affair at Styles*, 1920.

Chu, Chow – Canada Qigong Health Clinic – Use of emitted qi in qigong and acupuncture in the treatment of food allergies, *1st World Conference for Academic Exchange of Medical Qigong, Beijing 1988* – from Qigong Database of Sancier.

Clark, A. J./ Seifert, P. Client perceptions of Therapeutic Touch, *Paper presented at Third Annual West Alabama Conference on Clinical Nursing Research* 1992.

Clark, Philip E./ Clark, Mary Jo, Therapeutic Touch: Is there a scientific basis for the practice?, *Nursing Research* 1984, 33(1), 37-41.

Clayton, P. J. The sequelae and nonsequelae of conjugal bereavement, *American J. of Psychiatry* 1979, 136, 1530-1534.

Coakley D./ McKenna G. W. Safety of faith healing, *Lancet* 1986, (8478), 444 Feb 22.

Cohen, J. *Statistical Power Analysis for the Behavioral Sciences*, 2nd ed. Hillsdale, NJ: Lawrence Erlbaum Associates 1988.

Cohen, John, Spiritual healing: a complementary role in general practice, *Modern Medicine* 1990 (Sep), 663-665.

Cohen, Kenneth S, *The Way of Qigong: The Art and Science of Chinese Energy Healing*, New York: Ballantine 1997.

Coker, Connie Lynn, *An Impact Evaluation of a Therapeutic Touch Continuing Education Activity* (master's thesis), Toledo, OH: Medical College of Ohio 1987.

Collins, H. M. *Changing Order, Replication and Induction in Scientific Practice*, London: Sage 1985.

Collins, J. W. *The Effect of Non-contact Therapeutic Touch on the Relaxation Response*,(master's thesis) Nashville, TN: Vanderbilt University 1983.

Collipp, P. J. The efficacy of prayer: a triple blind study, *Medical Times* 1969, 97(5), 201-4.

Congressional Office of Technology Assessment, *Assessing the Efficacy and Safety of Medical Technologies,* Washington, D. C. Congressional Office of Technology Assessment 1978.

Constantinides, P. Women heal women: Spirit possession and sexual segregation in a Muslim society. *Social Science in Medicine* 1985, 21 (6), 685-692.

Cooper, Ronda Evelyn, *The Effect of Theapeutic Touch on Irritable Bowel Syndrome* (master's thesis), Clarkson College 1997.

Cooper, Wendy Ellen Copeland, *Meanings of Intuition in Nurses' Work* (master's thesis), Canada: University of Victoria 1994.

Coopersmith, S. *Self-Esteem Inventories*, Palo Alto, CA: Consulting Psychologists Press 1981.

Cooperstein, Allan: The Myths of Healing: a summary of research into transpersonal healing experiences, *J. of the American Society for Psychical Research* 1992, 86, 99-133; *The Myths of Healing: A Descriptive Analysis of Transpersonal Healing* (doctoral dissertation) Saybrook Institute, California 1990.

Cooperstem, M. Allan, *The Myths of Healing: A Descriptive Analysis and Taxonomy of Transpersonal Healing Experience*. Unpublished doctoral dissertation, Saybrook Institute, California 1990.

Cowling, W.R., A Template for unitary pattern-based nursing practice, In: Barrett, E. A. (Ed), *Visions of Rogers' Science-Based Nursing,* New York: National League for Nursing Press 1990, 45-65.

Cox, W. E. The influence of 'applied psi' upon the sex of offspring, *J. of the Society for Psychical Research* 1957, 39, 65-77.

Cram, J.R./ Freeman, C.W. Specificity in EMG biofeedback treatment of chronic pain patients,*Clinical Biofeedback and Health* 1985, 8, 101-108.

_Crisp, A. H./ Jones, M. G./ Slater, P. The Middlesex Hospital Questionnaire: a validation study, *Psychology*1978, 51, 269-180.

Cuddon, Eric, The relief of pain by laying on of hands, *International J. of Parapsychology* 1968, 10(1), 85-92 (Also In: Angoff, A (ed), *The Psychic Force*. New York: Putnam's 1970).

Cuevedo, Oscar G. The problem of healers: Part II, *Revista de Parapsychologia* (Portugese) 1973, 1(4), 4-

Cui, Rongqing/ Zhao, Xiuquan/ Yang, Jiafeng/ Li, Hoengmin, Department of Physiology, Beijing College of Traditional Chinese Medicine, Beijing 100029, China/ China-Japan Friendship Hospital, Beijing 100029, Effect of emitted qi to acupoints on somatosensory evoked potential recorded from the cortex following Zusanli (ST36) stimulation in cats, *2nd World Conference for Academic Exchange of Medical Qigong, Beijing 1993*.

Cui, Yuanhao/ Li, Shengping/ Meng, Guirong/ Sung, Mengyin/ Yan, Sixian/ Xin, Yan, Tsinghua University, Beijing/ Municipal Institute of Traditional Chinese Medicine of Chongqing, Sichuan Province, China, Effect of emitted qi on long-time tracking of UV spectroscopy on the fluorescence in dyestuff, *1st World Conference for Academic Exchange of Medical Qigong, Beijing 1988*.

Cumbey, Constance, *The Hidden Dangers of the Rainbow*, Shreveport, LA: Huntington House 1984.

D

Dallett, Jane O. *When the Spirits Come Back*, Toronto: Inner City 1988.

Darbonne, Madelyn M., et al, The effects of Healing Touch modalities on patients with chronic pain (J. article in preparation).

Daut, R.L. et al, Development of the Wisconsin Brief Pain Questionnaire to assess pain in cancer and other diseases, *Pain* 1983, 17, 197-210.

Davis, Bruce/ Davis, Genny Wright, *The Heart of Healing*, Fairfax, CA: Inner Light, 1983.

Davis, Thomas N. III, Can prayer facilitate healing and growth? *Southern Medical J.* 1986, 79(6), 733-735.

de Carvalho, M. Margarida, An eclectic approach to group healing in Sao Paulo, Brazil: A pilot study (*J. of the Society for Psychical Research* 1996, 61(845), 243-249.

Delsanto de Simic, Nelly, Microstructural interactions of biotherapist, *Proceedings of the 6th International Conference on Psychotronics* 1986, 133- 134.

Derogatis, L. R. *SCL-90R administration, scoring and procedures manual*, Baltimore, MD: Clinical Psychometric Research 1977.

Dethlefsen, Thorwold/ Dahlke, Rudiger. *The Healing Power of Illness: the Meaning of Symptoms and How to Interpret Them*. Longmead, UK: Element 1990, (Original German Translation Peter Lerresurier 1983).

Di Liscia, Julio C. Psychic healing: an attempted investigation, *Psi Comunicacion* 1977, 3(5/ 6), 101-110 (Abstract translated from Spanish, In: *Parapsychology Abstracts International)* 1984, 2(1), 82, Abstr. No. 669).

Dieckhofer, K. German treatment of epilepsy in the Middle Ages and by Paracelsus: On hagiotherapy and pharmacology in the "falling disease", *Fortschrifft Medicine* 1986, 104(11), 232-235.

Ding-ming, Hsu, *The Chinese Psychic Healing* Taipei: Parapsychological Association 1984, 6.

Dingwall, Eric John, *Abnormal Hypnotic Phenomena: A survey of 19th Century Cases*, London: Churchill 1968.

Dirksen, Murl Owen, *Pentecostal Healing: A Facet of the Personalistic Health System In Pakal-Na, a Village in Southern Mexico* (doctoral dissertation) University TN 1984.

Dixon, Michael, A healer in GP practice *The Doctor-Healer Network Newsletter 1994*, No. 7, 6-7.

Dixon, Michael, Does "healing" benefit patients with chronic symptoms? A quasi-randomized trial in general practice, *J. of the Royal Society of Medicine* 1998, 91, 183-188.

Dobkin de Rios, Marlene. *Hallucinogens: Cross-Cultural Perspectives*, Albuguergue, NM: University of New Mexico 1984(a).

Dobkin de Rios, Marlene. The vidente phenomenon in third word traditional healing: an Amazonian example, *Medical Anthropology* 1984, Winter , 60-70.

Dobkin de Rios, Marlene. *Visionary Vine: Hallucinogenic Healing in the Peruvian Amazon*, Prospect Heights, K: Waveland 1972.

Dollar, Carolyn Estelle, *Effects of Therapeutic Touch on Perception of Pain and Physiological Measurements from Tension Headache in Adults: A Pilot Study* (master's thesis) Jackson: University of Mississippi Medical Center 1993.

Dong, Paul, *The Four Major Mysteries of Mainland China*, Englewood Cliffs, NJ: Prentice-Hall 1984.

Dossey, Larry, *Space, Time and Medicine*, Boulder, CO: Shambala 1982.

Dossey, Larry: *Healing Words: The Power of Prayer and the Practice of Medicine*, New York: Harper SanFrancisco 1993.

Dossey, Larry, Canceled funerals: a look at miracle cures, *Alternative Therapies* 1998a, 4(2), 10-18; 116-120.

Dossey, Larry, The right man syndrome: skepticism and alternative medicine, *Alternative Therapies* 1998b, 4(3), 12-19; 108-114 (91 refs), Chinese proverb quote from p. 109.

Doucette, Maureen Louise, *Discovering the Individual's View of Receiving Therapeutic Touch: An Exploratory Descriptive Study* (master's thesis), Canada: University of Alberta 1997.

Dowling, St. John. Lourdes cures and their medical assessment, *J. of the Royal Society of Medicine* 1984, 77, 634-638.

Dressen, Linda J./ Singg, Sangeeta, Effects of Reiki on pain and selected affective and personality variables of chronically ill patients, *Subtle Energies* 1998, 9(1), 51-82

Dresser, Horatio (ed.), *The Quimby Manuscripts*, New Hyde Park, New York: University Books 1969.

Dressler, David: Light Touch Menipulative Technique *International J. of Alternative and Complementary Medicine* (UK) 1990, 8(4), 19-20.

Drury, Nevill, *The Elements of Shamanism, Longmead*, England: Element 1989.

Du, Luoyi – China Medical Qigong Society, Beijing – Effect of mind-control in qigong exercise investigated by an infrared thermovision imagery, *1st World Conference for Academic Exchange of Medical Qigong, Beijing 1988* – from Qigong Database of Sancier.

Duplessis, Yvonne, *The Paranormal Perception of Color* (Translated from French by von Toal, Paul) New York: Parapsychology Foundation 1975.

Duval, P. Exploratory Experiments with Ants (Abstract), *J. of Parapsychology*, 1971, 35, 58.

E

Eddy, Mary Baker, *Science and Health with Key to the Scriptures* 1875.

Edge, Hoyt L. A philosophical justification for the conformance behavioral model, *J. of the American Society for Psychical Research* 1978(a), 72, 215-231.

Edge, Hoyt L., et al, *Foundations of Parapsychology: Exploring the Boundaries of Human Capability*, Boston/ London: Routledge & Kegan Paul 1986.

Edge, Hoyt, The effect of laying on of hands on an enzyme: an attempted replication, In:, *Research in Parapsychology, 1979*, Metuchen, NJ: Scarecrow 1980, 137-139.

Edwards, Harry, *The Evidence for Spirit Healing*, London: Spiritualist Press 1953.

Edwards, Harry, *Thirty Years a Spiritual Healer,* London: Herbert Jenkins, 1968.

Edwards, Harry. *The Science Of Spirit Healing*. London: Rider 1945.

Eeman, L. E. *Co-Operative Healing: The Curative Properties of Human Radiations*, London: Frederick Muller 1947.

Einstein, Albert, in Heisenberg, W. *Physics and Beyond*, New York: Harper & Row 1971, p. 63.

Eisenberg, David with Wright, Thomas Lee, *Encounters with Qi*, New York: W. W. Norton 1985.

Eisenberg, David, et al, Unconventional medicine in the United States: Prevalence, costs and patterns of use, *New England J. of Medicine* 1993, 328, 246-252.

Eisenberg, David, et al, Trends in alternative medicine use in the United States, 1990-1997: Results of a follow-up national survey, *Journal of the American Medical Association* 1998, 280(18), 1569-1575.

Eisenberg, John M. (Director, Agency for Healthcare Research and Quality), *Statement on Medical Errors*. before the Senate Appropriations Subcommittee on Labor, Health and Human Services, and Education, December 13, 1999, Washington DC. Agency for Healthcare Research and Quality, Rockville, MD. http:/ /www. ahrq. gov/news/stat1213. htm

Eisenbud, Jule. *Parasychology and the Unconscious*, Berkeley, CA: North Atlantic Books 1983.

Eisenbud, Jule/ Stillings, Dennis, Paranormal film forms and paleolithic rock engravings. *Archaeus* 1984, 2(1), 9-26.

Eliade, Fagin, C. Stress: inplications for nursing research, *Image: J. of Nursing Scholarship* 1987, 19(1), 38-41. .

Eliade, Mircea. *Shamanism: Archaic Techniques of Ecstasy,* Translator: W Trask, London: Routledge and Kegan Paul 1970.

Eliot, Charles William, Inagural address as president of Harvard 1869.

Eliot, George (Marian Evans Cross) *Stradivarius.*

Elliotson, J. Remarkable cure of intense nervous affections, etc. *Zoist* 1847-1848, 234-253.

Ellison, A. J. Some recent experiments in psychic perceptivity, *Journal of the Society for Psychical Research* 1962, 41, 355-365.

Engel, Hans G. Energy Healing, *Research Report* Los Angeles, CA: Ernest Holmes Research Foundation 1978, 1-15.

Estebany, Oszkar, *Personal Communication*, 1982.

Estlander, A. M./ Härkäpää, K. Presentation of a new attitude scale for patients with chronic pain, *Psychologia* 1985, 6, 428-432.

Evans, Hilary, Spontaneous sightings of seemingly autonomous entities: a comparative study in the light of experimental and contrived entity fabrications, *Presentation. at 25th Annual Convention of the Parapsychological Association/ 100th Convention of the Psychical Research at Cambridge, 1982.*

F

Fabrega, Horacio Jr. The study of medical problems in preliterate settings, *Yale J. of Biology and Medicine* 43: 385-407, 1971.

Fabrega, Horacio, Jr. *Disease and Social Behaviour: An Elementary Exposition*, Cambridge, Massachussets: MIT 1974.

Fadiman, James, The Prime Cause of Healing: The Process of Exploring and Experiencing It, *J. for Holistic Health* 1977, p. 11.

Fagin, C. Stress: Implications for nursing research, *Image: J. for Nursing Scholarship* 1987, 19(1), 38-41.

Fahrion, Steven, *Application of energetic therapy to basal cell carcinoma* (Pilot study, Topeka, Kansas, supported by the Office of Alternative Medicine, 1995, summary kindly provided by Fahrion).

Fedoruk, Rosalie Berner, *Transfer of the Relaxation Response: Therapeutic Touch as a Method for the Reduction of Stress in Premature Neonates*, Unpublished doctoral dissertation, University of Maryland 1984.

Feng Lida/ Chen Shuying/ Wang Saixi/ Haixin, Chen – Navy General Hospital, China Immunology Research Center, Beijing – Effect of emitted qi on changes of rat T-cell subclasses in peripheral blood., *3rd National Academy Conference on Qigong Science. Guangzhou, China 1990* – from Qigong database of Sancier.

Feng Lida/ Qian, Juqing/ Kang, Xiaoling – Chinese Immunology Research Center, Beijing – Effect of emitted qi on immune sticking function of red blood cells to tumor cells – , 2nd *World Conferencefor Academic Exchangeof Medical Qigong, Beijing 1993* – from Qigong database of Sancier.

Feng Lida/ Wang, Yunsheng/ Chen, Shuying/ Chen, Haixing – Immunology Research Center, Beijing – Effect of emitted qi on the immune functions of mice, *1st World Conferencefor Academic Exchange of Medical Qigong, Beijing 1988* – from Qigong database of Sancier.

Feng, Lida/ Chen, Shuying/ Zhu, Lina/ Zhao, Xiuzhen/ Cui, Siqi, Chinese Immunology Research Center, Beijing, Effect of emitted qi on the growth of mice, 2nd *World Conference for Academic Exchange of Medical Qigong, Beijing 1993* – from Qigong Database of Sancier.

Feng, Lida/ Peng, Liaomin – Chinese Immunology Research Center, Beijing, – Effect of emitted qi on prevention and treatment of tumors in mice, 2nd *World Conference for Academic Exchange of Medical Qigong. Beijing 1993* – from Qigong Database of Sancier.

Feng, Lida/ Peng, Liaomin/ Qian, Juqing/ Cheng, Shuying – Chinese Immunology Research Center, Beijing 100037 – Effect of qigong information energy

on diabetes mellitus (*4th International Conference on Qigong. Vancouver, British Columbia, Canada. 1995* – from Qigong Database of Sancier.

Feng, Lida/ Qian, Juqing/ Chen, Shugine – General Navy Hospital, Beijing – Research on reinforcing NK-cells to kill stomach carcinoma cells with waiqi (emitted qi), *3rd National Academy Conference on Qigong Science, Guangzhou, China 1990* – from Qigong database of Sancier.

Feng, Lida/ Qian, Juqing/ Chen, Suqing [and others] – China Immunology Research Center, Beijing. Effect of emitted qi on human carcinoma cells – , *1st World Conference for Academic Exchangeof Medical Qigong, Beijing 1988* – from Qigong database of Sancier.

Feng, Lida/ Zhao, Xiuzhen – Immunology Research Center, Beijing – Effect of emitted qi on the L 1210 cells of leukemia in mice, *1st World Conference for Academic Exchange of Medical Qigong, Beijing 1988* – from Qigong database of Sancier.

Fenwick, Peter/ Hopkins, Roy, An Examination of the Effect of Healing on Water, *J. of the Society for Psychical Research* 1986, 53, 387-390.

Ferda, Frantisek. *J. Paraphysics* 1979, 13(5/ 6) 129, Abstract-Clairvoyant DX and Healing At Distance of 50 Km, *Paper given at 4th International Congress on Psychotronic Research, 1979.*

Ferguson, Cecilia Kinsel, *Subjective Experience of Therapeutic Touch (SETTS)*: *Psychometric Examination of an Instrument*, Unpublished doctoral dissertation, University of Texas at Austin 1986.

Finkler, Kaja. *Spiritualist Healers in Mexico*, New York: Praeger 1985.

Flaskerud, J. H. *AIDS/ HIV Infection: A reference for nursing professionals*, Philadelphia: W. B. Saunders 1989.

France, Nancy E. M. The child's perception of the human energy field using therapeutic touch, *J. of Holistic Nursing* 1933, 11(4), 319-331.

Friedland, A. J/ Cacioppio, J. T, Guidelines for human electromyographic research, *Psychophysiology* 1986, 23, 367-589.

Frost, Robert, *Dust in the Eyes* 1828.

Frost, Robert, quoted in Carlson/ Shield, p. 31.

Frydrychowski, Andrzej F/ Przyjemska, Bozens;/ Orlowski, Tadeusz, An attempt to apply photon emission measurement in the selection of the most effective healer, *Psychotronika* 1985, 82-83. Abstract, translated from Polish by Alexander Imich, in *Parapsychology Abstracts International* 1987, 5(2), No. 2489.

G

Gagne, Deborah/ Toye Richard C. The effects of Therapeutic Touch and relaxation therapy in reducing anxiety, *Archives of Psychiatric Nursing* 1994, 8(3), 184-189.

Gagnon, T. A. & Rein, G, The biological significance of water structured with non-hertzian time-reversed waves, *J. of the US Psychotronics Association* 1990 4, 26-29.

Galbraith, Jean, See Roberton, Jean.

Galton, F. Statistical Studies into the Efficacy of Prayer, *Fortnightly Review* 1872, 12, 125-135 (Reprinted in Roland, C. G. Does Prayer Preserve?, *Archives of Internal Medicine* 1970, 125, 580-587).

Gao, Shufang/ Fan, Ronghao/ Yang, Guisheng/ Zhou, Yuqing – Dept Biology, Shandong University/ Research Academy of Qigong Science, Shandong/ Research Institute of Qigong and Parapsychology, Shandong University, China – Effect of qigong emanation (emitted qi) on physiology and biochemistry of cotton. *3rd National Academic Conference on Qigong Science, Guangzhou, China. 1990* – from Qigong Database of Sancier.

Gao, Zhenhua/ Zhang, Shiping/ Bi, Yongsheng – Shandon Traditional Chinese Medical College, Shandong, China – Effect of emitted qi acting on zasanli potnt of rabbits on myoelectric signals of Oddi's sphincter, *3rd National Academic Conference on Qigong Science, Guangzhou, China. 1990* – from Qigong Database of Sancier.

Garcia, Raquel, Healed by a Santera, In: *Fate Magazine, Exploring the Healing Miracle*, Highland Park, IL: Clark 1983, (Orig. Apr 1974).

Garcia, Raymond L. 'Witch Doctor?' A Hexing Case of Dermatitis, *Cutis* 1977, 19(1), 103-105.

Gardner, Nancy and Gardner, Esmond, *Five Great Healers Speak Here*, Wheaton, IL: Quest/ Theosophical 1982. (Reprinted by permission of The Theosophical Publishing House, Wheaton, IL, 1982; Copyright Nancy & Esmond Gardner).

Gardner, Rex, *Healing Miracles: A Doctor Investigates*, London: Barton, Longman and Todd 1986.

Gardner, Rex, Miracles of Healing in Anglo-Celtic Northumbria as Recorded by the Venerable Bede and His Contemporaries: A Reappraisal in the Light of Twentieth Century Experience, *British Medical J.* 1983 (Dec 24-31), 287, 1927-1933. (Also reviewed in Rogo, D. Scott, The Power of Prayer, *Fate* 1986 (Aug), 43-50.

Garner, Jim, Spontaneous Regressions: Scientific Documentation as a Basis for the Declaration of Miracles, *Canadian Medical Association J.* 1974, 111, 1254-1264.

Garrard, Clare Thomasson, *The Effect of Therapeutic Touch on Stress Reduction and Immune Function in Persons with AIDS (Immune Deficiency)*, (dissertation) Birmingham: University of Alabama 1996.

Garrison, Vivian, Doctor, Espiritista or Psychiatrist? Health-Seeking Behavior in a Puerto Rican Neighborhood of New York City, *Medical Anthropology* 1977, 1, 65-180.

Garyaev, P. P./ Grigoriev, K. V./ Poponin, V. P. DNA solutions studied by Laser Correlation Spectroscopy: experimental evidence for spontaneous temporal self-organization, *Bulletin of Lebedev Physics Institute* 1992, 12.

Gauquelin, Michel, *The Scientific Basis of Astrology: Myth or Reality*, New York: Stein and Day 1969.

Geddes, F. *Healing Training in the Church*, (dissertation) San Francisco Theological Seminary, 1981.

Geisler, Patrick V. Batcheldorian Psychodynamics in the Umbanda Ritual Trance Consultation, Part I, *Parapsychology Review* 1984, 15(6), 5-9.

Geisler, Patrick V. Batcheldorian Psychodynamics in the Umbanda Ritual Trance Consultation, Part II, *Parapsychology Review*, 1985(a), 16(1), 11-14.

Geisler, Patrick V. Parapsychological Anthropology II: A Multi-Method Study of Psi and Psi-Related Processes in the Umbanda Ritual Trance Consultation, *J. of the American Society for Psychical Research*, 1985(b), 79(2), 113- 166.

Giasson, Marie/ Bochard, Louise, Effect of Therapeutic Touch on the well-being of persons with terminal cancer, *J. of Holistic Nursing* 1998, 16(3), 383-398.

Gissurarson, Loftur R./ Gunnarsson, Asgeir, An experiment with the alleged human aura, *Journal of the American Society for Psychical Research* 1997, 91, 33-49.

Gift, A. Visual analogue scales: measurement of subjective phenomena, *Nursing Research*, 1989, 38(5), 286-288. .

Glaser, B./ Strauss, A. *The Discovery of Grounded Theory*, Chicago: Aldine 1967.

Glass, G./ McGaw, B./ Smith, M. *Meta Analysis in Social Research*, Beverly Hills, CA: Sage 1981.

Glick, Deborah Carrow, Psychosocial wellness among spiritual healing participants, *Social Science Medicine* 1986, 22(5), 579-586.

Gmur, M. and Tschopp, A. Factors determining the success of nicotine withdrawal: 12-year follow-up of 532 smokers after suggestion therapy (by a faith healer), *International J. of the Addictions* 1987, 22(12), 1189- 1200.

Goddard, Henry H. The Effects of Mind on Body as Evidenced by Faith Cures, *American J. of Psychology* 1899, 10, 431-502.

Goldstein, I. B. Reliability of stress profiling of selected muscle sites, In: Greenfield, N. S./ Sternbach, R. A. (eds), *Handbook of Psychophysiology*, New York: Holt, Reinhart, Winston 1972.

Golomb, L, Curing and sociocultural separatism in south Thailand, *Social Science in Medicine* 1985, 21(4), 463-468.

Goodrich, Joyce, *Psychic Healing – A Pilot Study* (dissertation) Graduate School, Yellow Springs, Ohio 1974.

Goodrich, Joyce, Studies in Paranormal Healing , *New Horizons* 1976, 2, 21-24.

Goodrich, Joyce, The Psychic Healing Training and Research Project, In: Fosshage, James L. and Olsen, Paul, *Healing: Implications for Psychotherapy*, New York: Human Sciences 1978, 84-110.

Goodrich, Joyce, *Personal Communication*, 1982-1985.

Goodrich, Joyce, Healing and meditation: Healing as a unitive experience. The LeShan work, *American Society for Psychical Research Newsletter* 1993, 18(2), 5.

Gordon, Andrea/ Merenstein, Joel H./ D'Amico, Frank/ Hudgens, David, The effects of Therapeutic Touch on patients with osteoarthritis of the knee, *J. of Family Practice* 1998, 47(4), 271-277.

Gordon, Thomas, *Parent Effectiveness Training*, New York: Plume/ Penguin 1970.

Gough, W, *Joint US-China experiment on the effect of external Qi on molecular structure using Raman spectroscopy*, Unpublished report, Foundation for Mind-Being, cited in Rein, 1992.

Gracely, R. H./ Kwilosz, D. M. The descriptor differential scale: applying psychophysical principles to clinical pain assessment, *Pain* 1988, 35, 279-288.

Grad, B. A telekinetic effect on plant growth. I, *International J. of Parapsychology* 1963, 5(2), 117-134.

Grad, B. A telekinetic effect on plant growth II. Experiments Involving Treatment of Saline in Stoppered Bottles, *International J. of Parapsychology* 1964(a), 6, 473-498.

Grad, Bernard, A telekinetic effect on plant growth III. Stimulating and inhibiting effects, *Research Brief Presented to the Seventh Annual Convention of the Parapsychological Association, Oxford University*, Oxford, England Sep 1964(b).

Grad, Bernard R. Some biological effects of laying-on of hands: a review of experiments with animals and plants, *J. of the American Society for Psychical Research* 1965(a), 59, 95-127 (Also reproduced In: Schmeidler, Gertrude (ed.) *Parapsychology: Its Relation to Physics, Biology, Psychology and Psychiatry*, Metuchen, NJ: Scarecrow 1976).

Grad, Bernard, PK effects of fermentation of yeast, *Proceedings of the Parapsychological Association* 1965(b), 2, 15-16.

Grad, Bernard, The 'laying on of hands:' implications for psychotherapy, gentling and the placebo effect, *J. of the Society for Psychical Research* 1967, 61(4), 286-305 (Also Reviewed In: Schmeidler, Gertrude (ed.) *Parapsychology: Its Relation to Physics, Biology, Psychology and Psychiatry*, Metuchen, NJ: Scarecrow 1976).

Grad, Bernard, *Personal communications* 1987, 1992.

Grad, B., et al, The Influence of an Unorthodox, Method of Treatment on Wound Healing in Mice, *International J. of Parapsyhology* 1961, 3, 5-24.

Graham, Helen, *Time, Energy and the Psychology of Healing*, London: Jessica Kingsley 1990.

Green, Elmer, et al, Anomalous electrostatic phenomena in exceptional subjects, *Subtle Energies* 1991, 2(3), 69-94).

Green, M. Joanne, *Registered Nurses' Knowledge and Practice of Therapeutic Touch* (master's thesis), Gonzaga University 1997.

Green, William Michael, *The Therapeutic Effects of Distant Intercessory Prayer and Patients' Enhanced Positive Expectations on Recovery Rates and Anxiety Levels of Hospitalized Neurosurgical Pituitary Patients: A Double Blind Study* (dissertation), San Francisco: California Institute of Integral Studies 1993.

Greenfield, Sidney M. A model explaining Brazilian spiritist surgeries and other unusual, religious-based healings, *Subtle Energies* 1994, 5(2) 109-141.

Gregorczuk, Bozena, Combining various methods of assistance in biotherapy, *Proceedings of the 6th International Conference on Psychotronics* 1986, 135-136.

Greyson, Bruce, Distance healing of patients with major depression, *Journal of Scientific Exploration* 1996, 10(4), 1-18.

Greyson, Bruce, Grossinger, Richard, *Planet Medicine: From Stone Age Shamanism to Post-Industrial Healing*, Boulder/ London: Shambhala 1982; Berkeley, CA: North Atlantic 1991.

Gu, Juefen/ Pan, Weixin/ Wu, Jun – China Pharmaceutical University Nanjing/ Jiangsu Qigong Sciences Society of Sports, Jiangsu, China – Effect of qigong emanation (emitted qi) on higher fungus flammulia velutipes sing, *3rd National Academic Conference on Qigong Science, Guangzhou, China. 1990b* – from Qigong Database of Sancier.

Gu, Juefen/ Wang, Yaowei/ Wu, Jun – China Pharmaceutical UniversityNanjing, Nanjing/ Jiangsu Qigong Sciences Society of Sports, Jiangsu, China – Effect of emitted qi on mutation to streptomyces mycarofarieus nov. sp. 10204, *3rd National Academic Conference on Qigong Science, Guangzhou, China. 1990a* – from Qigong Database of Sancier.

Gu, Ligang/ Yan, Xuanzuo/ Tao, Jundi/ Zhang, Li/ Xu, Yin/ Zhou, Yong/ Hai, Neihou/ Zhong, Xulong/ Lian, Shanhe, Institute of Qigong Science, Beijing College of Traditional Chinese Medicine, Beijing, China/ Tangshan Health Institute for Women and Children, Hebei Province, China, Effect of emitted qi on mouse spleen cells and tumor cells in vitro. *1st World Conf for Acad Exch of Medical Qigong, Beijing 1988.*

Guan, Haoben; Yang, Jainhong. Guangzhou College of Tradtional Chinese Medicine, Guangzhou – Effect of qigong waiqi (emitted qi) on IL-2 activity and multiplication action of spleen cells in mice *3rd National Academic Conference on Qigong Science, Guangzhou, China. 1990* – from Qigong Database of Sancier.

Guerrero, M. A. *The Effects of Therapeutic Touch on State-Trait Anxiety Level of Oncology Patients* (master's thesis) Galveston: University of Texas 1985.

Gui, Yongfan/ Chen, Qi/ Li, Yinfa/ Jiang, Shan, Nanjing Aeronautical Institute, Nanjing, China, Physical characteristics of the emitted qi, *1st World Conference for Academic Exchange of Medical Qigong. Beijing 1988.*

Gulak, Jan, Lowering the Anxiety levels in Persons Undergoing Bioenergotherapy, *Psychotronika* 1985, 6-9. (Translated from Polish by Alexander Imich).

Guo and Ni, Studies of Qi Gong in Treatment of Myopia (Nearsightedness), Cited In: Eisenberg, with Wright, 202-203.

Guo, Yinglan; Geng, Xindu; Mi, Juanceng. Northwest University, Shanxi Province, China, Study of the mechanism of emitted qi. *1st World Conference for Academic Exchange of Medical Qigong. Beijing 1988.*

Guoguang, Chen, The curative effect observation of 24 cases under my 'outward qigong' treatment, *Proccedings of the 2nd International Conference on Qigong, Xian, China, September 1989* – from Qigong Database of Sancier.

H

Haigler, Susan Lynne, *The Persuasive Implications of Therapeutic Touch in Doctor-Patient Relationships (Gender)* (dissertation), Seattle: University of Washington 1996 (touch for persuasion).

Hale, Elizabeth Habig, *A study of the relationship between therapeutic touch and the anxiety levels of hospitalized adults*, (dissertation) College of Nursing,Texas Woman's University 1986.

Halifax, Joan. *Shaman: The Wounded Healer*, New York: Crossroads 1982.

Hamilton, M. A rating scale for depression, *J. of Neurology, Neurosurgery and Psychiatry* 1960, 23, 56.

Hamilton-Wyatt, Gwen Karilyn, *Therapeutic Touch: Promoting and Assessing Conceptual Change Among Health Care Professionals* (dissertation) East Lansing: Michigan State University 1988.

Hammerschlag, Carl A. *The Dancing Healers: A Doctor's Journeyh of Healing with Native Americans*, San Francisco: Harper & Row 1988.

Haraldsson, E. and Thorsteinsson, T. Psychokinetic effects on yeast: an exploratory experiment, In: W. C. Roll, R. L. Morris, and J. D. Morris, (eds.), *Research in Parapsychology, 1972*, Metuchen, N. J. Scarecrow Press 1973, 20-21.

Haraldsson, Erlendur, and Olafsson, Orn, A survey of psychic healing in Iceland, *Christian Parapsychologist* 1980, 3(8), 276-279.

Haraldsson, Erlunder, *Miracles are My Greeting Cards: an Investigative Report on the Psychic Phenomena Associated with Sathya Sai Baba*, London: Century 1987.

Harary, S. B. *A pilot study of the effects of psychically treated saline solution on the growth of seedlings*, Unpublished Manuscript, Psychical Research Foundation, 1975.

Harman, Willis, *Symposium on Consciousness*, New York: Penguin 1977.

Harman, Willis, *Global Mind Change*, Knowledge Systems 1988.

Harner, Michael. *The Way of the Shaman*, New York: Bantam/ Harper and Row 1980.

Harris, William S., et al, A randomized, controlled trial of the effects of remote, intercessory prayer on outcomes in patients admitted to the coronary care unit, *Annals of Internal Medicine* 1999, 159(19), 2273-2278.

Harvey, David, *The Power to Heal: An Investigation of Healing and the Healing Experience*, Wellingborough, Northamptonshire, England: Aquarian 1983.

Hasted, John, *The Metal-Benders*, Boston: Routledge and Kegan Paul 1981.

Haviland, Denis, Safety of Faith Healing, *Lancet* 1986 (Mar 22), 1(8482), 684.

Heaton, E. *Mouse Healing Experiments*, Unpublished Manuscript, Foundation for Research on the Nature of Man, 1974.

Hebda, Hillard, *An Inquiry into Unorthodox Healing: Psychic Healing and Psychic Surgery*, M. A. Thesis, Governors State University (Human Learning and Development), 1975, (Abstract from *Parapsychology Abstracts International*, 1983, 1(2), No. 479, 58 Refs).

Heidt, Patricia Rose: Openness – A qualitative analysis of nurses' and patients' experiences of therapeutic touch, *Image: J. of Nursing Scholarship*, 1990, 22(3), 180-186 (Qotes by permission, copyright Sigma Theta Tau international).

Heidt, Patricia, *An Investigation of the Effect of Therapeutic Touch on the Anxiety of Hospitalized Patients*, New York University: Unpublished Ph. D. Dissertation 1979.

Heidt, Patricia, Effects of Therapeutic Touch on the Anxiety Level of Hospitalized Patient, *Nursing Research* 1981, 30, 30-37.

Heinze, Ruth-Inge (ed), *Proceedings of the International Conference on Shamanism, St. Sabina Center, San Rafael, CA* , Berkeley, CA: Center for South and Southeast Asia Studies, University of California May 1984.

Heinze, Ruth-Inge, *Trance and Healing in Southeast Asia Today: Twenty-One Case Studies,* Berkeley, CA: University of California, 1983.

Heinze, Ruth-Inge, *Proceedings of the Second International Conference on the Study of Shamanism, San Rafael, CA 1985*, Berkeley, CA: Center for South and Southeast Asia Studies 1985.

Heisenberg, W. *Physics and Beyond*, New York: Harper & Row 1971.

Helman, Cecil G. *Culture, Health and Illness*, Oxford, England: Butterworth-Heinemann 1990.

Herbert, Benson, Alexi Krivorotov: Russian "Healer", *J. of Paraphysics* 1970, 4(4), 112 (poor, useless).

Herbert, Benson, Biogravitation: Experimental Evidence, *Proceedings of the 4th International Conference on Psychotronic Research*, Sao Paulo, Brazil 1979(b), 149-152.

Herbert, Benson, Near and Distant Healing, *J. of Paraphysics* 1973, 7(5), 213-218.

Herbert, Benson, Theory and practice of psychic healing, *Parapsychology Review* Nov Dec 1975, 6, 22-23.

Herrigel, E. *Zen in the Art of Archery*, New York: Pantheon 1953.

Hiatt, J, Spirituality, medicine and healing , *Southern Medical J.* 1986, 79(6), 736-743.

Hill, Scott, Paranormal healing in Russia, *Fate* Aug 1981.

Horowitz, Kenneth A. Lewis, Donald C. and Gasteiger, Edgar L. Plant "primary perception": electrophysiological unresponsiveness to brine shrimp killing, *Science* 1975, 189, 478-480.

Hover-Kramer, D (ed), *Healing Touch: A Resource for Health Care Professionals*, Albany, NY: Delmar 1996.

Hu, Gang/ Fan, I. Ji/ Qiu, Yuzhen/ Chia, Jianyu – Laboratory of Catalysis, Shanghai Teacher's University, Shanghai/ Shanghai Qigong Institute – Biological effect of emitted qi with the blochronometer *3rd National Academic Conference on Qigong Science, Guangzhou, China. 1990* – from Qigong Database of Sancier.

Huang, Meiguang, General Hospital of PLA, Beijing, Effect of the emitted qi combined with self practice of qigong in treating paralysis, *1st World Conference for Academic Exchange of Medical Qigong, Beijing, 1988.*

Huang, Wengguo – Zhoushan Qigong Association, China – Prevention and cure of younster hyprometropla by qigong, 2nd *World Conference for Academic Exchange of Medical Qigong. Beijing 1993* – from Qigong Database of Sancier.

Hubacher, John/ Gray, Jack/ Moss, Thelma/ Saba, Frances, A Laboratory Study of Unorthodox, Healing, (*Proceedings of the Second International Congress on Psychotronic Research, Monte Carlo 1975*, 440-44.

Hughes, Pamela Potter, et al, Therapeutic Touch with adolescent psychiatric patients, *J. of Holistic Nursing* 1996, 14(1), 6-23.

Hultkrantz, A. The shaman and the medicine-man, *Social Science Medicine* 1985, 20(5), 511-515.

Hunt, S. M. Measuring health status: a new tool for clinicians and epidemiologists, *J. of the Royal Society of General Practitioners* 1985, 35, 185-188.

Huo, Yuhua/ Zhao, Jing/ Zhan, Diankun/ Zhao, Xiaomei/ Yang, Guisheng, Nankai University, Tianjin, Beijing College of Acupuncture, Moxibustion, Traumotology, Tianjin Society of Somatic Science, China, Effect of emitted qi on higher temperature superconductors, *2nd World Conference for Academic Exchange of Medical Qigong, Beijing 1993.*

Hurley, Patricia, *The Effect of Trait Anxiety and Patient Expectation of Therapeutic Touch on the Reduction in State Anxiety in Preoperative Patients Who Receive Therapeutic Touch* (dissertation), New York University 1993.

Hutchings, Donald D. The value of suggestion given under anesthesia: a report and evaluation of 200 consecutive cases, *American J. of Clinical Hypnosis* 1961, 4, 26-29.

Huxley, Francis, The Miraculous Virgin of Guadalupe, *International J. of Parapsychology* 1959, 1(1), 19-31.

Huxley, Thomas Henry, *On Elemental Instruction in Physiology* 1877.

I
_____

Ilieva-Even, Yanina, A Case of Shamanistic Healing in Siberia, Translated by Vilenskaya, Larissa, *Parapsychology in the U. S. S. R. Part III*, San Francisco: Washington Research Center 1981, 63-64.

Inglis, Brian, *Retrocognitive Dissonance*, Theta 1986 13/ 14 (1), 4-9.

Isaacs, Julian, A twelve session study of micro-PKMB training, In: Roll, William G.; Beloff, John and White, Rhea, *Research in Parapsychology 1982*, Metuchen, NJ/ London: Scarecrow 1983, 31-35.

Ivanova, Barbara, Some training experiments in clairvoyance, *Proceedings of the 5th International Conference on Psychotronic Research*, Bratislava 1983, 162-167.

Ivanova, Barbara, *The Golden Chalice*, (Mir, Maria and Vilenskaya, Larissa, Eds.), San Francisco, CA: H. S. Dakin 1986(a).

J
_____

Jackson, Mary E. Mueller, The use of Therapeutic Touch in the nursing care of the terminally ill person, In: Borelli and Heidt, *Therapeutic Touch*, New York: Springer 1981.

Jacobson, Nils and Wiklund, Nils, Investigation of Claims of Diagnosing by means of ESP, In: *Research in Parapsychology 1975*, Metuchen, NJ: Scarecrow 1976, 74-76.

Jadad, A. R., et al, Assessing the quality of reports of randomized clinical trials: is blinding necessary? *Controlled Clinical Trials* 1996, 17, 1-12.

Jahn, Robert G. and Dunne, Brenda J. *The Margins of Reality*, San Diego, CA and London: Harcourt, Brace Jovanovich 1987.

Jahn, Robert G. Out of this Aboriginal sensible muchness: consciousness, information, and human health, *J. of the American Society for Psychical Research* 1995, 89(4), 301-312.

Jia, Lin/ Jia, Jinding. National Research Institute of Sports Science, Beijing, China [1], assignee. Effects of the emitted qi on healing of experimental fracture. *1st World Conference for Academic Exchange of Medical Qigong*. Beijing, China, 1988.

Jia, Lin/ Jia, Jinding/ Lu, Danyun, National Research Institute of Sports Science, Beijing, Effects of emitted qi on ultrastructural changes of the overstrained muscle of rabbits, *1st World Conference for Academic Exchange of Medical Qigong. Beijing, China 1988.*

Jobst, K. One man's meat is another man's poison: the challenge of psychic/intuitive diagnosis to the diagnostic paradigm of orthodox medical science, *Journal of Alternative and Complementary Medicine* 1997, 3(1), 1-3.

Johnson, P. Youlden, *Healing Fingers: The Power of Yoga Pranic Healing*, New York: Rider 1950.

Johnston, B. *New Age Healing*, England: Johnson 1975.

Joralemon, D. The Role of Hallucinogenic Drugs and Sensory Stimuli in Peruvian Ritual Healing, *Cultural Medicine and Psychiatry* 1984, 8, 399-430.

Joyce, C. R. B. and Welldon, R. M. C. The Objective Effcacy of Prayer: A Double-Blind Clinical Trial, *J. of Chronic Diseases* 1965, 18, 367-77.

Jung, Carl Gustav, *The Collected Works of C. G. Jung*, Adler, G./ Fordham, M./ Read, H. (eds), Translated by Hull, R. F. C. Bolligen Series XX, Princeton University.

Jurak, Alois, Curative Effects of Bioenergy, *Proceedings of the 6th International Conference on Psychotronic Research* 1986, 108-110.

K
_____

Kakar, Sudhir, *Shamans, Mystics and Doctors: A Psychological Inquiry into India and its Healing Traditions*, Boston: Beacon, 1982.

Kanthamani, H. and Kelly, E. F. Awareness of success in an exceptional subject, *J. of Parapsychology* 1974, 38, 355-382.

Kaptchuk Ted , *The Web that Has No Weaver* NY: Congdon and Weed 1984.

Kaptchuk, Ted/ Croucher, Michael, *The Healing Arts: Exploring the Medical Ways of the World*, New York: Summit 1987.

Kapur, R. L. The role of traditional healers in mental health care in rural India, *Social Science and Medicine* 1979 (Jan), 138(1), 27-31.

Karagulla, Shafica, and Var Gelder Kunz, Dora, *The Chakras and the Human Energy Field*, Wheaton, IL, Quest/ Theosophical 1989.

Karagulla, Shafica, *Breakthrough to Creativity: Your Higher Sense Perception*, Santa Monica, CA: DeVorss 1967.

Karp, Reba Ann, *Edgar Cayce Encyclopedia of Healing*, New York: Warner 1986.

Kartsev, V. I. [Lethal gamma-irradiation and bioenergy therapy] *Parapsikhologiya i Psikhofizika [Parapsychology and Psychophysics]* Trans from Russian by May, Edwin C./ Vilenskaya Larissa, Mental influence on grey mice exposed to lethal doses of ionizing radiation, *Some Aspects of Parapsychological Research in the Former Soviet Union* 1994, 10-11.

Kashiwasake, Masaki: Double-blind tests of qi transmission from qi-gong masters to untrained volunteers (*J. of Mind-Body Science* 1993, 2(1), 81-87 (Japanese, with English summary).

Katz, Richard, *Boiling Energy: Community Healing Among the Kalahari Kung*, Cambridge, MA: Harvard University 1981.

Kawano, Kimiko/ Wang, Fengfong/ Duan Liye – Information Processing Center of Medical Sciences, Nippon Medical School – Double-blind tests of qi transmission from qigong masters to untrained volunteers: (2) changes in the brain waves of qi-receivers. *Japanese Mind-Body Science* 1993, 2(1), 89-93 – from Qigong Database of Sancier.

Keane, P. and Wells, R, An examination of the menstrual cycle as a hormone related physiological concomitant of psi performance, *Paper Presented at Parapsychological Association Conference*, St. Louis 1978.

Keegan, Lynn, *The Nurse as Healer*, Albany, NY: Delmar 1994.

Keller, Elizabeth/ Bzdek, Virginia M. Effects of Therapeutic Touch on tension headache pain, *Nursing Research* 1986, 35, 101-104. (Unpublished M. A. Thesis, University of Missouri 1983).

Keller, Elizabeth Kolbet, Therapeutic Touch: A review of the literature and implications of a holistic nursing modality, *J. of Holistic Nursing* 1984, 2(1), 24-29.

Kemp, Louise Marie, *The Effects of Therapeutic Touch on the Anxiety Level of Patients with Cancer Receiving Palliative Care* (master's thesis), Canada: Dalhousie University 1994.

Kerewsky-Halpern, B. Trust, talk and touch in Balkan folk healing, *Social Science Medicine* 1985, 21(3), 319-325.

Kermis, M.D. *The Psychology of Aging: Theory, Research and Practice*, Toronto: Allyn & Bacon 1984.

Kiecolt-Glaser, J., et al, . Chronic stress and immunity in family caregivers of Alzheimer's disease victims, *Psychosomatic Medicine* 1987, 49(2), 523-535.

Kief, Herman K. A method for measuring PK with enzymes, In: Roll, W. G. Morris, R. L. and Morris, J. D. (eds), *Research in Parapsychology 1972* Metuchen, NJ: Scarecrow 1973, 19-20.

Kiernan, Jane S. *The Experience of Therapeutic Touch in the Lives of Five Postpartal Women (Birth)* (dissertation), New York, NY: New York University 1997.

Kiev, Ari (ed), *Magic, Faith and Healing: Studies in Primitive Psychiatry Today*, New York: Free Press/ Macmillan 1964.

Kiev, Ari, *Curanderismo: Mexican-American Folk Psychiatry*, New York: Free Press 1968.

King, Serge. *Kahuna Healing: Holistic Health and Healing Practices of Polynesia*, Wheaton, IL: Quest/ Theosophical 1983.

Kirkpatrick, Richard A. Witchcraft and lupus erythematosus, *J. of the American Medical Association* 1981, 245(9), 1937.

Kleinman, A./ Sung, L. H. Why do indigenous practitioners succeessfully heal? *Social Science and Medicine* 1979, 13, 7-26.

Kleinman, Arthur M. Some issues for a comparative study of medical healing, *International J. of Social Psychiatry* 1973, 19(3/ 4), 160.

Kleinman, Arthur, *Patients and Healers in the Context of Culture: An Exploration of the Borderland Between Anthropology, Medicine, and Psychiatry*, Berkeley/ Los Angeles: University of California 1980.

Kmetz, John M. A study of primary perception in plant and animal life, *J. of the American Society for Psychical Research* 1977, 71, 157-168.

Kmetz, John M. An examination of primary perception in plants, *Parapsychology Review* 1975, 6(3), 21.

Knowles, F. W. My experience in psychic healing and parapsychology, *New Zealand Medical J.* 1971, 74, 328-331.

Knowles, F. W. Psychic healing in organic disease, *J. of the American Society for Psychical Research* 1956, 50(3), 110-117.

Knowles, F. W. Rat experiments and Mesmerism, *J. of the American Society for Psychical Research* 1959, 53, 62-65.

Knowles, F. W. Some investigations into psychic healing, *J. of the American Society for Psychical Research* 1954, 48(1), 21-26.

Ko, Wen-hsiung, Superstition or ancient wisdom?, *Fate* 1988 (Feb), 56-63.

Kobasa, S. C., et al, Personality and constitution as mediations in stress-illness behavior, *J. of Health and Social Behavior* 1980, 22(2), 368-378.

Koestler, Arthur, *The Case of the Midwife Toad*, New York: Random House 1971.

Kohn LT, et al, (eds) *To err is human: building a safer health system,* Washington, D. C. National Academy Press, 2000.

Kornfield, Jack, *A Path with Heart: A Guide through the Perils and Promises of Spiritual Life,* New York/ London Bantam 1993.

Korth, Leslie O. *Healing Magnetism: The power behind contact therapy*, Wellingborough, Northants. England: Thorsons 1974.

Koss, J. D. Espectations and outcomes for patients given mental health care or spiritist healing in Puerto Rico, *American J. of Psychiatry* 1987, 144(1), 56-61.

Kowey, Peter R. Friehling, Ted D. and Marinchak, Roger A. Prayer meeting cardioversion, *Annals of Internal Medicine* 1986, 104(5), 727-728.

Kraft, Dean, *Portrait of a Psychic Healer*, New York: G. P. Putnams's Sons 1981

Kramer, Nancy Ann, Comparison of Therapeutic Touch and casual touch in stress reduction of hospitalized children, *Pediatric Nursing* 1990, 16(5), 483-485.

Krieger, Dolores, The relationship of touch, with intent to help or to heal, to subjects' in-vivo hemoglobin values, In: *American Nurses' Association 9th Nursing Research Conference, San Antonio, TX 1973* Kansas City, MO: American Nurses' Association 1974, 39-58.

Krieger, Dolores, Therapeutic Touch: the imprimatur of nursing, *American J. of Nursing* 1975, 7, 784-787.

Krieger, Dolores, Healing by the 'laying-on' of hands as a facilitator of bioenergetic change: The response of in-vivo human hemoglobin, *Psychoenergetic Systems* 1976, 1, 121-129.

Krieger, Dolores, *The Therapeutic Touch: How to Use Your Hands to Help or Heal*, Englewood Cliffs, NJ: Prentice-Hall 1979.

Krieger, Dolores, *Foundations for Holistic Health Nursing Practices: The Renaissance Nurse*, Philadelphia: J. P. Lippincott 1981.

Krieger, Dolores, *Living the Therapeutic Touch*, New York: Dodd Mead 1987.

Krieger, Dolores, Therapeutic Touch during childbirth preparation by the Lamaze method and its relation to marital satisfaction and state anxiety of the married couple, In: Krieger, D. *Living the Therapeutic Touch: Healing as a Lifestyle*, New York: Dodd Mead 1987, 157-187.

Krieger, Dolores, *Therapeutic Touch Inner Workbook*, Santa Fe, NM: Bear & Co. 1997.

Krieger, Dolores, Peper, Eric, and Ancoli, Sonia, Therapeutic Touch, *American J. of Nursing,* April 1979, 660-665.

Krippner, Stanley, Investigations of 'extrasensory' phenomena in dreams and other altered states of consciousness, *J. of the American Society of Psychosomatic Dentistry and Medicine* 1969, 16(1), 7-14.

Krippner, Stanley, Research in paranormal healing: Paradox and promise, *American Society for Psychical Research Newsletter* 1973, 19.

Krippner, Stanley, A suggested typology of folk healing and its relevance for parapsychological investigation, *J. of the Society for Psychical Research*, 1980(b), 50(786), 491-499.

Krippner, Stanley, A questionnaire study of experiential reactions to a Brazilian healer, *J. of the Society for Psychical Research* 1990, 56, 208- 215.

Krippner, Stanley, *A cross-cultural comparison of four healing models, Alternative Therapies in Health and Medicine* 1995, 1(1), 21-29.

Krippner, Stanley/ Solfvin, Gerald, Psychic healing: a research survey, 1984, 3(2), 16-28.

Krippner, Stanley/ Villoldo, Alberto, Spirit healing in Brazil, *Fate*, Mar 1976.

Krippner, Stanley/ Villoldo, Alberto, *The Realms of Healing*, Millbrae, CA: Celestial Arts 1976; 3rd. Ed. Rev. 1986.

Krippner, Stanley/ Welch, Patrick, *Spiritual Dimensions of Healing: From Native Shamanism to Contemporary Health Care*, New York: Irvington 1992.

Krivorotov, Victor K./ Krivorotov, Alexei E./ Krivorotov, Vladimir K. Bioenergotherapy and healing, *Psychoenergetic Systems* 1974, 1, 27-30.

Krivorotov, Victor, Some issues of bioenergetic therapy, In: Vilenskaya, Larissa, Translator and Editor, *Parapsychology in the USSR, Part III.* San Francisco: Washington Research Center 1981, 30-41.

Kuang, Ankun, et al, Long-term observation on Qigong in prevention of stroke – follow-up of 244 hypertensive patients for 18-22 years, *J. of Traditional Chinese Medicine* 1986, 6(4), 235-238. Also In: Kuang, A. K., et al, Comparative study of clinical effects and prognosis of 204 hypertensive patients treated with *Qigong) in 20 years of follow-up and its mechanisms,*

Kubler-Ross, Elizabeth, *Living with Death and Dying*, New York: Macmillan 1981; London: Souvenir 1982.

Kuhlman, Kathryn, *I Believe in Miracles*, New York: Pyramid 1969.

Kuhn, Thomas S, *The Structure of Scientific Revolutions*, The University of Chicago Press, Vol II , No. 2, 1962, 1970.

Kunz, Dora, *Spiritual Healing: Doctors Examine Therapeutic Touch and Other Holistic Treatments*, Wheaton, IL: Quest 1995.

Kunz, Dora, *Healing seminar*, Pumpkin Hollow, 1982.

Kurtz, Paul. *The Transcendental Temptation: A Critique of Religion and the Paranormal*, Buffalo, New York: Promethius 1986.

L

Lacan, J. *Language of the Self*, Baltimore: Penguin 1965.

Lafitte, G. The Lourdes cures: Osteo-articular disorders, In: Flood (ed), *New Problems in Medical Ethics*, Cork 1953 (from West, p. 9; instantaneous cure).

Landy, David, *Culture, Disease and Healing: Studies in Medical Anthropology,* New York: Macmillan 1977.

Lange, Walter R. *Healing Miracles: The Story of the St. Rupertus Spring and its Miraculous, Health-Giving Water,* Brooklyn, NY: Walter R. Lange 1977.

Lansdowne, Z. F. *The Chakras and Esoteric Healing,* York Beach, MA: Samuel Weiser 1986.

Laotsu, *The Wisdom of Laotsu*, New York: Modern Library 1948.

Larcher, Hubert, Sacred places and paranormal cures, *Revue Metapsychique* 1981, 15(4), 19-28.

Larder, B. A., et al, HIV with reduced sensitivity to zidovudine (AZT) isolated during prolonged therapy, *Science* 1989, 243(3), 1297-1300.

Leape LL, Error in medicine, *Journal of the American Medical Association* 1994;272:1851-7.

Leb, Catherine, *The effects of Healing Touch on depression* (master's thesis) University of North Carolina 1996.

Lee, Bonita, Vibrational essences – liquid consciousness? *Caduceus* 1996/ 7 Winter, No. 34, 41-45.

Lee, C. Qigong (Breath Exercise) and its major models, *Chinese Culture* 1983, 24(3), 71-79.

Lee, Richard H./ Wang, Xiaming, China Healthways Institute, 117 Granada, San Clemente, CA 92672, USA, Use of surface electromyogram to examine the effects of the infratonic QGM on electrical activity of muscles, a double-blind, placebo-controlled study, *2nd World Conference for Academic Exchange of Medical Qigong,* Beijing 1993.

Leikam, W. C. *A Pilot Study on the Psychic Influence of E. Coli Bacteria*, Unpublished Manuscript, 1981.

Lenington, Sandra, Effects of holy water on the growth of radish plants, *Psychological Reports* 1979, 45, 381-382. (Abstract in *J. of Parapsychology*, 1980, 44, 386-7).

LeShan, Lawrence, *The Medium, The Mystic and The Physicist: Toward a General Theory of the Paranormal*, New York: Ballantine 1974(a); British edition – *Clairvoyant Reality*, Wellingborough, England: Thorsons.

LeShan, Lawrence, *Alternate Realities*, New York: Ballantine 1976.

LeShan, Lawrence, *Cancer as a Turning Point*, Bath: Gateway 1989.

LeShan, Lawrence/ Margenau, Henry, An approach to a science of psychical research, *J. of the Society for Psychical Research* 1980, 50, 273-283.

LeShan, Lawrence/ Margenau, Henry, *Einstein's Space and Van Gogh's Sky*, New York: Macmillan 1982.

Leskowitz, Eric, Un-debunking therapeutic touch, *Alternative Therapies* 1998, 4(4), 101-102.

Leuret, Francois and Bon, Henri, *Modern Miraculous Cures: A Documented Account of Miracles and Medicine in the 20th Century*, New York: Farrar, Straus and Cudahy 1957.

Levesque, GV, *Miracle Cures for the Millions,* Bell Publishing Company, New York.

Li, Caixi/ Jinlong/ Liu, Zhiyun/ Zhao, Guang/ Zhang, Yu/ Zhang, Guoxi, Xiyuan Hospital, China Academy of Traditional Chinese Medicine, Beijing – Effects of emitted qi on immune functions in animals *1st World Conf for Acad Exch of Medical Qigong, Beijing, China 1988* – from Qigong Database of Sancier.

Li, Caixi/ Zhao, Tongjian/ Lu, Danyun/ Xu, Qingzhong – Xiyuan Hospital, China Academy of Chinese Traditional Medicine, China/ Xuanwu Hospital, Beijing/ Scientific Research Institute of National Physical Culture Commission, Xuanwu Hospital, Beijing – Effects of qigong waiqi (emitted qi) on immune functions of mice with tumors *3rd National Academic Conference on Qigong Science, Guangzhou, China. 1990* – from Qigong Database of Sancier.

Li, Desong/ Yang, Qinfei/ Li, Xiaoming/ Shi, Jiming, Institute Qigong Science, Beijing College of Traditional Chinese Medicine, Beijing 100029, Spectrum analysis effect of emitted qi on EEG on normal subjects, 2nd World Conference for Academic Exchange of Medical Qigong, Beijing 1993.

Li, Guowei/ Ding, Datong/ Zhou, Daming/ Zhao, Jing/ Wei, Tianbo/ Yang, Gueisheng/ Xie, Guoqang – Dept Biology, Nankai University, Tianjin/ Tianjin Physical Science Society, Tianjin, China – Chemical shift of ethanol (by NMR) elicited by qigong waiqi (emitted qi) *3rd National Academic Conference on Qigong Science, Guangzhou, China. 1990* – from Qigong Database of Sancier.

Li, Jinzheng/ Liu, Hekun – Beijing Institute of Traditional Chinese Medicine/ Shenyang Institute of Traditional Chinese Medicine, Shenyang, China – Clinical observation of liver and gallstones treated with qigong, *1st World Conference for Academic Exchange of Medical Qigong, Beijing 1988* – from Qigong Database of Sancier.

Li, Luying/ Xu, Hongwei/ Li, Xiaohui/ Wen, Qinfen/ Li, Jiamei/ Li – Shenzhuang Research Society of Human Body, Qigong Medical College, China – Effects of emitted qi and will on hyperchromic and hypochromic absorption spectra of DNA, 2nd *World Conference for Academic Exchange of Medical Qigong. Beijing 1993* – from Qigong Database of Sancier.

Li, Shengping/ Meng, Guirong/ Cui, Yuanhao/ Sun, Mengyin/ Zhang, Fushi/ Tang, Yingwu/ Qiu, Yong/ Li, Jinghong/ Xin, Yan, Tsinghua University, Beijing/ Municipal Institute of Traditional Chinese Medicine of Chongqing, Sichuan Province, China, Effect of emitted qi on laser fluorescence and ultraviolet on the rhodamin dyestuff, *1st World Conference for Academic Exchange of Medical Qigong, Beijing 1988* – from Qigong Database of Sancier.

Li, Shengping/ Su, Mengyin/ Meng, Guirong/ Cui, Yuanhao/ Xin, Yan, Tsinghua University, Beijing/ Municipal Institute of Traditional Chinese Medicine of Chongqing, Sichuan Province, China, Effect of emitted qi on bovine serum albumen by the ultraviolet and fluorescence spectrophotometer, *1st World Conference for Academic Exchange of Medical Qigong, Beijing 1988* – from Qigong Database of Sancier.

Li, Shuzhun [and others] – Dept Immunology, Shandong Academy of Medical Sciences, Jinan, China – Effect of emitted qi on the immunoability of Immunosuppressed mice *3rd National Academic Conference on Qigong Science, Guangzhou, China. 1990* – from Qigong Database of Sancier.

Libchaber, Albert, Quoted in Gleick, James, *Chaos*, New York/ London: Viking/ Penguin 1987, p. 195.

Li-Da, Fong, The effects of external Qi on bacterial growth patterns, *China Qi Gong Magazine* 1983, 1, 36 (Quoted In: Eisenberg, David with Wright, Thomas Lee, *Encounters with Qi,* New York: W. W. Norton 1985, 213.

Lin, Houshen – Shanghai Qigong Institute – Clinical and laboratory study of the effect of qigong anaesthesla on thyroldectomy, *1st World Conference for Academic Exchange of Medical Qigong, Beijing 1988* – from Qigong Database of Sancier.

Lin, Kuo. *A New Methodology of Qigong Applied in Cancer Treatment*, Shanghai: The Scientific press, 1981, P. !.

Lin, Menxian/ Zhang, Jie/ Hu, Dongwe/ Ye, Zhumei – Fujina soul Skill Research Dept, Fu Zhou, China – Effect of qigong waiqi (emitted qi) on blood chemistry of mice radiated with x-rays *3rd National Academic Conference on Qigong Science, Guangzhou, China. 1990* – from Qigong Database of Sancier.

Lionberger, Harriet Jacqueline, *An interpretive study of nurses practice of Therapeutic Touch*, (dissertation) University of California, San Francisco 1985, 46, 2624B, University Microfilms No. 85-24-008. .

Liu, Anxi/ Zhao, Jing/ Wang, Xishang/ Zhang, Jun – Dept Biology, Nankai University, China – Effect of waiqi (emitted qi) on singe sodium channel of cultured rate neurons *3rd National Academic Conference on Qigong Science, Guangzhou, China. 1990* – from Qigong Database of Sancier.

Liu, Anxi/ Zhao, Jing/ Zhao, Yong/ Du, Zhiqin, Dept Biology, Nankai University, Tainjin 300071, China, Modified effect of emitted qi on close-open kinetic process of sodium channels of rat cultural neuron cell, *2nd World Conference for Academic Exchange of Medical Qigong, Beijing 1993* – from Qigong Database of Sancier.

Liu, Guanquan/ Yang, Tsau/ Yao, Yuzhong/ Zhang, Jinmei/ Ming, Huasheng/ He, Jinhong – Dept Physiology, Sun Yat-Sen University of Medical Sciences, Guangzhou, China/ Guangdong Qigong Association, China – Effects of emitted qi on the characteristics of Interspike Interval of the cerebellar neurons of rats *3rd National Academic Conference on Qigong Science, Guangzhou, China. 1990* – from Qigong Database of Sancier.

Liu, Guolong, A study by EEG and evoked potential on humans and animals of the effects of emitted Qi, Qigong meditation, and infrasound from a Qigong simulator (Beijing College of Traditional Chinese Medicine, China – from Sancier 1991).

Liu, Guolong, Department of Physiology, Beijing College of Traditional Chinese Medicine, Beijing – Effect of qigong state and emitted qi on the human nervous system, *1st* International Congress of Qigong, UC Berkeley, Calif, 1990 – from Qigong Database of Sancier.

Liu, Guolong, Rongqing Cui, Xin Niu and Xueyan Peng – Beijing College of Traditional Chinese Medicine, Beijing – Nerval mechanisms of the qigong state and the effects of emitted qi, *1st World Conference for Academic Exchange of Medical Qigong, Beijing 1988* – from Qigong Database of Sancier.

Liu, Guolong/ Cui, Rongqing/ Niu, Xin/ Peng, Xueyan – Beijing College of Traditional Chinese Medicine - *Nerval mechanisms of the qigong state and the effects of emitted qi, 1st* World Conference for Academic Exchange of Medical Qigong, Beijing 1988 – from Database of Sancier.

Liu, Guolong/ Wan, Pei/ Peng, Xueyan/ Zhong, Xuelong, Beijing College of Traditional Chinese Medicine, Beijing – Influence of emitted qi on the auditory brainstem evoked responses (ABER) and auditory middle latency evoked responses (MLR) in cats, *1st World Conference for Academic Exchange of Medical Qigong, Beijing 1988* – from Qigong Database of Sancier.

Liu, Haitao [and others], Weifang Medical College, Shandong Province, China, Study of the inducing function of the emitted qi of qigong on the biological composition of a-amylase in wheat seeds. *1st World Conference for Academic Exchange of Medical Qigong, Beijing, 1988* – from Qigong Database of Sancier.

Liu, Tehfu/ Wan, Minsheng/ Lu, Oulun – Shanghai Medical University – *Experiment of the emitted qi on animals*, 1st World Conference for Academic Exchange of Medical Qigong, Beijing 1988 – from Database of Sancier.

Liu, Yusheng, et al, – Institute of Integration of Traditional and Western Medicine of PLA, First Medical College of PLA, Guangzhou, China – Study of the persistency of the effect of emitted qi on the biological effect on T cells in mice *3rd National Academic Conference on Qigong Science, Guangzhou, China. 1990* – from Qigong Database of Sancier.

Liu, Yusheng, et al, Institute of Integration of Traditional and Western Medicine of PLA, First Medical College of PLA, Guangzhou – Effect of qigong waiqi (emitted qi) on the tumor killing activity of NK-cells in mice *3rd National Academic Conference on Qigong Science, Guangzhou, China. 1990* – from Qigong Database of Sancier.

Liu, Zirong/ Ren, Tao/ Ren, Jianping/ Zhang, Zhixiang, Dept Microorganism, Shandong University, China/ Yuan Study Research Institute, E. Zhou, Hubei Province, China, Comparative study of emitted qi and physical-chemical factors on the protoplasmic mutagenesis of micromonospora echinospord, *2nd World Conference for Academic Exchange of Medical Qigong, Beijing 1993* – from Qigong Database of Sancier.

Liu, Zirong/ Wang, Jinshen/ Ren, Jianping/ Yuan, Hua, Microbiology Dept, Shandong University, Yuanji Study Research Institute, E. Zhou, Hubei Province, China, Study of the biological effect of emitted qi on microbes, *2nd World Conference for Academic Exchange of Medical Qigong, Beijing 1993* – from Qigong Database of Sancier.

Lo, Chinhpaio/ He, Ahiqang/ Liu, Weimen/ Ge, Zuwen/ Zhou, Eaqiang/ Sun, Lifen/ Li Chunyan/ Xu Jianhao/ Wu, Yucan/ Ke, Heng/ Xu, Jianping – Jinan University, Guangzhou/ Guandong Institute of Material Medica, Guangzhou/ Quangdong Qigong Association, Guangzhou, China – Scanning electron microscopic observation on effects of qigong waiqi (emitted qi) on the membrane of mycardial cells in culture *3rd National Academic Conference on Qigong Science, Guangzhou, China. 1990* – from Qigong Database of Sancier.

Loehr, Franklin, *The Power of Prayer on Plants*, New York: Signet 1969.

Lombardi, Ethel, *Personal Communication* 1981, 1984.

Long, Joseph K. *Extrasensory Ecology: Parapsychology and Anthropology*, Metuchen, NJ and London: Scarecrow 1977.

Long, Max Freedom, *Recovering the Ancient Magic*, Cape Girardeau, MO: Huna 1978 (Orig. 1936).

Long, Max Freedom, *The Secret Science Behind Miracles*, Marina del Rey, CA: DeVorss 1976 (Orig. 1948).

Lorr, M./ McNair, D. M. *Profile of Mood States (Bi-Polar Form)*, San Diego, CA: Educational and Industrial Testing Service 1988.

Lovelock, J. *Gaia: A New Look at Life on Earth.* New York: Oxford University 1979.

Lu, Danyun/ Jia, Jingdin, National Research Institute of Sports Science, Beijing, China, Effect of emitted qi on the skeletal muscle of mice under the stress of ice-swimming – an electro-microscopic observation, *1st World Conf for Acad Exch of Medical Qigong. Beijing, China 1988* – from Qigong Database of Sancier.

Lu, Guangjun/ Cai, Jun/ Chen, Xiaoye – Qigong Dept, Xiyuan Hospital, China/ institute of Basic Medical Sciences, China Academy of Traditional Medicine, Beijing – Pathological studies on treating rat gastric-ulcer treated with emitted qi *3rd National Academic Conference on Qigong Science, Guangzhou, China. 1990* – from Qigong Database of Sancier.

Lu, Huahao/ Wang, Lianfang/ Zhen, Jeiping/ Xie, Chunlin/ Chang, Jiaoying/ Luo, Jifeng/ Lin, Xiaoshang – 157 Central Hospital of PLA, Guangzhou – Effect of emitted qi on peripheral blood Iymphocytes and subgroups in ICR mice *3rd National Academic Conference on Qigong Science, Guangzhou, China. 1990* – from Qigong Database of Sancier.

Lu, Huahao/ Zhen, Jieping/ Luo, Jifeng/ Wang, Lianfang/ Lin, Xiashang/ Liu, Jiang – Central Hospital of P. L. A. Guangzhou/ Dept Pharmacology, Chinese Medical College Guangzhou, Guangzhou, China – Effect of emitted qi on testosterone and estradiol in rats *3rd National Academic Conference on Qigong Science, Guangzhou, China. 1990* – from Qigong Database of Sancier.

Luo, Sen/ Chai, Shaoai/ Yi, Weiyuan/ Ren, Hetian/ Cao, Baozheng. Zhejiang Institute of Traditional Chinese Medicine, Zhejiang Province, China, Molecular biological effects of emitted qi on man, *1st World Conference for Academic Exchange of Medical Qigong, Beijing 1988* – from Qigong Database of Sancier.

Luo, Xin; Zhu, Nianlin; Li, Liping; Liu, Fengzhen. Yunnan University, Kunming, China – Effect of qigong (emitted qi), PSI, and\bloradlatlon on some ultraviolet absorption spectra *3rd National Academic Conference on Qigong Science, Guangzhou, China. 1990* – from Qigong Database of Sancier.

Lynch-Sauer, J. using phenomenological research method to study nursing phenomena, In: Leininger, M. M. (ed), *Qualitative research methods in nursing*, Orlando, FL: Grune & Stratton 1985.

M

Ma, Dingxing – Stomatological Hospital, 4th Military Medical College, Xi'an, China – *Oral facial scar softened by qigong therapy, 1st World Conference for Academic Exchange of Medical Qigong, Beijing 1988* – from Qigong Database of Sancier.

Macdonald, Michael Patrick , *Madness and Healing in Seventeenth Century England* (dissertation), Stanford, CA: Stanford University 1979.

MacDonald, R. Dakin, H. S. and Hickman, J. L. Preliminary studies with three alleged 'psychic healers,'

In: Morris, J. D. Roll, W. G. and Morris, R. L (eds), *Research in Parapsychology 1976,* Metuchen, NJ and London: Scarecrow 1977.

MacManaway, Bruce with Turcan, Johanna, *Healing: The Energy That Can Restore Health*, Wellingsborough, England: Thorsons 1983.

MacNeil, Melanie Sue, *Therapeutic Touch and Tension Headaches: A Rogerian Study* (master's thesis), D'Youville College 1995.

Macrae, J. Therapeutic Touch: a way of life, in Borelli/ Heidt.

Madakasira, S./ O'Brien, K. Acute posttraumatic stress disorder in victims of a natural disaster, *J. of Nervous and Mental Disease* 1987, 175, 286-290. .

Magaray, Christopher. Healing and meditation in medical practice, *Medical J. Australia* 1981, 1, 338-341.

Manning, Matthew, *The Link*, New York: Holt, Rinehart and Winston, 1974.

Markides, Emily Joannides, *Complementary Energetic Practices: An Exploration Into the World of Maine Women Healers (Alternative Therapies, Healing),* (dissertation) University of Maine 1996.

Matheny, K., et al, *Coping Resource Inventory for Stress (CRIS),* Atlanta: Health Prisms Inc. 1981.

Matthews, Caitlin, *Singing the Soul Back Home: Shamanism in Daily Life*, Shaftesbury, England/ Rockport, MA: element 1995.

May, Edwin C./ Vilenskaya, Larissa, 'Distant influence' on the eating behavior of white mice (*Some Aspects of Parapsychological Research in the Former Soviet Union* 1994, 9-10; *Subtle Energies* 1992, 3(3) 45-68.

McCaffery, John, *Tales of Padre Pio, The Friar of San Giovannni*, Garden City, NY: Image/ Doubleday 1981. (Orig. *The Friar of San Giovanni*, U. K. Darton, Longman & Todd 1978.)

McCarthy, Donald; Keane, Patrice and Tremmel, Lawrence, Psi phenomena in low complexity systems: Conformance behavior using seeds, In: Roll, W. G (ed). *Research in Parapsychology 1978,* Metuchen, NJ and London: Scarecrow 1979, 82-84.

McClure, Kevin, Miracles of the Virgin, *The Unexplained*, 1983, 11(131), 2614- 2617.

McConnell, Robert and Kuzmen Clark, Thelma, National Academy of Sciences opinion on parapsychology, *Presentation at 33rd Annual Meeting of the Parapsychological Association, Chevy Chase, MD* 1990.

McConnell, Robert and Kuzmen Clark, Thelma, The enemies of parapsychology, *Presentation at 33rd An-*

nual Meeting of the Parapsychological Association, Chevy Chase, MD 1990.

McCormack, H. M., et al, Clinical applications of visual analogue scales: a critical review, *Psychological Medicine* 1968, 18, 1007.

McCullough, J. Plants and people, some exploratory experiments, *Parascience Proceedings* 1973, 39-42.

McDougall, W. Fourth report on a Lamarckian experiment, *British J. of Psychology* 1938, 28, 321-345.

McFadden, Steven, *Profiles in Wisdom: Native elders Speak about the Earth,* Santa Fe, NM: Bear & Co. 1991.

McGaa, E. (Eagle Man). *Mother Earth Spirituality: Native American Paths to Healing Ourselves and Our World.* San Francisco: Harper & Row 1990.

McGarey, William A. *The Edgar Cayce Remedies,* New York: Bantam, 1983.

McGarey, William, *In Search of Healing: Whole-Body Healing through the Mind-Body-Spirit Connection,* New York: Perigee/ Berkeley 1996.

McGuire, Meredith B. with Kantor, Debra, *Ritual Healing in Suburban America,* New Brunswick, NJ: Rutgers University Press 1988, Abstract from White, Rhea A. *Exceptional Human Experience,* 1991, 9(2), 266.

McNair, D. M., et al, *EdiTS Manual for the Profile of Mood States,* San Diego, CA: EdiTS 1992.

Meehan , T. C., et al, The effect of Therapeutic Touch on postoperative pain, *Pain* 1990, Supplement p. . 149 (reprinted with kind permission of the publishers).

Meehan, T. C. *An Abstract of the Effect of Therapeutic Touch on the Experience of Acute Pain in Post-operative Patients,* Unpublished (dissertation), New York University 1985.

Meehan, Thérèse Connell, Therapeutic Touch and postoperative paIn: a Rogerian research study *Nursing Science Quarterly* 1993, 6(2), 69-78.

Mehl-Madrona, Lewis, *Coyote Medicine: Lessons from Native American Healing,.* New York: Fireside/ Simon & Schuster 1998. .

Meek, George W, *Healers and the Healing Process,* Wheaton, IL: Theosophical Publishing House 1977. (Quotes reprinted by permission of publisher. Copyright George W. Meek 1977.)

Melzack, The McGill Pain Questionnaire: major properties and scoring methods, *Pain* 1975, 1, 277-299.

Meng, Guirong/ Li, Shengping/ Cui, Yuanhao/ Sun, Mengyin/ Zhu, Qunying/ Xin, Yan, Tsinghua University, Beijing, China/ Municipal Institute of Traditional Chinese Medicine of Chongqing, Sichuan Province,

China, Effect of emitted qi the infrared thermal imaging system on temperature response of the samples, *1st World Conference for Academic Exchange of Medical Qigong, Beijing, 1988* – from Qigong Database of Sancier.

Meng, Guirong/ Li, Shengping/ Sun, Mengyin/ Cui, Yuanhao/ Xin, Yan, Tsinghua University, Beijing/ Municipal Institute of Traditional Chinese Medicine of Chongqing, Sichuan Province, China, Effect of emitted qi on thymine by a recording spectrophotometer and a thermovision, *1st World Conference for Academic Exchange of Medical Qigong, Beijing 1988* – from Qigong Database of Sancier.

Meng, Guirong/ Li, Shenping/ Sun, Mengyin/ Cui, Yuanhao/ Xin, Yan, Tsinghua University, Beijing/ Municipal Institute of Traditional Chinese Medicine of Chongqing, Sichuan Province, China, Effect of emitted qi on ultraviolet and infrared thermal imaging systems on L-trypotophan solution, *1st World Conference for Academic Exchange of Medical Qigong, Beijing 1988* – from Qigong Database of Sancier.

Menvielle, M./ Bertheiler, A. The K-derived planetary indices: description and availability, *Review of Geophysics* 1991, 29, 415-432.

Mercola, John, http://www. mercola. com/2000/ may/14/doctor_accidents. htm

Mersmann, Cynthia A. *Therapeutic Touch and Milk Let Down in Mothers of Non-nursing Preterm Infants (dissertation),* New York University 1993.

Mesmer, Franz Anton, *Mesmerism: A Translation of the Original Medical and Scientific Writings of F. A. Mesmer, M. D.* (Trans. by Bloch, George J.), Los Altos, CA: William Kaufmann 1980.

Metta, Louis (Pseud.), Psychokinesis on Lepidoptera larvae, *J. of Parapsychology* 1972, 36, 213-221.

Mialowska, Zofia, Statistical assessment of Jerzy Rejmer's biotherapeuttical activity at an Izis Clinic in Warsaw, *Proceedings of the 6th International Conference on Psychotronic Research* 1986, 130-132.

Micozzi, Marc S. *Fundamentals of Complementary and Alternative Medicine,* New York/ London: Churchill Livingstone 1996.

Miettinen, M. A. *Religious healing from a medical and psychological view* (dissertation) Tampere, Finland: Kirkon tutimeskeskus, Series A, No. 51, 1990.

Milamed DR/ Hedley-Whyte, J. Contributions of the surgical sciences to a reduction of the mortality rate in the United States for the period 1968 to 1988, *Annals of Surgery* 1994, 219, :94-102.

Millar, B. The observational theories: A primer, *European J. of Parapsychology* 1978, 2, 304-332.

Miller, Lynn, An explanation of Therapeutic Touch using the science of unitary man, *Nursing Forum* 1979, 18(3), 278-287.

Miller, Paul, *Born to Heal: A Biography of Harry Edwards, the Spirit Healer*, London: Spiritualist Press 1969 (Orig. 1948).

Miller, Robert N. The positive effect of prayer on plants, *Psychic* 1972, 3(5), 24-25.

Miller, Robert N. Reinhart, Philip B. and Kern, Anita, Scientists register thought energy, *Science of Mind* 1974, July, 12-16.

Miller, Robert N. Paraelectricity, a primary energy, *Human Dimensions* (undated) V. 5(1 & 2), 22-26 (Also reported In: Miller, 1977).

Miller, Robert, Methods of detecting and measuring healing energies, In: White, John and Krippner, Stanley, *Future Science*, Garden City, NY: Anchor/ Doubleday 1977.

Miller, Robert N. Study of remote mental healing, *Medical Hypotheses*, 1982, 8, 481-490. (Also reviewed briefly In: Maddock, Peter, International Parascience Institute: Toronto and London Conferences, 1981, *Parapsychology Review* 1982, 13(4), 7).

Miller, Ronald, The Healing Magic of Crystals: An Interview with Marcel Vogel, *Science of Mind*, August 1984, 8-12.

Mintz, Elizabeth E. with Schmeidler, Gertrude R. *The Psychic Thread*, New York: Human Sciences 1983.

Mir, Maria/ Vilenskaya, Larissa, *The Golden Chalice*, San Francisco, CA: H. S. Dakin.

Mircea, *Yoga: Immortality and Freedom*, New York: Princeton University 1958.

Mison, Karel, Statistical processing of diagnostics done by subject and by physician, *Proceedings of the 6th International Conference on Psychotronic Research* 1986, 137-138.

Misra, Margaret M. *The Effects of Therapeutic Touch on Menstruation* (master's thesis), Long Beach: California State University 1994.

Momas EJ, et al, Incidence and types of adverse events and negligent care in Utah and Colorado, *Medical Care* 2000; 38:261-71.

Montagno, Elson de A. Clinical parapsychology: The spiritist model in Brazil, In: Weiner, Debra H. and Radin, Dean I. (eds), *Research in Parapsychology 1985*, Metuchen, NJ and London: Scarecrow 1986, 171-172.

Moore, Marcia, *Hypersentience*, New York: Bantam 1976.

Moore, Nancy G. The healing web: nursing borrows from Native American tradition to create a better approach to healing, *Alternative Therapies* 1996, 2(2) 30-31.

Moreland, Kathy, The Lived Experience of Receiving Healing Touch Therapy of Women with Breast Cancer Who are Receiving Chemotherapy: A Phenomenological Study, *Healing Touch Newsletter* 1988, 8(3), 3;5.

Morley, Peter/ Wallis, Roy (eds), *Culture and Curing*, Pittsburgh, PA: University of Pittsburgh, 1978.

Morris, P. A. The effect of pilgrimage on anxiety, depression and religious attitude, Psychological Medicine 1982, 12, 291-294.

Morris, R. L. Parapsychology, biology, and anpsi, in Wolman, B. B. (ed), *Handbook of Parapsychology* 1977, 687-715 .

Morris, Robert L. Book review: Alcock, James E. Parapsychology: Science or Magic?, *J. of the American Society for Psychical Research* 1982, 76(2), 177-185.

Moss, Ralph, *Alternative Medicine Online: A Guide to Natural Remedies on the Internet,* Brooklyn, NY: Equinox 1997.

Moss, Richard. *The Black Butterfly: An Invitation to Radical Aliveness*, Berkeley, California: Celestial Arts 1986.

Moss, Richard, The mystery of wholeness, In: Carlson/ Shield, 1988, p. 35-41.

Moss, Thelma S. Photographic evidence of healing energy on plants and people, *Dimensions of Healing, Symposium of the Academy of Parapsychology and Medicine at Los Altos, CA* 1972, 121-131.

Moss, Thelma, *The Probability of the Impossible*, Bergenfield, NJ: New American Library 1974.

Moss, Thelma, *The Body Electric*, New York: St. Martin's 1979.

Moss, Vere, Non-physical factors in medical divination and treatment, *J. of the British Society of Dowsers* 1968, 20, 288-292.

Motoyama, Hiroshi. *Science and the Evolution of Consciousness, Ki and Psi*, Autumn Press 1978.

Motz, Julie, Energy work for breast cancer surgery patients, Unpublished report, 1996, presented at Annual Meeting of the American Holistic Medical Association, 1996. (PO Box 75, Lake Peekskill, NY 10537 hangels@pipeline. com)

Motz, Julie, *Hands of Life: From the Operating Room to Your Home, an Energy Healer Reveals the Secrets of Using Your Body's Own Energy medicine for Healing, Recovery, and Transformation*, New York/ LondoIn: Bantam 1998.

Moy, Caryl Towsley, *Touch in the Therapeutic Relationship: An Exploratory Study with Therapists Who Touch* (dissertation) Crbondale, IL: Southern Illinois University 1980.

Mueller Hinze, Maxine Louise *The Effects of Therapeutic Touch and Acupressure on Experimentally-Induced Pain* (dissertation), Austin, TX: University of Texas 1988.

Muehsam, David J., et al, Effects of qigong on cell-free myosin phosphorylation: preliminary experiments, *Subtle Energies* 1994, 5(1), 93-104.

Muktananda, S. *Guru Chitshaktivilas: The Play of Consciousness*, New York: Harper & Row 1971.

Muktananda, S. *Siddha Meditation: Commentaries on the Shiva Sutras and Other Sacred Texts*, Oakland, CA: S. Y. D. A. Foundation 1975.

Muller, F. M. (ed), *Sacred Books of the East: The Vedanta Sutras*, New Delhi, India: Motilal .

Munson, R. J. The effects of PK on rye seeds (Abstract), *J. of Parapsychology*, 1979, 43, 45.

Murphet, H. *Sai Baba, Man of Miracles*, India: Macmillan 1972.

Murphet, H. *Sai Baba, Avatar*, India: Macmillan 1978.

Myers, A. T. and Myers, F. W. H. Mind-cure, faith-cure and the miracles of Lourdes, *Proceedings of the Society for Psychical Research* 1894, 9, 160-209.

N

Nanko, Michael J. A report on the case investigation of Natuzza Evolo, *J. of the Southern California Society for Psychical Research*, 1985, 3, 6- 27.

Naranjo, Claudio, and Ornstein, Robert E, *On the Psychology of Meditaton*, New York: Penguin 1977.

Nash, Carroll B. Medical parapsychology, In: White, R. A. *Surveys in Parapsychology*, Metuchen, NJ: Scarecrow 1976 (Orig. In: *Parapsychology Review*, 1972, 3, 13-18).

Nash, Carroll B. Psychokinetic control of bacterial growth, *J. of the Society for Psychical Research* 1982, 51, 217-221.

Nash, Carroll B. Test of psychokinetic control of bacterial mutation, *J. of the American Society for Psychical Research*, 1984, 78(2), 145-152.

Nash, Carroll B. *Parapsychology: The Science of Psiology*, Springfield, IL: Charles C. Thomas 1986.

Nash, Carroll B. The possible detection of cervical cancer by ESP, *J. of the Society for Psychical Research* 1987, 54, 143-144.

Nash, C. B. and Nash, C. S. The effect of paranormally conditioned solution on yeast fermentation, *J. of Parapsychology* 1967, 31, 314.

Nash, C. B. and Nash, C. S. Psi-influenced movement of chicks and mice onto a visual cliff, In: Roll, W. G. and Beloff, J. (eds), *Research in Parapsychology 1980*, Metuchen, NJ: Scarecrow, 1981, 109-110.

Nash, June, The Logic of Behavior: Curing in a Maya Indian Town, *Human Organization* 1967, 26(3), 132-140.

Nebauer, Monica, Healing through Therapeutic Touch: one person's perspective, In: Gaut, D. A./ Boykin, A. *Caring as Healing*, New York: National League for Nursing 1994, 85-101.

Neher, Andrew. *The Psychology of Transcendence*, Englewood Cliffs, New Jersey: Spectrum/ Prentice Hall 1980.

Neppe, Vernon M. *The Psychology of Deja Vu: Have I Been Here Before?,* Johannesburg, South Africa: Witwatersrand University Press 1983(a).

Neppe, Vernon Michael. Anomalous Smells in the Subjective Paranormal Experiment, *Psychoenergetics* 1983(b), 5 , 11-28.

Nerem, Robert M. Levesque, H. E, Murina J. and Cornhill, J. Fedrick, Social Environment as a Factor in Diet-Induced Atherosclerosis, *Science* 1980-208, 1475-1476.

Newhan, Gayle, Therapeutic Touch for symptom control in people with AIDS, *Holistic Nursing Practice* 1989 (Aug), 45-51.

Newton-Smith, W. H. *The Structure of Time*, London: Routledge and Kegan Paul, 1984.

Nicholas, C. The effects of loving attention on plant growth, *New England J. of Parapsychology*, 1977, 1, 19-24.

Nichols, Beverley, *Powers that Be*, New York: St. Martin's, 1966.

Nin, Anaïs, *The Diary of Anaïs Nin* 1969, Fall 1943.

Niu, Xin/ Liu, Guolong/ Yu, Zhiming – Beijing College of Traditional Chinese Medicine – Measurement and analysis of the infrasonic waves from emitted qi, *1st World Conference for Academic Exchange of Medical Qigong, Beijing 1988* – from Qigong Database of Sancier.

Noble, Vicki, *Shakti woman: Feeling Our Fire, Healing Our World – The New Female Shamanism*, New York: HarperCollins 1991.

Nolen, W. A. *Healing: A Doctor in Search of a Miracle*, New York: Random House 1974.

Nomura, Harehido (Electrotechnical Laboratory). Double-blind tests of qi transmittion from qigong masters to untrained volunteers: (3) analysis of qi emitted from the human body, Japanese Mind-Body Science 1993, 2(1), 95-111.

Null, Gary, Healers or hustlers? Part IV, *Self Help Update* Spring 1981, p. 18.

O

O'Regan, Brendan/ Hirshberg, Caryle: *Spontaneous Remission: an Annotated Bibliog-raphy*, Sausalito, CA: Institute of Noetic Sciences 1993.

Oakley, D. V. and MacKenna, G. W. Safety of faith healing, *Lancet* (Feb 22) 1986, 444.

Ogawa, Tokuo/ Hayashi, Shigemi/ Shinoda, Norihiko/ Ohnishi, Norkazu, Aichi Medical University, Japan/ Chinese-Japanese Institute of Qigong, Japan/ Shakti Acupuncture Clinic, Japan/ Aichi Medical University, Japan, Changes of skin temperature during emission of qi, *1st World Conference for Academic Exchange of Medical Qigong, Beijing 1988* – from Qigong Database of Sancier.

Olson, Melodie/ Sneed, Nancee, et al, Therapeutic Touch and post-Hurricane Hugo stress, *J. of Holistic Nursing* 1992, 10(2), 120-136.

Olson, Melodie/ Sneed, Nancee: Anxiety and Therapeutic Touch, *Issues in Mental Health Nursing* 1995, 16, 97-108.

Olson, Melodie/ Sneed, Nancee/ LaqVia, Mariano/ Virella, Gabriel/ Bonadonna, Ramita, Stress-Induced Immunosuppression and Therapeutic Touch *Alternative Therapies* 1997, 3(2), 68-74.

Omura, Y. Connections found between each meridian (heart, stomach, triple burner, etc.) and organ representation area of corresponding internal organs in each side of the cerebral cortex; release of common neurotransmitters and hormones unique to each meridian and corresponding acupuncture point and internal organ after acupuncture, electrical stimulation, mechanical stimulation (including shiatsu), soft laser stimulation or Qigong, *Acupuncture Elec.* 1990(a), 14, 155-186.

Omura, Y. Storing of Qigong energy in various materials and drugs (Qigongization): its clinical application for treatment of pain, circulatory disturbances, bacterial or viral infections, heavy metal deposits, and related intractable medical problems by selectively enhancing circulation and drug uptake, *Acupuncture Elec.* 1990(b), 15, 137-157 .

Omura, Y., et al, Unique changes found on the Qigong (Chi Kung) master's and patient's body during Qigong treatment, their relationships to certain meridians and acupuncture points and the re-creation of therapeutic Qigong states by children and adults, *Acupuncture Elec.* 1989, 14(1), 61-89 .

Onetto, Brenio & Elguin, Gita H. *Psychokinesis in Experimental Tumorgenesis* (Abstract of dissertation in psychology, University of Chile 1964), *J. of Parapsychology* 1966, 30, 220. (Also in Spanish: *Acta Psiquiatrica Y Psicologia America Latina* 1968, 14, 47. See also brief comments of Campbell, Anthony in *J. of the Society for Psychical Research* 1968, 44, 428.

Orloff, Judith, *Second Sight: The Personal Story of a Psychiatrist Clairvoyant*, New York: Warner 1996.

Orsi, R. A. The cult of the saints and the reimagination of the space and time of sickness in twentieth-century American Catholicism, *Literature and Medicine* 1989, 8, 63-77.

Osumi, Ikuko/ Ritchie, Malcolm, *The Shamanic Healer: The Healing World of Ikuko Osumi and the Traditional Art of Seiki-Jutsu,* London: Century 1987.

Oubre, Alondra. Shamanic Trance and the Placebo Effect: The Case for a Study in Psychobiological Anthropology, *Psi Research* 1985, 5 (1/ 2),116-144.

Oursler, Will. *The Healing Power of Faith*, Hawthorn Books, New York 1957.

Owen, Iris M. with Sparrow, Margaret, *Conjuring Up Philip: An Adventure in Psychokinesis*, New York: Harper and Row 1976.

Oye, Robert, and Shapiro, Martin, Reporting Results from Chemotherapy Trials. *J. of the American Medical Association* 1984, 252, 2722-2725.

P

Packer, Rhonda, *Sorcerers, Medicine-Men and Curing Doctors: A Study of Myth and Symbol in North American Shamanism*, Unpublished doctoral dissertation, UCLA 1983.

Paddison, S. *The Hidden Power of the Heart*, Boulder Creek, CA: Planetary 1992.

Palmer, J. Scoring in ESP tests as a function of belief in ESP, Part I. The sheep-goat effect, *J. of the American Society for Psychical Research* 1971, 65, 373-408.

Pan, L. B./ Zhang, Z. F. – Dept Nephrology, Nanfang Hospital, Guangzhou -Qigong treatment for hypertension caused by renal Insufficiency *3rd National Aca-*

demic Conference on Qigong Science, Guangzhou, China. 1990 – from Qigong Database of Sancier.

Parapsychology Foundation, *Proceedings of Four Conferences of Parapsychological Studies*, New York: Parapsychology Foundation 1957, 43-65. (Includes brief discussions of Bender, H. Booth, G. Eisenbud, J. Larcher, H. Moser, U. Saller, K. Servadio, E. Thouless, R. and Van Lennep, D. on the state of knowledge of healing at that date).

Parkes, Brenda Sue, *Therapeutic Touch as an Intervention to Reduce Anxiety in Elderly Hospitalized Patients*, Unpublished doctoral dissertation, University of Texas at Autstin 1985.

Pattison, E. Mansell, et al, Faith healing, *J. of Nervous and Mental Diseases* 1973, 156, 397-409.

Pauli, Enrique Novillo, PK on living targets as related to sex, distance and time, In: Roll, W. G. Morris, R. L. and Morris, J. D (eds), *Research in Parapsychology* Metuchen, NJ: Scarecrow 1973, 68-70.

Pavlov, Ivan. *Conditioned Reflexes and Psychiatry*, New York: International Publishers 1941.

Pearson, Robert E. Response to suggestion given under general anesthesia, *American J. of Clinical Hypnosis* 1961, 4, 106-114.

Peck, Susan D. (Eckes), *The Effectiveness of Therapeutic Touch for Decreasing Pain and Improving Functional Ability in Elders with Arthritis* (dissertation), University of Minnesota 1996.

Peltham, Elizabeth, Therapeutic Touch and massage, *Nursing Standard*, 1991, 5(45), 26-28.

Peng, Xueyan/ Liu, Guolong. Beijing College of Traditional Chinese Medicine, Beijing, China, Effect of emitted qi and infrasonic sound on somatosensory evoked potential (SEP) and slow vertex response (SVR), *1st World Conference for Academic Exchange of Medical Qigong. Beijing 1988* – from qigong database of Sancier.

Persig, Robert M. *Zen and the Art of Motorcycle Maintenance*, New York/ London: Bantam 1979.

Persinger, M. A. Geophysical variables and behavior: xxx, intense paranormal experiences occur during days of quiet, global, geomagnetic activity, *Perceptrual & Motor Skills* 1985(a), 61, 320-322.

Persinger, Michael A. Subjective telepathic experiences: geomagnetic activitity and the ELF hypothesis, Part II. Stimulus features and neural detection, *Psi Research* 1985(b), 4(2), 4-23.

Persinger, Michael A. Spontaneous telepathic experiences from *Phantasms of the Living* and low global geomagnetic activity, *J. of the American Society for Psychical Research* 1987, 81(1), 23-36.

Persinger, M. A./ Schaut, G. B. Geomagnetic factors in subjective telepathic, precognitive and postmortem experiences, *J. of the American Society for Psychical Research* 1988, 82, 217-235.

Peters, Larry. *Ecstasy and Healing in Nepal,* Malibu, California: Undena 1981.

Peters, Larry/ Price-Williams, Towards an Experiential Analysis of Shamanism, *American Ethnologist* 1980, 7 (3), 379-413.

Peters, Pamela Joan, *The Lifestyle Changes of Selected Therapeutic Touch Practitioners: An Oral History (Alternative Medicine),* (dissertation), Walden University 1995.

Peterson LM/ Brennan TA, Medical ethics and medical injuries: taking our duties seriously. *J Clin Ethics* 1990, 1, 207-11.

Pfeiffer, Tomas, *Personal Communication about J. Zezulka* 1991.

Philpy, Sylvia/ Hutchinson, Cynthia Poznanski, *HEALTH Tool for HT Research (for healers and healees)*, Healing Touch International, 2002 Linden Dr. Boulder, CO 80304, HTResearch@aol. com.

Phoenix, (New Directions in the Study of Man), *J. of the Association for Transpersonal Anthropology.*

Pierrakos, John C. *Human Energy Systems Theory: History and New Growth Perspectives,* New York: Institute For the New Age of Man 1976.

Pierrakos, John C. *Core Energetics: Developing the Capacity to Love and Heal,* Mandocino, California: LifeRhythm 1987.

Pilla, A. A., et al, Pulse burst electric fields significantly accelerate bone repair in an animal model, *Proceedings, 14th Annual International Conference of the IEEE Engineering in Medicine and Biology Society*, Piscataway, NJ, 1992, 283.

Pitot, H. C., et al, Hepatomas in tissue culture compared with adapting liver in vivo, *National Cancer Institute Monographs* 1964, 13, 229.

Playfair, G. L, *The Unknown Power*, New York: Pocket 1975.

Playfair, Guy Lyon, *If This Be Magic*, London: Jonathan Cape 1985b.

Playfair, Guy Lyon, *Medicine, Mind and Magic: The Power of the Mind-Body Connection in Hypnotism and Healing*, Wellingborough, Northants, England: Aquarian/ Thorsons 1987.

Playfair, Guy Lyon, Austria's medical shocker, *Fate* 1988 (Sep), 41(9), 42-48.

Pleass, C. M. and Dey, D. N. Using the doppler effect to study behavioral responses of motile algae to psi stimulus, In: Radin, D. I. (ed), *Proceedings of Presented Papers: Parapsychological Association 28th Annual Convention*, Alexandria, VA: Parapsychological Association 1985, 373-405.

Pleass, C. M. and Dey, Dean, Conditions that appear to favor extrasensory interactions between homo sapiens and microbes, *J. of Scientific Exploration* 1990, 4(2) 213-231.

Polk, S. H. *Client's Perceptions of Experiences Following the Intervention Modality of Therapeutic Touch* (master's thesis) Tempe: Arizona State University 1985.

Post, Laurens van der, *The Voice of the Thunder*, New York/ London: Penguin 1994.

Post, Nancy Whelan, *The Effects of Therapeutic Touch on Muscle Tone* (masters thesis) San Jose, CA: San Jose State University 1990.

Poulton, Kay, *Harvest of Light: A Pilgrimage of Healing*, London: Regency 1968.

Prince, Raymond. Fundamental Differences of Psychoanalysis and Faith Healing, *International J. of Psychiatry* 1972, 10(1), 125-128.

Puharich, Andrija. Pachita: Instant Surgeon, *The Unexplained* 1983, 13 (154), 3074-3077.

Pulos, Lee. Evidence of Macro-Psychokinetic Effects Produced by Thomas of Brazil, *Psi Research* 1982, 1(3),27-40.

Purska-Rowinska, Ewa and Rejmer, Jerzy, The effect of bio-energotherapy upon EEG tracings and on the clinical picture of epileptics, *Psychotronika* 1985, 10-12 (Translated from Polish by Alexander Imich.).

Q

Qian, Shusen/ Gou, Shangtong/ Shen, Hongxun – Institute of Basic Medical Sciences, Chinese Academy of Medical Sciences, Beijing/ International Institute of 'Taiji Wuxigong', Gent, Belgium – Preliminary experimental research on the curative effect of waiqi (emitted qi) of qigong on tumors (in mice) *3rd National Academic Conference on Qigong Science, Guangzhou, China. 1990* – from Qigong Database of Sancier.

Qian, Shusen/ Shen, Hongxun, Tumor Lab of Radiation and Nuclear Medicine, Medical School of Chent University, Belgium, Curative effect of emitted qi on mice with MO4 tumors, *2nd World Conference for Academic Exchange of Medical Qigong, Beijing 1993* – from Qigong Database of Sancier.

Qian, Shusen/ Sun, Wei/ Liu, Qing/ Wan, Yi/ Shi, Xiaodong, China Rehabilitation Research Center, Beijing 100077, Influence of emitted qi on cancer growth, metastasis and survival time of the host *2nd World Conference for Academic Exchange of Medical Qigong, Beijing 1993* – from Qigong Database of Sancier.

Quinn, Janet F. One nurse's evolution as a healer, *American J. of Nursing* (Apr) 1979, 662-665.

Quinn, Janet F. *An Investigation of the Effect of Therapeutic Touch Without Physical Contact on State Anxiety of Hospitalized Cardiovascular Patients,* (Doctoral dissertation) New York University 1982; also In: *Advances in Nursing Science* 1984, 6, 42-49.

Quinn, Janet F. Building a body of knowledge: research on Therapeutic Touch 1974-1986, *J. of Holistic Nursing* 1988, 6(1), 37-45.

Quinn, Janet F. Therapeutic Touch as energy exchange: Replication and extension, *Nursing Science Quarterly* 1989(a), 2(2), 79-87.

Quinn, Janet F. Future directions for Therapeutic Touch research, *J. of Holistic Nursing* 1989(b), 7(1), 19-25.

Quinn, Janet F./ Strelkauskas, Anthony J. Psychoimmunologic effects of Therapeutic Touch on practitioners and recently bereaved recipients: A pilot study, *Advances in Nursing Science,* June 1993, 13-26.

R

Radin, D., et al, Remote mental influence of human electrodermal activity, *European J. Parapsychology* 1995, 11, 19-34.

Rama, S. *Path of Fire and Light: Advanced Practices of Yoga,* Honesdale, PA: Himalayan International Institute 1986.

Rama, S. *Perennial Psychology of the Bhagavad Gita,* Honesdale, PA: Himalayan International Institute 1985.

Rama, S. *Wisdom of the Ancient Sages: Mundaka Upanishad,* Honesdale, PA: Himalayan International Institute 1990.

Rand, William L, Reiki, *The Healing Touch: First and Second Degree Manual*, Southfield, MI: Vision Publications. 1991

Rand, William L, *Reiki for A New Millennium*, Southfield, MI: Vision Pblications. 1998

Randall, J. L. An attempt to detect psi effects with protozoa, *J. of the Society for Psychical Research* 1970, 45, 294-296.

Randall-May, Cay, *Pray Together Now: How to Find or Form a Prayer Group*, Boston, MA: Element 1999.

Randi, James, "Be healed in the name of God!" An Expose of the Reverend W. V. Grant, *Free Inquiry* 1986 (Spring), 8-19.

Randi, James, *The Faith Healers*, Buffalo, NY: Promethius 1987.

Randolph, Gretchen Lay, *The Differences in Psychological Response of Female College Students Exposed to Stressful Stimulus, When Simultaneously Treated by Either Therapeutic Touch or Casual Touch*, Unpublished (dissertation), New York University 1979.

Randolph, Gretchen Lay, Therapeutic and physical touch: physiological response to stressful stimuli, *Nursing Research* 1984, 33(1), 33-36.

Raphaell , Katrina. *Crystal Healing* Volume II, New York: Aurora 1987.

Rattemeyer, M./ Popp, F. A./ Nagl, W. Evidence of photon emission from DNA in living systems, *Naturwissen* 1981, 68, 572.

Raucheisen, Mary L. Therapeutic Touch: Maybe there's something to it after all, *RN* 1984, 47(12) 49-51.

Rauscher, Elizabeth A./Rubik, Beverly A. Human volitional effects on a model bacterial system, *Psi Research* 1983, 2(1), 38-48.

Rauscher, Elizabeth A./Rubik, Beverly, A. Effects on motility behavior and growth of salmonella typhimurium in the presence of a psychic subject, In: *Research in Parapsychology 1979*, Metuchen, NJ: Scarecrow 1980.

Rawnsley, Marilyn M. H-E-A-L-T-H: A Rogerian perspective, *J. of Holistic Nursing* 1985, 2, 25-29.

Ray, Barbara Weber, *The Reiki Factor*, Smithtown, N. Y. Exposition 1983.

Rebman, Janine M./ Wezelman, Rens/ Radin, Dean I., et al, Remote influence of human physiology by a ritual healing technique, *Subtle Energies* 1995, 6(2), 111-134.

Redner, Robin/ Briner, Barbara/ Snellman, Lynn, Effects of a bioenergy healing technique on chronic pain, *Subtle Energies* 1991, 2(3), 43-68.

Rehder, H. Wanderheilungen, ein Experiment (German) *Hippocrates* 1, 26, 577- 580, (Quoted In: Frank, J. *Persuasion and Healing*, New York: Schocken 1961).

Rein, Glen, An exosomatic effect on neurotransmitter metabolism in mice: A pilot study, *Second International Society for Parapsychological Research Conference*, Cambridge, England 1978.

Rein, Glen, A psychokinetic effect of neurotransmitter metabolism: Alterations in the degradative enzyme monoamine oxidase, In: Weiner, Debra H. and Radin, Dean (eds), *Research in Parapsychology 1985*, Metuchen, NJ and London: Scarecrow 1986, 77-80.

Rein, Glen, Biological interactions with scalar energy: Cellular mechanisms of action. *Proceedings of the 7th International Association for Psychotronics Research*, Georgia 1988.

Rein, Glen, Effect of non-hertzian scalar waves on the immune system. *J. of the U. S. Psychotronics Association* 1989, 15-17.

Rein, Glen, Utilization of a cell culture bioassay for measuring quantum fields generated from a modified caduceus coil, *Proceedings of the 26th International Energy Conversion Engineering Conference*, Boston, MA 1991.

Rein, Glen, *Quantum Biology: Healing with Subtle Energy*, Quantum Biology Research Labs, P. O. Box 60653, Palo Alto, CA 94306 1992 (a).

Rein, Glen, Role of consciousness on holoenergetic healing: a new experimental approach. Boulder, CO: *Proceedings of International Society for the Study of Subtle Energies and Energy Medicine, Second Annual Conference*, June 1992 (b).

Rein, Glen/ McCraty, Rollin: Modulation of DNA by coherent heart frequencies, *Procdings of the 3rd Annual Conference of the International Society for the Study of Subtle Energies and Energy Medicine*, Monterey, CA 1993(a).

Rein, Glen/ McCraty, Rollin: Local and non-local effects of coherent heart frequencies on conformational changes of DNA *Proceedings of The Joint USPA/ IAPR Psychotronics Conference*, Milwaukee, WI 1993(b).

Rein, Glen/ McCraty, Rollin: DNA as a detector of subtle energies *Proceedings of the 4th Annual Conference of the International Society for the Study of Subtle Energy and Energy Medicine*, Boulder, CO 1994.

Rein, Glen/ McCraty, Rollin: Structural changes in water and DNA associated with new physiologically measurable states, *J. of Scientific Exploration* 1995, 8(3), 438-439 (reprinted with permission of the publishers, ERL 306, Stanford University, Stanford, CA 94305-4055, FAX 415 595 4466.

Reinharz, S. Phenomenology as a dynamic process, *Phenomenology and Pedagogy*, 1983, 1, 77-79 .

Rejmer, Jerzy, An attempt to measure the bioenergetic effect by nuclear magnetic resonance spectrometry, *Psychotronika* 1985, 86. (Translated from Polish by Alexander Imich).

Rejmer, Jerzy, A Test to measure bioenergetic influence with the aid of spectrometry by nuclear magnetic resonance, *Proceedings of the 6th International Conference on Psychotronic Research* 1986, 25.

Renard, Ann M. *The Experience of Healing from Deprivation of Bonding (Touch, Emotional Attachment),* (dissertation) The Union Institute 1994.

Retallack, Dorothy, *The Sound of Music and Plants*, Santa Monica, CA: DeVorss 1973.

Richmond, Kenneth, Experiments in the relief of pain, *J. of the Society for Psychical Research* 1946, 33, 194-200.

Richmond, Nigel, Two series of PK tests on paramecia, *J. of the Society for Psychical Research* 1952, 36, 577-578.

Rindge, Jeane Pontius (ed) Quote from *Human Dimensions* 1977, 5(1,2).

Riscalla, Louise Mead, A study of religious healers and healees, *J. of the American Society for Psychosomatic Dentistry and Medicine* 1982, 29(3), 97- 103.

Roberton (now Galbraith), Jean, Spiritual healing in general practice, *J. of Alternative and Complementary Medicine* 1991 (Apr), 9(4), 11-13; Part II: (May), 9(5), 21- 23.

Robertson, et al, Inhibition and recovery of growth processes in roots of *Pisum sativum L.* exposed to 60-Hz electric fields, *Bioelectromagnetics* 1981, 2, 239.

Robinson, Loretta Sue, *The Effects of Therapeutic Touch on the Grief Experience,* (dissertation) Birmingham: University of Alabama 1996.

Rogers, Martha E. *The Theoretical Basis of Nursing*, Philadelphia, PA: F. A. Davis 1970.

Rogers, Martha E. Nursing: A science of unitary man, In: Riehl, J. P. and Roy, C. (eds), *Conceptual Models for Nursing Practice*, 2nd Ed. New York: Appleton-Century-Crofts 1984, 329-337.

Rogo, D. Scott, Psi and shamanism: A reconsideration, *Parapsychology Review* 1983(b), 14(6), 5-9.

Rogo, D. Scott, Can weather make you psychic?, *Fate* (Jan) 1986(a), 39(1), 65-69.

Rogo, D. Scott, The power of prayer, *Fate* (Aug) 1986(b), 43-50.

Rogo, D. Scott, Science debates therapeutic touch, *Fate* 1986(c), 39(12), 70-77.

Roland, C. G. Does prayer preserve?, *Archives of Internal Medicine* 1970, 125, 580-587, (Reprinted from Galton, F. Statistical Studies into the Efficacy of Prayer, *Fortnightly Review* 1872, 12, 125-135).

Rolf, Ida, *Rolfing: The Integration of Human Structures*, Santa Monica, CA: Dennis-Landman 1977.

Romanucci-Ross, L. Moerman, D. E. and Taneredi, L. R. (eds), *The Anthropology of Medicine: From Culture to Method*, South Hadley, MA: Bergin & Garvey 1983.

Roosevelt, Franklin Delano, Speech accepting Democratic nomination for presidency, Chicago, July 2, 1932.

Rosa, Linda, et al, A close look at Therapeutic Touch, *J. of the American Medical Association* 1998, 279(13), 1005-1010.

Rose, Louis, Some aspects of paranormal healing, *J. of the Society for Psychical Research* 1955, 38, 105-120.

Rose, Louis, *Faith Healing*, London: Penguin 1971.

Rosenstiel, A./ Keefe, F. J. The use of coping strategies in chronic low back pain patients: relationship to patient characteristics and current adjustment, *Pain* 1983, 17, 33-44. .

Rosenthal, R. *Meta-Analytic Procedures for Social Research*, Beverly Hills, CA: Sage 1984.

Rossi, Ernest L. *The Psychobiology of Mind-Body Healing: New Concepts of Therapeutic Hypnosis*, New York, London: WW Norton 1986.

Roth, Suselma D. *Effect of Therapeutic Touch Concepts on the Anxiety Levels of Nursing Students in a Psychiatric Seting* (master's thesis), Bellarmine College 1995.

Roud, Paul C. *Making Miracles: An Exploration Into the Dynamics of Self-Healing*, Wellingborough, England: Thorsons 1990.

Rowlands, D. Therapeutic Touch: Its effects on the depressed elderly, *Australia Nurses J.* 1984, 13(11), 45-46, 52.

Rush, James E. *Toward a General Theory of Healing*, Washington, D. C. University Press of America 1981.

Russell ,Edward. *Report On Radionics: Science of the Future, The Science Which Can Cure Where Orthodox Medicine Fails*, Suffolk, England: Neville Spearman 1973.

Russell, Edward, *Design for Destiny*, London: Neville Spearman 1971.

Russell, Peter, *The Global BraIn: Speculations on the Evolutionary Leap to Planetary Consciousness*. Los Angeles: Tarcher 1983.

S

Safonov, Vladimir, Personal experience in psychic diagnostics and healing, In: Vilenskaya, Larissa, *Parapsychology in the USSR, Part III*, San Francisco: Washington Research Center 1981, 42-45.

Saklani, Alok, Preliminary tests for psi-ability in shamans of Garhwal Himalaya, *J. of the Society for Psychical Research* 1988, 55(81), 60-70.

Saklani, Alok, Psychokinetic effects on plant growth: further studies, In: Henkel, Linda A. and Palmer, John, *Research in Parapsychology 1989*, 1990, 37- 41.

Salmon, J. Warren (ed), *Alternative Medicines: Popular and Policy Perspectives*, New York: Methuen/ London: Tavistock 1984.

Samarel, Nelda, The experience of receiving Therapeutic Touch, *J. of Advanced Nursing* 1992, 17,651-657.

Sancier, Kenneth M. Medical applications of Qigong and emitted Qi on humans, animals, cell cultures, and plants: review of selected scientific research, *American J. of Acupuncture* 1991, 19(4), 367-377.

Sancier, Kenneth M./ Chow, Effie Poy Yew, Effects of external and internal Qi as measured experimentally by muscle testing; also In: Healing with Qigong and quantitative effects of Qigong, *J. of the American College of Traditional Chinese Medicine* 1989, 7(3), 13-19.

Sandner, Donald, Navaho symbolic healing, *Shaman's Drum* 1985, 1, 25-30.

Sandroff, Ronni, A skeptic's guide to Therapeutic Touch, *R. N.* (Jan) 1980, 25-30.

Sandweiss, Samuel H. *Spirit and the Mind*, San Diego, CA: Birth Day 1985.

Sanford, Agnes, *The Healing Light*, St. Paul, MN: Macalester Park 1949.

Sauvin, Pierre Paul. In: Tompkins and Bird.

Scharfetter, C. The shaman: Witness of an old culture — Is it revivable?, *Schweiz. Arch. Neurol. Psychiatr.* 1985, 136(3), 81-95. (German with English abstract).

Schaut, George B./ Persinger, Michael A. Subjective telepathic experiences, geomagnetic activity and the ELF hypothesis, Part I: Data analysis, *Psi Research* 1985, 4(1), 4-20.

Scheel, Nancy R. *The Development and Initial Testing of an Instrument to Assess Advanced Practice Nursing Graduate Students' Knowledge and Attitudes Toward Healing Touch*, master's Thesis, Mankato, MN: Mankato State University 1997.

Schiegl, Heinz, *Healing Magnetism: the Transference of vital Force*, York Beach, ME: Weiser 1987 (Orig. German 1983).

Schleifer, S. J., et al, Suppression of lymphocyte stimulation following bereavement, *J. of the American Medical Association* 1983, 250(3), 374-377.

Schlitz, Marilyn PK on living systems: further studies with anesthetized mice, Presentation at Southeastern Regional Parapsychological Association 1982, (Reviewed In: Weiner, Debra H. Southeastern Regional Parapsychological Association Conference, *J. of Parapsychology*, 1982, 46, 51-53; also, more briefly, in Weiner, Debra H. Report of the 1982 SERPA Conference, *Parapsychology Review*, 1982, 13(4), 13).

Schlitz, Marilyn J. and Braud, William G. Reiki plus natural healing: An ethnographic/ experimental study, *Psi Research* 1985, 4(3/ 4), 100-123 (Also In: Weiner, Debra and Radin, Dean (eds), *Research in Parapsychology 1985*, Metuchen, NJ and London: Scarecrow 1986, 17-18).

Schlotfeldt, Rozella M. *Critique of the Relationship of Touch, with Intent to Help or Heal to Subjects' In-vivo Hemoglobin Values: A Study in Personalized Interaction*, Paper at American Nurses' Association 9th Nursing Research Conference, San Antonio, TX 1973.

Schmeidler, Gertrude, The Relation Between Psychology and Parasychology In: Schmeidler, Gertrude R. *Parapsychology: Its Relation to Physics, Biology, Psychology and Psychiatry,* Metuchen , New Jersey: Scarecrow 1976.

Schmeidler, Gertrude R. and Hess, Leslie B. Review of Casdorph, H. Richard, *The Miracles*, In: *J. of Parapsychology* 1986, 50(1), 75-79.

Schmeidler, Gertrude, *Personal communication* 1987.

Schmidt, Helmut, Comparison of PK action on two different random number generators, *J. of Parapsychology* 1974, 38, 47-55.

Schmidt, Helmut, A logically consistent model of a world with psi interactions, In: Oteri, L. (ed), *Quantum Physics and Parapsychology*, New York: Parapsychology Foundation 1975. 205-228.

Schmidt, Helmut, PK effect on pre-recorded targets, *J. of the American Society for Psychical Research* 1976, 70, 267-291.

Schmitt, M,/ Stanford, R, Free Response ESP During Ganzfield Stimulation, The Possible Influence of the Menstrual Cycle Phase, *J. American Society of Psychical Research* 1978, 72, 177.

Schuller, Donna Elizabeth, *Therapeutic Touch and Complementary Therapies: A Public Policy Paper* (master's thesis), New York Medical College 1997 (not research).

Schutze, Barbara, Group counseling, with and without the addition of intercessory prayer, as a factor in self esteem, *Proceedings of the 4th International Conference on Psychotronic Research*, Sao Paulo, Brazil 1979, 330-331.

Schwartz, Gary E./ Russek, Linda G./ Beltran, Justin, Interpersonal hand-energy registration: evidence for implicit performance and perception, *Subtle Energies* 1995, 6(3), 183-200.

Schwartz, Gary E./ Nelson, R./ Russek, Linda G./ Allen, John J. B. Electrostatic body-motion registration and the human antenna-receiver effect: a new method for investigating interpersonal dynamical energy system interactions, *Subtle Energies* 1996, 7(2), 149-184.

Schweitzer, Susan Fredricka, *The Effects of Therapeutic Touch on Short-Term Memory Recall in the Aging Populatio: A Pilot Study* (master's thesis), Reno: University of Nevada 1980.

Scofield, A. M./ Hodges, R. D. Demonstration of a healing effect in the laboratory using a simple plant model, *J. of the Society for Psychical Research* 1991, 57, 321-343.

Seiki, Nakasato/ Machi, Yoshio, Japanese Qigong Institute, Tokyo Denki University, Tokyo, Japan, Activation of seed germination and growth with emitted qi, *2nd World Conference for Academic Exchange of Medical Qigong, Beijing 1993* – from Qigong Database of Sancier.

Shallis, Michael, *On Time*, New York: Schocken, 1983.

Shallis, Michael, *The Electric Shock Book*, London: Souvenir 1988.

Shao, Xiangmin/ Liu, Guanchan/ Zhou, Qijing/ Yu, Fanger/ Xu, Hefen/ Xue, Huiling/ Zhang, Changming/ Wu, Kang – Dept Pathology, Naval Medical College, Nanjing/ Jiangsu Provincial Research Institute of Traditional Chinese Medicine, Nanjing/ Chassis Plant, Nanjing Automobile Factory, China – Effect of qigong waiqi (emitted qi) on the growth and differentiation of implanted tumor cells in mice *3rd National Academic Conference on Qigong Science, Guangzhou, China. 1990* – from Qigong Database of Sancier.

Shapiro, A. K./ Morris, L. A. The placebo effect in medical and psychological therapies, In: Bergin, Allen E./ Garfield, Sol L. (eds), *Handbook of Psychotherapy and Behavior Change*, New York: Wiley 1971. 369-410 (9 pp refs). .

Shapiro, Francine, *Eye Movement Desensitization and Reprocessing*, New York/ London: Guildford 1995.

Shealy, Norman, The role of psychics in medical diagnosis, In: Carlson, Rick (ed), *Frontiers of Science and Medicine*, Chicago, IL: Contemporary 1975.

Shealy, C. Norman, Effects of Transcranial Neurostimulation upon mood and serotonin production: a preliminary report, *Il Dolore* 1979, 1(1), 13-16.

Shealy, Norman, Clairvoyant diagnosis, In: Srinivasan, T. M. *Energy Medicine Around the World*, Phoenix, AZ: Gabriel 1988, 291-303.

Shealy, C. Norman, Relaxation with synchronous photo-stimulation: the Shealy RelaxMate™. Presented at the meeting of American Academy of Neurological and Orthopedic Surgery, December 1990.

Shealy, C. Norman, et al, . Non-pharmaceutical treatment of depression using a multimodal approach (*Subtle Energies* 1993, 4(2), 125-134.

Shealy, C. Norman, et al, Depression: A diagnostic, neurochemical profile and therapy with Cranial Electrical Stimulation (CES), *The J. of Neurological and Orthopaedic Medicine and Surgery* 1989, 10(4), 319-321.

Shealy, C. Norman with Freese, Arthur S. *Occult Medicine Can Save Your Life*, New York: Bantam 1977.

Shealy, Norman/ Myss, Caroline, *AIDS: Passageway to Transformation, Walpole, NH: Stillpoint 1987*.

Sheldon, Michael, How Joan was cured at Lourdes, In: Fate Magazine, *Exploring the Healing Miracle,* Highland Park, IL: Clark 1983 (Orig. *Fate Magazine* Feb. 1955).

Sheldrake, Rupert, *Seven Experiments That Could Change the World,* London: Fourth Estate 1994.

Shen, George J. Study of mind-body effects and Qigong in China, *Advances* 1986, 3(4), 134-142.

Shen, Jiaqi, et al, Shanghai Qigong Institute, Shanghai – Physlcal and biomedical effects of emitted qi. *3rd National Academic Conference on Qigong Science, Guangzhou, China. 1990* – from Qigong Database of Sancier.

Sherman, Harold, *Your Power to Heal*, New York: Harper and Row 1972.

Shine, Betty, *Mind to Mind: The Secrets of Your Mind Energy Revealed*, London and New York: Bantam 1989.

Shubentsov, Yefim, Healing Seminar, Philadelphia, July 1982.

Shuzman, Ellen, *The Effect of Trait Anxiety and Patient Expectation of Therapeutic Touch on the Reduction in State Anxiety in Preoperative Patients Who Receive Therapeutic Touch* (dissertation) New York: New York University 1993.

Sicher, Fred; Targ, Elisabeth; Moore, Dan; and Smith, Helene S. A randomized, double-blind study of the effects of distant healing in a population with advanced AIDS, *Western J. of Medicine* 1998,. 169(6), 356-363].

Siegel, Bernard. *Peace, Love and Healing*, London:Ryder 1990.

Siegel, Bernie S. *Love, Medicine and Miracles: Lessons Learned About Self-Healing From a Surgeon's Experience with Exceptional Patients*, New York: Harper and Row 1986.

Sies, M. M, *An Exploratory Study of Relaxation Response in Nurses Who Utilize Therapeutic Touch* (master's thesis) Tucson: University of Arizona 1987.

Silbey, Uma. *The Complete Crystal Guidebook: A Practical Guide to Self Development, Empowerment and Healing*, San Francisco: U-Read 1986.

Silva, Concepcion, The effects of relaxation touch on the recovery level of postanesthesia abdominal hysterectomy patients (abstract), *Alternative Therapies* 1996, 2(4), 94.

Simington, Jane A./ Laing, Gail P. Effects of Therapeutic Touch on anxiety in the institutionalized elderly, *Clinical Nursing Research* 1993, 2(4), 438-450.

Singer, M., et al, Indigenous treatment for alcoholism: the case of Puerto Rican spiritism, *Medical Anthropology* 1984, 8(4), 246-273.

Singer, Philip (ed), *Traditional healing: New science or new colonialism?*, Buffalo, NY: *Conch Magazine*, 1977.

Skinner, B. F. *Science and Human Behaviour*, New York: Macmillan 1953.

Slater, Victoria E. *The safety, elements, and effects of Healing Touch on chronic non-malignant abdominal pain*, University of Tennessee, Knoxville, College of Nursing, 1996.

Slater, Victoria E. Healing Touch, In: Micozzi, p. 121-136.

Slomoff, Daniel A. Traditional African medicine: voodoo healing, In: Heinze, Ruth-Inge, *Proceedings of the 2nd International Conference on the Study of Shamanism*, San Rafael, CA: Independent Scholars of Asia, Inc. 1985, 56-57.

Slomoff, Danny, Ecstatic spirits: A West African healer at work, *Shaman's Drum* 1986(b), 5, 27-31.

Smith, Cyril. W and Best, Simon. *Electromagnetic Man: Health and Hazard in the Electrical Environment*, London: J. M. Pent and Sons 1989.

Smith, D. M. Safety of faith healing, *Lancet* (Mar 15) 1986, 1(8481), 621.

Smith, Fritz Frederick, *Inner Bridges: A Guide to Energy Movement and Body Structure*, Atlanta, GA: Humanics New Age 1986.

Smith, Huston, *Forgotten Truth: The Primordial Tradition*, New York: Harper/ Colophon 1977.

Smith, Justa, Paranormal effects on enzyme activity, *Human Dimensions* 1972, 1, 15-19.

Smith, Richard, Where is the wisdom. . . ? *British Medical J.* 1991, 303, 798-799.

Sneck, William Joseph, *Charismatic Spiritual Gifts: A Phenomenological Analysis*, Washington, D. C. University Press of America 1981.

Snedegor, George W. *Statistical Methods*, Ames, Iowa: Iowa State College, 4th Edition, 1948, 447.

Snel, Frans W. J. J. PK influence on malignant cell growth, *Research Letter of the University of Utrecht* 1980, 10, 19-27.

Snel, Frans/ Hol, P. R. Psychokinesis experiments in casein induced amyloidosis of the hamster, *European J. of Parapsychology* 1983, 5(1), 51-76.

Snel, F./ Millar, B. *PK with the enzyme trypsin*, Unpublished Manuscript, 1982.

Snel, Frans/ Millar, Brian, The elements of so called 'paranormal healing:' Can these be identified from modern medical practice? *Nederlande Tydschrift voos Integrale Geneeskunde* 1984, 1(3), 15-19.

Snel, F. W. J. J./ van der Sijde, P. C. The effect of retroactive distance healing on babesia rodhani (rodent malaria) in rats, *European J. of Parapsychology,* 1990-1991, 8, 123-130.

Snel. Frans W. J. J./ van der Sijde, Peter C. The effect of paranormal healing on tumor growth, *J. of Scientific Exploration* 1995, 9(2), 209-211.

Sodergren, Kathleen Anne, *The Effect of Absorption and Social Closeness on Responses to Educational and Relaxation Therapies in Patients with Anticipatory Nausea and Vomiting During Cancer Chemotherapy* (master's thesis) Minneapolis: University of Minnesota 1994. (Rosa 1993).

Solfvin, G. F. Studies of the effects of mental healing and expectations on the growth of corn seedlings, *European J. of Parapsychology* 1982(a), 4(3), 287-323.

Solfvin, Gerald F. Psi expectancy effects in psychic healing studies with malarial mice, *European J. of Parapsychology* 1982(b), 4(2), 160-197.

Solfvin, Gerald, Towards a model for mental healing studies in real life settings, In: Roll, W. G. Beloff, J. and White, R. A. (eds), *Research in Parapsychology 1982(c)*, Metuchen, NJ: Scarecrow 1983, 210-214.

Solfvin, Jerry, Mental healing, In: Krippner, Stanley (ed), *Advances in Parapsychological Research 4* Jefferson, NC: McFarland 1984, 31-63. (Reviews sketchily most of the studies in this bibliography, plus several unpublished studies not covered here, including studies of telepathic control over movements of animals).

Somé, Malidoma Patrice, *Of Water and the Spirit: Ritual, Magic, and Initiation in the Life of an African Shaman,* New York: Tarcher/ Putnam 1994.

Spielberger, C. D., et al, *Manual for the State-Trait Anxiety Inventory (Form Y),* Palo Alto, CA: Consulting Psychologists Press 1991.

Spindrift, http://www. xnet. com/~spindrif

Spiritual Scientist, New Spiritual Science Foundation, Street Farmhouse, Scole, Diss, Norfolk IP21 4DR, England.

Stanford, Rex G. An experimentally testable model for spontaneous psi events. I. Extrasensory events, *(J. of the American Society for Psychical Research* 1974(a), 68(1), 34-57.

Stanford, Rex G. An experimentally testable model for spontaneous psi events, II. Psychokinetic events, *J. of the American Society for Psychical Research* 1974(b), 68(4), 321-356.

Stanford, Rex G. The application of learning theory to ESP performance: A review of Dr. C. T. Tart's monograph, *J. of the American Society for Psychical Research* 1977, 71, 55-80.

Stanford, R. G. Towards reinterpreting psi events, *J. of the American Society for Psychical Research* 1978, 72, 197-214.

Stanford, R. G./ Fox, C. An effect of release of effort in a psychokinetic task, In: Morris, J. D. Roll, W. G. and Morris, R. L. (eds), *Research in Parapsychology 1974,* Metuchen, NJ: Scarecrow 1975. 61-63.

Stanford, R. G., et al, . Psychokinesis as psi-mediated instrumental response, *J. of the American Society for Psychical Research* 1975, 69, 127-133.

Steadman, Alice, *Who's the Matter With Me,* Marina del Rey, CA: DeVorss 1969.

Stearn, Jess, *Edgar Cayce: The Sleeping Prophet,* New York: Bantam 1967.

Stelter, Alfred, *Psi-Healing,* New York: Bantam 1976.

Straneva, Jo A. Eckstein, *Therapeutic Touch and In Vitro Erythropoiesis* (dissertation) Indiana University School of Nursing 1993.

Strauch, Inge, A contribution to the problem of "spiritual healing," Part II (German) Abstract, *Zeitschrift fur Parapsychologie und Grenzegebiete der Psychologie* 1960, 4(1), 24-55 (Abstract translated in *Parapsychology Abstracts International* 1983, 1(2), No. 363).

Strauch, Inge, Medical aspects of "mental" healing, *International J. of Parapsychology* 1963, 5(2), 135-165. (Quotes with permission of Parapsychology Foundation, Inc.).

Strauss, Anselm/ Corbin, Juliet, *Basics of Qualitative Research: Grounded Theory Procedures and Techniques,* Newbury Park, CA/ London: Sage 1990.

Sugrue, Thomas, *There is a River,* New York: Dell 1970.

Sullivan, H. S. *The Interpersonal Theory of Psychiatry,* New York: Norton 1953.

Sun, Jiwang/ Yuan, Rui/ Yang, Cuifeng – Gansu, China – Analysis of 51 cases with coronary heart disease treated by qigong, *1st World Conference for Academic Exchange of Medical Qigong, Beijing 1988* – from Qigong Database of Sancier.

Sun, Mengyin/ Li, Shengping/ Meng, Guirong/ Cui, Yuanhao/ Sun, Mengyin/ Guo, Jinliang/ Sha, Jinguan/ Yan, Sixian/ Xin, Yan, Tsinghua University, Beijing/ Municipal Institute of Traditional Chinese Medicine of Chongqing, Sichuan Province, Effect of emitted qi on AgBr dyestuff by electric paramagnetic resonance spectrometer, *1st World Conference for Academic Exchange of Medical Qigong, Beijing 1988(a)* – from Qigong Database of Sancier.

Sun, Mengyin/ Li, Shengping/ Meng, Guirong/ Cui, Yuanhao/ Xin, Yan, Tsinghua University, Beijing, China/ Municipal Institute of Traditional Chinese Medicine of Chongqing, Sichuan Province, China, Effect of emitted qi on long-time tracking of UV spectroscopy on the solution of potassium dichromate, *1st World Conference for Academic Exchange of Medical Qigong, Beijing 1988(b)* – from Qigong Database of Sancier.

Sun, Mengyin/ Li, Shengping/ Meng, Guirong/ Cui, Yanghao/ Xin, Yan, Tsinghua University, Beijing/ Municipal Institute of Traditional Chinese Medicine of Chongqing, Sichuan Province, China, Effect of emitted qi on ultraviolet spectrum of a yeast RNA solution. *1st World Conference for Academic Exchange of Medical Qigong, Beijing 1988(c)* – from Qigong Database of Sancier.

Sun, Mengyin/ Li, Shenping/ Meng, Guirong/ Cui, Yuanhao/ Xin, Yan, Tsinghua University, Beijing/ Municipal Institute of Traditional Chinese Medicine of Chongqing, Sichuan Province, China, Effect of emitted qi on trace examination of UV spectroscopy on the DNA solution of fish sperm. *1st World Conference for Academic Exchange of Medical Qigong, Beijing 1988(d)* – from Qigong Database of Sancier.

Sun, Silu/ Tao, Chun, Weifang Medical College, Shandong Province, China, Biological effect of emitted qi with tradescantic paludosa micronuclear technique, *1st World Conference for Academic Exchange of Medical Qigong, Beijing 1988* – from Qigong Database of Sancier.

Sundblom, D. Markus, Haikonen, Sari, et al, : The effect of spiritual healing on chronic idiopathic pain – A medical and biological study, *Clinical J. of Pain* 1994, 10, 286-302.

Swan, Jim, When paranormal is normal: Psi in native american culture, *Psi Research* 1986, 5(1,2), 79-105.

Szantyr-Powolny, Stefania, Notes from a doctor-healer in Warsaw, *Doctor-Healer Network Newsletter* 1993, No. 4, 4-5.

Szymanski, Jan A. Research on changes in the crystallization of copper chhloride under the influence of bioenergotherapeutic interaction, *Proceedings of the 6th International Conference on Psychotronics* 1986(a), 145.

Szymanski, Jan A. Application of electric field measurements in research of bioenergo-therapeutic phenomena, *Proceedings of the 6th International Conference on Psychotronics* 1986(b), 68-71.

T

Taft, Adon (Religious Ed.), *Miami Herald* May 4 1968.

Takaguchi, Naoko, *Miyako Shamanism: Shamans, Clients and Their Interactions*, Unpublished doctoral dissertation, UCLA 1984.

Takahashi, Masaru/ Brown, Stephen, *Qigong for Health: Chinese Traditional Exercise for Cure and Prevention*, New York: Japan 1986.

Tang, Yipeng/ Sun, Chenglin/ Hong, Qingtao/ Liu, Chunmei/ Li, Liaoming, Institute of Qigong Science, Beijing College of Traditional Chinese Medicine, Beijing 100029, Protective effect of emitted qi on the primary culture of neurocytes in vitro against free radical damage, *2nd World Conference for Academic Exchange of Medical Qigong, Beijing, 1993* – from Qigong Database of Sancier.

Tart, Charles, Acknowledging and dealing with the fear of psi, *J. of the American Society for Psychical Research* 1984, 78(2), 133-143.

Tart, Charles, Psychics' fears of psychic powers, *J. of the American Society for Psychical Research* 1986a, 80(3), 279-292.

Tart, Charles, States of consciousness and state-specific sciences, *Science* 1972, 176, 1203-1210.

Tatum, J. Clinical intuition and energy field resonance, In: Leskowitz, E. (ed), *Transpersonal Hypnosis*, New York: Irvington (1998).

Tebecis, Andris K. *Mahikari: Thank God for the Answers at Last*, Tokyo, Japan: L. H. Yoko Shuppan 1982.

Tedder, W./ Monty, M. Exploration of long-distance PK: A conceptual replication of the influence on a biological system, In: Roll, W. G., et al, (eds), *Research in Parapsychology 1980*, Metuchen, NJ: Scarecrow 1981. 90-93.

Tharnstrom, Cchristine Ann Louise, *The effects of Non-contact Therapeutic Touch on Parasympathetic Nervous System as Evidenced by Superficial Skin Temperature and Perceived Stress* (master's thesis) San Jose, CA: San Jose State University 1993.

The Medical Group, *The Mystery of Healing*, Wheaton, IL: Theosophical 1958 (Republished under authorship of the Theosophical Society 1983.)

Theosophical Research Center, *The Mystery of Healing*, Wheaton, IL: Theosophical 1980 (also published under the authorship of 'The Medical Group').

Thie, John F. *Touch for Health*, Marina del Rey, CA: DeVorss 1979.

Thomas-Beckett, Julie Gwen, *Attitudes Toward Therapeutic Touch: A Pilot Study of Women with Breast Cancer* (master's thesis) East Lansing: Michigan State University 1991.

Thorley, Kevan, Disappearing gallstones, *Lancet* (Jun 2) 1984, 1(8388), 1247- 1248.

Thornton, Francis Beauchesne, *Catholic Shrines in the United States and Canada*, New York: Wilfred Funk 1954.

Thunberg, Ursula, Crossing the rim into healing consciousness, *Bridges, Magazine of the International Society for the Study of Subtle Energies and Energy Medicine* 1997, 7(4), 7; 17-20.

Tian, Laike/ Zhang, Jiyue/ Zhang, Yuanming – Dept Physics, Northwestern University, Chengdu, China/ Commercial Bureau, Wenjiang Country, Sichuan Province, China – Effect of emitted qi on making laser holographic grating. *3rd National Academic Conference on Qigong Science, Guangzhou, China. 1990* – from Qigong Database of Sancier.

Tilley, James A. *A Phenomenology of the Christian Healer's Experience (Faith Healing)*, Unpublished doctoral dissertaion, Fuller Theological Seminary, School of Psychology, 1989, Abstract from University Microfilms International, printed in White, Rhea A. *Exceptional Human Experience*, 1991, 9(2), 265-266.

Truman, Harry S. In: Miller, Merle, *Plain Speaking: An Oral Biography of Harry S. Truman* 1974.

Tunnell, Gilbert B. Three dimensions of naturalness: An expanded definition of field research, *Psychological Bulletin* 1977, 84(3), 426-437.

Turner, Gordon, What power is transmitted in treatment? (Part 1 of 4-Part Series), *Two Worlds* (Jul) 1969, 199-201.

Turner, Gordon, I treated plants, not patients (Part 2 of 4-Part Series), *Two Worlds* (Aug) 1969, 232-234.

Turner, Gordon, I experiment in absent treatment (Part 3 of 4-Part Series), *Two Worlds* (Sep) 1969, 281-283.

Turner, Gordon, Psychic energy is the power of life (Part 4 of 4-Part Series), *Two Worlds* (Oct) 1969, 302-303.

Turner, Gordon, *An Outline of Spiritual Healing*, London: Psychic Press 1970.

Turner, Gordon, *A Time to Heal: The Autobiography of an Extraordinary Healer,* London: Talmy, Franklin 1974.

U

U. S. Department of Health, Education and Welfare, *Guide for the clinical evaluation of Analgesic Drugs*, Washington, D. C. U. S. Government Printing Office.

Ullman, Montague, Symposium: Psychokinesis on stable systems: Work in progress In: Roll, W. G. Morris, R. L. and Morris, J. D. (eds), *Research in Parapsychology 1973*, Metuchen, NJ: Scarecrow 1974(a), 120-125.

Ullman, Montague, Parapsychology and Psychiatry Chapter 52. 2a In: Freedman, A. Kaplan, H. and Saddock, B. (eds), *Comprehensive Textbook of Psychiatry*, 2nd Ed. Baltimore: Williams and Wilkins 1974(b), p. 2552-2561.

Ullman, Montague, The Bindelof Story, Part II, *Exceptional Human Experiences* 1994(c), 12(1), 25-31.

Ullrich, Ann Christine, Traditional healing in the Third World, *J. of Holistic Medicine* 1984, 6(2), 200-212.

Uphoff, Walter, H. Uri Geller, *New Frontiers* 1987, Nos. 22/ 23, 8-9.

Uphoff, Walter and Uphoff, Mary Jo, *Mind over Matter: Implications of Masuaki Kiyota's PK Feats with Metal and Film for: Healing, Physics, Psychiatry, War and Peace, Et Cetera*, Oregon, WI: New Frontiers Center 1980(a).

Uphoff, Walter and Uphoff, Mary Jo, *New Psychic Frontiers: Your Key to New Worlds*, Gerards Cross, England: Colin Smythe 1980(b).

Upledger, John and Vredevoogd, Jon D, *Craniosacral Therapy;* Chicago: Eastland 1983.

Utts, Jessica, Replication and meta-analysis in parapsychology, *Statistical Science* 1991, 6(4) 363-403.

Utts, Jessica, Presentation at Science & Spirituality of Healing, Old Salem, NC October, 2000.

V

van der Post, Laurens. *The Lost World of the Kalahari*, Aylesbury, England: Hazell, Watson and Viney 1973.

Van Dragt, Ryan *Paranormal Healing: A Phenomenology of the Healer's Experience*, Vols. I & II. Unpublished (dissertation), Fuller Theological Seminary, School of Psychology 1980, Abstract from University Microfilms International, printed in White, Rhea A. *Exceptional Human Experience*, 1991, 9(1), 117-118.

Vasiliev, L. L. *Experiments in Distant Influence: Discoveries by Russia's Foremost Parapsychologist*, New York: Dutton 1976. Previously published as *Experiments in Mental Suggestion (Rev. Ed.)* Hampshire, England: Gally Hill Press/ Institute for the Study of Mental Images 1963. (See also review of the latter by Rush, J. H.).

Vasiliev, Leonid L. *Mysterious Phenomena of the Human Psyche* (Translated from Russian), New Hyde Park, NY: University Books 1965.

Vaughan, Allan. Investigation of Silva Mind Control claims, In: *Research in Parapsychology 1973*, Metuchen, NJ: Scarecrow 1974, 51.

Vilenskaya, Larissa V. Optimal period for biofield activity, *International J. of Paraphysics*, 1976(a), 19(1 & 2), 9-12.

Vilenskaya, Larissa, A scientific approach to some aspects of psychic healing, *International J. of Paraphysics* 1976(b), 10(3), 74-79.

Villoldo, Alberto/ Krippner, Stanley, *Healing States: A Journey into the World of Spiritual Healing and Shamanism*, New York: Fireside/ Simon and Schuster 1987.

Vishnu-devananda, S. *Hatha Yoga Pradipika*, New York: Om Lotus 1987.

Vogel, M. Man-plant communication, In: Mitchell, E. D. and White, J. (eds) *Psychic Exploration*, New York: G. P. Putnam's Sons 1974.

Von Franz, Marie-Louise/ Hillman, James: *Jung's Typology*. Zurich: Spring 1971.

Vu, Alexander, Determining blood pressure at a distance, In: Vilenskaya, Larissa (Translater and Editor), *Parapsychology in the USSR, Part III*, San Francisco: Washington Research Center 1981, 61-62.

W

Walker, Scott, et al, Intercessory prayer in the treatment of alcohol abuse and dependence: a pilot investigation, *Alternative Therapies* 1997, 3(6), 79-86.

Wallack, Joseph Michael, *Testing for the psychokinetic effect on plants: effect of a 'laying on' of hands on germinating corn seed* (master's thesis) West Georgia College 1982, Summarized in *Psychological Reports* 1984, 55, 15-18.

Walsh, Roger N. *The Spirit of Shamanism*, New York: Tarcher/ Putnam 1990.

Wan, Sujian/ He, Yuzhu/ Hao, Shuping/ Liu, Yuding/ Yu, Chuan, Qigong Institute, Beijing Military Region, Beijing/ Hebei Langfarg People's Hospital, Beijing Agricultural University, Beijing, Repeated experiments by using emitted qi in treatment of spinal cord injury, *2nd World Conference for Academic Exchange of Medical Qigong, Beijing 1993* – from Qigong Database of Sancier.

Wang, Jisheng. Institute of Psychology, Chinese Academy of Sciences, Beijing, Role of qigong on mental health *2nd World Conference for Academic Exchange of Medical Qigong, Beijing 1993* – from Qigong Database of Sancier.

Wang, Yonghuai/ Zhou, Lei/ Xu, Dong/ Huang, Junjie/ Li, Yan/ Ge, Zheng, Quantitative survey of systematic deviations in Brownian movement experiment affected by qi, *1st World Conference for Academic Exchange of Medical Qigong. Beijing, 1988* – from Qigong Database of Sancier.

Wang, Zhengchang/ Huang, Jain/ Wu, Zijuan – Shanghai Qigong Institute – *Prellminary study of the relationship between qigong and energy metabollem; the changes in blood ATP content, 1st World Conference for Academic Exchange of Medical Qigong, Beijing 1988* – from Database of Sancier.

Wang, Zhengchang/ Shan, Genxing/ Zang, Wenyi – Shanghai Qigong Institute/ Shanghai Institute of Radiation Medicine/ Shanghai Academy of Qigong Research – Preliminary observation on the effect of walql (emitted qi) on the function of making blood *3rd National Academic Conference on Qigong Science, Guangzhou, China. 1990* – from Qigong Database of Sancier.

Watkins, Graham K. Psychic healing: The experimental viewpoint, In: Roll, W. G. (ed), *Research in Parapsychology 1978*, Metuchen, NJ: Scarecrow 1979, 21-23.

Watkins, G. K./ Watkins, A. M. . Possible PK influence on the resuscitation of anesthetized mice, *J. of Parapsychology* 1971, 35(4), 257-272.

Watkins, G. K./ Watkins, A. M./ Wells, R. A. Further studies on the resuscetation of anesthetized mice, In: Roll, W. G. Morris, R. L. and Morris, J. D. (eds), *Research in Parapsychology 1972*, Metuchen, NJ: Scarecrow 1973, 157-159.

Watkins, Graham K./ Watkins, Anita, Apparent psychokinesis on static objects by a 'gifted' subject: A laboratory demonstration, In; Roll, W. G., et al, (eds), *Research in Parapsychology 1973*, Metuchen, NJ: Scarecrow 1974.

Watson, Lyall, *Lifetide*, New York: Bantam 1979.

Watson, Lyall. *The Romeo Error*, Garden City, New York: Anchor/ Doubleday 1975.

Webster, H. *Taboo, A Sociological Study,* Stanford, California; Stanford University Press 1942.

Weiler PC, et al, *A measure of malpractice: medical injury, malpractice litigation, and patient compensation*, Cambridge, MA: Harvard University 1993.

Weininger, O. Mortality of albino rats under stress as a function of early handling, *Canadian J. of Psychology* 1953; 7, 111-114.

Weininger, Physiological damage under emotional stress as a function of early experience, *Science* 1954, 119, 285-286.

Wells, Roger/ Klein, Judith, A replication of a "psychic healing" paradigm, *J. of Parapsychology* 1972, 36, 144-147.

Wells, Roger/ Watkins, Graham, Linger effects in several PK experiments, In: Morris, J. D. Roll, W. G. and Morris, R. L. (eds) *Research in Parapsychology 1974*, Metuchen, NJ: Scarecrow 1975, 143-147.

West, D. J. The investigation of spontaneous cases, *Proceedings of the Society for Psychical Research* 1948, 264-300.

West, D. J. *Eleven Lourdes Miracles*, London: Helix 1957.

West, William, Counsellors and psychotherapists who also heal, *British J. of Guidance and Counselling* 1997, 25(2)

Westerbeke, Patricia/ Gover, John/ Krippner, Stanley, Subjective reactions to the Phillipino "healers:" A questionnaire study, In: Morris, J. D. Roll, W. G. and Morris, R. L. (eds), *Research in Parapsychology 1976*, Metuchen, NJ: Scarecrow 1977, 70-71.

Westlake, A. *The Pattern of Health: A Search for a Greater Understanding of the Life Force in Health and Disease*, New York: Devin-Adair 1961; Berkeley, California: Shambala 1973.

Wetzel, Wendy S. Healing touch as a nursing intervention: wound infection following caesarian birth – an anecdotal case study, *J. of Holistic Nursing* 1993, 11(3), 277-285.

Wetzel, Wendy S. Reiki healing: a physiologic perspective, *J. of Holistic Nursing* 1989, 7(1), 47-54.

Wharton, Richard/ Lewith, George. Complement-ary medicine and the general practitioner, *British Medical J.* 1986, 292.

Whitaker, Kay Cordell, *The Reluctant Shaman*, HarperSanFrancisco 1991.

White, John/ Krippner, Stanley (eds), *Future Science*, Garden City, NY: Anchor/ Doubleday 1977.

White, Rhea, A comparison of old and new methods of response to targets in ESP experiments, *J. of the Society for Psychical Research* 1964, 58(1), 21-56.

White, Ruth/ Swainson, Mary, *The Healing Spectrum*, Suffolk, England: Neville Spearman, 1979.

Whitmont, Edward C. *The Alchemy of Healing: Psyche and Soma*, Berkeley, CA: Homeopathic Education Services and North Atlantic Books 1993.

Wilber, Ken. *Eye to Eye, Science and Transpersonal Psychology*, Revision, 1979, 2(1).

Wilson, D. F. Therapeutic Touch: foundations and current knowledge, *Alternative Health Practitioner* 1995, 1(1), 55-66.

Wilson, Sheryl C./ Barber, Theodore X. The fantasy-prone personality: Implications for understanding imagery, hypnosis and parapsychological phenomena, *Psi Research* 1982, 1(3), 94-116.

Winkelman, Michael James, *A Cross-cultural Study of Magico-Religious Practitioners*, Unpublished doctoral dissertation, University of CA Irvine 1984.

Winkelman, Michael, A cross-cultural study of shamanistic healers, *J. of Psychoactive Drugs* 1989 (Jan/Mar), 2(1), 17-24 (from *Exceptional Human Experiences* 1991, 9(2), 265, excerpt #04876).

Winstead-Fry, Patricia/ Kijek, Jean, An integrative review and meta-analysis of Therapeutic Touch research, *Alternative Therapies* 1999, 5(6) 59-67.

Winston, Shirley, *Research in Psychic Healing: A Multivariate Experiment*, Unpublished doctoral dissertation, Union Graduate School, Yellow Springs, OH 1975.

Wirkus, Mieczyslaw, *Personal Communications* 1987, 1-2-1.

Wirth, Daniel P./ Cram, Jeffery R. Multi-site electromyographic analysis of non-contact therapeutic touch, *International J. of Psychosomatics* 1993, 40(1-4), 47-55.

Wirth, Daniel P./ Cram, Jeffrey R. The psychophysiology of nontraditional prayer, *International J. of Psychosomatics* 1994, 41(1-4), 68-75.

Witmer, J./ Zimmerman, M. Intercessory prayer as medical treatment, *Skeptical Inquirer* 1991, 15, 177-180.

Witt, J. Relieving chronic pain, *Nurse Practitioner* 1984, 9(1), 36-38.

Wolfe, L. S. Hopnosis in anesthesiology, In: LeCron, L. M. (ed), *Techniques of Hypnotherapy*, New York: Julian 1961, 188-212.

Wolfe, L. S./ Millet, J. B. Control of post-operative pain by suggestion under general anesthesia, *American J. of Clinical Hypnosis* 1960, 3, 109-112.

Wolman, Benjamin B. (ed), *Handbook of Parapsychology*, New York: Van Nostrand 1977, 547-556.

Wolpe, J. *Psychotherapy By Reciprocal Inhibition*, Palo Alto, California: Stanford University Press 1958.

Wooding, Valerie, *John Cain Healing Guide*, England: Van Duren 1980.

Woods, D.L./ Craven, R./ Whitney, J., The effect of Therapeutic Touch on disruptive behaviors of individuals with dementia of the Alzheimer type, *Alternative Therapies* 1996, 2(4) 95-96; Also as: Woods, D. L. *The Effect of Therapeutic Touch on Disruptive Behaviors of Individuals with Dementia of the Alzheimer Type* (master's thesis), Seattle: University of Washington 1993.

Wright, Susan M. The use of therapeutic touch in the management of pain, *Nursing Clinics of North America* 1987, 22(3), 705-714.

Wright, Susan Marie, *Development and Construct Validity of the Energy Field Assessment Form* (dissertation), Rush University College of Nursing 1988.

Wu, Banghui/ Wu, Ruixian/ Kaiying, Du/ Shiying, Wu/ Jumu, Zhu/ Kongzhi, Song/ Xianggao Li,/ Rongliang, Lan/ Liangzhong Zhaou, Sichuan University, Sichuan Province, China/ Institute of Space Medical Engineering, China, Effects of emitted qi on silicon's crystalline state, *1st World Conference for Academic Exchange of Medical Qigong, Beijing 1988* – from Qigong Database of Sancier.

Wu, Rongqing/ Xi, Xiaoming/ Chen, Ling/ Qi, Songping – Beijing College of Traditional Chinese Medicine – *Investigation of the biological effect of emitted qi with fluorescence probes, 1st World Conference for Academic Exchange of Medical Qigong, Beijing 1988* – from Database of Sancier.

Wu, Zudao/ Yang, Guisheng – Dept Microbiology, Shandong University/ Qigong Science Research Society, Shandong, China – Effect of emitted qi on molecular conformation of cellulase *3rd National Academic Conference on Qigong Science, Guangzhou, China. 1990* – from Qigong Database of Sancier.

X

Xiu, Ruijuan/ Ying, Xiaoyou/ Cheng, Jun/ Duan, Chouggao/ Tang, Tao – Institute of Microcirculation, CAMS, Beijing – Studies of qigong effect on the human body [via] macro and micro-circulatory parameters measurement. *1st World Conference for Academic Exchange of Medical Qigong, Beijing 1988* – from Qigong Database of Sancier.

Xu, Hefan/ Xue, Huiling/ Zhang, Chenging/ Shao, Xiangming/ Liu, Guanchan/ Zhou, Qijing/ Yu, Fanger/ Wu, Kang – Jiangsu Provincial Research Institute of Traditional Chinese Medicine, China/ Dept Pathology, Naval Medical College, China/ Chassis Plant, Nanjing Automobile Factory, Nanjing, China – Study of the effects and mechanism of qigong waiqi (emitted qi) on implanted tumors in mice *3rd National Academic Conference on Qigong Science, Guangzhou, China. 1990* – from Qigong Database of Sancier.

Y

Yan, Xin/ Lu, Zuyin/ Yan, Sixian/ Li, Shengping, Municipal Institute of Traditional Chinese Medicine of Chongqing, Sichuan Province, China/ Institute of High Energy Physics, Academia Sinica, Beijing/ Tsinghua University, Beijing, Effect of emitted qi on the polarized plane of a laser beam, *1st World Conference for Academic Exchange of Medical Qigong, Beijing 1988* – from Qigong Database of Sancier.

Yan, Xuanzuo [and others] – Dept Immunology, Biejing College of Traditional Chinese Medicine, Beijing – Effects of qigong waiqi (emitted qi) on Immune function of immunosuppressed mice *3rd National Academic Conference on Qigong Science, Guangzhou, China. 1990* – from Qigong Database of Sancier.

Yang, Jinhong/ Guan, Haoben – Guangzhou College of Traditional Chinese Medicine, Guangzhou – Effect of emitted qi on human lymphocytes and tumor cells in vitro *3rd National Academic Conference on Qigong Science, Guangzhou, China. 1990 – from Qigong Database of Sancier.*

Yang, Kongshun/ Guo, Zhongliang/ Xu, Hong/ Lin, Housheng/ Zhao, Bangzu/ Zhou, Daohong, Guiyang College of Traditional Chinese Medicine, Guizhou Province/ Shanghai Qigong Institute/ Guiyang College of Traditional Chinese Medicine, Guizhou Province, China, Influence of electrical lesion of the periaqueductal gray (PAG) on the analgesic effect of emitted qi in rats, *1st World Conference for Academic Exchange of Medical Qigong, Beijing 1988* – from Qigong Database of Sancier.

Yang, Kongshun/ Xu, Hong/ Guo, Zhongliang/ Zhao, Bangzu/ Li, Zhaohuei, Guiyang College of Traditional Chinese Medicine, Guizhou Province, China, Analgesic effect of emitted qi on white rats. *1st World Conference for Academic Exchange of Medical Qigong, Beijing 1988* – from Qigong Database of Sancier.

Yang, Sihuan/ Shi, Jiming/ Yang, Qifei/ Zheng, Ziliang – Institute of Qigong Sciences, Beijing College of Traditional Chinese Medicine/ Medical University of Shandong, China – Experimental research on the braking phenomenon of the upper limbs evoked by qigong waiqi (emitted qi), *3rd National Academic Conference on Qigong Science, Guangzhou, China. 1990* – from Qigong Database of Sancier.

Yao, Yuzhong/ Zhang, Jinmei/ Liu, Gangquan/ Wang, Liwei. Sun Yat-Sen Univeristy of Medical Sciences, Guangzhou, China, Effects of emitted qi on the spontaneous discharges of cerebellar neurons in rats, *1st World Conference for Academic Exchange of Medical Qigong, Beijing 1988* – from Qigong Database of Sancier.

Ye, Fanyang/ Chen, Tainyou/ Zhang, Wengong, Qigong Clinic, Fuzhou Hospital of Traditional Chinese Medicine, Fuzhou, China, IR study of heavy water treated by emitted qi, *2nd World Conference for Academic Exchange of Medical Qigong, Beijing 1993* – from Qigong Database of Sancier.

Ye, Ming/ Shen, Jiaqi/ Yang, Yuanjin/ Fan, Juefen/ Liu, Guizheng/ Wu, Xiaohong – Qigong Institute, Shanghai Academy of Traditional Chinese Medicine – Observation of In vitro effect of emitted qi on human peripheral blood lymphocytes, *1st World Conference for Academic Exchange of Medical Qigong, Beijing 1988* – from Database of Sancier.

Yogananda, P. *Autobiography of a Yogi*, Los Angeles: Self-Realization Fellowship 1946.

Yogananda, P. *Scientific Healing Affirmations: Theory and Practice of Concentration*, Los Angeles: Self-Realization Fellowship 1962.

Yongjie, Zhao/ Hongzhang, Xu, EHBF Radiation: Special features of the time response, *Psi Research* 1982, 1(4), 20-22.

Young, Alan, Some implications of medical beliefs and practices for social anthropology, *American Anthropologist* 1976, 78(1), 5-24.

Young, Alan, *Spiritual Healing: Miracle or Mirage*, Marina del Rey, CA: DeVorss 1981.

Young, D./ Aung, S. An experimental test of psychic diagnosis of disease, *Journal of Alternative and Complementary Medicine* 1997, 3(1), 39-53.

Yuan, Zhifu – Family Acupuncture Center, San Clemente, CA 92672, USA – Survey of 100 doctors using simulated qigong In the USA, 2nd *World Conference for Academic Exchange of Medical Qigong. Beijing 1993* – from Qigong Database of Sancier.

Z

Zambetis, Donna Blanche, *Attitudes of Women with Breast Cancer Toward Therapeutic Touch* (master's thesis), Michigan State University 1996.

Zeng, Qingnan, Qigong – ancient way to good health, *China Reconstructs* 1985, 34(7), 56-57 (Cited in *Psi Research* 1985, 4(3/ 4), 139).

Zhang, Ciling/ Chen, Fakai/ Zhang, Jinmei/ Wang, Ping – Sun Yat-Sen University of Medical Sciences, Guangzhou/ Association of Natural Gong of Shen Xuan Sen Jiao, China – Preliminary studies of effects of emitted qi on pneumocystis carinii In Infected rats (AIDS related) *3rd National Academic Conference on Qigong Science, Guangzhou, China. 1990* – from Qigong Database of Sancier.

Zhang, Fengde/ Zhao, Jing/ Yue, Hufiqin/ Liu, Guiqin/ Liu, Anxi – Dept Biology, Nankai University, Tianjin, China – Study of molecular biology of functional mechanism of emitted qi on proteins *3rd National Academic Conference on Qigong Science, Guangzhou, China. 1990* – from Qigong Database of Sancier.

Zhang, Fengde/ Zhao, Jing/ Yue, Huiqin/ Liu, Guiqin/ Zhao, Xiaomei, Dept Biology, Nakai University, Tianji, Beijing College of Acupuncture, Moxibustion, Traumotology, China, Effect of emitted qi on the reaction of malate dehyrogenase. *2nd World Conference for Academic Exchange of Medical Qigong, Beijing 1993* – from Qigong Database of Sancier.

Zhang, Jiang [and others] – China – Influence of qigong waiqi (emitted qi) on volume of blood flow to visceral organs In rabbits under normal and hemorrhagic shock conditions. *3rd National Academic Conference on Qigong Science, Guangzhou, China. 1990* – from Qigong Database of Sancier.

Zhang, Jie/ Hu, Dongwu/ Ye, Zhumei – Fuzhou General Hospital, Nanjing Command PLA, Fuzhou – Effect of waiqi (emitted qi) on experimental bone fracture in mice *3rd National Academic Conference on Qigong Science, Guangzhou, China. 1990* – from Qigong Database of Sancier.

Zhang, Jinmei/ Chen, Yanfeng/ He, Jinhong/ Xian, Tian/ Yi Yuan – Dept Physiology, Sun Yat-Sen University of Medical Sciences, Guangzhou, China/ Xian

Tian Yi Yuan Qigong, Guangdon Qigong Association, China – Analgeslc effect of emitted qi and the preliminary study of its mechanism *3rd National Academic Conference on Qigong Science, Guangzhou, China. 1990* – from Qigong Database of Sancier.

Zhang, Jinmei/ Liu, Ganquan/ Yao, Yuzhong/ Ming, Huasheng/ Zhou, Donglin/ Zheng, Fankai – Dept Physiology, Sun Yat-Sen University of Medical Sciences, Guangzhou/ Yi Ji Chan of Internal Power of Shaoling Qigong, China – Antagonism of bicuculline on the Inhibitory effect of emitted qi on spontaneous unit activites of cerebellar neurons *3rd National Academic Conference on Qigong Science, Guangzhou, China. 1990* – from Qigong Database of Sancier.

Zhang, Jinmei/ Zhang, Ciling/ Chen, Fakai, Sun Yat-Sen University of Medical Sciences, Guangzhou 510060, China, Preliminary study of the effect of emitted qi on experimental animals infected by pneumocysitis carinii, *2nd World Conference for Academic Exchange of Medical Qigong, Beijing 1993* – from Qigong Database of Sancier.

Zhang, Li/ Wang, Li/ Yan, Yuanzuo/ Ge, Dongyu/ Zhou, Yong, Institute of Qigong Science, Beijing College of Traditional Chinese Medicine, Beijing 100029, Adjusting effect of emitted qi on the immune function of cold-stressed mice, *2nd World Conference for Academic Exchange of Medical Qigong, Beijing 1993* – from Qigong Database of Sancier.

Zhang, Li/ Yan, Xuanzuo/ Wang, Shuhua/ Tao, Jundi/ Gu, Ligan/ Xu, Yin/ Zhou, Young/ Liu, Dong – Institute of Qigong Science, Beijing College of Traditional Zhang, Yuanming/ Tian, Laike/ Yan, Wenhong – Dept Physics, Northwestern University, Chengdu, China – Impact of qigong telecontrol experiment (emitted qi) on structure of matter *3rd National Academic Conference on Qigong Science, Guangzhou, China. 1990* – from Qigong Database of Sancier.

Zhang, Zuqi/ Pei, Zhaohua/ Huang, Yilian/ Huang, Pingfang – South China Normal University, Guangzhou/ Guangzhou Bao Lin Qigong School, Guangzhou, China – Waiqi (emitted qi) accelerates resuscitation of frozen tilapia and its mechanism *3rd National Academic Conference on Qigong Science, Guangzhou, China. 1990* – from Qigong Database of Sancier.

Zhao, Guang/ Xie, Qigang – Xiyuan Hospital, China Academy of Tradtional Chinese Medicine, Beijing and Beijing Normal University – A case of cerebral atrophy cured by qigong, *1st World Conference for Academic Exchange of Medical Qigong, Beijing 1988* – from Qigong Database of Sancier.

Zhao, Jing/ Zhan, Diankun/ Zhao, Xiaomei/ Yang, Guisheng, Nankai University, Tianjin, Beijing College of Acupuncture, Moxibustion, Traumotology, Tianjin Society of Somatic Science, China, Effect of emitted qi on the chemical shift of active proton, *2nd World Conference for Academic Exchange of Medical Qigong, Beijing 1993* – from Qigong Database of Sancier.

Zhao, Tongjian/ Li, Caixi/ Lu, Danyun/ Xu, Qinahong – XuanWu Hospital China Academy of Chinese Traditional Medicine, Beijing/ China Academy of Chinese Traditional Chinese Medicine/ Scientific Research Institute of the National Medicine, Beijing – Investigation of effects of external energy waiqi (emitted qi) on gilomas of mice *3rd National Academic Conference on Qigong Science, Guangzhou, China. 1990* – from Qigong Database of Sancier.

Zhong, Ziliang/ Yu, Bingzhen/ Wang, Jianmin – Teacher's Office of Biological Medical Engineering of Shandong Medical University, Shandong/ Animal's Experimental Center, Physiological Teacher's Office of Shandong Medical University, Shangdong, China – Utilizing qigong (emitted qi) to make people sleep and wake up *3rd National Academic Conference on Qigong Science, Guangzhou, China. 1990* – from Qigong Database of Sancier.

Zhou, Lidong [and others] – First Medical College of PLA, Guangzhou – Mechanisms of the anti-tumor effect of qigong waiqi (emitted qi) *3rd National Academic Conference on Qigong Science, Guangzhou, China. 1990* – from Qigong Database of Sancier.

Zhou, Yong [and others] – Institute of Qigong Science, Beijing College of Traditional Chinese Medicine – Marvellous phenomenon of human peculiar function – disappearance of hundreds millions of bacteria from tube (destruction of E. coli by emitted qi) *3rd National Academic Conference on Qigong Science, Guangzhou, China. 1990* – from Qigong Database of Sancier.

Zhou, Yong/ Yan, Xuanzuo/ Zhang, Li, Qigong Institute, Beijing College of Traditional Chinese Medicine, Beijing 100029, Effect of emitted qi on the change of antibody dependence cell-mediated cytotoxicity (ADCC) of K cell o mice caused by injury of left and right brain cortex, *2nd World Conference for Academic Exchange of Medical Qigong, Beijing 1993* – from Qigong Database of Sancier.

Zhukoborsky, Savely, An experimental approach to the study of psychic healing In: Vilenskaya, Larissa, Translator and Editor, *Parapsychology in the USSR, Part III*, San Francisco: Washington Research Center 1981, 52-54.

Zigmond, A. S./ Snaith, R. P. The hospital anxiety and depression scale, *Acta Psychaitrica Scandinavia* 1983, 67, 361-370 .

Zimmels, H. J. *Magicians, Theologians and Doctors*, London: Edward Goldston and Sons 1952.

Zukav, Gary, *The Dancing Wu Li Masters*, New York: William Morrow 1979.

Name Index

A

Aho, Marja-Leena, 87, 88-90, 136
Alexandrov, Dr. Vladimir Yakovlevich, 275
Alvord, Lori Arviso, 450
Andus, L.G., 239
Appelbaum, Stephen A., 411-416
Asano, M., 297
Astin, John A., 315
Attevelt, Johannes T.M., 41-42, 43-44, 51, 438, 443, 444

B

Bacon, Mary Margarita, 162
Bagchi, B.K., 239, 483
Ballestero, Carmen, 348-349
Baranger, P., 199-202, 211, 227, 314
Barasch, Marc, 334
Barrett, Stephen, 148-153
Barrington, Mary Rose, 242-243, 245, 312, 314
Barrington, Rosze, 425-428, 432
Barros, Alberto, 241-242
Barry, Jean, 267-268, 272, 312, 314, 468
Bartlett, J.G., 27
Baumann, S., 284-285, 286, 312, 468
Beard, Rebecca, 421
Beaty, Bill, 416
Beck, A.T., 89
Becker, 239
Beekman, 426
Beltran, Justin, 145-147
Benor, Daniel J., 7, 11, 37-38, 252, 399-400, 470, 483, 492
Benor, R., 481
Bentwich, Zvi, 37-38, 312, 314
Beutler, Jaap J., 41-42, 51, 444
Blazer, 115
Bliwise, 127
Bloch, G.J., 321
Blundell, Geoffrey, 56-57
Boltwood, Geoff, 230-234, 244
Bonadonna, Ramita, 28-29
Borysenko, Joan, 365
Bouchard, Louise, 117-119, 138, 313

Boucher, Katherine, 440
Boykin, Anne, 425
Braud, William G., 19, 164, 165-177, 277-280, 286, 312, 313, 314, 317, 467, 468, 482, 484, 487, 493
Braun, 115
Brennan, T., 503
Brier, Robert, 155-156, 161, 312, 467
Briner, Barbara, 75-78
Brother Macedo, 441
Broughton, Richard, 18
Brown, Craig K., 340-343, 357
Bucholtz, Randi Anderson, 80-81, 135, 314
Burbank, Luther, 252, 492
Bush, Anita M., 239-241, 244
Byrd, Randolph C., 21-22, 24, 51, 69, 312, 313, 314, 467, 472
Bzdek, Virginia M., 81-83, 136, 313, 314

C

Cabico, Lucila Levardo, 435-436
Cacioppio, 179
Cade, Maxwell, 56
Cadoret, Remi J., 227
Cady, Roger K., 122-124
Cahn, Harold B., 271-272, 312, 314, 491
Campbell, Anthony, 116, 215
Cancro, 119
Cao, Q., 287
Carlson, M.G., 89
Carvalho, M. Margarida de, 348-350
Casdorph, H. Richard, 360-361, 363, 499
Cassoli, Piero, 233, 384-385
Castronova, Jerri, 85-87, 136
Chen, Norbu, 362
Chen, Shugine, 290
Chen, Shuying, 212
Chen, X., 491, 495
Chen, Yuanfeng, 394
Chen, Z., 476
Cheng, Jun, 52-53

Chia, Jianyu, 251
Chief Seattle, 452
Childre, Doc Lew, 306, 406, 408
Chinhsiang, C., 286
Chou, C., 498
Chow, Effie P.Y., 186-187, 313
Christiano, Charlene Ann, 429-430
Chu, Chow, 65, 188
Cirolli, Delizia, 330
Clark, M.J., 75, 477, 479
Clark, P.E., 75, 477, 479
Coakley, D., 444
Cohen, John, 441-442, 443
Cohen, Kenneth S., 52, 492
Collins, John, 168-169
Collins, J.W., 112-113, 137
Collipp, P.J., 47-49, 51, 471, 490
Cooper, Ronda Evelyn, 345
Cooper, Wendy Ellen Copeland, 162, 312
Cooperstein, Allan, 421-423
Cowling, 426
Cram, Jeffery R., 179-182, 187, 312,
    313, 314, 467, 479, 496, 501
Craven, R., 127
Crisp, A.H., 89
Cui, Siqi, 212

D
Dakin, H.S., 229-230, 244
D'Amico, Frank, 79-80
Darbonne, Madelyn M., 344
Daut, 141
Davis, Gary, 277-279, 286, 498
Dean, Douglas, 331, 487, 504
de Carvalho, M. Margarida, 348-350
Dehsiu, Ma, 252
Derogatis, L.R., 89
Dey, N. Dean, 177, 256-257, 259, 312,
    314, 468
DiClemente, 129
di Liscia, Julio C., 140
Dingwall, Eric John, 321, 322
Ditman, Keith S., 11, 470
Dixon, Michael, 30-31, 50, 137, 313,
    314, 337-340, 342, 357, 473, 498
Dollar, Carolyn Estelle, 344
Dossey, Larry, 24, 151, 357, 483
Doucette, Maureen Louise, 437
Dowling, John, 328
Dressen, Linda J., 91, 136, 313

Dressler, David, 83-85, 136, 312, 314,
    479
Duan, Chouggao, 52-53
Duplessis, 147

E
Edge, Hoyt L., 177, 250, 294, 300, 312,
    314, 492
Edwards, Harry, 356-358, 382-384, 394,
    491, 499
Eisenberg, David, 55
Eisenbud, Jule, 321
Elguin, Gita H., 215, 216, 314, 497
Eliade, Mircea, 452
Ellison, 152
Engel, Hans G., 370-373, 483
Ernst, Edzard, 315
Estebany, Oscar, 32, 50, 189-192, 210,
    244, 291-293, 300, 489, 495

F
Fagin, 101
Fahrion, Steven, 363-365
Fan, I. Ji, 251
Fang, Lu Yan, 58
Fedoruk, Rosalie Berner, 109-110, 137,
    313
Feng, Lida, 65, 212, 287, 290, 493, 495
Ferguson, Cecilia Kinsel, 99-100, 136,
    312, 313, 467
Filer, M.K., 199-202, 211, 227, 314
Finkler, Kaja, 447
Flaks, David, 494
Flaskerud, J.H., 27
Fontenot, Tamera L., 344
France, Nancy E.M., 433-435
Freeman, 180
Friedland, 179
Frydrychowski, Andrzej F., 301

G
Gagne, Deborah, 104-105, 137, 313
Galbraith, Jean, 399-400
Galton, F., 322-323
Gang, Hu, 250-251
Gardner, Rex, 323-326
Garrard, Clare Thomasson, 26-28, 29,
    31, 50, 313
Garyaev, P.P., 408
Gaughan, Kelly Z., 178-179

Gaut, Delores A., 425
Geddes, Francis, 374-375
Geist, Charles R., 239-241, 244
Giasson, Marie, 117-119, 138, 313
Gift, A., 102
Gissurarson, 152
Gladden, Rose, 372
Gmur, M., 367
Goldstein, I.B., 179
Goodrich, Joyce, 124, 130-133, 138,
    312, 314, 394, 467, 482, 503
Gordon, Andrea, 79-80, 135, 313, 314
Gover, John, 440
Gracely, R.H., 80
Grad, Bernard, 32, 189-192, 210, 227,
    228-229, 233, 234, 236, 238,
    239, 241, 244, 245-247,
    270-271, 272, 312, 314, 467,
    468, 489, 491, 492, 494
Graham, Anne, 294, 300
Gray, Jack, 373-374
Green, M. Joanne, 162
Green, William M., 31, 67-69, 135, 312,
    314, 467, 495
Greenfield, Sidney, 448
Greyson, Bruce, 124-125, 138
Gu, J., 493, 494
Gu, L., 495
Guerrero, M.S., 100, 313
Gulak, Jan, 348
Guo, Y., 55, 387
Guoguang, Chen, 345-346
Guy, Dr., 322

H
Haikonen, Sari, 88-90, 136
Hale, Elizabeth Habig, 97-98, 136, 312,
    445, 467
Hamilton-Wyatt, Gwen Karilyn, 436
Hapke, Russell A., 178-179
Haraldsson, Erlendur, 269-270, 272,
    312, 314, 441, 443
Harner, Michael, 448, 452
Harris, Duncan, 430-432
Harris, William S., 22-24, 51, 312, 313
Harvey, David, 439, 443
Hasted, 284
Hayashi, Shigemi, 53-54
Heidt, Patricia Rose, 42, 92-93, 98, 136,
    313, 419-421, 432

Herbert, Benson, 385-387
Hermano,, 367
Hickman, J.L., 229-230, 244
Hirshberg, Caryl, 334, 360
Hochenegg, 501
Hodges, David, 230-234, 235, 244, 312,
    314, 468
Hol, P.R., 35, 192-194, 210, 312, 314,
    444, 467, 474
Horowitz, Kenneth A., 29, 492
Hu, Gang, 251
Huang, Meiguang, 346-347
Huang, Wengguo, 55
Hubacher, John, 373-374
Hudgens, David, 79-80
Hughes, Pamela Potter, 430-432
Hunt, S., 30
Husserl, Edmund, 503

I
Isaacs, 284

J
Jacobson, Nils, 159-160, 161
Jadad, A.R., 19
Jarrell, Rev. David, 169
Jia, Jinding, 213-214, 381-382
Jia, Lin, 213-214, 381-382, 394
Jiaqi, Shen, 288-289
Johnston, B., 75
Jones, M.G., 89
Joy, Brugh, 372
Joyce, C.R.B., 139

K
Kaptchuk, Ted, 451
Karagulla, Shafika, 159, 399
Kartsev, V.I., 217
Kashiwasake, Masaki, 60, 500
KeaneKeane, 295
Keefe, F.J., 89
Keller, Elizabeth, 81-83, 136, 152, 313,
    314
Kemp, Louise Marie, 101, 313
Kermis, 115
Kiaohong, Wu, 288-289
Kiecolt-Glaser, J., 28
Kief, Herman K., 302
Kiernan, Jane S., 437
Kirkpatrick, Richard A., 358-359

Klein, Judith, 220, 226, 313, 314
Klingbeil, Bruce, 402, 502
Klingbeil, John, 402, 502
Klitch, Helen, 168-169
Kmetz, John, 279, 492
Knowles, Frederick W., 256, 367-368, 490
Kraft, Dean, 229-230, 244, 501
Kramer, Nancy Ann, 111-112, 137, 313
Kreitler, S., 37-38
Krieger, Dolores, 32-33, 34, 50, 99, 229, 313, 376-377, 421, 474
Krippner, Stanley, 363, 440, 441, 448-449, 504
Kuang, Ankun, 52
Kuhlman, Kathryn, 360, 361-363
Kulagina, Nina, 274-276
Kunz, Dora van Gelder, 159, 399, 492
Kwilosz, D.M., 80

L
Lagle, J., 284-285, 286
Laing, Gail P., 115-117, 137, 313
Larder, B.A., 27
Laskow, Dr. Leonard, 350-356, 406
LaVia, Mariano, 28-29
Layton, 115
Leb, Catherine S., 42, 66, 120-121, 138, 148, 313, 314
Leichtman, Robert, 158
Leikam, William C., 261-262, 266, 314
Lenington, Sandra, 241, 244
LeShan, Lawrence, 130, 354, 414, 418, 421, 469, 482, 499, 503
Lewith, George, 442
Li, Desong, 57-58
Li, Jinzheng, 65
Li, L., 65, 491, 495
Li, Xiaoming, 57-58
Liberman, Jacob, 55-56
Lida, Geng, 64
Lin, G., 477
Lin, Houshen, 65
Linnik, Yuri, 494
Liu, A., 287
Liu, Guolong, 58-59, 61-63, 64, 65, 377-381, 476
Liu, Hekun, 65, 496
Liu, Tehfu, 216
Liu, Z., 266, 493

Lo, Chinhpaio, 65
Loehr, Franklin, 247, 492
Lombardi, Ethel, 40, 363-365
Lu, Danyun, 381-382
Lundberg, George D., 6-7, 150
Lynch-Sauer, J., 426

M
Ma, Dingxing, 65
MacDonald, R.G., 229-230, 244, 312, 314
Macedo, Irmao (Brother Macedo), 441
MacNeil, Melanie Sue, 436
Madakasira, S., 101
Malgady, R.G., 72-73
Manning, Matthew, 165, 176, 242-243, 245, 277-279, 286, 296, 300
Markides, Emily Joannides, 436
Markov, M.S., 297-299
Maslow, Abraham, 448
Matheny, K., 27
May, Edwin C., 213
McClelland, David, 365
McCormack, H.M., 66
McCraty, Rollin, 303-308, 312, 314, 406-407, 408-410
McFadden, 452
McKenna, G.W., 444
McNair, 141
Meehan, Thérèse Connell, 69-73, 135, 312, 314, 471
Meek, 363
Meize-Grochowski, Robin, 430-432
Meng, G., 387
Mercola, John, 445
Merentstein, Joel H., 79-80
Mermann, C.A., 72-73
Mersman, Cynthia A., 45-46, 51, 312
Mesmer, Franz Anton, 321-322
Metta, Louis, 258, 259, 312
Mialkowska, Zofia, 335-337
Miettinen, M.A., 90
Millar, Brian, 42, 487, 503
Miller, Robert N., 38-40, 51, 249-250, 313, 314, 405-406
Min, Zhang, 288-289
Ming, Ye, 288-289
Mison, Karel, 153-155, 161
Misra, Margaret M., 92, 136
Mizra, Dmitri G., 217

Monty, Melissa L., 268-269, 272, 312, 313, 314
Moore, Dan, 25-26
Morland, Kathy, 428-429
Morris, L.A., 11, 90, 487
Moss, Thelma, 373-374, 394
Motoyama, Hiroshi, 476
Motz, Julie, 490
Muehsam, David J., 297-299, 300, 312, 314, 468
Muehsam, Patricia A., 297-299
Muneta, Ben, 449-450
Muscle, Noel, 271-272, 312, 314, 491
Myss, Caroline, 157, 158

N
Nash, Carroll B., 177, 260-261, 264-265, 266, 273, 312, 314, 468, 493
Nash, Catherine S., 273, 314, 493
Natonabah, Andy, 449
Neighbor, Catherine, 430-432
Ni, 55
Nicholas, Chris, 242, 245, 313, 314
Niu, Xin, 61-63
Nolen, W.A., 361, 362-363
Null, Gary, 208-209, 211, 314

O
O'Brien, K., 101
Ogawa, Tokuo, 53-54
Olafsson, Orn, 441, 443
O'Laoire, Fr. Seán, 106-109, 137, 314, 467
Oleson, Terri, 85-87, 136
Olson, Melodie, 28-29, 50, 101-104, 113-114, 137, 312, 313, 473
Omura, Yoshiaki,, 395-397, 489
Onetto, Brenio, 215, 216, 314, 497
O'Regan, Brendan, 360
Orlowski, Tadeusz, 301

P
Padfield, Suzanne, 386-387
Pan, L.B., 65
Parise, Felicia, 224
Parkes, Brenda Sue, 115, 116, 137
Pattison, E. Mansell, 442
Pauli, Enrique Novillo, 401-402
Peck, Susan D. (Eckes), 78-79, 135, 312, 313, 314

Peng, Xueyan, 58-59, 380-381, 477
Peters, Pamela Joan, 435
Pfeffermann, R., 37-38
Pilla, Arthur A., 297-299
Pleass, Charles M., 177, 256-257, 259, 312, 314, 468
Popp, F.A., 408
Porvin, Leonid M., 213
Post, Nancy Whelan, 183, 187
Press, Jaime, 140
Przyjemska, Bozens, 301
Purska-Rowinska, Ewa, 56

Q
Qian, Juqing, 290
Qiu, Yuzhen, 251
Quinn, Janet F., 29, 40, 42, 51, 93-96, 98, 136, 152, 177, 313, 314, 365-366, 495, 497

R
Radin, Dean I., 173, 174, 175, 177, 178-179, 312, 313, 314, 467
Ralph, Del, 340-343
Randall, J.L., 255-256, 259
Randolph, Gretchen Lay, 114, 137
Rattemeyer, M., 408
Rauscher, Elizabeth B., 262-264, 266, 314
Rebman, Janine M., 177, 178-179, 312, 313, 467
Redner, Robin, 75-78, 91, 135, 312, 314, 445, 467
Reich, Wilhelm, 169
Rein, Glen, 295-297, 300, 303-308, 312, 314, 350-356, 406-407, 408-410, 468, 495, 499
Reinharz, S., 426
Rejmer, Jerzy, 56, 335-337
Renard, Ann M., 437
Richmond, Kenneth, 368-370
Richmond, Nigel, 254-255, 256, 259, 314
Riscalla, Louise, 439
Robinson, Loreta Sue, 126, 138, 314
Rogers, Martha, 425
Roll, W., 284-285, 286
Rosa, Emily, 148-153, 470, 483
Rosa, Linda, 148-153
Rose, Louis, 356-358, 499

Rosenstiel, A., 89
Rosenthal, R., 197
Roth, Suselma D., 163
Rubik, Beverly B., 262-264, 266, 314
Rucker, Henry, 157-158
Ruihua, Ahang, 288-289
Russek, Linda G., 145-147, 495
Russell, Edward W., 247-249

S
Saba, Frances, 373-374
Sabina, Maria, 450
Saint-Germain, 348
Saklani, Alok, 234-236, 244, 312, 314, 468
Samarel, Nelda, 312, 423-425, 432
Sancier, Kenneth M., 52, 186-187, 287, 313, 380, 396, 488, 489
Sarner, Larry, 148-153
Savits, Barry, 155-156
Savva, 274-276
Schlitz, Marilyn J., 19, 165, 167-173, 176, 177, 224-225, 226, 312, 313, 314, 317, 467, 482
Schlotfeldt, Rozella M., 32
Schmeidler, Gertrude, 155-156
Schmidt, Helmut, 166, 202
Schmitt, 295
Schuller, Donna Elizabeth, 163
Schutze, Barbara, 128, 138, 312, 314
Schwartz, Gary E., 145-147, 161, 313, 483
Scofield, Tony, 230-234, 235, 244, 312, 314, 468
Scudder, Rev. John, 229-230
Selden, 239
Shallis, Michael, 387
Shapiro, A.K., 11, 90
Shealy, C. Norman, 122-124, 138, 157-159, 161, 312, 314, 411, 481, 503
Sheldrake, Rupert, 198
Shen, Ronger, 297-299
Shi, Jiming, 57-58
Shimansky, Anatoly, 494
Shinoda, Norihiko, 53-54
Shuzman, Ellen, 343
Sicher, Fred, 25-26, 50, 312, 313, 314, 467, 471
Siegel, Bernard, 469

Sies, Mary Miller, 183-184, 187
Silu, Sun, 252-253
Silva, Concepcion, 36-37, 50, 313
Simington, Jane A., 115-117, 137, 313
Singg, Sangeeta, 91, 136, 313
Slater, P., 89
Slater, Victoria, 73-74, 135, 312, 314, 467
Smith, Helene S., 25-26
Smith, Justa M., 250, 291-294, 300, 314
Snaith, R.P., 30
Sneed, Nancee, 28-29, 50, 101-104, 113-114, 137, 312, 313, 473
Snel, Frans W.J.J., 35, 192-194, 203-208, 210, 211, 276, 282-283, 286, 312, 313, 314, 444, 445, 467, 474, 490, 494, 503
Snellman, Lynn, 75-78
Sodergren, Kathleen Anne, 46-47, 138
Soidla, Dr. Tonu Tikhovich, 274
Solfvin, Gerald F., 195-198, 202, 210, 227, 236-237, 244, 269, 312, 314, 404, 467, 470, 494, 502
Somè, Patrice Malidoma, 451
Soubirous, Bernadette, 327
Speransky, Sergei V., 213
Spielberger, C.D., 92, 115, 116
Spindrift, Inc., 354, 402-404, 407, 470, 499, 502
Spragget, Allen, 361-362, 363
Stanford, Rex G., 164, 165, 198, 295, 493
Stanley, 116
Steer, R.A., 89
Stelter, 363
Stevens, Paul, 178-179
Straneva, Jo A. Eckstein, 281, 286, 313, 444
Strauch, Inge, 332-335, 357
Strelkauskas, Anthony J., 29, 365-366, 495
Stull, J.T., 297
Sullivan, W.H., 35
Sun, M., 307, 387
Sundblom, D. Markus, 88-90, 136, 313, 314

T
Tao, Chun, 252-253
Targ, Eliabeth, 25-26, 487

Tart, Charles, 421, 487
Taylor, Robin K., 174-175
Tedder, William H., 268-269, 272, 312, 313, 314
Tharnstrom, Christine Ann Louise, 184, 187
Thie, John F., 252
Thomas-Beckett, Julie Gwen, 163
Thompson, Wanda, 344
Thornton, Lucia Marie, 106, 136
Thorsteinsson, Thorstein, 269-270, 272, 312, 314
Tilley, James A., 418-419, 432
Toye, Richard C., 104-105, 137, 313
Trampler, Kurt, 332, 334
Tschopp, A., 367, 370
Turner, Gordon, 104, 144, 148, 388-394, 394, 482, 491, 493, 501

U
Upledger, John, 84
Utts, Jessica, 470, 497

V
van der Sijde, P.C., 203-208, 211, 313, 314
Van Dragt, Bryan, 417-418, 419, 432
van Pelt, Elizabeth Cohen, 450
Vaughan, Alan, 156-157, 161
Veehoff, Diane Culver, 122-124
Vilenskaya, Larissa, 213, 397-399
Villoldo, Alberto, 363, 448, 504
Virella, Gabriella, 28-29

W
Walker, Scott, 128-129, 130, 138, 314
Wallack, Joseph Michael, 238-239, 240, 241, 244, 492
Wan, Pei, 380-381
Watkins, Anita M., 218-222, 226, 227, 312, 314, 467
Watkins, Graham K., 42, 218-224, 226, 227, 299, 312, 314, 394, 467, 471
Watters, Brenda, 340-343
Weiner, Debra, 224-225
Weininger, 197
Weisman, Rabbi Abraham, 209
Welch, Patrick, 448-449
Welldon, R.M.C., 139

Wells, Roger, 220-224, 226, 295, 299, 312, 313, 314
Wenger, M.A., 239, 483
West, D.J., 328-330
West, William, 410-411
Westerbeke, Patricia, 440
Wetzel, Wendy S., 33-34, 50, 194, 281, 313, 444
Wezelman, Rens, 178-179
Wharton, Richard, 442
White, Gillian, 30-31, 50, 137, 337-340
White, Rhea A., 503
Whitmont, Edward, 35
Whitney, J., 127
Wiklund, Nils, 159-160, 161
Wilcox, Judith, 99
Wilson, D.F., 474
Winston, Shirley, 133-134, 138
Wirkus, Mietek, 363-365
Wirth, Daniel P., 179-182, 187, 312, 313, 314, 367, 479, 496, 501
Wiseman, M.E., 72-73
Wittmer, J., 22
Wolff, B.B., 72-73
Wood, Robert, 277-279, 286
Woodford, Terry, 481
Woods, D.L., 127, 138, 312
Worrall, Ambrose, 405
Worrall, Olga, 229-230, 244, 262-264, 266, 394, 405, 493
Wright, Susan Marie, 141-144, 161, 313
Wright, Thomas Lee, 55
Wu, R., 489
Wu, Yi, 297-299

X
Xie, Qigang, 65
Xiu, Ruijuan, 52-53, 65

Y
Yanfang, Lu, 65
Yang, Qinfei, 57-58
Yang, S., 488
Yao, Wang, 288-289
Yiji, Fan, 250-251
Ying, Xiaoyou, 52-53
Yu, Zhiming, 61-63
Yuan, Zhifu, 64-65, 476
Yuantegn, C., 287

Z
Zambetis, Donna Blanche, 163
Zhang, D.L., 489
Zhang, F., 307
Zhang, Jinmei, 65
Zhang, Z.F., 65
Zhao, Guang, 65
Zhao, Xiuzhen, 212

Zhong, Xuelong, 380-381
Zhong, Ziliang, 65
Zhu, Lina, 212
Zhukoborskaya, Lyubov, 494
Zhukoborsky, Savely, 274-276, 494
Zigmond, A.S., 30
Zimmerman, M., 22

Subject Index

A

Abdominal hysterectomy, relaxation touch
    and, 36-37, 50
Abdominal pain, healing and chronic
    symptoms, 30, 337
Abdominal surgery, postoperative pain,
    69-74
ABER (auditory brainstem evoked
    responses), emitted qi and, 378,
    380-381
Absent healing. See Distant healing
Acupuncture, 162, 251-252
Acupuncture points, 53, 58, 63, 65,
    395-397, 398
Addictions, 128-130, 138, 366, 367
Adolescents, healing and, 430-432
AIDS, healing of, 25-28, 31, 50, 313,
    349
AK (applied kinesiology), 185
Alcoholism
    LeShan healing and, 375
    prayer and, 128-130, 138
Algae, healing studies on, 177, 256-257,
    259
Allergies
    muscle strength and, 185
    qigong healing of, 65
Allobiofeedback studies, 165
    bio-PK experiments, 167-169
    Braud studies, 164-173, 176-177
    conformance behavior and, 165-167
    intuitive data sorting, 171-173
    Radin study, 174-175, 177
    Reiki healing, 169-171, 176
    transpersonal imagery and, 173
Alzheimer's disease, 126-127, 138
Amino acids, healing effects on, 387
Amylase, healing effect on, 300
Amyloidosis
    healing in hamsters, 192-193, 210,
        444
    healing in mice, 35
Anecdotal reports, 12
Anesthesia, arousal from, 217-222,
    224-226, 227, 309, 314, 394
Animal magnetism, 321

Animal sacrifice, in animal studies, 192
Animal studies, 189-227, 314
    animal sacrifice in, 192
    on birds, 199-202
    on cats, 378, 380-381
    on hamsters, 192-193, 444
    on mice, 189-192, 195-198,
        208-210, 212-215, 217-227,
        295-296, 314, 394, 399,
        404
    on rabbits, 381-382, 394
    on rats, 202-208, 211
Antibiotics, 264
Antibodies, healing studies on, 288-289
Anticipatory side effects, of chemo-
    therapy, 46-47, 138, 429
Antidepressants, 119, 126, 296
Anxiety, 140
    chemotherapy and, 429
    healing of, 40, 51, 136-137, 313,
        343, 445
    in hospital patients, 51, 92-98,
        115-117, 136-137
    in institutionalized elderly, 115-117,
        137
    negative effects of healing, 445
    prayer and, 67-69, 106-109
    Reiki healing and, 91, 106, 136
    relaxation therapy and, 104-105
    Therapeutic Touch and, 40, 92-98,
        99-101, 104-105, 113-117,
        136-137, 162, 163, 343
Apostles, healings by, 457
Applied kinesiology (AK), 185, 251-252
Arthritis, 74-75. See also Osteoarthritis;
        Rheumatoid arthritis
    bioenergy healing and, 75-78
    clairsentient assessment, 141-144,
        161
    faith healing and, 360
    healing of, 30, 75-81, 337, 340,
        344, 375, 419-421
    Healing Touch and, 344
    LeShan healing and, 375
    Therapeutic Touch and, 78-80, 135

Asian flu, healing and, 384-385, 394

Asthma, healing of, 43-44, 51, 337

Auditory brainstem evoked responses (ABER), emitted qi and, 378, 380-381

Aura, 144, 397, 399

Autogenic training, depression and, 122-124

Autonomic nervous system, healing and, 38-42

Avian malaria, protection against, 199-202

B

Back pain
  bioenergy healing and, 75-78
  clairsentient assessment, 141-144, 161
  healing and, 30, 83-87, 135, 136, 337, 340
  laying-on of hands and, 85-87
  light touch manipulative technique (LTMT) and, 83-85
  psychotherapy and, 85-87

Backwards-in-time effect, healing of malaria in rats, 202-205, 211

Bacteria, healing studies on, 260-266, 399

Barley seeds, healing studies on, 228-229, 244

Basal cell carcinoma, healing of, 363-365

BDORT (Bidigital O-Ring Test), 395-397

Bereavement, Therapeutic Touch and, 126, 365-366

BET (bioenergotherapy), 56, 348

Bible, healing in, 455-457

Bidigital O-Ring Test (BDORT), 395-397

Biochronometer, effect of emitted qi, 251

Biodiagnostician, 153, 161

Bioenergotherapy (BET), 56, 348

Bioenergy healing, pain and, 75-78

Biological energy field, pendulum assessment of, 119-120, 121

Bio-PK experiments, 167-169

Biotherapy, 335-337

Bird studies, protection against malaria, 199-202

Birth, healing and, 310

"Black boxes," 247

Bleeding, as medical treatment, 35

Blindness, healing and, 375

Blinds, in healing studies, 15

Blood, hemoglobin levels and healing, 32-35, 50, 229, 313, 444

Blood circulation, qigong healing and, 52-54

Blood pressure, healing and, 39-40, 41, 51, 444

Bone fracture, healing of, 213-214, 373-374

Bracelets, as protection against disease, 202

Brain activity, emitted qi and, 57-58, 60, 61-63

Brain surgery, anxiety and postoperative pain, prayer and, 67

Brain wave stimulation (BWS), healing depression with, 122-124

Brazil, healing in, 348-350, 441

Breast cancer, healing and, 163, 340, 429

Breast feeding, Mersman study, 45-46, 51

"Brown thumb," 247

Burns, healing and, 309

BWS (brain wave stimulation), healing depression with, 122-124

C

Cancer, 208, 214-215, 216
  basal cell carcinoma, 363-365
  breast cancer, 163, 340, 429
  chemotherapy. See Chemotherapy
  energetic therapy and, 363-365
  faith healing and, 360
  healing and, 309
  Healing Touch and, 429-430
  leukemia and prayer, 47-49, 51
  mouse studies of, 208-210, 215, 314, 394
  neuroblastoma, 330-331
  nurses' healing of IV chemotherapy bottles, 47
  palliative care, 101, 117-119, 138
  pituitary tumor surgery, 67-69
  qigong healing and, 345-346
  radiation therapy, 217, 287
  rat studies of, 206-208, 314
  skin cancer, 363-365, 419-421
  Therapeutic Touch and, 101, 117-119, 138, 163, 419-421

tumor formation, 215-216
tumor growth, 206-208, 211
Cancer cells, 282
  DNA synthesis in, 350-356
  healing and, 287, 350-356, 445
  negative effects of healing, 445
  protein synthesis in, 350
  psychokinesis and, 282-283
  qigong healing and, 216, 290
Carbon dioxide metabolism, psychokinesis and, 302
Carcinoma. See Cancer
Cardiac arrhythmia, qigong healing of, 65
Cardiac patients
  anxiety of, 51, 93-96, 136
  healing of, 21-24, 313, 340
  intercessory prayer, 21-24
  qigong healing and, 52-54, 65
  Therapeutic Touch and, 93-96
Casual touch
  rheumatoid arthritis and, 80-81
  stress and, 114
Cat studies, emitted qi and ABER, 378, 380-381
Cells (in vitro studies). See In vitro cell studies
Cerebral atrophy, qigong healing of, 65
CES (cranial electrical stimulation), healing depression with, 122-124
Chakras, 119-120, 121, 399
Chemotherapy, 46, 429
  anticipatory side effects and healing, 46-47, 138
  Healing Touch and, 429
  nurses' healing of IV chemotherapy bottles, 47
Chick studies, protection against malaria, 199-202, 211, 227
Children
  healing and, 110-112, 137, 429-432
  perception of energy fields, 433-435
China
  healing in, 216, 251, 252, 387
  qigong healing. See Qigong healing
  temperature changes with healing, 387
Chlamidomonas entamebas, healing studies on, 274-276
Chlorophyll, plant studies, 229
Christ, healing by, 455-456

Christian healers, 374-375, 418, 455-456
Christian Science, Spindrift, 402-404, 407, 502
Chromosomes, plant studies, 252-253
Chronic fatigue syndrome, healing and, 337
Chronic symptoms. See also Arthritis; Back pain; Headache; Pain
  healing and, 30-31, 75-92, 139, 337, 340, 344, 367-373
  progressive muscle relaxation and, 91
  Reiki and, 91, 136
Cigarette addiction, nicotine withdrawal and healing, 367
Circulatory system, healing and, 40, 52-54
Clairsentient assessment, 141-161
  aura, 397
  energy field assessment, 141-144
  hand-energy registration, 145-148, 161
  Mison study, 153-155, 161
  Rosa study, 6-7, 148-153
  Shealy study, 157-159, 161
  Silva Mind Control, 155-157, 161
  Swedish Mind Dynamic method, 159-160, 161
Clinical efficacy, in healing studies, 20
Cloth, as vehicle of healing, 192
Colitis, healing and, 337
Collars, as protection against avian malaria, 199-202
Conformance theory, 164, 165-167
Consciousness, Rein experiments, 350-356
Controlled studies, 10-11, 15-20
Controls, for healing studies, 11, 15
Corn seeds, healing studies on, 236-241, 244, 248-249
Coronary care patients, 313
  anxiety in, 93-96, 136
  intercessory prayer and, 21-24, 51
  Therapeutic Touch and, 93-96
Cost effectiveness
  of healing, 340, 364
  of healing studies, 12
Cotton, as vehicle of healing, 192
Counseling, self-esteem and, 128
Cranial electrical stimulation (CES), healing depression with, 122-124

Cress seeds, healing studies on, 230-234, 244

Crohn's disease, healing and chronic symptoms, 30

Crops. See also Plant studies
  protecting from insect pests, 248-249

Cross-over studies, 11

Crystals
  to detect psychokinesis, 284-285
  healing depression with, 122-124, 138

Cucumber seeds, healing influence on, 398

D

Death, grief experience, 126, 365-366

Dementia, Therapeutic Touch and, 127, 138

Depression, 119
  antidepressant medications, 119, 126, 296
  distant healing and, 124-125
  healing and chronic symptoms, 30, 42, 137-138, 314, 337, 340
  Healing Touch and, 120-121, 138, 148
  LeShan healing and, 124-125, 138, 375
  prayer and, 106-109, 137
  Reiki healing and, 91

Deteriorating disease, prayer and, 139

Diabetes, healing of, 65, 310, 375

Diagnosis
  clairsentient assessment, 141-161
  by ESP, 159-160, 161
  intuitive diagnosis, 157-159, 161, 399-400
  by Kunz, 399
  Mison study, 153-155, 161
  Silva Mind Control, 155-157, 161
  Swedish Mind Dynamic method, 159-160, 161

Diastolic blood pressure, healing and, 39-40, 41, 51, 444

Disease, 271. See also Infections

Distant healing (absent healing, remote healing), 177-178, 314-315
  AIDS and, 25-26, 50
  appetite and, 213

asthma and, 43-44, 51
chronic symptoms and, 367-373
depression and, 124-125, 137-138
electrodermal activity and, 169-171, 176-179, 313, 372
healer's experience of, 386-387
hypertension and, 38-40, 41, 51, 313
intermediary substances as vehicle for, 192, 352, 396
meta-analysis of, 315
in mice, 295
mu-metal shielding and, 298, 299
personal relationship between healer and healee, 133-134, 138
plant studies, 405
prayer. See Prayer
sensations of healees during, 130-133, 138, 147-148, 170-171, 180-181, 372, 388-389, 391
surgery and, 37-38, 69
Turner studies, 388-389, 391-394
visualizations during, 386-387

DNA
  coherent heart frequencies and, 406-410
  healing effects on, 303-308, 314, 350-356, 387, 406
  synthesis in tumor cells, 350-356

Doctor-Healer Network, 337-343, 501

Doctors. See Physicians

Dopamine (DA), healing effects on, 295, 300

Doppler effect, single-celled organism studies, 256-257, 259

Dying, grief experience, 126, 365-366

Dystonia, healing and, 337

E

Eastern Europe, healing in, 56, 335, 402

ECG (electrocardiogram), coherent heart frequencies, 406-410

Elderly patients
  Alzheimer's disease, 126-127, 138
  institutionalized, 115-117, 137
  Therapeutic Touch in, 115-117, 126-127

Electrocardiogram (ECG), coherent heart frequencies, 406-410

Electrodermal activity, 164-188, 313
    Braud studies, 164-173, 176-177
    conformance behavior, 164,
        165-167
    distant healing and, 169-171,
        176-177, 178-179, 372
    in healer, 386-387
    intuitive data sorting, 171-173
    psychokinetic influence on, 167-168
    qigong healing and, 186-187
    Radin study, 174-175, 177
    Reiki healing and, 169-171, 176
    remote mental influence and,
        174-175, 177
    transpersonal imagery and, 173
Electroencephalogram (EEG), 58
    emitted qi and, 57-59, 379,
        395-397
    epilepsy and, 56
    of healers during healing, 56-58,
        372
    qigong healing and, 57-58, 60,
        379-380
    SVR and SEP, 58
Electromagnetic field (EMF), healing
        and, 239-241, 294, 297, 299, 300
Electromagnetic hypothesis, laying-on of
        hands, 239-241
Electromyographic analysis (EMG)
    of non-contact Therapeutic Touch
        (NCTT), 179-181
    of non-traditional prayer, 181-182,
        187
    Therapeutic Touch and, 183, 187
Electrophotography, 56
EMF. See Electromagnetic field
EMG. See Electromyographic analysis
Emitted qi, 57-59, 61-65, 212-214
    auditory brainstem evoked responses
        (ABER), 378, 380-381
    bone fractures and, 213-214
    immune system and, 288-290
    mouse growth rate and, 212-213
    muscles and, 381-382
    nervous system and, 377-380
    paralysis and, 346-347
    plant studies, 251-253
Emotions, healing and, 245-247
Energetic therapy, basal cell cancer and,
        363-365

Energized water, 249-250
Energy associated with healing, 5. See
        also Qi; Waiqi
Energy field assessment (EFA) form,
        141-144
Energy fields
    around healers and healees, 60, 65
    assessment, 119-120, 121, 141-144
    aura, 144, 397, 399
    chakras, 119-120, 121, 399
    children's perception of, 433-435
    Kirlian photography, 56, 152, 374
    negative results in studies, 152
    perceiving presence of nearby hand,
        145-148, 161
    Rosa study, 148-153
Energy healing, Engel studies, 370-373
Energy state, of water, plant studies on,
        249-250
England
    healing in, 30, 316, 337-343,
        382-383, 388-395, 399,
        411-416, 441, 442, 444,
        445
    healing organizations in, 460-461
    historical examples of healings,
        323-326
Enzyme activity, healing and, 291-302,
        314, 387
Epilepsy, healing and, 56, 340, 349
Erythrocytes, healing and, 32-35,
        277-281, 286, 313, 314, 444
Erythropoiesis, Therapeutic Touch and,
        281
Escherichia coli, healing studies on,
        260-262, 264-266
ESP (extrasensory perception), diagnosis
        by, 159-160, 161
Europe, healing in
    Eastern Europe, 56, 335, 402
    England, 30, 316, 323-326,
        337-343, 399, 411-416,
        441, 442, 444, 445,
        460-461
    Finland, 87, 88
    healing organizations in, 462
    Netherlands, 192, 316, 462
    Poland, 335-337, 347, 348
    Russia, 251, 402
Experimenter bias, 15, 194-195, 202,
        237-238, 270

External qi, 58, 65
External qigong, 52, 65, 186-187
Extrasensory perception (ESP), diagnosis
    by, 159-160, 161

F
Faith, 403
Faith healing, 356-363, 403, 442
    healing at Lourdes, 330-331
Farsightedness, qigong healing of, 55, 65
Feedback devices, 164
Feedback studies. See Allobiofeedback
    studies
Fermentation, healing studies on,
    270-273
Fibromyalgia syndrome (FMS), healing
    and, 344
Finland, healing in, 87, 88
Flu, healing and, 384-385, 394
Food allergies, qigong healing of, 65
Fractures, healing of, 213-214, 373-374
Fungus cultures, healing studies on,
    267-269, 272

G
Gaia, 449
Gemstones, healing with, 122-124
Grass seed, healing influence on,
    229-230, 244, 249-250, 401-405
"Green thumb," 247
Grief experience, Therapeutic Touch and,
    126, 365-366
Group counseling, self-esteem and, 128
Group healing, 348-350, 394

H
Hamster studies, healing of amyloidosis,
    192-193, 210, 444
Hand sensing, perceiving presence of
    another, 145-148, 161
Hantavirus, Native American knowledge
    of, 449-450
Harmonization, of biological energy
    between healer and healee, 57-58,
    60
Headache
    bioenergy healing and, 75-78
    healing of, 30, 75-78, 136, 337,
        340, 436
    self-healing of, 371

    Therapeutic Touch and, 81-83, 136,
        344, 436
Healed water, 229-230, 304
Healees
    biological energy fields around, 60,
        65
    hand-energy registration, 145-148,
        161
    personal relationship between healer
        and healee, 133-134, 138
    physiology. See Physiology
    qigong healing, 53
    qualitative analysis of Therapeutic
        Touch, 419-421
    receptive state in, 394
    selection for studies, 15-16
    sensations during healing, 58, 82,
        130-133, 138, 147-148,
        170-171, 180-181, 372,
        388-389, 391, 419-421,
        423-428, 431
    surveys of, 438-443
    synchronization between healers and
        healees, 56-58, 60
    Therapeutic Touch, sensations
        during, 419-421, 423-428,
        431
Healers
    biological energy fields around, 54,
        60
    Christian healers, 374-375, 418-419
    description of in healing studies, 17
    distant healing, experience of,
        386-387
    energy field assessment, 141-144
    experiences of, 435-436
    hand-energy registration, 145-148,
        161
    infrasonic sounds from, 61-63, 378
    magnetic field of healer's hands,
        354, 397
    personality patterns of, 411-416
    personal relationship between healer
        and healee, 133-134, 138
    photon emission from, 301
    physicians as, 10
    physicians working with, 337-343
    psychotherapists as, 410-411
    qualitative studies of, 417-437
    screening of, 208-209, 301

selection of, 301
sensations during distant healing,
    386-387
sensations during laying-on of
    hands, 58, 147-148, 372
sensations during Therapeutic
    Touch, 419-421, 435
skin resistance of, 386-387
synchronization between healers and
    healees, 56-58, 60
Van Dragt study on healers'
    experiences, 417-418
Healing, See also Healees; Healers;
    Healing studies, Healing modality
    by name;
        Healing organizations;
acupuncture points and, 65, 398
backwards-in-time effect, 202-205
in Bible, 455-457
bioenergy healing, 75-78
blocking of, 169
in Brazil, 348-350, 441
Cassoli's book, 384-385
in children, 110-112, 137, 429-435
in China, 216, 251, 252, 387
Christian healing, 374-375, 418,
    455-456
chronic symptoms and, 30-31,
    75-92, 139
cost effectiveness of, 340, 364
with crystals and gemstones,
    122-124, 138, 284-285
description of in studies, 17
distant healing. See Distant healing
in Eastern Europe, 56, 335, 402
energy associated with. See Energy
    associated with healing
in England, 30, 316, 323-326,
    337-343, 382-383, 388-395,
    399, 411-416, 441, 442,
    444, 445, 460-461
faith healing, 356-363, 403, 442
in Finland, 87, 88
group healing, 348-350, 394
Healing Touch. See Healing Touch
historical examples of healings,
    323-326
holoenergetic healing, 354-356
in Iceland, 441
in India, 234

intermediary substances as vehicle,
    192, 352, 396
Krieger's book, 376-377
laying-on of hands. See Laying-on of
    hands
LeShan healing. See LeShan healing
long-term effects of, 310
"magnetic passes," 373
mechanisms for, 20, 264, 296, 397
negative effects of, 399, 444
in Netherlands, 192, 316, 462
organizations devoted to, 459-465
in Philippines, 358-359, 440
photography during, 389, 394
in Poland, 335-337, 347, 348
pranotherapy, 384-385
prayer. See Prayer
proxy healing, 435
psychokinesis. See Psychokinesis
publication bias against, 6-7,
    148-153
in religious settings. See Religious
    settings
risks vs. benefits of, 444-446
in Russia, 251, 402
scientists and, 11
self-healing, 216, 345, 371
sensations of healees and healers
    during, 82, 130-133, 138,
    147-148, 170-171, 180-181,
    372, 388-389, 391, 431
in South America, 348
subjective studies of, 417-437
synchronization between healers and
    healees, 56-58, 60
Therapeutic Touch. See Therapeutic
    Touch
time of day and, 252
transpersonal healing, 421-423
Healing organizations
in England, 460-461
in United States, 459-460
Healing studies, See also Research, topical
    listings in the index, and Chapters
    4, 5
clairsentient assessment, 141-161,
    397
clinical efficacy, 20
discussion of, 6-7, 10-13
earliest clinical studies, 332-335

historical notes on, 321-326
meta-analysis of, 311-315
methodology, 11, 15-20
power analysis, 17
rating system, 18, 19, 311
replication, 17
statistical analysis, 11, 17
summary of ratings, 311-315
Healing Touch (HT), 119. See also
    Therapeutic Touch
cancer and, 429-430
depression and, 120-121, 138, 148
pain and, 344
postoperative pain and, 73-74
Heartbeats, electrical coherence of, 303,
    406-410
Heart disease. See Cardiac patients;
    Coronary care patients
Heart surgery, Therapeutic Touch and,
    95-96
Hemiplegia, qigong healing and, 346-347
Hemoglobin levels, 313, 444
    Reiki healing and, 33-34, 35, 50
    Therapeutic Touch and, 32-33, 50,
        229
Hemolysis, healing studies on, 277-281,
    314
Hepatitis, healing and, 349, 374-375
Hernia, distant healing and, 37-38, 51
HIV illness. See AIDS
Holoenergetic healing, 354-356
Holy water, plant growth and, 241, 244
Hospital patients
    anxiety in, 92-98, 115-117,
        136-137, 343
    children, 110-112, 137
    coronary care patients, 21-24, 51,
        313
    elderly, 115-117
    surgery. See Surgery
    Therapeutic Touch and, 92-98
HT. See Healing Touch
Hypermetropia, qigong healing of, 55, 65
Hypertension
    distant healing and, 38-40, 41, 51,
        313
    laying-on of hands and, 41, 444
    qigong healing of, 65
    Therapeutic Touch and, 40-41
Hypnosis, Mesmer's studies, 321-322
Hysterectomy, relaxation touch and,
    36-37, 50

I
Iceland, healing in, 441
Idiopathic pain syndrome (IPS), healing
    and, 88-90
Iliac pulses, Reiki healing and, 40
Illness, 271. See also Infections
IMC (International Medical Commis-
    sion), healings at shrines, 327
Immune system
    qigong healing and, 288-290
    Therapeutic Touch and, 28-29, 31,
        50, 365-366
India, healing in, 234
Infants
    breast feeding of, 44-46, 51
    stress in premature infants, 109-110
    Therapeutic Touch and, 109-110
Infections
    bacteria, healing studies on,
        260-266
    healing and, 309
    qigong healing and, 188
Influenza, healing and, 384-385, 394
Infrasonic QGM, 64
Infrasonic sound
    acupuncture points, 58, 63
    EEG changes and, 58-59, 379
    emitted by healers, 61-63, 378
Inguinal hernia, distant healing, 37-38,
    51
Insect pests, protecting crops from,
    248-249
Institute of HeartMath, 303, 308,
    406-410
Institutionalized elderly, anxiety in,
    115-117, 137
Intentionality states, 303-304
Intercessory prayer (IP). See Prayer
Intermediary substances, as vehicles for
    distant healing, 192
Internal qigong, 216
International Medical Commission
    (IMC), healings at shrines, 327
Intrauterine fetal growth retardation
    (IUGR), healing and, 309-310
Intuitive diagnosis, 157-159, 161,
    399-400. See also Clairsentient
    assessment
In vitro cell studies, 277-287
    cancer cells, 216, 282-283, 287,
        290, 350, 445

nerve cells, 284-285, 286
psychokinesis, 282-286
qigong healing, 286-287
red blood cells, 32-35, 277-281,
    286, 313, 314, 444
Therapeutic Touch, 281, 286
IPS (idiopathic pain syndrome), healing
    and, 88-90
Irritable bowel syndrome, Therapeutic
    Touch and, 345
IUGR (intrauterine fetal growth retarda-
    tion), healing and, 309-310

J
Jesus, healing by, 455-456
Jewish ritual bath (mikve), 450-451
Journal of the American Medical Associa-
    tion (JAMA), Rosa study, 6-7,
    148-153

K
Kirlian photography, 56, 152, 374
Knees, osteoarthritis and Therapeutic
    Touch, 79-80, 135

L
Labor and delivery, healing and, 310
Larvae, healing studies on, 257-258, 259
Laying-on of hands. See also Healing
    Touch; Therapeutic Touch
    asthma and, 43
    barley seed study, 228-229, 244
    electromagnetic hypothesis,
        239-241
    enzyme activity and, 291-293
    goiters in mice, 191-192, 210, 227
    hypertension and, 41, 444
    mouse studies, 189-192
    plant studies, 228-229, 238-241
    sensations of healers and healees, 58
    wound healing in mice, 189-191,
        210, 227
    yeast cultures, 271-272
Lepidoptera larvae, psychokinesis and,
    258, 259
LeShan healing
    Christian healing, 374-375
    depression and, 124-125, 138, 375
    personal relationship between healer
        and healee, 133-134, 138

sensations of healees during,
    130-133, 138
Leukemia, healing of, 47-49, 51, 286
Light touch manipulative technique
    (LTMT), back pain and, 83-85
Limb pain, healing and chronic symp-
    toms, 30
Linger effects, psychokinesis (PK),
    222-225, 299
Long-sightedness, qigong healing of, 55
Lourdes, healings at, 327-331
Loving attention, plant growth and, 242
LTMT (light touch manipulative tech-
    nique), back pain and, 83-85
Lymphocytes, healing studies on,
    288-289

M
Magnet-energized water, 249-250
Magnetic field, healer's hands, 294, 354,
    397
"Magnetic passes," 373
Magnetropism, 239
Malaria, 314
    chick studies, 199-202, 211, 227
    mouse studies, 195-198, 210, 227,
        399, 404
    rat studies, 202-205
MAO (monoamine oxidase), healing
    effects on, 296
Medical practice, healing as adjunct to,
    337-343
Menstruation, Therapeutic Touch and,
    92, 136
Mental healing, medical aspects of,
    332-335
Mental influence, on electrodermal
    activity, 174-175, 177
Mesmerism, 321-322
Metal collars, as protection against avian
    malaria, 199-202
Mice, studies on. See Mouse studies
Middle latency evoked responses (MLR),
    emitted qi and, 380-381
Migraine, healing and chronic symptoms,
    30
Mikve, 450-451
Milk let down, Mersman study, 44-46, 51
Miracles. See Faith healing; Lourdes
MLCK (myosin light chain kinase),
    healing study on, 297-299, 300

MLR (middle latency evoked responses),
emitted qi and, 380-381
Monoamine oxidase (MAO), healing
effects on, 296, 300
Morphogenetic fields, theory of, 198
Moth larvae, healing studies on, 257-258,
259
Mouse studies, 189
anesthesia, arousal from, 217-222,
224-226, 227, 309, 314,
394
appetite and growth, 213
cancer, 208-210, 215, 314, 394
with Estebany, 189-192, 210
goiter healing, 191-192, 210, 227
Grad studies, 189-192, 210
growth, 212-214
laying-on of hands, 189-192
malaria, 195-198, 210, 227, 399,
404
neurotransmitter metabolism in,
295-296
psi expectancy effects, 195-198
psychokinesis (PK), 215-216,
218-219, 222-225
Solfvin studies, 195-198
tumors, 211
wound healing, 189-191, 210, 227,
314
Multiple sclerosis, faith healing and, 360
Mu-metal shielding, distant healing and,
298, 299
Mung beans, healing studies on, 242-243,
245
Muscle activity. See also Electromyographic analysis
during healings, 372
healing studies, 179-188, 313
qigong healing and, 186-187,
297-299, 381-382, 394
Muscles
Bidigital O-Ring Test (BDORT),
395
enzyme activity of, 297-299
healing of, 337
qigong healing and, 186-187,
297-299, 381-382, 394
strength of, 185, 187
tone of, Therapeutic Touch and,
183

Music, healing depression with, 122-124
Myopia, qigong healing of, 55
Myosin light chain kinase (MLCK),
healing study on, 297-299, 300
Myosin phosphorylation, qigong healing
and, 297-299, 300

N
Native Americans, knowledge of
hantavirus, 449-450
Natural killer (NK) cells, healing studies
on, 288-290
Naturopathic medicine, healing organiza-
tions, 463
Nausea
with chemotherapy, 46-47, 138,
429
Therapeutic Touch and, 162
Navajos, knowledge of hantavirus,
449-450
Nearsightedness, qigong healing of, 55
Neck pain, healing and, 30, 83-85, 136,
344
Negative effects, of healing, 399, 444
Negative prayer, 401
Negative qi energy, 286-287, 396
Neonates. See Infants
Nerve cells, healing studies on, 284-285,
286
Nervous system, 285
effect of qigong on EEG, 56-60,
379
emitted qi and, 377-381
qigong state and, 377-380
as site of spiritual healing, 60
Netherlands, healing in, 192, 316, 462
Neuroblastoma, healing at Lourdes,
330-331
Neurotransmitters, healing effects on,
295-296
New-age healing, organizations, 463
Nicotinamide adenine dinucleotide,
healing effect on, 300
Nicotine withdrawal, healing and, 367
NK cells, healing studies on, 288-290
Non-contact Therapeutic Touch (NCTT)
electromyographic analysis of,
179-181
in infants, 109-110, 112-113,
117-119

sensations of healees during,
180-181
skin temperature and, 184
Non-directed prayer, 106-109
Non-traditional prayer, 181-182, 187
Noradrenaline (NA), healing effects on,
295, 300
Nurses
experience of Therapeutic Touch,
419-421, 435-436
healing of IV chemotherapy bottles,
47
healing organizations for, 463-464
uses of healing techniques, 162

O
Observational studies, 12
Old Testament, healings by, 457
Oncology. See Cancer; Chemotherapy
Organ transplants, healing and, 309
Orgone therapy, 464
Osteoarthritis. See also Arthritis
clairsentient assessment, 141-144,
161
distant healing and, 369
Therapeutic Touch and, 79-80, 135
Osteoporosis, faith healing and, 360
Outcome studies, 12

P
Pain, 140. See also Postoperative pain
bioenergy healing and, 75-78
clairsentient assessment, 141-144,
161
healing and chronic symptoms, 30,
135, 136, 314, 367-373,
372, 419-421
Healing Touch and, 344
idiopathic pain syndrome (IPS),
88-90
measurement of, 66
negative effects of healing, 445
prayer and, 67-69, 135
qigong healing of, 65
Reiki healing and, 80-81, 91, 135,
136
Therapeutic Touch and, 78-79, 135,
162, 344
Palliative care, cancer, 101, 117-119, 138
Paralysis, healing and, 346-347, 373-374,
419-421

Paramecia, psychokinesis and, 254-255,
259
Paraplegia, qigong healing and, 346-347
Parapsychology. See Psi phenomena
Pelvic surgery, therapeutic surgery and
postoperative pain, 69-73
Peripheral blood lymphocytes, healing
studies on, 288-289
Personality patterns, of healers, 411-416
Philippines, healing in, 358-359, 440
Photography
electrophotography, 56
exposure of plates during healing,
389, 394
Kirlian photography, 56, 152, 374
Photon emission, selecting effective
healers, 301
Photostimulation, depression and,
122-124
Physicians
as healers, 10
healers working with, 337-343
Physiology
allobiofeedback studies, 164-175
electrocardiogram, 406-410
electroencephalogram, 56-60, 372,
379-381
ritual healing and, 178-179
skin temperature, 53-54, 183-185,
187
Pituitary tumor surgery, anxiety and postoperative pain, 67-69
PK. See Psychokinesis
Placebo effect, 11, 16, 90, 317
Plant studies, 228-253, 398
chromosomes, 252-253
depression and plant growth,
245-247
distant healing, 405
electromagnetic hypothesis,
239-241
germination, 230-234, 238-241,
250-251, 389-391, 402-405
Grad studies, 32, 228-229, 245-247
holy water and plant growth, 241,
244
laying-on of hands, 228-229,
238-241
plant growth, 236-237, 241-247,
314, 401-402, 405

plant movement during healing, 394
prayer and, 400-406
psychokinesis (PK), 241-242, 405
qigong healing, 250-253
radionics, 247-250
Saklani studies, 234-236
Scofield study, 230-234
seedling growth, 236-237
shamanic healing, 234-236, 244
Solfvin study, 236-237
Therapeutic Touch, 239-241
Turner studies, 389-390
water treated by healer, 229-230,
    390-391
PMR. See Progressive muscle relaxation
PNI (psychoneuroimmunology), 216
Poland, healing in, 335-337, 347, 348
Polycythemia, 35
Positive qi, 396
Postoperative pain, 69
    LeShan healing, 375
    pituitary tumor surgery, 67-69
    prayer and, 67-69, 135
    Therapeutic Touch and, 69-73, 135,
        425-428
Postpartum women, Therapeutic Touch
    and, 437
Post stroke symptoms, healing and
    chronic symptoms, 30
Post-traumatic stress disorder (PTSD),
    Therapeutic Touch and, 101-104
Potatoes, healing studies on, 247-248
Power analysis, healing studies, 17
Pranotherapy, 384-385
Prayer. See also Religious settings
    alcoholism and, 128-130, 138
    anxiety and, 67-69, 106-109
    Byrd studies, 21-24
    coronary care patients, 21-24, 51
    depression and, 106-109
    deteriorating disease and, 139
    efficacy of, 322-323
    electromyographic analysis (EMG)
        of, 181-182, 187
    Galton's study, 322-323
    leukemia and, 47-49, 51
    negative prayer, 401
    non-directed, 106-109
    plant studies, 400-406
    postoperative pain and, 67-69, 135

rheumatoid arthritis and, 139
    self-esteem and, 106-109, 128, 138
Premature infants, stress in, 109-110
Progressive muscle relaxation (PMR),
    46-47, 78-79, 91
Proteins, healing effects on, 387
Protein synthesis, healing and, 286-287,
    350
Protozoa, healing studies on, 255-256,
    259
Proxy healing, 435
Psi expectancy effect, malaria healing in
    mice, 195-198, 227
Psi phenomena, 227, 270, 317
    algae studies, 256-257, 259
    backwards-in-time effect, 202-205
    clairsentient assessment. See
        Clairsentient assessment
    conformance theory, 164
    extrasensory perception (ESP),
        159-160, 161
    protozoa studies, 255-256, 259
    psychokinesis. See Psychokinesis
Psoriasis, healing and chronic symptoms,
    30, 337
Psychiatric patients, Therapeutic Touch
    and, 104-105, 137, 163, 430-432
Psychic healers, 363. See also Healers
Psychoimmunologic effects, of Therapeu-
    tic Touch, 365-366
Psychokinesis (PK)
    amyloidosis in hamsters, 192-193,
        210, 444
    anesthesia, arousal from, 218-219,
        309, 314, 394
    backwards-in-time effect, 202-205,
        211
    bacterial growth and, 260-262,
        264-266, 399
    bacterial mutation and, 264-265,
        266
    cancer cells and, 282-283
    DNA, effect on, 303-304
    electrodermal activity and, 167-168,
        171-173
    enzymes affected by, 296, 302
    erythrocytes and, 277-281
    fungal cultures and, 267-269, 272
    hemolysis and, 277-281, 314
    linger effects, 222-225, 299

malaria, healing of, 202-205, 211
moth larvae and, 258, 259
mouse studies, 215-216, 218-219,
    222-225
nerve cells and, 284-285, 286
paramecium studies, 254-255, 259
plant growth and, 241-242,
    401-402
rat studies, 202-205, 211
red blood cells and, 277-281, 286
single-celled organisms and,
    254-255, 258, 259
tumorogenesis and, 215
yeast cultures and, 269-276
Psychological factors, healing and,
    411-416
Psychoneuroimmunology (PNI), 216
Psychotherapists, healing by, 410-411
Psychotherapy
    back pain and, 85-87
    healing combined with, 127
    muscle strength and emotional pain,
        185
    self-esteem and, 128
PTSD (post-traumatic stress disorder),
    Therapeutic Touch and, 101-104
Publication bias, against spiritual healing,
    6-7, 148-153

Q
Qi, 52-54
    acupuncture points and, 53,
        395-397
    EEG and, 57-58, 379
    emitted qi, 57-59, 61-63, 212-214,
        251-253, 288-290, 346-347,
        379-380
    external qi, 58, 65, 186-187
    negative qi energy, 286-287, 396
    positive qi, 396
    simulated qi, 64-65
    waiqi, 251, 290
Qigong healing, 52
    bacterial studies, 266
    cancer and, 345-346
    cancer cells and, 216, 290
    cat studies, 380-381
    cultured cells and, 286-287
    on DNA, 307
    effects on healers and healees, 57-60
    electrodermal activity and, 186-187

electroencephalogram and, 57-58,
    60, 379-381
emitted qi, 57-59, 61-65, 212-214,
    251-253, 288-290, 346-347,
    379-381
external qi, 52, 58, 65, 186-187
human physiology and, 52-54
of hypermetropia, 55
immune system and, 288-290
infections and, 188
infrasonic sound and, 58-59
internal qigong, 216
muscles and, 186-187, 297-299,
    381-382, 394
of myopia, 55
myosin phosphorylation and,
    297-299, 300
negative qi energy, 286-287, 396
nervous system and, 377-380
paralysis and, 346-347
plant studies, 250-253
positive qi, 396
in rabbits, 381-382, 394
self-healing, 216, 345
simulated qi, 64-65
skin temperature and, 53-54
studies of, 18, 29
of vision, 55, 65
Qigong masters, 54, 57-65, 186, 250,
    288-289, 298, 395
Qigong state, 377-380, 395-397
Quadriplegia, qigong healing and,
    346-347
Qualitative research, 12
Quantum biology, Rein experiments,
    350-356

R
Rabbits studies, healing and, 381-382,
    394
Radiation, lethal effects of, 217
Radiation therapy, healing and, 217, 287
Radioactive thymidine, cancer cell studies,
    350
Radionics, 247-250
Radishes, healing studies on, 241, 242,
    244, 245
Randomization, in healing studies, 11,
    16, 237
Randomized controlled trials (RCT), 12
Rat studies

backwards-in-time effect, healing of
malaria, 202-205, 211
tumor growth, 206-208, 211
RCT. See Randomized controlled trials
Red blood cells
erythropoiesis, 281
healing and, 32-35, 277-281, 286,
313, 314, 444
Reflexology, 464
Reiki healing
allobiofeedback studies, 169-171,
176
anxiety and, 91, 106, 136
chronic symptoms and, 91
depression and, 91
electrodermal activity and, 169-171,
176
hemoglobin levels and, 33-34, 35,
50
nurses' use of, 162
pain and, 80-81, 91, 135
rheumatoid arthritis and, 80-81,
135
sensations of healees during,
170-171
Relaxation response, Therapeutic Touch
and, 112-113, 183-184
Relaxation therapy
anxiety and, 104-105
chemotherapy anticipatory side
effects and, 46-47
Therapeutic Touch and, 162
Relaxation touch, abdominal hysterectomy and, 36-37, 50
Religious settings, healings in, 439. See
also Prayer
faith healing, 358-363, 403, 442
LeShan healing, 374-375
Lourdes, 327
organizations devoted to, 462-463
Remote healing. See Distant healing
Repetitive stress injury, healing and, 337
Replication, of healing studies, 17
Research. See also Healing studies
anecdotal reports, 12
blinds, 15
controlled studies, 10-11, 15-20
controls in, 11, 15
cost effectiveness of healing studies,
12
cross-over design, 11

experimenter bias, 15, 194-195,
202, 237-238, 270
observational studies, 12
organizations devoted to, 465
outcome studies, 12
personal experience, 12
placebo effect, 11, 16, 317
qualitative research, 12, 417
randomization in, 11, 16, 237
randomized controlled trials (RCT),
12
Type I/Type II errors, 11, 13, 18
Resonation, of biological energy between
healer and healee, 57-58, 60
Retroactive healing effects, 202-205, 211
Rheumatism, distant healing and, 369
Rheumatoid arthritis. See also Arthritis
prayer and, 139
Reiki healing and, 80-81, 135
Rice seeds, healing studies on, 250-251
Ritual bath (mikve), 450-451
Ritual healing, human physiology and,
178-179
RNA, healing effects on, 387
Rodent studies. See Hamster studies;
Mouse studies; Rat studies
Russia, healing in, 251, 402
Rye grass, healing studies on, 229-230,
244, 249-250

S
Saccharomyces cerevisiae, healing studies
on, 271-273
Salmonella typhimurium, healing studies
on, 262-264, 266
Sciatica, distant healing and, 369
Science of Mind, 39
Scientists, healing and, 11
Scleroderma, healing of, 374
Seeds. See Plant studies
SEI (subtle energy/information),
305-308
Self-esteem, prayer and, 106-109, 128,
138
Self-healing, 216, 345, 371
SETTS (Subjective Experience of Thera-
peutic Touch Survey), 99-100
Shamanism, 234-236, 244, 447-452, 465
Shrines, healing at, 327
Silva Mind Control, 155-157, 161
Simulated qi, 64-65

Single-celled organisms, healing studies on, 254-259, 314

Skin
electrodermal activity of, 164-188, 313, 372
qigong and, 53
skin resistance, 66, 386-387
skin temperature, 53-54, 183-185, 187, 239-241
wound healing in mice, 189-191, 210, 227, 314

Skin cancer, healing of, 363-365, 419-421

Skin temperature, 53-54
non-contact Therapeutic Touch (NCTT) and, 184
plant germination and, 239-241
Therapeutic Touch and, 183-184, 187

SLE (systemic lupus erythematosus), healing of, 358-359

Slow vertex response (SVR), emitted qi and infrasonic sound and, 58-59

Smoking, healing of, 367

Somatosensory evoked potential (SEP), emitted qi and infrasonic sound and, 58-59

South America, healing in, 348

Soviet Union. See Russia

Spectrophotometry, treated water, 304

Spinal pain, healing and, 344

Spindrift, Inc., 402-404, 407, 502

Spiritual healing, 4. See also Healing

Sports medicine, emitted qi and, 381-382

Statistical analysis, for healing studies, 11, 17

Stomach carcinoma cells, healing study on, 290

Stress. See also Anxiety
casual touch and, 114
healing and chronic symptoms, 30, 337
in hospitalized children, 110-112, 137
in premature neonates, 109-110
Therapeutic Touch and, 28, 101-104, 109-112, 113-117

Studies. See Healing studies

Subjective Experience of Therapeutic Touch Survey (SETTS), 99-100

Subtle energy/information (SEI), DNA studies, 305-308

Suggestion. See Experimenter bias; Placebo effect

Sunspots, effects of, 282

Super-psi, 227, 317

Surgery
abdominal, 36-37, 50, 69-74
anesthesia, arousal from, 217-222, 224-226, 227, 309, 314, 394
brain surgery, 67-69
distant healing and, 69
healing during, 35-37, 50
Healing Touch and, 73-74
heart surgery, 95-96
hysterectomy, 36-37, 50
pituitary tumor surgery, 67-69
postoperative pain. See Postoperative pain
preoperative anxiety and, 67-69, 343
Therapeutic Touch and, 69-73, 343

Swedish Mind Dynamic method, 159-160, 161

Synchronization, of energy between healer and healee, 57-58, 60

Systemic lupus erythematosus (SLE), healing of, 358-359

Systolic blood pressure, healing and, 39-40, 41, 42, 51

T

Telekinesis. See Psychokinesis

Temperature, changes with healing, 387

Tension headache, Therapeutic Touch and, 81-83, 136, 344, 436

Terminal illness, palliative care for cancer patients, 101, 117-119, 138

Therapeutic Touch (TT). See also Healing Touch
AIDS and, 26-28, 50
Alzheimer's disease and, 127, 138
anxiety and, 40, 92-98, 99-101, 104-105, 113-117, 136-137, 162, 163, 343
arthritis and, 78-80, 135, 419-421
breast cancer and, 163
breast feeding and, 45-46, 51
cancer patients, 101, 117-119, 138, 163, 419-421

cardiac patients, 93-96
chemotherapy anticipatory side
	effects and, 46-47, 138
dementia and, 127, 138
in elderly, 115-117
electromyographic analysis (EMG)
	of, 183, 187
as energy exchange, 95-96
erythropoiesis and, 281
experiences of, 435-436
grief experience and, 126, 365-366
headache and, 81-83, 136, 436
healees responses to, 423-428, 437
healers, experiences of on, 435-436
hemoglobin levels and, 32-33, 50,
	229
in hospitalized children, 110-112,
	137
hypertension and, 40-41, 51
immune system and, 28-29, 50,
	365-366
in infants, 109-110
irritable bowel syndrome and, 345
Kieger's book, 376-377
menstruation and, 92, 136
muscle tone and, 183
non-contact Therapeutic Touch. See
	Non-contact Therapeutic
	Touch (NCTT)
nurses' experience of, 419-421,
	435-436
nurses' use of, 162
osteoarthritis and, 79-80, 135
pain and, 69-73, 78-79, 135, 162,
	344
plant studies, 239-241
postoperative pain and, 69-73, 135,
	425-428
postpartum women, 437
post-traumatic stress disorder and,
	101-104
psychiatric patients and, 104-105,
	137, 163, 430-432
psychoimmunologic effects of,
	365-366
public policy paper, 163
qualitative analysis of healer and
	healee experiences, 419-421,
	437
red blood cells and, 281, 286

Redner on, 75, 78
relaxation and, 162
relaxation response and, 112-113,
	183-184
Rosa study, 6-7, 148-153
skin temperature and, 183-185, 187
stress and, 28, 101-104, 109-112,
	113-117
Subjective Experience of Therapeu-
	tic Touch Survey (SETTS),
	99-100
Thymidine, cancer cell studies, 350
Thyroid, goiter healing in mice, 191-192,
	210, 227
Tic doloreux, 372
Time, backwards-in-time effect, 202-205
Time of day, healing and, 252
Tradiscentia flaminensis, healing studies
	on, 274-276
Traditional medicine, 234
	Native Americans, 449-450
	shamanism, 234-236, 244,
		447-452, 465
Transpersonal healing, descriptive analysis
	of, 421-423
Transplants, healing and, 309
Trypsin, healing studies on, 291-293, 300
TT. See Therapeutic Touch
Tumor cells. See Cancer cells
Tumors. See also Cancer
	mouse studies, 211
	pituitary tumor surgery, 67-69
	psychokinesis and tumorogenesis,
		215
	rat studies, 206-208, 211
Type I/Type II errors, 11, 13, 18

U
Ulcerative colitis, healing and chronic
	symptoms, 30
Urinary tract infection, healing and, 337
USSR. See Russia

V
Valsalva state, 62
Vehicle, for healing, 192, 352, 396
Vision, healing of, 55-56, 375
Visualizations, during distant healing,
	386-387
Vomiting, with chemotherapy, 46-47

W
Waiqi, 251, 290
Water
depression, effect on, 245-247
energized water, 249-250
holy water, 241, 244
Jewish ritual bath (mikve), 450-451
treated by healer, 229-230, 304,
390-391
as vehicle of healing, 352, 355
Weight gain, mouse studies, 213

Wheat seeds, healing studies on, 234-236,
244
White blood cells, healing studies on,
288-289
Witchcraft, systemic lupus erythematosus
and, 358-359
Wound healing, mouse studies, 189-191,
210, 227, 314

Y
Yeast, healing studies on, 269-276, 314

Healing Research

These additional volumes by Dr. Benor will be released at a future date.

Vol. II: *Consciousness, Bioenergy and Healing* presents complementary therapies as energy medicine - placing mind/body medicine and spiritual healing as common denominators among all therapies. It also explores psychological self-healing, demonstrating how the mind and the emotions can have profound effects on the body.

Vol. III: *Science, Spirit and the Eternal Soul* reviews fascinating scientific research which supports many of the reports of healers and mystics, including: out-of-body experiences, near-death and pre-death experiences, apparitions, channeling, reincarnation, spiritual aspects of health, and survival of the spirit and soul after death. Studies confirm many of these experiences. This research, along with mystical experiences and anecdotal reports of ghost, spirits, nature spirits and angels, form a coherent pattern of worlds beyond our own.

Vol. IV: *Theory and Practice of Spiritual Healing* is a definitive discussion of healing research and practice. A spectrum of theories explain spiritual healing, supporting biological energy medicine and non-local consciousness as new paradigms. This volume includes a comprehensive, topical summary of the previous volumes. Dr. Benorís personal experiences as a practicing psychiatric psychotherapist and healer are also shared.

Daniel J. Benor, M.D. is a practicing wholistic psychiatrist. As author of the *Healing Research* series, he is an internationally recognized authority on the scientific study of spiritual healing. He is a Founding Diplomat of the American Board of Holistic Medicine and on the advisory board of the journals, *Alternative Therapies in Health and Medicine, Subtle Energies* (ISSSEEM), and *Frontier Sciences*. He is on the Board of Directors of ISSSEEM, a member of the Advisory Council of the Association for Comprehensive Energy Psychotherapy (ACEP), and on the Advisory Board of the Research Council for Complementary Medicine (UK). He is the editor and publisher of the newly launched *International Journal of Healing and Caring - On Line*. He can be contacted through his web site at www.WholisticHealingResearch.com.